本书得到中国社会科学院出版基金
的资助,特此志谢

目　录

前　言

今年 10 月 1 日,是我们伟大祖国——中华人民共和国成立50 周年大庆的日子。在过去的 50 年里,中国近代史的研究,无论是质与量,还是方法与史料,都大大超越了前人,为中国史学史写下了光辉的一页。为此,我们编辑出版了这本《五十年来的中国近代史研究》专书,一方面作为我们对这一光辉节日的特别献礼,另一方面也藉此对新中国 50 年来中国近代史研究的成就和经验,从学术史的角度作一回顾和展望,以使即将到来的新世纪的中国近代史研究有所借鉴和参照。

我国是个学术昌明的文明古国,我们的学术前辈向来很重视学术史研究。自明末清初的黄宗羲撰成首部学术史专著《明儒学案》以来,又有黄宗羲、全祖望等人所撰《宋元学案》,江藩所撰《国朝汉学师承记》、《国朝宋学渊源记》,梁启超所撰《前清一代中国思想界之蜕变》(即《清代学术概论》)、《中国近三百年学术史》及钱穆所撰同名专著《中国近三百年学术史》等众多学术史著作问世。但因种种不言而喻的原因,尽管时下也不乏有识之士大声疾呼要重视学术史研究,却总有那么一些研究者自觉不自觉地忽视前辈学者这一宝贵学术传统。他们研究问题,发表论文,出版专著,从不考察前辈学者对其研究对象有无研究,或研究到什么程度,只是一味"跟着感觉走",自我陶醉在众所周知的陈词滥调和"老子天下第一"的狂妄无知之中,从而大大影响了他们的研究成果的学术水平。这正是我们编辑出版《五十年来的中国近代史研究》一书的重要原因。我们希望通过此举,能在避免或减少中国近代史研究者的暗中摸索工夫方面略尽绵薄之力,让研究后学尽快了解和掌握前辈学者的理路和方法,稳步而坚定地走上学术研究的正路,守其所当守,弃其所当弃,补偏救弊,推陈出新,在未来的中国近代史研究中取得更加辉煌的成就。

50年来的中国近代史研究成果,题材广泛,内容丰富,难以一一总结和介绍。我们仅依据多数学者专家的意见,选择理论和方法、晚清政治史、民国政治史、经济史、军事史、思想史、文化史、中外关系史、社会史、城市史、太平天国运动史、孙中山研究、中共党史、近代历史人物研究等24个有代表性的专题,作为本书总结和介绍的对象,其他不少 取得骄人研究成就的专题,因篇幅关系只好忍痛割爱了。所组各稿大多依时间顺序,分阶段概述了50年来该专题研究的主要进展、有代表性的学术观点、发展过程中的经验教训和未来的发展趋势,回顾全面,评论独到,充满智慧,富有启迪,为新世纪的中国近代史研究的创新工程奠定了扎实的根基。

本书得以顺利出版,首先要感谢的是各位百忙中分身撰稿的学者专家,其次是默默无闻地承担起了繁琐的全部编校任务的曾学白、谢维、杜继东、王立新等女士和先生,再次就是对学术事业富有远见的上海书店及其总编辑金良年先生,没有他们的全力支持,我们的愿望是难以如期实现的。遗憾的是由于我们学识有限,加上时间匆促,不尽如人意或错误之处,在所难免,尚祈海内外学者专家不吝批评指正。

曾业英,于1999年国庆节前夕

中国近代史研究的理论和方法

对于具有悠久历史和传统的中国历史学来说，中国近代史研究是一门新兴的学科。从严格意义来说，它从形成迄今大约不到一个世纪。1949 年以前，为国民党专制统治服务是中国近代史研究的主流意识形态，蒋廷黻的《中国近代史》可视为这方面的代表作。少数共产党员和非党的马克思主义者从服务、推进中国人民革命事业的需要出发，以马克思主义作指导观察、研究中国近代史，在那时的时代条件下，这样的观察和研究对于挑战那时的主流意识形态，起了很重要的作用。范文澜在延安写作的《中国近代史》(上册)、胡绳在香港出版的《帝国主义与中国政治》，就属于这方面的代表作。

1949 年中华人民共和国的成立，是中国近代史上最重要的政治事件，也是中国历史上最重要的事件之一。中国共产党成了执政党，人民民主专政的国家政权创造了中国历史上新的国家形式。对于中国历史的这一巨大变化，占人口大多数的工人阶级、农民阶级、小资产阶级、民族资产阶级，欢欣鼓舞，他们以空前的热情，投入到建设新中国的历史潮流中去。中国学术界要讴歌这一巨大历史进步，要探索这一历史进步之所由来，在新中国的学术园地里，中国近代史学科空前地发展、成长起来。较之 1949 年以前，中国近代史研究有了很大前进，无论是研究机构、研究队伍、研究成果，以及研究的深度和广度，都有了与往昔不能相比的发展。但是，我认为,最重要的进步是在历史观方面,是在中国近代史研究的理论与方法方面。

中华人民共和国成立以来中国近代史研究的理论与方法,概括起来说是:学习马克思主义唯物史观,建立马克思主义史学体系,积极开展百家争鸣,推动中国近代史研究向纵深发展。

1954年,在《历史研究》创刊号上,胡绳发表了《中国近代历史的分期问题》一文,引起了近代史学者的强烈关注和热烈讨论。1957年,《历史研究》编辑部汇集了三年来学者的讨论文章予以出版。这是中国近代史学界学习唯物史观、寻求在中国近代史研究领域建立马克思主义史学体系的宝贵纪录。中国近代史如何分期,看起来是编写近代史教科书的一个具体问题,但是依据什么标准分期,却涉及历史观问题,涉及研究中国近代史的理论与方法问题,涉及叙述和研究中国近代史的主要任务是什么、以什么来研究中国近代史的基本线索问题。胡绳有感于1949年以前的有些中国近代史教科书按照"道光时代"、"咸丰时代"、"同治时代",或者按照"积弱时期"、"变政时期"、"共和时期"来叙述历史,认为这是不足道的、不足取的,因为它"没有反映出社会历史发展中的本质的东西";① 另一些教科书,甚至包括"一些企图用马克思主义的阶级分析方法来说明历史的书"在内,则放弃了历史分期的办法,按重大事件来叙述历史,叙事时大致上采用了纪事本末体的方法,这种方法,往往"拆散了许多本来是互相关联的历史现象,并使历史发展中的基本线索模糊不清"。② 在讨论分期标准的时候,胡绳批评了

---

① 胡绳:《中国近代历史的分期问题》,《中国近代史分期问题讨论集》,生活·读书·新知三联书店1957年版,第2页。这里胡绳指的是李泰棻《新著中国近百年史》(1924年版)、孟世杰《中国最近世史》(1926年版)。

② 《中国近代历史分期问题讨论集》,第2页。胡绳所指一些企图用马克思主义的阶级分析方法来说明历史的书,是华岗著《中国民族解放运动史》(1951年增订版)、范文澜著《中国近代史》上编第1分册(1947年版)。

那种拿帝国主义侵略形态作划分时期标准的看法,认为"只看到侵略的那一面,而看不到或不重视对侵略的反应这一面,正是历来资产阶级观点的近代史著作中的主要缺点之一";① 同时也批评了单纯用社会经济生活的变化来作划分时期标准的做法,认为那样会走到经济唯物论的立场上去,对中国近代史分期,必须全面考察当时社会的经济基础和上层建筑,而上层建筑的变化并不是亦步亦趋地随着基础的变化而变化。胡绳依据马克思主义唯物史观,依据毛泽东有关中国近代史的论断,提出了"基本上用阶级斗争的表现来做划分时期的标准"的重要意见。他还特别指出,马克思主义对中国近代史研究的要求不是在于给各个事变、各个人物一一简单地标上这个阶级或那个阶级、进步或革命的符号。如果在一本近代史著作中不过是复述资产阶级观点的材料,此外只是多了这一些符号,那并非是完成了马克思主义研究的任务。"要使历史研究真正渗透着马克思主义的思想力量,就要善于通过经济、政治和文化现象而表明在中国近代历史舞台上的各种社会力量的面貌和实质,它们的来历,它们的相互关系和相互斗争,它们的发展趋势"。② 应该说,这是第一次向学术界提出了用马克思主义研究中国近代史的任务,从学术上提出了要使历史研究真正渗透马克思主义的思想力量的重要观点。依据这种观点,胡绳还提出了"中国近代史中的三次革命运动的高涨"(此后史学界一般称"三次革命高潮")的概念,并对 1840 年至 1919 年的中国近代史分期提出了自己的见解。

胡文发表后,引起学术界热烈反应。1957 年新华社发布《中国近代史分期讨论告一段落》的消息,披露截止当时共有 24 篇相关论文发表。三年间,先后有孙守任、黄一良、金冲及、范文澜、戴逸、

---

① 《中国近代历史分期问题讨论集》,第 4 页。
② 《中国近代历史分期问题讨论集》,第 7 页。

荣孟源、李新、来新夏、王仁忱、章开沅等发表讨论文章,阐明自己
的观点。报纸还报道了天津师范学院历史系中国近现代史教研室、
中国人民大学第六次科学讨论会以及综合大学文史教学大纲讨论
会上有关中国近代史分期问题讨论的意见。许多人同意或基本同
意胡绳有关分期标准的见解,同时也提出了若干不同的看法:有人
认为,应以中国近代社会的主要矛盾的发展及其质的某些变化为
标准;① 有人主张,“必须严格地遵循历史唯物主义的原理,树立以
中国人民为中国历史主角的思想”;② 有人认为,“分期标准应该是
将社会经济(生产方式)的表征和阶级斗争的表征结合起来”;③ 有
人认为,“帝国主义及其走狗的经济政治压迫和中国人民的民族民
主革命成为贯穿这一历史时期的根本矛盾,也就成为贯穿各个事
件的一条线索”④ 等等。因为对分期标准的认识不同,或者虽然相
同但理解不一定相同,因而形成了对中国近代史分期的种种不同
主张。

　　评价这一次讨论,我认为,不在于对分期标准的认识是否统
一,不在于对具体的历史分期研究取得了多少进展,而在于这是新
中国建立以后中国近代史学界(不仅限于中国近代史学界)结合研
究中国近代史分期问题,认真学习马克思主义、学习历史唯物主
义,消除旧中国封建主义的、资产阶级的史学观的一次重要机会。
通过这次讨论,明确了研究中国近代史,必须采用马克思主义的、
历史唯物主义的理论和方法。许多讨论者几乎一致认为,毛泽东所

---

① 孙守任:《中国近代历史的分期问题的商榷》,《中国近代历史分期问题讨论集》,第
　　15 页。
② 黄一良:《评孙守任〈中国近代历史的分期问题的商榷〉一文》,《中国近代历史分期
　　问题讨论集》,第 43 页。
③ 金冲及:《对于中国近代历史分期问题的意见》,《中国近代历史分期问题讨论集》,
　　第 45 页。
④ 范文澜:《中国近代史的分期问题》,《中国近代历史分期问题讨论集》,第 98 页。

说的"帝国主义和中国封建主义相结合,把中国变为半殖民地和殖民地的过程,也就是中国人民反抗帝国主义及其走狗的过程",原则上表述了中国近代史的基本内容,因此,应当考虑以中国人民的反帝反封建的斗争运动及其发展作为中国近代史的基本线索。

与此同时,史学界还开展了中国古代史分期问题讨论、中国奴隶制与封建制分期问题讨论、中国土地制度问题讨论、汉民族形成问题讨论、中国资本主义萌芽问题讨论等等,所有这些讨论,是发生在50年代的一次马克思主义大学习,是一次不可多得的百家争鸣,它推动了史学界形成学习理论特别是学习唯物史观的浓厚风气,使一大批来自旧中国的学者以及刚刚成长起来进入史学战线的青年受到了马克思主义的教育,学习运用马克思主义的基本观点、运用唯物史观观察和研究中国历史,特别是对中国近代史的观察和研究,推动了中国近代史学科的建设,推进了中国近代史领域若干重大理论问题和历史实际问题的研究。过了40多年,今天来回顾这次讨论,我们仍然感到,中国近代史学科所以有今天这样的局面,我国近代史研究学者所以有今天这样的思想水平,是如何受惠于50年代的那次讨论的。

经过50年代的讨论以后,近代史学界关于中国近代史研究的科学性和革命性问题、关于中国近代史研究的指导思想问题、关于中国近代史的基本线索问题,大体取得了共识。此后出版的三本中国近代史课本,体现了这次讨论的结果。其中两本是1962年出版的:一本是郭沫若主编、刘大年组织中国科学院近代史研究所的研究人员编写的《中国史稿》第4册,一本是翦伯赞主编、邵循正和陈庆华编写的《中国史纲要》第4册。第三本是胡绳编著的《从鸦片战争到五四运动》,此书虽然出版于1981年,反映的仍是那次讨论的结果。前两本书是为大学历史系编写的教材,后一本是为广大干部编写的近代史读本。

以前讲中国近代史的书,包括拥有众多读者的范文澜著《中国近代史》,一般带有纪事本末体的特点,而且内容偏重于政治史。这在当时是有道理的,但是需要改进。《中国史稿》第 4 册的作者们努力作了改变。依照《中国史稿》第 4 册主持人刘大年的看法,1840年至 1919 年近代中国 80 年的历史,明显地表现为鸦片战争至太平天国失败、1864 年至戊戌变法与义和团运动失败,以及 1901 年至"五四"运动爆发的三个不同时期。在那几个时期里,帝国主义、中国社会各阶级的相互关系、各种势力的矛盾斗争各有特点。其中社会经济状况、阶级斗争、意识形态是结合在一起的,统一的。因此,新的著作要求根据历史演变的时间顺序讲述事件,不只讲政治事件,也要讲经济基础、意识形态;不只讲汉族地区的历史,也要讲国内各民族在斗争中与全国的联系和相互关系。《中国史稿》第 4 册这种写法,就是总结了 1949 年以来中国近代史学科的理论建树和研究成果,加以概括和升华,给中国近代史搭起了一个新的架子,有些地方做出了可喜的概括。当时它是指定的高等学校教材,印数很多。1982 年全国近代史专家在承德举行学术讨论会,有的研究者评论说,60 年代最有影响的近代史著作是郭沫若主编、实际上是刘大年写的《中国史稿》第 4 册。这个评论指出了那本书在一段时间里流行的情形。胡绳的著作,规模较大,条分缕析,议论恢弘,在一定程度上体现了作者刻意追求的马克思主义的思想力量,对教学和研究工作以及对广大干部、群众进行爱国主义教育产生了深远影响。

　　以上三本书,尽管在某些具体问题的论述上学者们可能有不同意见,但是它们基本上确定了中国近代史教科书的编写体例和框架,确认了用阶级分析的方法考察中国近代的历史进程,确认了近代中国社会是半殖民地半封建社会,确认了近代中国的基本任务是进行反帝反封建的斗争,在具体编写上大体接受了三个革命高潮的概念。80 年代中期以来出版的数以百计的中国近代史教科书和普及读物,大体上都是按照这个框架编写的,可以看作是学者们接受这个框架的标志。

　　从 1980 年起，中国近代史学界再次掀起中国近代史基本线索问题的讨论。经过十年动乱，一些学者从拨乱反正、解放思想出发，要求抛弃极左的政治枷锁和教条主义的绳索，要求纠正由于党的指导方针上的失误在史学研究中出现的片面化、简单化的倾向，反思近代史研究的基本状况，对早先胡绳提出并得到相当多学者支持的基本上用阶级斗争的表现作划分时期的标志以及三个革命高潮的概念，提出了怀疑和驳难。李时岳首先在《历史研究》1980 年第 1 期发表了题为《从洋务、维新到资产阶级革命》的论文，引起了有关中国近代史基本线索问题的新一轮讨论。这次讨论中也涉及近代史的分期问题，却不像 50 年代的讨论那样，使近代史基本线索这样一个重大理论问题附丽于分期问题上，而是直接提出了问题。

　　李时岳的文章发表后，在 80 年代中期形成了争鸣的热潮，直到 90 年代还有文章发表。与 50 年代的那次讨论比较，这次讨论，问题提得更广泛了，角度更新了，研究更深入了，分歧也更显著了。概括说起来，大体有三种主要观点。一派以李时岳为代表。李时岳提出，"1840—1919 年的中国近代史，经历了农民战争、洋务运动、维新运动、资产阶级革命四个阶段"，"反映了近代中国社会的急剧变化，反映了近代中国人民政治觉悟的迅速发展，标志着近代中国历史前进的基本脉络"。^① 认为要重视近代史上资本主义经济发生发展的意义，给予资产阶级政治运动以应有的政治地位，^② 强调要以"洋务运动—维新运动—资产阶级革命"作为中国近代史的进步潮流或基本线索。一些学者把这种提法概括为"三个阶梯"论，李时岳本人认为不确切，曾著文修正说，应当包括太平天国农民战争而

---

① 李时岳：《从洋务、维新到资产阶级革命》，《历史研究》1980 年第 1 期。
② 李时岳：《中国近代史主要线索及其标志之我见》，《历史研究》1984 年第 2 期。

称之为"四个阶梯"论。此论的依据是,近代中国社会的发展实际上存在着两个而不是一个趋向:一是从独立国家变为半殖民地(半独立)并向殖民地演化的趋向,一是从封建社会变为半封建(半资本主义)并向资本主义演化的趋向。前者是个向下沉沦的趋向,后者是个向上发展的趋向。李时岳表示赞成基本上用阶级斗争的表现为线索,认为"四个阶梯"论与"三次高潮"论并非根本对立,只是部分地修正和补充,"三次高潮"论的不完善的地方"在于没有把阶级斗争和社会经济紧密地联系起来,从而没有把唯物史观贯彻到底"。① 在中国近代史基本线索问题的讨论中,有的学者认为,说毛泽东的"两个过程"论没有概述中国近代史的"全部内容",是对毛泽东本人原意的"误解",要求"摆脱""两个过程"论的"束缚",重新学习马克思主义的理论,"悟出一些新的道理,把我们的研究建立在科学理论的基础上"。② 有的认为,中国近代社会"争取独立和谋求进步始终是历史的主题;而向西方学习、发展资本主义,则是近代中国争取独立和谋求进步的根本道路";③ 或者说,近代"中国人民面临着争取民族独立(反对帝国主义)和谋求社会进步(发展资本主义)两项根本任务。这两项任务贯串着整个中国近代史,一切斗争,包括政治的、经济的、思想文化的斗争在内,都是围绕着这两项根本任务进行的。它们构成中国近代史的基本线索"。④ 依据这

---

① 李时岳:《中国近代史主要线索及其标志之我见》,《历史研究》1984 年第 2 期。

② 胡滨:《打破框框,开阔视野》,见《文史哲》1983 年第 3 期"关于中国近代史基本线索问题(笔谈)"专栏。

③ 据《历史研究》编辑部近现代史编辑室《国内史学界关于近代中国资产阶级的研究》,《历史研究》1983 年第 4 期。该项资料注明这段文字出自 1981 年 3 月 12 日《人民日报》发表的李时岳、胡滨著《论洋务运动》一文。经查上述资料所引述的这段文字,与原文有出入,但并不违背作者的本意,或者可以看作是对作者本意的一种概括。

④ 胡滨:《打破框框,开阔视野》,《文史哲》1983 年第 3 期。

种理解，他们以资本主义运动（包括经济和政治两方面）作为主要线索来考察中国近代历史发展的进程，认为洋务运动、维新运动、辛亥革命"反映了近代中国人民政治觉悟的迅速发展，标志着近代中国历史前进的基本脉络"。① 他们认为，在当时的社会历史条件下，要争取民族独立和谋求社会进步，就必须向先进的西方资本主义国家学习，改变中国贫穷落后的状况，实现中国的近代化。

另一派大体上坚持胡绳原先提出的观点。胡绳在《从鸦片战争到五四运动》一书的序言和1997年再版序言以及其他文章中，仍坚持三次革命高潮的观点，认为前一派的看法抹煞了农民革命在近代中国历史中的作用。苏双碧、② 苑书义、③ 张海鹏、④ 荣孟源、⑤ 等也先后发表争鸣文章，认为中国近代史的发展线索应制约于中国半殖民地半封建社会的性质，中国人民的中心任务是摆脱帝国主义和封建主义的统治，其中也包括建立自己的民族工业，在中国发展资本主义，这个过程就构成为近代中国历史发展的主要线索。他们认为，毛泽东关于中国近代史所说的"两个过程"正确地概括了中国近代史的基本线索，不同意把"向西方学习、发展资本主义"当作"近代中国争取独立和谋求进步的根本道路"，认为中国只有通过民主革命，推翻帝国主义、封建主义的统治，才能发展资本主义。与前一派意见相比较，这一派意见不同意简单地把洋务运动当成进步运动，也不赞成把义和团运动列在基本线索之外。

第三派意见比较复杂，基本上依违于以上两种意见之间，或者另有生发。章开沅发表《民族运动与中国近代史的基本线索》⑥ 一

---

① 李时岳：《中国近代史主要线索及其标志之我见》，《历史研究》1984年第2期。

② 苏双碧：《关于中国近代史的发展线索问题》，1983年11月9日《光明日报》。

③ 苑书义：《论近代中国的进步潮流》，《近代史研究》1984年第2期。

④ 张海鹏：《中国近代史的"两个过程"及有关问题》，《历史研究》1984年第4期。

⑤ 荣孟源：《谈中国近代史的两个过程》，《历史教学》1984年第7期。

⑥ 《历史研究》1984年第3期。

文,试图从民族运动的角度来阐明中国近代史的基本线索。他认为鸦片战争是中国近代民族运动的发端。他把近80年的近代中国历史以1900年为界标,概括为"两个阶段,三次高涨",即:第一阶段经历了太平天国和甲午战后的戊戌维新、义和团两次民族运动的高涨,第二阶段经历了辛亥革命这次更具有近代特征的民族运动的高涨。他说,民族运动的这三次高涨,是近代中国历史客观存在的发展态势,体现了中国近代史的基本线索和发展规律。章开沅认为,"洋务-维新-革命"只是一个简单的框架,它特别容易使人忽略农民和土地问题这样重要的社会内容。因为中国是一个半殖民地半封建社会,不能机械搬用近代史即资本主义发生、发展和衰败的历史之类现成公式。他又认为"三次革命高潮"一词还是不用为好,因为"革命"一词有广狭两种理解,说三次革命高潮不仅容易引起概念理解上的歧义,而且容易使人联想到新民主主义革命史三次国内革命战争的提法,使作为整个中国近代史组成部分的新、旧民主主义史缺乏体例上的协调。他又特别指出,毛泽东说的"两个过程"可以作为我们据以探究近代中国历史基本线索的基点。说近代中国历史发展过程是一种民族运动,并不意味着以另一条线索取代"两个过程"而作为基本线索。"两个过程"是客观存在的历史实际,是中国近代史全过程的主干,因而也就理所当然地被人们理解为贯穿始终的基本线索。由此看来,这第三派虽然对前两派都有所批评,其主张的实质与胡绳的意见是较为接近的。

戚其章持另外一种看法。他认为,说"两个过程"就是中国近代史的基本线索是难以成立的。他认为,考虑基本线索时不宜空泛地谈论"阶级斗争的表现",反帝斗争固然不能体现基本线索,就是反封建斗争也不一定每次都能体现基本线索,"基本线索的标志,应该是能够反映近代中国社会发展前途的国内阶级斗争","只有推动社会变革的国内阶级斗争才能体现中国近代史的基本线索"。他提出,在中国近代史上,只有太平天国、维新运动和辛亥革命才能体现基本线索,洋务运动和义和团运动不能列入基本线索的标志之内。这样,"太平天国—维新运动—辛亥革命,便构成了近代中国历史发展的三个阶梯"。[①]

以上是 80 年代中期有关中国近代史基本线索争论的几种主要见解。这些见解,都是以 1840 年至 1919 年的中国历史过程作为立论的史实根据的。三派意见有许多共同之处,即都承认要以阶级斗争的表现作为确认中国近代史基本线索的标志,理论上的分歧表现在,或者强调阶级斗争要与社会经济的发展相联系,要求重视资本主义发生发展的意义和资产阶级的政治地位,提出向西方学习、发展资本主义是近代中国争取独立和谋求进步的根本道路,因而高度评价洋务运动的历史地位,贬低义和团运动的作用;或者强调阶级斗争要与反映近代中国社会发展前途的社会变革相联系,认为不能把洋务运动和义和团运动列入基本线索之内。但是后一种意见认为不能把中国近代史的"两个过程"和反帝反封建算作中国近代史的基本线索,则显然与作者主张的"只有推动社会变革的国内阶级斗争才能体现中国近代史的基本线索"相违背,有理论上不够严密的地方。就具体分歧而言,三派意见的最大不同是对洋务运动和义和团运动的评价。就洋务运动而言,第一派认为,洋务运动促进了中国资本主义的发生,是进步运动。经济史研究专家汪敬虞研究了洋务企业和近代中国资本主义的发展和不发展后认为,中国资本主义现代企业的产生,以商人为主体的民间活动先于洋务派官僚为主体的官场活动。最先在中国接触资本主义并且实践资本主义的是和入侵的外国资本主义发生联系的新式商人。洋务派官办、官督商办企业后来虽然在中国资本主义现代企业产生过程中居于主导地位,但洋务派并不能成为扶助中国资本主义发展的积极力量,洋务派官僚不是站在促使中国资本主义走向发展的

① 戚其章:《关于中国近代史基本线索的几点意见》,《历史研究》1985 年第 6 期。

一面。① 汪敬虞在研究了洋务派的官督商办企业以后得出结论：
"插手现代企业的洋务派官僚，并不能承担发展中国资本主义的历
史任务。"② 经济史家姜铎在讨论洋务企业的性质时，认为洋务企
业属于早期官僚资本性质，具有买办性和封建性，"洋务企业的垄
断排他倾向，抑制了私人资本的自由发展，也是客观存在，不应否
认的"。③ 还有人指出："近代中国存在着几种不同性质的资本主义
运动。只有民族资本主义才是对中国历史的发展和中国人民的解
放有利的，才是进步的。官僚资本主义和殖民主义，则是造成中国
贫穷落后的根本因素，是反动的。中国不是多了民族资本主义，而
是多了封建主义、官僚资本主义和帝国主义。比较起官僚资本主义
和帝国主义在华开办的企业，民族资本主义企业是十分微弱的。因
此，不加分析地以资本主义运动作为主要线索来考察中国近代历
史发展的进程，笼统地说洋务运动反映了近代中国人民政治觉悟
的迅速发展，代表了时代前进的方向，是难以令人首肯的。"④ 就义
和团运动而言，各家评价不一，但对于义和团是北方农民自发的反
帝爱国运动，似乎并无很大分歧。问题是胡绳当初界定第二次革命
高涨，并没有把义和团作为唯一标志，而且申明"把第二次革命运
动高涨仅看作 1899—1900 年的义和团的发动是不完全的"，他把
戊戌维新和义和团一起看作是第二次革命运动高涨时期的特征。
他指出："二者在第二次革命高涨期间虽然都存在着，但二者是完
全各不相关的。追求资本主义理想的改良主义运动表现为短命的
'戊戌维新'。以农民群众为主体的自发的斗争则在悲惨地失败了

① 汪敬虞：《近代中国资本主义的发展和不发展》，《历史研究》1988 年第 5 期。
② 汪敬虞：《洋务派不能承担发展中国资本主义的历史任务》，《历史研究》1985 年第 4
　 期。
③ 姜铎：《略论洋务企业的性质》，《历史研究》1985 年第 6 期。
④ 张海鹏：《中国近代史的"两个过程"及有关问题》，《追求集——中国近代历史进程
　 的探索》，社会科学文献出版社 1998 年版，第 14—15 页。

的义和团运动中取得歪曲的表现。"① 胡绳除了在《从鸦片战争到五四运动》书中正面叙述洋务运动和义和团外,还在初版前言中指出,"本书不认为有理由按照'洋务运动—戊戌维新—辛亥革命'的线索来论述这个时期的历史的进步潮流";同时指出,"在充分估计义和团运动的反帝斗争意义的时候,必须看到它具有的严重弱点;同时也不能因为在当时的历史条件下,义和团运动不可能发展为一个健康的反帝斗争,就把它的历史地位抹煞掉"。在全面坚持三个革命高潮观点的时候,胡绳对义和团的评价显然是有分寸的。

　　至于强调阶级斗争与社会经济发展相结合,这其实是胡绳当初提出问题时的题中应有之义。胡绳认为,研究中国近代史的基本任务,是要通过具体历史事实的分析来说明在外国帝国主义侵略中国的条件下,中国社会内部怎样产生了新的阶级,各个阶级间的关系发生了些什么变化,阶级斗争的形势是怎样地发展的。② 按照马克思主义的政治经济学概念,所谓阶级指的是在一定社会生产体系中、在一定社会经济结构中处于不同地位的集团。所谓阶级斗争,则是基于经济利益根本冲突的集团之间的斗争。提出研究中国社会内部怎样产生了新的阶级这样的问题,当是指在半殖民地半封建社会内部产生了怎样新的社会经济结构,并由此产生了新的阶级结构和阶级斗争。要研究新的阶级、各阶级间的关系以及阶级斗争的形势,自然就是要求研究新的社会经济结构,要求把阶级斗争与社会经济结构的研究结合起来。刘大年在 1980 年提出"中国近代史从何处突破"这样的问题,强调研究中国近代经济史的重要性,提倡用唯物史观研究中国近代史,也是这样的用意。应当指出,50 年代以后,关于中国近代史线索、关于三次革命高潮的理解和运用愈来愈简单化、公式化,对阶级斗争的表现的理解也愈来愈教

① 胡绳:《中国近代历史的分期问题》,《中国近代历史分期问题讨论集》,第 8—9 页。
② 胡绳:《中国近代历史的分期问题》,《中国近代历史分期问题讨论集》,第 6 页。

条化、线条化，许多中国近代史教科书千篇一律、一个面孔，使读者愈来愈不满意，引起大量反思和讨论，是可以理解的。这种反思和讨论，对于重新学习和理解马克思主义、学习和理解唯物史观，加深理解中国近代史的复杂的历程，多角度、多层次、全过程探讨中国近代史，是有很大好处的。

中国近代史基本线索的讨论，到了80年代末以后又有了新的进展。学者们不满足于以往的讨论局限于1840年至1919年的近代史分期，主张中国近代史下限应当延至1949年的呼声高涨了。陈旭麓《关于中国近代史线索的思考》一文，就是把1840年至1949年的百余年历史作为一个完整的历史时期来考察其线索的。陈旭麓认为："所谓完整的历史时期，就是说这个110年不同于秦汉以来任何一个历史朝代，而是一个特殊的历史社会形态，即在封建社会崩溃中被卷入资本主义世界的半殖民地半封建社会。要从这样一个特殊的完整的社会形态及其丰富的内涵来考虑。"① 从这个角度来考虑，从革命的本意来定义革命高潮，陈旭麓认为中国近代史上确有三次革命高潮，但不是经胡绳提倡、被大多数学者接受的那三次革命高潮。陈旭麓认为，在19世纪的中晚期，中国在推动变革的道路上，有过农民起义的高潮，有过维新变法的高潮，有过反帝运动的高潮，它们以不同的斗争方式，程度不等地推动或体现了新陈代谢的历程，但并没有形成如后来那样的反帝反封建的革命高潮。只是到了20世纪才出现具有完全意义的革命，形成高潮。他断言，这三次高潮是：1911年的辛亥革命推翻了清朝政府，1927年的大革命打倒了北洋军阀政府，1949年中国共产党领导的解放战争，推翻了国民党的统治，夺取了全国胜利。他强调，中国近代史上只有这三次革命高潮，没有这三次高潮，就赶不走帝国主义，也打不垮封建势力。夏东元也从110年中国近代史的角度，提出了他

① 陈旭麓：《关于中国近代史线索的思考》，《历史研究》1988年第3期。

对中国近代史基本线索的理解。他认为,应将"'一条主线'(即以资本主义酝酿、发生和发展为线索)'两个过程'(即'帝国主义和中国封建主义相结合,把中国变为半殖民地和殖民地的过程,也就是中国人民反抗帝国主义及其走狗的过程')相结合,阐明中国近代110年的历史规律;既不同意'三次革命高潮'说,也不认为'四个阶梯'说是妥当的"。① 这位作者确定以资本主义为主线,认为将洋务运动、戊戌维新、辛亥革命列为三个进步运动,虽然是四五十年前的陈说,但经过重新论述,注意到了资本主义发生发展的规律性,但未把110年历史联系起来看,而且完全把洋务运动与戊戌变法、辛亥革命并列起来是不适宜的,因为洋务运动是反对资本主义的核心问题——民主政治改革的。因此他确信,以资本主义的酝酿、发生和发展与"两个过程"相结合,以实现民主与反实现民主规定资本主义的发展和不能顺利发展为基本线索,将110年的中国近代史以戊戌变法为界标划分为前后两段,是比较能全面体现历史发展规律的。②1997年张海鹏接续对这个问题发表意见。张海鹏认为,从50年代起,中国近代史研究就沿用新中国建立以前的说法,分为中国近代史(1840－1919)和中国现代史(1919－1949)两个时期。直到现在,大学里还是这样分别设置教研室,分别讲授课程。他认为,这样的分法,对历史认识和学科建设都没有好处。新中国建立已近半个世纪,对于1949年上溯至1840年那一段中国历史,我们现在是看得更清楚了,应该有更好的认识和解说。总起来说,他认为应该将1840年至1949年的中国历史打通来研究,这不论对中国近代史还是1949年以后的中国现代史,不论对于中国革命史还是中共党史的研究,都会有好处。他还认为,李时岳前几

---

① 夏东元:《中国近代史应予改写》,1988年9月22日上海《社会科学报》;夏东元:《110年中国近代史应以戊戌变法为分段线》,《历史研究》1989年第4期。
② 夏东元:《110年中国近代史应以戊戌变法为分段线》,《历史研究》1989年第4期。

年提到半殖民地是"历史的沉沦",半封建即半资本主义是"历史的上升",[①] 颇有新意,但说半殖民地半封建中国同时既有沉沦的一面、又有上升的一面,则很难使人信服。李时岳问道,如果说近代中国只有历史的沉沦,那么,"'历史的沉沦'何所底止?漫漫长夜宁有尽头?"[②] 张海鹏由此受到启发,进而提出,从半殖民地半封建中国110年历史来考察,近代中国历史到了本世纪初(大约在 1901 年至 1915 年),可以说是半殖民地半封建社会沉沦到谷底的时期。1901 年是《辛丑条约》的签订,1915 年是日本向中国提出"二十一条"、袁世凯称帝以及陈独秀创办《新青年》。这些重大事件,大大刺激了中国社会成长中的新的社会阶级力量,促进了他们的觉醒,促进了整个中华民族的觉醒。从此以后,中国社会内部的发展开始呈现上升趋势,新文化运动的发展和"五四"反帝爱国运动的爆发是这一上升趋势的明确表征。此后,资产阶级及其政治代表的力量,无产阶级及其政治代表的力量迅速成长并终于先后取代旧势力,成为主导社会发展的力量。[③]

张海鹏还认为,胡绳提出的"三次革命高潮"的概念是中国近代史中很重要的概念。从政治史或者革命史的角度来观察,这个概念的提出是反映历史实际的。固然,从经济史、思想史、文化史或者从近代化史的角度观察中国近代史,可以从各相关专业的需要出发提出不同的、反映各相关专业历史实际的某些概念,但是,从中国近代史的全局衡量,恐怕都要考虑三次革命高潮概念的统率、制衡作用,把三次革命高潮概念完全撇开不用,恐怕是难以反映历史真实的。

---

① 参看李时岳:《中国近代史主要线索及其标志之我见》,《历史研究》1984 年第 2 期。
② 李时岳:《关于"半殖民地半封建"的几点思考》,《历史研究》1988 年第 1 期。
③ 张海鹏:《中国近代史的分期及"沉沦"与"上升"诸问题》,《近代史研究》1998 年第 2 期。

　　但是，胡绳当初提出这个概念的时候，所处理的对象是中国近代史的前半期，即 1840 年至 1919 年。把中国近代史的下限放在 1949 年 9 月，则胡绳所提中国近代史的三次革命高潮的概念之不符合实际，是很明显的。从这个角度对"三次革命高潮"论所做的批评，是完全有道理的。因此，从中国近代史的全局考虑，有必要重新考虑中国近代史上的"革命高潮"问题。考虑到胡绳当初提出"革命高潮"概念的用意，是为了说明中国近代史发展的基本线索，是为了"通过经济、政治和文化现象而表明在中国近代历史舞台上的各种社会力量的面貌和实质，它们的来历，它们的相互关系和相互斗争，它们的发展趋势"，是为了认识"革命运动高涨的时期乃是社会力量的新的配备通过激烈的阶级斗争而充分表露出来的时期"，①我们就会明了，他并不是从革命的本来意义上来定义"三次革命运动的高涨"这一概念的。他提出这个概念的出发点是可以理解的，它对于我们从政治上来认识中国近代史发展的基本线索和特点，恰恰是很重要的。况且，19 世纪内几次革命运动的高涨（如太平天国运动、戊戌维新、义和团等），为此后真正革命运动的到来作了认真的准备，提供了思想资料，是从旧民主主义革命过渡到新民主主义革命不可缺少的准备阶段。缺少了这些，我们认识中国近代史的基本线索、总结中国近代史的发展规律，就缺少了必要的环节。从这个认识出发，中国近代史的革命高潮依然应该把 19 世纪的几次革命运动包括在内。当然，不一定非要三次不可。从全局衡量，应该有七次，它们是太平天国革命运动、戊戌维新和义和团运动、辛亥革命、新文化运动和"五四"运动、1927 年大革命、1937 年至 1945 年抗日战争、解放战争的胜利和中华人民共和国的成立。以上七次革命运动或革命高潮，基本上决定了近代中国的政治走向，包括了从旧民主主义革命到新民主主义革命的所有主要阶段，包

---

① 《中国近代历史的分期问题》，《中国近代史分期问题讨论集》，第 4、7 页。

括了民族民主革命的基本内容。这就是中国近代史发展的基本线索。①

　　关于中国近代史基本线索的讨论,虽然近年来发表的文章少了,但是学者们没有停止思索。我希望并且相信,我们的讨论不会就此停步。重要的是要保持百家争鸣的良好态势。我们不需要只有一个声音,在马克思主义指导下,我们可以形成多个学派,提出多个不同的框架,促进中国近代史研究的真正繁荣。

　　50年来中国近代史的理论和方法的争论,除了基本线索问题外,还有其他的题目,比如近代中国社会性质问题的讨论,又比如关于近代化(现代化)的思考方向与传统的反帝反封建的思考方向的关系等等。但是这些问题的讨论,都还刚刚开始,讨论的广泛性、争鸣的深刻性,都不如基本线索问题。限于篇幅,就不再继续加以评析了。

---

① 张海鹏:《中国近代史的分期及"沉沦"与"上升"诸问题》,《近代史研究》1998年第2期。

晚清政治史 *

晚清政治史是中国近代史的重要组成部分。

由于"近代"本身是一个相对的概念,随着时间的推移,近代史的时段范围 50 年来已有了重大的变化。在 20 世纪 50 年代,中国近代史基本上是专指 1840 年鸦片战争到 1919 年"五四"运动的这一段历史;而在行将迈入 21 世纪的今天,研究近代史的人们已公认从 1840 年直到 1949 年中华人民共和国成立这一时段之内,都属于中国近代史的范围。尽管如此,晚清(从 1840 年鸦片战争爆发到 1912 年清帝逊位)之属于近代范畴迄今并没有变,而晚清政治史也始终是中国近代史的重要组成部分。

对于 50 年来晚清政治史的研究,本章以 1978 年的改革开放为界,大略分为前后两个阶段进行简括的叙述。

(一) 新体系的形成

1978 年以前的近 30 年,尤其是"文化大革命"前的 17 年,是新的近代史体系的形成时期。晚清政治史的研究被严格地纳入中

---

* 本章写作中,参考了张海鹏:《中国近代史研究的回顾》(见其所著《追求集——中国近代历史进程的探索》,社会科学文献出版社 1998 年版)及崔志海:《1998 年晚清政治史研究状况报告》(未刊稿)。

国近代史新体系的框架之中，并取得了丰硕的研究成果。

1949年中华人民共和国成立之初，上距鸦片战争的爆发仅109年，而距清王朝的覆灭更是仅有38年。38年，不过是"弹指一挥间"之事。不待说中国共产党的主要领导人均为清代末年出生，就是清王朝的许多遗老遗少，甚至末代皇帝爱新觉罗·溥仪的父亲也依然健在。当时83岁的张元济老人是"参加戊戌变法硕果仅存之一人"，曾自称是"戊戌党锢孑遗"，他在远道进京参加人民政协之时，还特意接受《新建设》杂志社派员采访，回忆51年前亲历戊戌政变的往事。① 中国科学院近代史研究所的创始人、历史学家范文澜也还清楚地记得其少年时代亲见革命先烈"鉴湖女侠"秋瑾骑马操练时的飒爽英姿及其被捕时的有关情景。② 对于这些"所见"、"所闻"最多也只是"所传闻"之事，人们习惯于用"近百年史"、"近世史"、"近代史"之类冠名，更多地与鸦片战争以来直到当时为止的一系列激烈变革联系起来。

中华人民共和国的建立，是中国共产党人的胜利，是中国人民的胜利，是灾难深重的旧中国近百年动乱、变革的最终结果。党的意识形态、胜利者的意识形态，不可避免地成为研究晚清以来中国近代史的指导思想，而相关历史的研究，也就此与现实政治结下了不解之缘。

重视对鸦片战争以来近百年史的研究，是中国共产党人的一贯主张。早在1941年5月，毛泽东就批评了那种"对于自己的历史一点不懂，或懂得甚少，不以为耻，反以为荣"的恶劣学风，提出：

> 对于近百年的中国史，应聚集人材，分工合作地去做，克服无组织的状态。应先作经济史、政治史、军事史、文化史几个

---

① 张元济：《戊戌政变的回忆》，《新建设》创刊号（1949年9月8日）。
② 参见范文澜：《女革命家秋瑾》，《中国妇女》1956年第8期。

部门的分析的研究,然后才有可能作综合的研究。①

1949 年 6 月 30 日,毛泽东在《人民日报》发表《论人民民主专政》一文,纪念中国共产党 28 周年。文中不仅历述了自 1840 年鸦片战争失败以来,先进的中国人千辛万苦向西方国家寻找真理而不果的痛苦经历,也总结了在找到了马克思列宁主义这个"放之四海而皆准的普遍真理"之后,中国所发生的变化,说明了中国共产党人之所以"一边倒"和走俄国人的道路的必然。值得我们注意的是,毛泽东在文中列举了在中国共产党出世以前的几位向西方学习的先进中国人:

> 自从一八四〇年鸦片战争失败那时起,先进的中国人,经过千辛万苦,向西方国家寻找真理。洪秀全、康有为、严复和孙中山,代表了在中国共产党出世以前向西方寻找真理的一派人物。②

这四位,一位是太平天国的天王,两位是戊戌维新的主将,还有一位是辛亥革命的领袖。毛泽东正是以他们为代表,概括了一百多年来中国人民不屈不挠、前仆后继地反对内外压迫者,而最终由中国共产党人完成了先人遗志的斗争历程,从而表达了中国共产党人对 1840 年鸦片战争以来的中国历史的一种崭新的解释。

同年 9 月 30 日,毛泽东又在为人民英雄纪念碑起草的碑文中,对中国近百年史的几个节点,做出了相当明确的表达:

> 三年以来,在人民解放战争和人民革命中牺牲的人民英雄们永垂不朽!
>
> 三十年以来,在人民解放战争和人民革命中牺牲的人民英雄们永垂不朽!
>
> 由此上溯到一千八百四十年,从那时起,为了反对内外敌

---

① 《改造我们的学习》,《毛泽东选集》(横排合订本),人民出版社 1967 年版,第 594 页。

② 《论人民民主专政》,《毛泽东选集》(横排合订本),第 1358 页。

人，争取民族独立和人民自由幸福，在历次斗争中牺牲的人民英雄们永垂不朽！①

其中的所谓"三十年以来"，就是1919年"五四"运动以来。以后对自1840年到1949年的中国近百年史，就是以1919年的"五四"运动为界，分为前后两个部分：通常以前一部分为中国近代史，而以后一部分为中国现代史；而从革命史的角度，前一部分又称为旧民主主义革命阶段，后一部分又称为新民主主义革命阶段。所谓近代史，也即旧民主主义革命阶段的历史，实际上就是晚清史再加上民国时期最初的8年。然而晚清史本身此时还不可能有自己的独立地位。

由中国共产党人在民主革命的实践中所提出，而此时作为新的历史体系指导思想的有关阐述主要有：

关于近代社会的性质。鸦片战争以来直到中华人民共和国成立以前的中国社会，既不是资本主义社会，也不完全是封建社会，而是一种过渡性的社会——半殖民地半封建社会。这一概念，系中国共产党人根据马克思列宁主义的学说，最初于本世纪20年代末所提出。毛泽东在《中国革命和中国共产党》（1939年12月）和《新民主主义论》（1940年1月）等论著中，对鸦片战争以来中国社会的半殖民地半封建性质，曾作了系统的阐述和论证。

关于近代社会的主要矛盾或根本矛盾。毛泽东在《中国革命和中国共产党》一书中提出："帝国主义和中华民族的矛盾，封建主义和人民大众的矛盾，这些就是中国近代社会的主要的矛盾。"② 范文澜为此曾解释道：

在鸦片战争后，中国社会有两个根本矛盾，一个是原有的（引者按：指封建主义和人民大众的矛盾），一个新添的。这个

---

① 《人民英雄永垂不朽》，《毛泽东选集》第5卷，人民出版社1977年版，第11页。
② 《中国革命和中国共产党》，《毛泽东选集》（横排合订本），第594页。

新添的根本矛盾,就是中华民族反对外国资本主义后来变成帝国主义的经济政治压迫的矛盾。中国封建势力和外国侵略势力结合成一个反动势力,从某种意义上说来,两个根本矛盾也就合并成一个根本矛盾。以帝国主义为主,以封建势力为辅的反动势力成为这个矛盾的一面,因之中国人民的革命矛头,直接对着封建势力时,实际也对着帝国主义;反过来,也是一样。它们利害相关,互相勾结,这就使得中国人民革命不得不同时负担起反帝反封建的双重任务,而这个任务中国农民阶级和资产阶级是不可能担当的。旧民主主义革命时代所有的反抗,都以失败而告结束,原因就在这里。①

与这一命题密切相关的是毛泽东在同一部书中的另一论述:"帝国主义和中国封建主义相结合,把中国变为半殖民地和殖民地的过程,也就是中国人民反抗帝国主义及其走狗的过程。"② 这一原则性论述,也即所谓"两个过程"论,被看作是了解中国近代历史的基本线索。

在研究体制上,中国科学院近代史研究所的建立,应是最为明确的标志。这个于新中国诞生之初即行设立的国家级研究机构,是以范文澜为首的来自延安和华北解放区的部分史学工作者于1950 年 5 月组建的。③ 各综合性大学和师范院校的历史系开设中

---

① 《中国近代史的分期问题(一)》(1955 年),《范文澜历史论文选集》,中国社会科学出版社 1979 年版,第 117 页。

② 《中国革命和中国共产党》,《毛泽东选集》(横排合订本),第 595 页。

③ 按:新华社于 1950 年 7 月 1 日发出的《中国科学院半年工作概况》的新闻稿中提到,中国科学院在成立之后的半年中,"先后合并了华北大学研究部,接管了前北京[北平]研究院各所、前中央研究院各所、前中国地理研究所、前静生生物调查所、前西北科学考察团等二十四个单位"。"在中国科学院之下暂分设:近代史、考古、语言、社会、近代物理、应用物理、物理化学、有机化学、生理生化、实验生物、水生生物、植物分类、地球物理等十三个研究所,一个紫金山天文台,一个工学实验馆。各所、台、馆负责人员,业经中央人民政府政务院第三十三次会议通过任命"。参见《新华月报》1950 年 8 月号,第 923—924 页。

国近代史课程,设立中国近代史教研室,也培养和聚集了一批中国
近代史的研究和教学人材。

　　在研究史料的建设上,以郭沫若、吴玉章、范文澜为正、副会长
的中国史学会成立之初,就把主编"中国近代史资料丛刊"的工作
确定下来,作为对中国近代史研究的提倡。编辑这一套资料丛刊的
主要目的,"是供给高中和大学的教师们、历史研究工作者们做参
考"。在以徐特立、范文澜、翦伯赞、陈垣、郑振铎、向达、胡绳、吕振
羽、华岗、邵循正、白寿彝等 11 人组成的总编辑委员会的指导下确
定编写的有关资料,集中地反映了发生在晚清时期的一系列重大
事件,实际上也可以说都是晚清政治史的资料。这个编委会的规格
之高,为迄今所仅见;而相关资料的编选者,也多为著名的学者。50
年代所编成的 10 种资料中,最先出的是第 9 种《义和团》(1950 年
编成,1951 年出版)。这部书的提早出版,是为了纪念义和团运动
50 周年,又由于当时适逢朝鲜战争爆发,"清算帝国主义的血账,
是纪念义和团最好的方法",也是编者编辑这部书的动机。第 5 种
《洋务运动》于 1959 年编成,1961 年出版,它之所以最后编成是由
于洋务运动本身历时最久(几占中国近代史 80 年中的一半时间),
而相关资料包罗万象,篇幅过巨,编选难度较大之故。10 种资料
中,《太平天国》、《捻军》、《回民起义》等 3 种,共同反映了以太平天
国革命运动为中心的各地各族人民的反清斗争。因此,这 10 种资
料可以归纳为"八大事件"。有关资料的"序言"或"叙例"中对这些
事件的概括,乃是资料的编选者——首先是研究者,经反复推敲而
形成的见解,它们实际上是 50 年代近代史学界对晚清政治史中相
关事件的一种已成共识的经典性表述:[①]

1. 关于鸦片战争

[①] 按:以下引文均摘引自"中国近代史资料丛刊"各种资料的"序言"、"叙例"或"题
记",不再一一注明。

"鸦片战争是中国历史上划时代的大事,它给中国人民带来的灾难是深重的。从鸦片战争以后,中国便逐步地陷入半殖民地、半封建的历史阶段,但同时也激起了中国人民的反帝反封建的革命斗争。""在中国共产党和中国人民的伟大领袖毛主席的领导下,中国人民终于胜利地推翻了帝国主义、封建地主阶级的统治,结束了由鸦片战争引起的历史命运。但是这并不等于说:垂死的帝国主义和封建残余不想作最后的挣扎而甘心退出历史舞台。因之,了解近百年来中国人民在帝国主义和封建主义双重压迫下的悲惨景况,和学习中国人民百折不挠的反抗精神,是十分重要的政治教育。鸦片战争是中国近代史的开端,学习中国近代史应当从鸦片战争开始。"

2. 关于太平天国和各地各族人民的反清斗争

"一百年前的太平天国革命运动,前后坚持了十四年,势力扩展到十七省,革命的英雄们建立了自己的国家,组织了强大的武装,实行了各种革命政策,发动了广大农民为推翻封建的土地制度而斗争,并且担负起反对外国资本主义侵略势力的任务,他们的这些英雄行动,在中国历史上写下了光辉的一页。固然太平天国仍旧是没有工人阶级领导的单纯农民战争,它在中外反革命联合进攻之下终于失败了。但是太平天国所表现的中国人民的光荣的革命传统和崇高的爱国主义是永远值得中国人民引以自豪的。""太平天国革命前夕,在南方的粤、桂、湘、赣,北方的苏、皖、鲁、豫,各地农民群众因不堪虐政的压迫,已纷纷起来,反抗封建地主阶级的统治。这些农民军,大大小小的组织非常多,其中声势比较雄厚的,在南方要算天地会,在北方则是捻军,……捻军是北方农民的大规模武装起义,也是太平天国革命在北方的再起。研究太平天国革命而忽视捻军和其他反对满清专制王朝的起义军的活动,对于太平天国革命的研究是不够全面的,也就不能看出当时农民革命战争的坚强性和普遍性。""把回民起义简单地看作回民单纯的活动,是不对的;把回民起义看作回汉两族的斗争,是更不对的。我们应该把回民起义看作是中国人民进行阶级斗争的一个形式,云南回民起义和西北回民起义正是当时全中国人民反清斗争洪流中的两支猛流。"

3. 关于洋务运动

"洋务运动从十九世纪六十年代起,到中日甲午战争,前后约三十多年。这是清政府一部分带有买办倾向的当权派,采用资本主义外壳以保持封建统治的一种自救运动。它的产生,是清政府在两次鸦片战争的失败和对太平军作战中,一部分官僚军阀认识到自己军器窳败、船只缺乏的危险,他们一方面感觉到洋人船坚炮利的可怕,而对外国屈服;同时也感到洋人的武器可以利用来巩固自己的统治,因而有意识地提倡起所谓'新政'。""西方的资本主义国家通过战争手段在中国抢得更多的权益后,认为清朝统治阶级已彻底屈服;清政府兴办这些'新政'对它们不但不是什么威胁,反而更便于对中国人民进行深度的剥削与奴役。这就是它们和清朝统治阶级互相勾结的政治基础。因此在这期间,它们尽量把巨额的军火和大批军官、技术人员供给清政府,共同合作来屠杀中国人民。""这种'新政'并经不起考验,它在中法战争和中日战争的过程里,遭到了彻底的破产。然而,为期三十多年的洋务运动,对十九世纪后半叶的中国历史,也产生过一定的作用,……它给中国资本主义的发生与发展,造成了某些有利条件。并且,使中国的无产阶级获得了一些发展。同时,清政府既办理洋务,便不得不培养一些懂洋务的人才,通过同文馆、水师学堂及派送留学生,栽植了一些通达外情、理解科学的技术人员。这些人中,一部分在洋务派官僚集团中做了走卒,但也有些人因接触西洋事物而接触了新的思想,对资本主义思想在中国的传播,起了桥梁作用。"

4. 关于中法战争

"中法战争是指十九世纪八十年代中国人民为了反抗法国资

产阶级的侵略越南和中国各地而进行的正义的战争。""当时在太平天国革命失败之后十几年中,中国本身已经迅速地沦为世界资本主义的商品市场,外国侵略者在中国已经建立起来它们的统治秩序;但它们同时还分别向中国的邻邦下手,要灭亡这些国家,藉为进攻中国的基地。法国在侵略越南的战争中,就公开地叫嚣着要进入中国的西南。因此中法战争不仅是援助越南,也是中国自卫的战争,也就是说,它是中国近代史上一次重要的民族战争。""中法战争的特色,在于中国人民主动地进入了战争,许多官吏和将领也都大声疾呼主张奋起抗战。满清统治者看到自身利害的关系,被迫应战,甚至主张投降的洋务派首领李鸿章也不敢公开地阻挠出兵,……这次战争,以冯子材将军统帅的部队在谅山大破敌军而终止。它是中国近代史上中国对外国侵略者艰苦作战而获得巨大胜利的一次战争,尽管当时主张投降的统治者甘心自认失败,法国侵略者却不能不狂叫着北圻的惨败。""在中法战争以前,中国统治阶级中洋务派的图富图强的设施表面上已略具规模了。但在战争过程中,打败仗的多是受有新式训练具有新式装备的淮军——洋务派首领李鸿章的嫡系部队;而马江一役,大小新式兵轮几全数沉毁,南洋援闽兵船更是遇敌便逃。所以当时甚嚣尘上的洋务运动,不必等到中日战争才告垮台,在这次战争中已是原形毕露了。""总而言之,中法战争是中国人民不断反抗帝国主义及其走狗的过程中一个具有重大意义的历史事件。中国人民又一次表现了抵抗外侮的巨大力量。同时在战争过程中,打击了国内的反动的腐朽统治势力,揭露了洋务派官僚的媚外卖国和洋务运动的本相。"

5. 关于中日战争

"中日战争是中国近代史上一个巨大的事件。一方面它标志着中国遭受更严重的侵略和奴役的开端,因为甲午战后中国成为帝国主义列强在东方矛盾的焦点,中国迅速地进一步半殖民地化,而且一度面临着被敌人瓜分的危机。另一方面,从甲午战争开始,中国人民的反抗斗争,也跟随着日益严重的局面加紧加强。在战争过程中,中国人民进行了正义的、英勇的反抗。在统治者向敌人屈辱投降之后,台湾省人民坚持着反抗侵略者的英勇斗争,全国人民反对马关条约的呼声,促使革命形势迅速高涨,国内阶级关系发生了显著的变化,因此研究一八九五年以后几年中国社会各方面的变化,不能不以中日甲午战争为起点。""中日战争的性质是极其明显的。日本军国主义者长期以来蓄意侵略朝鲜,并进一步侵略中国,这是大量的史料(包括尽人皆知的所谓'田中奏折')以及战争的结果所早已证明的。美国资产阶级支持日本的扩展,企图乘机垄断朝鲜和中国东北的市场,也是众所周知的事实。因此在这次战争中,中国人民和朝鲜人民所进行的抵抗,同样是反侵略的、自卫的斗争。没有疑问,在这一次战争中,正义是属于中国人民和朝鲜人民的。这次战争也深刻地显示着英勇的朝鲜人民和中国人民在共同反对殖民主义的斗争中的紧密的相互关系。这在今天看来,是有极伟大的现实意义的。"

6. 关于戊戌变法

"五十五年前(引者按:即 1898 年),中国已在中日战争中遭受严重的失败,国际帝国主义进一步加紧侵略中国,使中国处于被瓜分的危机中。为了逃脱危机,并进而谋中国的独立自强,以康有为梁启超等为代表的中国一部分受到西方资本主义思想影响的上层知识分子,继承了他们前辈的改良主义的政治主张,发动了变法维新的运动。他们曾运用学会、学堂、报纸等工具,向当时的知识分子群众,进行了宣传教育和组织的工作;他们企图运用政权力量,自上而下地实行他们所想望的君主立宪的政治主张,并从而使中国走上资本主义的道路。""在当时的中国历史条件下,戊戌变法运动是具有爱国主义性质和进步意义的。但这个运动主要的是代表了当时从地主官僚转化过来的资产阶级的政治倾向,所以只能是一种软弱的改良主义的运动。领导这个运动的人,看不见农民革命的力量,他们所企图的都是用改良主义的办法,来抵制农民的革命。他们和当权的封建势力并不是根本对立的,只是要求封建统治势力让出一点位置来给新起的资产阶级。这样的脱离最广大人民群众的软弱的改良主义运动,注定了只能得到悲惨的失败。""戊戌维新运动在当时社会中所起的思想启蒙作用是不能低估的。在戊戌变法失败后不久,资产阶级的革命思想开始蓬勃地发展了起来,并战胜了改良主义的思想。戊戌时期的维新派,到了后一时期,已成为资产阶级革命派的反对者,但是从历史发展上看,应该承认,维新派在戊戌时期不仅向顽固的封建势力作了猛烈的思想斗争,而且又通过自己的政治实践来证明了改良主义思想的破产,这就对于后一时期资产阶级革命思想的发展,尽了前驱的作用。"

7. 关于义和团运动

"义和团,这一个曾经震撼世界的[伟]大农民暴动,到今年已经过去了半个世纪。数不清的事实,证明了自义和团暴动失败以来的半个世纪中,国际帝国主义者对于中国人民的迫害,有加无已。自第二次世界大战以来,美帝国主义对于中国的侵略,简直达到了绝顶猖狂的时代。最近竟公然武装侵略我们的台湾并轰炸我们东北的领土,妄想和五十年前一样,再来一次对中国人民的大屠杀与大洗劫。五十年前的义和团反对帝国主义的斗争是带着狭隘与落后性的,这是在没有无产阶级领导时农民革命的不可避免的现象,因此他之陷于失败的悲剧也是难以避免的。但是现在解放了的中国人民已经是不可欺侮了,已经有能力来清算帝国主义侵略中国的一切血账。"

8. 关于辛亥革命

"一九一一年的辛亥革命,是近代中国的一次伟大的民主主义革命。""这次革命,推翻了清朝的统治,结束了两千多年的君主专制,制定了资产阶级民主性质的临时约法,建立了民主共和国,奠定了民主主义的思想基础,给中国资本主义的发展创造了条件,为此后中国人民的解放事业开辟道路,功绩是辉煌的,意义是重大的。""由于当时中国处在半殖民地半封建社会,中国资产阶级有它的软弱性,领导革命不能彻底,以致辛亥革命胜利之后,革命的果实反被北洋军阀篡窃,既没有改变中国的社会性质,民主主义革命事业也并未完成。这是历史条件的限制,是值得我们研究的问题。"

　　这一套资料丛刊计 10 种 64 册,共约 2300 余万字。①它们的出版,为中国近代史——首先是晚清政治史的研究打下了坚实的资料基础,海内外的研究者们深受其惠,至今仍有其重要的利用价值。但这套资料丛刊的编选,依然有着那个时代的局限。比如说,《鸦片战争》资料中,编者们对选自清人李元度《国朝先正事略》中《林文忠公事略》的材料,就做出了自认为是必要的删节——将林则徐根据自己谪戍新疆时的亲身经历而对后进们所作的提防俄罗斯侵略的几句谆谆告诫给删了。②

　　1954 年,胡绳在《历史研究》创刊号上发表《中国近代历史的分期问题》,从而引发了一场持续三年多方告一段落的有关分期问题的大讨论,三联书店还为此出版了讨论专辑。③ 据作者自己说,所谓分期问题,"是指从鸦片战争到五四运动约八十年间的历史应如何细分为若干阶段,若干时期的问题"。究其本意,是想解决对相关历史的叙述体系和内容结构的问题,以克服近代史中"政治史内容占了极大的比重,而关于社会生活、经济生活和文化的叙述分量很小,不能得到适当的地位"的缺点。而据作者的分析,这种缺点的

①　按:这套丛刊中的另一种《第二次鸦片战争》(计 6 册约 250 万字)迟至 1979 年方由
　　上海人民出版社出版。

②　按:被删略的有关记载是:"时方以西洋为忧,后进咸就公请方略,公曰:'此易与耳!
　　终为中国患者,其俄罗斯乎! 吾老矣,君等当见之!'然是时俄人未交中国者数十
　　年,闻者惑焉。"参见《中国近代史资料丛刊·鸦片战争》第 6 册,第 263－267 页。

③　参见历史研究编辑部:《中国近代史分期问题讨论集》,生活·读书·新知三联书店
　　1957 年版。

产生,虽然有种种其他原因,但与既有的中国近代史论著中在逐一叙述若干重大事件时类似于纪事本末体的体裁很有关系,"因为在近代史中,如果只选取突出的大事件来做叙述的主题,就会很容易弄到眼前只看见某一些政治事件"。

但从讨论的结果看,作者的这一初衷似乎并没有真正达到。因为作者在批评近代史中政治史占了极大比重的同时,旗帜鲜明地提出了以阶级斗争为标志来划分时期,并提出在中国近代史中曾出现过三次革命运动的高涨,即太平天国为第一次,甲午战争以后到义和团失败为第二次,辛亥革命为第三次。学者们的讨论尽管在具体的分期问题上见仁见智,甚至各不相让,但却基本赞同了以阶级斗争作标志的"三次革命高潮"论。由此也可看出,这场分期问题的讨论之所以重要,本不在于具体时段的划分,而在于提出了一种新的结构性诠释体系,提出了一个统系全局的纲。至此,中国近代史的新的结构体系已趋于完备和成熟,不仅依旧是以晚清政治史为基本框架,而且以阶级斗争为纲的革命史的味道更加浓郁了。"八大事件"并没有也不可能为"三次高潮"所取代,而是从此有机地融合在一起。故而,人们往往将"两大矛盾"、"三次高潮"、"八大事件"相提并论,并以此作为对这一体系的概括。

到了60年代初,也就是1966年"文化大革命"之前,一些按照新体系编写的教科书陆续问世。其中最为突出的是人民出版社于1962年出版的《中国史稿》第4册。《中国史稿》是由中国科学院院长郭沫若主编的一部历史著作,其中的第4册为半殖民地半封建社会(上),也即近代史部分(1840—1919),由刘大年负责组织近代史研究所的有关人员编写。《中国史稿》第4册力图克服以往的近代史著作,包括拥有众多读者的范文澜的《中国近代史》叙事类似于纪事本末体,且内容偏重于政治史的缺点,决定根据历史演变的时间顺序讲述事件:不仅讲政治事件,也讲经济基础、意识形态、文化发展;不仅讲汉族地区的历史,也讲国内各民族在斗争中与全国的联系和相互关系。郭沫若曾盛赞这本不足20万字的书"写得扼要、明确、流畅,有吸引力。反帝、反封建的一条红线,像一条脊椎一样贯穿着,这是所以有力的基本原因"。①这部书当时是指定的高等学校教材,印数也多,是60年代最有影响的近代史著作。

在专史研究中,则以帝国主义侵华史和太平天国史的研究最为深入(由于相关研究都已有专题论述,这里不作细述)。

50年代初出版的刘大年的《美国侵华史》还是一种大跨度的研究,晚清只是其中的一个部分。50年代末出版的丁名楠等集体编写的《帝国主义侵华史》第1卷(从鸦片战争到甲午战争),系根据当时所能找到的材料,对晚清时期各主要资本主义国家"压迫中国,反对中国独立,阻碍中国社会进步的历史比较全面和系统地加以综合叙述"。②但此书所侧重的还是外国侵略者与中国之间的政治关系。

以太平天国革命为中心的各地各族人民反清斗争,是晚清政治史中最为重大的事件,但也只是在新中国才具备了深入研究的条件。由于农民是中国共产党所领导的民主革命中的主要力量,作为旧式农民战争最高峰的太平天国史的研究也得到了空前的重视。下文附表是笔者据《历史研究》创刊后40年间发表的有关晚清政治史论文所作的分类统计。从中可见,在1966年以前所发表的论文中,有关太平天国的竟占到58%,远超过占第二位的辛亥革命(占19%)。

政治史和人物研究有着不解之缘。政治史是历史的基本框架

---

① 郭沫若:《致刘大年》(1962年8月26日),见刘潞、崔永华编:《刘大年存当代学人手札》,中国社会科学院近代史研究所1995年印制。

② 见丁名楠等:《帝国主义侵华史》第1卷"弁言"(1957年12月),人民出版社1973年版。

或主要内容，而政治史的一个显著的重要特点，就是离不开形形色色的人物的活动。如果说晚清历史是一个大舞台，凸显的前台就是晚清政治史，而活跃于前台的形形色色的人物，就是我们所要研究的对象。由于"文革"前的晚清政治史研究中的革命史色彩日益加重，对晚清人物的研究有着过于偏重革命营垒的倾向，而对统治阶级也即所谓反动营垒中人物的研究则是很不够的。笔者据《中国近代史论文资料索引（1949－1979）》① 所搜集的材料进行了一番统计：1949 年到 1979 年的 30 年间，在国内各主要报刊（含高等院校学报）发表的有关晚清人物（有些已跨到民国时期）的论文、资料中，篇目最多的是关于孙中山的，计 453 篇，其中"文革"前发表的就有 422 篇，且以 1956 年最为集中，也即其诞辰 90 周年的前后。其次是有关李秀成的，计 306 篇，主要集中于 1964 和 1965 年，也就是戚本禹借《李秀成自述》发难，攻击其为"叛徒"以后。位居第三的是章太炎，计 137 篇，各时期都有，而主要集中于 1974、1975 年间，也就是"评法批儒"高潮时期，这是因为他在此期间被"四人帮"封为"法家"的缘故。其他篇目在 20 篇以上的晚清人物依次如下（按篇目多少为序，括号中为论文或资料的篇目数）：洪秀全（93）、秋瑾（70）、龚自珍（62）、林则徐（58）、石达开（56）、梁启超（52）、严复（50）、康有为（45）、魏源（41）、谭嗣同（40）、詹天佑（38）、杨秀清（36）、陈玉成（29）、曾国藩（22）、袁世凯（22）、张謇（22）、李鸿章（20）、洪仁玕（20）。

这其中，詹天佑并不是政治人物，而是由于他对铁路事业的贡献，龚自珍主要是因其诗文，张謇则是由于他兴办实业的活动。若除去这三人，则太平天国人物占了多数。在晚清权倾一时的曾国藩、李鸿章、袁世凯的排名都很靠后。另外，晚清大吏中，以兴办洋务著名的张之洞有 19 篇，而与曾国藩、李鸿章齐名的左宗棠竟然

① 　徐立亭、熊炜编：《中国近代史论文资料索引（1949－1979）》，中华书局 1983 年版。

只有 4 篇,其中发表于"文革"前的只有 1 篇(其他 3 篇均发表于 1978 年与 1979 年)。这就很能说明问题了。

1966 年以后,也就是"文化大革命"的十年间,"左"的路线越演越烈,正常的历史研究几乎已无法开展,值得一提的只有晚清时期中俄关系史的研究。至于在 1967 年为配合批判《清宫秘史》而形成高潮的赞颂义和团、红灯照的文章,为配合"批林批孔"而陆续发表于 1974 年至 1976 年间的有关太平天国反孔斗争的文章,都已不属于严肃的历史研究的范畴了。

(二)研究的深入发展

1976 年"文化大革命"结束以后,尤其是 1978 年中共十一届三中全会实行改革开放和重新确立实事求是的原则以后,晚清政治史的研究也开始拨乱反正,并得到前所未有的新发展。

随着时间的推移,首先当然是由于中华人民共和国自身历史的形成(到目前为止的 50 年已远远超过民国史的 38 年),越来越多的人赞成 1840 年至 1949 年的历史为统一的中国近代史。也正因如此,晚清史虽然仍是中国近代史的重要组成部分,但其作为清代史之组成部分的固有属性已愈益显露,与清代前、中期史的联系也有所加强,而与民国史的区分愈益突出了。有意思的是,以前在讨论近代史分期时,参与讨论的学者们或是尽力避免以清王朝被推翻的时间作为分期的节点,或是虽用作节点也只提辛亥革命的失败和袁世凯的上台而绝口不提清帝的逊位,现在却成了心照不宣、不证自明的自然的分期依据。90 年代初陆续出齐的 10 卷本《清代全史》(王戎笙主编),已正式将晚清史纳入其体系之中,其中的第 7、第 9 两卷为晚清政治史的专卷。范文澜编写、蔡美彪等续编的《中国通史》(10 卷本),本来撰写到清代嘉庆朝为止,现也决定续撰晚清史部分,并可望在 1999 年底之前完稿。我国第一部大型综合性百科全书《中国大百科全书》的《中国历史》卷中，根本就没有"中国近代史"的位置，而是将有关内容分别纳入"清史"和"中华民国史"的门下。

但中国近代史依然有其存在的根据，晚清政治史也依然是中国近代史的重要组成部分。道理很简单：人们需要知道自己的昨天和前天，对所见所闻和所传闻之事依然有着浓厚的兴趣，而晚清离我们毕竟还不够"远"；更重要的是，自18世纪末叶西方工业革命以来，曾经落后的西方（西欧、北美再加上后起的实际上位于东方的日本）一跃而成为世界上最为先进的地区，而这一基本态势自西方工业革命以来迄今并没有实质上的改变。

同是晚清史，从近代史的角度与从断代的角度的研究是有区别的。从断代的角度看，晚清对于大清王朝来说，已是巅峰过后的下坡，是"盛世"之后的"末世"、"衰世"，是其一步步走向衰亡的"没落史"、"衰亡史"。而"近"本身却是相对于"今"而言，从近代史的角度审视晚清史，研究者着眼于现实，更看重的是与现实密切相关的新的力量、新的因素的形成与发展。正如刘大年所指出的：我们的近代史研究，应该反映时代发展中人们需要知道的与现实相关的过去。如果不这样去做，那就很像有人说过的，"他们是在回答谁也没有问过他们问题的聋子"。①

70年代末80年代初，是晚清政治史研究最为活跃的时期。随着一批研究单位乃至高校相关学科专业的恢复和创建，随着有关学术刊物的增多，随着各种大中小型学术会议的召开，学者间的学术交流空前活跃，大量的论文和著作得以发表和出版。这些论著中，有一些是"文革"前就已写就而由于种种原因积压下来的，新撰写的论著中，也有一些是"文革"前就已有所研究积累的成果。

① 参见刘大年为张海鹏的《追求集——中国近代历史进程的探索》所写的序言。

　　在这些论著中,中国社会科学院近代史研究所的《中国近代史稿》(刘大年主编,人民出版社出版,第 1 册 1978 年出版,第 2、3 册 1984 年出版),是一部具有近代通史性质的著作,它的前身就是《中国史稿》第 4 册。该书大体采用了原有的框架,对这一段历史也没有提出什么新的看法,但通过大量史实的补充,强化了《中国史稿》第 4 册的那些基本观点,克服了原书"有骨头无肉"的缺憾,而且每一个时期各有总评,成一家之言。可惜的是,此书只出了前 3 册,叙述的内容从 1840 年第一次鸦片战争到 1901 年《辛丑条约》的订立,比原计划写到 1919 年"五四"运动少了近 20 年。但它对晚清从鸦片战争到义和团运动的 60 年历史的叙述已较为完备了。

　　胡绳于 1981 年出版的《从鸦片战争到五四运动》,则是按照作者自己提出的"三次革命高潮"论编写的。在这部新著中,他借用了章太炎在 1906 年所说的"以前的革命,俗称'强盗结义';现在的革命,俗称'秀才造反'"的机智提法,重申了自己的论点:

　　　　太平天国时期是"强盗结义",不是"秀才造反";到了戊戌维新和义和团时期,还是"强盗结义",而"秀才"已开始迹近"造反",不过"秀才"是不愿把自己卷入"强盗结义"中的。到了同盟会时期,已是"秀才造反"为主,而且"秀才"还想运用"强盗"的力量。——三次革命高潮时期形势的不同,就发动力量来说,基本上就是这样。当然,所谓"强盗"和"秀才"是都有一定的阶级含义的。[①]

　　胡绳还在序言中强调:"本书不认为有理由按照'洋务运动—戊戌维新—辛亥革命'的线索来论述这个时期的进步潮流。"胡著确系大手笔,"条分缕析,议论恢弘,在一定程度上体现了作者刻意追求的马克思主义的思想力量,对教学和研究工作以及对广大群

---

① 胡绳:《从鸦片战争到五四运动》序言,人民出版社 1981 年版。

众的爱国主义教育产生重大影响"。① 然而这部著作也继承了作者在《帝国主义与中国政治》一书中过分强调"中外反动派"相互勾结共同镇压革命的原有观点，不加辨析地继续将"中外同心以灭贼为志"（即中央和地方同心协力镇压太平天国）错误地理解为与外国侵略者"同心灭贼"，同时也继续将慈禧太后于 1900 年 6 月的对外宣战，"几乎描写为极其机智地借刀杀人的恶毒策略"，②这就多少削弱了该书应有的力度。

然而随着改革开放的进一步深入和扩大，以经济建设为中心已成为不可逆转的事实，加之与海外的学术交流越来越频繁，近代史既有的体系也受到了冲击与挑战。人们已不再满足于中国近代史基本是政治史甚至只是革命史的状况，对现有的框架模式与相关的结论，也试图予以突破。首先是在理论方面的探讨，集中表现在对中国近代历史发展线索的不同看法。1980 年，有文章提出用"农民战争—洋务运动—维新运动—资产阶级革命"来表述中国近代历史发展的基本脉络，由于文中主要论述了从洋务、维新到资产阶级革命等三段"重要历程"，所以这一观点又被称为"三个阶梯"说，并得到相当一部分学者的赞同。这一观点发展到后来，则是对鸦片战争以来的中国社会的半殖民地半封建的性质本身，也即所谓"两半"论提出了质疑和挑战。

从资本主义发展，从近代化、工业化的角度看，"三个阶梯"说有其合理之处，或可补"三次高潮"论的不足。但"两半"论本身还是有其生命力的：半殖民地半封建的提法，固然凸显了反帝反封建的革命目标的一面，但同时也隐含了半独立半资本主义的另一面，因

---

① 语见张海鹏：《中国近代史研究的回顾》，《追求集——中国近代历史进程的探索》，第 116—117 页。

② 语见孙守任：《中国近代历史的分期问题的商榷》，《中国近代史分期问题讨论集》，第 21—22 页；并参见姜涛：《"中外同心以灭贼为志"新释》，1986 年 6 月 18 日《光明日报》。

而它同样也为发展资本主义，为实现近代化、工业化的另一目标提供了根据。

我们注意到刘大年先生近年来在多种场合对"两个基本问题"说的表述：

> 中国近代史的研究，早已使我们得出了一个概括，一个明确的认识：近代中国历史的基本问题，一是民族不独立，要求在外国侵略、压迫下解放出来；二是封建统治使中国社会生产落后，要求实现工业化、近代化。这个概括来自种种具体问题的研究，它合乎历史事实，而又可以帮助我们分析、观察今天的现实。①

"两个基本问题"说——这是在新的认识基础上的整合和重新统一。

其次是相关研究领域的进一步拓宽。具体表现在政治史以外的其他各领域的研究得到加强：经济史、军事史、社会史、文化史等等，都已渐次展开并各有成就。

与晚清政治史密切相关的中外关系史也受到重视。曾因"左"的思潮冲击被迫中断的《帝国主义侵华史》课题，也于20年后的1978年重新上马，并于1986年出版了第2卷（从甲午战后到五四运动）。沙俄侵华史、日本侵华史等专题研究也相继取得成果。

在晚清政治史本身的研究中，对清朝统治阶级的研究也已得到了加强。对于统治集团中的重要人物，首先是曾国藩、左宗棠、李鸿章等人，不仅都有研究专著和大量研究论文，而且还出版了他们的文集。此外，对清廷枢纽人物如恭亲王奕䜣、慈禧太后等人，对湘淮军集团的研究，也取得了一些成果。

对被简称为"八大事件"的晚清重大事件的专题研究也在继续

---

① 见刘大年为张海鹏的《追求集——中国近代历史进程的探索》所写的序言；并参见刘大年：《抗日战争时代》，中央文献出版社1996年版，第3、15、125页。

深入。

太平天国的研究曾是成果最丰的领域,在"文革"中也是"受灾"最烈的"重灾区"。早在"文革"前,就已有着过分拔高农民起义,且以太平天国比附共产党人的革命等一些不正常的做法。1964年,戚本禹在康生的指使下借李秀成的"叛徒"问题发难,又伤害了一批持不同见解的学者。"文革"中,"四人帮"更是利用太平天国大做文章。洪秀全被抬到前所未有的高度,而太平天国的一些其他重要人物,包括杨秀清、石达开,也和李秀成一样,被打成投降派、叛徒、分裂主义者,等等。甚至洪秀全的一首"地转实为新地兆,天旋永立新天朝"的"地震"诗,也在唐山大地震后被"四人帮"作为鼓舞人心之用。对此,近代史学界的学者们早就憋足了一股气,所以太平天国研究的最早"复苏"也就不是偶然的了。1979年5月,近代史学界第一次大规模的国际学术讨论会——太平天国史国际学术讨论会在南京召开。一时间,太平天国史的研究蓬蓬勃勃,又出现了一派热闹的景象,曾有人为此戏言:"研究太平天国的人简直比太平军还要多。"但随着近代史其他研究领域的陆续开发,众多人一哄而上挤在太平天国领域的现象很快得以克服,研究的热点也渐次后移。因此,当太平天国史专家王庆成后来在英国发现《天父圣旨》、《天兄圣旨》等珍贵的太平天国文献时,虽也曾引起近代史学界的震动,但有关文献却始终没有得到很好的利用,有关的研究也没有得到什么反响,表明研究热点已发生变化。

辛亥革命,尤其是孙中山的研究继太平天国后成为新的热点,这跟学术界与台湾地区及国外学术交流的加强也有一些关系。除报刊论文外,还出版了一些极有分量的学术专著,如章开沅、林增平主编的3卷本《辛亥革命史》,金冲及、胡绳武合著的4卷本《辛亥革命史稿》等。

随着以经济建设为中心的改革开放的深入,洋务运动的研究也开始"热"起来,对研究对象——洋务运动本身的评价也逐步升

高,如一些研究者提出洋务运动是进步运动,有着爱国的倾向和抵
制外侮的作用,它对中国民族资本主义的发生和发展所起的促进
作用是主要的,限制作用是次要的,因此,在本质上,洋务运动与太
平天国、戊戌变法、辛亥革命一样,是中国近代史上的进步运动,等
等。上面提到的新的主线说,也即"三个阶梯"说,与"洋务运动热"
是密切相关的。

　　对于晚清政治史中的若干专题研究,因头绪较多,不再一一细
述,兹据《历史研究》所载论文的情况,列表分析如下:①

《历史研究》所反映的晚清政治史各专题研究状况(1954－1993)

相关专题	1966年前	所占百分比	1974—1983年	所占百分比	1984—1993年	所占百分比
两次鸦片战争	5	4.42	4	3.31	10	7.41
太平天国	65	57.52	37	30.58	17	12.60
洋务运动	2	1.77	16	13.22	34	25.18
戊戌变法	13	11.50	6	4.96	15	11.11
义和团运动(及其他)	4	3.54	6	4.96	7	5.19
辛亥革命	22	19.47	42	34.71	51	37.78
帝国主义侵华	2	1.77	10	8.26	1	0.74
总计	113	99.99	121	100.00	135	100.01

　　《历史研究》自1954年创刊,1966年停刊,1974年复刊直至今
天,虽有月刊、双月刊的反复变化,但其研究论文的容量还是相对
稳定的,因此可用来进行一些比较。需要说明的是,《〈历史研究〉目
录索引》中,无论是按专题或是按时期划分,上表都有一些论文不

---

① 据《〈历史研究〉目录索引》整理。按:1954年至1983年的索引原系按专题排列,
　1984年至1993年的索引则系按时期排列。现已尽可能地作了归并,以利对比。

属于或不纯属于晚清政治史的范围。本表的统计中只剔除了那些明显不属于政治史的论文。

首先,有关晚清政治史论文的总量略呈上升趋势:1966年"文化大革命"发动之前约12年,发表有关论文113篇;1974年复刊至1983年的10年,计发表121篇;1984年起的新的10年,计发表135篇。

其次,各专题篇目数量变化明显。

两次鸦片战争:在三个时期均非热门,但在1984年后略多,呈上升趋势。

太平天国革命:由"文革"前的第一热门(几占总数的2/3)逐渐转冷,1984年后退居第三(已不足1/7)。

洋务运动:由冷转热,由"文革"前的最末位,逐步上升,1984年后已跃居第二(1/4强)。

戊戌变法:热—冷—热,除"文革"期间一度受冷遇外,稳定在11%左右(1/9)。

义和团运动:始终未能成为热门。

辛亥革命:稳定上升,由"文革"前居于第二(但只占1/5),上升为第一位(近2/5)。

帝国主义侵华:居于末位。由于有些论文已归并到各相关时期,这里主要是属于总论或按边疆地区分类的部分。但其在"文革"期间显然曾"热"了一下,这与当时反对社会帝国主义霸权的政治背景有关。

进入90年代以来,随着时间的推移,近代政治史、晚清政治史的研究也出现了一些新的动向。我们可以大略地将其归结为"三多三少"或"三弱三强",即:在整个近代史的研究中,政治史的研究相对减少变弱,其他专史研究相对增多增强;在近代政治史领域的研究中,热点也在逐渐后移,即移向中华民国史的研究,晚清史的研究相对冷寂;在晚清政治史本身的研究中,对革命运动、革命者的研究减少,而对统治阶级、统治集团人物乃至晚清政治制度、中央和地方权力的演变等的研究得到增强。应该说,这些都是很正常的现象,是研究深入发展的题中应有之义。

但在研究中,也曾一度出现过一些不和谐音。主要是一些研究者在价值取向上逐步趋向文化保守主义实即政治的保守主义,从而反对近代史上的一切革命。就晚清政治史的范围来说,认为不但太平天国、义和团,甚至辛亥革命都搞错了,弄糟了。对统治集团中的人物,有的研究者并不是全面地实事求是地研究和评价,而是做起"翻烧饼"式的翻案文章。如对曾国藩,说是要推翻范文澜加给曾国藩的污蔑不实之词,"所谓曾氏是镇压革命力量的刽子手的罪名难以成立","曾国藩不但没有'卖国投降',而且显示了不顾个人屈辱而为国宣劳的爱国情怀",等等;又如对李鸿章,不赞成将其一概骂倒,因为不论是其他什么"鸿章"上台都无法避免他的命运,这当然是实事求是的,但有的研究者说,看完了李鸿章的全部材料,几乎找不到他的一条缺点,这就不是实事求是的态度了。

但不管怎么说,目前晚清政治史研究中呈现出的多样性甚至某种不确定性本身还是一件极为可喜的事情。从论证共产党领导的人民革命的无比正确和必然性,转而"翻烧饼",进而再平实地研究和叙述历史,这是认识上的飞跃。历史学本是一门求实的学问,即使不用某种分期或叙述体系,只要采取实事求是的科学态度,是照样可以把历史解说清楚的。

一位智者说过:"某些事件只走一条路,并非因为它们不能走另一条路,而是因为它们绝对不可能倒退回去。"① 循着这一思路,

---

① 马丁·加德纳:《灵巧的宇宙》,转引自伊·普里戈金:《从混沌到有序:人与自然的新对话》,上海译文出版社1987年版,第284页。

我们也可以这样说：某些历史事件有了我们今天所知道的结局，并非说这就是必然的、不可变更的，而恰恰在于我们已不能倒退回去。人们在创造着自己的历史，但人类今天的活动将把我们自己引向何处，现代的人们也未必能确切地知道。近代史的研究将因这种不确定性而常新，晚清政治史的研究也必将因近代史的常新而常新。这并不是说，晚清政治史如什么"大饼"或"大钱"之类可任意翻转或随意排列，而是说它可以不时地凸现出它先前不为人知或不为研究者所重视的某些方面，如此而已。

民国政治史

中华民国史研究是中国历史研究中的一门新兴学科。虽然1949年以前已有学者作过一些初步研究,但是,民国史作为一门历史学科,其建立则是在1949年以后。尤其是1978年以后国家政治、经济大环境的变化,改革开放政策及其带来的百花齐放、百家争鸣的局面,使民国史学科得以真正建立、发展和繁荣。可以说,中华民国史研究是中国历史研究诸学科中建立较晚,但发展较为迅速、成就较为显著的学科之一。

(一)民国史研究的回顾

中华民国处在中国近代前所未有之风云变幻、起伏跌宕的历史时期,侵略与反侵略、自由与专制、激进与保守、发展与停滞,各种行动与思潮交汇,更显其历史的丰富多彩、变化万千。对这样一个历史时期的研究,还在民国年间,就有人开始搜集整理史料,并进行一些初步的研究。[①] 但就总体而言,1949年以前,国内战乱频

---

① 在这些研究中,李剑农的《最近三十年中国政治史》(太平洋书店1934年版)、张忠绂的《中华民国外交史》(正中书局1935年版)、文公直的《最近三十年中国军事史》(太平洋书店1930年版)、贾士毅的《民国财政史》(上海商务印书馆1934年版)、邹鲁的《中国国民党史稿》(上海商务印书馆1947年版)等,在当时有很大的影响,至今仍不失其参考价值。

仍,缺乏研究所需的必要环境与资料,而且民国成立时间不长,一般学者囿于当朝人不写当朝史的中国史学传统,也还没有将民国史作为一门学科研究的意识。① 中华人民共和国成立后,民国史研究开始列入中国史学研究科目之中。1956 年,国家社会科学 12 年规划将民国史列为重点项目。1971 年,全国出版工作会议再度将民国史列入国家重点出版计划。为此,中国科学院近代史研究所在 1972 年成立了民国史研究组,从而使民国史研究在大陆第一次有了一个集体的阵地。随后,该组开始进行民国史研究的资料整理与初步研究工作,编辑《中华民国史资料丛稿》(由中华书局出版,内部发行)。但因为长期极左思潮的影响和干扰,民国史上的诸多事件与人物已有政治"定评",民国史研究的空间甚为狭窄,研究工作困难重重,始终未能真正开展起来。同时,受中国历史分期问题的影响,1919 年以前的民国史被划入中国近代史,1919 年以后的民国史被划入中国现代史,民国史被人为地割裂成两段。② 而中国现代史研究的主要内容又局限于新民主主义革命史和中共党史,民国史只能作为陪衬被一笔带过。因此,1978 年以前,少数关于民国史的研究主要局限在揭露帝国主义侵略和国民党统治方面,成为政治"大批判"的工具和附庸。惟有在近代经济史领域,有一批学者做了相当出色的开创性工作,他们主持下的近代经济史资料的系统整理与出版,是当时近代史研究中较有成绩的方面之一,其中相当一部分有关民国时期的经济统计资料至今仍在研究中被广为利

---

① 1930 年南京国民政府决定成立国史馆筹备委员会,1947 年在南京正式成立国史馆,专事民国史料的搜集整理与民国历史的研究,但是囿于当时战乱频仍的实际,国史馆并未能作多少实际工作。

② 关于中国近代史的分期问题,当时主要有两种意见,一种意见将 1840 年至 1919 年划为近代史,而将 1919 年至 1949 年划为现代史;另一种意见是将 1840 年至 1949 年一概划入近代史范畴。前一种意见占据多数。目前,大多数学者在研究中已经接受了后一种分期方法,但在学校教学中,前一种分期方法仍在运用。

用。[①]但应该说,1978 年以前,民国史研究的范围非常有限,影响也不大。民国史研究作为一门学科,仍然没有建立。

1978 年以后,国家的政治、经济大环境发生了重大变化,思想解放运动蔚为潮流,改革开放成为国策,从而也带来了学术研究的空前繁荣。受惠于这样的大环境,1978 年,近代史研究所的民国史组改称民国史研究室,由该室编辑的《民国人物传》第 1 卷于当年出版,这是 1949 年以后以"民国"作为书名而公开出版的第一部著作,[②] 标志着民国史学科的真正起步,引起海内外学术界的关注。1981 年,该室主持编写的《中华民国史》出版了第 1 编,成为中华民国史学科建立的奠基之作。从此,有关民国史研究的著作和史料大量出版,学术研究队伍迅速扩大,学术交流活动日渐频繁,民国史研究已经发展成为中国历史研究诸学科中的后起之秀。

1978 年以后中华民国史学科发展的主要成就是:

1. 著作大量出版

一个学科建立并成熟的标志,就是有可以代表这个学科研究水平的高质量研究著作的出版。近代史研究所民国史研究室(组)于成立初始即决定编写一套包括研究专著、人物传和大事记在内的系统的"中华民国史",这套著作的出版实际成为民国史学科建立的标志,也是迄今为止大陆民国史研究的代表性成果。《中华民

---

① 这些资料与研究有:严中平等的《中国近代经济史统计资料》(科学出版社 1955 年版)、吴承明的《帝国主义在旧中国的投资》(生活·读书·新知三联书店 1955 年版)、陈真等的《中国近代工业史资料》(生活·读书·新知三联书店 1957 年版)、彭泽益的《中国近代手工业史资料》(生活·读书·新知三联书店 1957 年版)、章有义的《中国近代农业史资料》(生活·读书·新知三联书店 1957 年版)、宓汝成的《中国近代铁路史资料》(中华书局 1963 年版)、徐义生的《中国近代外债史统计资料》(中华书局 1962 年版)。这些资料虽均标以"近代"字样,但其中相当一部分是民国时期的统计资料。

② 1949 年以后,"民国"作为一中性的书名似应自此书始。

国史》分为 3 编 12 卷,由知名学者数十人共同参加撰写,北京中华
书局出版。该书已先后出版了第 1 编全 1 卷(辛亥革命和南京临时
政府,李新主编,1981 年版)、第 2 编第 1 卷(袁世凯统治时期,李
宗一、曾业英、徐辉琪、朱宗震等著,1987 年版)、第 2 卷(皖系军阀
统治时期,彭明、周天度主编,1987 年版)、第 5 卷(北伐战争和北
洋军阀的覆灭,杨天石主编,1996 年版),第 3 编第 2 卷(从淞沪抗
战到卢沟桥事变,周天度、郑则民、齐福霖、李义彬等著)、第 5 卷
(从抗战胜利到全面内战爆发前后,汪朝光著)、第 6 卷(国民党的
失败和中华民国的覆亡,朱宗震、陶文钊著)已经完成,即将出版。
其他各卷正在写作之中,将于 2000 年全部完成。《民国人物传》共
12 卷(孙思白、朱信泉、严如平、宗志文、熊尚厚、娄献阁等主编),
收录民国时期有影响的政治、军事、外交、经济、文化等各界人物近
1000 人,现已由中华书局出至第 9 卷,其余 3 卷也已全部完成,即
将出版。《中华民国大事记》(序编 1905 年至 1911 年,正编 1912 年
至 1949 年,韩信夫、姜克夫主编)全 5 册 39 卷,逐日记述民国时期
政治、军事、外交、经济、文化等方面的大事、要事,已于 1997 年由
中国文史出版社出版。此三项工程构成了一部体系较为完整的民
国史,待其全部完成之日,可望为民国史学科研究奠定一个坚实的
基础。

　　在民国专史方面,已经出版的较为重要的著作有:辛亥革命,
章开沅、林增平主编《辛亥革命史》(3 卷本,人民出版社 1981 年
版),金冲及、胡绳武《辛亥革命史稿》(4 卷本,上海人民出版社
1981 年至 1991 年版),林家有主编《辛亥革命运动史》(中山大学
出版社 1991 年版);北洋军阀时期,来新夏主编《北洋军阀史稿》
(湖北人民出版社 1983 年版),莫世祥《护法运动史》(广西人民出
版社 1991 年版);北伐战争,黄修荣《国民革命史》(重庆出版社
1992 年版),刘继增、毛磊、袁继成《武汉国民政府史》(湖北人民出
版社 1986 年版),王宗华、刘曼容《国民军史》(武汉大学出版社

1996 年版);十年内战时期,张同新《国民党新军阀混战史略》、《蒋
汪合作的国民政府》(黑龙江人民出版社 1982、1988 年版),郭绪印
《国民党派系斗争史》(上海人民出版社 1992 年版),杨奎松《西安
事变新探》(台北,东大图书公司 1995 年版);抗日战争时期,何理
《抗日战争史》(上海人民出版社 1985 年版),中国社会科学院近代
史研究所《日本侵华七十年史》(中国社会科学出版社 1992 年版),
军事科学院军事历史研究部《中国抗日战争史》(3 卷本,解放军出
版社 1991 年至 1994 年版),罗焕章等《中国抗战军事史》(北京出
版社 1995 年版);伪政权史,解学诗《伪满洲国史新编》(人民出版
社 1994 年版);中外关系史,资中筠《美国对华政策的缘起和发展:
1945—1950》(重庆出版社 1987 年版),陶文钊、杨奎松、王建朗《抗
日战争时期中国对外关系》(中共党史出版社 1995 年版),石源华
《中华民国外交史》(上海人民出版社 1994 年版);国民党史,彦奇、
张同新《中国国民党史纲》(黑龙江人民出版社 1991 年版),刘健清
《中国国民党史》(江苏古籍出版社 1992 年版),刘永明《国民党人
与五四运动》(中国社会科学出版社 1990 年版);地方史,谢本书、
冯祖贻主编《西南军阀史》(3 卷本,贵州人民出版社 1991 年至
1994 年版)、匡珊吉、杨光彦《四川军阀史》(四川人民出版社 1991
年版),莫济杰等《新桂系史》(广西人民出版社 1996 年版);经济
史,许涤新、吴承明主编《中国资本主义发展史》第 3 卷(人民出版
社 1993 年版),杜恂诚《民族资本主义与旧中国政府:1840—1937》
(上海社会科学院出版社 1991 年版),徐鼎新、钱小明《上海总商会
史》(上海社会科学院出版社 1991 年版);军事史,姜克夫《民国军
事史略》(4 卷本,中华书局 1991 年版);政治制度与思想史,徐矛
《中华民国政治制度史》(上海人民出版社 1992 年版),袁继成主编
《中华民国政治制度史》(湖北人民出版社 1991 年版);社会史,张
静如、刘志强《北洋军阀统治时期中国社会变迁》(中国人民大学出
版社 1992 年版)。此外,河南人民出版社的"中华民国史丛书"、兰

州大学出版社的"民国人物大系丛书"、广西师范大学出版社的"抗日战争史丛书"、广东人民出版社的"孙中山丛书",以及若干有关民国历史与人物的丛书,已经形成了一定的规模,成为民国史研究著作出版中的集团军。

人物研究是民国史研究中最为热门的领域。迄今为止,民国史上的重要人物,无论是政治、军事,还是经济、文化人物,几乎都有了传记,许多人物还有了不止一本传记。其中两个人物可作为民国人物研究热潮的代表,一个是蒋介石,长期被视为反动派的头领;一个是胡适,50年代有过一场声势浩大的批判运动,两者都是以反面人物的代表形象出现在民国历史上,但现在有关他们的生平及其方方面面的各种著作不下几十种。前者有严如平、郑则民著《蒋介石传稿》(中华书局1993年版),杨树标著《蒋介石传》(团结出版社1989年版),宋平著《蒋介石生平》(吉林人民出版社1987年版)等;后者有耿云志著《胡适研究论稿》(四川人民出版社1985年版)、《胡适新论》(湖南出版社1996年版),白吉庵著《胡适传》(人民出版社1993年版),罗志田著《胡适传》(四川人民出版社1995年版)等。已出版的民国人物传记中较为重要者尚有:陈锡祺主编《孙中山年谱长编》(中华书局1991年版)、毛注青著《黄兴年谱长篇》(中华书局1991年版)、李宗一著《袁世凯传》(中华书局1980年版)、周天度著《蔡元培传》(人民出版社1984年版)、吴景平著《宋子文评传》(福建人民出版社1992年版)等。

散见于各学术期刊的民国史研究论文更多,难有确切的统计数字。可以说,目前没有发表过民国史研究论文的历史学术期刊绝无仅有,于此亦可见民国史研究的发展与繁荣。但目前较有影响、学术价值与研究质量较高的论文,主要发表在少数学术刊物上,尤其是《历史研究》、《近代史研究》、《抗日战争研究》等,由于这些刊物长期形成的学术地位,这种现象不会在短期内改变。各大学学报和省级社科刊物发稿量较大,可称民国史研究论文发表的主要阵地,但因种种原因,质量参差不齐。当然从长远考虑,这种现象对学术发展未必有利。

2. 史料大量出版

史料是历史研究的基础。作为一门新兴学科,民国史料在新时期的大规模整理出版,为民国史研究的发展提供了前提条件。在这当中,最能反映历史本来面目的档案史料占据着重要地位。南京中国第二历史档案馆作为收藏民国档案史料的中心,自1981年开始,利用馆藏档案,系统整理出版了《中华民国史档案资料汇编》与《中华民国史档案资料丛刊》。大量民国时期的专题历史资料也得以汇编出版,其中湖北所编辛亥革命史料、天津所编北洋军阀史料、西南各省所编西南军阀史料、广东所编孙中山及护法政府和军政府史料、东北所编奉系军阀和“九一八”及伪满史料、上海所编汪伪政权史料及民族资本企业经济史料、重庆所编国共关系史料,均自成体系,可堪使用。以《国民政府公报》为代表的民国政府出版物,以《申报》为代表的民国报纸,以《东方杂志》为代表的民国杂志,以及收罗民国时期著作的“民国丛书”,被大规模影印出版,为研究者提供了极大的便利。以《革命文献》、《中华民国重要史料初编》为代表的台湾地区出版的民国史料已进入祖国内地,并被研究者们广为利用,藏于国外的民国史料也正在引起国内研究者越来越多的注意。

3. 队伍迅速扩大

民国史原有研究力量极为薄弱,1978年以后民国史研究的繁荣直接带动了民国史研究队伍的扩大,研究机构和研究人员迅速增加,逐步形成了以中国社会科学院近代史研究所民国史研究室为中心,以南京大学和中国第二历史档案馆、上海复旦大学、广州中山大学和广东社会科学院、武汉华中师范大学等大学和科研机构为重要基地的民国史研究队伍。全国其他各省市的大学、社会科学研究机构、档案馆、文史资料委员会和地方志机构,也都有研究者加入民国史研究队伍。时至今日，可以说已经没有一个省市没有民国史研究人员了。以民国史或民国史上的事件、人物命名的研究中心或研究会不断成立，如辛亥革命研究会、孙中山研究会、南京和重庆的民国史研究中心等。与老一辈专家继续其研究工作的同时，大批中青年研究人员正逐步成为民国史研究的中坚力量。

4. 交流日趋频繁

学术需要交流，只有在研究者的互相交流探讨中，才能彼此交换学术意见，促进学术的繁荣和进步。随着国家经济的发展、环境的开放和传媒的宣传，民国史研究受到海内外学者的广泛关注，已经成为有频繁的海内外学术交流活动的历史学科之一。以民国史上的重要事件和人物周年纪念活动为契机，每年都会举行大小不等的学术活动，参加的不仅有祖国大陆学者，而且有台湾、香港、澳门地区学者，还有国外学者，尤其是对民国史研究较多的美国和日本学者。1981年和1991年为纪念辛亥革命在湖北武汉，1985年和1995年为纪念抗日战争胜利在北京，1986年和1996年为纪念孙中山诞辰在广东中山先后召开的国际学术讨论会，都取得了相当的成功，得到了与会者的一致好评。1984、1987、1994年，在南京召开了三次民国史国际学术讨论会，使民国史研究者得以共聚一堂，交流学术。中国的民国史研究正在引起国际学者的关注，以费正清主编的《剑桥中华民国史》为代表的海外民国史研究著作也已进入国内研究者的视野，并引起国内学者的广泛兴趣，民国史研究正在成为一门国际性学科。

（二）民国史研究的新进展

1978年以前，民国史研究尚未真正展开，还很难谈得上科学的、深入的研究，加上极左思潮的影响和干扰，研究领域"禁区"重重，研究者心有所忌，有限的研究难有学术性可言，甚至"民国"这个词都很难不带贬义的出现在历史书中。1978年以后的思想解放运动，真正开启了学术研究自由讨论的空间。在学术研究思想解放、百家争鸣的形势下，民国史研究正在突破以往旧有条条框框的限制，取得前所未有的发展。其中一个最根本的变化，就是唯物辩证法的原则和实事求是的科学方法得到了恢复和发展。民国史研究已经基本摒弃了以往那种极端的、绝对的评价事件与人物的方法，而是历史地客观地分析当时当地当事者的具体情况，在此基础上做出适当的、合乎历史事实的评价。研究者们可以按照历史的实际发展状况及其内在规律去研究历史，民国史上许多以前没有研究或不能研究的问题，现在有人进行研究并提出了自己的看法，而以前已经有所研究并有"定评"的问题也不断有人重新研究并提出新的看法。

1978年以后的民国史研究大体可分为两个阶段。1978年至1989年为第一阶段，表现在民国史学科建立，并突破研究领域的限制，大胆提出新的观点与看法，在宏观领域取得较大进展。1990年至1998年为第二阶段，随着研究的深入，研究者们更注重于具体问题的个案研究，在微观领域将研究推向深入。①

民国史研究最先在辛亥革命问题上取得突破。辛亥革命是导致民国诞生的重大历史事件，是中华民国的开端，但是由于辛亥革命的资产阶级性质，建立的是资产阶级共和国，而且这个资产阶级共和国后来的运作也并不成功，因而1949年以后史学界对其研究不足，评价也一直不高，着重强调了辛亥革命失败的一面。1981年，以辛亥革命70周年纪念为契机，史学界推出一批专著和论文，论证了辛亥革命的资产阶级民主革命性质，充分评价了同盟会和孙中山在领导辛亥革命，建立南京临时政府，推翻中国几千年封建

---

① 本节叙述大体以这两个时段划分，但为了照顾叙述的方便与连贯，偶有两个时段交叉叙述者。

帝制方面的历史功绩。对于资产阶级在这次革命中的地位和作用，对于各个地区，各个阶级和阶层，各个政治派别、团体与代表人物在这次革命中的表现，作了相当具体深入的研究。对于辛亥革命的结局，也不再简单地归于胜利或者失败，而是根据当时的具体情况探讨为什么会有这样的结局。① 这次讨论最重要的进展，就是明确肯定资产阶级革命在当时中国的进步意义，"资产阶级政权优于封建政权，具有一种崭新的面貌"，由同盟会改组而成的国民党，在维护共和、坚持资产阶级民主方面，"充满了进取和斗争精神"，"因而它仍然是一个反映革命党人利益和要求的有生气的资产阶级政党"。②这样的评价，在以往极左思潮盛行的年代是难以想象的。

继辛亥革命的研究取得突破之后，民国史研究随着历史时段的延伸而不断取得新的进展，这一进展的主线，就是资产阶级及其代表人物在民国时期的历史地位与进步作用不断得到肯定与深化。在关于护国运动的研究中，如实肯定其资产阶级革命性质，认为"从辛亥革命到五四运动的历史进程中，护国运动是一个不可缺少的历史阶梯"，"护国运动是辛亥革命的继续"，"是一次资产阶级革命运动"，明确肯定以往遭到贬斥的梁启超和进步党人在护国运动中的领导作用。③ 一般而论，梁启超是资产阶级温和派的代表，主张立宪而不主张革命，因而以往对他们的批判较之对孙中山为代表的资产阶级革命派的批判更为严厉。因此，在肯定了资产阶级革命派的历史功绩之后，对资产阶级温和派历史贡献的肯定具有

---

① 《中华民国史》第 1 编、《辛亥革命史》、《辛亥革命史稿》、《纪念辛亥革命七十周年学术讨论会论文集》(中华书局 1982 年版)。
② 《中华民国史》第 1 编下册，第 439 页；第 2 编第 1 卷上册，第 156、160 页。
③ 《中华民国史》第 2 编第 1 卷、《护国运动史》，谢本书：《蔡锷传》(天津人民出版社 1983 年版)，董方奎：《梁启超与护国战争》(重庆出版社 1986 年版)，金冲及：《护国运动中的几种政治力量》、曾业英：《云南护国起义的酝酿和发动》(《历史研究》1986 年第 2 期)。

重要的意义,表明学术界在研究中更注意历史的实际情况,而不再简单地以派划线、以人划线。

民国成立后,中央和各地政权经过一个或长或短的过程,很快又落入了北洋军阀以及各地方军阀手中。对这一段历史的评价,过去主要是批判军阀们投靠帝国主义,误国残民,阻碍历史发展的一面。1978年以后的研究虽然体现了一定的继承性,但已更多地注意用历史事实加以论证,而非简单地批判。[①] 另一方面,研究者们也认为军阀与帝国主义有利害冲突与矛盾的一面,关系复杂,因时因地因人而异,不能简单地将军阀定为帝国主义的“工具”;巴黎和会中国代表拒绝签约,不仅是民众反对的结果,也与统治阶级的内部矛盾导致的“分裂型政治”有关。[②] 与此同时,学术界对北洋政权的阶级属性这一重要主题有所讨论。有论者认为,北洋军阀官僚资本是私人资本,并认为北洋军阀“以封建地主阶级为其主要的社会基础”,但“又在一定程度上具有了资产阶级性质”,带有一定的资本主义色彩。[③] 更有论者进一步认为,袁世凯与孙中山、张謇一样,同属资产阶级范畴,只是在当时条件下,“转变成资产者”的道路不同,因为“他们有共同的转化背景——外国资本主义侵略造成的民族危机;他们有共同的追求目标——救亡图存,使中国富强。这就使他们互相之间存在着或粗或细的共同利益纽带。但他们向资产阶级转化的程度和时序迥然各异,各自的社会地位也千差万别,使

① 裴长洪:《西原借款与寺内内阁的对华策略》,章伯锋:《皖系军阀与日本帝国主义的关系》,《历史研究》1982年第5、6期。

② 孙思白:《试论军阀史研究及相关的几个问题》,《贵州社会科学》1982年第2期;俞辛焞:《日本对直奉战争的双重外交》,《南开学报》1982年第4期;丁雍年:《对张作霖的评价亦应实事求是》,《求是学刊》1982年第5期;邓野:《巴黎和会中国拒约问题研究》,《中国社会科学》1986年第2期。

③ 彭明:《北洋军阀研究提纲》,《教学与研究》1980年第1期;来新夏、郭剑林、焦静宜:《北洋军阀史研究中的几个问题》,《学术月刊》1982年第4期。

他们走上互有冲突的政治道路。这是资产阶级内部各层次的矛盾的运动基础"。就孙中山和袁世凯而论,袁曾经积极推行了符合资产阶级利益的路线和政策,而孙中山则与资产阶级"隔膜和疏远",其民生主义"超前发展",使资产阶级难以忍受而被"遗弃"。① 既然北洋政府具有代表资产阶级利益的一面,它的各项政策当然就有对当时经济发展促进的一面。有论者认为,北洋政府制订了一系列有利于民族工商企业发展的政策和法令,而正是这种新生产力和生产关系的发展,导致了当时中国社会政治结构、经济结构、思想文化等各方面的变化,从而引起社会革命,最终导致了北洋军阀的衰亡。② 在关于北洋时期群众运动的研究中,值得一提的是,有论者对国民党与"五四"运动的关系作了研究,认为国民党积极参加并推动了"五四"运动,他们在运动前宣传鼓吹,在运动中制定策略与方法,推动其发展,"五四"运动的"政治性质和思想主题,以至于运动的预演、爆发和取胜,均同国民党人的政治言行有直接关系",因此,"五四运动的真正推动和领导者应该是以孙中山为首的资产阶级民主革命派"。其后又有论者肯定国民党在省港罢工中的领导作用,认为它是该次罢工的发动者、罢工策略的制定者以及外交交涉的主持者,对罢工的胜利起了重要作用。③ 过去一向将资产阶级及其代表党派置于群众运动的对立面,而新的研究结论有了变化,承袭了 1978 年以后对资产阶级在民国时期的历史作用给予积极评价的趋势。

1927 年以后的国民党政权,向来是民国史研究中较为敏感的

---

① 韩明:《孙中山让位于袁世凯原因新议》,《历史研究》1986 年第 5 期。

② 沈家五:《从农商部注册看北洋时期民族资本的发展》,《历史档案》1984 年第 4 期;张静如等:《北洋军阀统治时期的社会和革命》,《教学与研究》1986 年第 6 期。

③ 刘永明:《国民党人与五四运动》,中国社会科学出版社 1991 年版;黄金华、漆良燕:《也谈"五四"运动的领导者及其性质》,《理论探讨》1988 年第 5 期;李晓勇:《国民党和省港大罢工》,《近代史研究》1987 年第 4 期。

领域,1978 年以前对其几乎没有什么研究,公开发表的极少数文章也是以政治批判为主要内容。1978 年以后,关于国民党统治时期的研究首先在对抗日战争时期的国民党评价方面取得了突破。1985 年纪念抗日战争胜利 40 周年前后,出了一大批研究成果,对国民党对日政策由"攘外必先安内"到联共抗日的转变,对其在抗战前为抗战所做的军事、经济准备工作,如整编军队、构筑国防工事、发展军事工业、制定抗日战略、进行国防经济建设,对抗战中国民党军队负担的正面战场的地位和作用,以及正面战场的历次重要战役,均给予了适度的、积极的评价。① 与此同时,研究者们对于国民政府建立后的关税自主、法币改革以及抗战时期经济政策的作用等等问题,也都予以一定的积极评价。②对于这些问题的研究在过去是被忽略的。还有论者结合史实作了更深入的考查。如关于国民党对日政策的转变,以往研究多强调中共与群众运动对国民党的推动作用,此时有论者认为,"经济原因是促使国民党转向抗日的基本原因",因为日本对华北的侵略扩张,已经严重影响了

---

① 《抗日战争史》;郭大钧:《从"九一八"到"八一三"国民党政府对日政策的演变》,《历史研究》1984 年第 6 期;李义彬:《华北事变后国民党政府对日政策的变化》,《民国档案》1989 年第 1 期;陈谦平:《试论抗战前国民党政府的国防建设》,《南京大学学报》1987 年第 1 期;乐嘉庆、姜天鹰:《评抗战前夕国民党南京政府的抗日准备》,《复旦学报》1987 年第 5 期;袁旭等:《论抗战初期的正面战场》,马振犊:《"八一三"淞沪战役起因辨正》,江抗美:《武汉保卫战述评》,郭学旺、孟国祥:《中条山会战述评》,《近代史研究》1985 年第 4、5 期,1986 年第 6 期,1987 年第 4 期。

② 高德福:《试论国民党政府的关税自主政策》,《史学月刊》1987 年第 1 期;樊小钢:《论国民党南京政府的关税改革》,《浙江财经学刊》1987 年第 2 期;虞宝棠:《一九三五年国民党政府币制改革初探》,《华东师范大学学报》1982 年第 4 期;《试论国民党政府的法币政策》,《历史档案》1983 年第 4 期;朱镇华:《重评 1935 年的"币制改革"》,《近代史研究》1987 年第 1 期;郑会欣:《一九三五年币制改革的动因及其与帝国主义的关系》,《史学月刊》1987 年第 1 期;《民国档案与民国史学术讨论会论文集》,档案出版社 1998 年版。

国民党政府的经济收入,其在华北地区的经济利益面临完全丧失的危险;同时,这一时期国民党通过积极的外交努力,获得大量外汇和借款,经济实力有所增长,有必要也有可能改变其对日政策。① 这样的观点,既将研究建立在史实与数据的基础之上,也在事实上坚持了经济决定政治的唯物辩证法的基本观点。关于抗日战争中正面战场的作用及其与敌后战场的关系,以往研究突出了敌后战场,而忽略了正面战场,此时有论者认为,无论在相持阶段之前还是之后,"国民党正面战场和共产党敌后战场,都具有同等重要的战略地位,不存在主要战场和次要战场之分",两个战场有摩擦的一面,但相互配合、相互依存的关系一直贯穿于整个抗日战争期间。② 可喜的是,关于抗战历史的研究,是祖国大陆学者和台湾学者在民国史研究领域最早开展交流与互有回应的论题之一。如关于抗战的战略,台湾学者认为,国民党政府自抗战一开始就制定了持久战战略,并主动发动淞沪战役,诱使日军改变进攻方向,奠定了抗战胜利的基础。大陆学者则多认为国民党的持久消耗战略是在抗战中逐渐形成的,而且这个战略仍有重要缺陷,即其不彻底性和动摇性,过于依赖外力,实行消极防御,而且"始终是不完全的","实际上只是指狭义的军事作战行动战略";至于发动淞沪战役的战略意图,目前并无史料依据支持,当时国民党也没有如上所述的设想,同时这一战役也未起到转换全局的作用。③ 尽管双方的观点未尽相同,但这样的交流与回应对于民国史研究而言则是有重要意义的。

值得注意的是,对于国民党统治时期的研究,虽然相对敏感且

① 吴景平:《试析国民党转向抗日的经济原因》,《中共党史研究》1988 年第 1 期。
② 徐焰:《抗日战争中两个战场的形成及其相互关系》,《近代史研究》1986 年第 4 期。
③ 余子道:《中国正面战场对日战略的演变》,《历史研究》1988 年第 5 期;《中国正面战场初期的作战方向问题》,《军事历史研究》1987 年第 4 期。王建朗:《抗战初期国民党军事战略方针述评》,《复旦学报》1985 年第 4 期。

基础薄弱,但是研究者并不回避矛盾,而是勇于开拓,在一些宏观领域的重大问题上取得了明显进展。蒋介石是国民党及其政权的领袖人物,过去被冠以"独夫民贼"、"人民公敌"之衔。此时有论者认为,在整个抗战期间,国民党处理抗日与反共的关系时,抗日都是主要的方向,因为中日民族矛盾没有解决;只要抗日,就属于人民的范围,因此当时的蒋介石集团也包括在人民之内。[1] 有论者对抗战前后的蒋介石作了较为全面的评价,认为蒋战前放弃"攘外必先安内"的错误政策,联共抗日,顺应了历史潮流;抗战初期,蒋与中共合作,指挥国民党军队抗击日军,是对国家民族的贡献,但其片面抗战、消极防守战略,也使国家蒙受了不必要的损失;抗战中期,蒋没有放弃抗战,没有完全中断国共合作,但坚持一党专政和独裁统治,制造反共摩擦,消极被动,保存实力,限制和降低了国民党军队的抗战作用;抗战胜利后,蒋违背历史潮流,坚持个人独裁统治,最终彻底失败。[2] 对蒋介石研究中的一些具体问题,也有论者根据历史事实提出了自己的看法。如关于蒋介石与汪精卫的关系,关于"曲线救国"论,关于"蒋伪合流",有论者认为,蒋与汪的叛国投敌"毫无关系",他们"不可能有共同的语言,更不可能有一致的行动";将曲线救国"作为国民党当局的指示方针"不符合历史事实;国民党对汉奸政权坚决打倒,汉奸财产一律没收,汉奸主要头目多被处决,至于对汉奸将领的委任,"只是出于反共和抢占沦陷区目的的一时利用"。[3]

　　关于官僚资本的研究与讨论也是这一时期的研究重点之一。官僚资本是民国年间就开始使用的概念,1949 年以后,为民国史

---

[1]　王桧林:《抗日战争史研究中的几个问题》,《北京师范大学学报》1985 年第 4 期。

[2]　严如平、郑则民:《试论抗日战争中的蒋介石》,《民国档案与民国史学术讨论会论文集》。

[3]　蔡德金:《试论抗战时期蒋汪关系的几个问题》,《民国档案与民国史学术讨论会论文集》。

研究所沿用,而且其适用对象有扩大的趋势,即凡军阀、官僚以及国家、机关投资创办的企业一概称之为官僚资本主义。在新的研究趋势下,有论者提出,官僚资本是一个已为群众接受的通俗名称,可以作为特定范畴使用,但它的实质,用政治经济学术语说,就是不同政权下的国家资本主义。继而又有论者认为,官僚资本是个政治概念,不应用于标明企业性质;官僚私人投资与国家投资是不一样的,即使是军阀官僚投资的资本也属于民族资本中的私人资本。①同时有论者明确提出,既然官僚资本是个政治概念,我们就有责任使用科学的经济概念;军阀官僚原始积累的来源并不能决定他们所办企业的性质;在所谓"四大家族"官僚资本中,蒋介石只有很少的私人投资,陈果夫、陈立夫兄弟的私人投资尚无充分材料证明,而宋子文、孔祥熙"各阶段留在国内资本有多少,在社会经济生活中起了多大程度的垄断性的消极作用","都应当根据足够的材料作出符合客观真实的分析和论断";"从政治方面看,国民党统治时期有过掌握党、政、军、财经大权的四大家族,然而从经济方面看,那一时期却并没有四大垄断资本家族"。② 在民国经济史研究中,以更严格、更科学的国家资本概念代替不尽科学的官僚资本概念有可能成为史学界的共识,但因为官僚资本概念在民国时期即被广泛使用,因此在民国政治史研究中,运用这一概念仍有其必要性。

随着时间的推移,不少研究者感到,仅仅突破某些研究领域的限制,对一些问题提出新的看法,还只是浅层意义上的进

---

① 许涤新、吴承明:《中国资本主义发展史》第 1 卷"总序";丁日初:《关于"官僚资本"与"官僚资产阶级"问题》,《民国档案与民国史学术讨论会论文集》;《西南经济研究讨论会综述》,《中国经济史研究》1986 年第 1 期。

② 丁日初、沈祖炜:《论抗日战争时期的国家资本》,《民国档案》1986 年第 4 期;丁日初:《关于"官僚资本"与官僚资产阶级"问题》,《民国档案与民国史学术讨论会论文集》。

展,而且有些新的看法不过是随着思想解放的潮流应时而生,还缺乏深入的研究,而真正具有学术意义的突破与创新,应该是在深入研究的基础上得出的。因此,1990年至1999年,民国史研究进入了第二个阶段,即更多地对具体问题进行个案研究的阶段。

　　民国史个案研究的进展表现在很多方面,首先应该提到与档案资料相结合的研究。90年代以来,不断有新的、过去不为人知的有关民国事件与人物的档案公布,同时,藏于海外的民国史料也引起了学者们的注意,与民国史密切相关的中国共产党的档案资料亦有大量公布,所有这些都为研究者们提供了良好的研究条件。在利用档案资料方面所取得的研究进展包括:北伐时期若干问题的研究,西安事变若干问题的研究,以及民国史事件与人物的研究。①

　　有关抗日战争的个案研究也有相当进展。如关于"不抵抗主义",有论者认为,"不抵抗主义"是东北地方当局所采用的说法,时间为1931年"九一八"事变爆发到1933年承德失陷;蒋介石当时并无不抵抗的直接命令,但蒋和南京政府默认了东北地方当局的"不抵抗";张学良对"不抵抗"负有相当责任,"九一八"后张对日本的进攻始终退让,直到热河之战仍未下抵抗决心,战略战术一误再误;直到长城抗战,中国军队才用抗战的鲜血洗去了"不抵抗主义"

---

① 《中华民国史》第2编第5卷;杨天石:《海外访史录》,社会科学文献出版社1998年版;杨奎松:《西安事变新探》;陈谦平:《论"紫石英"号事件》,《南京大学学报》1998年第2期。杨(天石)著以大量海内外所藏档案史料为依据,论证了1927年张作霖查抄北京苏联大使馆时据以为由的所谓苏联"阴谋文证"完全是伪造,揭开了30年代中期国民党内部各个派别之间若干矛盾的内幕;杨(奎松)著着重利用中共与共产国际的档案资料,揭开了西安事变中若干问题之谜,修正了一些以往的固有说法;陈著则利用英国档案材料,对轰动一时的"紫石英"号事件的前因后果作了详细考证。

的耻辱。也有论者综合运用中日双方史料,对于卢沟桥事变作了相当具体的历史过程的构建,认为该事变完全是日本的预谋,日本有学者提出的谁先打"第一枪"的争辩毫无意义;蒋介石和国民政府对事变的处置是正确的,做出了应战部署,推动了全国抗战。① 关于抗战时期国民党军队的敌后游击战,过去从无研究,此时有论者对其最初的决策、实施的过程、特点及其在敌后各战区的发展情况作了较为全面的介绍并给予了一定的积极评价。② 关于正面战场一些以往已有定论的问题,此时也有论者予以重新评价。如1944年的正面战场,过去强调的是失地千里,一败涂地,但有论者提出,国民党实行的是"东守西攻"战略,东线失败并不关系全局,而西线滇缅战场的胜利是关系战略全局的胜利,解除了中国两面受敌的威胁,开辟了重要的交通线,因此1944年的整个正面战场是得大于失。但就国民党统治而言,东线的失败是全局性的失败,造成其统治危机,客观上也有利于中共在敌后的发展。关于正面战场的战略反攻问题,有论者提出,1945年4月的湘西战役是正面战场反攻的开始,从此正面战场屡胜日军,收复了不少国土;由于中国是弱国的特殊环境,中国的反攻不同于别国,力不从心,时间短促,但仍值得肯定。③

在关于国民党统治时期的研究中,这些年里也有一些值得注意的研究成果,如关于国民党政权建立初期的财经政策,关于三青

---

① 冯筱才:《"不抵抗主义"再探》,《抗日战争研究》1996年第2期;蔡德金:《对卢沟桥事变几个问题的思考》,《抗日战争研究》1997年第3期。

② 戚厚杰:《国民党敌后游击战争初探》,《军事历史研究》1990年第1期;韩信夫:《试论国民党抗日游击战场》,《民国档案》1990年第3期;张业赏:《论国民党军在山东敌后战场的地位》;唐利国:《关于国民党抗日游击战的几个问题》,《抗日战争研究》1996年第1期、1997年第1期。

③ 温锐、苏盾:《重评1944年中国抗日战争的正面战场》,《抗日战争研究》1996年第4期;刘五书:《论抗日战争正面战场的战略反攻》,《抗日战争研究》1995年第3期。

团,关于重庆谈判问题,关于战后东北问题,关于中美商约,等等。①

　　在北洋军阀及其政权研究方面,这一时期的研究对于北洋政权的资本主义性质有了较多的共识,这主要源于对北洋政府经济政策的研究,因为经济政策由社会政治经济制度决定,而研究者们多认为北洋时期的经济政策促进了资本主义的发展,反映了资产阶级的利益。有论者认为,北洋政权制定的经济政策,除了极少数因财政困难和不平等条约的制约未能贯彻外,其他基本上都得到了具体落实,这些政策主要制定于袁世凯时代,也为以后历届政府贯彻。② 有论者通过档案研究,认为民国初年的经济法制建设,门类齐全,内容详尽,初步形成了资本主义经济法制体系,体现了资产阶级利益,使政府经济管理法制化、经济化,经济竞争自由化、正规化,是一种历史的进步。③ 也有论者从另一个角度论述了北洋时代的经济发展,即北洋时期军阀混战,政局不稳,捐税繁多,但中央政府缺乏权威,无力控制经济活动,使经济发展的自由资本主义道路未被阻断,而这是发展资本主义的最好道路;由于北洋时期中央

① 宗玉梅:《1927—1937年南京国民政府的经济建设述评》,《民国档案》1992年第1期;程道德:《试述南京国民政府建立初期争取关税自主权的对外交涉》,张生:《南京国民政府初期关税改革述评》,《近代史研究》1992年第6期、1993年第2期;贾维:《三青团的成立与中共的对策》、《国民党与三青团的关系及其矛盾之由来》、《三青团的结束与党团合并》,《近代史研究》1995年第2期,1996年第4、1期;章百家:《对重庆谈判一些问题的探讨》,《近代史研究》1993年第5期;杨奎松:《1946年国共两党斗争与马歇尔调处》,汪朝光:《抗战胜利后国民党东北决策研究》,《历史研究》1990年第5期、1995年第6期;薛衔天:《战后东北问题与中苏关系走向》,《近代史研究》1996年第1期;任东来:《试论一九四六年"中美友好通商航海条约"》,《中共党史研究》1989年第3期;陶文钊:《1946年"中美商约":战后美国对华政策中经济因素个案研究》,《近代史研究》1993年第2期。
② 黄逸平:《辛亥革命后的经济政策与中国近代化》,《学术月刊》1992年第6期。
③ 虞和平:《民国初年经济法制建设述评》,《近代史研究》1992年第4期。

政权名存实亡,自清朝后期开始的国家资本主义发展方向中断了,
这对经济发展是有利的。[①] 在关于北洋时期政治外交的研究方面,
有论者认为,民国初年中国经历了一个"政治现代化的畸变过程",
党社混沌不清,党争没有健康的法律秩序作基础,社会机制未形
成,资产阶级不成熟,社会文明程度低,从而使袁世凯少有牵制,实
现了专制复辟。[②] 有论者对北洋政府的"修约外交"予以一定肯
定。[③] 还有论者较为全面地评价了北洋时期的外交政策与实践,认
为北洋外交机制开始近代化、专业化、技术化;外交思想方面,表现
出一定的独立自主性和民族主义特色;外交实践方面,是对外妥协
与对外依赖相结合;外交特点一是内向性,内耗不已,有害无利,二
是开放性,既引进了外资商品技术,刺激了经济发展,同时又使外
国控制了中国经济,利弊兼有,利大于弊;总体而言,北洋外交争得
了部分主权,实现了近代化,一定程度上显露了中国的国际地位,
而其失败不是外交政策自身的原因,主要是由当时的国内外环境
决定的。[④] 关于北洋政权后期兴起的国民革命运动,有论者从家庭
人口的生活水平,论证北洋时期普通人民的贫困化,从而证明社会
变革的必要。据论者对当时工人、农民、人力车夫、教师的收入和支
出的考察,他们的收支不平衡,入不敷出;支出结构畸形,食品费比
重过大,缺少正常生存条件;食品结构畸形,主食比例过大,缺少正
常营养条件;适龄儿童入学率极低,无力实现培育劳动力功能。这
种生活条件的人口比例占到 60%以上。因此,他们不满意社会分
配不公,物价上涨,以及繁多的苛重捐税,要求改变现状,国民革命

---

① 杜恂诚:《北洋政府时期国家资本主义的中断》,《历史研究》1989 年第 2 期;石波:
　《辛亥革命与中国民族资本主义经济的发展》,《湖北社会科学》1991 年第 8 期。
② 杨立强:《论民国初年的政党、党争与社会》,《复旦学报》1993 年第 2 期。
③ 《中华民国史》第 2 编第 5 卷。
④ 郭剑林、王继庆:《北洋政府外交近代化略论》,《学术研究》1994 年第 3 期。

的依据即在于此。① 也有论者认为北伐时期中国政治的主要区分和中外关注的重点是南北之争而非国共之争或国民党内部矛盾，当时的中国局势与列强政策均以混乱多变为特征；在列强竞争中，美国向南方逐渐倾斜，在国内压力和列强树立开明形象的形势下，开始修改对华政策，并对南北采取更灵活的政策；是南京事件而不是"四一二"及清党造成了美国政策的调整。② 该文的意义在于涉及到民国史研究中的一个重要问题，即如何看待当时、当地的主要社会矛盾。过去的研究可能不分时间、地点地夸大了国共关系及其矛盾的影响，这样会妨碍我们对中国社会的深入观察与分析。这里的关键仍在于实事求是，一切从历史实际和历史资料出发。以往研究不多的民国时期社会、文教方面的课题也正在引起更多研究者的注意，他们的研究成果得到了许多学术期刊的支持。③

　　这一时期的民国史研究，由于个案研究的进展，选题更为广泛与多样，在叙述与评价方面，更注重具体与细致的分析，以往那种绝对肯定或绝对否定的研究方法与结论此时已经很少见到了，这种状况本身也说明了民国史研究的深入与发展。不足之处是，一些

---

① 刘志强、姚玉萍：《对北洋政府时期下层人民家庭功能及革命动因的考察》，《近代史研究》1991 年第 5 期。

② 罗志田：《北伐前期美国政府对中国革命的认知与对策》，《中国社会科学》1997 年第 6 期。李天纲的《1927：上海市民自治运动的终结》（《史林》1998 年第 1 期）也注意到了从不同的社会矛盾观察历史的问题。李文认为，历来关于这个问题的研究注意的是国共关系，而上海商人社会势力一度关注的是怎样抵制国民党的独裁，反映了基于财产所有权的商业利益和市民自治与国民党统治理念的矛盾，也反映了自下而上建设近代中国社会秩序的失败。

③ 如饶东辉的《民国北京政府的劳动立法初探》，严昌洪的《民国时期丧葬礼俗的改革与演变》，陈蕴茜、叶青的《论民国时期城市婚姻的变迁》等（《近代史研究》1998 年第 1、5、6 期），表现了这一中国近代史研究领域的领衔刊物对社会史研究的重视。这些论文都从一个较少为人研究的侧面，对民国时期的社会生活作了较深入的研究，为我们多方面认识与了解民国时期的社会发展提供了可能性。

研究成果只是就事论事,缺乏在此基础上提升到理论高度的追求,尤其缺乏对重大问题的理论探讨。

(三)民国史研究中值得注意的若干问题

从 1949 年到 1999 年,在 50 年的时间里,民国史研究从无到有,取得了很大的成就,这是毫无疑问的,尤其是改革开放的大环境,为民国史研究创造了十分有利的条件。但是,民国史研究毕竟是一门新兴学科,与其他具有相对悠久历史的史学学科相比,民国史研究仍然存在不少问题,既有历史学各学科共有的问题,也有民国史学科自身的特殊问题。实事求是地分析这些问题,寻求改进之道,可能有助于民国史研究的继续深入。

对于历史学各学科共有的问题而言,我们首先应该提到的是民国史研究论题的贪大求全,诸如热衷于讨论历史的分期、性质、意义、评价等等。不能说这样的研究完全没有意义,但是在对当时当事的历史缺乏深入研究的前提下,讨论这些问题往往给人以大而无当之感,而且也很难取得共识,减少了其应有的学术意义。试举一例,有关抗日战争的领导权问题,自 1985 年抗战研究兴盛之初,即为民国史研究者们所热衷选择的论题之一,文章不少,但一直众说纷纭,无法取得一个基本的共识。还在抗战研究刚刚起步之时,学术界对于抗战领导权的问题就提出了四种看法,即中国共产党领导、国共两党共同领导、国共两党分别领导共同进行、在统一战线旗帜下以国共合作为基础的全民族抗战。这四种看法各有其理由,但都有着显而易见的不足。还在 1988 年,胡绳就曾言简意赅地评论道,"说抗日战争是中国共产党领导的,这过于简单。总不能说共产党领导了国民党,领导了国民党的反共政策,领导了湘桂大溃退,等等";国共对于抗战各有自己的一套方针,"国共共同领导的说法也站不住";分别领导共同进行的说法"也没有全面地说明事实";至于最后一种说法,只是现象的描述,但没有说清领导权问题。对于这个问题,胡绳并没有简单地给出答案,而是强调要深入研究,尤其要研究国共两党在抗战时期对于领导权的争夺,"不研究这个过程,是说不清领导权问题的"。[①] 如同胡绳所指出的,这里的关键是深入的研究。抗日战争是时间很长、发展进程复杂、多种矛盾交织的重大历史事件,其对中国历史进程影响之大在近代无出其右,抗日战争的领导权问题当然是有关抗战研究的重大问题,但我们以往对于抗战还缺乏深入的研究,一开始就讨论这样大的问题,恐怕是无法给出令人满意的答案的。与其如此,倒不如从小事做起,研究抗战中的若干具体问题,只要一个问题一个问题研究透了,小中见大,问题的答案也就自在其中了。如果说,在民国史研究起步之初,我们需要一些大题材的文章引起社会的关注,表示拨乱反正的政治意义,那么现在我们的研究更应该在具体问题上向前推进,然后才能谈到对种种宏观性重大问题的认识。从这个意义上说,90 年代民国史在微观研究上的进展更值得我们重视。[②]

　　其次,研究中的低水平重复现象。学术研究工作最可宝贵的特质在于其创造性,发前人之所未发,论前人之所未论,在前人研究的基础上不断创新。然而目前研究中较为常见的却是重复前人的研究课题,而又未见新材料与新观点,毫无创新可言。且不说每年为了配合各种事件与人物纪念日的应景式文章,即就一般论文而

①　胡绳:《谈党史学习中的几个问题》,《中共党史研究》1988 年第 1 期。
②　其实,有关民国时期若干运动领导权的问题并不时时、处处如此重要。如关于"五四"运动领导权的问题亦有不少讨论,但已有论者认为,"由于五四运动波及全国,在各地进展的情况较复杂,有很多史实我们并不熟悉,因此,目前还不可能对多种政治力量究竟谁起主导作用的问题,作出实事求是的科学解答。将来也很有可能根本就解答不出来。当然,也不必一定要解答。"(刘永明:《五四运动研究中的几个问题》,《近代史研究》1993 年第 6 期)。这体现了一种实事求是的科学态度,知之为知之,不知为不知,而不必强作解人,骤下断语。

言,此种现象也所在多有。如关于 1935 年国民政府币制改革的研究,是民国史研究中较早有所突破的课题,最早的文章发表于 1982 年,[①]此后即不断有关于这个论题的文章发表,到 1987 年,可以说对于这个问题的研究已经基本上取得了共识,即币制改革的主要原因是,币制紊乱需要改革,美国的白银政策冲击中国的银本位制度,迫使中国不得不改革币制;币制改革的主要内容;外国对于币改的反映,英、美支持,日本反对;币制改革的作用,在积极方面是货币制度的进步,促进了当时的经济发展,消极方面是浓厚的殖民地性,使官僚资本完成金融独占,为以后的通货膨胀埋下了祸根。然而十多年以后,有关这个问题仍有文章发表,但在叙述框架、基本内容与评价方面则仍然不出前者的范围,这样的研究究有何意义。[②] 实际上,在民国史研究的若干领域均有此类现象,表现为一个论题一旦引起注意,则一拥而上,且文章连年不断,但多了无新意。因此,这并非个别现象,而是一个值得注意的普遍问题。

第三,研究粗疏,公式化、模式化。实际上,这是与上文提到的低水平重复现象密切相关的一个问题,即不作深入研究,不查考第一手史料,只是因袭前人的说法。以有关土地问题的研究为例,因为中国是一个农业国,而且人口众多,可耕地数量有限,人多地少,因此,研究者们一向认为土地问题是中国历朝历代的关键问题之一,其中又以土地集中于少数地主手中对生产力发展与社会稳定的威胁最大。在有关民国经济史的研究中,我们仍然看到这样的观点,土地占有"越来越集中",地主阶级对农民的剥削"越来越重",这几乎成为某种公式化的表述。[③]然而根据何在?有什么数据支持

---

① 虞宝棠:《一九三五年国民党政府币制改革初探》,《华东师范大学学报》1982 年第 2 期。

② 出于可以理解的原因,本章有关商榷方面的引文概未注明出处,敬请读者鉴谅。

③ 查阅当今民国经济史著作几无一例外地沿用这一说法。

这样的结论?论者往往也会给出一些数据,但是对于经济史研究而言,仅仅是少数个案统计并不能解决这样一个事关全局的重要问题,但是却很少有研究者对这样的结论问一个为什么,而是人云亦云,照搬现成结论,但经过研究以后的事实却未必支持这样的结论。如以往著作中有一个基本论点,即占人口不到10%的地主和富农,占有全国60%到80%的耕地。但有论者根据历史档案和实地调查得出的结论是,占人口6%至10%的地主和富农,占有全国28%到50%的耕地,他们从来没有占有60%以上的耕地。[①] 如果作者的论述建立在可靠的基础上并且能够成立的话,则对于认识近代中国的阶级关系和社会矛盾有着重要意义。研究粗疏表现在史料运用上,就是不下功夫搜集、研究第一手材料,或有意无意地误用已有材料。前者可以西安事变的研究为例,西安事变历经多年研究,曾被认为基本史实已经搞清楚了。然而有论者根据将近十年前公布的材料研究的结果,推翻了以往众口一词的许多结论,[②] 这就证明许多研究者连已公布的材料也没有认真研究,遑论未公布的材料?后者可以关于"不抵抗主义"的研究为例,有论者指出,以往论者所引用的有关"九一八"事变时南京政府下令"不抵抗"的有关电文,并非是此时的指示,而是事变前关于中村事件、万宝山事件的指示,用在此时虽然也可以说明一些问题,但毕竟缺乏直接的针对性。[③] 历史研究首先是建立在史料基础上的实证研究,如果不搜集史料、不研究史料,这样的研究何异于无源之水。

　　第四,缺乏严格的学术规范。学术规范的问题牵涉很多方面,

---

① 乌廷玉:《旧中国地主富农占有多少土地》,《史学集刊》1998年第1期。

② 杨奎松:《西安事变新探》。举例言之,以往所有关于西安事变的研究均认为,张学良在延安会谈中劝说中共实行联蒋抗日,并为中共所接受,甚至直接当事人也如此说,然而作者研究的结果证明,这完全是子虚乌有。作者认为,这是因为大家在研究中过于相信回忆史料,而回忆史料"并不总是那么可靠的"。

③ 俞辛焞:《九一八事变时的张学良和蒋介石》,《抗日战争研究》1991年第1期。

如注释的运用方法、参考书目与提要的编制、前人研究的引用,等
等。诸如上文提到的低水平重复的问题,如果在研究中严格确立对
前人研究的征引规范,则可以在很大程度上得到解决。关于学术规
范的问题,还有一个如何规范研究课题与概念,如何正确阐释史料
的问题。在研究中轻率地、不加论证地确立课题、运用概念是一个
非常值得重视并亟须加以改进的问题。诸如关于江浙财团的研
究,① 有论者认为,陈其美是其核心人物,但是,论者却没有给出论
据,为什么给陈其美这样定性?一个显而易见的事实是,如果"江浙
财团"确有其事,学术界一般也认为它的形成应该在 20 年代初期,
然而陈其美已经在 1916 年遇刺身亡,如果这个"财团"奉一个已经
死了的人物为"核心人物",更应该有深入的论证吧。至于将陈果
夫、陈立夫兄弟也定性为这个"财团"的代表人物,则更不知其论据
何在。如果按此定论,陈氏兄弟总该为自己所代表的"财团"谋些利
益吧,何况他们还是南京政权的重要人物,然而论者又认为该"财
团"在南京政权成立后就被国民党抛弃,连遭打击。如何解释这一
问题?如果论者认为上述问题学术界已有研究,不必解释其含义,
那么就应该通过注释做出交待。如果不是如此,则历史学中并不存
在不证自明的公理,任何定性的文字都必须精确,必须有分析、有
论据。我们无意在此判断上述结论的正确与否,只是想提醒研究者
们多尊重一些科学研究的起码规则。

　　此外,民国史研究还有其自身特殊的一些问题。民国是一个离
现实最近的历史时期,又是一个政治斗争异常激烈的历史时期,加
之长期极左思潮的干扰,使有关民国时期历史的研究容易受到其

---

① 江浙财团及其与国民党政权的关系问题早已有人研究,并认为江浙财团是早期南
京国民政府的重要支持者。但以往的研究过于简略,因而在这个问题上也始终未
能有根本的突破,甚至江浙财团是否能称为"财团"亦不无疑问。参见姜铎:《略论
旧中国三大财团》,《社会科学战线》1982 年第 3 期;黄逸平:《江浙"财团"析》,《学
术月刊》1983 年第 3 期。

他非学术因素的影响,表现在具体问题上就是企图寻求结论的平衡点,即"一方面"、"另一方面","虽然"、"但是",等等。这样一笔但书,表面上使研究结论保持了平衡,但往往失去了应有的价值判断,而趋于中庸或者模棱两可,甚至自相矛盾。比如有论者研究了南京国民政府的公务员制度"从无到有,日趋完善"的过程,结论是南京政府"积极引进和建立了公务员制度,结束了长期以来文官管理无章可循的局面,使中国的文官制完成了由君主恩赐制向近代文官制的转变"。作者紧接着一笔但书,"封建土壤不铲除,民主环境不建立,公务员制度便没有赖以生存的基础"。撇开其他问题不论,即就形式逻辑而言,这样的说法实在是自相矛盾。当时的中国显然没有民主环境,那么,南京政府的文官制度即没有"生存基础"。然而照作者所述,文官制度又确实已经"建立"了,而且中国的文官制度经此而"转变",岂非自相矛盾?这里的关键问题还是如何正确运用唯物辩证法的研究方法以及实事求是的原则,当论则论,完全没有必要加这样那样的但书。我们可以具体分析研究对象的成败得失,但是不可以空论,尤其不可以自相矛盾。可喜的是,已经有作者在这方面做出了扎实的努力。[①] 还有就是语言的运用,我们经常会见到诸如"进步"或者"反动"这样的表达法,在许多情况下这样的定性是合理的,然而也并非事事如此、时时如此。再以关于货币制度的改革为例,货币不过是一种现代经济支付手段,与政治性质无关,货币使用过程中出现的问题,如通货膨胀,出自发行者或决策者而非货币自身,这些都无所谓"进步"或者"反动"。即使是国民党统治后期的恶性通货膨胀,有论者指出,这也是接连不断的

---

① 我们可以举出王建朗的《二战爆发前国民政府外交综论》(《历史研究》1995 年第 4 期)为例,王文明确提出,国民政府的外交从战略角度说是正确的、明智的,表现了近代中国外交少有的主动性和灵活性,可以说是基本成功的,文中没有不必要的但书。

战争、动荡的政局、连年的财政赤字造成的,和币制改革本身并没有必然联系。明乎此点,则将国民党实行币制改革称为"反动财政经济政策",法币是为"大地主、大银行家、官僚买办资产阶级服务的";或者称法币"是一个进步","发展到后来就丧失了原有的进步作用",抗战胜利后"那时的通货膨胀是反动的",等等,多少离开了学术研究的题中应有之义。

民国史研究中存在的上述问题,应该说并非个别现象,而是带有某种普遍性的问题,即使笔者自己也未尝没有犯过类似的毛病。指出问题,不是为了刻意的批评,而是为了提醒研究者们注意,建立民国史研究的科学规范,促进民国史研究在新世纪到来之际的更大发展。

(四)民国史研究的前瞻

对于民国史研究而言,现在的问题已经不是能不能研究,而是如何研究,如何更好地适应时代和学科自身发展的要求的问题。为了推动民国史研究继续向前发展,应该在解决学术自身问题和学术与社会的关系问题方面有更进一步的突破。

首先需要解决的一个关键问题就是如何定位,即如何界定民国史研究的体系和对象问题。作为断代通史,民国史应该包括民国时期政治、经济、军事、文化、中外关系等方面的所有历史事件和人物的活动。然而民国时期的特殊性在于,中国共产党领导的新民主主义革命在民国时期兴起并最终获得了胜利,而且民国时期又是1840年鸦片战争以后开始的中国近代史的一个组成部分。1949年以后,学术界曾用中国近代史的概念定义中国近代通史,民国史则成为近代通史的一个组成部分。民国史定位于何处?如何界定民国史的研究范围?民国史的研究体系、对象是什么?其研究框架如何确立?等等,是这项研究起步之初面临的首要问题。最初从事这项研究的中国社会科学院近代史研究所民国史研究室,经过集体讨论,决定民国史主要以民国时期的统治阶级及其人物的活动为研究对象,即以北洋军阀及其政权和人物、国民党及其政权和人物作为主要研究对象,将其与主要研究中国共产党活动的中共党史和主要研究人民革命运动的中国革命史区分开来,一定程度上成为一种专史研究。这是一种狭义范围内的民国史研究,尽管有其明显不够科学之处,但在当时对于推动民国史研究起了重要作用,也有其一定的合理性,并为研究者们所袭用至今。本章中所涉及的民国史研究概念,即是在这个意义上展开的。但是随着民国史研究的发展,继续沿用这样的概念确实带来一定的问题,而且其不足之处正日益凸显。毕竟,仅仅研究民国时期统治阶级历史的民国史,还不能称为真正意义上的民国通史,同时也会给研究带来诸多不便。如果我们将民国时期作为中国历史的一个发展阶段,我们就没有理由将研究局限在统治阶级,从而人为地割裂这段历史。由民国史研究室编写的《中华民国大事记》,已经在将民国史作为通史研究方面做出了自己的努力。我们认为,由于民国史研究一定的特殊性和其研究深度的不足,目前将民国史完全作为通史研究,条件还不成熟,未来一段时间内,民国史作为专史和通史研究将会并存。但是,我们应该向民国史研究成为真正的通史研究方向努力,而且近年来的研究也有了这样的趋势。相信随着研究的不断深入,学术界最终可以解决民国史研究的体系和对象问题,包容民国时期所有政治、经济、军事、文化内容,研究民国时期所有历史事件和人物的民国通史,或将在未来某个时期出现,那样必将为民国史研究开拓一个更为广阔丰富的空间。

其次,民国史研究中运用的评价标准问题。这个问题有着极其特殊的意义,尤其是在牵涉到一些有关国民党统治时期的问题时更是如此。在过去,我们习惯于用"革命"还是"反动"、"彻底"还是"妥协"作为民国史的评价标准,这个标准现在也仍然还在运用,而且在许多方面是合乎历史事实的。但是，我们未必可以将此作为民国史的惟一评价标准。以国民党的法币改革为例，有论者认为，"从本质上看，法币政策基本上乃是国民党政府的一项反动财政经济政策，它既为帝国主义的侵略服务，又为维护国民党政府的反动统治服务"，"在半殖民地半封建的社会条件下，不对国民党反动政权这个阻碍社会经济发展的上层建筑进行根本的改革，不推翻以四大家族为首的官僚资产阶级的反动统治，那么，任何币制改革都不可能使中国从根本上摆脱经济困境"。如果用"革命"还是"反动"的标准，这样的评价自然有其出处，但它确实又过于简单化、片面化、绝对化。其一，我们不应该将"革命"还是"反动"的概念无限扩大化，如前所述，币制改革首先是一项经济政策，经济动因是第一位的，而经济活动很难用"革命"还是"反动"去界定；其二，国民党统治时期的各项政策与举措有代表统治阶级利益的一面，但作为一个执政机构，其政策也有代表公共利益的一面，我们应该具体分析哪些政策是前者，哪些政策是后者，即便是前者，也还要根据当时的情况，具体分析其利与害，而不宜用一个简单化的标准评判一切；其三，如果简单化地使用"革命"还是"反动"的标准，则在国民党统治为"反动"的大前提下，任何政策措施都可以"有害"评价，可能会导致失去应有的学术判断。历史本身是丰富多彩的，政治、经济、军事、文化等等，固然各有各的评判标准，即使是政治本身，也未必就那么纯政治化，也有诸如经济、社会、个人等因素掺杂其间，很难适用于一个统一的、简单的政治标准。简单化的评价是一种省事的方法，但并无助于人们对于历史复杂性的认识。再以"彻底"或"妥协"为例，如果我们用"彻底"作为评价历史的标准，则历史上没有一件事可称"彻底"，因为人类活动本身就是与自然、与其他人妥协的过程，比如国共合作就是双方的互相妥协。因此，我们还是应该注重运用各种符合历史实际的评价标准，而统一于唯物辩证法的原则与实事求是的科学方法，而不应用一种过于简单化的标准涵盖一切。

此外，我们还应注意用各门学科固有的标准作为评判标准，而不应该用一种单一的政治标准去评判经济问题、社会问题，以至无所不评。如关于袁世凯统治时期的善后大借款，以往研究往往根据其条文内容强调其丧权辱国，但有论者认为，善后大借款中支付一定的费用是必须的国际惯例，谈不上卖国；从当时国际市场状况看，利息、折扣率偏高，但属正常；经理费、汇费偏高，但应从经济角度考察，不宜政治化；借款担保是合理要求，洋员稽核放在当时中国特殊的信用背景下具有某种合理性，审计用途可以杜绝挪用，提高债信；中国的财政近代化，预决算制度、会计出纳制度、审计制度等等，自此而有进展；至于此项借款的用途，既未用于内战，也未用于发展经济，主要用于还债和行政费。论者认为这是中国近代"畸形近代化"的一种表现形式。① 再如有关沦陷时期上海保甲制度的研究，这本是一个可以从政治角度予以批判的题目，因为以往多强调保甲制度实为镇压人民之用，何况还是日伪时期的保甲制度。但是也有论者运用了社会学和政治学的研究方法，将保甲制度置于社会控制工具、基层控制组织层面考察，从传统与现代、常规与非常、国家与社会等几个角度，为保甲制度构建了一个非常具体的情境，认为就传统与现代而言，保甲制度有其矛盾的一面，但它在常规与非常间找到了契合点，在国家与社会的双重政治空间徘徊，只是一时、一部分、一个层次上被接纳，并未在上海生根。② 上述研究的结论未必就是定论，但至少给了我们以经济学、社会学、政治学的标准评价历史问题，而非仅仅以政治标准评价历史问题的例证。不仅如此，在许多具体问题的评价上，我们还需要有多重视角，运用多元标准，以加深我们对于近代中国面临的各种复杂问题的认

---

① 贺水金：《重评善后大借款》，《江汉论坛》1995年第5期。

② 张济顺：《沦陷时期上海的保甲制度》，《历史研究》1996年第1期。

识，而不是将这些复杂问题简单化。试举一例，1946年签订的中美商约，从当时国内政治情势的角度，我们应该注意到它在内战发生之时订立的政治背景和意义，它的订立对于国民党在内战中获取美国支持的作用；从世界经济的角度，该约反映出以美国为主导的战后世界贸易自由主义趋势，我们需要回答，当时的中国应该如何面对这种趋势，该约的核心内容国民待遇和最惠国待遇究竟对中国这样的经济弱国是利大于弊，还是弊大于利，或者是利弊参半；从法律的角度，我们可以研究该约条文内容的法律意义，以及在中美两国不同的法律制度和环境下，这些条文付诸实施后的实际效用；从美国国内行政与立法关系的角度，我们还可以研究，为什么就在大多数中国舆论强烈批评该约的同时，美国国会先是迟迟不批准该约，后又在国民党统治已经风雨飘摇、半壁江山将要易手的情况下批准了该约。这样，历史的视角就可以更为多样化，人们对于历史的认识也可以随视角的不同而更为深入。

　　在评价标准方面，还有一个问题，即过于与现实生活联系，缺乏应有的历史感。如民国史上的外资问题，1978年以前的研究固然以揭露和批判为主，而目前则不少研究者因为外资正在当前经济生活中发挥着重要作用，就基本肯定其在民国时期的历史作用，而不考察具体情境的差别。肯定还是否定的评价都需要建立在事实基础上，而不是简单地非此即彼。笔者认为，正确的态度应该是存其所应存，弃其所当弃。还有，关于民国时期的官僚资本问题，有论者充分肯定其在抗战期间的作用，认为斥其为封建的、买办的、反动的生产关系"不符合逻辑"，因为此时"政治结构是以国共合作抗日为中心的抗日民族统一战线，有可能在抗战八年保持最落后、最反动的生产关系作为抗日民族统一战线的经济基础吗？我们认为，维持政治上——进步、经济上——反动这样一种对立局面是不可能的，事实上也是不存在的"。关于官僚资本的地位和作用，本是一个可以研究的问题，但论者在批评过去的论点过于政治化的同时，自己同样沿用了政治化的标准。抗日战争是一场抵御外敌入侵、捍卫中华民族独立的战争，日本侵略威胁的是整个中华民族的利益，因此抗日战争建立在民族独立与自尊意识的基础之上，依赖于全民族的支持，而非依赖于某一特定阶级的意识及其支持，这也是抗战时期国共两党能够捐弃前嫌、团结合作的基础，这与生产关系的性质基本无关。不仅中国如此，其他国家的民族战争也基本如此。例如非洲埃塞俄比亚抵抗意大利入侵的战争，当时埃国还是帝制时期，生产关系较之中国更为落后，但我们并不能以其抗战去判定其生产关系的性质。如同有论者指出的，不能用政治分析代替经济分析，用政治现象推断经济现象，① 无论这种"代替"和"推断"的形式如何。

　　确立民国史研究的评价标准，还有一个问题，就是如何看待中国近代所走过的历史道路。近代中国处于它几千年历史上的一个非常特殊、非常复杂的历史时期，外有列强侵略压迫，内则发展停滞、贫困落后。如何实现中国的现代化，是所有生活在近代的中国人所面临的共同问题。结合 1978 年以来的民国史研究，不少学者已经认识到，实际上无论是北洋政权，还是国民党政权，也都面临过实现现代化的外部压力和内在要求，但历史事实证明他们失败了。因此，还在十年前就有论者提出，国共斗争"不应简单地以'革命战胜了反动'而一言以蔽之"，而"是实现中国近代化的道路之争，一个要引向资本主义，一个要引向社会主义，无论哪个目标都高出于当时中国社会的实际状态，都是要把中国引向前进。这两者都是对中国发展道路的不同探索。这一探索在 1949 年有了初步的结论。近代史研究不应回避国民党所做的工作。它完全可以以更科学的方法向人们揭示，人民为什么没有选择国民党，国民党的治国方案有哪些重大缺陷，它本身又具有哪些致命弱点？我们完全可

---

① 杜恂诚：《北洋政府时期国家资本主义的中断》，《历史研究》1989 年第 2 期。

以理直气壮地说历史的选择不是偶然的"。①

总而言之,在民国史研究中确立合适的评价标准,关乎民国史研究未来的发展,但就历史研究而言,任何评价都建立在史实基础上,最重要的还是尊重史实。我们曾经有过这样的历史研究,即闭眼不看史实,一味"上纲上线",结果历史学从属于、依附于现实政治,成了任人打扮的待嫁新娘,最终失去了科学性,甚而成为"阴谋史学"。真实是历史科学的首要条件,只有在真实的基础上,我们才能总结历史发展的规律,也才能以史为鉴,有惠后人。我们的史学前辈不乏这样的先例。著名历史学家黎澍曾经写道:"理论方法固然重要,但若讳言真实,再高妙的理论方法也无济于事。违抗流俗,独具创见,揭露历史真相,总结经验教训,这需要胆识和气魄,需要历史学家的史德、史才、史识。其中,在历代专制高压下所形成的,我国优秀史学家的传统美德——诚实的道德、勇敢的道德、实事求是的道德、独立思考而不媚时的道德——尤其重要。"② 诚哉斯言,学者们当以共勉。

第三,民国史研究开展较晚,成果虽不少,但许多领域还是空白,即使已有的研究也还普遍缺乏深度。因此,民国史亟须加强微观研究,进一步开拓研究选题。比如目前关于北洋时期经济社会问题的研究、关于国民党政权建立初期和统治后期若干问题的研究、关于沦陷区有关问题的研究明显不足,尤其是那些需要投入时间和精力、研究成果不易得到社会关注的论题,面临的困难更大。然而,学术研究的意义和价值正在于此。一味跟风,避难趋易,东拼西凑,仓促成文,或泛泛而论,或出语惊人,这种所谓"研究成果"实在没有多少学术价值,也确实很快即为人遗忘。还有,民国史研究因

---

① 《首都青年史学工作者中国近代史研究现状讨论会纪要》,《近代史研究》1989 年第 3 期。

② 黎澍:《论历史的创造者及其他》,湖南人民出版社 1988 年版,第 196—197 页。

为离现实较近,经常有各种各样的纪念日,既为研究者们提供了发表成果的机会,也为不少应景之作的产生创造了条件,而历史研究本是老老实实的学问,需要有耐心坐下来,力戒浮躁,持之以恒,切忌急功近利,浅尝辄止。近年来,一些年轻学者在以往不为人注意的若干社会问题的研究上取得了值得重视的进展,与他们的潜心研究是分不开的。[①]

第四,民国史研究在宏观领域的一些重大问题需要研究者们在深入研究的基础上得出有说服力的结论。如关于北洋时期的研究,对于北洋军阀的产生及其败亡的历史原因,北洋军阀的阶级性质及其统治的阶级基础,北洋政权的政治、经济、文化、外交政策及其历史作用,以及北洋政权与中国社会发展的关系等等,目前大多数研究仍然只能进行一些事实叙述,而缺乏建立在深入研究基础上的令人信服的结论。举例而言,研究者们经常论及北洋军阀封建性的一面,而一个显而易见的事实是,北洋军阀统治的大部分时期,国会始终在活动,而且内阁的更易也始终需要国会的投票认可,尽管这种议会制民主的形式意义远大于其实质内容,但问题在于,为什么北洋军阀不依仗他们的枪杆子干脆废除这种形式。有论者认为,"北洋军阀统治者力图利用形式上的资产阶级法统对社会进行控制,以达到其专制统治的目的"。[②] 然而我们仍要进一步发问,他们为什么要利用这样的形式,因为他们本来可以不这样做。对于这个问题的研究和解释,有助于我们认识资本主义制度在中国的历史命运。再如关于国民党统治时期的研究,如国民党政权的阶级性质及其社会基础,国民党政权与中国社会各阶级、阶层的关系,国民党政权及其统治的历史定位等等。研究者们已经不满足于

---

① 陈蕴茜:《论民国时期城市家庭制度的变迁》,《近代史研究》1997 年第 2 期;杨兴梅:《南京国民政府禁止妇女缠足的努力及其成效》,《历史研究》1998 年第 3 期。

② 王跃:《北洋军阀统治时期社会意识变迁的趋势》,《近代史研究》1987 年第 3 期。

传统的解释,因为它们确有其不够完善之处,但如何在历史事实的基础上,通过深入的研究,得出科学的结论,还需要研究者们付出艰苦的努力。

第五,史料的开放与利用问题亟待解决。史料是历史研究的基础,只有广为利用各种已刊或未刊的史料,才能真正取得有价值的研究成果。民国史料的开放和利用虽已有了相当的进步,然而仍然不为研究者们所满意。这表现在史料开放中设置一些人为的障碍,拥有资料的单位出于种种原因而封锁资料,以致不通过"关系"便很难利用,加上市场经济下的高收费和学术经费的匮乏。如此种种,使民国史研究面临着许多学术之外的困难。应该看到,民国时期毕竟已是一个过去的历史时期,其历史档案与资料,即便还有某些保密需要,但也不应过多地限制其利用,更需要的是在有序状况下对学者开放。只有这样,才能使研究者们从事真正的科学研究,从而在本质上符合历史的真实。近年来海外所藏民国史料的运用正得到研究者们的重视,但在利用时同样面临种种实际困难。上述这些困难仅仅依靠学者自身是很难解决的,我们寄希望在国家进一步改革开放的形势下,能够逐渐解决这些问题。

第六,市场经济大潮对民国史研究既是挑战也是机遇。在市场经济大潮的冲击下,研究成果可能更多地考虑到市场的需要,即寻找所谓热点与卖点,而较少关注学术前沿问题。这样,一方面通过许多介于学术与通俗之间的历史著作,向社会普及了历史知识(当然未必都是正确的),吸引社会大众关注史学,另一方面也造成了严肃学术研究的某种困难,同时大量有关民国历史的、由非专业人员撰写的通俗读物充斥坊间,影响着人们对历史的认识。如何理解其间的利弊得失,调和两者之间的矛盾,使之各得其所,还需进一步观察与思考。应该承认,社会对史学的需要是多方面的,这种需要也为史学工作者将自己的研究成果推向社会提供了机遇。我们不应该一般地排斥通俗读物,而应该在研究的基础上找到普及与提高的结合点,写出读者喜闻乐见的著作。①

　　此外,我们应该提倡正常的、良性的、互动的学术批评,从而促进民国史研究的发展与繁荣。② 民国史研究历 50 年发展而有今日之成就,是所有研究者共同努力的结果。在改革开放、学术争鸣的大环境下,相信待以时日,民国史研究一定会在中国乃至世界历史研究的长廊中占有一席之地。

---

① 实际上,国内外历史学领域均不乏这样的著作,如《第三帝国的兴亡》(威廉·夏伊勒著,生活·读书·新知三联书店 1974 年版)曾经在中国风靡一时,洛阳纸贵。在中国,陶菊隐的《北洋军阀统治时期史话》(生活·读书·新知三联书店 1957 年版)也曾有过一定的影响。

② 在这方面,《近代史研究》做出了自己的努力,如关于孙中山传记的批评(刘高葆、柏峰、周元:《读〈孙中山详传〉后的一些看法》,《近代史研究》1995 年第 3 期),批评者与被批评者之间也有良性的回应,如关于中国近代文化、关于陈寅恪学术思想的讨论,等等(《近代史研究》1996 年第 2、5 期,1999 年第 2 期)。

经 济 史

中华人民共和国成立 50 年来,中国近代经济史研究既取得了巨大的成果,也经过了艰难曲折的历程。在 1966 年之前的 17 年中,它随着社会主义经济和文化建设的全面展开而快速发展起来;在 1967 年至 1976 年之间的 10 年中,它受"文化大革命"的影响而被严重挫伤;1977 年之后,特别是在 1979 年之后的 20 年中,它在对外开放、经济体制改革和社会主义现代化建设高潮的带动下而日益走向繁荣,且成为近代史研究的一个重要突破口。回顾这 50 年来近代经济史研究的发展过程,既有可喜的成果,也存在着尚待解决的问题;既有宝贵的经验,又有深刻的教训。

中国近代经济史作为学术研究的专门学科,它的起始可以追溯到本世纪初。它随着本世纪前 50 年帝国主义经济侵略的加剧,民族资本主义经济的发展和反帝、革命运动的进程而逐渐产生和发展起来,并产生了马克思主义的中国近代经济史学,对新中国成立以后的近代经济史研究产生了重要的影响。

(一)1949 年前的近代经济史研究状况

在本世纪的前 50 年中,共出版有关近代经济史研究的著作约

524 种。① 就这些著作的出版时间和内容而言,可以分为四个发展阶段。

第一阶段:1904 年至 1913 年的萌芽阶段

19 世纪末 20 世纪初,一些先进知识分子和工商界人士,从抵制帝国主义的经济侵略和发展民族经济出发,开始认识到研究本国经济史的重要性。梁启超在 1904 年撰写《外资输入问题》时指出,由于时人对外资输入及其危害只有表面的认识,不能穷其根源,所以抵制外资只能成为"纸上一片空理论,而于问题之前途决不能有毫末之影响",因此他要用历史与现实相结合的方法研究外资输入问题,既"观其利害之所自来",又"穷极其受病之所届",以便弄清"外资所以迭乘,内资所以不能抵制"的真正原因。②

受外国人研究中国经济史的影响,也是一个重要的促动原因。大约在甲午战争之后,不少外国人在考察中国社会经济状况的同时,开始著书立说,引起中国的一些进步知识分子的注意。梁启超在 1897 年看到日本人绪方南滨写的《中国工艺商业考》一书时,发出了由衷的感叹:"嗟夫! 以吾国境内之情形,而吾之士大夫,竟无一书能道之,是可耻矣。吾所不能道者,而他人能道之,是可惧矣。"③ 从而促使他进行中国经济史研究。所以当中国人开始进行中国经济史研究的时候,首先吸收了外国人的某些研究成果,在19 世纪末和 20 世纪初翻译出版了一些外国人的著作。

由中国人自己编写的中国经济史论著,也于 20 世纪初开始出现,而中国近代经济史著作则最早出现于 1904 年,该年广智书局出版了梁启超的《中国国债史》。此后 10 年中,共出版有关中国近

---

① 此项统计包括由中国人编著的、内容涉及 5 年以上的专著、统计、调查、回忆、实录、文件汇编、纪念特刊和古近代并著之经济通史。

② 梁启超:《外资输入问题》,《饮冰室合集》文集之十六,中华书局 1989 年版,第 62 页。

③ 梁启超:《〈中国工艺商业考〉提要》,《饮冰室合集》文集之二,第 51 页。

代经济史的著作 27 种。就作者而言,这些著作均为民间作品,先是
个人著作,1907 年后有工商团体和企业编写的著作出现,如山西
同乡会编的《山西矿务档案》(1907 年)、南通翰墨林编译印书局编
写的《通州兴办实业之历史》(1910 年)、通海垦牧公司编写的《通
海垦牧公司开办十年之历史》(1911 年)。就内容而言,它们只涉及
个别行业、企业和地区,论述比较简单。就目的而言,大约有两种:
一种以陈述外资侵华的历史事实,唤起国人抵制外资侵略为主;另
一种以记述某一企业创办发展的历史过程,表彰个人业绩或为社
会提供借鉴为主。这些著作虽然在内容上涉及了近代经济史的范
畴,但是作为总结人们从事经济活动经验教训和经济发展历史规
律的近代经济史学科尚未形成。

第二阶段:1914 年至 1927 年的初步形成学科阶段

在此期间,共出版著作 75 种,较前一阶段有大幅度的增加,并
显示出如下特点:

第一,从民修发展到官修。除了有更多的个人、团体和企业编
写经济史书籍之外,有些政府部门也开始加入这一行列。如盐务署
从 1914 年起陆续编写了《中国盐政沿革史》,财政部财政调查处于
1927 年编写了《各省区历年财政汇览》等。这些官修著作的编写内
容和方法与前一阶段相类似,数量和质量都不如民修著作。

第二,从缺少学术意义的通俗简易读物发展到颇具学术价值
的巨幅专著。诸如贾士毅的《民国财政史》(商务印书馆 1917 年
版)、曾鲲化的《中国铁路史》3 册(新化曾宅 1924 年发行)、徐寄顾
的《最近上海金融史》2 册(上海华丰印刷铸字所 1926 年印刷)、陈
向元的《中国关税史》2 册(京华印书局 1926 年印刷),都比较详细
系统地叙述了各相关经济部门的发展过程及其原因,至今仍有重
要参考价值。

第三,从以记述为主的单一形式发展到多种形式。出版的书籍
除了专著外,还有资料、统计、讲义和工具书。如王景春编的《中国

铁路借款合同全集》(交通部 1912 年发行)、黄炎培和庞淞编著的《中国商战失败史》(又名《中国四十年海关商务统计图表:1876—1915》,上海商务印书馆 1917 年版)、何廉编著的《三十年来天津外汇指数及循环》(南开大学经济研究所 1927 年印行)、左树珍编写的《中国盐政史讲义》(盐务学校 1927 年印行)等。其中的统计资料,已采用计量经济学的原理,其科学性明显增加。

　　第四,提出了近代经济史学的基本概念。1916 年,王振先在"救时经济丛书"的发刊词中提出:"夫国家财政,国民经济,语其条目,固有万殊,究厥旨归,必求实用。侈谈外国学理与拘瞀目前形势,一肤一固,厥失惟均。矧一事之成也,必有其沿革利害,及其间讨论之点、受病之原。自非汇为专书,深观其通,明察其变,求所以救治之者,则吾民方日悚于生存之太蹙而莫知所由,政府每自托于救亡之大言而巧卸其责。"①既指出了不顾本国经济发展的历史状况,只顾引进外国经济学说和眼前经济利益的局限性,也指出了研究本国经济问题,必须弄清其盛衰变迁的历史过程和原因,进而谋求改革弊政,振兴国民经济,解救民族危亡的办法。这一观点,初步指出了经济史研究的意义、对象和任务,并在有关著作中已有不同程度的体现,标志着中国近代经济史学科已进入初步形成的阶段。

　　第三阶段:1928 年至 1937 年的较快发展和体系完善阶段

　　在这 10 年中,著书立说者日益增多,"举凡中央、地方、金融、工商各业团体,致力于文化出版事业之社团,莫不侧重于经济问题之研究"。② 据中国国民经济研究所的统计,当时共有 248 个机关团体出版和发表过研究经济问题的论著,其中私人类研究机构100 个、政府类 86 个、学校类 29 个、银行类 15 个、工商团体类 12

---

① 王振先:《中国厘金问题》,商务印书馆 1917 年版。
② 中国国民经济研究所:《中国公私经济研究机关及其出版物要览》,该所 1936 年版。

个、书商类 6 个。① 其中突出的如南开大学经济研究所共编写有关著作 45 种、论文数百篇、出版刊物 5 种,其中有不少是与中国近代经济史研究相关的论著。这一阶段还发生了共产党人和进步知识分子与托陈取消派之间的中国社会性质大论战,双方共编写出版了有关中国近代经济性质的著作 18 种,发表相关论文 81 篇,有力地推进了近代经济史的研究,使"有些在从前极为模糊的观念,现已明了;有些在从前不觉得成为问题的,现在居然成为问题了",从事社会史研究的人也"都知道拿出生产方法作为划分社会史阶段的利刃了"。② 从而使中国近代经济史学科发展到一个新的水平。

这 10 年是 1949 年之前出版近代经济史著作最多的时期,共计出版 306 种。研究的领域有明显拓展,出现了帝国主义经济侵华、中国工商行会团体、生产合作、度量衡、森林、农村经济、人口经济、工人生活状况、社会经济结构等方面的专著和统计资料。而且出现了具有中国近代经济通史性质的著作,如吴承洛的《今世中国实业通志》(商务印书馆 1928 年版)、侯厚培的《中国现代经济发展史》(上海大东书局 1929 年版)和龚仲皋的《中国近代工业发展概论》(太平洋书店 1929 年版)、朱新繁的《中国资本主义之发展》(上海联合书店 1929 年版)、郭真的《中国资本主义史》(上海平凡书局 1929 年版)等。这些研究成果表明,中国近代经济史已有了比较完整意义上的学科研究体系。

更值得注意的是,此时还出现了用马克思主义理论研究中国近代经济史的著作。李达的《中国产业革命概观》一书(昆仑书店 1929 年版)和《中国现代经济史之序幕》、③《中国现代经济史概观》④ 两文,运

①　《中国公私经济研究机关及其出版物要览》。
②　马乘风:《中国经济史》序,中国经济研究会(南京)1935 年版。
③　《法学专刊》第 3、4 期合刊,1935 年 5 月。
④　《法学专刊》第 5 期,1935 年 9 月。

用了历史唯物主义的观点和方法。他指出:"要晓得现代中国社会究竟是怎样的社会,只有从经济里去探求。"并把社会经济史的研究,作为正确理解和运用马克思主义革命理论,制定革命和建设计划的前提。杜鲁人(即何干之)的《中国经济读本》(上海现实出版部1934年版)也是在历史唯物主义思想指导下写成的。他认为:"研究一个社会,必要从社会的生产方法入手。"并努力用中国社会经济的史实论证近代中国是一个半殖民地半封建的社会。这些著作对后来包括新中国成立以后的中国近代经济史研究产生了深刻的影响。

第四阶段:1938年至1949年的退中有进阶段

这一阶段的研究成果,在数量上大为减少,共出版著作116种,但是在上一阶段社会性质大论战的带动下,加之因中国共产党革命事业和抗日战争的需要,用马克思主义理论进行本学科研究的学者有所增加,使学术水平进一步提高,研究领域进一步开拓,开创了国民所得问题、战时沦陷区经济问题、官僚资本问题等一些新的研究领域。如何干之的《中国社会经济结构》(中国文化社1939年版)、钱亦石的《近代中国经济史》(重庆生活书店1939年版)、严中平的《中国棉业之发展》(重庆商务印书馆1944年版,1955年以《中国棉纺织史稿》之名由北京科学出版社重版)、许涤新的《中国经济的道路》(生活书店1946年版)和《现代中国经济教程》(新知书店1946年版)、王亚南的《中国经济原论》(1947年由上海三联书店出版,1957年以《中国半封建半殖民地经济形态研究》的名称由人民出版社重版)、巫宝三的《中国国民所得,1933》(中华书局1947年版)、汪馥荪(即汪敬虞)的长篇论文《战时华北工业资本就业与生产》(《社会科学杂志》第9卷第2期,1947年12月发行)、贾植芳的《近代中国经济社会》(棠棣社1949年版)、许涤新的《官僚资本论》(海燕书店1949年版)等。这些论著的学术水平较前一阶段出版的同类著作有很大的提高,有的至今仍无出其右者。

上述旧中国时期的中国近代经济史研究,从研究者和研究对象的时代范畴而言,也可以说是当代中国经济史研究。在研究目的上,较多地从促进现实社会经济发展出发。在研究内容上,与现实问题紧密结合,有的把历史和现实熔于一炉,以历史论证现实;有的把经济史与社会史相结合,以经济性质论证社会性质,为现实政治斗争服务;有的则完全以现实问题为研究对象。因此,本学科的研究具有较强的现实性和政论性的特点,在一定程度上为中国近代资本主义经济和革命运动的发展做出了贡献。这一特点虽有一定的时代特殊性和学术局限性,但其关注现实、服务现实,努力发挥学术研究为现实服务功能的取向是值得肯定的。当然,在这一时期的研究成果中,有不少著作以叙述历史概况为主,缺少理论分析;也有一些论著存在着因现实经济和政治形势的需要而突出了现实性却忽视了科学性的现象。这种特点和现象中所包含的经验和教训,对今天的中国近代经济史研究来说,也不无可供借鉴之处。

(二)新中国成立后的第一次繁荣(1950—1966)

1949年10月新中国成立后,中国近代经济史学科与整个历史学科一起进入了以马克思主义为主导的新时代,并取得了较大的发展。在政府的支持下,学术研究工作有计划、有组织、有重点地重新开展起来,建立起了新的研究队伍,取得了大量的研究成果,形成了完整系统的学科体系,呈现出一个新发展的高潮。这种喜人的发展势头,一直持续到1966年因"文化大革命"爆发而被打断。

1. 学科发展的基本状况

第一,在政府的倡导下,科研、工商管理和教育部门共同努力,开始有计划地进行中国近代经济史的学科建设和学术研究。1953年,由中央政府组织成立的中国历史问题研究委员会决定编辑出版一套中国近代经济史资料书,由中国科学院经济研究所(现在的中国社会科学院经济研究所,以下简称"经济研究所")具体负责。
1960 年,毛泽东在政治经济学的读书笔记中指出:"很有必要写出
一部中国资本主义发展史。"同年,周恩来亲自把这一任务交给了
当时在中央工商行政管理局工作的许涤新,并指示说:"这本书如
写得好,对学习马克思主义政治经济学有帮助,对中国青年的教育
有重要意义。"① 这两项倡导性部署,有力地促进了以经济研究所、
中央和地方的工商行政管理机构、大学的有关教学和研究机构为
核心的三支近代经济史研究的骨干队伍的形成,极大地推动了本
学科的建设和学术研究。

经济研究所经济史组从 1954 年起,由严中平负责着手主编
"中国近代经济史参考资料丛刊",在 1966 年之前先后编辑出版了
《中国近代经济史统计资料选辑》,以及工业、农业、手工业、外贸、
铁路、外债、公债等专题资料,在编中的航运、工商行会的资料也于
80 年代出版。该所在编辑这些资料的同时开始了各项专题研究,
很快成为中国近代经济史研究的核心力量。

国家工商行政管理局系统从 1958 年起,在许涤新的主持下,
与经济研究所等单位合作,组织上海、武汉、广州、重庆、青岛、哈尔
滨等城市的工商行政管理部门成立专门班子,开展"中国资本主义
工商业史料丛刊"的编辑工作,到"文化大革命"爆发前已出版了 5
种史料,"文化大革命"后又有一些史料编成出版。从 1960 年起,由
许涤新、吴承明负责,开始组织中央工商行政管理局和各经济研究
机构的有关人员,着手编写《中国资本主义发展史》。

其他有关的科研、教学和管理机构,也在上述两项主导性研究
工作的带动下积极行动起来,组织科研和教学人员学习马克思主
义经典作家的有关理论和政治经济学,开展中国近代经济史的研

---

① 《中国资本主义发展史》总序,许涤新、吴承明主编:《中国资本主义发展史》第 1 卷,
　人民出版社 1985 年版。

究和教学工作,编辑出版了一些资料书和教科书,有的大专院校开设了中国近代经济史课程。如上海科学院经济研究所主持编辑的"上海资本主义典型企业史料","文革"前已出版4种,"文革"后又有几种出版;对外贸易部海关总署研究室编辑出版了"帝国主义与中国海关"资料丛刊。一些大学的有关系所和个人也越来越多地进入研究近代经济史的行列,编辑和撰写了一些颇有学术价值的资料和论著。

第二,增强了学科建设意识,明确了学科概念。有些学者指出了加强近代经济史研究对深化经济学和历史学研究的重要性和必要性。如严中平结合其所主持的近代经济史资料编辑工作,撰文指出:近代经济史是政治史、军事史、文化史等专史和通史的基础,但是这一学科的研究无论在经济学研究中还是近代史研究中都是薄弱环节,如果再不加强这一薄弱环节,其他专史和通史都很难深入前进了。[①] 有些学者讨论了国民经济史的研究对象和方法,及其与政治经济学、历史学的关系。如孙健提出:国民经济史的研究对象主要为一个国家生产关系演变的规律,虽然要研究生产关系与生产力的相互作用,但其范畴不包括生产力,它与政治经济学及历史学既有联系又有区别。[②] 其他学者也就经济史的学科概念发表了看法,虽然观点有所不同,但是都有这样的一个基本共识:中国近代经济史是一门运用历史学和经济学的研究方法,以生产关系为主要研究对象,探讨中国近代社会经济发展变化规律的,介于历史学和经济学之间的边缘学科。

第三,取得了相当丰硕的研究成果,形成了新的研究重点,开拓了新的研究领域。17年中,出版专著61种、资料38种,发表论文570余篇。重要的著作有:吴杰的《中国近代国民经济史》(人民

---

① 严中平:《中国近代史研究上的一个薄弱环节》,1956年7月17日《人民日报》。
② 孙健:《国民经济史研究的对象、方法和任务》,《经济研究》1957年第2期。

出版社 1958 年版）、尚钺的《中国资本主义关系发生及演变的初步研究》（生活·读书·新知三联书店 1956 年版）、钦本立的《美帝经济侵华史》（世界知识社 1950 年版）、吴承明的《帝国主义在旧中国的投资》（人民出版社 1955 年版）、魏子初的《帝国主义与开滦煤矿》（神州国光社 1954 年版）、傅筑夫与谷书堂的《中国原始资本积累问题》（《南开大学学报》1956 年第 1 期）、周秀鸾的《第一次世界大战时期中国民族工业的发展》（上海人民出版社 1958 年版）、张郁兰的《中国银行业发展史》（上海人民出版社 1957 年版）、杨培新的《旧中国的通货膨胀》（生活·读书·新知三联书店 1963 年版）等。从这些研究成果的内容结构来看，已形成了两个研究重点：一是突出了揭露帝国主义经济侵华，出版有关的著作和资料书 14 种，发表论文 78 篇，均占总数的 14％左右；二是兴起了研究资本主义经济的热潮，出版有关著作和资料书 56 种，发表有关论文 220 余篇，分别占总数的 56％和 40％左右。研究的领域，除了对资本主义工矿各业、外国在华资本、官僚资本和官僚资产阶级、洋务企业等旧有领域作更加全面深入的探讨之外，还有不少新的开拓，有关资本原始积累、民族市场、民族资产阶级和买办资产阶级、农产品商品化、新民主主义经济、少数民族经济以及太平天国、戊戌维新、辛亥革命对经济发展的影响等课题，几乎都是新中国成立后才有较多研究的，并取得了程度不等的成果。

2. 讨论的主要问题

在这 17 年中，中国近代经济史研究开辟了不少新的领域，并展开了不同观点的热烈讨论，推进了各相关问题的研究。

第一，中国的原始资本积累问题。这一问题的讨论始于 1956 年初，到 1965 年基本结束。讨论的中心问题是：中国有没有原始资本积累，其特点和实质是什么。参加讨论的多数学者认为，中国有原始资本积累的过程。这一过程主要发生在鸦片战争之后，当时有一部分破产的农民和手工业者流入新式工业；政府和官僚把一部分利用暴力搜刮来的财富投资于工业;一些买办和商人的资本转向工业投资,在中国原始资本形成过程中占有极其重要的地位;外资入侵也造成了中国的商品和劳动力市场。其特点是:有外国资本的参与;对小生产者的剥夺特别残酷;速度慢而不充分,规模大而数额少;原始积累和资本积累交叉并进。[①]

少数学者认为没有原始资本积累过程。其理由是:农民和手工业者处于被压迫和破产的境地,不可能进行原始积累;官僚、地主、商人的货币财富绝大部分用于购买土地、商业投机和高利贷活动,即便有少数投入民族工业,也只是资本的转化和积累,不属于原始资本积累;政府则因其压制民族工业,不能充作原始资本积累的工具。[②]

另有少数学者提出,中国原始资本积累经过了两个阶段。鸦片战争之前为第一阶段,它与资本主义萌芽同时开始于16世纪中叶,其特点是民族的、自发的、零散的和迂回曲折的;鸦片战争之后为第二阶段,其基本特点是半殖民地半封建性。[③]

第二,民族市场问题。对这一问题的讨论,主要发生在1961年至1963年间。讨论的焦点是民族市场的形成与否,及其形成的时间和性质。参加讨论的多数学者认为近代中国已形成民族市场,但对形成的时间和发展的过程有不同的意见。有的认为,自明代中叶以来,随着商品经济的发展,全国统一的民族市场已逐渐形成;有的认为,1840年以后民族市场逐步形成;有的提出19世纪末开始形成,到20世纪20年代后有较大的发展。他们还指出,这种民族

---

① 傅筑夫、谷书堂:《中国原始资本积累问题》,《南开大学学报》1956年第1期;从翰香:《关于中国民族资本的原始积累问题》,《历史研究》1962年第2期;黄逸峰:《中国资本原始积累的形式及其特点》,《江海学刊》1962年第3期;陈绛等:《中国原始积累问题》,《江汉学刊》1962年第3期。
② 伍纯武:《中国资本的原始积累问题》,《学术月刊》1961年第3期。
③ 关梦觉:《中国原始资本积累问题初步探索》,上海人民出版社1958年版。

市场虽然带有半殖民地性,但是不能由此否定它的存在。① 也有少数论者认为,中国始终没有形成民族市场,只在 1840 年后出现了半殖民地性质的国内市场,而且由于经济发展的不平衡、货币和物价的不统一、帝国主义的争夺和军阀战争,国内市场处于分裂的状态。②

　　第三,洋务运动与中国资本主义问题。对这一问题的讨论,各种观点的争论更为激烈,重点讨论了洋务企业的性质及其对民族资本的作用,这次讨论是由姜铎的文章引发的,他在 1961 年底和 1962 年初先后发表 3 篇文章,在指出洋务企业因存在浓厚的垄断倾向而对民族资本有限制和阻碍作用之后,重点强调了洋务企业因仿效西方资本主义生产方式而具有的对民族资本的刺激和促进作用,并认为"官督商办"、"官商合办"制度在当时的社会条件下是资本主义初期发生阶段所必经的过程,有利于民族资本的发生和发展,并与外国资本存在着明显的矛盾。③

　　姜铎的文章很快引来了不同观点的商榷。如牟安世指出,洋务企业只是进行了技术改革,没有改变封建的生产关系,因此不能说是仿效西方资本主义生产方式。洋务企业都是实行经济垄断的排他性企业,官督商办制度不仅成为民族资本发生和发展的阻碍,并且成为封建买办官僚侵吞民族资本的一个有力工具。邵循正认为,洋务企业的官僚资本主义色彩是很清楚的,洋务运动主要庇护的是买办化官僚集团,其次是民族资产阶级上层,中下层得不到什么庇护。张国辉认为,官督商办制度是洋务派官僚与买办相结合的形

---

① 杨志信:《中国民族市场是明末开始的》,《学术月刊》1962 年第 10 期;李家寿:《试论中国民族市场的形成问题》,《光明日报》1963 年 5 月 13 日;孔经纬:《鸦片战争前中国社会是否形成了统一市场》,《学术月刊》1961 年第 5 期。
② 陈诗启:《近代中国有没有民族市场的形成》,《中国经济问题》1961 年第 5 期。
③ 姜铎:《试论洋务运动对早期民族资本的促进作用》、《试论洋务运动的经济活动和外国侵略资本的矛盾》,《文汇报》1961 年 12 月 28 日、1962 年 1 月 12 日。

式,其实质是官僚买办集团对近代企业的垄断和分肥,形成早期的官僚资产阶级,并阻碍民族资本主义的发展。[1]

还有第三种观点。如夏东元认为,洋务军用工业虽然具有封建性和买办性,但是也并非与资本主义企业毫无共同之处,它们的生产已受到价值规律的影响,产品和雇工也已有部分商品性质。李运远和汪敬虞认为,洋务派创办各类企业的过程,并不单纯是官僚资本的形成过程,而需要注意它的分化。中国民族资本近代工业的产生道路和方式是多种多样的,纯粹商办的是一种,由官办、官督商办、官商合办而转化的是另一种,且更为主要,更占优势。[2]

第四,中国民族资本主义的发生和发展问题。对这一问题的讨论,集中于考察近代机器工业的产生与资本主义萌芽和外国资本的关系。一种观点认为,资本主义工业的产生与资本主义萌芽基本上没有关系。这是因为,鸦片战争后中国的工场手工业遭到严重摧残,很少能向机器工业过渡,近代机器工业不是鸦片战争以前已经孕育着的资本主义萌芽的延续,而是在外国资本的刺激下,依靠封建国家的权力和官僚、商人、买办的投资创办起来的。[3]

另一种观点认为,两者有着比较密切的联系。18 至 19 世纪中国城市小手工业已很发达,许多地区已存在民营和官营的手工业工场。前者为民族资本近代工业准备了一定的条件;后者虽具有纯

---

[1] 牟安世:《关于洋务运动对近代早期民族资本的作用问题》,《文汇报》1962 年 5 月 17 日;邵循正:《洋务运动和资本主义发展关系问题》,《新建设》1963 年第 3 期;张国辉:《中国近代煤矿企业中的官商关系与资本主义发生问题》,《历史研究》1964 年第 3 期。

[2] 夏东元:《论清政府所办近代军用工业的性质》,《华东师范大学学报》1958 年第 1 期;李运远:《中国民族资本主义近代工业的产生》,《财经科学》1957 年第 3 期;汪敬虞:《从上海机器织布局看洋务运动和资本主义发展关系问题》,《新建设》1963 年第 8 期。

[3] 樊百川:《中国手工业在外国资本主义侵入后的遭遇和命运》,《历史研究》1962 年第 3 期。

粹的封建性,但对 19 世纪后半叶近代工业的发生有着重要的作用。它们或继续存在,并逐步发展成为近代工业;或在洋货的竞争下转产,或虽被迫停闭,但其资金、技术和工人流向其他近代工业。因此,外资入侵不能切断资本主义萌芽与近代工业的联系,工场手工业是近代工业形成的重要途径。[①]

第三种观点认为,两者之间的关系既不是很密切,也不是没有。一些大工业基本上都没有经过工场手工业阶段,而是直接采用机器生产的,但多数行业经过了这一阶段,有的还长期停留在这个阶段上。从企业构成上来说,近代中国的资本主义工业有 80% 是工场手工业。工场手工业与近代工业之间既有上述联系,外资也不能完全切断它们两者之间的联系,但使萌芽不能独立发展。中国社会经济的基础及其在外国侵略下的变化,是产生中国近代工业的第一位原因。[②]

第五,民族资产阶级和买办资产阶级的问题。民族资产阶级的研究所涉及的,一是关于形成的时间,有 19 世纪 70 年代形成说和 1895 年前后形成说两种观点,他们都是通过考察民族资本的企业和投资者的数量而提出,后一种观点还以戊戌变法为据认定民族资产阶级已形成为一个独立的阶级。二是关于分层,有关研究都认为民族资产阶级有上、中、下三层之分。也有持四层说者,即把三层说的中层再分为上、下两层,其上层为较大的工商业资本家、中等银行家和大钱庄老板,其下层为中等工商业资本家、小银行家和中小钱庄老板。[③]

---

① 孙毓棠:《十九世纪后半叶中国近代工业的发生》,《中国近代工业史资料》第 1 辑序言,科学出版社 1957 年版。
② 吴承明:《中国资产阶级的产生问题》,《经济研究》1965 年第 9 期;戴逸:《中国近代工业和旧式手工业的关系》,《人民日报》1965 年 8 月 20 日。
③ 郭沫若:《中国史稿》第 4 册,人民出版社 1962 年版;张万全等:《中国民族资产阶级究竟何时形成的》,《学术月刊》1963 年第 9 期;范文澜:《中国近代史》,人民出版社 1979 年版;翦伯赞:《中国史纲要》第 4 册,人民出版社 1964 年版;樊百川:《试论中国资产阶级的各个组成部分》,《中国科学院历史研究所第三所集刊》第 2 集,1955 年版。

买办资产阶级的研究所涉及的,一是把它的产生发展的过程,分为 1912 年之前的初步形成和发展阶段,1912 年至 1927 年的发展阶段,1927 年至 1949 年的发展为官僚资产阶级阶段。二是把它的性质和作用定为,是外来资本主义势力与中国封建势力相结合的产物,是完全依附于外国资本的反动阶级,代表中国最反动的生产关系,阻碍和破坏了社会生产力的发展;但也有学者认为它与民族资产阶级有若干共性,在一定条件下有相互转化的可能。三是认为它是外资侵华的重要合伙者和支持者。①

3. 一种值得注意的倾向

由上可见,在这 17 年中,中国近代经济史研究取得了丰硕的成果和明显的进展。但是也存在着一种隐患,这就是不能很好地贯彻"双百"方针,不能正确地理解学术研究为现实服务的精神,使学术研究过多地受现实政治的影响,存在着从某些政治原则出发作简单逻辑推理的现象。

在对外国在华资本的研究中,为了适应当时反帝斗争的需要,在较多地注重外资的经济侵略性和资本主义剥削的反动性的研究时,忽视了探讨外资输入对近代中国社会经济变化的客观作用,不注意研究中外资本之间的正常经贸关系。

在关于中国原始资本积累问题的讨论中,有些论者简单地从毛泽东提出的"没有外国资本主义的影响,中国也将缓慢地发展到资本主义社会"的理论原则出发,对提出中国的原始资本积累过程主要发生在外资入侵之后观点的学者进行批判,甚至加之以"美化帝国主义"的罪名。

在对中国资本主义和资产阶级的研究中,从为当时的阶级斗

---

① 黄逸峰:《关于旧中国买办资产阶级的研究》,《历史研究》1964 年第 3 期;伍丹戈:《论旧中国买办资本的落后性和反动性》,《光明日报》1964 年 8 月 12 日;聂宝璋:《中国买办资产阶级的发生》,中国社会科学出版社 1979 年版。

争和资本主义工商业社会主义改造服务出发,较多地批判其剥削工人、抵制无产阶级革命的反动性和软弱性,很少探讨其在近代中国社会发展中的积极作用。对中国资本主义的发展状况和水平,从半殖民地半封建社会的落后性出发,简单地认定为"日趋没落",虽有短暂的发展阶段也完全归结于中国人民反帝斗争和帝国主义列强因世界大战放松侵略的结果,很少从国际条件和国内社会制度、经济机制的变革等方面进行分析。

在关于近代中国政府对资本主义经济发展的作用的研究中,存在着从政府的政治性质出发而完全否定的现象。如对洋务运动的研究,有些论者从阶级斗争和清政府的封建性、反动性出发,认为清政府为镇压太平天国起义,依赖于外国资本和技术而发动起来的洋务运动,只是一次清政府挽救其封建统治地位的运动,是一次反动的卖国运动,不仅不是为了发展中国的资本主义,而且阻碍了中国民族资本主义的发生发展,毫无进步可言。又如对晚清和民国政府所制定经济政策的作用问题,也往往从政府的反动性和封建性出发,不是作简单的否定,就是以"徒具形式"论之。

指出上述这些倾向,并不是说近代经济史研究不需要为现实服务,也不是说这些研究的成果都是不正确的,而是意在总结经验教训。这些倾向的出现,从总体上说是时代所造成的,虽然难以避免,但应该引以为戒。从研究方法上来说,是带有教条主义的色彩,缺乏实事求是的精神,用阶级性、政治性、阶级斗争、政治斗争的价值判别标准来衡量经济的落后或先进、衰退或发展,甚至取代经济标准和经济法则。从学术方向上来说,是没有很好贯彻"双百"方针的反映,为了迎合形势,论述畸轻畸重,尊己抑彼,对持不同研究视角和不同学术观点者,不能以民主平等的学术讨论方式对待之,更不能以开拓进取的精神鼓励之。这些倾向,到"文化大革命"时被利用、发挥到登峰造极的地步,对本学科造成了极大的危害。

（三）严重挫折阶段（1967—1976）

正当本学科在已取得丰硕成果的基础上即将进入全面发展的时候，"文化大革命"爆发了。当时，极左路线猖獗，搞经济建设被视为"修正主义"；"影射史学"横行，儒法斗争史和阶级斗争史代替了整个史学。在这种背景下，以中国近代经济发展过程为主要研究对象的近代经济史当然要被打入冷宫，上一阶段已经开始的所有研究项目都被迫中止，新的研究课题更无从着手，本学科的研究几乎处于完全停止的状态。

就研究成果而言，在这 10 年中，只有 1 本书和 9 篇文章问世，其数量之少令人难以置信。如果再仔细看一看这些有幸出世的书和文章的内容，更显示出极左路线对本学科的摧残。这 1 本书就是1975 年出版的《江南造船厂史》，它的内容，主要是通过叙述该厂工人的反帝反封建斗争史实，反映近代中国无产阶级如何锻炼成长为最革命、最有觉悟的阶级。它的出版过程明显反映了极左路线对学术研究的压制，该书原是 1964 年完成的《江南造船厂史》书稿中的一部分，因当时政治形势的需要将这部分抽出来经加工后先行出版，并在书中污蔑和攻击刘少奇，而有关该厂创建和生产发展过程的部分均被删除，直到 1983 年原书稿才由江苏人民出版社出版。发表的 9 篇文章中，有 3 篇是关于太平天国的圣库制度和江苏、安徽农村的阶级和土地关系的，2 篇是关于工人阶级的，2 篇是关于帝国主义经济侵略和资本主义剥削的，2 篇是配合中苏边界争议而写的关于黑龙江以北乌苏里江以东的经济开发问题的。显而易见，这些文章都只是由于适应当时国内、国际政治斗争的某种需要才得以发表的。

就学术讨论而言，这一阶段已没有真正的学术争鸣可言，而只有以极左面目出现的"批判"和"禁区"。如把洋务运动作为批判"洋奴哲学"的靶子,洋务运动和洋务派成了"崇洋媚外"和"洋奴"的同义语,无有敢持异议者,洋务运动史几成研究的"禁区"。对资产阶级的研究,完全被大批特批"资产阶级中心论"、"资产阶级决定论"和"资产阶级高明论"所取代。

（四）从反思走向全面繁荣阶段(1977—1999)

"文化大革命"结束后,本学科的研究工作迅速恢复和发展起来。10年前已在研究而被迫中断的项目从新着手进行,已完成而未能出版的论著和史料得到解放,新的研究工作也很快起步。特别是1978年底中国共产党十一届三中全会以后,受全国社会主义现代化经济建设高潮的带动,也由于历史学和经济学深入研究的需要,本学科的研究在继承和反思以往研究的基础上,深入研究旧课题,不断开拓新领域,积极开展国际学术交流,进入了日益欣欣向荣的全面繁荣阶段。

1. 学科发展的基本状况

第一,学科的意义和价值更加受到重视。随着经济建设高潮的兴起和历史学、经济学、社会学研究的深入发展,近代经济史学科更加受到重视。1981年,刘大年首先发表文章,指出加强近代经济史研究对深入研究近代史的重要性和必要性:中国近代经济史是整个近代史研究的基础,如果要把历史研究真正建立在唯物主义基础上,就必须认真研究经济史。在以往的近代史研究中,凡是已得出了基本正确评判的重大历史问题,都是因为有经济史研究成果的支持。因此,近代经济史研究是当前深入研究近代史的最重要课题和突破口。1983年,经君健又从开展广义政治经济学研究的角度指出了研究经济史的重要性。他认为,中国的政治经济学界只重视社会主义和资本主义两部分,且在资本主义政治经济学的研究中,对其一般经济法则在半殖民地半封建社会所发生作用的问题很少有人问津。中国人口众多，幅员辽阔，历史悠久，对历史上各种生产方式的经济运动规律作具体研究，将对广义政治经济学的建立具有重要的意义。1986年，严中平在中国经济史学会成立大会的开幕词中，在总结和反思本学科研究的经验教训后，不仅继续指出加强经济史研究的重要性和必要性，而且提出本学科的目标和任务：对内应发挥经济史学的社会效应，对外要走上国际讲坛，以我们的成果树立中国经济史学科在世界学术之林中的地位。①傅筑夫、丁日初、魏永理、张永东等学者，也先后就此发表了文章。他们所提出的有关加强近代经济史研究的认识和观点，得到了学术界的广泛认同和响应，在一定程度上推进了近代经济史研究的发展。

第二，研究的队伍进一步增强。与近代经济史受到重视相应，从事本学科教学和研究的队伍逐渐扩大。不少高等院校的历史系和经济系增开了近代经济史课程，有的院校和研究所还陆续开始招收本专业的硕士和博士研究生，这些经过专业训练的新生力量陆续进入本学科研究的行列，有不少已成为优秀的研究人员和学科创新的主力群体。同时，还有一批原来从事一般历史学、经济学、农林学、社会学，乃至自然科学研究的学者涉足本学科的研究；有些在图书馆、档案馆、博物馆和地方志编写机构工作的研究和编写人员也陆续加入了本学科的研究、编写和资料整理工作。全国政协文史资料编辑委员会，以及有些地方的政协文史资料编辑委员会，也逐步开创了工商资料专辑的编写工作。

除了研究人员的数量增加和构成多元化之外，本学科的学术团体组

① 刘大年：《中国近代史研究从何处突破》，《光明日报》1981年2月17日；经君健：《加强中国经济史研究是发展经济学科的一项重要战略任务》，《经济研究》1983年第10期；严中平：《在中国经济史学会成立大会上的开幕词》，《中国经济史研究》1987年第1期。

织也日益增加。1983 年的全国史学规划会上成立了"中国近代经济史丛书"编辑委员会,并开展了一些促进学科发展的工作,如曾编辑出版了几期《中国近代经济史研究资料》和"中国近代经济史资料丛刊"。1986 年12 月中国经济史学会成立,内中设有近代经济史分会,13 年来做了许多学术交流工作,对学术研究的发展起到了一定的促进作用。地方性和专题性的学术团体也从 80 年代初开始陆续组建,至今许多省市成立了经济史研究会之类的学术团体,专题性的学术团体亦多有设立,如中央革命根据地经济史研究会、中国商业史研究会、中国少数民族经济史研究会、中国城市史研究会、中国商会史研究会、张謇与南通研究中心、中国海关史研究中心等。这些学术团体,有的通过举行研讨会开展学术交流活动,推进学术研究,有的则组织和进行了相关专题的实际研究工作。

　　第三,研究的方法不断创新。在改革开放的时代精神带动下,为了使本学科的研究适应时代的需要,提高研究水平和国际学术地位,研究方法日益受到研究者的重视。如严中平、吴承明、彭泽益、张仲礼、詹向阳等不少学者,都在 80 年代初期撰文强调要注意改进经济史的研究方法,提出要扩大视野,不能就中国论中国、就近代论近代、就经济论经济、就事论事;要采用经济学和统计学的方法,进行定量分析、计量研究;要注意典型解剖,以点观面。后来,继续有学者就此提出自己见解,特别是吴承明对此贡献最多,提出了一系列的新见解,他关于经济史研究中应当如何运用史料学和考据学、历史唯物主义、经济计量学、发展经济学、中地理论(中心地和边缘地区理论)、社会学、系统论等方法的论述,对改进经济史研究方法很有启发意义。刘佛丁对此也致力颇多,尤其重视采用各种计量经济学的方法进行研究。[①]

① 严中平:《科学研究方法十讲》,人民出版社 1986 年版;吴承明:《市场·近代化·经济史论》,云南大学出版社 1996 年版;严中平:《中国经济史研究中的计量问题》,《历史研究》1985 年第 3 期;刘佛丁等:《近代中国的经济发展》导论,山东人民出版社 1997 年版。

在实际研究工作中,各种新的研究方法被日益广泛地采用。除了上述有关学者所提出的各种新方法均有不同程度的运用之外,还有一些新的理论方法被采用,如现代化理论、法学、城市社会学、经济社会学、经济伦理学、市民社会理论、价格理论、房地产理论等。这些新理论方法的运用,对研究的视野扩大和角度创新,对分析的深化和合理化,都产生了程度不同的作用。

第四,研究的领域不断扩展,研究的角度不断创新。随着国家经济体制改革和经济建设的逐步发展,经济史研究方法的不断创新,本学科的研究领域得到广泛的拓展,呈现出总体研究开拓新思路,专题研究日益增多的趋向。如在工业化问题、企业制度、企业文化、企业集团、生产技术、房地产业、价格结构、消费结构、产业结构、市镇经济、农村经济、城乡经济、区域经济、国际收支、华侨投资、人口经济、经济社团、市民社会、经济政策、民国经济、战时经济、革命根据地经济、海关制度、海洋经济等以前几近空白的领域,都已有了一定的研究。

以前有所研究的领域,又增加了不少新的研究内容。如农业史研究中的农垦事业、经营地主、农业近代化,手工业史研究中的手工业与现代工业的互动关系,商业史研究中的商业行帮和商事习惯,金融史研究中的信托、保险、有价证券和交易所,交通史研究中的港口、公路、航空和邮电,民族市场研究中的农村集市、城市市场、区域市场、全国市场、生产资料市场、劳动力市场、资本市场、技术市场、信息市场、房地产市场等,少数民族和边疆经济史研究中,不仅所涉及的民族和地区进一步扩大,而且开始探讨发展模式的问题。

在中外经济关系、外国资本、官僚资本、买办资本、资产阶级、太平天国经济、洋务企业、地主经济等以前有较多研究的领域,不仅有进一步的深入研究,而且走出了片面和僵化的模式,向着系统全面和实事求是的方向前进。

　　第五，研究的成果迅速增加，研究的水平明显提高。上述这些客观和主观条件的改变，有力地推动了本学科的研究，研究成果持续快速增加。1979 年至 1998 年的 20 年中，本学科共出版著作约 700 种，发表论文约 6000 篇。其中 1985 年之前的 7 年中，出版著作近 140 种，发表论文近 1600 篇，分别占这一阶段总数的 20％ 和 27％，但其数量已大大超过前 30 年的总数，特别是论文数量超过了 1.5 倍。1986 年之后的 13 年，研究成果以更快的速度增加。

　　在学术研究中涌现了一批高水平的、开创性的优秀著作。如 50 年代开始准备，80 年代初着手写作的，由严中平主编的《中国近代经济史（1840—1894）》2 册，由汪敬虞接替主编的该书 1895 年至 1927 年卷 3 册和 50 年代启动的由许涤新和吴承明主编的《中国资本主义发展史》3 卷本，均由人民出版社分别于 1989、1999 年（即将出版）和 1985、1990、1993 年陆续出版，代表了本学科总体研究的前沿水平。同时，一些具有开创性意义的专题研究也有大量著作问世。有些专题已有比较全面的研究，取得了较多的成果，如张仲礼、隗瀛涛、罗澍伟、皮明庥等主编的上海、重庆、天津、武汉等地的城市史，从翰香、苑书义、孔经纬、段本洛等编撰的华北、东北、江南等地的区域（农村）经济史，陈诗启、戴一峰等撰写的海关史，徐鼎新、马敏、朱英、虞和平等撰写的上海、苏州、全国的商会史，刘佛丁、王玉茹、陈争平等撰写的有关经济发展、价格结构、国际收支等方面的计量经济史，严立贤、张东刚的市场需求与经济发展研究等。有些专题目前虽然尚为个别人所研究，成果也比较单一，但其开创性的学术价值已显示了重要的发展方向，如赵津的城市房地产史研究、徐鼎新的企业科技力量与科技效应研究等。

　　资料整理编辑工作也取得了相应的丰硕成果。除了第一阶段中的几项系列资料继续编辑出版外，新的综合性和专题性资料大量出版,所涉及的领域有中华民国经济、根据地和解放区经济、行业经济、中外金融和工矿企业、商会和行会、海关及税收、华侨投资、南开经济指数、自贡盐业以及盛宣怀、张謇等人物,还有地方经济史志,等等。其种类之多,不胜枚举。

2. 讨论的主要问题

与思想解放、研究方法创新和研究领域开拓相应,这一阶段本学科的学术讨论集中于两个方面,一是对以往有关讨论的反思和深化,即旧题新论;二是在新领域研究中对重要问题的讨论和不同见解。

就旧题新论而言,突出表现为不再机械地从社会政治状况和阶级政治属性的传统判断出发,对近代经济和资产阶级状况作推理性的论述,而是注意实际状况的考察,使政治与经济、政治与资产阶级的互动关系分析,更加符合辩证唯物主义的原理。讨论的主要问题有下述几个:

第一,关于中外经济关系问题。对于中外贸易,丁日初、沈祖炜认为,它是暴力掠夺性贸易同按经济规律办事的正常贸易交织在一起的,从长期的变化趋势来看,后者是主流。这种中外贸易尽管产生了一些不利于中国的因素,但毕竟在客观上对中国经济发展和社会进步起了积极作用,诸如推动商品经济发展、加速自然经济分解、促进城乡经济繁荣和近代工业发展等。张仲礼、李荣昌认为,中美贸易与中英、中日贸易不同,具有较多的自由贸易色彩,有显著的比较利益,有促进进口替代和出口导向型产业的兴起和技术输入等方面的作用。对于外国在华投资,丁日初认为,它向中国人提供的银行和运输服务、贷款、现代化机器设备和技术训练,是有利于中国资本的一面;它力图挤垮或兼并中国同类企业,是排挤中国资本主义的一面。然而后者只存在于某一时期或局部范围内,且到条件发生变化时就可能减弱以至于消失。因此从历史的宏观和外资的整体来考察,它对中国民族资本主义促进的一面终究占主要地位。曹均伟还认为,中外合资企业也有积极的一面,它扩大了资本主义生产关系,缓和了中国的资本短缺等。聂宝璋、陈绛认为,外资轮运业虽有威胁民族轮运业发展的一面,但它对中国封建社会的冲击、震动和刺激,对民族轮运业的发生和发展起了客观的促进作用。①

第二,关于传统经济与资本主义经济的关系问题。对这个问题的讨论,比较重视考察传统经济成分在外国和本国资本主义经济影响下而发生的内在变化。传统手工业,特别是棉纺织业、丝织业、井盐业、榨油业、陶瓷业中的资本主义萌芽,不仅继续存在而且有所发展,成为民族资本主义工业的一个有机组成部分,还为机器工业的产生发展提供了一定的工人、技术和市场条件,有的更逐渐转化为机器工业。② 传统商业和金融业,特别是经营洋货和农副产品的商业,在鸦片战争后就陆续具有资本主义商业和金融业的性质。其经营的商品逐渐以资本主义生产为主要基础,其市场流通范围逐步扩大,其取得的利润已成为资本主义平均利润的一部分,其生产关系已具有明显的资本主义雇佣性质,其经营方式逐渐采用经销、代销、包销、拍卖、批发、信用结算等新方式。③ 农业经济虽然仍以传统农业为主体,但是新型的资本主义农业也在缓慢发展。如经

---

① 有关论者的文章参见章开沅、朱英主编:《对外经济关系与中国近代化》,华中师范大学出版社1990年版;丁日初:《议经济现代化》,《上海研究论丛》第2辑,上海社会科学院出版社1989年版;曹均伟:《对近代中外合资企业的再认识》,《广东社会科学》1988年第4期。

② 彭泽益:《近代中国工业资本主义经济中的工场手工业》,《近代史研究》1984年第1期;夏林根:《论近代上海地区棉纺织手工业的变化》,《中国社会经济史研究》1984年第3期;段本洛:《近代苏州丝织手工业18年间的演变》,《近代史研究》1984年第4期;汪敬虞:《中国近代手工业及其在中国资本主义产生中的地位》,《中国经济史研究》1988年第1期;许涤新、吴承明主编:《中国资本主义发展史》第2卷,人民出版社1990年版。

③ 朱英:《近代中国民族商业资本的发展特点与影响》,《华中师范学院研究生学报》1985年第1期;黄逸平:《近代中国民族商业资本的产生》,《近代史研究》1986年第4期;张国辉:《晚清钱庄和票号研究》,中华书局1989年版。

营地主、富农、农垦公司在逐渐增加；耕种、灌溉、化肥、种籽等方面的新式技术和设备在逐渐推广；通商口岸附近和铁路沿线地区的农产品商品化程度在不断提高；农业人均产出亦非一直处于下降状态，而是有升有降，且总体上呈上升趋势；农业总产值中的资本主义农业所占的比重也在逐渐提高，1936 年时达到 10％的最高水平。[①]

　　第三，关于国内市场问题。这一阶段的研究与以前相比较有很大的进展，主要表现为以下四个方面。一是对农产品商品化发展状况的考察，用计量研究的方法，论证了近代的农产品商品化增长速度比鸦片战争以前大大加快，并呈现为加速度发展的状态，从而使农产品的商品市场不断扩大。二是对国内贸易总值和市场规模的考察，用各种计量研究方法，对某些阶段和某些年份的国内贸易总值进行了估算，特别是吴承明估算出了 1870、1890、1908、1920、1936 年等 5 个基期的市场商品总值和期间的年均增长率分别为：10.4、11.7、23.0、66.1、120.2 亿两（规元）和 1.20％、1.14％、6.28％、2.89％。[②]三是对各种类别市场的研究。如关于华北、四川、江苏、广西等农村市

① 丁长清：《试论中国近代农业中资本主义发展水平》，《南开学报》1984 年第 6 期；刘克祥：《1895－1927 年通商口岸附近和铁路沿线地区的农产品商品化》，《中国社会科学院经济研究所集刊》第 11 集，1988 年 12 月；吴承明：《中国农业生产力的考察》，《中国经济史研究》1989 年第 2 期；虞和平：《改造传统农业》，章开沅、罗福惠主编：《比较中的审视——中国早期现代化研究》，浙江人民出版社 1993 年版。

② 许涤新、吴承明主编：《中国资本主义发展史》第 2、3 卷，人民出版社 1990、1993 年版；曹幸穗：《旧中国苏南农家经济研究》，中央编译出版社 1996 年版；吴承明：《中国资本主义与国内市场》，中国社会科学出版社 1985 年版；吴承明：《近代国内市场商品量的估计》，《中国经济史研究》1994 年第 4 期；杜恂诚：《20 世纪 30 年代中国国内市场商品流通量的一个估计》，《中国经济史研究》1989 年第 4 期；沈祖炜：《1895－1927 年中国国内市场商品流通规模的扩大》，《近代中国》（上海）第 4 辑（1995 年）。

场的研究,探讨了市场的区域等级结构、商品流通渠道和交易规模,以及地方特点等。关于上海、天津、武汉、重庆等城市市场的研究,探讨了市场的发育过程、交易方式、功能作用和特点等。关于生产要素市场的研究,张仲礼等认为,在近代上海,生产资料市场、劳动力市场、资本市场已完全形成,技术市场、信息市场也开始出现;王玉茹则认为,到 40 年代,生产要素市场在经济发达地区初步形成,但仍发育得很不完善;赵津探讨了全国主要房地产市场的经营方式及其与金融业和政府的关系。四是关于市场价格体系的研究,所涉及的内容包括民国时期的价格变动及其规律,城市房地产价格变动规律及其对城市土地利用、城市"建筑革命"等方面的调节和促进作用,工农业产品价格剪刀差并不存在,以及借贷利率下降、工农业工资差距扩大、土地价格上涨对资源配置和产业结构优化的影响。五是关于市场需求的研究,张东刚估算了 19 世纪 80 年代至 20 世纪 40 年代的国民消费需求总额、农业投资总额、政府部门经常性支出等的长期变动数列,以及一些横截面统计数据。认为近代中国总需求呈不断上升的总体趋势,其基本特征是低水平波动上升,增长幅度较小,结构变动也不尽合理,但也对经济的发展和结构变化产生了相应的促进作用。①

① 从翰香主编:《近代冀鲁豫乡村》,中国社会科学出版社 1995 年版;谢放:《清末民初四川农村商品经济与社会变迁》,《四川大学学报》1990 年第 4 期;唐文起:《清末民初江苏农村市场论述》,《江海学刊》1992 年第 5 期;张仲礼:《近代上海市场发育的若干特点》,《上海社会科学院学术季刊》1994 年第 2 期;张仲礼主编:《近代上海城市研究》,上海人民出版社 1990 年版;罗澍伟等:《近代天津城市史》,中国社会科学出版社 1993 年版;皮明庥等:《近代武汉城市史》,中国社会科学出版社 1993 年版;隗瀛涛等:《近代重庆城市史》,四川大学出版社 1991 年版;赵津:《中国城市房地产史论》,南开大学出版社 1994 年版;贾秀岩、陆满平:《民国价格史》,中国物价出版社 1992 年版;王玉茹:《近代中国价格结构研究》,陕西人民出版社 1997 年版;张东刚:《总需求的变动趋势与近代中国经济发展》,高等教育出版社 1997 年版。

第四,关于洋务企业问题。有关论者大都认为官督商办民用企业具有资本主义性质,但属何种资本主义则见解不一。刘大年、黄逸峰、姜铎、汪熙、张国辉、黄如桐、樊百川等都坚持官僚资本的观点。丁日初、沈祖炜、李时岳、胡滨、张耀美等认为属于民族资本,或称国家资本。其理由是:这些企业的所有权属于国家,经营管理上虽然有封建性,但没有买办性和垄断性,与国民党政府的官僚资本不可相提并论。[1] 汪敬虞、夏东元、董蔡时等则提出了早期官僚资本(雏形)与早期民族资本(胚胎)共存论,认为两者同时产生,彼此渗透,互相转化,分途发展。[2]

第五,关于资本主义经济发展水平问题。新的研究不赞同以往那种政治日趋黑暗导致经济日益衰败的观点。不少学者通过大量的计量研究,认为近代中国经济的发展虽然是艰难曲折的,但总的来说是逐步增长的,而且指出一次大战结束至抗战爆发和抗战结束后的时期,中国的经济仍有程度不同的增长,并提出了近代中国经济增长周期的理论。[3]

第六,关于资产阶级的问题。新的研究认为,洋务运动时期不存在官僚资产阶级与民族资产阶级的分野,丁日初则认为不存在官僚资产阶级和买办资产阶级,明确提出了"一个阶级"论;买办不

---

[1] 丁日初、沈祖炜:《论晚清的国家资本主义》,《历史研究》1983 年第 6 期;李时岳、胡滨:《李鸿章与轮船招商局》,《历史研究》1982 年第 4 期;李时岳、胡滨:《从开平矿务局看官督商办企业的历史作用》,《近代史研究》1985 年第 5 期。

[2] 汪敬虞:《论中国资本主义两个部分的产生》,《近代史研究》1983 年第 3 期;夏东元:《略论洋务运动的多边关系》,《社会科学》(上海)1982 年第 9 期;董蔡时:《洋务运动必须正名》,《求索》1984 年第 5 期。

[3] 吴承明:《中国资本主义的发展述略》,《中华学术文集》,中华书局 1981 年版;张仲礼:《关于中国民族资本在 20 年代的发展问题》,《社会科学》(上海)1983 年第 10 期;王玉茹:《论两次世界大战之间中国经济的发展》,《中国经济史研究》1987 年第 2 期;许涤新、吴承明主编:《中国资本主义发展史》第 2、3 卷;刘佛丁:《近代中国的经济发展》。

仅可以向民族资产阶级转化,而且是其中的一部分;把民族资产阶级分为上、中、下三个层次,并以此认定其政治态度,与历史事实不符,这是把政治态度和经济地位机械联系的结果;有的学者提出,从资本集团、资产阶级团体的角度入手进行研究,更能揭示资产阶级的实际面貌。[①]

就新辟领域的研究而言,讨论和分歧较多的有下述几个问题:

第一,关于历届政府的经济法规和政策问题。对晚清政府所制定工商法规和振兴实业措施,朱英作了比较全面的研究,通过分析经济政策的制定过程、具体内容和实施状况,在指出其弊端和缺陷之外,亦肯定其对中国资本主义经济法制建设的先导作用,对维护资产阶级利益和促进资本主义发展的积极作用。虞和平认为,就其制订过程、科学性和可行性而言,与资产阶级和经济发展的要求尚有较大的差距,但对资本主义经济伦理的产生具有较大的促进作用。[②]

对民国北京政府所制定的经济法规和政策,一些专题论文和有关民国经济史的著作,对其法规内容和政策措施作了较多的陈述。虞和平的有关研究还认为,它的种类结构初步形成了资本主义经济法制体系,它的内容构成具有较高的科学性和可行性,它的制定过程较多地体现了资产阶级的利益,它的功能作用较大地改善

---

① 丁日初:《关于"官僚资本"与"官僚资产阶级"问题》,《民国档案与民国史学术讨论会论文集》,档案出版社 1988 年版;丁日初:《买办商人、买办与中国资本家阶级》,《文汇报》1987 年 3 月 17 日;王水:《买办的经济地位和政治倾向》,《中国社会科学院经济研究所集刊》第 7 集,1984 年 2 月;章开沅:《关于改进研究中国资产阶级方法的若干意见》,《历史研究》1983 年第 5 期。

② 朱英:《晚清经济政策与改革措施》,华中师范大学出版社 1996 年版;虞和平:《商会与中国早期现代化》,上海人民出版社 1993 年版;虞和平:《清末民初经济伦理的资本主义化与经济社团的发展》,《近代史研究》1996 年第 4 期;虞和平:《民国初年的经济法制建设》,《二十一世纪》(香港)第 7 期,1991 年 10 月。

了资本主义经济社会秩序,在近代中国经济法制建设进程中处于承上启下的地位。但是在实际的贯彻执行上,对强化管理执法颇严,对扶持和保护企业和企业家的利益和权利常常有法不依,从而限制了它对经济发展促进作用的发挥。

对南京国民政府所制定的经济法规和政策,近年来有较多的研究。除了对其法规体系和基本政策进行比较全面的陈述和一分为二的评价之外,着重研究了一些重要的专项政策措施。一是对法币政策的研究,认为它具有稳定汇率、松动信贷、降低利率、协调物价、促进农工商业发展、使中国的币制进入现代型行列等一定的客观积极作用。二是对关税自主政策的研究,认为它虽有一定的历史局限性,但不能说是欺骗宣传、徒有形式,它在一定时期和一定程度上改善了中国的海关主权状况,并在提高进口税、减免出口税、保护本国工商业、改变进口货物结构、增加财政收入等方面都有一定的积极作用。三是对抗日战争时期经济统制政策的研究,认为它既有掠夺性的一面,又有积极性的一面。金融统制增加了政府的经济实力,阻止了白银外流,工矿统制扶助了工农业生产,贸易统制维持了对外贸易,从而有利于抗战和国计民生。①

第二,关于商会和其他经济团体的问题。在商会史的研究方面,不仅讨论了商会的产生发展过程、政治和社会属性,及其在清末政治运动和辛亥革命中所起的作用,而且逐渐深入和延伸到商会的角色地

---

① 陆仰渊、方庆秋:《民国社会经济史》,中国经济出版社 1991 年版;石柏林:《凄风苦雨中的民国经济》,河南人民出版社 1993 年版;黄如桐:《1935 年国民党政府法币政策概述及其评价》,《近代史研究》1985 年第 6 期;慈鸿飞:《关于 1935 年国民党政府币制改革的历史后果辨析》,《南开经济研究》1985 年第 5 期;朱镇华:《重评1935 年的币制改革》,《近代史研究》1987 年第 1 期;高德福:《试论国民党政府的关税自主政策》,《史学月刊》1987 年第 1 期;李良玉:《论民国时期的关税自主》,《南京大学学报》1986 年第 3 期;丁日初:《论抗日战争时期的国家资本》,《民国档案》1986 年第 4 期。

位、组织结构、功能作用、现代化作用、与政府的互动关系、外交活动、中外比较、商案仲裁、市民社会等问题,并以此考察中国资产阶级的形成时间和程度。其中讨论较多问题有:对其性质属性问题,朱英认为清末商会具有"官督商办"的性质和特点;虞和平认为它是一种商办的法人社团。对其组织构成中的与行会的关系问题,马敏、朱英认为商会的根本宗旨、基本职能、组织结构和总体特征等,都是与行会截然相异的;虞和平认为,鸦片战争后行会内部已具有的对现代社会的潜在适应性是其与商会结合的同质因素,两者还在协调成员关系和官商关系、经济管理、利益自维等功能上,具有相同和互相依赖的关系,使两者有机地结合在一起。对其促进早期现代化的作用问题,朱英、马敏、徐鼎新比较全面地论述了它的经济促进作用;虞和平还从改善资本主义经济秩序、有助于资产阶级的政治参与和民族独立运动,以及商人外交的产生和发展等角度,考察了商会的这一作用。对其与资产阶级成长关系的问题,朱英从商会的组织状况和政治活动角度,提出商会的诞生是资产阶级初步形成的重要标志;虞和平则认为,清末各地商会的诞生使资产阶级进入从自在状态向自为状态转化的过渡阶段,民国初年全国商会联合会的成立,则使之进入基本自为的阶段,亦即完整形成阶段。对其与政府的关系问题,王迪认为清末时主要是在振兴实业基础上的相互依赖和合作关系;虞和平认为,在1904年至1930年间,呈现为依法的管理与被管理关系向着超法的控制与反控制关系转变的趋势;朱英认为在清末民初时期主要是良性互动的关系。①

---

① 徐鼎新:《旧中国商会溯源》,《中国社会经济史研究》1983年第1期;徐鼎新:《上海总商会史》,上海社会科学院出版社1991年版;马敏、朱英:《传统与近代的二重变奏——晚清苏州商会个案研究》,巴蜀书社1993年版;朱英:《从清末商会的诞生看资产阶级的初步形成》,《江汉论坛》1987年第8期;朱英:《转型时期的社会与国家》,华中师范大学出版社1997年版;虞和平:《商会与中国资产阶级自为化问题》,《近代史研究》1991年第3期;虞和平:《商会与中国早期现代化》;王迪:《试论清末商会的设立与官商关系》,《史学月刊》1987年第4期。

对于行会、行帮、同乡组织和其他经济团体的研究,开始从单纯的研究其封建性质,转向探讨其组织形态和功能特征及其现代化过程。徐鼎新、虞和平认为,鸦片战争以后,传统行会的组织性质和功能作用逐渐朝着现代性组织和资本主义化的方向转变,一些新兴的资本主义行业所建立的行会组织更具有这种现代的资本主义组织性质。同乡组织则从清末民初开始日益增多地采用现代的同乡会组织形式,其功能作用也从传统的以"救死"和联谊为主,改变为以"救生"和扶持同乡经济利益为主,并带动传统的同乡组织朝着这一方向转变。民国初年成立的以振兴实业为宗旨的大量经济社团,则更是一种以目标和利益认同为基础,并为实现共同的目标和利益而奋斗的现代经济社团,在当时的经济现代化建设中起到了一定的社会动员作用。①

第三,关于经济现(近)代化问题。关于经济现代化的促进因素,有的论者认为,外部的西方资本主义刺激,是起决定性影响的主导因素,内部的资本主义萌芽是次要因素,因为它远未达到诱发出产业革命的程度,不可能促使中国走上现代化的道路。有的论者则认为,除外部因素外,内部因素同样起着重要的作用,如明清时期的经济结构变化已显示出现代化模式的潜在自然形态;政府的重商主义政策和大量的工场手工业的存在,是工业化的真正的内部因素。

关于经济现代化的阻碍因素,有的论者认为,西方资本主义的侵略是主要原因,它使中国的经济现代化处在被扭曲的状态;有的

---

① 徐鼎新:《清末上海若干行会的演变和商会的早期形态》,《中国近代经济史研究资料》第 9 辑,上海社会科学院出版社 1989 年版;虞和平:《鸦片战争后通商口岸行会的近代化》,《历史研究》1991 年第 6 期;虞和平:《清末以后城市同乡组织形态的现代化》,《中国经济史研究》1998 年第 3 期;虞和平:《民国初年的实业团体活动》,《孙中山和他的时代》,中华书局 1989 年版;虞和平:《辛亥革命与中国经济近代化的社会动员》,《社会学研究》1992 年第 5 期。

论者认为，西方侵略固然是一个重大原因，但是决定性的原因在于中国内部，如统治者没能迅速进行全面改革、对新式企业进行不合理的干预和控制，传统文化积淀制约了应有的"二元结构"中某些优势的发挥。有的论者认为，这两方面的因素都存在，只是各有不同的阻碍作用。

关于经济现代化进程的总体状况，罗荣渠认为是一种依附性增长趋势，其具体表现为：被完全纳入世界资本主义经济体系，并处在这个体系的边缘地位；现代工业是以沿海条约口岸城市为中心的布局，主要是轻工业，也只能在外资企业的夹缝中生存和发展，外国资本在中国现代化经济部门和中国比较现代化的地区占据了支配地位；广大农村被卷入商品经济体系，但其商品化的发展速度落后于工业；经济增长是一种土洋结合的二元经济，但现代工业增长缓慢、发展畸形，传统经济一直占主体地位。[①]

关于中外经济现代化的比较，朱英、虞和平、朱荫贵认为，在日本、欧美等西方国家的经济现代化进程中，以资产阶级为主导力量；官商之间密切配合；经济立法及时、完备、高效；经济社团与经济现代化进程同步产生和发展，经济促进功能明确，并以民主自由为基础，以法律制度为保障；工业化的启动具有较强的主动性，既移植西方的生产技术也移植经济体制，利用政府权力进行大规模的资本原始积累；农业现代化与工业化同时并进，互相促进；对外贸易和商业不仅发展迅速，而且成为工业化的重要推动力。在近代中国的经济现代化进程中，资产阶级始终不能单独承担这一使命；官商关系极不稳定，时而改善，时而恶化；经济立法滞后、残缺、低效；经济社团的产生和发展与经济现代化进程不尽一致，政治因素

---

① 章开沅、朱英主编：《对外经济关系与中国近代化》；高亚彪、吴丹毛：《现代化进程中的文化制约与求解程序》，《北京社会科学》1989 年第 1 期；罗荣渠：《现代化新论》，北京大学出版社 1993 年版。

较多,时而高涨,时而低落,缺乏民主和法律的保障;工业化的启动有较大的被动性,只移植西方的生产技术而不移植经济体制,政府在资本的原始积累中没有充分发挥作用;农业的现代化滞后,没能成为工业化的强大支柱;对外贸易和商业虽然有较大的发展,但在半殖民地的社会经济制度下,不能充分发挥其应有的推动工业化作用。朱荫贵认为,中国的轮船招商局与日本的三菱会社(邮船会社)所以会有不同的发展道路和结局,主要是由于两国政府在人才培养、资金筹措、管理制度等方面的干预政策的不同,日本政府的干预政策具有全局性和长期性,中国政府的干预政策则不然。严立贤认为,需求增长和市场扩大是日本早期工业化发生发展及其向近代大工业过渡的主要推动力;农业的低剩余率和极不发达的国内流通制度,则是导致中国早期工业化及其向近代大工业过渡中徘徊不前,远远落后于日本的症结所在。①

(五) 存在的问题和今后努力的方向

新中国成立以来,特别是 1979 年以来,中国近代经济史研究虽然取得了巨大的成就,但是也存在着一些值得注意的缺陷和薄弱之处。

第一,关于运用新方法、开拓新课题与坚持马克思主义为指导相结合的问题。如前所述,引进国外学术研究的理论和方法,对中国近代经济史研究的繁荣发展和走向世界是必不可少的,但是在实际研究工作中,在某一理论、某一方法引进的初期,往往尚未很好理解消化就匆匆采用,不能很好地与相应的题材和史实相结合,

---

① 章开沅、罗福惠主编:《比较中的审视——中国早期现代化研究》第 2、3 章;朱荫贵:《国家干预经济与中日近代化》,东方出版社 1994 年版;严立贤:《中国和日本的早期工业化与国内市场》,北京大学出版社 1999 年版。

曾出现过一些令人遗憾的缺陷。如生搬硬套某一理论模式或框架的现象；简单搬用某些新词汇和术语的现象；理论方法与研究内容缺乏必然的内在联系的现象；理论分析与实证研究相脱节，以论取材，以偏概全的现象。这些现象使有些研究成果除了在表现形式和表述用语上求新之外，并无多少实质性的新意提出，即使有些新意亦难以令人信服；或者不能使新理论方法的运用发挥特有的效用，虽然用上了新的框架和名称，也进入了新的研究领域，但是不能形成新的研究体系和特色，只是停留在某种历史现象陈述的水平上，从而失去采用新理论方法的意义。进入 90 年代以后，这种现象虽然逐渐减少，但是仍然有所存在。

　　所谓新理论方法的运用，除了上述引进采用国外各种研究理论和研究方法之外，还应进一步发掘马克思主义理论中的相应理论和方法，那种认为马克思主义理论方法在新课题研究中已经不再适用的认识是不全面的。这种认识，如果相对于以往近代经济史研究中片面教条地运用马克思主义的做法而言，尚不无道理，如果就马克思主义理论方法的全部内涵和基本原理而言，则显然不能成立。除了马克思主义唯物史观和政治经济学仍可以作为本学科研究的基本指导思想和理论之外，马克思主义理论中还蕴藏着丰富的社会经济史、现代化、市民社会等方面的思想，这些都适用于新课题的研究。可惜马克思主义理论中的这些思想尚未被系统地发掘出来，也较少被运用于有关新课题的研究。因此，努力发掘和运用马克思主义理论中所蕴藏的各种适用于指导本学科新课题研究的思想方法，是发展马克思主义历史科学的一项重要工作。

　　第二，关于时代性与科学性相统一的问题。1979 年以来的近代经济史研究，时代性明显加强，许多新观点的提出和新课题的开拓，都不同程度地希望为现实经济体制改革和经济建设服务。这本来是无可非议的，因为近代中国的经济是一种由传统农业经济向现代工业经济过渡中的经济，是一种外国资本、国家资本、私人资本等多种所有制共存并互相竞争的经济,是一种政府干预与市场调节并行的经济,也是一种工场手工业与现代大企业并存的经济,其中有许多经过实践检验的、把外国经济科学和管理方法中国化了的成功经验,也有付出了沉重代价的失败教训,这些经验教训对当前经济建设的借鉴作用,不一定亚于现在直接从国外引进的经济科学和管理方法。当然,这种为现实经济建设提供借鉴的服务,必须是科学的服务,也就是说,所提供的借鉴是经过实事求是的科学研究而得出的,近20年来有不少将时代性与科学性较好统一的研究成果,较好地发挥了本学科为当前的现代化建设服务的功能。但是也存在着那种缺乏全面的科学研究,只从现实的某种经济变革及其需要出发进行简单比附或类推的现象,如从现在肯定引进外资的必要性出发,而去全面肯定近代在华外资对中国经济的促进作用;从现在需要发展对外贸易出发,而去过分强调近代中外贸易的平等性;从现在外资企业中有中方职员和工人出发,而去完全否定近代买办对外资的依附性和外资企业对中国工人的剥削性,等等。

第三,关于内容结构的问题。1979年以来的中国近代经济史研究虽然开拓了不少新的领域,但受原有研究基础和资料条件的制约,研究课题的布局不平衡,以至在有较多研究的领域内出现一些低水平重复研究的现象,而在一些较少研究的领域内则存在着诸多缺少研究的薄弱环节,甚至空白地带。从总体上来说,对社会经济、生产力、流通、消费等领域的研究比较薄弱,对房地产业、经济体制、经济法制、企业管理、企业集团、经济组织的研究则刚刚起步。在市场、金融、商业、农村经济、商会等领域虽已取得了不少的研究成果,但研究主题不平衡,如对市场经济,研究农产品商品化、市场规模、市场区域结构的较多,研究生产要素市场和技术市场、信息市场的较少;对金融业,研究银行、钱庄等信贷机构的较多,研究保险、信托、证券的较少;对商业,研究商业资本和内外贸易的数量、性质和作用的较多,研究商事习惯、促销方式、财务管理的较少;对农村经济,研究华北、江南、华南地区的较多,研究其他地区的较少;商会研究,主要集中于 1927 年之前的上海、天津、苏州三个地方商会的组织性质和结构、经济和政治作用,对 1927 年之后的状况、其他重要的地方商会,以及商会的城市管理、商事仲裁、法律参与、国际交往及其与市场结构、市民社会的关系等则很少研究,甚或近于空白。

　　克服和弥补上述缺陷,加强研究内容结构中的那些薄弱方面的研究,无疑是今后近代经济史研究发展的一个重要方面。

军 事 史

　　1840 年到 1949 年的中国近代史,充满着外来的侵略和内部的斗争,战争连绵不断。与此相伴随,这一时期的中国军队所采用的武器装备、战略战术、部队编制,也与古代中国有了很大的变异。新的军种与兵种出现了,新的军事思想出现了,优秀的军事统帅和将领出现了,杰出的战例出现了。作为这一时期开端的鸦片战争,清朝的军队惨败于兵力、兵器相当有限的英国远征军;到了这一时期结束后,中国人民志愿军在朝鲜战场上,与以美国为首的"联合国军"进行了相当有力的较量。中华人民共和国建立以后的 50 年,中国大陆的学术界对 1840 年至 1949 年的中国近代军事史进行了相当广泛的研究,发表了数以千计的论文和数以百计的著作,其中不乏精彩之笔,但没有理由认为,目前的研究状态已经到达了令人满意的水平。

(一) 最初的工作

　　中国近代军事史最初一批研究成果为中国人民解放军的战史与军史。新中国成立之后,这支经历 22 年战争且保存丰富档案资料的军队,在中央军委的指示下,开始总结历史经验,为国防与军队建设服务。1949 年 10 月,原东北军区司令部编写了《东北三年解放战争军事资料》,该书分"敌情变化"、"东北解放军组织发展"、

"作战经过与主要战役"三部分,系统总结东北解放战争的基本过程。其中叙述原第四野战军所属 12 个军、东北军区所属 10 个军区的组织沿革、人事变更和装备情况,尤为详细。对于重大战役如四平保卫战、三下江南四保临江、辽沈战役等,依据当时的战斗总结和作战记录编写,并附有大量统计表、序列表和作战地图。这部近百万字的资料,不仅为后来的研究提供了大量第一手材料,且为后来此类著述的编写,创立了范式。1952 年至 1956 年解放军各军区以军为单位,由军司令部组织人员编写本军的《第三次国内革命战争战史》。1956 年以后,参加抗美援朝战争的部队,又以军为单位编写了《抗美援朝战史》。这批著述的主要特点是编写人员多为战争过程的亲历者,熟悉情况,对本部队的作战经过、政治思想工作和军队建设均有详细、准确的叙述,且对本部队的失败教训,也能如实记载。一些历史长、战绩优的主力部队,如第 38 军、39 军、43 军、20 军、23 军、27 军等,战史内容丰富而颇有特色。各军的《抗美援朝战史》,因编写时间仓促,内容及篇幅均不及《第三次国内革命战争战史》丰富。

随着中国人民解放军军事学院和军事科学院于 50 年代中后期在南京和北京相继成立,对中国人民解放军史的研究有了专业的机构。军事学院为了教学的需要,编写了解放军历史上重要战役的《战例选编》,在叙述基本作战过程时,更注重决策、战术上的理论分析。军事科学院战史研究部(后更名为军事历史研究部)和图书资料处(后更名为军事图书馆),整理档案资料,编辑了多卷本的《中国人民解放军第二次国内革命战争时期资料选编》、《中国人民解放军第三次国内革命战争时期资料选编》。这两套大型资料书的编选、校勘、排列均见功力,具有较高的使用价值。与此同时,为了编写解放战争时期各大野战军的历史,有关军区成立了战史编辑室,后一类机构虽还称不上是稳定的专业机构,但存在时间较长,除了文献材料的搜集外,还采访高级将领,进行专题研究,并于

1962 年前后完成了四大野战军的《战史》初稿和《战史资料选编》。

　　需要说明的是,以上的研究工作都是军队内部在保密的情况下进行的。相应的研究成果,除上送有关高级指挥员及有关高级教学研究机构参考外,皆存档。自 50 年代后期起,解放军一些高级将领在政治上受到错误对待,他们的历史功绩逐渐成为研究禁区。60 年代的"左"倾思想,更将军事史上的杰出人物毛泽东置于不恰当的位置上。中国人民解放军历史的研究人员遇到了困难。

　　晚清军事史的研究,其最初的成就为史料建设。新中国成立后,近代史逐渐成为显学。各大学历史系成立了近现代史教研室,中国科学院成立了近代史研究所,中国史学会组织全国学术界的力量,编辑了"中国近代史资料丛刊",自 50 至 60 年代,该丛刊出版了《鸦片战争》、《太平天国》、《捻军》、《洋务运动》、《中法战争》、《甲午战争》(该丛刊的《第二次鸦片战争》、《北洋军阀》后于 70 年代、90 年代出版)。这些大型资料书中,包含了相当多的军事史的内容。然而,军事史是军事学与历史学的交叉学科,非军事系统的研究人员,较少军事学的专门知识,也少军事史的兴趣。尽管晚清历史中军事史有着极为重要的地位,但在 50 至 60 年代出版的晚清历史的著述中,军事史经常性地成为政治史、对外关系史乃至经济史的陪衬。值得注意的是,就在晚清军事史研究沉寂的年月中,戎笙等《太平天国革命战争史》(生活·读书·新知三联书店 1962 年版)、王庆成《壬子二年太平军进攻长沙之役》(《文史》第 3 辑,1963 年),于论说中时见军事史的亮点;戚其章于 1962 年出版的小书《中日威海之战》中,已经略露军事史的光芒;而牟安世、茅家琦、方之光、郦纯于 1963 至 1965 年进行的关于太平天国定都天京的讨论,是一次从战略角度分析太平天国战争的有意义的探索。

　　在 50 至 60 年代的中国近代史的研究中,中华民国史是最为薄弱的一环,而中华民国军事史的研究近于一片空白。然于 60 年代初起,全国政协及各地政协先后成立了文史资料委员会,一大批国民党高级将领纷纷撰写军事回忆录,这些资料于 60 年代起陆续在各级《文史资料选辑》中发表,其中相当部分内容具有很高的史料价值,可弥补档案文献之不足。

综上所述,在 50 至 60 年代虽少见中国近代军事史的上佳研究著作,但在史料搜集整理上有着不俗的成就,为后来的研究提供了较为结实的地基。这一时期的中国近代军事史的研究,可谓是资料建设阶段。

(二)研究的起步

1966 年开始的"文化大革命",中断了中国大陆的学术研究,中国近代军事史学科也不例外。自"文化大革命"后期起,中国科学院近代史研究所成立了"中华民国史研究组",开始史料收集工作,《清末新军编练沿革》即是其中的一项。这部于 1978 年由中华书局出版的资料书,所收大多为中国第一历史档案馆所藏清代档案,编选得体实用。而 1979 年由北京出版社出版的《中国人民保卫海疆斗争史》,则明显留有那个时代的色彩,政治性冲淡了学术性,但作为中国大陆第一部叙述 1840 年(鸦片战争)至 1974 年(西沙群岛自卫反击战)的专题性著作,对研究海军海防尚有一定参考价值。

未过多久,中国近代军事史的研究,如同其他学科一样,发展渐渐加快。

最先突起的是中日甲午战争史及相关的海军史研究。1981 年,戚其章出版了《北洋舰队》(山东人民出版社),孙克复、关捷出版了《甲午中日海战史》(黑龙江人民出版社);1982 年,张侠、杨志本编的《清末海军史料》(海洋出版社)出版;1983 年,戚其章出版其论文集《中日甲午战争史论丛》(山东教育出版社);1984 年,孙克复、关捷出版了《甲午中日陆战史》和《甲午中日战争人物传》(黑龙江人民出版社)。在此题目下同时还有许多研究者发表了一大批论文。这是中国近代军事史研究出现的第一个热点,初步建立了关于甲午战争与清末海军的知识体系,且对后来的研究深入有很大的推力,当然,从今天的标准来看,这一批著作与论文在许多方面仍显得粗糙。与此同时兴起的另一个热点是太平天国军事史的研究。1982 年,郦纯出版了《太平天国军事史概述》上、下编(中华书局),张一文、舒翼、沈渭滨等数十名研究者在此前后对太平天国的战役战斗及战略决策发表了上百篇论文。郦纯的著作只是描述了太平天国战争的一般过程,而张一文等人的论文探索更深一些,且在军事学术的分析上见得功力。其他的领域虽没有如此的热度,但牟安世的《鸦片战争》(上海人民出版社 1982 年版)、上海社会科学院经济研究所的《江南造船厂厂史》(江苏人民出版社 1983 年版)、朱来常的《淮军始末》(黄山书社 1984 年版)、谢本书和冯祖贻等《护国运动史》(贵州人民出版社 1984 年版)也有不少相应的军事史内容。

张玉田、陈崇桥等人编著的《中国近代军事史》(辽宁人民出版社 1983 年版),是在此题目下第一部尝试性的著作,内容涉及到 1840 至 1919 年军事史的各个方面。这部书的弱点正如许多批评者所言,军事特点不够充分,恰恰反映出那时中国近代军事史的各个领域研究尚不充分,作为综合性的著作也一时无法达到人们所企盼的水准。而由军事科学院战争理论部第三室编写的《中国近代战争史》3 册(军事科学出版社 1984 至 1985 年版),正以其较浓的军事特色引人瞩目。该书叙述了 1840 至 1919 年历次内外战争,对它们战略战术的得失作了初步的分析,并附有 34 幅彩色作战示意图。此书可认为是一部成熟的军事史著作,直到目前为止,尚无一部相应的著作来取代其地位——尽管从今天的研究水平来看,该书作者们在史料(尤其是外文史料)的掌握上仍不够周全。

这一时期最具权威性的著作应推《中国人民解放军战史》。这部 3 卷本的大书虽迟至 1987 年即解放军建军 60 周年时由军事科学出版社推出,却是在 60 年代初起步编著的。负责撰写的军事科学院战史研究部先是编辑相关史料(前已提及),"文革"结束后正式编写,反复征求意见,多次修改,以极高的成本确保其准确性和严肃性。其第 1 卷为"土地革命战争",第 2 卷为"抗日战争",第 3卷为"解放战争",对各次重大战役战斗均能简要叙述敌我态势、双方决策、战斗过程、战术特点、战果及影响,全书最后有"基本经验"一章,更试图作理论上的总结。书后附有作战地图和各类统计表。读者对这部权威性著作的好评,时时可闻,但该书作者对于解放军战史中的经验教训,似过于惜墨。

70 年代末至 80 年代中期的中国近代军事史的研究,可以认为处于初创阶段。研究者的兴趣也主要在战争史,对于军事史的其他领域涉猎较少。然而,战争史的深入,需要其他领域的研究成果的支持,尤其是军队建设史。于此之后,中国近代军事史的研究很自然向多方面展开与深入,研究人员思想开阔了,研究的课题也随之注重军事史特有的内在逻辑。

值得注意的是,专业性的军事史刊物也于此时出现。1985 年,中国人民革命军事博物馆创办《军事史林》。该刊是一知识性的双月刊,中国近代军事史是其主要内容之一。1986 年,上海空军政治学院创办的《军事历史研究》,则是一学术性的季刊,其中中国近代军事史的文章占绝大多数。在这一年,原为《军事学术》增刊的《军事历史》开始独立发行,由军事科学院军事历史研究部主办。该刊是学术性与知识性相结合的双月刊,中国近代军事史是其最主要的内容。1987 年,《抗日战争研究》在中国社会科学院近代史研究所创办,这一学术性的季刊,以相当大的篇幅论及军事史。

还可注意的是,一些军事院校除了有固定的解放军历史的课程外,还根据其特点,开设近代海军史、近代空军史等其他属近代军事史内容的课程;80 年代初中期起,沈渭滨在复旦大学、张玉田在辽宁大学、陆方在东北师范大学开设了中国近代军事史的课程,其中沈渭滨的学生已有初步的群体效应,然随沈渭滨等人陆续退休,非军事类的院校中,中国近代军事史不再是常设的课程了。

(三)研究转向细化

自 80 年代中后期起,中国近代军事史的研究开始细化。研究者的视野,不再看重整体性的综合研究,而是更注重历史关键变化中的各个因素。由此至 90 年代末,大约出版了数以百计内容各异的著作,和达到四位数的水准不一的论文。

由于本章的篇幅与我们的观察能力,对于这一时期的论文无法一一恭读,难以做出一整体性的评价。过细地介绍各篇论文的内容及特点,哪怕是最简略的,也必会使读者生厌,故本章对这一时期论文不再专门提及。好在已有一些综合性述评做过较为详细的介绍,有兴趣的读者不妨参阅下列各篇:

沈渭滨、夏林根、朱学成:《中国近代军事史研究述评》,《中国近代军事史论文集》(军事科学出版社 1987 年版);

孔德琪:《1987 年中国近代军事史研究述评》(《军事历史研究》1988 年第 1 期);

张一文、刘庆、皮明勇:《中国近代军事史研究概览》(天津教育出版社 1991 年版);

军事科学院外军研究部:《世界军事年鉴》,该年鉴自 1993 至 1998 年各册,皆有"军事理论研究"专栏,而该专栏大略用 1.5 至 2 万字的篇幅,专门介绍相关年度中国近代军事史论文的大致内容及主要观点;

江英:《中国近代军事史研究新进展》(《军事历史研究》1994 年第 1 期);

江英:《近两年中国近代军事史研究新进展》(《军事历史研究》

1995 年第 4 期、1996 年第 1 期）。[①]

　　以下基于军事科学院军事图书馆和中国社会科学院近代史研究所图书馆所藏及本章作者之所见择要介绍一部分著作。

　　晚清战争史　晚清历史中，战争是最主要的事件，所有的晚清史著作或多或少都会涉及晚清战争史，相关的著作很多。其中最值得注意的有：《甲午战争史》（戚其章著，人民出版社 1990 年版），该书的特点在于考证，对战术动作的描述已到营一级，是同类著作中叙述最为精准者。《天朝的崩溃：鸦片战争再研究》（茅海建著，生活·读书·新知三联书店 1995 年版），该书的特点也在于考证事实，在战术的分析上也见功力。《太平天国军事史》（张一文著，广西人民出版社 1994 年版），该书以战争史为主，又突破了战争史的范围，对太平天国的军制、训练、供给、战术、战略等方面均有专门的研究。与以上个人的研究相对照，中法战争史的特点是群体研究。80 年代以来，广西中法战争史研究会等机构团体先后在广西等地召开七次讨论会，出版了七本论文集，其中的一些论文已有突破。而最新出版的《中法战争诸役考》（黄振南著，广西师范大学出版社 1998 年版），对中、法、越南史料综合比较，值得一读。

　　晚清陆军史　在这一方面著作不多，其中最显功力的有两种：《湘军史稿》（龙盛运著，四川人民出版社 1990 年版）、《淮军史》（樊百川著，四川人民出版社 1994 年版），这两部书的材料搜集相当完备，对湘军和淮军的起源、组织编制、经费供给、派系集团等方面，均有细密的叙说，然在军事特点上，尤其是建军原则和惯用战术方面，尚欠火候。而关于军事史上意义更大的完全采用西式装备和西式编制的北洋陆军，则没有具如此功力的著作，资料方面，除前已提及的《清末新军编练沿革》外，后又出版了《北洋陆军史料（1912－1916）》（张侠等编，天津人民出版社 1987 年版）。

---

　　①　本章的撰写也参考了上述论著。

海军史　海军是中国第一个近代化的军种,相应的研究也比较多。值得注意的著作有:《龙旗飘扬的舰队:中国近代海军兴衰史》(姜鸣著,上海交通大学出版社 1991 年版)、《中国近代海军史事日志(1860—1911)》(姜鸣著,生活·读书·新知三联书店 1995 年版)、《中华民国海军通史》(陈书麟、陈贞寿著,海潮出版社 1993 年版)、《近代中国海军》(海潮出版社 1994 年版)、《晚清海军兴衰史》(戚其章著,人民出版社 1998 年版)。从这些著作中,可以看出学问的递进,其中《近代中国海军》是由海军司令部组织人员编写的,时限至 1949 年,内容包括晚清海军与中华民国海军,章节设计也更富军事特点。

空军史　空军在近代中国的历史要短得多,相应的著作也少了许多。在此领域,全面系统的著作当推《中国军事航空(1908—1949)》(马毓福著,航空工业出版社 1994 年版)。该书对抗日战争时期苏联、美国援华航空兵也辟有专章介绍。

红军及其战史　在这一领域最值得称道的研究成果是,由中央军委牵头组织红一、红二、红四方面军战史编审委员会编写的,于 1989 年至 1993 年由解放军出版社出版的《中国工农红军第一方面军战史》、《中国工农红军第二方面军战史》、《中国工农红军第四方面军战史》、《中国工农红军第 25 军战史》,此外,还整理出版了红二、红四方面军的《战史资料选编》。萧克的《朱毛红军侧记》(中共中央党校出版社 1993 年版)以亲身经历探讨与反思了红军创建时期的组织路线、建军原则与相关战略战术。《红军长征史》(中共中央党史研究室第一部著,辽宁人民出版社 1996 年版),汇集了众多研究成果,显得更新也更系统。《南方三年游击战争史》(阎景堂主编,解放军出版社 1997 年版),也是一部系统全面之作。

抗日战争战史与军队史　军事科学院军事历史研究部的《中国抗日战争史》3 卷(解放军出版社 1994 年版),与同类著作相比显得更加完整与准确。《中华民族的抗日战争》(支绍增、罗焕章著,军事科学出版社 1987 年版)、《中华民族的抗日战争史》(王秀鑫、郭德宏主编,中共党史出版社 1995 年版),也注重国民党军队在正面战场的积极作用。王辅的《日军侵华战争》4 卷(辽宁人民出版社 1990 年版),则从日方资料入手,颇具特色。《中共抗日部队发展史略》(张廷贵等著,解放军出版社 1990 年版)叙述了八路军、新四军、抗日联军及其根据地、游击区的发展史,对组织沿革、重要作战及战果亦作考证。《新四军发展史》(马清武、童志强著,山西人民出版社 1997 年版)、《新四军简史》(王辅一著,中共党史出版社 1997 年版),皆为目前新四军研究较完整的专著。《中国远征军战史》(徐康明著,军事科学出版社 1995 年版),全面且较为深入地研究了抗战中滇缅远征作战的历史。广西师范大学出版社 1993 年起推出的"抗日战争丛书"汇集了一批中青年学者的成果,其中林治波《大捷:台儿庄会战纪实》颇见功力。

解放战争史　80 年代末起,由中共中央军委批准,陆续组建解放战争各野战军战史编辑室,整理、修改或重写 60 年代编写的各野战军战史。此项工作已经完成,《第二野战军战史》、《第一野战军战史》、《第三野战军战史》、《第四野战军战史》已于 1990 年至 1998 年由解放军出版社出版。军事科学院军事历史研究部编著《全国解放战争史》5 卷,也于 1997 年由军事科学出版社出版。以上各书可谓是全面系统之作。湖北省军区的《中原突围史》(军事科学出版社 1996 年版)则是一部不错的专题研究著作,叙述了 1946 年那段壮烈的战史。《东北解放战争纪实》(刘统著,东方出版社 1997 年版),是区域性战史解析的专著。解放战争中的三大战役是研究者关注的领域,此中值得注意的著作有《辽沈决战》(系研究与文献结合的 3 卷本汇编,人民出版社 1988 年版)、《淮海战役史》(何晓环等著,上海人民出版社 1993 年版)。

抗美援朝战争史　《中国人民志愿军抗美援朝战史》(军事科学院军事历史研究部,军事科学出版社 1990 年版)、《当代中国丛书·抗美援朝战争》(中国社会科学出版社 1990 年版),属专门机构长期研究之作,叙述全面。《第一次较量——抗美援朝战争的历史回顾与反思》(徐焰著,中国广播电视出版社 1990 年版),包含了许多作者个人的思考,富有意义。

军事制度史 军事制度史本是军事史研究的重点,然在中国近代军事史研究中却是令人遗憾的弱项。由中国社会科学院历史研究所与军事科学院军制研究部合作的《中国军事制度史》(大象出版社 1997 年版),其"军事组织体制编制卷"、"军事教育训练卷"、"军事法制卷"、"兵役制度卷"、"后勤体制卷"、"武官制度卷"对此领域均有涉及,但尚欠完备。后勤史的研究在解放军总后勤部推动下相对先进,1983 年起,解放军后勤学院(后更名为后勤指挥学院)等机构开始着手编辑《中国人民解放军后勤资料选编》,现已由金盾出版社出版了 18 册。相关的著作有《中国近代军事后勤史(1840—1927 年)》(陈崇桥、张玉田主编,金盾出版社 1993 年版)、《中国人民解放军后勤简史》(乔光烈主编,国防大学出版社 1989年版)、《中国人民解放军革命战争后勤史简编》(徐庆儒主编,金盾出版社 1990 年版)、《中国人民解放军后勤史》(吴学海主编,金盾出版社 1992 年版)、《抗美援朝战争后勤史简编本》(周和编,金盾出版社 1993 年版)、《中国人民解放军第二野战军后勤史》(刘鲁明主编,金盾出版社 1995 年版)等。其中《中国人民解放军后勤史》是在资料编纂基础上编写而成,共分 4 卷,分别叙述了土地革命战争、抗日战争、解放战争和当代中国的后勤史,显得更为扎实,且对历史经验进行了探讨;《抗美援朝战争后勤史简编本》更具以史为师、以史为鉴的特点,注重理论性的建设。在军事教育方面,已有《中国近代军事学校》(朱建新著,河南教育出版社 1992 年版)、《中国近代军事教育史》(王吉尧主编,解放军出版社 1996 年版)、《中国近代军事教育史》(史全生主编,东南大学出版社 1996 年版)三书,其中以史全生主编之书更具学术价值。

　　传记与回忆录　由于中国近代历史的特殊性,军事人物往往同为政治人物,有关的人物传记已有不少,但写出传主军事特色的却不为多。而其中应予重视的有,中央文献研究室主编的《朱德传》、解放军各元帅传记组撰写的《彭德怀传》、《刘伯承传》、《贺龙传》、《陈毅传》、《罗荣桓传》、《徐向前传》、《聂荣臻传》、《叶剑英传》(皆由当代中国出版社出版),诸书立意严谨,考证详细;《彭德怀传》、《陈毅传》、《刘伯承传》军事特色更显突出,这也与传主的军事生涯更丰富相关。由星火燎原编辑部组织编写的《解放军将领传》,目前已由解放军出版社出了 14 集,收入了百余名高级将领的传记。由王成斌等主编的《民国高级将领列传》也已出 6 卷(解放军出版社 1988 年版),收入北洋和国民党将领百余人。军事人物回忆录出版的总数现难以准确统计,其中《粟裕战争回忆录》(解放军出版社 1988 年版)因融入其本人军事思想,使人感受到特有的价值;《彭德怀自述》(人民出版社 1981 年版)、《黄克诚自述》(人民出版社 1994 年版)讲真话,讲实话,使人感到作者的坦诚。《我的戎马生涯》(郑洞国著,团结出版社 1992 年版)、《郭汝瑰回忆录》(四川人民出版社 1987 年版)、《杨伯涛回忆录》(中国文史出版社 1996 年版)也有一定参考价值。

　　资料编辑　《中国近代史资料丛刊续编·甲午战争》(戚其章主编,中华书局 1989 年至 1996 年版),共约 400 万字,分 11 卷。《中国近代史资料丛刊续编·中法战争》(张振鹍主编),共约 300 万字,已于 1995、1996 年由中华书局出版第 1、2 卷。以上两书的特点是注重了外文史料的搜集。《中华民国海军史料》(杨志本等编,海洋出版社 1987 年版),出版虽早,但相当有用。文史资料出版社从 80 年代起,将全国政协等机构组织原国民党高级将领编写的回忆录,辑为专题,已出《围剿中央苏区亲历记》、《围追堵截红军长征亲历记》、《从九一八事变到七七事变》、《忻口会战》、《台儿庄会战》、《南京保卫战》、《武汉保卫战》、《辽沈战役亲历记》、《淮海战役亲历记》、《平津战役亲历记》、《百万国民党军起义投诚纪实》等，可资研究参考。记录长征内容的《陈伯均日记》（上海人民出版社1987年版）和童小鹏的《军中日记》（解放军出版社1986年版），记录抗日战争和解放战争的《陈赓日记》（战士出版社1982年版）和《皮定均日记》（解放军出版社1986年版），均有较丰富的史料；《王恩茂日记》（中央文献出版社1995年版）更以篇幅最长、内容详尽出众；而中共党史众多资料集，皆可作为该时期军事史资料使用。而必须指出且应积极关注的是"中国人民解放军历史资料丛书"，由中共中央军委部署各总部、各大军区、各军兵种及军事科学院等机构编纂，分43个专题，250个分册，共约2亿字，1994年起已由解放军出版社出版了《南方三年游击战争》、《八路军》、《新四军》、《渡江战役》、《后勤工作》等110册。待到该资料丛书出齐之后，研究者可大体摸清解放军历史各领域的基本脉络。《中国人民解放军历史资料图集》（长城出版社1987年版），共计8卷，是目前最完整的解放军历史照片汇编。

工具书　《中国大百科全书·军事卷》（中国大百科全书出版社1989年版）、《中国军事百科全书》（军事科学出版社1997年版）是中共中央军委组织各总部、各大军区、各军兵种、军事科学院等机构编写的大型工具书，其中相当部分的内容涉及中国近代军事史。这两部书的条目基本涵盖了这一时期的重要战役战斗、军兵种及其发展、军队组织沿革、高级指挥员简历，释文简练且准确。《中国军事史大事记》（奚原、王辅一等编，上海辞书出版社1996年版），也有相当大篇幅是关于中国近代军事史的，可资参考。军事科学院军事图书馆所编《中国人民解放军组织沿革和各级领导成员名录》（军事科学出版社1990年版），依据档案等材料，将解放军在土地革命战争时期和抗日战争时期团以上建制序列与领导成员、解放战争时期师以上建制序列与领导成员，详尽编排出来，相当准确，使用方便。

以上的介绍，目的在于提供一个鸟瞰式的概貌，所做的提要与评价也只是粗浅且一般性看法，未必准确，这是需要读者加以注意的。还有一点必须说明，以上介绍的分类，很大程度上是依据现有研究成果状况，与中国近代军事史学科体系应有的分类有着不小的差距。

（四）建立学科体系的呼唤

相比中国近代史的其他学科，中国近代军事史的研究是比较滞后的。这里面最重要的一点，就是没有建立起完整的学科体系。现有的研究，集中于战争史与军队建设史，尤其是解放军的战史与军史。究其原因，在于中国近代军事史是一门交叉学科，从大处说，包含历史学与军事学，往细处看，军事学本身就是由门类甚多的交叉学科组成。这就要求中国近代军事史的研究人员最好能有多学科的训练，这还要求此项研究工作最好能有专业的教学研究机构。

非军事系统的历史学界，大多数人没有军事学训练，致使其从事该项研究时，军事特色并不突显。军事系统的研究人员，则开始时史学训练稍显不足，80年代以后，此类人员的史学知识与功夫因学习与积累有了相当的成长，由此推出了《中国人民解放军战史》等具有阶段性标志的成功之作。除了军事科学院军事历史研究部和各军事院校的战史或历史教研室外，在中共中央军委的部署和推动下，解放军各大单位建立了各种临时性或相对长期性的编辑、研究机构，其中绝大多数专门进行解放军历史的研究，由此推出了一大批质量可靠的解放军战史和军史著作。而对晚清时期、北洋军阀统治时期、国民党方面的研究，则没有如此的幸运，没有专门的教学研究机构和必要的财力支持，主要靠个人的兴趣，成果相对要少一些，且缺乏系统性，尽管个别研究成果已经达到了很高的水准。

　　关于中国近代的军事技术、军队制度、军事教育与训练、军事学术与军事思想等方面的研究,可以说处于乏善可陈的窘境。从1840年至1949年,中国军队完成了从冷热兵器混用时代到多军、兵种的转变,然而,对于这一时期中国军队使用的武器装备,现有的各种著述,尚难以反映这一转变的实际状况。而对这一时期武器装备的引进、研制开发、生产、配套,研究更少。一些军事工业企业的研究,着眼点在于经济史而非军事史,或作为中华人民共和国兵工史的背景。没有武器装备的历史的深入研究,就无从说明这一时期中国军队的编制组织和基本战术,后者是以前者为基础的。如果更进一步分析,军事学术和军事思想的探讨又以军队编制与战术的研究为基础。正因为如此,本章对后勤史研究的突显予以尽可能的介绍。在总后勤部推动下由金盾出版社出版的“后勤历史丛书”,使后勤史几乎成了继战争史和军队建设史之后研究较深的领域。也因为如此,在中国近代军事史的研究中,时常可以看见“业余”研究者的身影。原江西省军区参谋长刘子明即是一例。他没有受过专业的长期训练,凭着个人的钻研,啃上了军事思想这一难度极大的课题。他的著作《中国近代军事思想史》,在他去世后于1997年由江西人民出版社出版。虽然可以对他的这部著作提出种种不同看法,但它却是这一领域惟一的系统之作。曾受历史学专业训练的姜鸣是另一种例子,其两部颇有地位的海军史著作,是在他从事证券业时的“业余”之作。

　　与中国近代的政治、经济、文化等众多领域不同,到1949年中华人民共和国建立之时,中国的军事力量已列世界诸强。鸦片战争与抗美援朝战争,是中国近代军事史上的两大坐标。要说明这一历史演变,仅靠短时段、单方面的研究是不行的。综合性的问题需要综合性的研究,而这种研究的最终成功,依赖于各时段、各方面研究之充分。建立相对完整的本学科体系,应当是中国近代军事史研究者进入21世纪之际迎面而来的课题。

　　即使是在中共中央军委的重视下,由解放军各机构致力多年而今已初显繁荣的中国人民解放军战史与军史领域,其成果也多为有瑕之玉。有组织的集体编写是此一领域的成功经验,可以在比较短的时间内完成较大部头的著作,且能保证一定的质量。然这种方法的基本缺陷就是缺乏个性。为了照顾方方面面的审稿意见,最容易在审稿中被抹去的恰恰是那种有特色的见解,使得著述看似全面,实则平淡。一切军事学的基础皆在于军事史,因为军事学的意义不在于其理论上的完整,而在于实践中的有效。军事史研究中的学术争鸣与百花齐放,不仅可使军事史学科常青常新,也可为军事学的发展提供有用的素材。中国人民解放军原本是中外历史上屡败屡战的千古典范,正是这种惨烈的经历培植了他们的能力,使之最终能在朝鲜战场上与以美国为首的"联合国军"一决高下,尽管再一次付出了惨烈的代价。但在许多描写中国人民解放军历史的著作中,我们感受不到这种力量。一路凯歌行进的壮剧原本只存在于戏剧舞台上,感人的历史总是让人悲喜交加。更使人感到此项不足的是关于中国人民解放军军事人物的传记,传主们几乎个个深谋远虑且战无不胜。打仗原本是这个世界上最最实打实的事情,文饰和虚张是半点也来不得的。在战场上,敏锐的直觉与熟思的计谋具有同等的力量,书生议兵流为千古的荒唐。然在相当数量此类读物中只是一派白面书生相,感受不到解放军军事人物特有的那种务实、慧黠、勇猛、质朴的底色。毛泽东是中国近代最伟大的军事家,毛泽东的军事生涯与军事思想的研究一直是中国近代军事史的显学,然而那种过于理论化的叙述与分析,使之失去了极富号召力的个人魅力,我们在读他的军事传记时,失去了如同读拿破仑军事传记时引人入迷的心绪。

思　想　史

　　思想史在我国是一门既古老而又年轻的学科。在我国悠久的
史学发展史上，思想史历来占有十分重要的地位，留下了丰富的思
想史资料以及独特的理论方法。但思想史的概念却是在本世纪初
伴随着西学东渐而来的外来词，30 年代中期冠以思想史的著作开
始出现（郭湛波：《近三十年中国思想史》，大北书局 1935 年版），思
想史才摆脱传统学术史的拘牵而成为一门崭新的学科。也就在此
时，一批进步学者开始尝试以马克思主义为理论指导，致力于此项
研究工作，在当时的思想史园地里取得了可观的成果，对于民族解
放和国家独立做出了贡献，也为以后思想史的研究开辟了道路。就
中国近代思想史而言，需要提及的是侯外庐的《中国近世思想学说
史》（重庆三友书店 1944 年版）有关近代的部分，这是 1949 年前中
国近代思想史研究的显著成果。但诚如作者所言，写作此书时正处
于特殊的战争环境，受种种客观条件限制，此书并不是一本系统完
整的近代思想史著作。近代思想史研究的蓬勃发展是在新中国建
立以后。

　　中华人民共和国成立 50 年来，中国近代思想史的研究在曲折
中取得了很大的成就。按照研究发展的情况，大体上可以分为两个
阶段：从 1949 年到 1976 年为第一阶段，从 1977 年到现在为第二
阶段。长期以来，不论研究和教学，中国近代史下限到"五四"运动
前，此后为中国现代史。与之相应，中国近代思想史的下限也止于

"五四"运动,"五四"运动后为中国现代思想史。本章所论重在"五四"运动之前,兼及"五四"运动后,特予说明。

（一）初具规模的开创性研究

伴随着新中国的诞生,上海时代书局于 1949 年 11 月出版了斐民著的《中国近代思想发展简史》。作者运用马克思主义观点,叙述了从鸦片战争到新民主主义革命时期近代思想发展的历程,扼要地介绍了近代从太平天国空想社会主义到新民主主义几种主要思想的来龙去脉及相互关系。这是新中国成立以来第一部比较系统地论述中国近代思想史的著作。

1955 年,石峻、任继愈、朱伯昆编的《中国近代思想史讲授提纲》由人民出版社出版。它的贡献主要在于为建立中国近代思想史的基本理论框架做了有益的尝试。作者以马克思主义、毛泽东思想为指导,比较全面系统地探讨了中国近代思想史的对象和内容、学习和研究思想史的目的、中国近代思想产生的社会历史条件和反帝反封建思想发展的路线等问题。该书的出版对中国近代思想史的研究起了推动作用,引起学术界的关注。学术界对中国近代思想史的基本问题展开了讨论。王忍之、徐宗勉指出《提纲》存在三方面的缺憾:一是研究客体不全面。文章认为,《提纲》把旧民主主义革命时期反帝反封建思想的发生和发展的历史作为研究对象是正确的,而认为"近代中国社会产生的新经济、新阶级和新的政治力量,是中国近代思想发生和发展的物质基础"则是不全面的,因为它们只是中国近代新的先进的思想发生和发展的物质基础。近代中国除了有新的进步的思想,还有反映旧经济、旧政治的反动思想和为帝国主义服务的买办的奴化思想。《提纲》把中国近代思想发展的历史归结为革命思想路线和改良主义思想路线两条路线的斗争,没有研究和讨论进步的思想在跟帝国主义思想和封建主义思想进行斗争中发生和发展起来的整个过程，也是片面的；因为前者的斗争只是新的进步思想内部的斗争，后者的斗争则是中国近代思想史的主题。二是思想发展的脉络不完整。编者没有系统地说明各个时期思想的继承关系，形成为思潮及思潮的发展和衰落过程，而是更多地逐一介绍思想家的思想，缺乏对整个思潮进行全面的分析与论述，这样便不能深刻全面地把握社会思想的全貌。三是没有充分揭示思想与其赖以产生的社会历史条件的内在联系。对当时的社会历史环境缺乏深入具体的说明，没有充分说明思想是如何产生、发展的。①

上述这些意见是很有见地的，不仅弥补了《提纲》中存在的某些不足，而且对于中国近代思想史研究也有促进作用。如新旧思想的斗争、思想家与思潮的关系、西方资产阶级思想在中国的传播等问题，一直是以后中国近代思想史研究中值得重视的问题，有些问题至今还没有得到很好的解决。

在这一阶段里，没有系统的中国近代思想史著作面世，而人物思想的研究却颇为活跃。除在报刊上发表了一批论文外，还出版了中国人民大学中国历史教研室编的《中国近代思想家研究论文选》（生活·读书·新知三联书店1957年版）、北京大学哲学系编的《中国近代思想史论文集》（上海人民出版社1958年版）和李泽厚的《康有为谭嗣同思想研究》（上海人民出版社1958年版）。这些论文涉及的人物很广泛，不仅重要人物如林则徐、龚自珍、魏源、洪秀全、康有为、梁启超、孙中山、章太炎、陈独秀、李大钊等的思想有不少研究，次要人物如冯桂芬、宋恕等的思想也有所研究。其中有些论文对人物思想的论析有独到见解，颇有学术价值。广泛而有一定深度的人物思想研究，有助于后来人物思想研究的进一步深入，也为系统的中国近代思想史的著述打下了良好的基础。

---

① 《评〈中国近代思想史讲授提纲〉》，《哲学研究》1956年第1期。

在人物思想研究中,对有些人物的思想评论也有不同意见。如关于龚自珍的政治、经济思想是否有资本主义倾向,魏源思想的阶级属性,冯桂芬是具有资产阶级民主思想的改良主义者还是地主阶级改革派,康有为《大同书》成书年代和评价,梁启超后期思想的评价,谭嗣同的哲学思想是唯物主义还是唯心主义等问题。应该说,当时还颇有学术争鸣的气氛,在不少问题上都能展开讨论,各抒己见。但是从以上列举的争论问题来看,不难发现主要是关于人物思想的阶级属性问题,反映了思路相对狭隘,而对阶级观点和阶级分析的理解、把握也存在简单化的偏向。1965 年,有些刊物对孙思白的《陈独秀前期思想的解剖》[①] 一文的批判,突出地表现了在"左"的路线影响下的教条主义、简单化的倾向。至于"文化大革命"中"四人帮"为了政治需要大搞评法批儒,在此影响下出现的文章将龚自珍、魏源、章太炎等思想家都纳入儒法斗争中,定之为法家,加以随意渲染。这是对学术的严重扭曲,极不严肃。

在专门的思想史领域,也有研究成果出版。赵靖、易梦虹主编的《中国近代经济思想史》(中华书局 1964 年至 1966 年版),是第一部论述近代经济思想的专著。而关于改良主义思想研究的成果有叶蠖生的《中国近代革命运动中反对改良主义的斗争》(中国人民大学出版社 1956 年版)和胡滨的《中国近代改良主义思想》(中华书局 1964 年版)两部专著。《中国近代改良主义思想》一书,系统考察了中国近代资产阶级改良主义思想兴起和没落的历史,把它分为四个阶段,从鸦片战争至 19 世纪 60 年代为酝酿时期,以龚自珍、林则徐、魏源等为代表的一部分比较开明的官僚地主阶级知识分子从封建主义正统思想中开始分化出来,他们的政治观点和学术观点虽还没有脱离封建主义的体系,但为后来的资产阶级改良主义者提供了丰富的思想资料。从 19 世纪 60 年代至 1894 年中日

---

① 见《历史教学》1963 年第 10 期。

甲午战争,是改良主义思想的发生和初步发展时期。著名的改良主义思想家有冯桂芬、王韬、薛福成、马建忠、郑观应等人,政治上主张采用西方资产阶级的议会制度,经济上倡导发展民族工商业,但他们并没有形成一个完整的思想体系。从1894年中日甲午战争至1898年戊戌变法运动是高涨时期。以康、梁为首的改良主义者把改良主义思想推向了高潮,并发展为政治运动。从1898年戊戌变法至1911年辛亥革命运动是没落时期。戊戌变法失败后,康、梁等少数人仍然坚持改良主义路线并对民主革命思想进行攻击,在双方论战中,改良主义思想被击败,影响逐渐缩小。作者的论断并不都准确,但在分析不同时期或同一时期思想家时纵横对比,寻同求异,颇能切中肯綮,找出各自的特征。

系统论述鸦片战争时期社会思潮的是刘大年的《中国近代思想史的一页》。该文通过对林则徐、黄爵滋、龚自珍、魏源、姚莹、包世臣、张穆等人的研究,指出他们敢于正视现实,揭露批判腐朽的封建制度,主张对列强的侵略进行抵抗,学习西方富国强兵之道。这种思想潮流,成为近代中国人民反帝反封建斗争的发端。作者在文章中还提出资产阶级改良主义思想对封建主义思想的论战、资产阶级革命派对改良派的论战、“五四”前一部分小资产阶级和资产阶级知识分子发起的新文化运动,是近代中国思想解放潮流的三次高潮,它们都是朝着鸦片战争时期社会思潮指出的方向进行的。[①]

(二)方兴未艾的系统性研究

思想史研究者自身的思想解放,是思想史研究的先决条件。1976年10月粉碎“四人帮”以后,特别是1978年12月中共十一

---

① 见《新建设》1962年第12期。

届三中全会的召开,破除了极"左"路线的影响,在解放思想、实事求是的思想路线指引下,史学界开始冲破教条主义的束缚,努力用准确的马克思主义唯物史观来研究历史。中国近代思想史的研究也呈现出空前的繁荣景象,发表的有关论著可谓目不暇接,研究的深度和广度也是以前无法比拟的。

20 年来,中国近代思想史研究与前一阶段明显不同的是一批系统的中国近代思想史著作的出版。在框架结构上,这些系统的中国近代思想史著作有其发展变化的过程,可以分为三个小段:(1)大致从 1978 年到 80 年代末,有关中国近代思想史的著作,着重于论述思想家的思想,也就是说,其系统主要由思想家构成,下限至1919 年"五四"运动前;(2)从 80 年代末到 90 年代中期,由以人物思想为主,变为以思潮为主,下限也是至 1919 年"五四"运动前;(3)近二三年来,中国近代思想史著述的下限,由 1919 年"五四"运动前延伸至 1949 年中华人民共和国成立前夕。这种变化,从一个侧面反映了中国近代思想史研究的深化。

1. 1978 年至 80 年代末

1978 年,侯外庐主编的《中国近代哲学史》由人民出版社出版。该书虽名为哲学史,实际重心在思想史(特别是政治思想史),它具有以下几方面的显著特点:第一,注重从哲学角度探求人物思想根源,从根基上把握思想的渊源,说明其思想变化的轨迹。例如,作者在论述魏源的社会政治思想时,从详细剖析魏源朴素唯物主义认识论和历史进化观入手,揭示了魏源主张政治改革和反侵略思想的根源及其局限性,从而使读者对其思想有一个深刻的理解。作者在论述人物的哲学思想时,常从认识论、历史观等多方面深入,避免简单的泛泛而谈。在论及思想家的思想时,作者往往追溯其渊源。如谈到龚自珍思想时,介绍了古代荀况、王充、王安石的唯物主义自然观,指出他们的继承关系。思想家的思想是立足于现实的,但必须从已有的思想材料中吸取养料,说明这种继承关系才能够深入揭示其思想特点。第二,注意揭示每个时期的思想与当时社会历史的有机的本质的联系,比较深刻地说明思想产生的原因,准确把握各个时期思想的特征并作深入细致的剖析。例如,作者认为鸦片战争前社会思潮的特征是经世致用思潮的兴起,鸦片战争后则是反侵略的爱国思潮。前者是一部分先进的地主阶级改革派面临封建社会末世严重的社会危机和民族危机要求救世除弊、改革现状的呼声,而后者则是鸦片战争后少数爱国知识分子总结失败教训思考未来前途的反映。第三,关注近代西方哲学社会思想的输入对中国思想界所产生的影响。书中除分散介绍有关内容外,特别对辛亥革命前后资产阶级唯心主义哲学的输入及其思想影响设立一章,比较详尽地介绍了它们的思想和在国内传播的情形,这些对于全面理解近代思想是必不可少的。作者还注意到把西方近代自然科学介绍到中国的早期科学家如李善兰、徐寿等,论述了这些具有唯物主义倾向的科学家对传统天命观的批判。第四,较全面系统地介绍了近代各时期的落后反动思想,并论述了它们和进步思想的斗争情况。由于这部书是在"文革"后期特殊的政治气候下写作的,对人对事的某些评价现在看来有简单化、不客观之处。但是,它对中国近代思想史研究和系统著作的撰写产生的积极影响,则不应低估。

在《中国近代哲学史》之后出现的系统的中国近代思想史的著作,大多以政治思想史命名。从 80 年代初开始,一批著作陆续出版。比较早的有邵德门的《中国近代政治思想史》(法律出版社 1983 年版),其后便是桑咸之、林翘翘的《中国近代政治思想史》(中国人民大学出版社 1986 年版)和与之同名的宝成关的著作(吉林大学出版社 1991 年版)等,约有十余部著作。至于论述中国近代政治思想和有关人物的政治思想的论文,则数量更多。这些努力对于推进和完善中国近代思想史的研究起了积极的作用。这些著作揭示了中国近代政治思想发展的历史过程和总的趋势,认为近代政治思想就是对中国传统的封建主义国家观及维护这种国家观的君权神授说和三纲五常伦理道德观念的批判和摒弃,同时也是资产阶级国家观形成发展,并经过实践最终失败的历史。近代中国政治思想的另一条主线便是反侵略的爱国主义思想。维护国家主权、抵抗外来侵略是关乎国家命运的基本问题,近代任何先进的思想家大都对此提出过主张,并努力进行了实践,但最终都没有能够实现其思想主张。中国近代政治思想的特点,首先是纷繁复杂。在短短的 80 年间走过了欧洲几百年的思想历程,社会政治思想从封建主义跃进到社会主义,各个阶级、各个政治派别纷纷提出自己的政治主张。当思想的主流正汹涌澎湃之时,潜伏的支流也已潺潺流动初现端倪。今日进步思想战线的旗手,明日已沦为落后思想的护兵。有继承传统的,有借鉴外来的,有糅合中西的,政治思想成为缤纷异彩、五光十色的万花筒。其次是肤浅粗糙。近代中国的政治思想基本上是针对迫切的救亡图存的政治问题而提出的。现实斗争的紧迫性没有给思想家们提供足够的条件来构筑他们的理论体系,往往是在解决现实问题的政治方案已经形成之后才去找哲学的支撑点来建立自己的思想体系,这样便不可能形成成熟的完整的思想体系。

多年来,政治思想史的研究范围在逐渐扩大,从主要重视资产阶级扩展到地主阶级改革派和农民阶级,甚至资料甚少的义和团政治思想也受到关注;从占主流的进步政治思想延伸到相当长时期里居于统治地位的落后反动的政治思想。评价也更客观、更实事求是,如对无政府主义,既指出它的消极作用,也肯定它在中国特定的历史条件下,在反对专制主义、批判封建文化、初步介绍马克思主义方面所做的贡献。在写法上,有以派别人物为主的,也有以思潮为主的,有从总体上宏观的论述,也有个案微观的透视。当然,中国近代政治思想史需要探讨的问题还很多,比如在研究对象和范围上就存在较大的分歧,这是要进一步努力的。

随着一批中国近代思想史著作的出版,学术界对研究中国近代思想史的认识进一步深化,提出了一些中肯的意见。金冲及在《中国近代思想史研究中的几个问题》①一文中全面阐述了自己的观点,提出应该在四个方面加以突破:(1)把近代各种社会思潮的发展演变和它们之间的相互关系作为重点来研究。(2)在时间上应该重点研究从甲午战争到"五四"运动的20多年,因为这20多年是思想浪潮汹涌澎拜的时期。(3)要深入探索中国近代哲学思想和政治思想的关系。他认为,"在长时期内,中国近代进步思想界中占支配地位的哲学思想,一直是唯心主义(特别是主观唯心主义),而不是唯物主义","第一个给近代中国提供了比较完备的唯物主义思想体系,并在思想界产生广泛影响的,是严复,特别是他所翻译并加了大量按语的《天演论》"。(4)要研究西方近代社会政治思想和哲学思想的各种重要流派,特别是对中国近代思想界产生重要影响的那些思想流派及其对中国的影响,还要着重研究日本近代思想界对中国的影响,因为当时的日本对中国思想界影响巨大。作者的这些见解正切中当时中国近代思想史研究中存在的问题。例如,过去我们总认为进步的思想家在哲学思想上一般倾向于唯物主义,而唯心主义者在政治思想上必定是落后的,因此在研究先进人物时总是搜寻其唯物主义的成分,而忽略了这其中的复杂性。这些确实是值得深入探讨的课题。

这期间,人们对近代思想史进行了多角度的探讨,研究工作深入细致。如汪林茂认为,在近代中国的进步思想潮流中,有四个新旧交替的转折点并各有其代表人物。龚自珍、魏源身处封建社会的大转折时代,发出了"更法"、"师夷长技以制夷"的呼声,首次冲击了封建统治者顽固死守的陈腐信条,成为近代思想解放潮流的先驱。冯桂芬上续龚、魏之绪,开始突破"三代圣人之法",更明确地提

① 《中国文化研究集刊》第1辑,复旦大学出版社1984年版,第265—286页。

出中国诸多不如"夷"的地方,进一步具体地表达了学习西方的主张,开启了改良主义的先河。维新派的激进分子唐才常突破改良思想的范畴,在变法运动失败后,开始了武装推翻清朝统治的战斗,但对改良思想却割舍不了。辛亥革命失败后,朱执信的思想开始突破旧三民主义的体系,逐渐接近马克思主义。他们都是特定时期承前启后、继往开来的进步思想的代表人物。这些论断是否都符合客观实际,自可讨论,但毕竟提出了问题,有助于研究的进一步深入。①

1988 年,张锡勤和李华兴著的同名《中国近代思想史》(黑龙江人民出版社 1988 年版、浙江人民出版社 1988 年版)先后出版。两书都比较系统地展现了中国近代思想发展的全貌,既有相同之处,又各具特点:(1)清晰地展示了中国近代思想的脉络和发展趋势,是两书的共同特点。张锡勤认为"推翻帝国主义和封建主义的统治,拯救、改造中国,使中国走向独立富强,使人民摆脱苦难,这是近代中国人民的共同愿望,也是中国近代思想史的主题"。同时,他认为,近代中国思想史的主流是学习西方,输入西方的资本主义文明,并逐渐认识到资本主义无力补救中国,最终接受了马克思主义,走向了社会主义道路。李华兴认为,中国近代思想史的中心是反帝反封建的社会政治思想,中国近代思想界的一个重大课题是向西方学习。经过艰苦的摸索,最后才将信任票投给了马克思主义,这是人民的选择,历史的选择。(2)注重从文化的角度考察思想的变迁。张锡勤认为,近代中国接受西方文明的过程,同时也就是对自身传统文化再认识、再评价,进行清理改造的过程。资产阶级思想家们深入地对比了中西文化的异同,试图改造中国传统的文化心理结构,发动了"道德革命"、"文学革命"、"史界革命"。作者对这些方面都作了较细致的评介。李华兴认为,中国人向西方学习经

---

① 汪林茂:《中国近代思想史上的四个转折点》,《求是学刊》1985 年第 5 期。

历了文化变迁的三个层次:器物层次——制度层次——思想文化层次。这是一个由表及里,由浅入深,不断深化的过程。近代的思想家和改革家们最终认识到,只有提高民族素质,进行深层次的思想文化变革,才能够推进中国的社会变革。虽然两位作者注意的侧重点不同,但都从文化的深层考察思想的变化。这是以前的几部专著没有顾及到的。(3)吸收了新的研究成果。如两书都对洋务运动作了一定的评介,不过二者的观点不尽相同,张著认为近代中国寻找前途出路经历了包括洋务思潮的六种思潮;而李著则认为近代中国有三种先进的社会思潮,其中并不包括洋务思潮。这些都是以前的中国近代思想史著作所没有的。

2. 80 年代末到 90 年代中期

如果说 1978 年到 80 年代末系统的中国近代思想史著作是以思想家或以思想家为主兼及社会思潮为框架,那么 80 年代末以后的著作的框架则几乎都是社会思潮。

还在 50 年代,王忍之等人在文章中即论述了思想家和思潮的关系问题。"文革"后,侯外庐在其《中国近代哲学史》中开始用"社会思潮"来总括某一历史时期的思想,并对某些思潮的特征做了概述。80 年代末,金冲及认为中国近代思想史,最重要的是研究各种社会思潮的发展演变和它们之间的相互关系。他认为,由于不同阶级、阶层的人群所处经济地位和社会关系不同,他们的利益也不同,因而在社会上就形成不同的思潮,有主流、支流、潜流和逆流,综合构成一幅极为复杂而丰富的历史图画。尽管社会思潮潮起潮落,但总的趋势是向前发展的。

较早以"思潮"作为书名、论述整个中国近代思想史的专著,是吴剑杰的《中国近代思潮及其演进》(武汉大学出版社 1989 年版)。作者认为,以往有关中国近代思想史的专著和教材存在着不足,即"依时期、分派别重点地论述各个有代表性的思想家及其代表作,似难以揭示出近代政治思想潮流兴衰替嬗、发展演进的基本线索和规律性"。因此,该书"主要以近代历史上出现的几种进步性思潮,而不再以人物思想为线索"。作者正是以此为主线,论述了鸦片战争时期地主阶级改革派的社会批判、改革思想和爱国维新思想,太平天国农民革命思想,19世纪后半期的洋务思潮,戊戌时期的维新思潮,辛亥革命时期的社会思潮,以及资产阶级民主革命思想的低落和马克思主义的传入等。虽然也还存在着只写几种进步思潮是否就能全面反映近代中国思想发展演进的线索和规律性等问题,但这种尝试无疑是有益的。

　　稍后,吴雁南等主编的《清末社会思潮》(福建人民出版社1990年版)一书问世。书中虽然只限于甲午战争后到辛亥革命前一个时段,不是全部中国近代的历史,但中国近代思想史上的重要思潮,多数都包括在内,所涉有爱国主义思潮、变法维新思想、革命民主主义思想、君主立宪思想、教育救国思想、实业救国思想、国粹主义思想、无政府主义思想和早期社会主义思潮等。书中对于思潮的归类,自有其特点,但也有可推敲之处。如爱国主义,它是中国近代思想史的脊梁,贯穿始终,体现于各种思潮之中,单列一类,与其他思潮并列,是否妥帖,似可斟酌。

　　90年代中期,以"社会思潮"命名的著作增多。如戚其章的《中国近代社会思潮史》(山东教育出版社1994年版)、胡维革的《中国近代社会思潮研究》(东北师范大学出版社1994年版)、黎仁凯的《近代中国社会思潮》(河北人民出版社1996年版)、高瑞泉主编的《中国近代社会思潮》(华东师范大学出版社1996年版)等。这类著作大多以思潮为线索分类撰述,而于思潮分类也大同小异。这里不可能一一介绍,只以其中在框架上有所不同的两种著作为例。

　　胡维革的《中国近代社会思潮研究》在结构上有其特色,它不仅限于对近代思潮的依次论述,而且把它们作为近代中国社会思潮的一个重要内容来处理。该书着重探讨了以下几个问题:(1)关于中国近代社会思潮的开端、主线、流程和终结;(2)关于西方文化、传统文化、社会意识、知识分子群体、思想巨人与中国近代社会思潮的关系;(3)关于几种重大社会思潮的起因、内容、演变及影响。这就避免了由依时期、分派别重点论述各个有代表性的思想家及其代表作,而依序论述各个思潮的不足。尽管论述的深度以及有些论断不一定都能得到研究者的认同,但毕竟较只是依序阐述各个思潮为丰满。

高瑞泉主编的《中国近代社会思潮》则是一部专论性著作,书中所收的 12 篇专论,其内容与上述的一些中国近代社会思潮史有明显的不同。该书所论的 11 种思潮是:人道主义思潮、进化论思潮、实证主义思潮、唯意志论思潮、自由主义思潮、文化激进主义思潮、汉宋学术与文化保守主义思潮、无政府主义思潮、民族主义思潮、佛教复兴思潮与中国的近代化、基督教传教与晚清"西学东渐"。比较而言,这些思潮中虽也有政治思潮,但更偏重的是哲学、文化思潮。这可能是因为作者所从事的专业不同,所关注和侧重的方面也难免会有所不同。在 11 种思潮中没有马克思主义和社会主义思潮,编者在后记中已作了说明,理由似可成立。不过正因为马克思主义在近代中国影响甚大,而在一部研究中国近代社会思潮的著作中却没有它的位置,未尝不是缺陷。还需要提出的是,该书关于中国近代的下限,不是到"五四"运动,而是到中华人民共和国成立,这也是与上述各种哲学史、政治思想史、思想史、社会思潮史不同的。

"五四"运动到中华人民共和国成立前的思想史,大多属政治思想史,如林茂生、王维礼、王桧林主编的《中国现代政治思想史》(黑龙江人民出版社 1984 年版)和王金铻、李子文著的《中国现代政治思想史》(吉林大学出版社 1991 年版)。前者 1984 年出版,是一部较系统地论述中国现代政治思想史的专著。该书认为,在新民主主义革命时期,各阶级、政党、团体及其代表人物政治思想的核心是建国问题,各种建国纲领和方针的提出及它们之间的斗争,构成了中国现代政治思想史的基本内容。该书从而以大地主大资产阶级、民族资产阶级和无产阶级三种建国理论与主张的相互关系与斗争为基本线索,系统论述了中国现代史上的主要政派及其政治思想。后者是 90 年代初出版的。该书改变了通史体例的中国现代政治思想史的写法,按照思想出现的先后,系统地论述了三民主义、新民主主义、自由主义和封建买办法西斯主义四种主要思想。作者的目的是力求将中国现代政治思想的主体分别完整系统地显示出来,并由此进行深层次的研究。这种写法,自有其长处。不过30 年间的政治思想错综复杂,一部中国政治思想史只反映几种主要思想,点虽突出,面却较窄。

高军、王桧林、杨树标主编的《中国现代政治思想评要》(华夏出版社 1990 年版)一书,不以"史"命名而有其特点。该书以纪事本末的编辑体例,论述了从"五四"运动到中华人民共和国成立的 30年间具有影响的 20 余种政治思想,其中包括中国新民主主义革命理论、中国无政府主义、胡适实用主义、中国空想社会主义、中国基尔特社会主义、孙中山三民主义、国家主义派的政治思想、戴季陶主义、西山会议派的政治思想、中国法西斯主义、国民党改组派的政治思想、第三党政治思想、人权派政治思想、乡村建设派政治思想、中国托派政治思想、汉奸"新民主义"、战国策派政治思想等等。作者对这种种政治思想不仅阐述其产生、发展的过程,而且作了分析和评价,多有新意。

3. 近二三年来的研究

上述诸多关于中国近代思想史的系统著作,除高瑞泉主编的一种外,其下限都止于"五四"运动。而以"中国现代政治思想史"命名者,则自"五四"运动到中华人民共和国成立。然而情况也在发生变化,近年来新出版的关于中国近代思想史的著作,下限则是止于中华人民共和国成立。

吴雁南等主编的《中国近代社会思潮》(湖南教育出版社 1998

年版),全书共 4 卷,200 多万字,时间跨度从鸦片战争到新中国成立前一个多世纪,是目前为止篇幅最长、规模最大的系统研究近代社会思潮的专著。其特点主要有:(1)比较系统全面地展示了中国近代社会思潮的多样性、完整性及其演变发展的轨道,正确地把握了中国近代社会思潮的主流和方向,揭示出救亡图存、振兴中华、改造中国、走近代化道路是近代社会思潮的中心,爱国主义则是这些社会思潮的原动力,而科学社会主义在各种社会思潮中最终取得主导地位。同时也顾及中间和反动的思潮,并把它们同当时的社会环境和民众心理的嬗变联系起来考察。(2)从文化的角度来考察社会思潮。作者认为,近代社会思潮的发展演变,是同中西文化的冲突与融合交织在一起的,只有科学地认识中西文化,才能正确地解决中国文化发展的方向。书中以较多的篇幅来评述文化领域中的思潮与论争,这在其他系统的中国近代思想史著作中是不多见的,其中的神秘主义、非基督教等思想现象更少有人注意。

　　由彭明、程歗主编的《近代中国的思想历程(1840—1949)》(中国人民大学出版社 1999 年版)有三个显著特色。首先,作者将思潮看做是由从低到高的认识序列互相联结而成的精神体系,把思想史研究的主轴从人物分析转向更为广阔的群体意识分析。其次,在百年思潮的演进过程问题上,提出了具有新意的划分阶段的见解,认为随着时代主导意识的变化和发展,中国近代思潮先后经历了四个阶段:(1)从鸦片战争到中日甲午战争,是多种改革思潮的萌动时期;(2)从甲午战争到辛亥革命,是对传统思想的否定时期;(3)从"五四"运动前到本世纪 30 年代中期,是思想界重新调整思考方向和发生深刻的分化组合的时期;(4)从 30 年代中期到新中国建立,是以毛泽东为代表的中国共产党的新民主主义思想体系开花结果的时期。上述阶段划分把握是否恰当,当然还可以研究,但此前还不曾有人作过这样明确的叙述,应该说是有进展的。再次,提出了"一部中国近代思潮史,本质上是中国人自我发现、自我觉醒和自我选择民族生存方式的认识史"，这是符合历史实际的，也是颇有新意的。

（三）繁荣的专题研究

从 1977 年到现在的第二阶段里，中国近代思想史的研究，除去系统的著作大量出版，取得显著成绩外，对思想家的个案研究和专门思想领域的研究，也有很大的进展。

在思想家研究方面，较早较集中地体现于李泽厚的《中国近代思想史论》（人民出版社 1979 年版）一书。该书着重论述了洪秀全、康有为、谭嗣同、严复、孙中山、章太炎、梁启超、王国维和鲁迅等 9 人的思想，他们在中国近代思想史上都是具有时代代表性的人物。但作者并不只是停留于思想家的个案研究，而是把代表人物和思潮"结合和统一起来论述"，着重论述推动近代中国历史发展的太平天国、改良派、革命派三大思潮。作者认为"不强调从思潮着眼，无法了解个别思想家的地位和意义；不深入剖解主要代表人物，也难以窥见时代思潮所达到的具体深度"，是有见地的。书中所要论述的是从洪秀全到鲁迅，中国近代走向未来的进步浪潮，对与这浪潮相对抗的反动派的思想则没有涉及，只在后记里稍为谈了以曾国藩、张之洞、袁世凯为典型的思想。不能认为作者对此不重视，恰恰相反，作者明确指出中国近代反动派的思想"是同样值得深入研究的"，因为"这个陈旧不堪的意识形态在近代条件下，却极为顽强地通过变换各种方式阻挠着历史行程的前进"。李泽厚的另一著作为《中国现代思想史论》（东方出版社 1987 年版）。该书主要论述了现代史上一些重要人物的思想，也涉及学术论战、文艺思想等问题。学术界对其中有些论断有较多争议。例如，关于"救亡压倒启蒙"的问题，就有不少学者提出批评。他们认为这种说法不符合近代中国的历史实际，如果从中国近代思想发展的来龙去脉来看，恰恰是救亡引进了启蒙。一次救亡运动的高潮,总是能有力地唤起或促进一次伟大启蒙运动的到来。戊戌维新运动、辛亥革命、"五四"运动、"一二·九"运动等等无不如此。这是中国近代历史上一种带规律性的现象。

人物思想研究的论文数量很多,著作也为数不少。除人物传记涉及思想方面外,专门研究人物思想的专著,如关于孙中山的三民主义思想、章太炎的思想等都有多部问世。值得指出的是,"文革"前的人物思想研究注重两点:一是唯物主义与唯心主义的斗争,认为进步的思想家必是唯物主义或倾向于唯物主义的,而唯心主义定是反动、落后者的思想特征;二是以阶级成份决定思想状况。"文革"后纠正了这种片面性和简单化倾向。研究者认为唯心主义在近代进步思想界长期占主导地位,它也是进步思想家进行政治斗争的思想武器。在阶级社会里,由于各自阶级利益的不同,各阶级代表人物的思想主张是不相同的。但仅仅注意及此是不够的,因为同一阶级不同阶层、不同利益集团的思想倾向是不同的,甚至是相互对立的。探求思想家的思想,还必须从其个人的经历、思想渊源等多方面进行考察,既看到共性,也要认识其个性。对于研究人物思想,这些意见是值得注意的。

近20年来,中国近代思想史的研究范围空前广泛,各个专门思想领域研究的深度和广度不断拓展,几乎涵盖了近代思想的各个方面。如经济思想有赵靖、易梦虹重新修订的《中国近代经济思想史》(中华书局1980年版)等多种著作,法律思想有张晋藩的《中国近代法律思想史》(中国社会科学出版社1984年版)等,哲学思想有冯契的《中国近代哲学史》(上海人民出版社1989年版),史学思想有胡逢祥、张文建的《中国近代史学思潮与流派》(华东师范大学出版社1991年版),佛学思想有郭朋的《中国近代佛学思想史稿》(巴蜀书社1989年版),军事思想有吴信忠、张云的《中国近代军事思想和军队建设》(军事科学出版社1990年版),新闻思想有胡太春的《中国近代新闻思想史》(山西人民出版社 1987 年版),文艺思想有叶易的《中国近代文艺思想论稿》(复旦大学出版社 1985 年版)等。这里不可能一一阐述,仅就几种专题思想史的研究加以评介。

熊月之的《中国近代民主思想史》(上海人民出版社 1986 年版)是近代民主思想研究有代表性的成果。(1)该书所反映的中国近代民主思想内容丰富,比较全面,不仅论述民主政体的思想,还包括一切与专制主义相对立的思想,如自由思想、平等思想、分权思想、法治思想、反对封建纲常的思想、反对作为封建精神支柱的孔子的思想,以及其他各种反对封建专制主义的思想的发生、发展,各自的特点、影响。(2)辨析了古代"民主"(民之主)与近代"民主"(人民的权力)含义的本质区别,以及近代中国"民主"与"民权"的内涵演变。指出中国古代的民主思想重点在反对专制主义,但与近代民主思想有相通之处,是接受西方近代民主思想的历史依据。中国民主思想的直接来源是西方资产阶级民主思想,西方近代民主思想不但否定专制制度,更为近代民主国家和人民权利描绘了蓝图。(3)全面地考察了近代资产阶级民主思想的演进历程,认为它经历了酝酿(鸦片战争前夜)、产生(19 世纪 70 年代后)、发展(甲午战争后)、成熟(20 世纪初 10 年)和转变(民国成立后到"五四"运动)五大阶段,其间又经过了民主共和与君主立宪四个交替否定的过程,反映了中国人民对民主由浅入深、由表及里的思想认识路径。在此基础上揭示出了中国近代民主思想发展的内在规律及其特点。作者认为,近代中国最早是从御侮强国的目的出发而采用西方议会制度的,它较民族资本主义的进程超前出现。这样便使近代民主思想带有明显的实用主义特点,影响了对西方近代民主思想的完整理解和系统吸收,对于看似与救国没有直接联系的自由平等思想则相对冷落。正因为如此,新文化运动时更高地举起了民主的大旗,而只有中国共产党才能在中国建立真正的社会主义民主,并将使民主制度进一步趋于完善。尽管书中的某些论断未必能为研究者所认同,但不可否认,这是一部在认真研究基础上撰写的有独到之处的学术专著。

近代民族主义思想的研究专著有唐文权的《觉醒与迷误:中国近代民族主义思潮研究》(上海人民出版社 1993 年版)、陶绪的《晚清民族主义思潮》(人民出版社 1995 年版)和罗福惠主编的《中国民族主义思想论稿》(华中师范大学出版社 1996 年版)等。中华民族是具有悠久历史和灿烂文化的民族,很早便形成了深厚的民族主义传统。在历史上,传统的民族主义思想在促进国内以汉族为主体各民族的融合和团结,积极开展对外交流和扩大国际影响等方面都产生过重要的影响。其中的爱国主义思想、反抗外来侵略的思想等是数十年来的民族优良传统。对于中国传统民族主义思想的形成、特点以及它存在的缺陷,各书都作了一定的探讨,对传统民族主义的特点和缺点有比较一致的看法。在近代中国,传统民族主义思想受到前所未有的挑战,发生了重要变化。陶绪在书中考察了传统民族观念中华夏文化中心的地理观念、华夏文化优越观念、羁縻怀柔观念、"夷夏之辨"观念及其在晚清的变化,比较系统地阐述了传统民族观念中有的内容因不适应社会和时代的要求而被淘汰,有的内容在新的历史条件下发生了很大变化。这种新的近代民族意识为 19 世纪末 20 世纪初民族主义思潮的形成准备了条件。晚清民族主义思潮的重要来源是西方近代民族主义思想,直接原因是中国民族危机的加剧和资本主义发展的需要。资产阶级民族主义思想是晚清民族主义思潮的主流,改良派以满汉合一为特征和革命派以排满革命为特征的不同民族观及其争论对民族民主革命产生了重大的影响。当然,民族主义思想在其他阶级、阶层也有表现,罗福惠在书中论述了太平天国运动、反洋教斗争和义和团运动中中国乡村民众民族意识的觉醒,以及对近代民族斗争的巨大影响。虽然他们限于阶级地位和认识水平不可能找到民族解放的正确道路,但却是中华民族争取民族独立的重要力量。唐文权则提出,中国近代民族主义思想不仅是政治的,而且还有经济的和文化的民族主义思想。这就拓展了民族主义思想研究的范围。

对于近代中国的无政府主义思潮,近 20 年来受到研究者的关注,因而发表的成果较多。在那些系统的中国近代政治思想史、社会思潮史中,差不多都辟专章论述无政府主义思潮。此外,还出版了 4 部专门研究无政府主义思潮的著作:徐善广、柳剑平的《中国无政府主义史》(湖北人民出版社 1989 年版),路哲的《中国无政府主义史稿》(福建人民出版社 1990 年版),蒋俊、李兴芝的《中国近代的无政府主义思潮》(山东人民出版社 1991 年版),汤庭芬的《中国无政府主义研究》(法律出版社 1991 年版)。它们在对中国近代无政府主义思潮发展线索的认识上虽稍有差别,但基本上是一致的,即认为 19 世纪末 20 世纪初为传入时期,1907 年至“五四”运动前后为形成、发展时期,1923 年到 1941 年为破灭时期。其中蒋俊、李兴芝的著作就是按照无政府主义思想从传入到尾声的发展变化线索顺序撰述的,脉络清晰,比较系统。作者认为,中国无政府主义,主要是一个以小资产阶级社会主义与民主主义相结合为特点的思想派别,它不仅提出了防止资本主义的口号,而且还发表了一定的反封建和要求民主的言论,在不同历史时期有着不同的作用,不能简单地否定。这种以历史事实为依据,坚持实事求是原则的态度,是可取的。而汤庭芬的著作则横向分析解剖中国的无政府主义,具有明显的专题性研究性质,如关于中国无政府主义的兴起与破灭、思想内容、形成的历史条件、思想来源,以及与资产阶级革命派、与马克思主义的关系等问题都逐一做了较为深入的探讨,提出了自己的见解。这几部著作都是在 80 年代末以后出版的,此前已有一批研究中国无政府主义的有学术价值的论文发表,如胡绳武、金冲及的《二十世纪初年的中国无政府主义思潮》,[①] 杨天石、王学庄的《同盟会的分裂与光复会的重建》,[②] 张磊、余炎光的《论刘师复》[③] 等。这些研究,有助于后来专门研究的深入和专著的出版。

中国近代伦理思想史成为一门独立的学科是近 20 年的事,它是从哲学史中分离出来的。较早的近代伦理思想史专著是张锡勤等撰的《中国近现代伦理思想史》(黑龙江人民出版社 1984 年版)、徐顺教等主编的《中国近代伦理思想研究》(华东师范大学出版社 1993 年版)和张岂之、陈国庆的《近代伦理思想的变迁》(中华书局 1993 年版)。前二书着重于人物伦理思想研究,所论包括新民主主义革命时期资产阶级和无产阶级人物的伦理思想。后一书的下限至"五四"运动,在体例上有所突破,兼顾对社会伦理思潮和著名思想家的论述。作者对近代伦理思想发展的脉络作了清晰的阐述,明确地提出中国近代伦理思想产生于洋务运动,在戊戌维新、辛亥革命、"五四"新文化运动的历史进程中发展,并认为,"近代中国始终没有建立起兼采中西伦理道德精华的、具有中国特色的伦理思想体系。而且由于民族生死存亡始终为最急迫的问题,这就决定了伦理思想的建设不能成为主题"。书中还就一些理论性较强、难度较大的问题提出了自己的见解。例如,在中国旧的、封建主义伦理道德中,哪些是具有封建性的糟粕,哪些是具有生命力的珍品,我们应当如何有选择地加以继承;中国近代许多著名思想家的伦理思想,都有一个从对传统伦理道德的离异或悖逆到回归或倒退的发展变化过程,为什么会出现这种情形;事实证明,中国传统伦理道德不能全部用来振兴民族精神,完全照搬西方的伦理道德也不能

---

① 《二十世纪初年的中国无政府主义思潮》,湖南人民出版社 1983 年版。
② 《近代史研究》1979 年第 1 期。
③ 《近代中国人物》(一),中国社会科学出版社 1983 年版。

适应中国近代国情,那么,中国近代以来的伦理道德思想体系应当如何建构,它应当是怎样的理论形态,中国传统伦理道德与西方近代伦理学说中的精品怎样结合,等等。这些问题的确都值得探讨,它的提出对于近代伦理思想以至近代思想史的深入研究都是有助、有益的。

(四) 几点思考

新中国成立50年来,尤其是改革开放20年来,中国近代思想史研究取得的成绩,是本世纪前50年所无法比拟的。也可以说,中国近代思想史是在新中国成立后才真正建立起来,并不断地发展的。根据对50年来中国近代思想史的简略回顾,在此提出如下几点思考。

第一,50年来,中国近代思想史的研究,从系统性著作发展的情况来看,经历了由按时期依序论述思想家及其代表作到主要按思潮分类论述,由思想史或政治思想史到社会思潮史的变化。这里给我们提出的问题是:思想史、政治思想史、社会思潮史之间是什么关系,它们是相同还是不同?

顾名思义,思想史的内容广泛,应包括政治、经济、文化等各方面的思想,政治思想只是其中的一个方面,而社会思潮或社会思想不应等同于政治思想,它只是思想史中的一个方面。不过就现已出版的著作而言,三者并没有多大区别,主要都是写政治思想。中国近代社会是半殖民地半封建社会,面临着被瓜分、亡国的危机,民族独立和人民解放是时代的主题,政治思想突出是不奇怪的。但是突出不是惟一,它不能涵盖全部思想史。中国近代思想史的研究范围是什么,意见也不一致。例如,有的研究者认为,中国近代思想史是研究这个时期各种思想观念(尤其社会政治思想)新陈代谢的历史过程及其规律性。看来这还需要加以探讨。

第二,90 年代以来出版的关于中国近代思想史的著作,几乎都以"社会思潮"命名,但什么是社会思潮,研究者的说法也不一样。例如,有的研究者认为,所谓社会思潮,就是某一时期内,在某一阶层、阶级或整个民族中反映当时社会政治、经济情况而又有较大影响的思想潮流;而有的研究者则认为,中国近代社会思潮是指发生在中国社会的带有资本主义倾向和性质的思潮。这两种说法,存在着明显的不同。这里还牵涉到与社会学的关系问题。例如关于中国社会思想史研究的范围,有的学者是这样界定的:"中国社会思想史是研究中国人在社会生产和生活实践中所形成的关于社会生活、社会问题、社会模式的观点、构想或理论发生、发展、继承和相互碰撞与融和的内在历史过程及其特点与规律的社会学分支学科。"[①] 这个定义,跟前两种关于社会思潮的界定也不一样。就中国近代社会思潮的研究来说,它的范围是什么也是值得探讨的。

第三,中国近代思想史的系统著作,从以著名思想家及其代表作的依序论述,到着重对各种思潮依序论述,这是一个明显的变化,有了突破,但是,也还不能说中国近代思想史的体例结构就已经完善了。因为以思潮为序与按思想家排列存在着类似的局限,民间思想很少或没有得到反映。

第四,历史和历史人物是客观存在的,而研究者都有其主观观念,要做到实事求是、准确地评析人物的思想并不容易。由于依据的主要文献是历史人物留下的文集,加上研究过程中容易产生偏爱,好的思想加以拔高,不好的思想则为之开脱、辩解,这种状况应力求避免。

[①] 《专家学者研讨中国社会思想史》,《光明日报》1999 年 3 月 26 日。

文 化 史

　　20 世纪 80 年代伊始,中国学术理论界最引人注目的现象是文化研究的复兴。这是包括文化史、文化理论、文化建设与展望等一系列重大文化课题的研究性热潮。高等学府、科研机构、民间社团纷纷以文化研究为热点,城镇、企业、校园、街道以关注文化建设为时尚,其参加人数之众、讨论议题之多、发表论著之丰,不仅在国内前所未有,在世界史上也不多见。文化研究已超越传统的文史领域,日益成为当代中国学术研究、文艺实践、社会主义精神文明建设,乃至社会变革思潮的一个重要组成部分。其中,近代文化史由于贴近现实尤为引人注目。

　　说是复兴,因为文化研究曾经在"五四"运动前后兴盛于一时,对某些问题的论战延续了二三十年,50 年代在大陆悄然消退,沉寂 30 年之久。50 年来还没有一门学科这样大起大落,它的起伏跌宕,反映了中国史学建设的曲折道路,也揭示了中国人民追求现代化的艰难历程。

　　从 20 年代到 80 年代,这两次文化热潮相距六七十年,间隔两三代人,讨论的课题又相近、相似、重叠、交错,论题中的某些意向还可追溯到鸦片战争后第一批睁眼看世界的先进知识分子的求索。然而一百多年来的历史进程表明,这又不是简单的重复和延伸。一百多年来的中国历经沧桑,社会面貌发生了翻天覆地的变化,这一变化使 20 世纪末近代文化史研究的成果无论在数量方面还是在深度的开掘方面,都具有前人所不及的广度和力度。

目前要对近代文化史研究中涌动的社会思潮作总体性评价,不尽相宜,但它在学术上提出的课题,反复的论证,不同意见的争鸣,却历历在案,本章试图从学术上作一评述,为的是将纷争的诸多见解稍加整理,以留给读者更多的思索。

(一)从历史反思发端的文化思考

80年前的"五四"新文化运动,是中国第一次文化研究的热潮;30年代国难当头之际,又反复出现文化论战,政治、军事的动荡并未使文化研究萧条。1949年大陆进入和平建设时期之后,文化研究却遽然冷落,从50年代到80年代中期,全国没有一所大学设置文化史专业课程,更没有一个专门的文化史研究机构。虽然就文化史的局部来说,不乏建树和发展,考古发掘和文化资料的积累和整理相当丰富,有关中外文化交流的论著也时有所见,但是作为最能代表文化史研究水平的综合性专著几乎绝迹,据80年代初出版的《中国文化史研究书目》① 所见,大陆从1949年后30年来出版的有关文化史的综合研究,仅有蔡尚思的《中国文化史要论》一本,基本上是书目评介。以思想史取代文化史研究成为普遍倾向。毛泽东早在1941年就倡议编写近百年文化史,积40年之久无人问津,所以文化史学科建设的长期断档,是不争的事实。

中国是世界著名的文明古国,浩如烟海的文化遗存举世无双,强劲的文化传统传衍不息,但是在这有辉煌文化历史的国家,文化史学科却建树迟缓,不能不使人引以为憾。这种状况又与我国近代史上多次出现的文化论战是多么不相称!西学的传入在思想界引起轩然大波,新学与旧学、中学与西学之争,使人们振聋发聩。多种

---

① 中国社会科学院近代史研究所文化史研究室编,北京史学会1984年印行。

文化流派和论辩,层峰叠起,给近代文化史的研究提供了无比丰富而又具体生动的内容.深厚的文化积累、反复的文化论战与薄弱的文化研究形成巨大的反差,这不是偶然的现象。

1949 年后,中国理论界确立了历史是阶级斗争史的观念,这对不承认阶级斗争的旧史学是一场革命性的变革,正因为如此,它吸引了众多学者的研究热情。但是把几千年的文明史全部归结为阶级斗争史,导致阶级斗争的绝对化,把影响历史的文化因素摒弃在视野以外,或者当作唯心主义的文化史观加以鞭挞,这不能不导致复杂现象的简单化。文化研究不仅为其他专业史所消融,在现实中也失去赖以存在的理论基础。以"文化革命"为旗号的十年浩劫,几乎扫荡了一切文化遗产。人们对马克思主义教条式的信奉,对社会主义不切实际的设想,向外部封闭的社会环境,导致认识上的偏差,自以为新中国早已解决一切文化问题,甚至凭借一句语录就可以平息复杂的文化争端,无需再从文化上反思。社会不能提供文化研究的原动力,文化研究也就失去了生机。

再从学科建设上来说,文化史本是历史学和文化学交叉的综合性学科,它是在近代中国形成的新兴的学术领域,兼有与社会史共生的特点。1949 后由于极左思潮的影响,社会学作为资产阶级的伪科学遭到取缔,导致社会史研究的衰落。与此相应的是,文化学被取消,文化史也受到株连。所以,理论指导的失误,学科建设的偏颇,直接导致文化史研究的中断。

由此可见,文化研究的盛衰与国家命运息息相关。国家命运的转机,自然也就成为文化研究的转折,对十年浩劫的反省和对国情的重新思考,是激起人们进行文化反思的第一动因。

这两个问题的提出和敞开思想讨论,得益于中国共产党一系列拨乱反正的措施。70 年代末实践是检验真理唯一标准的讨论,破除了现代迷信,对解放思想起了重要的推动作用。全党工作的重心转移到经济建设上后,放弃了以阶级斗争为纲的决策,为文化研究提供了宽松的社会环境。

　　1980 年初夏,《光明日报》编辑部召开首都理论界座谈会,与会者痛切地指出,我们是从半殖民地、半封建国家进入社会主义的,在这样的基础上建设社会主义的现代化,不仅要反对封建主义残余,还必须大兴调查研究之风,重新认识国情和世界,逐步探索一条取得胜利的道路。次年 2 月 13 日,编辑部又一次组织《认真研究中国的国情》笔谈,编者按指出:"过去在社会主义建设中老是犯'左'的错误,多次遭到挫折,一个重要原因,就是对自己的国情重视得不够。"再次召唤理论工作者深入研究国情。这是由否定十年"文革"而启动的对中国现状和历史的重新思考,由此进入对中国文化传统的再认识,从而兴起了研究中国文化的热潮。

　　与以往学术纷争不同的是,这股文化热具有自发性,人们对文化问题的热衷,不是出于行政指令或某个人的召唤,而是基于活生生的现实感受,探索中国文化的盛衰和出路,并形成群众性的热潮,这在理论界是绝无仅有的事。它的发展进程,也反映了文化自身运行的规律。

　　文学是最先进入文化思考的一翼。70 年代末,在拨乱反正的最初时期,即有一批文学作品敏锐地反省了重大的社会课题,《伤痕》、《班主任》、《公开的情书》联袂而出,引起轰动和争议。这三篇小说切中时弊的批判锋芒,由浅入深,由现实切入到传统,激发人们的思考。如果说《伤痕》是对十年浩劫摧残人性的觉醒,那么《班主任》则是对建国以来左倾路线戕害少年心智的抨击,《公开的情书》更对沿袭数千年的伦理观念提出了挑战。这些作品来自人民的大海,作者都不是专业作家,甚至也不是以艺术技巧取胜,它们以深厚的生活气息和强烈的时代精神,引起人民群众的共鸣。这些作品的思想内容,是对极左思潮造成的各种创伤的揭露,和对极左表现的历史渊源和封建残余的反思。人们把新时期文学的第一浪潮概括为"伤痕文学"或"觉醒文学",这里有着广大民众的爱恨、悲愤、呐喊和抗争。虽然这一系列的作品,有各种层次,有的作品也遭到各种非议,但都不足以掩盖它的主流。重要的是它的社会和文化意义,从观念形态上突破禁区,触动 10 年、30 年乃至几千年奉为先进或正统的文化楷模,从对现实的政治的批判,进入历史文化的反省。随后而起的"文化小说"、"寻根小说"等等都带有文化反思的特性,受到民众的欢迎。文化热,可以说是从文学界洞开先声。

自然科学界率先从文化传统的领域反思近代中国科学落后的原因。1982 年 10 月,中国科学院《自然辩证法通讯》杂志社在成都召开"中国近代科学落后原因"学术讨论会,提出从文化传统探索近代中国科学落后原因的命题。这是一个历经科学家们酝酿而从未诉诸公众讨论的问题,它在 80 年代初被提出,是醒目而严峻的,诚如以下论点所述:

> 与会者认为,在中国的科学技术成果中,80％以上是技术成果,其中又以为大一统国家政权和地主经济服务的技术如通讯、交通、历法、土地丈量、军事等占有 80％左右,技术结构的非开放性,加重了技术转移的困难。儒道互补的文化体系决定了科学理论结构的核心是伦理外推的有机自然观。在这种科学技术结构中的理论、实验、技术三者互相隔裂,不能出现互相促进的循环加速过程,所以没有出现科学技术的革命。有的认为,中国封建主义的政治体系、教育和选拔人才的制度排斥和鄙弃科学技术,使得中国缺乏产生近代科学的社会条件。有的比较中西学术的差异说,在西方以求知为特点的希腊文化培育了追求真理,酷爱独立、自由的文化性格;在中国以伦理为中心的文化类型,从来不存在独立于政治意识以外的学术文化体系,这是中国不能孕育近代科学体系的重要原因。[①]

---

① 参见会议论文集《科学传统与文化——中国近代科学落后的原因》,陕西科学技术出版社 1983 年版。

　　众所周知,中国的社会改革是从经济领域起步的,经济改革中又以引进外资为重要决策。当代世界科技的飞速发展,使人们大开眼界,痛感振兴中华必须根本改变中国科学技术落后的面貌。自然科学是人类探索、利用和改造大自然的文化活动,中国古代的科学技术在世界史上曾长期居于领先的地位,但从16、17世纪以来却落后于西方,差距足足相隔一个时代。近代科学为什么不能在中国诞生?这首先成为令人瞩目的问题,引起科学工作者的关注。

　　就会议提供的论文来说,对近代科学落后原因的分析未必充分,但是从文化传统方面提出命题,这是从政治、经济原因研究所不能取代的内容。它深入到传统文化的核心结构,涉及中国沿袭数千年的价值取向、思维方式、民族心理能不能适应现代化这样一个重大的课题。与会者主要是自然科学和哲学工作者,历史学者尤其是近代史学者极少有人与会。关于近代科学问题,本应是近代史诸问题中一个不可或缺的部分,但问题不是由历史学界而是由自然科学工作者首先揭橥,这是对史学研究现状的挑战和鞭策。这也是中共十一届三中全会以后,实施开放政策,引进西方先进的科学技术,首先在自然科学界激起的回应。

　　同年12月,在上海召开中华人民共和国成立以来第一次文化史研究座谈会,聚集哲学、历史、文学、艺术、考古、文献等领域的著名专家教授,就如何填补中国文化史研究的巨大空白交换意见。与会学者指出:"忽视对中国文化史历史面貌开展总体研究的结果,不仅妨碍各种学科的研究向纵向发展,更加妨碍我们从总体上认识中华民族的灿烂文明。比方说,中华文明的特色是什么?中国文化的历史地位如何?目前还没有能使学术界普遍同意的概括性总结。""不了解一种文化的历史过程,就很难了解一个民族一个时代的整个精神状态,也对深入了解那个民族的社会全貌极其不利。"与会者痛感文化史研究薄弱的现状亟须改变,倡议立即组织力量开展专题研究,做好舆论宣传,推进文化史研究的复兴。[①]

　　这两次会议以后,文化研究似应迅速推开,然而除了简短的报道外,并未引起热烈的反应。文化热与一般时尚不同,需要有学术研究的积累,并非如时论所谓一哄而起,它的启动毋宁说是滞重的。早在1980年,李泽厚在《孔子再评价》一文中已经提出研究民族文化心理结构的问题,当时的理论界大多关切孔子的评价,而对文化研究中这一最具时代性的重大课题,并未引起应有的重视。直到1983年9月28日《光明日报》发表《关于文化史研究的初步设想》一文,论述文化史学科在中国的形成、特点和研究方向,并就历史上吸收外来文化的最佳状态和民族文化心理等问题提出看法,成为新中国成立以来见诸报端的、从总体方面研讨文化史的首篇文章,与上海会议已相距10个月之久。

　　文化热的真正铺开是在1984年。这年上半年中国大陆1949年后第一批文化史研究论著《中国文化研究集刊》、《中国近代文化史研究专辑》问世,下半年大型文化史丛书、上海人民出版社的“中国文化史丛书”和中华书局的“中华近代文化史丛书”先后付印。有关文化史的专论、专栏遍及各大报刊,民间文化团体、文化沙龙如雨后春笋,蓬勃兴起,国际性、全国性、地区性的文化史讨论会联翩而起。上海、广州、武汉等各大城市文化发展战略会议的召开,有力地推进了民众文化热的高涨。不同职业、阶层和年龄的人们,从不同侧面提出建设社区文化、企业文化、校园文化、商业文化等各种问题,文化与经济、文化与哲学、文化与政治、文化与人生、文化与科学、文化与生态等诸多理论问题令人应接不暇。

　　毫无疑问,文化史研究的勃兴,时代的需要是决定性的因素。1984年经济改革的全面铺开,对文化研究起了明显的增温效应。

---

① 　参见《中国文化史研究学者座谈会纪要》,《中国文化研究集刊》第1辑,复旦大学出版社1984年版。

　　80年代中叶,中国正处在以经济变革为先导的全面变革的新时期,经济改革的目的是要发展商品经济,以促成传统计划经济向市场经济的转轨,这是社会主义现代化的必经阶段。新体制的创行在某种意义上说可以自上而下地运作,但是它与旧观念的矛盾,却不能依靠行政手段去解决。邓小平在中共十二届三中全会上指出:"小生产的习惯势力还在影响着人们。这种习惯势力的一个显著特点,就是因循守旧,安于现状,不求发展,不求进步,不愿接受新事物。"沿袭数千年的农业小生产观念,与新体制发生矛盾、冲突,甚至使新体制扭曲变形,严重地阻碍中国现代化的进程。经济体制的改革,不仅引起经济生活的重大变化,而且引发人们生活方式和精神状态的重大变化。中国共产党的机关刊物《红旗》于1986年第14期发文说:"当前热烈开展的探寻文化发展的道路,是继实践是检验真理的唯一标准的大讨论后,又一场理论上探寻社会主义发展道路的思想文化运动。"① 人们正是从对传统文化的反省、中西文化的比较和民族心理的剖析中,发掘有利于现代化的因素,摒弃旧观念,吸收新思想,以建立与社会主义商品经济相适应的文化观念和心态,给现代化赋予新的精神动力。所以文化热在形式上表现为追溯历史的文化史热和文化反思热,正是社会变革的必然选择。

　　从学科建设回溯这个过程,可以看到文化热的启动和走向,大致从文学发端,进入自然科学,再深入到社会科学,在理论界全面开花,形成广大的读者群。这种程序又反映了文化自身演进的规律。文化作为精粹的形态是涵盖自然科学、社会科学和人文学科三大学术体系的知识丛体,这三大门类又以不同的属性,从不同层次推进了文化研究的发展。大致可以这样说:文学最敏感地反映文化思考的动向,自然科学以最活跃的姿态展现现代化的进程,社会科学则以理性的智慧对传统文化与现代化进行历史性的总结,把问

---

① 芮杏文:《改革时期的文化发展战略问题》。

题聚焦到怎样对待传统文化与西方文化这一百多年来贯穿近代文化史的两大主题，出现文化渗入各门学科，各门学科通力进行文化研究的盛况。这种综合化、一体化的研究趋势，正是文化研究现代化的大方向。因此，本来属于历史范畴的文化史，在当代具有那样广泛的群众效应和现实意义，充分表明文化热具有深厚的历史感和时代精神。

（二）热点追踪

如果说 1984 年以前文化热尚处于发轫初期的话，1984 后则进入了实质性的研究阶段，并很快成为全社会关注的热门话题，主要表现在五个方面：(1)在各种课题中，传统文化与现代化成为中心议题，吸引各门学科的研究者，从不同领域进行研讨。(2)中西文化的研究面临现实中要不要实施文化开放，亦即多方位开放的问题，与此相应的是，有关思想文化的译著畅销不衰，刺激了文化丛书的出版热。(3)涌现一批文化研究的民间机构和文化沙龙，他们自筹资金、自行集会讨论、讲学、调研，这对突破原有的科研管理机制具有开创意义。(4)一批学者参与城市发展战略的制订与研讨，促使文化研究面向现实的文明建设。1987 年民俗文化渐趋兴旺，文化小说风行一时。企业文化作为现代社会最新的文化形态，独树一帜，引人注目。有的学者预言，这有可能成为中国新文化的生长点。1988 年科学文化的课题脱颖而出，人们以极大的兴趣关注这深刻影响人类物质生活和精神生活的文化力量，这有可能成为建构中国新文化的基础。(5)90 年代以来大众文化崛起，日益显示出它的重要社会价值，正在改变中国文化构成的传统格局，促进了史学研究题材的平民化，这为近代文化史的研究开辟了广阔的道路。

80 年代以来，文化热从学坛进入社会，从历史贴近现实，从学科反省走向对未来的设计，并以它空前活跃的见解、观点和流派，

谱写了当代中国文化思潮的新篇章。从社会关注的文化热点问题考察,大致有下列问题:

1. 首先引起关注的是有关传统文化特性的争议

文化特性问题的提出,实际上是怎样评价传统文化,并进而认识国情和改造国民性的问题,文化热首先在这一问题上引起不同看法,见仁见智,众说纷纭,主要有下述见解:

人文主义说 认为人文主义是与神文主义相对立的思想,通常是指欧洲文艺复兴时期的世俗化思潮,但是人文主义适用的范畴并不限于欧洲。中国文化以伦理、政治为轴心,不甚追求自然之所以,缺乏神学宗教体系,从而更富有人文精神。由于中国与西方对人的理解有差异,因此中西方的人文主义各有特色。西方人文主义认为,人是具有理智、情感和意志的独立个体,每个人只能对自己的命运负责,所以强调自由、平等、尊严、权利,用这种眼光看待中国人文未形成独立的人格。与西方人文主义不同的是,中国传统文化是把人看成群体的分子,是有群体生存需要,有伦理道德自觉的互助的个体。强调仁爱、宽容、和谐与义务,并从人际关系扩展到人与自然为关系,形成天人合一,主客互融的文化特色,用此种眼光来看待西方人文未形成社会的人格,所以这两种形态各有长短,合理的选择应该是两者的统一。[①]

海外学者杜维明对此提出了自己的看法,他认为儒学以人为主的基本精神,是涵养性很强的人文主义,这与西方那种反自然、反神学的人文主义有很大的不同,它提倡天人合一,万物一体,这种人文主义是入世的,要参与现实政治但又不是现实政治势力的一个环节,而有着深厚的批判精神,即力图通过道德理想来转化现实政治。要完成自己的人格,就要关心和发展他人的人格,这不同于犹太思想家认为人格可通过信仰上帝来实现、印度思想家认为

---

① 庞朴:《中国文化的人文精神(论纲)》,《光明日报》1986 年 1 月 6 日。

"真我"的完成可不经社会的转化直接回到梵天、道家要求切断人际关系才能找到个人的自足。惟有儒家人格修养的完成是不能离开群体的,此所谓圣王的思想,才是儒学的真精神。[①]

持人文主义说而不同意上述结论的看法是,中国传统的人文思想的主流是导向王权主义,即君主专制主义。封建专制主义恰恰以具有人文色彩的儒家思想作为统治的思想。儒家的重民、爱民,并不是目的而是手段,民是被恩赐和怜悯的对象,这不是说君主不被制约,而在于其被制约的目的是保证君主地位的稳定和巩固,所以王权主义与人文思想不是两种对立的思想体系,前者是后者的一部分。近代西方人文主义思想则是与封建专制相对立的。中西人文思想所以会有这样大的差距,关键是人文思想背靠的历史条件不同,近代西方人文主义思想的发展以商品经济为基础;而中国古代的人文思想是建立在自然经济基础之上的,这不能产生民主思想,只能产生家长主义,这是王权主义最好的伴侣。所以人文主义的实质是把人视为道德的工具,排除人的物质性和自然欲望,从而使人不成其为人,其结果只能强化王权主义。[②]

人伦思想说　中国古代所谓的人文和人伦都是指人与人的关系,此种关系以君臣父子为基础,尊卑贵贱,等级分明。垂直的统治结构,一层驭一层,层层相隶属。君臣、父子、夫妇、兄弟、朋友是基本的人伦关系,君为臣纲、父为子纲、夫为妻纲,是人伦中的纲纪,每种关系都有相应的道德规范。作为人,不是父即是子,不是君就是臣,不是夫就是妇,不是兄就是弟,在家事父,竭其力尽孝,在外事君,致其身尽忠,忠孝都以绝对服从为天职,只有义务,没有权利,违反义务的就是叛臣逆子,枉为人,应受到惩罚,直到肉体上灭

① 薛涌:《文化价值和社会变迁——访哈佛大学教授杜维明》,《读书》1985 年第 10 期。

② 刘泽华:《中国传统人文思想中的王权主义》,《光明日报》1986 年 8 月 4 日。

其人。人在这种模式中只有隶属他人才有存在的价值,表现在人格上多受制于他人,实际上是受制于权力。隶属观念与反躬自省的道德修养相结合,使个性的压抑达到最大的强度,很难有人权自主意识的觉醒。这和西方的人文主义大相径庭。但是隶属观念表现在情感上,又增进了人与人的互相依存与协调,对家庭、国家具有强劲的亲和力。所以古人常以天下观代替国家观,又以家族观实施国家观,修身齐家治国平天下,把个人命运与家庭国家的利益融为一体,有助于中华民族的凝聚和绵延。因此用人伦思想更能确切地表述中国文化的特质。①

2. 两极对峙——怎样对待传统文化

怎样对待传统文化是一个具有世界意义的课题。由于近代中国社会变迁的激烈和反复,使得这个问题的争议,经常出现弘扬传统与彻底否定传统的两极对峙,在这两极之间又存在众说纷纭的歧见和程度不同的折衷,从而使这一讨论具有更为复杂纷繁的内容,从"五四"以来争议不息。20 世纪末,随着文化研究的升温和海外新儒学在大陆的传播及在国内引起强烈反响,两极对峙又有新的发展。

何谓传统 一种看法认为,传统是"文化成果所体现的主体智力、意向中某种精神、风格、旨趣、神韵的凝聚",可以说是"凝聚在物质型文化和精神型文化中的观念、意识、心理"或者是"文化延续和凝聚为系统的内在要素、因子"。②

另一种看法是,把传统放在过去、现在和未来三个时间维度中考察,"传统是游动于过去、现在、未来这整个时间性中的一种过程,而不是过去就已经凝结成型的一种'实体'",所以"传统乃是尚未被规定的东西","传统的真正落脚点恰恰是在未来","继承发扬

---

① 刘志琴:《人伦思想与现代意识》,《光明日报》1986 年 4 月 28 日。
② 张立文:《传统与文化的异同》,《光明日报》1988 年 10 月 31 日。

传统就在于不断地开采过去的可能性源泉"。[①]

再一种看法是，传统不是血统，而是一种文化现象。它是过去传递到今天的观念、制度、行为规范。它经历长时期的完善、积淀而获得了牢固性，它支配了多数社会成员而获得了广泛性，它超越了个人具有了社会性，它在制度化和不断宣传的过程中又具有了神圣性，同时又保留文化的基本特性——可塑性。人的行为既被传统文化制约，又具有可变性，所以才能不断发展、开拓，走向新世界。[②]

文化传统与传统文化的辨析　庞朴首先提出区别文化传统与传统文化的问题，他对此的界定是：传统文化是过去的已经完成的东西，而文化传统仍是发展中活的东西。汤一介在"港台海外中国文化论丛"的总序中说："文化传统是指活在现实中的文化，是一个动态的流向；而传统文化应是指已经过去的文化，是一个静态的凝固体。对后者我们可以把它作为一种历史上的现象来研究，可以肯定它或者否定它，而对前者，则是如何使之适应时代来选择的问题，因此它将总是有特殊性（或民族性）而又有当代精神的文化流向。不管人们愿意或者不愿意，一个能延续下去的民族的文化总是在其文化传统中，而且不管如何改变它，仍造出现代化的中国新文化。"

另一种看法是："离开现在越远的精神，越不是传统。传统是现在，过去是证明。正如真正的人就是生活于现在的人，离现在越远，人的本质属性越少一样。中国传统文化精神曾经从春秋战国时代经过，也曾在唐宋明清驻足，但中国传统文化的本质既不在唐宋明清，更不是孔子的说教，它就存在于现实的民族精神之中。"[③]

---

① 甘阳：《传统、时间性与未来》，《读书》1986 年第 2 期。
② 郑也夫：《"反传统"之反省》，《中国青年报》1988 年 10 月 28 日。
③ 杨善民：《文化传统论》，《山东大学学报》1988 年第 3 期。

越是开放越要弘扬传统说 只有弘扬民族优秀文化,才能正确对待和吸收外来文化,也只有开放,才能使传统文化更新。综观世界,无论是发达国家还是发展中国家,文化的发展都是民族性和世界性的统一。牺牲传统的现代化,决不是现代化的正确目标,丢掉民族优秀文化,中国就会失去自立于世界民族之林的特色和基础,所以越是开放,越要弘扬民族优秀文化传统。[①]

与传统彻底决裂说 持这种看法的学者认为,"我们不能再把儒家文化继续当成'中国文化的基本精神'而必须重新塑造中国文化新的'基本精神',全力创建中国文化的现代系统,并使儒家文化下降为仅仅只是这系统中的一个次要的、从属的成分","我们正处于中国历史上翻天覆地的时代,在这种巨大的历史转折时代,继承发扬'传统'的最强劲手段恰恰就是'反传统',因为要建立现代新文化系统的第一步必然是首先全力动摇、震荡、瓦解、消除旧的'系统',舍此别无他路可走"。[②]

惟有突破传统才能创新说 长期以来对待传统文化最简练的说法就是批判继承,而批判继承最简练的说法就是取其精华去其糟粕,"这个说法经过不断简化和滥用,已变成一种机械理论。照这种理论看来,知识结构只是各种不同成分的混合与拼凑,而不是有着内在联系的实体,因而可以进行任意分割和任意取舍"。所以对传统文化"批判的愈深,才能愈区别精华与糟粕","对旧传统不能突破就不能诞生新文化"。[③]

3. 现代新儒学在国内的传播及其附议和驳议

现代新儒学是继孔孟原始儒学、阐发孔孟之道的新儒学即宋

---

① 《弘扬民族优秀文化的几个问题——天津市弘扬中国民族优秀文化理论讨论会纪实》,《理论与现代化》1990 年第 8 期。

② 甘阳:《传统、时间性与未来》,《读书》1986 年第 2 期。

③ 王元化:《论传统与反传统》,《人民日报》1988 年 11 月 28 日。

明理学之后,力图以儒家精神融合西学以谋求现代化的具有国际性的中国文化学派。在学理上,这个流派继承陆九渊、王阳明的道统,重视传统的道德伦理价值,以弘扬儒家真精神为己任,但在扬弃名教和思考方式方面又比新儒学有所前进,因此称为现代新儒学或新传统主义。他们宣扬的主张,又称为儒学发展的第三阶段或儒学的第三次复兴。主要代表人物是"五四"以来活跃在中国理论界的一批专家学者;第一代有熊十力、梁漱溟、张君劢,第二代有徐复观、唐君毅、牟宗三,后起的有杜维明、成中英等。改革开放以后海外新儒学代表人物多次来大陆讲演、授课,发表论著,将海外的新儒学思潮介绍到国内,引起强烈反响,并对其理论特征和思想倾向提出各种看法。

　　现代儒学的理论特征　　方克立认为有四大特征:(1)尊孔崇儒,以儒家学说为中国文化的正统,弘扬儒家学说;(2)是当代中国的新儒家,继承、发扬宋明理学精神,以陆王的心性之学为接引的"源头活水",强调以"内圣"驭"外王",表现出泛道德主义倾向;(3)适应现代潮流,援西学入儒,返本开新,融合中西文化;(4)具有民族本位的文化立场,中体西用的基本态度,推重直觉的思维方式。此种看法还认为,现代新儒学不仅是一种学术文化思潮,而首先是社会政治思潮,它所关注和回答的是"中国向何处去"这个时代的主题。①

　　也有人认为新儒学的三个特征是:(1)把文化伦理独立于社会政治秩序以外,作为根植于千百年社会生活的人文睿智,并继续对现代社会发生积极影响;(2)主张区分事实世界和价值世界、自然世界和应然世界,以两分的思维方式和世界模式界定科学和哲学范围,既坚定传统儒学道德的、人本的哲学立场,又不贬损科学的意义和价值;(3)以"由内圣开出新外王"为思想纲领,"返本"是儒

---

① 方克立:《第三代新儒家掠影》,《文史哲》1989 年第 3 期。

家的内圣之教,"开新"即把儒家精神落实到科学和民主的事业上。①

新儒学有两重作用说 姜义华认为,新儒学的积极意义是,希望现代化又对现代化尤其是西方式的现代化持批评的精神;批评传统,力图对传统加以改造、重构,保持了对传统的认同与衔接。它的缺陷是,对现代化表现了较强烈的浪漫主义情绪,少了一些历史主义的态度;对传统儒学在现实生活中的负面影响估计不足,把盘根错节的传统儒学过于理想化,并对非儒学部分及世界文化中的精华产生排拒反应,最终仍将限制或损害新文化的创造。②

新儒学无作用说 有的认为,数十年来新儒学思潮虽然不绝如缕,阐发新义者大有人在,然而始终不能同广大民众的事业相联系,对历史的前进几乎不产生作用。③ 有的认为,新儒家企图站在儒者的立场来应付现实的变革,陷入难以克服的理论矛盾,终究囿于传统的藩篱不能自拔,难以对社会产生积极的影响。④ 有的说,儒家的民本思想不过是统治者力图得人心,根本不能疏导出民主的规范,道器观在本质上是与科学不相容的。纲常名教被视为道的本体,方技、术数被看做末流,与科学不能相通,所以现代新儒学没有出路。⑤

新儒家方案荒唐说 有的学者认为,儒学的结构和功能从根本上有利于维护封建王权主义和文化专制主义,这一传统与现在仍有生命力的小农意识、宗法观念、官僚作风、文牍主义相结合,势必构成实现现代化的巨大阻力。如果现实感强一些,了解国人由于

---

① 郑家栋:《儒家与新儒家的命运》,《哲学研究》1989 年第 3 期。
② 姜义华:《二十世纪儒学在中国的重构》,《儒家与未来社会》,复旦大学出版社 1990 年版。
③ 施忠连:《新儒学与中华文化活精神》,《哲学研究》1989 年第 9 期。
④ 郑家栋:《儒家与新儒家的命运》,《哲学研究》1989 年第 3 期。
⑤ 朱曜日等:《传统儒学的命运》,《吉林大学学报》1987 年第 3 期。

科学民主素养低下带来的积弊，就会知道复兴儒家方案的荒唐。①

"大陆新儒家"说　方克立在《略论90年代的文化保守主义思潮》一文中说，90年代以来"文化保守主义已是一些学者和刊物公开亮明的旗帜"，"'大陆新儒家'的呼唤，是文化保守主义已经逐渐形成气候的一个重要标志，在80年代是听不到这种声音的。那时虽然也有个别大陆学者强烈认同新儒学，但其文章只能拿到港台报刊去发表，而在大陆发表不出来。90年代情况有了很大变化，在中国大陆自觉不自觉地站在文化保守主义立场的学者已不是个别人"。认为这是某些学者自觉的文化选择和"策略改变"，突出表现在过分夸大精神、观念的作用，宣扬唯心主义的历史观和世界观。②

4. 对文化近代化历程的探讨成为攻坚性的课题

文化近代化起点问题的复出与论证　关于中国近代化的起点问题，由于与中国近代社会的变革联系在一起，曾经被中外学者反复论证。50年前有宋元说、明清说、鸦片战争说，莫衷一是。1949年后大体上统一于鸦片战争说。这又有两种情况，一种是以社会性质划分为准则，认为自鸦片战争以后中国进入半封建半殖民地社会形态，凡在这一社会形态中所发生的文化问题都属于近代文化的范畴，以与鸦片战争前相区别；再一种是由美国学者费正清提出并为一些中国学者所呼应的"冲击—反应"模式，认为中国社会缺乏突破传统的动力，只有当19世纪以来中国面临西方经济、军事、政治和文化的强大冲击时，中国社会和文化才被迫作出反应，一步步向近代演进。毫无疑问，这两种看法都把19世纪中叶看做中国文化近代化的开端。所以长期以来，学术界关于文化近代化的起点问

---

① 郭齐勇：《现代化与中国传统刍议》，《武汉大学学报》1986年第5期。
② 引自沙健孙、龚书铎主编：《走什么路——关于中国近现代历史上的若干重大是非问题》(以下简称《走什么路》)，山东人民出版社1997年版。

题几乎都定于鸦片战争以后,鲜有争议。

80 年代文化研究中有关明清之际是中国文化近代化开端的论点如异军突起,引人注目。这一说法的"始作俑者"20 年代有梁启超,50 年代有侯外庐,但从论证上来说,自侯外庐的《中国早期启蒙思想史》后,20 多年无重大进展。值得注意的是,从 80 年代以来,以肖𦊅父为首的武汉一批老中青学者再次提出这一课题,并加以重新论证,认为明清之际出现了突破封建藩篱的早期民主主义意识,注重新兴的"质测之学",吸取科学发展的新成果,开辟一代重实际、重实证、重实践的新学风。就其一般的政治倾向和学术倾向看,已具有了对封建专制主义和封建蒙昧主义实行自我批判的性质,这种批判的社会基础,是地主阶级在受到农民、市民反封建起义震荡后发生分化,出现了一批异端思想家和"破块启蒙"(王夫之语)的新动向。① 与此不同的是,有的学者从社会史方面分析文化现象,认为过去对这一课题的论证基本局限在精英文化的层次,研究的深入,有待扩大视野,从社会史的领域发掘大众文化资料。社会的近代化往往以文化的近代化为先导,文化的近代化又必然以社会的近代化为依归,这两者的发展需要同步运行,却并非同时开启。中国文化的近代化起自明清之际,经历着开启—中断—再开启的过程。与西方人文启蒙不同,中国早期启蒙的特点是政治伦理的启蒙,这主要表现为对忠君信条的怀疑、抨击与批判,而且下延到广大民众。②

持有上述看法的文章,实际上在不同程度上对美国学者费正清论述中国近代史的"冲击—反应"模式表示了异议,认为这一见解忽视了中国社会和文化自身的变异,因此,发掘中国传统社会萌

① 参见冯天瑜主编:《东方的黎明——中国文化走向近代化的历程》,巴蜀书社 1988 年版。
② 刘志琴:《中国文化近代化的开启》,《社会学研究》1993 年第 2 期。

发近代化的思想资源是这一问题取得进展的关键。

中国近代文化史特点的诸见解　一种观点认为，中国近代文化史的显著特点是多变性。有的从近代文化结构的变化进行分析，认为从秦汉以后迄至清中叶，孔孟儒学一直是中国封建文化的主干，并以其统帅其他各个领域，形成以纲常伦理为核心的封建主义文化体系，结构单一，层次分明。鸦片战争后，西方文化传播，同中国文化发生撞击、交错、汇合，呈现出各种色彩，新旧中西，五方杂陈，中国文化结构发生深刻的变动，主要表现在：民权、平等思想逐渐在哲学、法学、政治学、教育学、史学、文艺等各个领域发生指导作用，削弱了纲常伦理思想的权威性，使中国传统文化的内在结构发生质的变化，这是近代文化与古代文化的根本不同点；再一方面，古代文化的部门分类比较粗疏简单，近代资产阶级思想和研究方法的输入，使得原来的学科和体系发生变化，形成新的科学体系，开拓了新的领域和学科。[①]

有的从近代文化的内容分析，认为甲午战争前西方文化在中国的传播是不平衡的，自然科学的引进水平高于社会科学。向西方学习的人们对西学的认识有表面性和片面性，就自然科学来说，重视应用科学，忽视基础理论，引进的既有先进的学说，也有陈旧落后的内容。对社会科学只是零碎、片断的介绍，有较大的隔膜，基本上没有离开固有的文化传统，主要特征仍是器惟求新，道惟求旧。甲午战争是近代文化史上的转折，民族危机的加深，救亡图存爱国运动的兴起，促进新文化运动的兴起，文学革命、白话运动、史学革命、教育救国、科学救国蔚然形成思潮，并催生了反帝反封建的资产阶级新文化体系和新的知识分子群。可以说，近代中国文化是在中国沦为半殖民地、半封建社会的过程中形成的，它从一开始就与力图改变国家和民族积弱的命运紧密相连，要求独立、民主、科学

---

① 龚书铎：《近代中国文化结构的变化》，《历史研究》1985 年第 1 期。

成为近代文化变迁的主要内容,爱国主义是近代中国文化的显著特征。[①]

再一种看法是认为,对中国传统文化持保留态度,对西方文化持批判态度,才是中国近代文化史的特点。这是由近代中国民族矛盾的尖锐性,东西方文化的对抗性,资本主义制度的腐朽性和中国传统文化的部分合理性等因素造成的。[②]

"中体西用"的新解说及其争议　在中国近代史上,"旧学为体,新学为用"的"中体西用"论风行一时,实际上成为从洋务运动到维新变法的指导原则。由于洋务自强和维新变法的失败,人们大都对"中体西用"的方针持否定意见。进入 80 年代以后,有学者提出新的看法,认为"中体西用"是利用儒家传统引进西方文化的选择,既保持传统,又容纳西学,两者取得各自的地位,从而减弱学习西方的阻力。"中体西用"论的长期流行,反映了历史现象背后的某种真情,实际上是以这种方式思考近代西学怎样与中国传统文化相融合的问题,探索与西学同质的思想文化在民族传统中的苗头,力图在传统文化中找到西学有可能生根的地方。通过对西学的吸收消化,实现中华文化的自我更新,依靠自身固有的活力,吐故纳新,继往开来,向近代化飞跃,这是一个重大的历史课题。"中体西用"的口号虽然本身蕴含不可克服的矛盾,但在当时起了好的作用。[③] 反对这种说法的,则旗帜鲜明地表示"中体西用"乃是中国近现代文化保守主义的基本主张。[④]

有的从中国文化的境遇来探讨"体用"问题,认为这是清末知识界处理中西文化关系通行的思维定式。虽然在这一定式之下,有

① 《全国首次近代文化史讨论会简介》,《中国近代史学术动态》1985 年第 1 期。

② 王燕军:《近年来中国文化史研究述评》,《华南师范大学学报》1990 年第 2 期。

③ 田文军:《"中国走向近代化的文化历程"学术讨论会综述》,《哲学动态》1988 年第 1 期。

④ 参见方克立:《略论 90 年代的文化保守主义思潮》,《走什么路》。

许多认识上的分歧,发生过许多观念上的变化,但以"体用为结合点来探讨中西文化问题,大体上可以看作中西文化观念的基本形态和时代特征"。因此从"中体西用"文化观的萌生、形成、嬗变、分解的历史全过程,揭示中国文化推陈出新的艰难历程,为近代文化史研究提出了新思路。[①]

洋务思潮与近代化　在中国近代化问题中,有关洋务运动的评价是个颇为敏感的问题,1949 年后学术界对此一贯持批判态度,很少发表不同意见。80 年代以来,学术界从近代化的角度对此重新审视,提出洋务思潮的新概念,认为洋务思潮既有世界潮流的影响,也是龚、魏经世致用思想发展的必然结果,它对封建传统观念有一定的冲击作用。洋务思潮引进一些先进的思想,虽然不一定是科学的思想流派,但在太平天国革命失败后和维新运动兴起之前,没有比它更进步的社会思潮。洋务派与顽固派的几次争论,是中西文化对立与冲突的集中表现。中西文化在近代是有差距的,西方是工业文化,中国是农业文化。洋务派向西方学习的步伐并不大,是浅层次的西化运动,但毕竟开了头,打开了向西方学习的新篇章。关于洋务思潮的特点,有的归结为:一是以实用主义为归宿,二是贯穿资本主义的"用"与封建主义"体"的矛盾,三是复杂的多层次的思想活动。也有一种意见认为,洋务思潮是以"变通"、"师夷"、"工商立国"为特点,以往忽视洋务思潮的作用,与全面否定、贬低洋务运动有关系。[②]

其实,19 世纪的中国要真正把西方科技移植进来,没有当权派的支持,就不可能有所作为,19 世纪翻译介绍西方科技书籍成效最显著的是江南制造局附设的译书局。历史的复杂性在于,由"师夷长技"发端的洋务思潮,本是符合历史发展潮流的进步思想,

---

① 参见丁伟志、陈崧:《中西体用之间》,中国社会科学出版社 1995 年版。
② 王劲、张克非:《洋务运动史第三次讨论会综述》,《历史研究》1985 年第 6 期。

可领导洋务活动的是一帮维护封建统治的权臣,他们又有镇压农民起义的劣迹,因此人们的评价常常把这样一个政治集团与洋务思潮混为一谈,对其政治行径与文化引进不加具体分析,从而低估了当时大规模地引进西方科技的历史作用。洋务派的出现,在统治集团内打开了缺口,这是古老中国走向近代化不可缺少的一步,这一步为中国培养了严复、李善兰、徐寿、詹天佑等一代具有近代知识结构的文化人,播下现代文明的种子,是数千年未有之文化巨变,它对中国近代化的影响,其意义远远超越了洋务运动的宗旨,洋务派是不自觉地充当了历史发展的工具。

　　知识分子群体研究的进展　　知识分子是创造文化的主体,也是文化传承的载体,知识分子的现代化与传统文化的现代化有紧密的关系。以往对近代思想文化的研究多着眼个体人物的论述,而对于近代知识分子群体的形成、特点、作用的研究相当薄弱,几成空白。80 年代以来,这方面出版了一批有分量的著述。钟叔河的《走向世界——知识分子考察西方的历史》,通过多侧面的研究,对我们民族从封闭社会走向现代世界的历史作了一番纵横考察,再现了早年出国的人们在认识和介绍世界方面所经受的误解、屈辱、痛苦和走过的坎坷道路,他们的遭遇和认识反映了近代新旧思想文化的矛盾、冲突和交替的情景,为中国人正确对待外部世界起了引路和搭桥的作用。章开沅的《离异和回归——传统文化与近代化关系试析》,提出了在社会转型之际,开创新制度的思想先驱对于传统文化大都曾有离异和回归两种倾向。向传统的离异,总体上是进步的潮流;向传统的回归,则比较复杂,主要是担心独立民族精神的丧失,防止被西方文化完全征服和同化。这样一个难度很大的课题引起学术界的兴趣。吴廷嘉的《近代中国知识分子》一书认为,近代中国知识分子是近代爱国政治运动的领导力量,也是近代思想文化学术史发端的承载主体,具有强烈的改革意识与献身精神;另一方面又过于热衷政治,容易激进,内部派系严重。它的形成带有突发性和超前性,在政治上经济上缺乏有力的支持,因而实践能力和理论能力相对薄弱,这些特点至今还在发生作用。李长莉的《先觉者的悲剧——洋务知识分子研究》对洋务知识分子做出解析,认为他们是与近代经济文化因素相联系的新型知识分子群体,为引进和传播西方科技文化做出了贡献,并形成崇尚富强的价值观念和社会改良思想。由于他们处在依附洋务官僚的地位,既受到官僚体制的约束,又受到传统士人的排斥,所以未能形成引进西方文化的热潮,也未能促成大的社会改革。

对"五四"以来知识分子的研究主要是在个案方面取得了新的进展。如 50 年代以来对胡适的政治批判株连他的学术活动,一概受到谴责,对胡适的研究成为禁区。耿云志的《胡适研究论稿》是首先突破禁区的一部专著,黎澍在该书的序言中指出:"根据事实对胡适一生在学术上、思想上和政治上的作用作了颇为鞭辟近里的分析,指出他的资产阶级实质,可以说是比较接近真实了。"此外,对梁漱溟、张东荪等有争议的人物重新研究,都已取得可观的成绩。

5. 对"五四"精神的省思和不息的争议

历来对"五四"精神的研讨,大都用民主和科学来概括,因此,用德、赛两先生作为"五四"精神的两大旗帜,在学术界鲜有异议。80 年代以来对"五四"精神的再研究中提出了新的见解。

"五四"精神新说 "五四"运动作为一个历史概念,有的偏重它的救亡主题,视为爱国的政治运动;有的突出它批判传统、倡导新文化的精神,认为是启蒙运动。各种观点都认为"五四"运动以它爱国革新的精神推动了新文化运动的发展,民主和科学是"五四"精神的两面大旗,这种看法在学术界处于主导地位,阐释虽有不同,实质并无歧义。近年来的研究对此提出异议,有的认为,"五四"精神作为一种文化思潮,只是从西方传来自由民主思想,而不是工人阶级意识形态,其核心是肯定个体价值的自由民主思想而不是社会革命精神。现代社会显著的特征是自由、民主和高效率，这三个价值相比较，自由尤为重要。"五四"把西方文明的精髓概括为民主和科学，显然有偏颇；有的对民主与科学精神作出新的解释，认为民主实质上是人的社会性的解放；科学是人的自然性的解放，因此"五四"精神可归结为人的解放运动，它第一次揭起人的解放的旗帜，把以个性解放为核心的人道主义作为全部文化思想的基础架构；"五四"精神是一种系统思想，即忧患心理、改革意识、个体解放兼容并包和马克思主义构成的多维、交渗、递嬗的思想系列，其核心是拯救和改造中国。王元化认为，"五四"文化思潮的主流是不是民主和科学还值得探讨，当年对这两个概念的理解十分肤浅，仅仅停留在口号上。近年来受到学术界重视的独立思想和自由精神，才是"五四"文化思潮的重要特征。①

救亡压倒启蒙说及其异议 1986 年李泽厚发表《启蒙救亡的双重变奏》和《中国现代思想史的三次大论战》两篇有关"五四"回想的文章，提出"五四运动包含新文化运动和爱国反帝运动这两个性质不相同的运动"，这两者由"启蒙与救亡的相互促进"发展到"救亡压倒启蒙"。文章认为，"五四"以后"救亡的局势，国家的利益，人民的饥饿痛苦，压倒了一切，压倒了知识者或知识群对自由、平等、民主、民权和各种美妙理想的追求和需要，重合了对个体尊严、个人权利的注视和尊重"，因此，"从新文化运动的着重启蒙开始，又回到进行具体、激烈的政治改革终"。在长期严峻艰苦的政治军事斗争中，任何个人的权利、个体的尊严相形之下都变得渺小不切实际，使得封建意识和小生产意识始终未得到认真的清算。文章还阐述了在启蒙与救亡的双重历史任务既和谐又抵触的历史纠缠中，中国思想界所进行的艰难执著的思考和追求，指出发生在 20 年代的科学与玄学的大论战、30 年代的中国社会性质的大论战和

---

① 王元化：《我对"五四"新文化运动的再认识》，《炎黄春秋》1998 年第 5 期。

40 年代末文艺的民族形式问题的大论战出现的必然性,以及由于救亡图存占据压倒优势所造成的上述文化论战的不彻底性。这种不彻底性规定了后来的历史走向和命运,今天随着救亡使命的完成和现代化历史过程的重新展开,本来应该在三次论战中完成的思想文化课题,又一次等待着为民族振兴而思考和奋斗着的人们去回答。[①]

丁守和《关于"五四"运动的几个问题》一文对此提出不同看法,认为"五四"运动是反帝爱国的救亡运动,在中国近代史上有划时代的伟大意义。救亡与启蒙的关系是:救亡唤起启蒙,启蒙为了救亡。戊戌时是这样,"五四"时期也是这样。文章还强调"五四"精神是民主和科学,这一精神贯穿于"五四"运动的各个方面,影响着整个时代,至今仍有现实意义。[②]

"五四"反传统的评估　"五四"时期抨击传统文化的论著历来都作为激进的反传统主义的论调来看待,苏双碧对此发表不同见解,他认为:"新文化运动的矛头所指多是封建文化最落后、最禁锢人的思想部分,并不是笼统地批判传统文化。事实上传统文化中的优秀部分都没有受到新文化运动的批判。只是新文化运动的主将们,当时着力于提倡民主、科学,批判封建文化,还来不及对传统文化中的优秀部分和糟粕部分加以区别"。即使鲁迅辛辣地抨击"国粹"是"肿毒"和"祖传老病",也"绝不会是指传统文化中优秀部分,而是嘲笑'国粹派'把封建糟粕也当成'国粹'加以保护"。陈独秀宁愿看到"国粹"消亡,这更多地也是指糟粕,因此笼统地说"五四"新文化运动全盘否定传统文化不是事实。[③] 彭明持相似的意见:"当时大多数启蒙思想家所否定的只是儒家文化,而对于儒家以外的

---

① 《走向未来》1986 年第 1、2 期。

② 《历史研究》1989 年第 3 期。

③ 苏双碧:《五四运动和传统文化》,《光明日报》1989 年 4 月 19 日。

诸子,则大都予以肯定,就是对于儒家也采取了历史主义态度。"①

"五四"时期的文化启蒙在很大程度上是在帝国主义压迫下产生的,内部的思想准备并不成熟,对启蒙的功利主义的倾向,导致对东西方文化的论断情绪化、简单化,用形式主义的方法反对传统缺乏说服力;政治斗争又淡化了必要的理论研究工作,在宣传方面滞留在呐喊阶段,民主和科学口号的提出,主要是造成舆论氛围,并不是实体性的操作;重视了文化和知识分子,忽视了经济和深入民众;理论相对贫困,无论是激进派、自由派、保守派都没有产生足以代表民族的思想体系的时代巨人。

6. 传统文化与现代化是贯串近代文化研究的主旋律

传统文化与现代化问题并非简单的中西文化之争,但是中西文化的比较研究与这一主题有某些一致性,讨论者遇有不同意见的分歧,往往又在寻求现代化的过程中有所沟通,或在某些侧面达到共识,有争议而缺少鲜明的对叠,双方都在不同意义上提出自己的新思路,是 80 年代这一论争的特点。

传统与现代化的冲突 现代化是现代文明史上的概念,这是指有一定经济结构、政治结构和文化意识结构形态的工业化的文明。实现工业化可以有资本主义方式,也可以有社会主义方式。中国的现代化,实际上是指中国式的社会主义工业化的社会形态,正是从这整体意义上说,现代化并不等于西化。现代化的实现不仅是经济要求,还要求有其相应的现代文化观念,以便在社会结构的内部,保持经济、政治和文化意识三大要素的平衡,以保障社会的稳定发展。

曹锡仁认为,中国近代文化的发展并未能彻底改造中华民族文化意识的传统,当这一传统中的消极因素以沉淀方式在中国现代化事业的洪流中重新泛起时,与社会主义现代化建设的冲突表

---

① 彭明:《论五四时期的理性精神》,《历史研究》1989 年第 3 期。

现在十个领域,这就是:建立网络型社会结构的要求与传统文化中大一统的冲突,平等原则与贵贱等级原则的冲突,法治要求与人治传统的冲突,现代民主制与家长宗法观念的冲突,个性的全面发展与共性至上的群体原则的冲突,创造需求与保守心理的冲突,开放与封闭矛盾的冲突,竞争意识与中庸信条的冲突,物质利益原则与伦理中心原则的冲突,社会消费需要与崇俭反奢的冲突。种种冲突可以概括为两种文明的矛盾,这是现代化事业向古老文明的挑战。① 传统文化如何走出困境,获得新的活力,成为文化现代化的重大课题。

何新在《中国文化史新论》② 一书中认为,中国文化现代化有三大阻力:第一大阻力来自价值观念。这有两种情况,一方面在中国潜隐文化中,至今根深蒂固地存在大量的反现代化的价值观;另一方面自"五四"以来,又经过"文革",造成传统价值结构的断裂和崩解,在青年心态中普遍存在价值观无所依归的失范感。第二大阻力来自某些陈旧过时的思想观念。第三大阻力来自旧体制的阻挠。因此主张反省我们的文化、反省历史、反省意识形态,从而探索一条新路。

陈俊民认为,文化危机并不意味着对传统的否定,而是表明这一文化传统面临再生和兴盛的契机,即在危机中寻找自己的出路。关键是在文化的冲突中建构适应现代和未来的新的文化价值系统。知识分子要摆脱急功近利的态度,树立求真的精神,反省中西文化。③

传统为现代化工具说　1988 年学术界出现新权威主义思潮,

---

① 参见曹锡仁:《中西文化比较导论——关于中国文化选择的再检讨》,中国青年出版社 1992 年版。

② 黑龙江人民出版社 1985 年版。

③ 陈俊民:《构建适应现代化的新的文化价值系统》,《社会科学报》1990 年 7 月 5 日。

相关学者认为,传统有防止人心失范的作用,它在一定程度上是传统国家在现代化过程中必要的整合社会秩序的得力工具。传统的价值体系在近代的衰微和瓦解,以及反传统的激进主义的崛起,使传统文化不能充分发挥它羁约人心和稳定秩序的功能,从而加重现代化转化的困难。从这一角度来认识辛亥革命后梁启超、康有为、章太炎的尊孔、保教的主张,可以发现,这些知识精英的价值回归,正是对激进主义者反传统的简单化态度的一种反扑,是尝试运用传统价值符号来实现民族自治和现代化的努力。①

"西体中用"论引起争议　与此相联系的是关于"西体中用"的争论,这是李泽厚对中西文化交流与现代化问题提出的新见解。在《西体中用简释》一文中,李泽厚对这一命题作出阐释,主要观点是:"体"是社会存在、生产方式、现实生活以及生长在这体上的理论形态。现代化不等于西方化,但西体的实质就是现代化,这是指以西方为代表的现代化的历史进程。马克思主义就是从西方社会存在本体中产生的科学理论,正是从这个意义上才可谓"西体",而"中用",就是怎样结合中国实际加以运用。中国现代化的进程既要求根本改变经济政治文化传统的面貌,又仍然需要保存传统中有生命力的合理东西。没有后者,前者不可能成功;没有前者,后者即成为枷锁。其实今天讲的"马列主义中国化"、"中国化的社会主义道路",似也可以说是"西体中用"。附议者认为,"西体中用"论旗帜鲜明地支持改革开放,虽然将中西文化纳入"体用"范畴不尽准确,但方向是对的,有的还补充认为,"西体"的主要部分应是商品经济,发展商品经济必然与传统体制发生一系列的矛盾,提出这一观念可以与"中体西用"相对立。②

"西体中用"论一出,即受到来自两个方向的反驳。有的认为这

---

①　萧功秦:《文化失范与现代化的困厄》,《读书》1988 年第 10 期。

②　参见《中体西用之争概述》,《哲学动态》1988 年第 4 期。

是"全盘西化"的论调，实质是要把西方文明全盘搬到中国，彻底重建中国文化。① 与此相反的是刘晓波发表与李泽厚的对话，以明确的西化论观点，批评李泽厚，把李置于维护传统文化的地位。另一种意见则认为，"西体中用"有西化倾向，但并不等于全盘西化，涵义模糊，没有超出体用二元的思维模式。②

对传统创造转化说　在抨击传统中的有害因素时，有学者提出可以在适当的历史条件下对传统的符号及价值系统进行重新解释和建构，使经过转化的符号与价值系统变成有利于变迁的种子，同时在变迁中保持文化的认同。在这个过程中，新的东西是经由对传统中健康、有生机的素质加以改造和与我们选择的西方观念与价值相融合而产生的。如对儒家的"仁"，可以将它与"礼"分开，强调它作为个人的道德自主性的意义。

这种看法原是华裔学者林毓生在《中国意识危机》一书中提出的，文化热中在大陆得到不少附议者。有的还认为，现代化的自由、民主与法治不能从全盘打倒传统中获得，只能经由对传统的创造性转化中逐步得到。对传统道德命题的重新取向，能在中国社会形成强大的"支援意识"。③

综合创造说　张岱年、程宜山在《中国文化与文化论争》（中国人民大学出版社 1990 年版）一书中提出，经过百多年来政治、经济、思想文化的变化，中国传统文化的旧系统结构已经解体，新的社会主义文化也已略具雏形。在这种条件下，经过慎重考察、认真挑选的古今中外不同文化系统所包含的要素，按照现代化的客观需要，综合成一个社会主义现代化的新中国文化系统是完全可能

① 默明哲：《关于中体西用与西体中用的反思》，《社会科学》1986 年第 6 期。
② 方克立：《评"中体西用"和"西体中用"》，《传统文化与现代化》，中国人民大学出版社 1987 年版。
③ 崔之元：《追求传统的创造性转化》，《读书》1986 年第 7 期。

的。这种综合创造之所以必要,是因为:其一,中国文化的旧系统已经落后过时,不破除这种体系结构,不吸取大量的外来的先进文化要素,重新建构,中国文化没有出路。其二,完全舍弃中国的固有文化,全盘西化,既没有可能,也不符合客观需要。在世界上维护民族独立是至关重要的,没有民族的独立现代化无从谈起,而民族的独立与民族文化的独立性是不可分割的。其三,西方文化虽然在整体上优于中国传统文化,但并非事事处处都高明,从基本精神看,各有各的独创性,亦各有各的片面性,只有凭借综合创造所形成的文化优势,才有希望弥补因落后而造成的劣势。因此主张坚持社会主义原则,弘扬民族主体精神,走中西融合之路。这就要抛弃中西对立、体用二元的僵固的思维模式,排除盲目的华夏中心论与欧洲中心论的干扰,以开放的胸襟、兼容的态度,对古今中外的文化体系的组成要素和结构形式进行科学的分析和审慎的筛选,经过辩证的综合,创造出一种既有民族特色又充分体现时代精神的高度发达的社会主义新中国文化。

改革开放以来,人们热衷讨论的传统文化与现代化的问题,在某种意义上又可归结为中外文化比较的研讨,其目的在于进行积极的健康的文化交流,使中国文化走向世界,也使世界文化走进中国,以便继承、改造、发展中华文化。由于这一问题强烈的现实性,有关政治经济形势的发展,政策的调整和重大社会问题的决策,都有可能对中外文化的研究起导向的作用。正因为如此,在1949年后文化研究被冷落的30年中,有关中外文化交流的研究却从未中断过。自从实施改革开放的国策以来,怎样对待外来文化和传统文化,成为当代中国文化研究的最强音,这就又一次把比较文化的研究推上新的高潮。

比较文化的实质是对外来文化和本民族传统文化的碰撞所进行的思考和研究。不同的文化都是人类在一定的生存和发展环境中的创造,普天下的文化莫不有其相通、相融的一面;但是不同文化又有各自生存的空间,自然的、社会的、人文的、心理的不同条件造就了不同的文化传统,这就使各民族的文化又有不同的特性,从而有相距、相斥之处。这种相通又相距的状态,是文化研讨中富有魅力的问题。与其他文化问题不同的是,此类课题不仅可以从宏观的整体上来考察,展现多侧面的视角,更引起人们关注的是具体的、分解的、微观的研究,从生活日用诸如筷子、服饰、饮食、住房、谚语,到思想心态、风俗习惯,乃至治国理政的传统和决策,几乎无所不包,此类著述深受读者的欢迎。人们渴望了解国情和世界的热情,极大地鼓舞了研究向具体而深入的方向发展。传统文化与现代化的论题打开了人们的眼界,促使中外文化研究日益繁荣,这是50年前不能比拟的盛事。

(三)跨世纪文化研究主题的转化

文化热至 80 年代末就已显著降温,进入 90 年代以后,文化研究已有的热点课题逐渐退回书斋,很少再有那种大众参预的盛况。专业学术工作者的研究方向也有所转向。世纪之交中国文化研究发生这样大的转折,主要表现在下述两个方面:

1. 回归传统,国学复兴

80 年代的文化热虽然有所退潮,但是,作为文化史重要内容的国学,在 90 年代不仅没有降温,而且形成新的热点。1993 年 8 月 16 日《人民日报》用整版篇幅刊载《国学,在燕园悄然兴起》一文,以北京大学中国传统文化研究中心编辑出版的《国学研究》第 1 卷为基础,报道了北京大学对中国传统文化研究的盛况。时隔一天,《人民日报》又发表署名文章《久违了,国学》。由于新闻媒体的积极参预,国学研究日益兴旺。这种势头的上涨还表现在大量的古籍被重印、再版,国学研究的专业刊物一种又一种相继问世。整理、研究中国传统学术的学者明显增多,并吸引了新一代年轻学者的兴趣,所以有人认为 80 年代的文化热并没有断层。

从文化热到国学热,仍然贯串传统与现代的关系问题,但又有不相同的环境和背景。国学的重新提倡是对 80 年代反传统思潮的反拨,是作为与"西化"相抗衡的文化力量,召唤人心,重建信仰,以化解由市场经济带来的负效应。很显然,从农业社会向现代工业社会的转型,从计划经济向市场经济的转轨,剧烈的社会变革引发社会秩序的失衡和人文精神的沦丧,使人们开始怀念传统的道德调谐;海外新儒家学派对中国传统文化的重新阐释,提高了国人的自信;西方后现代社会道德的失落在国内引起的震动,都助长了回归传统的情绪。人们力图重新利用传统的文化资源,从中发掘具有现代价值的滋养,这不失为一种重建文化精神的探索。从总体来看,这股国学思潮,比"五四"时期的国学研究有较多的理性,比新儒家有较多的批判性,在整理古籍方面有一定的成效。但是国学热存在着一些倾向性问题,主要是出版界贪大求全的大制作愈演愈烈,纷纷推出鸿文巨著,这固然表现了出版界的气魄和胆识,但也刮起了好大喜功的风气,在当前某些专题研究出版难尚未缓解的情况下,连篇累牍的整理、翻版旧著,脱离了现有的国情和文化实力。这种不分良莠地复制古代典籍的做法,已引起学术界的非议。

然而耐人思考的是,对这股国学热怎样评价,80 年代那种彻底否定传统文化的民族虚无主义是一种偏差;90 年代不加分析地爆炒传统文化,以为只有儒家能够拯救世界文明,宣扬华夏文化优越论也是一个误区。怎样科学地对待传统文化? 如何在批判旧观念的同时保持和弘扬优秀的文化传统? 如何吸收西方文化的优秀成果,建设社会主义的精神文明? 国学研究又如何定位? 有人将国学热称为文化保守主义思潮,认为"不能排除有些人""想用孔夫子、董仲舒来抵制马克思主义"。[①] 这显然有些过分夸大国学的作

---

① 《走什么路》,第 164 页。

用,不足以解决理论问题。这也说明80年代的文化热到90年代发生变奏。可以推测,这将成为跨世纪的文化主题,吸引后来人的注意。

2. 大众文化崛起,社会文化研究兴旺

90年代社会主义商品经济的大发展与市场经济的导向,使得人们的社会心理从关心意识形态向关注经济生活转化,这是文化热降温的又一因素。其实这种降温只是政治色彩的淡化和文化视点的多元化。尤其是凭借现代传媒技术,为大众消费而制造的文化产品,一改传统的说教面孔,走向商业化和娱乐化,对精英文化形成不小的冲击。本来,哪个时代都有大小传统、雅俗文化和主亚文化之分,大众文化即是小传统和通俗文化,并不始于现代。但是大众文化真正显示它重要的社会价值,令人刮目相看,却是现代工业文明的产物。在精英文化为主流的文化结构中,大小传统之间的隔膜,上层文化和下层文化的距离是难以避免的现象。社会主义文化强调面向劳动人民,缩小了上层文化和下层文化的差距。但是,不论是封建主义传统还是传统的社会主义,指导思想虽有不同,以精英文化为主流的一元化的文化结构,却没有多少变化,这是前现代社会文化的基本格局。

社会主义市场经济和现代科技的发展推动了新一代文化市场的发育,大众文化的崛起以锐不可挡的威势,改变了雅文化主导俗文化的传统格局。以信息高科技为生产和传播手段的新兴文化产业,以大量的影视、音响、多媒体和电子读物涌向市场,与此同时,学术成果通俗化蔚成潮流,把少数人享用的专业知识,变成大众欣赏的读物。文化消费不再是精英的特权,也是平民百姓的生活需求。现代工业和都市文明造就了广大的市民消费阶层,他们的选择决定了文化市场的取向。现代学者高度评价这一现象,有的说:"大众文化反映着普通群众的精神要求,代表着大多数人的利益,是现

实的中国文化的主要构成。"① 有的认为："不管我们愿意不愿意接受，只要现代化进程不发生逆转，在相当一个时期里，通俗文化的主流地位恐怕是难以动摇的。"② 有的强调："大众文化、通俗文化的发展，在一定限度内体现了人民的文化需求和文化权利。它在文化领域内，形成多元化和多层次的局面，从而给人民提供了选择的条件。"③

　　大众文化由小传统、亚文化一跃而为中国文化的主要构成，文化史研究也失去神圣的使命，从资政济世的高阁，下移到平民百姓的书桌，甚至变成茶余饭后的消闲读物。史学研究者从"代圣人立言的帝王师"，沦为民众的一枝笔。这对专事研究王朝兴亡盛衰、人类社会发展规律的那种大抱负、大事变、大业绩的治史传统是个挑战。文化史的内容从经典文化向世俗文化的转化，使得古往今来人们的生活风貌、衣食住行、社会交往以及人际关系都成为研究的对象，这些生动活泼的内容以对读者市场特有的吸引力，促使文化史工作者及时调整了研究方向，因此芸芸众生的穿衣吃饭、婚丧嫁娶、消闲娱乐，登上了大雅之堂。从文化史和社会史交叉的边缘而萌生的社会文化史，因为视角下移到平民百姓，开拓新的领域，给文化史的建设又带来新的发展机遇。各种各样的风俗丛书、生活丛书、衣食住行、日用器物、民众娱乐，以及描述农夫工匠、僧道隐士、侠盗乞丐等形形色色众生相的文化读物成为出版的大宗。这不仅充实了文化史中的空缺，也极大地丰富了历史表述的题材。

　　大众文化入主社会文化结构的态势，呼唤创生自己的理论和学术系统。《近代中国社会文化变迁录》（浙江人民出版社 1998 年版）的出版，是这一领域的奠基之作，它以大众文化、生活方式和社

①　李宗桂：《论当代中国文化的主流》，《社会科学战线》1993 年第 4 期。
②　许纪霖：《精英文人的自我拯救》，《二十一世纪》（香港）1993 年第 2 期。
③　王元化：《对当前文化问题的五点答问》，《文汇报》1994 年 7 月 24 日。

会风尚的变迁为研究对象,从思想史的角度阐释社会文化现象,提出贴近社会下层看历史,世俗理性和精英文化社会化,以及上层文化与下层文化的互动、磨合和对流的问题,为近代文化史研究开拓了新的视野。

　　文化史的学科建设从 20 年代梁启超提出设想后,发展并不平衡;50 年代后在大陆又中断 30 年,80 年代复兴并形成热潮。目前空白的正在填补,薄弱的得到加强,既有的格局有新的突破。一批优秀论著受到读者的欢迎,文化通史、文化理论、断代文化、区域文化、少数民族文化、风俗文化、企业文化、科学文化以及各种文化丛书,从无到有,从学术专著到通俗读物,成龙配套,联翩而出,避免了"五四"时期文化研究的偏颇,使文化研究渗入多门学科,以综合化、一体化的发展趋势,推动了当代社会科学和人文学科的发展。尤为可喜的是,一批中青年学者脱颖而出,形成一支既有理论修养,又有丰富知识的文化研究队伍。可以说,文化史的研究正以前所未有的出人才、出成果的态势,成为人文学科中一门显学。更为重要的是,80 年代以来的文化研究从学坛进入社会,从历史贴近现实,从学科反省走向对社会主义精神文明的设计,表现出它在促进人的观念变革,提高国民文化素质中的作用,从三个方面超越了"五四"时代:(1)社会主义精神文明建设,把改善民族心理素质作为文化发展战略的出发点和归宿,提供了"五四"时代所没有的社会条件;(2)减少了"五四"时期文化论战中的片面性和实用性,从传统文化和民族心理的良莠两方面,提供优秀的文化传统和可资转换的历史借鉴;(3)"五四"时代是唤起跪着的奴隶站起来,打碎封建制度的镣铐,恢复人的地位。80 年代文化研究的主潮是唤起人的主体性觉醒,是要求改变人的观念,提高人的价值,发挥人的潜能,逐步实践马克思指出的共产主义社会的基本原则是人的全面而自由的发展,是更高层次的人的觉醒运动。这是"五四"英烈们梦寐以求而不能企及的新高度。历史把这样的重任赋予了我们。

史 学 史

（一）简要的回顾

作为历史学的一门分支学科,史学史在我国兴起和发展的历史并不长。最先明确提出把中国史学史作为一种专门学问进行系统研究的,当推"五四"以后的梁启超和何炳松。1926 年至 1927 年,梁启超在《中国历史研究法补编》中称:"史学,若严格的分类,应是社会科学的一种。但在中国,史学的发达,比其他学问更利害,有如附庸蔚为大国,很有独立做史的资格。"并专题讨论了"中国史学史的做法"。1929 年,何炳松也在《西洋史学史》的译序中宣布了其欲从事编写中国史学史的计划。此后,较有系统的中国史学史研究论著才渐有问世,只是对近代史学史的研究,在很长一段时期内仍处于相当薄弱的状态。纵观三、四十年代的史学史研究,涉及中国近代领域的,除了金静庵《吾国最近史学之趋势》(1939 年)、周予同《五十年来中国之新史学》(1940 年)、张绍良《近三十年中国史学的发展》(1943 年)、齐思和《近百年来中国史学的发展》(1949年)等少数综论性文章外,有关个案的研究,不但数量少,且几乎都集中在龚自珍、魏源、梁启超、章太炎、王国维等人身上。在专著方面,值得注意的只有两种,一是金毓黻的《中国史学史》(重庆商务印书馆 1944 年版),二是顾颉刚的《当代中国史学》(南京胜利出版公司 1947 年版）。可惜前者所述近代史学太过简略，连作者自己也感到不满，以致在 1949 年后该书重版时干脆将这部分作了删除，使之完全成了一部古代史学史。后者涉及近代史学的学科面虽较宽广，但大抵是对近代史学各重要分支学科研究成果的简要介绍和评论，其体制颇近乎梁启超《中国近三百年学术史》中的"清代学者整理旧学之总成绩"部分，主要参考价值乃在文献史料学方面，与完整意义上的史学史研究仍有相当距离。

新中国成立以后的最初 10 年，中国近代史学史的研究从总体上说依然比较沉寂。这主要是因为当时史学界的注意力大多转向了学习运用唯物史观、重新认识历史和批判非马克思主义史学方面，学术讨论的重点也多为与社会革命联系较密的宏观历史理论问题，如中国古代社会史的分期、封建土地所有制的形式、资本主义萌芽、农民战争的性质和作用、汉民族形成与民族关系，以及历史人物的评价等，而对史学史这类专业化特强的学科史研究，则往往因其看去与现实问题隔得稍远而不遑顾及。50 年代的高校历史系很少开设这门课，有的教师还因开设此课在 1958 年"教育革命"时被指责为"搞冷门"，与火热的现实斗争不协调而不得不中辍，便说明了这一点。在这种情况下，近代史学史的研究自然难有大的作为。这一时期，不但杂志发表的有关论文寥寥可数，涉及面也颇狭，以致无法形成一种可观的研究规模。这种状况，直到 60 年代初才有所改观。

1961 年 4 月全国文科教材会议后，教育部高等学校文科教材编审办公室委托吴泽在华东师范大学历史系组织力量编写中国近代史学史教材。时任历史组编审组长的翦伯赞还亲自召开座谈会，专门讨论了中国近代史学史编写的一些原则问题，范文澜、吕振羽、侯外庐和尹达等都应邀出席了会议。这项计划的实施，有力地推动了国内近代史学史研究工作的开展，也标志着该学科的建设进入了实质性的启动。

从这时起至"文革"前的四、五年间,可以说是中国近代史学史学科建设的草创期,就其研究工作的侧重而言,主要集中在资料的搜集整理和以史家为重心的个案研究上。特别是华东师范大学历史系,自接受教材编写任务后,在系主任吴泽的主持下,召开了专门的学术座谈会,建立了教材编写组,确定了编写大纲和工作计划,并率先展开了大量基础性的资料收集、调查和研究,先后发表了《魏源的变易思想和历史进化观点》(吴泽,载《历史研究》1962年第 5 期)、《康有为公羊三世说的历史进化观点研究》(吴泽,载《中华文史论丛》第 1 辑,1962 年 8 月)、《魏源〈海国图志〉研究》(吴泽、黄丽镛,载《历史研究》1963 年第 4 期)、《徐鼒的史学思想》(袁英光,载《华东师范大学学报》1964 年第 2 期)等专题论文。与此同时,各级学术杂志上的相关论文也渐渐增多。但不久"文革"的爆发便使这项刚刚有所起色的研究事业不得不被迫中断。动乱中,不仅近代史学史研究的学科队伍被解散,连大量多年辛勤积累的资料也全遭毁弃。

十年动乱结束后,经过一系列拨乱反正,学术研究重新走上了正常的发展道路。1978 年,华东师范大学历史系恢复了史学史研究室的建制和中断 10 余年的中国近代史学史教材编写工作,并率先招收了以中国近代史学史为主攻方向的硕士研究生。与此同时,中国社会科学院历史研究所、北京师范大学史学研究所、南开大学历史系等科研机构和高校也纷纷组织力量,对中国史学史展开了从古代到近代的全面研究,一部分高校还开设了有关近代史学史的课程,从而使该学科的研究出现了一种前所未有的新局面。

从学科建设的角度看,70 年代末至今的近代史学史研究大致经历了两个发展阶段。

自 70 年代末至 80 年代,为中国近代史学史学科框架体系的基本形成时期。

这一时期的研究,首先是从理论上进一步明确了近代史学史研究的指导思想、方法视野、主题线索、内容范围及各时期特点的认识。如 80 年代初,白寿彝发表的《谈谈近代中国的史学》(《史学史研究》1983 年第 3 期)便对中国近代史学发展的基本脉络和特征作了概括性的通论。俞旦初《简论十九世纪后期的史学》(《近代史研究》1981 年第 2 期)则以丰富的史料展示了近代前期的史学演变趋势。蒋大椿在 1985 年撰写的《中国史学科的回顾与展望》(载《唯物史观与史学》,吉林教育出版社 1991 年版)一文中,也对1840 年至 1949 年间的史学发展作了比较完整的评述。这些都为人们了解近代史学史的基本线索提供了方便。

更为主要的是,这一时期的研究还通过大量扎实的基础性工作,包括各种思潮、流派、史家、史著和社会史学现象的个案研讨,填补了许多原先的学术空白点,从而勾勒出中国近代史学史的基本全貌。80 年代末出版的《中国近代史学史》(江苏古籍出版社1989 年版)便是这一阶段性成果的代表。该书由吴泽主编,袁英光、桂遵义撰著,分上下两册,近 80 万字。全书结合近代社会变迁与史学发展的特点,将 1840 年至 1919 年之间的中国近代史学史厘为三期,分阶段具体论述了其间封建史学日趋没落,代表时代进步潮流的地主阶级改革派史学、资产阶级改良派史学和革命派史学相继兴起,以及科学的马克思主义史学在中国的初期传播和发展过程,力求抓住各时期史学思潮和流派相互斗争的主线,深入揭示近代史学波浪形曲折推进的历史真相及其与时代阶级斗争的内在必然联系。该书的最大特点是资料丰富,论证详赡,书中的每一章节几乎都是一篇扎实的专题论文,且对近代新旧各派史学的主要代表人物、史著乃至某些历史辅助学科发展状况皆有所论列,这就为后人的进一步研究提供了坚实的基础。当然,作为国内第一部系统研究中国近代史学史的拓荒之作,此书也难免存在一些不足,主要是全书的框架结构基本上为“文革”前所拟定,有些地方尚未能充分展现 80 年代学术界对近代史学的研究风格。如西方史学的输入及其影响,是中国近代史学发展史上一个非常值得注意的因素,该书前言虽也谈到了这点,但实际论述却很不够。此外,从全书的布局看,各章的专题论文色彩过浓,相互间的关联有时反显得不够紧密。其中个别章节的设置,也有可商榷的余地,如第 1 编第 4 章第 4 节"外国人和吟唎对太平天国史的研究",就显得不很协调,因为其中列举的都是外国人在国外编写并且很晚才被译介到国内的中国近代史著作,对中国近代史学的演进几乎谈不上有何影响,故严格说来,并非属于中国近代史学史的研究范围,而应属海外中国学或外国史学史的范围,将其纳入书中加以论述,显与全书的主旨不符。

此期值得重视的专著还有尹达主编的 3 卷本《中国史学发展史》(中州古籍出版社 1985 年版),下卷专述 1840 年至 1949 年间中国史学的演进大势,篇幅约占全书的 1/3 强,其内容虽嫌简略,但却是 80 年代出版的通论性中国史学史著作中惟一能够完整反映近代史学发展全过程的,因而具有一定的开创意义。

这一时期的近代史学史研究,在基本资料的积累整理和研究成果的总结方面也形成了相当的规模。如华东师范大学中国史学研究所在吴泽主持下,先后编辑出版了《中国近代史学史论集》(上)(华东师范大学出版社 1984 年版)、《王国维学术研究论集》3 辑(华东师范大学出版社 1983—1990 年版)、《何炳松论文集》(商务印书馆 1990 年版)、《何炳松纪念文集》(华东师范大学出版社 1990 年版)和《中国当代史学家丛书》(已出吕振羽、陈垣、吕思勉和李平心等史论集数种)。北京师范大学史学研究所主办的《史学史研究》杂志刊载的当代史学家访问记和有关近代史学家的回忆,以及各家杂志发表的众多史学家传记,则为近代史学史的研究保存了可贵的第一手资料。此外,吴泽和杨翼骧主编的《中国历史大辞典·史学史卷》(上海辞书出版社 1983 年版),陈清泉、苏双碧、肖黎等编的《中国史学家评传》(下)(中州古籍出版社 1985 年版),

仓修良主编的《中国史学名著评介》第 3 卷（山东教育出版社 1990
年版）、北京师范大学编的《陈垣校长诞生百年纪念文集》（北京师
范大学出版社 1980 年版）、北京大学历史系编的《翦伯赞学术纪念
文集》（北京大学出版社 1985 年版）、中山大学编辑的《纪念陈寅恪
教授国际学术讨论会文集》（中山大学出版社 1989 年版）和北京大
学中古史研究中心编的《纪念陈寅恪先生诞辰百年学术论文集》
（北京大学出版社 1989 年版），以及中国社会科学院历史研究所编
的《八十年来史学书目》（中国社会科学出版社 1984 年版）和稍后
由刘泽华主编的《近九十年史学理论要籍提要》（书目文献出版社
1992 年版）等，在清理总结前人的相关研究成果方面，也都做了很
好的基础工作。

　　这里，特别值得一提的还有 1982 年至 1983 年俞旦初在《史学
史研究》发表的长篇论文《二十世纪初年中国的新史学思潮初考》。
该文从 20 世纪初的各类旧期刊、翻译史著和清季历史教科书中爬
梳出大量的史料，其意义不仅在于十分具体地为人们勾勒出了"新
史学"思潮的总体概貌，还为进一步拓展近代史学史研究的史料范
围提供了新的示范。在此之前，国内有关近代史学史的研究，大多
局限于一些重要史家和史著，对于史学思潮这类涉及社会文化层
面较宽的史学现象则讨论不多，且由于辛亥革命前后出版的书刊
杂志流传稀少，材料分散，搜寻整理不易，尚未引起人们的足够重
视。该文在这方面的成功尝试，对后来的研究者启迪良多。80 年代
末 葛懋春主编的《中国现代史论选》上册（广西师范大学出版社
1990 年版）和蒋大椿主编的《史学探源——中国近代史学理论文
编》（此书直到 1991 年 4 月才由吉林教育出版社正式出版），可以
说进一步推进了这方面的工作。特别是后者，在广泛收集近代史学
理论文献的基础上，精选出 20 世纪上半叶发表于各杂志的 90 篇
代表作，汇为一编，后附 19 世纪末至 1949 年的史学理论论文索
引，为近代史学史的研究提供了很大的便利。

　　90 年代以后,近代史学史的研究进入了一个视野更为宽广和层次更趋深入的阶段。

　　如果说,近代史学史的研究在 80 年代尚属拓荒阶段的话,那么,90 年代则是其第一个金色的收获季节。这一点,最为明显地反映在中国近代史学史研究著作的数量激增上。整个 80 年代,大陆出版的这类专著仅一部。而自 90 年代起,先后有胡逢祥和张文建的《中国近代史学思潮与流派》(华东师范大学出版社 1991 年版)、高国抗和杨燕起主编的《中国近代史学史概要》(广东高教出版社 1994 年版)、陈其泰的《中国近代史学的历程》(河南人民出版社 1994 年版)、马金科和洪京陵编著的《中国近代史学发展叙论》(中国人民大学出版社 1994 年版)、蒋俊的《中国史学近代化进程》(齐鲁出版社 1995 年版)、俞旦初的《爱国主义与中国近代史学》(中国社会科学出版社 1996 年版)、张岂之主编的《中国近代史学学术史》(中国社会科学出版社 1996 年版)、张书学的《中国现代史学思潮研究》(湖南教育出版社 1998 年版)等 10 多种著作问世。

　　其中,《中国近代史学思潮与流派》较早从思潮和流派结合的角度,对近代史学的发展作了系统考察。该书一改过去史学史著作多以史家和史著为主线的论述方法,而将 1840 年至 1919 年之间的主要史学思潮归纳为鸦片战争时期的经世致用思潮、洋务思潮影响下的史学、20 世纪初的新史学思潮、辛亥革命时期的国粹主义思潮、五四时期的史学思潮与流派等,加以讨论,试图从社会思潮、民族心理、中西文化交流、传统意识的影响等更为广阔的文化背景中,抓住社会群体性的史学现象为主脉,更深入地揭示其演变的趋势。

　　《中国近代史学的历程》和《爱国主义与中国近代史学》虽皆由论文汇编而成,但其文章的组合,也形成了各自对于近代史学史贯通研究的基本框架结构。前者分三部分:先总论中国近代史学的发展趋势,后分论 19 世纪和 20 世纪中国史学,对中国近代史学研究的基本方法、视角、意义,以及重要史家均有论列。后者出版于作者身后,书中除首篇简论 19 世纪后期中国的史学外,其余主要是对 20 世纪最初 10 年某些宏观性史学思潮和史学现象的思索,如新史学、爱国主义史学思潮、外国史研究和历史科学观念的兴起等。作者原拟撰写一部完整的近代史学史著作,可惜逝世过早,未能如愿,但其在研究上所展示的新视角和大量扎实细致的资料工作,却受到了同行的普遍推重。

《中国史学近代化进程》和《中国现代史学思潮研究》是两部讨论 20 世纪前半期史学的专著,其着眼点皆偏重于史学思想或史学理论的演变。前者分十章,对"新史学"、实验主义史学、"古史辨"、史料建设派、历史研究法派,以及此期出现的某些历史观——作了评述。认为一个时代的史学思想,是该时期史学与政治、哲学的交合点,故应结合三者的相互联系加以考察。而其讨论的重点,则在中国资产阶级史学思想的发展过程。后者是国内出版的第一部系统论述中国现代史学思潮之作,全书分总论和分论两编,近 50 万字,在努力吸收学术界相关研究成果的基础上,从历史和逻辑两方面对"五四"以来出现的实证主义、相对主义、马克思主义三股史学思潮的影响消长和相互关系进行了辩证的考察。不但于王国维、胡适、顾颉刚、傅斯年、陈寅恪、陈垣、梁启超、何炳松、朱谦之、常乃德、雷海宗、钱穆、李大钊、郭沫若、吕振羽、翦伯赞、侯外庐、范文澜等各家史学理论与方法的贡献、特征及得失俱有评述,还对中国现代史学发展过程中遭遇的一些理论困惑,如怎样认识"历史科学"的内涵、历史研究中"主观"与"客观"的对立、史料与理论孰重孰轻、"求真"与"致用"的矛盾等问题,作了认真的反思,体现了作者在史学史研究中着力探究时代史学脉搏的敏锐"问题意识"。

《中国近代史学学术史》则是一部从学术史的角度对近代史学进行别开生面研究的专著。作者提出,史学学术史"不同于史学史,后者主要研究史观、史书体例以及史学功能等属于史学本身的演变发展历史;史学学术史研究的方面并不限于史学本身,而且包含有各种史学成果的学术价值和社会效益的估量,以及史学与其他学术成果的关系等等"。① 据此,该书分四编,从史学哲学、史学方法和史学学术成果三方面对近代史学学术史展开了论述。在史学哲学和史学方法方面,大抵先述古代发展简况、特点及其与近代之差异,并论新史学哲学和方法的初步建树及传统文化主体论、文化西化论、马克思主义文化观三家学说体系的不同特点;在史学学术成果方面,则分别考察了中外历史研究、历史地理学和考古学的成就,其中考古学独占一编,篇幅约占全书1/3,内容显得特别丰实。该书还有一个特点,即把近代史学的发轫上推到明末清初,这是和目前一般论述近代史学史的著作不同的。

即使是《中国近代史学史概要》和《中国近代史学发展叙论》这两部教科书,也在完整把握1840年至1949年整个中国近代史学的发展脉络上作了努力尝试。前者将近代史学史分为封建旧史学的分化没落、资产阶级新史学的兴起发展和马克思主义史学的出现及成就等三个专题进行了论述。这样做,虽然反映近代史学的阶级阵营和文化形态层次比较分明,但对相互之间的交叉关系论述不够。特别是由于参加该书编写的作者多达20余人,各篇之文风、详略不甚一致,难免有拼凑的痕迹。后者分14章,鸦片战争至"五四"之前占9章,其余述"五四"以后30年史学。全书在内容上较多吸取了前人有关近代史学史的科研成果,因而显得较为充实,涉及的史家、史著和学科面也较宽。

以上情况表明,此期有关中国近代史学史的著作,在风格和结构布局上已日益呈现出多样化的趋势。

不仅如此,这一时期的近代史学史研究,还在以下两个方面显示出一种全新的气象:

---

① 张岂之:《中国近代史学学术史》序,第1—2页。

　　首先是研究视野大为开阔。

　　有迹象表明,60年代初中国近代史学史研究刚起步时,在视角和框架上似明显受到侯外庐主编的《中国思想通史》影响,突出的是对近代一些史学大家或重要史著的个案研究;对史家史学思想的探讨,注重的也往往是政治思想和以自然观与历史观为主的哲学思想,而不是历史学科自身的理论与方法,显得与一般哲学史或思想史研究的模式比较相近,这从吴泽撰写的《魏源的变易思想和历史进化观点》、《康有为公羊三世说的历史进化观点研究》中便可看到。80年代以后,近代史学史的研究逐步形成了自己的学科风格,特别是对直接推动学科自身发展的史学理论和方法演变倾注了更大的关怀。其研究内容,也不再局限于某一史家或史著的个案讨论,而是将视野逐步扩展到各种影响史学变动的重要文化因素或社会史学现象方面。这种趋势,至90年代尤为明显。

　　如中西史学的交流,曾对中国近代史学的发展产生过很大影响,但建国以后,由于种种原因,这方面的研究一直十分薄弱。俞旦初的《20世纪初年中国的新史学思潮初考》、何兆武的《近代西方史学理论在中国》(《历史研究方法论集》,河南人民出版社1987年版)对此亦有所论列。但总的来说,注意者仍不多。进入90年代后,有关论文日趋增多,如胡逢祥的《西方史学的输入和中国史学的近代化》(《学术季刊》1990年第1期)和《"五四"时期的中国史坛与西方现代史学》(《学术月刊》1996年第12期)、张广智的《西方古典史学的传统及其在中国的回响》(《史学理论研究》1994年第2期)和《20世纪前期西方史学输入中国的行程》(《史学理论研究》1996年第1期)、王也扬的《清末外国史书的引进与中国史学观念的变化》(《社会科学探索》1994年第5期)、于沛的《外国史学理论的引入和回响》(《历史研究》1996年第3期),以及留美学者王晴佳的《中国20世纪史学与西方——论现代历史意识的产生》(台湾《新史学》第9卷第1期,1998年3月)等,分别对西方史学输入近代中国的途径、内容、影响和特点作了论述。而桑兵的《伯希和与近代中国学术界》(《历史研究》1997 年第 5 期),则从双向交流的角度,对西方汉学家伯希和与中国学术界的交往及相互影响作了翔实而饶有兴味的考论,使人们对这一问题的认识日趋具体。

有关近代史学思潮和流派的研究,也在这一时期得到了进一步深化。除了前述一些专著外,还有刘俐娜的《五四时期史学思潮新探》(《近代史研究》1991 年第 1 期)、张和声的《文化形态史观与战国策派的史学》(《史林》1992 年第 2 期)、张文建的《学衡派的史学研究》(《史学史研究》1994 年第 2 期)、胡逢祥的《"五四"时期的"科学主义"思潮与中国史学的现代化建设》(《华东师范大学学报》1995 年第 6 期)、郑师渠的《学衡派史学思想初探》(《北京师范大学学报》1998 年第 4 期),以及侯云灏的《20 世纪前期中国史学流派略论》(《史学理论研究》1999 年第 2 期)等不少论文,也对此展开了多方面的探讨,从而为厘清近代史学头绪纷繁的演变轨迹提供了有益的启示。

在研究领域的开拓方面,更有不少新的进展。如本世纪初以来西北敦煌文献的发现和敦煌学的形成,与现代历史学特别是中西交通史、西域史、西北地理、宗教史等分支学科的发展有着密切的关系,但过去从史学史的角度对之研究很不够,林家平等所撰《中国敦煌学史》(北京语言学院出版社 1992 年版),可以说在相当程度上弥补了这一缺陷。关于中外史学的比较研究,史学史界虽早有人提倡并作过一些讨论,但系统深入之作却不多见,盛邦和的《东亚:走向近代的精神历程——近三百年中日史学与儒学传统》(浙江人民出版社 1995 年版)对中、日(兼及朝鲜)史学近代化的系统比较,应当说在这方面做出了有意义的尝试。西方考古学的传入及其在中国的兴起,也与中国近代史学的发展有着十分密切的关系,陈星灿的《中国史前考古学史研究(1895－1949)》(生活・读书・新知三联书店 1997 年版)从考古学史的角度,对这一过程进行了总结。其余如黄敏兰的《学术救国——知识分子历史观与中国政治》（河南人民出版社 1995 年版）对思想史上各派历史观的考察，陈其泰的《清代公羊学》（东方出版社 1997 年版）对今文经学《春秋》公羊说与近代史学思想发展关系的系统研究，都显示了这一新动向。有的论文，还从近代历史教学体制、专业学会和杂志的作用、社会文化思潮和哲学思潮与史学的相互影响等新视角，探讨了史学近代化的进程。凡此，皆在不同程度上推进了近代史学史研究不断向着更为深广的领域拓展。

其次是研究重心的转变。

综观 90 年代国内近代史学史研究的论著，可以发现一个明显的趋势，即研究重心已由原先比较集中于 1840 年至 1919 年转向了 1919 年至 1949 年的史学史。

有关 1919 年至 1949 年间史学史的研究，"文革"之前几乎是个空白，这自然与当时的政治气候有关。据白寿彝回忆，60 年代初北京师范大学和华东师范大学分工编写中国史学史时，最初设想由华东师范大学负责"五四"以后部分，后因考虑到这段"历史不好写"，才改为撰写 1840 年至 1919 年间的史学史。①80 年代起，对这方面的研究才真正有所启动。1981 年，白寿彝发表了《回顾与前瞻》（《中国史研究》1981 年第 2 期），较早对这一时期史学特别是马克思主义史学的发展概况作了回顾。此后，有关论文逐渐增多，不过开始仍多集中在马克思主义史学和史家的研究方面，如朱仲玉的《1919 年至 1949 年间中国的马克思主义史学》（《史学史研究》1981 年第 3 期）、白寿彝和瞿林东的《马克思主义史学在中国的传播和发展》（《史学史研究》1983 年第 1 期）、叶桂生等的《略论马克思主义中国历史学的创立和发展》（《学习与研究》1982 年第 11 期）和《中国社会史论战与马克思主义历史学的形成》（《中国史

---

① 见白寿彝：《中国史学史》第 1 册，上海人民出版社 1986 年版，第 174—175 页。

研究》1983 年第 1 期），以及有关李大钊、郭沫若、吕振羽、翦伯赞、侯外庐、范文澜、尹达等马克思主义史学家的个案研究。林甘泉等撰写的《中国古代史分期讨论五十年》（上海人民出版社 1982 年版）、白钢编著的《中国封建社会长期延续问题论战的由来与发展》（中国社会科学出版社 1984 年版）和张静如的《中共党史史学史》（中国人民大学出版社 1990 年版）等，也对 20 年代以来马克思主义史家在历史理论方面的建树和某些史学活动有相当的总结。而对非马克思主义史家的研究，则大抵不出梁启超、王国维、陈寅恪、胡适、顾颉刚、陈垣、吕思勉等数人范围。

　　90 年代以后，1919 年至 1949 年间史学史的研究形成了全面铺开之势，尤其是近几年来，随着《历史研究》等刊物纷纷开辟 20 世纪中国历史学或学术史回顾的专栏，更对此起了推波助澜的作用，不但在中国马克思主义史学史的研究方面硕果累累，有关其他各家各派的讨论也达到了相当宽广深入的境界。

　　经过 80 年代的准备，此期马克思主义史学史的研究已进入到了一个全面系统的总结阶段。这方面，最具代表性的专著是桂遵义的《马克思主义史学在中国》（山东人民出版社 1992 年版）。该书分 4 编，凡 46 万字，较系统地论述了“五四”运动至 1956 年间马克思主义唯物史观在中国的传播和中国马克思主义史学的形成发展史。全书依据中国革命的历史进程，结合中国现代史学自身演变的基本趋势和特点，对各个历史时期的马克思主义史家及其史学活动和代表性著作做了比较细致的叙述，是迄今为止国内最为全面反映中国马克思主义史学发展史的专著。与此同时，原先对马克思主义史家的个案研究也开始由单篇论文发展为专著，如中国社会科学院历史研究所史学史研究室编的《新史学五大家》（社会科学文献出版社 1996 年版，系郭、范、翦、吕、侯五位马克思主义史家评传）、刘茂林和叶桂生的《吕振羽评传》（社会科学文献出版社 1990 年版）、朱政惠的《吕振羽和他的历史学研究》（湖南教育出版社

1992 年版)、叶桂生和谢保成的《郭沫若的史学生涯》(社会科学文献出版社 1992 年版)、张传玺的《翦伯赞传》(北京大学出版社 1998 年版)等。并且结集出版了一些有关人物的研究专论集,如中国郭沫若研究学会等编的《郭沫若史学研究》(成都出版社 1990 年版)、林甘泉等主编的《郭沫若与中国史学》(中国社会科学出版社 1992 年版)、中国社会科学院历史研究所中国思想史研究室等编的《纪念侯外庐文集》(陕西人民教育出版社 1991 年版)等。在观点和资料的运用上也颇有特色,值得注意。

对于中国现代非马克思主义各派史学的研究,90 年代更呈现出一种突破禁区、思想解放的新格局,特别是一批五六十年代长期遭到批判否定的史学家或视为禁区的领域得到了重新检视和实事求是的评介,从而大大拓展了史学史的研究空间和深度。这一时期出版的有关史家专论,无论是其涉及的流派层面还是深度,都是前所未有的。仅 90 年代百花洲文艺出版社出版的一套"国学大师丛书"中,就包括了胡适、陈寅恪、柳诒徵、汤用彤、郭沫若、钱穆、顾颉刚、章太炎、罗振玉、梁启超、刘师培、王国维等 12 位史家的评传。1997 年华东师范大学出版社出版的"往事与沉思"传记丛书第 1辑也包括了两部现代史家回忆录(傅振伦的《蒲梢沧桑——九十忆往》和何兹全的《爱国一书生——八十五自述》)与三部现代史家传(葛剑雄的《悠悠长水——谭其骧前传》、顾潮的《历劫终教志不灰——我的父亲顾颉刚》和张耕华的《人类的祥瑞——吕思勉传》)。此外,岳玉玺和李泉的《傅斯年——大气磅礴的一代学人》(天津人民出版社 1994 年版)、王永兴的《陈寅恪先生史学述略稿》(北京大学出版社 1998 年版),以及各家出版社出版的现代学者研究丛书中对此亦多有涉及。至于单篇论文的范围就更为广泛,对于陈垣、朱希祖、邓之诚、何炳松、张荫麟、朱谦之、常乃直、萧一山、冯承钧、张星烺、雷海宗等,都有不同程度的讨论。

1919 年至 1949 年间的史学所以会成为 90 年代的史学史研

究重心,一方面固然是由于感受到近几年学术界不断升温的20世纪学术史回顾总结热之故,另一方面也和整个中国史学史本身的研究现状与趋势有关。就中国史学史的研究而论,古代部分由于起步较早,至80年代已形成了比较完整的体系。而1840年至1919年部分的近代史学史研究,到80年代末也初具规模,在各重要史家和史著的研究方面建立了相当的基础。相比之下,1919年至1949年间的史学史研究在90年代初则处于明显的薄弱状态,这就吸引了不少原先从事古代和近代前期史学史研究的专业工作者纷纷把目光转向现代史学史领域。不仅如此,80年代一些专门从事史学理论研究的学者,为了更好地推动当代中国史学理论的建设,也希望通过现代史学史特别是中国马克思主义史学发展史的探讨,穷源溯流,总结其间的经验教训,以便为当代中国的史学发展提供有益的借鉴。加之一部分原先从事西方史学史研究的学者,从探究现代中西史学交流视角入手,也开始涉足于这一学术领域。这几股学术力量汇聚一起,自然使1919年至1949年间史学史的研究很快出现了新的面貌。

　　这一事实还表明,50年来的近代史学史研究,一方面是对史学遗产进行认真清理的过程,同时也是一个不断接近现实和为当代文化建设提供借鉴的过程,特别是由于这一时期距离我们今天的时代最近,文化学术上的影响最为直接,因而其现实意义也更强一些。

（二）理论与方法的检视

　　50年来的中国近代史学史研究,围绕着本学科理论体系的建设,曾展开过多方面的探索和争论,取得了不少积极的成果。兹就其大的方面,略加评述。

1. 关于近代史学史的基本内容

　　近代史学史的基本内容与一般史学史的研究对象应当说并无差别,但由于其所处时代的特殊性,因而也有一些新的内涵与特点。李润苍认为,中国近代史学史的研究,必须从其所处的半殖民地半封建社会政治、经济、文化—思潮的基本背景出发,从史观、史法、史料、史编、史家五个方面对该时期的史学现象做出科学的说明。应"重点深入研究中国近代有代表性的史籍和史家,包括翻译的外国史学名著,探索外国史学对中国史学的影响,中外史学的交流";"指出它们的特点、地位和作用,从而阐明其演变、发展的规律,供现代史学参考、借鉴"。尤其要重视对"史观"问题的考察,因为史观在影响史学变化的诸因素中具有决定性的主导作用。① 吴泽主编的《中国近代史学史》对此作了更为系统清晰的论述,指出,中国近代史学史的研究对象除了包括一般的史学思想、历史编纂学、史料学等外,还应看到随着近代以来学科分工的发展,"史学史研究的对象和范围也随之扩大。如考古学、民族学、宗教学、历史地理等,都是与史学史发展相关联的学科,均应作为史学史研究的对象。但这些只能作为史学发展的辅助学科,不能取代史学史的研究。还特别应当注意,由于中国近代是半殖民地半封建社会,反映在史学上,外国史学思想和史学方法有着重大影响,不探本溯源,不易进行深入的分析,特别是有些学者片面鼓吹学习西方,主张'全盘西化',给中国史学带来了严重后果。另一方面,我们应注意到中外史学的发展应有共同的基本规律,也有各不相同的民族特点。不研究外国史学,就没有一个综合比较的研究,也就不能认识各国史学发展的共同规律和我国史学的民族特点。因此,研究中国近代史学史,必须同时研究西方资产阶级史学及其对中国的影

---

① 李润苍:《关于中国近代史学史的基本内容和几点想法》,《史学史研究》1985 年第 2 期。

响。"① 叶桂生则强调,现代史学史的研究应注重分析该时期史学
和史家的流派及其特点,写出代表性史家的成就和性格,以便从中
揭示该时期的史学动向。② 这些探讨,对于拓宽史学史研究的视
野,特别是促进近代史学史研究更充分地展示其时代个性,无疑具
有积极的启迪意义。

2. 关于近代史学史的发展主线和分期

这是一个涉及对近代史学史总体认识和编写大框架的体系性
问题。80 年代初,白寿彝较早对此作了分析,认为由民族危机激起
的"救亡图存的爱国主义史学思潮"是旧民主主义革命时期进步史
学的主流,不但反映了当时的社会矛盾和时代要求,对封建主义进
行了多方面的深刻批判,也为此后史学的近代化和马克思主义史
学的建立准备了条件。而彻底地反帝反封建则是"五四"以后 30 多
年中国史学近代化的最大特色和主流。并指出,史学近代化的过程
主要表现为研究重心的转变和视野的日趋开阔、史观的更新、史料
范围的扩大和治史方法的进步等。③ 李润苍则认为:"对中国近代
史学史的分期可以史观的变化为标志,把近代前 80 年分为两个小
段:20 世纪初年梁启超提出建立'新史学'、'史界革命'以前为第
一段,以后为第二段。第一段自魏源的《海国图志》、徐继畬的《瀛环
志略》、梁廷枏的《海国四说》起,19 世纪七八十年代又有王韬的
《法国志略》、《普法战纪》,黄遵宪的《日本国志》等,至 90 年代末梁
启超的《戊戌政变记》,尽管这些书中有反映反帝反封建斗争的倾
向,但其史观还不能确定为资产阶级的。只有到了 20 世纪初年,随
着民族资本主义的发展,民族资产阶级的改良派和革命派的形成,
各种资产阶级史观的输入,当时的历史论著才有鲜明的资产阶级

---

① 《中国近代史学史》前言,第 3—4 页。
② 叶桂生:《关于现代史学史的思索》,《史学史研究》1989 年第 4 期。
③ 白寿彝:《谈谈近代中国的史学》,《史学史研究》1983 年第 3 期。

性质。"① 杜蒸民的《中国近代资产阶级史学概论》（《安徽师范大学学报》1983 年第 1 期）也认为 19 世纪后期的中国史学从总体上看并未跳出封建史学的框架,最多只是资产阶级史学的萌芽,至1901 年、1902 年梁启超发表《中国史叙论》和《新史学》,才标志着资产阶级史学的真正开端。

80 年代后期,一些近代史学史专著对此作了更为细致的论述。如尹达主编的《中国史学发展史》认为,从鸦片战争到太平天国革命运动期间,封建史学的藩篱开始被冲破,但由于还缺乏先进阶级的力量和思想武器,其性质仍属于封建史学的范畴。洋务运动至戊戌变法期间,随着西方进化史观的输入和外国史研究的进一步展开,中国资产阶级史学开始萌芽。20 世纪初年则是中国资产阶级"新史学"创立的真正开端。"五四"以后 30 年,马克思主义史学的形成和发展成为现代史学进步的主线,中国史学从此走上了真正科学的轨道。②

吴泽在《中国近代史学史》中提出,中国近代史学的发展贯穿了唯物主义与唯心主义、唯物史观与唯心史观的斗争这一主线,故史学史的研究应注重阐明唯物史观如何在斗争中壮大自己并推进整个中国史学发展的过程及其规律。在近代史学史的分期上,该书认为,一方面应考察构成史学演变的三个要素,即史学思想、历史编纂学和史学研究范围的变化情况;另一方面则应与从根本上制约其发展阶段性的社会历史发展特点联系起来进行分析,也即"抓住每一社会形态发展过程中的各个不同历史时期的主要矛盾和主要矛盾方面,探索出当时各个社会形态中史学发生、发展、演变递嬗的规律",做出合理的分期。依据这一标准,书中主张将中国近代

① 李润苍:《关于中国近代史学史的基本内容和几点想法》,《史学史研究》1985 年第 2 期。
② 见《中国史学发展史》,第 379－381、470 页。

史学史分为四个阶段：一是鸦片战争前后到太平天国时期，其史学演变的趋势表现为封建旧史学的渐趋衰落和地主阶级改革派史学的兴起。二是太平天国革命失败到义和团运动时期，随着洋务运动的展开、西方近代史学的逐步传入和民族资产阶级登上政治舞台，资产阶级新史学开始崛起。三是义和团运动失败到"五四"运动时期，其时资产阶级改良派史学依然保持着相当的影响，革命派史学也异军突起。四是"五四"运动至1949年新中国建立，为马克思主义史学在中国产生、传播和发展并成为主流的时期。①

胡逢祥对近代史学的分期，较多地从各时期史学主流的社会文化属性演变着眼，认为中国史学变革的近代化趋势，从内容上看，"主要表现为两个方面：(1)历史研究开始反映出中国近代社会的特点，尤其是帝国主义和中华民族的矛盾、封建主义和人民大众的矛盾这些重大历史斗争的课题。(2)史学主导形态逐步由封建性向资产阶级性以及科学化转变"。据此，他主张将1840年至1949年间的中国史学发展进程划分为三个阶段，一是鸦片战争前后至19世纪90年代，为中国史学近代化的酝酿期，也即中国史学发展主流由封建史学向资产阶级史学转化的过渡期；二是19世纪90年代至新文化运动，为中国近代史学的确立期；三是"五四"至1949年新中国建立，为中国近代史学走向科学化时期。② 蒋俊的《中国史学近代化进程》则强调了中国近代的史学革命与该时期整个社会民主革命进程的一致性，因而主张以"史学革命"为主线来考察近代史学，认为19世纪末是史学革命的准备时期，20世纪初至20年代末系以资产阶级史家为主进行史学革命的时期，30年代至40年代末是马克思主义史家为主进行史学革命的时期。

---

① 吴泽主编：《中国近代史学史》前言。
② 胡逢祥：《中国近代史学的发展进程及其特点》，《华东师范大学学报》1991年第4期。

　　这些分歧的存在,反映了各家分期标准不一,有的强调以社会形态演变为基准;有的以中国近代的"三次革命高潮"为参照依据;有的着眼于史学自身发展的阶段特点;有的倾向社会经济、政治、学术文化多种因素的综合分析。但就具体的分期而言,我们仍可从中发现一些基本的共识,即大部分意见都倾向以 19、20 世纪之交和"五四"作为两个分期的基本历史界标,将整个中国近代史学的演变划分为三个时段。

3. 中国史学的近代化进程与传统史学及西方史学的关系

　　近代以来,中国史学经历了有史以来最为深巨的"脱胎换骨"之变,几千年来一直以"道统相传"的方式递嬗并不断得到加固的传统史学体系遭到了根本的动摇,而有着不同社会与文化背景的西方史学却登堂入室,大有取而代之之势。如何看待这一历史现象,如何正确评估传统史学和西方史学在中国史学近代化过程中的实际作用和影响,这是近代史学史研究必须回答的问题。

　　对于这一问题,史学界曾出现过一些认识上的偏差。肖黎就指出,50 年代以来,在很长的时间里,学术界存在着一种既漠视传统史学的优良传统,又盲目排斥西方史学理论方法的错误倾向,"文革"时期,这两者更被打上了"封资修"的标记。[①] 在这种情况下,自然很难谈得上对其进行科学的研究。

　　近年来,传统史学在近代史学发展中的地位和作用日渐受到人们的重视。陈其泰便指出:"认为传统史学即封建史学,因而近代史学与传统史学之间存在一个断裂层,近代史学从理论到方法都是由外国输入,在编撰上也是摒弃了传统史书形式而从外国移植。这种似乎很时髦的论调实则同一个多世纪以来中国史学演进的客观进程相违背。"他认为,近代史学是从传统史学发展演变而来的,外来影响只是近代史学产生的条件。传统史学中既有大量糟粕,也

---

① 引自《20 世纪中国历史学》(下),《光明日报》1998 年 1 月 27 日。

孕育着近代因素,在外来文化大量输入之时,这些宝贵的近代因素被当时敏锐的学者所发扬,成为他们吸收外来进步文化的内在基础,并在与外来成份相糅合的过程中得到升华,形成向近代史学转变的"中介"。有成就的近代史家,其学术无不深深扎根于民族文化的土壤,做到了将外来进步思想与中国史学的优良传统相糅合。可见本世纪史学发展的主流绝不是一脚踢开传统,对外来东西的生搬硬套或简单移植。① 并强调,近代史学对古代传统史学是扬弃而不是摒弃,这是一个对传统史学的吸收、改造、发挥和提高过程。② 瞿林东则提出,在本世纪史学发生巨大变革的过程中,传统史学受到了严峻的批判,这是史学进步的表现,但同时,由于人们对其在近现代史学发展过程中的积极作用估计不足,也削弱了对当代史学之民族形式的研究和追求。苏双碧也发表了类似的意见:"在中国,当资产阶级新史学兴起,以及无产阶级的马克思主义史学出现并发展起来时,就必然要破除传统史学方法,揭露传统史学的弊端,以便为新的史学方法开路,从而使零碎的、个别的历史研究变成探寻历史发展规律的研究方法。"但这种批判是为了史学在新社会形态下的发展,而不是从根本上否定传统史学。③

这些看法,无疑表达了当代学人对这一问题的理性自觉。而如果从整个中国近代史学发展的实际过程看,更不难发现,传统史学的深刻影响力(包括其精华和某些缺陷),无论你是赞赏还是厌弃,都是不容回避的客观存在。因此,正确反映新旧文化交替过程中这层错综复杂的关系,应是近代史学史研究的一项重要任务。有鉴于此,近 20 年来发表的近代史学史论著,有不少都对传统史学与近代史学的关系作了不同程度的探讨。如汤志钧的《近代史学和儒家

---

① 陈其泰:《史学与中国文化传统》,书目文献出版社 1992 年版,第 177—179 页。
② 陈其泰:《论近代史学对传统史学的扬弃》,《中国史研究》1987 年第 1 期。
③ 引自《20 世纪中国历史学》(上),《光明日报》1998 年 1 月 20 日。

经学》(《学术月刊》1979 年第 3 期)对近代史学和传统经学之间关系的考察,陈其泰的《传统史学向近代史学的转变》(收入其所著《史学与中国文化传统》)对传统史学思想、历史编纂学、考史方法等在近代影响的分析,以及学术界对国粹派、学衡派史学和史家的研究,其关注的重点皆在于此。

至于西方史学与中国近代史学的关系,近 10 多年来似乎更引人注目。在这方面,于沛的看法颇具一种代表性,他说:"20 世纪中国史学发展的每一关键时刻,都和外国史学理论的引入、传播及中外史学的交融有着密切的关系。没有进化史观,就没有梁启超的新史学;没有唯物史观,就没有中国的马克思主义史学。"[1] 综观此期发表的有关论文,其讨论的主题多集中在以下几方面:首先是西方史学传入近代中国的过程问题。一种意见认为,西方史学输入近代中国的过程可以 19 世纪末为界线,大致分为前后两期。前期为自发阶段,主要通过两个渠道,一是西方近代来华传教士的史书编译活动,二是近代前期中国人编写的外国史地著作,内容零星而全无系统。19 世纪末以后才开始步入自觉阶段,内容也渐趋系统。[2] 另一种意见认为,从比较确切的意义上说,西方史学之输入中国并对中国史学真正产生影响,当自 20 世纪初的梁启超始。[3] 其次是输入的内容问题。如俞旦初的《20 世纪初年中国的新史学思潮初考》对 20 世纪初中国通过日本中介输入西方近代史学理论的过程及其内容的考察;张广智的《20 世纪前期西方史学输入中国的行程》对本世纪前 50 年梁启超、何炳松、李大钊、傅斯年和"战国策派"输入西方史学的活动,以及现代美国"新史学"、兰克的"客观主义史学"、西方文化形态史观等在中国的影响所作的评述等。第三是中

---

①　引自《20 世纪中国历史学》(下),《光明日报》1998 年 1 月 27 日。

②　胡逢祥:《西方史学的输入和中国史学的近代化》,《学术季刊》1990 年第 1 期。

③　张广智:《20 世纪前期西方史学输入中国的行程》,《史学理论研究》1996 年第 1 期。

国近代输入和吸收西方史学的特点。如胡逢祥在《西方史学的输入和中国史学的近代化》中指出,19 世纪末以后,我国史学界之吸收西方史学理论,其初往往并非直接通过史学本身,而是通过西方现代社会学的理论和方法,特别是其中的进化论和社会形态演进学说等,这种历史学与社会学的结合,是中国史学走向近代化的主要趋势之一。张书学则认为,20 世纪初叶,西方在近 200 年间先后出现的实证主义、马克思主义、相对主义三大史学思潮几乎同时被介绍到中国,对中国史学发生了共时性的影响。而中国史家在构筑自己的理论体系时,往往根据自己的理解将西方各派史学理论和方法杂糅在一起,并能注意保持自己的民族特点,他们大多是在传统史学的基础上吸收西方史学思想的。① 这些,对于当代中国史学的建设应当说都提供了有益的借鉴。

4. 关于中国近代史学思潮与流派的分野问题

史学思潮与流派的起伏兴衰,敏锐地反映着一定时期史学流变的脉息动向,因而历来受到近代史学史研治者的关注。但在如何界定近代史学思潮和流派的分野上,却众说纷纭。

关于中国近代的史学思潮,白寿彝先生较早提出了这样的看法,认为自鸦片战争到辛亥革命前后,始终贯穿着一股"救亡图存的爱国主义史学思潮"。② 稍后,俞旦初先生也在有关论文中详细论述了 20 世纪初年国内出现的"新史学"和爱国主义两大史学思潮,"这两种思潮并起奔腾,交相辉映,在中国近代文化史上展示了灿烂的篇章"。③ 吴怀祺的《中国史学思想史》持论亦与此相近,他指出,在中国近代史学发展史上,主要出现过三股史学思潮:鸦片战争后,在传统史学经世观的基础上发展起来的爱国主义史学思

---

① 张书学:《中国现代史学思潮研究》,第 51 页。
② 白寿彝:《谈谈近代中国的史学》,《史学史研究》1983 年第 3 期。
③ 俞旦初:《中国近代的爱国主义史学思潮》,《史学史研究》1985 年第 2 期。

潮贯穿了近代史学的整个过程；19世纪末到20世纪初，随着西方史学的输入及其和中国传统史学某些理论与方法的结合，新史学思潮由此蓬勃兴起；"五四"以后，马克思主义在中国的广泛传播，使唯物史观在史学领域内成为发展的主潮。①

胡逢祥和张文建则从另一个视角提出了划分近代史学思潮的看法，他们认为，中国近代史学的发展，虽然总体上始终受到爱国主义思想的深刻影响，但由于爱国主义是一种广泛影响于政治、经济和文化各层面的社会思潮，用这类概念来定义整个近代的史学思潮，似乎过于泛化了一点，因而主张史学思潮的界定应尽可能体现出学术史本身的特点。据此，他们提出："从史学发展本身的特点看，中国近代真正形成史学思潮的主要有经世致用史学思潮、新史学思潮、国粹主义史学思潮、疑古史学思潮以及屡屡泛起的封建复古主义史学思潮。这些思潮依次递兴，大致经历了一个从依附于一般的学术思潮到逐步形成独立史学思潮的过程。"② 胡逢祥还主张把"五四"时期的史学主潮概括为"科学主义史学思潮"。③

而张书学对"五四"以后史学思潮的系统清理工作，尤值得我们注意。他认为，左右中国现代史学发展方向的主要为实证主义、相对主义和马克思主义三大史学思潮，"这三大史学思潮在相互对垒、碰撞和融会的过程中，促进了现代中国史学的发展。三大史学思潮之间的关系是一种生态关系，否定或看不到这种生态关系而架构的现代中国史学发展史，无疑会因为维度不够而捉襟见肘；或者只看到它们之间的斗争、排斥，看不到彼此的同一互渗，亦难以透视全局"。④ 这样的认识确是颇有新意的。只是在中国近代史学

---

① 吴怀祺：《中国史学思想史》，安徽人民出版社1996年版，第327—328页。

② 胡逢祥、张文建：《中国近代史学思潮与流派》，第15—16页。

③ 胡逢祥：《"五四"时期的"科学主义"思潮和中国史学的现代化建设》，《学术月刊》1996年第12期。

④ 张书学：《中国现代史学思想研究》引言，第5—6页。

思潮的具体界定上,似有强求与西方近现代主要史学思潮合辙的痕迹。中国近代之存在实证主义和马克思主义两大史学思潮,这是大家所公认的。一次大战后,西方相对主义思潮对我国史学界产生过一些影响,这也是事实。但它究竟有没有在我国形成过堪与实证主义和马克思主义鼎足而三的大思潮,却是大可商榷的。众所周知,实证主义和马克思主义史学之所以在现代中国形成这样大的影响力,除了种种历史和现实的原因外,还因其理论内涵存在着某些与中国传统文化易于结合的因素有关。而中国自古代形成史官记事制度后,历史向来就被视为客观存在过的事物,"求历史之真"也被悬为治史的基本宗旨之一,这种文化氛围,使相对主义在中国史学界从来就未获得过充足的滋长空间。如梁启超等人虽说过一些同情相对主义史学观点的话,但直到晚年,这种观点事实上并未成为其史学实践的主导意识。至于钱穆,也不能因他重视历史研究过程中史家主体意识的作用,便将其归入相对主义史家的行列,因为与此同时,他也十分强调历史本身的客观性。这些问题,实际上都可以作进一步的探讨。

与史学思潮的分野问题比较起来,对近代史学流派的讨论似乎要更活跃一些。按照近代史学有关流派的衡量标准,中国古代的史学流派本不甚发达,章太炎甚至说:"夫国学有不必讲派别者,如史学是。"① 这主要是由于封建文化专制主义的严厉控制,使史学的学科独立发展受到极大的限制,以致史学流派往往被同时的政治或经学派别所掩盖。近代早期,此种情况仍未得到根本的改变,其时比较接近学派性质的大概只有鸦片战争前后的西北史地学派和光绪朝的元史学派。直到20世纪以后,真正具有近代意义的史学流派才开始逐步产生。因此,关于近代史学流派的议论,主要集中在20世纪上半叶。还在三四十年代,就有冯友兰、钱穆、周予同、

① 转引自汤志钧编:《章太炎年谱长编》,中华书局1979年版,第674页。

曾繁康、齐思和、金毓黻等不少学者探讨过现代史学流派的划分问题，①以后稍有沉寂。近20年来，这一问题的讨论又有重趋活跃之势。

1979年，海外学者余英时在一篇题为《中国史学的现阶段：反省与展望》（载台湾《史学评论》创刊号）中提出："在现代中国史学的发展过程中，先后曾出现过很多的流派，但其中影响最大的则有两派：第一派可称之为'史料学派'，乃以史料之搜集、整理、考订与辨伪为史学的重心工作。第二派可称之为'史观学派'，乃以系统的观点通释中国史的全程为史学的主要任务。"认为两派各偏于一端，惟有起而互补，方能趋于史学正道。该文的观点，实与钱穆《国史大纲·引论》所说相近；而"史料"、"史观"两派的名称，则颇有取于周予同的《五十年来中国之新史学》，只是对其内涵作了新的解释。其后许冠三的《新史学九十年》（香港中文大学出版社1986年版），又将偏重于史料及史实考证的史家和"史观派"各分为若干流派加以详论，使人们对此期史学流派的基本情况有了更为清晰的概念。最近侯云灏在《20世纪前期中国史学流派略论》一文中，对前此各家划分此期史学流派的方法得失作了简评，认为"几种划分标准各有利弊，莫衷一是"，倒不如以史坛原来的局面，就事论事，将中国近代史学流派分为新史学派、古史辨派、南高派、考古派、国粹派、食货派、保守派、史料学派、生机史观派、生物史观派、战国策派、马克思主义派等12个学派。

在近代史学流派的分野上出现这种意见纷纭的局面，主要是由于各家的流派划分标准不一。有的习惯以阶级或政治立场分派，如地主阶级改革派、资产阶级改良派、顽固派、革命派等史学流派概念便据此而生。这种分法虽有一定的道理，但难以充分反映史学

---

① 详情可参见周文玖的《我国20世纪三四十年代的史学评述》，《史学理论研究》1999年第2期。

本身的特点,且易陷入简单化,正如林甘泉所说的"学派分野和阶级分野虽然有一定联系,却不能完全划等号"。[1] 有的主张以史家工作的重心所在分派,如史料派和史观派之划分便是。但这种方法也存在问题,"因为史料是史学工作的基础,史观又是史学研究的灵魂,两者缺一不可",说史料派没有史观或史观派不采用史料,都是不可能的。[2] 也有的完全以史家的学历特别是接受国外某种史学理论的背景为依据分派,如傅斯年和陈寅恪同到德国受到过历史语言学派的影响,便都被列入了兰克式的史料学派。而实际上,中国现代的大部分史家,在吸收外来史学理论和方法时,往往并不局限于一家一派之说,而是兼收并蓄,有时甚至将相互有矛盾的学说也糅合一起,以为我用。如过分拘泥以学历背景分派,同样带有片面性。总之,对各家有关近代史学流派的划分固不必强求统一,但总期于能综合各方面的因素,使流派的划分日趋合理,以便更准确地反映中国现代史学的发展趋势与特点。

5. 关于史学功能在近代社会的变化及其实际影响

中国传统史学历来十分强调自身的"经世致用"功能。在封建社会,它曾依附于经学并与之牢固结盟,作为维护封建政治的主要意识形态而盛极一时。进入近代以后,其学术地位和原有的社会功能逐渐发生变化。鸦片战争前后,当封建制度日益走向衰落之际,龚、魏重张"六经皆史"之帜,试图通过强调史学的经世功能,挽救日趋严重的社会危机。20世纪初年,眼看经学没落已成定局,梁启超提出了"史界革命",甚至说"悠悠万事,惟此为大",称史学为"学问之最博大而最切要者","今日欧洲民族主义所以发达,列国所以日进文明,史学之功居其半焉"。[3] 从理论上将史学的社会功能进

---

① 林甘泉:《20世纪的中国史学》,《历史研究》1996年第2期。

② 侯云灏:《20世纪前期中国史学流派略论》,《史学理论研究》1999年第2期。

③ 梁启超:《新史学》,《饮冰室合集·文集》之九。

一步扩大。其时改良派和革命派在学术研究与宣传活动中,无不注重借史论政,便反映了这种观念。新文化运动前后,在"科学主义"的影响下,出现了一种"非功利主义"的观念,王国维、胡适、顾颉刚等都提出过这样的主张。20 年代末以后,史学的经世致用功能在现实政治的刺激和爱国救亡的时代主旋律中重新得以高扬。史学功能在近代所发生的这些变化,从根本上说,是中国社会及其整个文化巨变的反映,同时也显示了其时史家对这一问题的认识水准。

如何来评价近代史家的上述艰辛探索与实践呢?瞿林东认为,在中国近代史学史上,虽然有"为史学而史学"的种种思潮存在,但史家在关心社会并注重以史学经世的问题上"都有鲜明的认识",即使其间"走过弯路,留下了严重的教训,但史学之关注社会,在总的方向上是不错的,是应当肯定和坚持下去的"。① 刘俐娜认为,虽然近代早期的学者已提出了重新认识史学功能的问题,但并未能加以解决,直至"五四"时期,全面认识和建设新史学的主客观条件才趋于成熟,其时对于史学功能的认识和重新转换,主要体现在确定了为民众服务的方向,扩大了研究的范围和视野,着眼于现实、人生和社会的进步等。② 也有的提出,对于 1919 年后史坛出现的非功利主义史学功能观,应作具体的分析,特别是"五四"前后这一观念的提出,对于克服传统史学过分依附于封建政治、缺乏独立意识的弊端实是一种必要的针砭和"矫枉",这对确立中国近代学术形态和健全史学的学科独立发展机制无疑具有积极的意义。③ 张书学对此抱有类似的意见,并指出,历史研究中"求真"与"致用"的对立统一,本是其价值观不可或缺的两个基本点,但在中国现代史

---

① 引自《20 世纪中国历史学》(下),《光明日报》1998 年 1 月 27 日。
② 刘俐娜:《五四时期学者对史学功能的认识》,《历史研究》1996 年第 3 期。
③ 胡逢祥:《中国近代史学的发展进程及其特点》,《华东师范大学学报》1991 年第 4 期。

学史上,却常常表现为两者的分离,这对于历史科学的发展曾产生过不利影响。① 王学典更以为,在现代中国史学界,存在着两种互相冲突的治史旨趣,一种是为学问而学问;另一种是为变革现实、再造未来而研究历史。前者为史料考订派推崇,后者为唯物史观派所信守。40 年代以后,两派的观念有相互逆向移动的迹象,唯物史观派开始举起了求真的旗帜,而史料考订派也有关注致用之意。② 甚至说,百年中国史学史,可以说是史料考订派与史观派的对抗史。前者的实证追求最后变成了在科学方法旗帜下乾嘉汉学的复兴,后者的阐释取向也部分演变为科学理论旗帜下晚清今文经学特征的再现。其实,他们"所追求的东西一开始很可能就是无法实现的东西,与历史学的本性不相容的东西"。③ 姜义华则从"史官史学"和"史家史学"的独特视角考察了这一问题,他说,近代以来的史家史学,对现政权及现社会持批判态度,有着较强的独立性。但由于近代中国新史观和新史学在空前严重的民族危机和社会危机中形成,其所带有的强烈政治性、党派性和阶级性,使史家史学在他们所支持的政治力量取得政权、确立了政治支配地位以后,自身很容易相应地从一种社会异己意识变为统治意识,在重建意识形态控制系统中演化为新的史官史学。正因为如此,在 20 世纪大部分时间中,史官史学声威不减往昔。④ 这些意见,都是值得我们进一步深思的。

6. 关于中国马克思主义史学发展史的反思

在中国近代史学史上,马克思主义史学居于十分重要的地位,因而史学界有关这方面的研究也比较多。限于篇幅,这里只能对一

---

① 参见张书学:《中国现代史学思潮研究》,第 97—117 页。
② 王学典:《从追求致用到向往求真》,《史学月刊》1999 年第 1 期。
③ 王学典:《实证追求与阐释取向之间的百年史学》,《文史哲》1997 年第 6 期。
④ 姜义华:《从"史官史学"走向"史家史学":当代中国历史学家角色的转换》,《复旦学报》1995 年第 3 期。

些学术界普遍关注或有争议的问题略作述评。首先是关于 1919 年
至 1949 年间中国马克思主义史学的发展进程,大部分意见认为可
分为三个阶段:1919 年至 1927 年为其诞生或奠基期;1927 年至
1937 年为成长壮大期;1937 年至 1949 年为中国马克思主义历史
科学体系的基本确立期。白寿彝、瞿林东、朱仲玉、蒋大椿、桂遵义
大致持此见,其中白寿彝、瞿林东又将 1937 年至 1949 年这一阶段
区分为抗日战争和解放战争两个时期。① 叶桂生和刘茂林虽然也
同意将其发展分为三个阶段,但具体分期却有不同,主张以 1919
年至 1927 年为其理论准备阶段,1928 年至 1940 年为中国马克思
主义史学形成阶段,1941 年至 1949 年为其建设阶段。②

　　其次是中国马克思主义史学的历史地位问题。近几年来,由于
学术界存在的某种贬低、误解,甚至否定马克思主义史学的错误倾
向,这一问题已引起了众多学者的关注。1997 年 5 月,北京师范大
学史学研究所还为此召开了专门的学术讨论会。会上,蒋大椿指
出,1949 年前的马克思主义史学是在同其他派别相互补充、斗争
和竞争中成长的,虽然还不能说已成为中国史学的主流,却是代表
时代进步潮流的最先进的史学。唯物史观对历史的解释,比其他各
派都要强,在史料学方面的成就也很大,这些完全应该肯定。即使
是讲阶级斗争,在当时也是正确的,是真理相对性的体现。吴怀祺
进而认为,"五四"以后的马克思主义史学,无论从史学发展的趋向
还是实际看,都已成为这一时期的史学主流。陈其泰和周溯源等还
从马克思主义史学在历史研究成果、人才培养、理论建树、发挥史

---

① 参见朱仲玉:《1919 至 1949 年间中国的马克思主义史学》(《史学史研究》1981 年第
　　3 期)、白寿彝和瞿林东:《马克思主义史学在中国的传播和发展》(《史学史研究》
　　1983 年第 1 期)、蒋大椿:《中国史学史的回顾与展望》(载作者所著《唯物史观与史
　　学》)、桂遵义:《马克思主义史学在中国》。
② 叶桂生、刘茂林:《略论马克思主义中国历史学的创立和发展》,《学习与研究》1982
　　年第 11 期。

学的进步社会功能和推进历史学的科学化建设方面,对其成就予以高度评价。①

三是对马克思主义史学发展过程中经验教训的总结。如果说新中国成立之初,人们因震于马克思主义史学取得的辉煌成就及其在史学界的主导地位,一度对这项工作比较忽略的话,那么,经过"文革"的惨痛教训,学术界对此的反思已日趋自觉和深入。戴逸就指出:在马克思主义指导问题上,由于受"左"的思潮的影响,长期以来存在着教条主义与形式主义的问题。以阶级斗争为纲曾在很长的时间内占据统治地位,农民战争史代替了全部的中国历史,历史人物评价也打上了"左"的烙印,这些都需要作进一步的反思。当然,马克思主义仍然是科学的理论和方法,但它只能以自己的理论威力争取群众,而不能靠行政命令、大批判和压服的方法,这是一个教训。② 有的则从马克思主义史学史的角度对此作了探讨,认为马克思主义史学自在中国诞生之日起,便十分强调史学的"致用"也即为革命服务的功能,在相当长的一段时期内,其对历史研究虽已"具有了充分的致用自觉,尚缺乏必要的求真自觉"。③ 这种倾向,使其"在强化和追求历史学的战斗性、革命性的同时,就自然难免强古就今、以古证今现象的发生,尤其是为激发人民爱国、革命的义愤,不惜借古人古事说今人今事,任意作历史类比,把历史现实化,结果不仅对历史研究造成破坏性影响,而且使人辨别不清历史唯物主义和唯心主义的界限,怀疑马克思主义历史学的科学性,在马克思主义史学史上留下了深刻而沉痛的教训"。对此,范文澜、翦伯赞等老一辈马克思主义史家在新中国成立初期曾作过自

① 见许殿才:《中国马克思主义史学历史地位学术讨论会纪要》,《史学史研究》1997年第3期,第20—23页。
② 见《20世纪中国历史学》(下),《光明日报》1998年1月27日。
③ 王学典:《从追求致用到向往求真》,《史学月刊》1999年第1期。

我反省,可惜未引起史学界足够的重视,以致后来在这方面出现了更大的偏差。不仅如此,由于大多数早期马克思主义史家都把马克思主义看做具有普遍权威性的"科学的哲学",以为研究历史"只是发现已经发现的规律,而忽视对中国历史特殊规律的探讨;自信只要用马克思主义来研究中国历史,即可得出科学的结论,而缺少对史家主体问题的研究",由此造成了某些盲从本本的教条主义倾向。① 这种反省式的讨论,虽然会有一些不同的意见,但总的来说,将对我国当代史学的发展起到积极的促进作用。

　　涉及近代史学史研究整体框架的理论问题自然还可以举出不少,如中国近代史学发展过程中政治和学术的关系、社会大变动时期史家思想多元特性的分析等。这些问题的讨论,都较集中地反映了目前学术界对近代史学发展基本趋势的认识水平,无论其观点是得是失,皆足供今后的研究参考借鉴。

(三)开展健康的学术争鸣,推动近代史学史研究的进一步深化

　　50 年来的中国近代史学史研究,在经历了几番风雨之后,还逐步形成了一种比较开放的学术争鸣氛围。这一点,尤其反映在对某些具体的史学思潮、流派、史家和事件所展开的讨论上。

　　在史学思潮和流派的评价方面,争议较大的主要有国粹主义、学衡派和战国策派等。

　　长期以来,国粹主义作为一种文化学术思潮,曾因其浓厚的保守倾向而遭到大多数人的否定。在这方面,杨天石先生发表的《辛亥革命前的国粹主义思潮》(《新建设》1965 年第 2 期)颇具代表性。他认为,"国粹主义思潮是一种封建地主阶级的复古思潮",它

---

① 张书学:《中国现代史学思潮研究》,第 112、40 页。

"在保存民族遗产的幌子下保存封建文化,用遗产作为抵制革命的新文化的手段"。吴泽主编的《史学概论》还把钱穆、柳诒徵、缪凤林等"五四"以后的史家归入国粹派,认为其思想实质是"美化中国古代社会","美化封建专制制度和封建文化"。① 而张枬、王忍之则认为 1905 年至 1907 年间出现的国粹派是当时革命派的支流,它用"保存国粹"的形式,宣传排满复汉和反对君主专制的思想,有一定的革命性。但由于思想上"以狭隘的大汉族主义反对清王朝",一旦清廷退位,失去了革命的首要目标,便不免消沉"蜕化成革命的逆流"。②80 年代以后,主张后一种观点的人有增多的趋势,如隗瀛涛和吴雁南主编的《辛亥革命史》中册(人民出版社 1980 年版)便对晚清国粹主义思想中蕴含的积极因素作了较多的发掘。胡逢祥和郑师渠等人则通过对 20 世纪初年国粹派史学活动的考察,认为不能将其视为一味排斥西学和固守传统的文化复古派。在史学研究上,他们颇能注意吸收西方近代理论和方法,"不仅同样高揭'史界革命'旗帜,猛烈批判旧史学,而且于新史学身体力行,研究硕果累累",充当了 20 世纪初年"资产阶级史学不容忽视的一个重要的方面军"。③ 或者可以说,国粹派的史学主张,实代表了"刚刚从地主阶级中分化出来,具有反帝反封建要求,但又与封建文化保持较深关系的资产阶级学术思想"。④

　　有关学衡派史学的讨论,情况也与此类似。作为"五四"时期公开反对新文化运动的学术思想流派,学衡派长期以来一直被当做封建文化的余绪而弃置一旁。近年来,随着学术界对文化保守主义的研究日趋重视,学衡派的史学也得到了重新评价。郑师渠即认

---

① 《史学概论》,安徽人民出版社 1985 年版,第 348、349 页。
② 张枬、王忍之:《辛亥革命前十年间时论选集》卷 2 序言,第 16、17—18 页。
③ 郑师渠:《晚清国粹派的新史学探讨》,《北京师范大学学报》1991 年第 5 期。郑师渠另有《晚清国粹派研究》(北京师范大学出版社 1993 年版)一书,可参看。
④ 胡逢祥:《论辛亥革命时期的国粹主义史学》,《历史研究》1985 年第 5 期。

为,学衡派的史学思想实现了与当时西方史学发展态势相近的"由实证主义史学向新史学的转换",在理论上,他们肯定历史演变的自身规律性和史学作为一门科学存在的价值,主张史学的发展应注重普及与提高并重,并在通史与专史的编纂、研究领域的开拓和学术团体的组织活动方面提出了一系列建设性的意见,颇能"得风气之先"。[①]

而活跃于 40 年代初的战国策派史学,"文革"前原被定性为"法西斯史学",从政治上判决了"死刑",[②] 直到 80 年代以后,才有人从学术的角度对其作了讨论。目前大部分文章对战国策派史学的政治倾向仍持批评态度,但至少在两个方面提出了新的评价:一是不赞成将它说成是替德、日法西斯侵略张目,理由是战国策派曾明言,"如果希特勒和东条英机取胜,只能是文化的颓萎枯竭,'希特勒绝对要不得'。有些文章指责战国策派希望法西斯统一世界,似与事实不合,果真如此,他们又何必鼓吹'战',只须提倡'降'就可以了"。[③] 二是肯定其输入西方文化形态史观对于开阔国内史学理论视野具有一定的积极意义。[④]

至于对近代史家的讨论,争议之处就更多。这里仅以梁启超、章太炎、陈寅恪、郭沫若为例,做些简介。

梁启超是中国近代新史学的奠基人,由于一生思想多变,学术界对其史学的认识分歧也较多,这主要是:(1)关于梁氏史学理论体系的形成时间。一种意见认为当在 20 年代,也即《中国历史研究

---

① 郑师渠:《学衡派史学思想初探》,《北京师范大学学报》1998 年第 4 期。

② 袁英光:《"战国策派"反动史学观点批判》,该文原载《华东师范大学学报》1958 年第 2 期,后被转载于《历史研究》。尹达主编的《中国史学发展史》基本上也持此说,参见该书第 572—574 页。

③ 张和声:《文化形态史观与战国策派的史学》注文,《史林》1992 年第 2 期。

④ 侯云灏:《雷海宗早期史学思想研究》(《史学理论研究》1992 年第 3 期)、李帆:《"文化形态史观"的东渐——战国策派与汤因比》(《近代史研究》1993 年第 6 期)。

法》发表之时；① 另一种意见认为初步形成于 1902 年左右，以《中国史叙论》和《新史学》的发表为标志，此后只是进一步完善罢了；② 还有一种意见主张上推到戊戌变法前夕。（2）关于梁氏史学思想的评价。一种意见认为，梁氏史学思想的演变与其政治活动基本同步，即前期进步有生气，后期伴随着政治上的落伍，史学上也不断倒退；③ 另一种意见认为，梁的史学总体上应基本肯定，即使是晚年思想多变，表现出对进化论的怀疑，也并非简单的倒退，其中实包含着对历史的认识趋向深化和复杂化的一面。④（3）关于梁氏史学的特点。一种意见认为"批判与创新是梁启超史学的特点"，即使在他晚年仍是如此；⑤ 另一种意见认为离开时代的变化，笼统地说梁史学的特点是批判和创新是不对的；⑥ 还有的指出梁的史学理论体系具有多元论倾向、开放型结构和不稳定性等特点。⑦

　　关于章太炎的史学，诸家争论的焦点一度主要集中在其思想的复杂多元性上，仅章氏思想的阶级属性而言，就至少有地主阶级反满派、农民小生产者的代表、封建士大夫阶层的代表、资产阶级民主主义思想家、小资产阶级思想家等五种不同的意见。⑧ 对于他

----

① 刘振岚：《梁启超对历史发展规律的探索》，《历史研究》1984 年第 5 期。
② 胡逢祥：《梁启超史学理论体系新探》，《学术月刊》1986 年第 12 期。
③ 参见胡滨：《论梁启超的史学》（《文史哲》1957 年第 4 期）和李侃：《梁启超史学思想试论》（《新建设》1963 年第 7 期）。
④ 参见刘振岚：《梁启超对历史发展规律的探索》（《历史研究》1984 年第 5 期）、胡逢祥：《梁启超史学理论体系新探》（《学术月刊》1986 年第 12 期）及张书学：《中国现代史学思潮研究》第 286 页。
⑤ 参见马金科：《批判与创新是梁启超史学的特点》（《光明日报》1983 年 10 月 12 日）和曹靖国：《梁启超进化史观的演变》（《东北师范大学学报》1985 年第 3 期）。
⑥ 吴怀祺：《关于梁启超史学评价的几个问题》，《光明日报》1984 年 1 月 18 日。
⑦ 胡逢祥：《梁启超史学理论新探》，《学术月刊》1986 年第 12 期。
⑧ 参见罗耀九：《辛亥革命前章太炎的封建意识试析》（《学术月刊》1962 年第 6 期）、胡绳武和金冲及：《辛亥革命时期章炳麟的政治思想》（《历史研究》1961 年第 4 期）、孙守任：《论章炳麟政治思想的阶级属性及其发展的几个阶段》（《吉林师范大学学报》1964 年第 1 期）、赵金钰：《论章炳麟的政治思想》（《历史研究》1964 年第 1 期）、林庆元：《章太炎是小资产阶级思想家》（《历史研究》1985 年第 4 期）。

的史学,大部分论文都比较强调其民族主义的历史观念,认为他是中国近代由传统史学向资产阶级新史学转变的代表人物之一。[①]也有人认为其史学理论基本上来源于资产阶级进化论和西方的社会学。[②]对章氏思想和史学的讨论,实际上向我们提出了一个如何正确认识处于近代社会形态大变动时期人们思想的多元化问题。

　　陈寅恪则是近几年学术界议论的一个热点,其中比较有争议的,首先是其思想的基本属性问题。有人据其自述"思想囿于咸丰同治之世,议论近乎曾湘乡、张南皮之间",认为其政治思想仍然恪守或近于洋务派的"中体西用"观。[③]傅璇琮以为"这简直是不可思议的",陈氏的表述,固然与其家世渊源和对时势的感慨有关,但其本意,还是从"中国文化本位论"的立场上理解为好,也就是说,"陈寅恪只不过借张之洞的术语,来表达他个人对如何接受外来文化的主张。他的这种以我为主、为我所用的文化主张,正是他所倡导的学术理性的表现,对今天也还有极大的认识意义"。[④]其次是其史学方法的渊源问题。比较传统的说法,认为其史学方法主要承自"乾嘉朴学的家法"。[⑤]陈门弟子王永兴亦认为陈之"史学渊源于宋贤","而又发展之,开辟了华夏民族史学的新时代",并特作《陈寅恪先生史学述论稿》加以阐扬。[⑥]其三是其史学流派的分野问题。许冠三的《新史学九十年》将其与傅斯年一同归入"史料学派"加以论述。对此,海外华裔学者汪荣祖深不以为然,说:"使人觉得奇怪的是,史料居然可作为一个史学流派的称号。因史料乃任何史学流

---

① 参见吴若蔚:《章太炎之民族主义史学》(台湾《太阳杂志》第 13 卷第 6 期)、李润苍:《章太炎的史学观点和方法》(《学术月刊》1984 年第 8 期)。

② 杜蒸民:《试论章太炎的史学思想及其成就》,《史学史研究》1983 年 4 期。

③ 李泽厚:《中国近代思想史论》,1978 年所写后记。

④ 傅璇琮:《陈寅恪文化心态与学术品位的考察》,《社会科学战线》1991 年第 3 期。

⑤ 俞大维、蒋天枢、萧公权、汪荣祖等皆持此见,参见《新史学九十年》第 238 页注 16。

⑥ 《陈寅恪先生史学述略稿》前言,北京大学出版社 1998 年版。

派,或任何像样的史学家必须共同重视与尊奉的,说不上是一种特点,也不是一种特长。"① 傅璇琮也提出,不能"把陈寅恪的学问仅仅归结为考据,那只是看到它的极为次要的部分",因他治学"决不以考据资料自限",而是十分强调"通识"的。②

而郭沫若是中国老一辈马克思主义史学家中影响最为广泛并且也是最有争议的人。自他逝世以后,学术界对其史著的资料、观点、结论乃至学风都有所非议,开始是对其"文革"中所撰《李白与杜甫》的指责,接着是对其以往有关曹操、武则天的翻案文章,以及古史分期看法等的批评。1981年姚雪垠在《文汇月刊》发表的《评〈甲申三百年祭〉》除了指出其史料上的疏漏,还对郭沫若的治学态度和学风表示了极大的不满。金景芳也对郭沫若的治史学风提出了言词激烈的批评,认为他的某些研究"既没有马克思主义的理论根据,又没有中国历史事实根据,纯粹处于主观臆造"。③ 这些看法,很快遭到了顾诚、王守稼、缪振鹏、谢济等人的反驳,他们认为,郭沫若的历史研究固然存在着某些不足,但决不能因此从学风上全盘否定其成就,应当从时代条件和其在历史上所起的实际作用来全面认识郭沫若史学的地位。④ 特别是尹达的《郭沫若》一文,高度评价了郭沫若一生的史学活动,认为他是中国无产阶级史学的拓荒者,"革命行动家与学术家兼而为之的道路,决定着郭沫若治学的特点",无论是对中国古代史还是甲骨、金文和古器物的研究,

---

① 汪荣祖:《陈寅恪与乾嘉考据学》,《纪念陈寅恪教授国际学术讨论会文集》,第220页。

② 傅璇琮:《陈寅恪文化心态与学术品位的考察》,《社会科学战线》1991年第3期。

③ 金景芳:《中国古代史分期商榷》,《历史研究》1979年第2—3期。

④ 顾诚:《如何正确评价〈甲申三百年祭〉》(《中国史研究》1981年第4期)、王守稼和缪振鹏:《〈甲申三百年祭〉及其在现代史学史上的地位》(《郭沫若研究》〔1〕,文化艺术出版社1985年版)、谢济:《金景芳先生为何如此评论郭沫若史学》(乐山《郭沫若学刊》1991年第1期)。

都是如此。同时指出,他的某些史著,也存在着理论上简单化和片面化倾向,有时甚至用"驰骋想象"的推理代替史实的分析,以致显得不够严谨。难能的是,对于自己的错误,他总能不断进行自我解剖,并勇于修正。① 在有关郭沫若史学的各种评价中,还应顺便提及海外学者余英时的《〈十批判书〉与〈先秦诸子系年〉互校记》。该文最初发表于 1954 年香港《人生》半月刊,1994 年复收入上海远东出版社出版的《钱穆与中国文化》一书,在国内产生了较大的影响。文中指责郭沫若的《十批判书》大量抄袭钱穆的《先秦诸子系年》,以致"我们便不能不对他的一切学术论著都保持怀疑的态度了"。② 由于该文对郭的批评已迹近攻击,引起一些大陆学者的不满,翟清福、耿清珩为此撰文,列举史实,对余文逐条作了理智的辨析,指出余英时出于个人的好恶,肆意扬钱抑郭,决非一个正直学者应有的态度,"学术批评应当实事求是,不能出于政治偏见而恶意中伤"。③

　　以上所举,不过是目前近代史学史研究领域存有争议的几个例子,但从其涉及的学术流派层面、讨论问题的视野,以及思想的解放程度看,已颇可感受到近 20 年来国内史学风气的转换尤其是学术界思想日趋开放之势。正是这种日趋开放而健康的学术争鸣,使近代史学史的研究不断萌发出新的意境和活力。④

　　回顾 50 年来的中国近代史学史研究,其所取得的成绩确是令人鼓舞的。但与此同时,我们也不能不看到,由于其整个研究工作起步较晚,与同属文化学术史领域的哲学史、文学史、思想史等相比,无论在学科建设的成熟度、视野的开阔性、研究思路和方法的

① 载陈清泉等编:《中国史学家评传》(下),中州古籍出版社 1985 年版。
② 见《钱穆与中国文化》,第 119 页。
③ 翟清福、耿清珩:《一桩学术公案的真相》,《中国史研究》1996 年第 3 期。
④ 有关 80 年代以前近代史学史研究的具体问题讨论情况,乔治忠、姜胜利编著的《中国史学史研究述要》(天津教育出版社 1996 年版)有更多的介绍,可参看。

多样性上,都还存在着相当的差距。因而,正如瞿林东所说的:"中国史学史研究的建设时期,还将走过一段路,还有许多艰苦的工作要做。"① 对于近代史学史的研究和学科建设来说,尤其是如此。

就目前近代史学史研究的现状而言,我以为要进一步将其推向深入,至少有以下几方面的工作可以注意。

一是理论观念的更新。1949 年以后的史学史研究,一直十分重视理论和方法问题。但应当看到,60 年代以来的有关讨论,大多集中在学科研究的对象、任务、分期、史学评论的标准等最基本的问题,对于某些更为具体的理论则较少展开探讨,这就不能不影响到整体研究的深度。如关于现代化问题,是目前学术界关注的一个热点,讨论的文章也比较多。在中国近代史学史的实际研究中,也不时出现"史学现代化"的提法,但对于其内涵究竟是什么,史学史学界却未能根据本学科的特点展开比较集中的讨论,大抵只是各持一说,互不交锋。其实这个问题不仅涉及近代史学史的分期标准,还与整个近代史学史研究内容的布局、视野的广狭和某些理论范畴的确立都有着直接的关系。中国近代史学之所以与传统史学不同,就在于它的发展已超越了原先比较单纯的本土文化旧圈而开始汇入到整个世界的学术潮流中,现代中国史学的不少理论范畴及运作机制与传统史学存在很大的差异,与西方近代史学却有着相当的同构性,原因就在这里。这个事实提示我们,对近代史学史的研究,不能仅仅满足于过去建立的对于一般史学史研究理论的共识,而应根据近代史学发展的具体历史背景和特点,作进一步的细化认识。又如对"五四"后史学史的研究,过去一直强调马克思主义史学和非马克思主义史学斗争的一面。但实际上,现代各派史学的关系并非如此简单,他们之间有斗争,也有相互影响的一面。特别是在一些技术性的史学理论和方法方面,其间的互通性就更

① 　瞿林东:《走向中国史学深处》,《中国史研究》1998 年第 4 期。

多些。同时,非马克思主义史家在治史的实践中,受唯物史观影响的也大有人在。因此,在研究中国现代史学时,对各派史学的阶级和政治倾向固应重点关注,对其间实际存在的相互影响,也须进行实事求是的考察分析,方能得其全相。至于近代史学思潮与流派的分野,各家说法不一,标准五花八门,其实也与近代史学史研究目前存在的某些"理论失范"有关。当然,"理论失范"对于学术研究来说并不就是坏事,在很多场合,它还是观念更新和思想活跃的前提。但是,如果满足于这种现状,不通过有意识的讨论,将这种分散的、接近感性状态的个人认识及时总结、提升到更高的理论层次,最终势必制约整个学科研究的进一步深化。

二是进一步开阔视野和研究领域。近几年来,近代史学史研究的领域虽然不断有所扩大,但总的来说,气象规模仍不够开阔,大部分的研究,依然集中在一些名家身上,稍微次要一些的史家和许多社会史学现象的研究则乏人问津。这其中虽然也有材料分散难集等客观原因,但最主要的,恐怕还是视野不够开阔的缘故。比如不少对现代史学影响至深的运作机制,包括现代修史机构和研究机构的设置运行、科研经费的筹集和申请使用、专业人才的培养模式、学校历史教育制度的沿革、历史知识的传播方式与渠道、学术团体的组织、专业杂志的作用、研究范式的确立等,目前都缺乏比较系统翔实的论述。又如近代中外史学的比较研究,虽已有人做了一些工作,但大多偏于西方史学对中国单向输入及影响的考察,有关中国"五四"后史学(包括一些具体的历史研究成果)对国外学术界的影响,则很少有人探讨,在自觉进行融贯中外的史学横向比较方面,也显得十分单薄。这些,都有待于进一步改进。

三是提倡协作精神,加强综合研究。为使中国近代史学史的研究在现有的规模基础上有一个较大的提升,我们还必须大力提倡学术界的通力协作精神。如前所说,目前国内从事近代史学史研究的人员,从其原先的专业分布看,主要来源于三个方面,即史学理论、中国史学史和西方史学史，他们从各自熟悉的研究方向着手，默默耕耘，都做出了可观的成绩。但是，由于过去的专业分工过细过专，他们的研究也不免暴露出各自的弱点，以致在一定程度上影响了研究的深入。如能改变目前的分散经营状况，把这些学术力量有意识地组织起来，通过定期的讨论和合作性的课题研究，有机地融合各方的专长，相信一定能使中国近代史学史的研究出现一个崭新的局面。这样做，还有一个好处，可以集中财力物力，减少重复劳动。目前中国的人文社会科学研究，存在着一个很突出的问题，即科研课题和论文内容的重复率比较高，这在我们这样一个财力不宽和出版资源有限的国家实在可以说是一种浪费。就中国近代史学史的研究而言，我认为，与其把许多人的精力反复投入少数史学大家的研究而又提不出多少新材料新见解，倒不如去多做一些学术垦荒的工作，虽然这样做，冷板凳会坐得长些，出成果也可能慢些，但却能一个一个地填补空白，不断开辟出新的领地，把我们的学术事业构建得更加扎实。

教 育 史

　　中国教育的发展源远流长,约有 5000 年的历史。中国教育史成为独立学科,却显得非常年轻,至今尚不足百年。

　　新中国建立之前,中国教育史学科从无到有,从初创到发展,曾走过近 40 年的道路。

　　19 世纪末 20 世纪初,随着新式学堂的创立和中国第一个近代学制《癸卯学制》的颁布实施,新式课程开始进入课堂,中国教育史学科被列为大学堂和师范学堂的正式科目。起初多引进外国的教材或讲义,主要是翻译、编译、译述日本学者的《内外教育史》、《东西洋教育史》、《支那教育史》之类的著述。同时也在开始筹划、着手自编教材。最具代表性的成果,是黄绍箕于 1902 年至 1904 年着手准备,1906 年拟就大纲,而后由柳诒徵于 1910 年 5 月撰成的中国人自编的第一部《中国教育史》。

　　辛亥革命胜利后,中国颁布了第二个新学制《壬子癸丑学制》,中国新教育向前推进了一步,新式学堂的数量、规模、类型有了进一步发展,各级各类学校教材需求大增,中国教育史的研究著述和教材编写再度活跃。除继续编译日本学者的著述外,中国学者的著述也有所增加,如杨游的《教育史》(商务印书馆 1914 年版)、李步青的《新制教育史》(中华书局 1915 年版)、佚名的《中国教育史讲义》(未署明出版单位及时间)等。最值得注意的是 1914 年留美学者郭秉文于哥伦比亚大学完成的博士论文 *The Chinese System of*

Public Education，由周槃译述，以《中国教育制度沿革史》之名由商务印书馆于1916年出版。该书原由哥伦比亚大学师范学院出版，美国著名教育家孟禄作序，中文版又有黄炎培作序，影响颇大。郭秉文自称其撰著目的在寻求历史"借鉴"，"正言之，为模范，为指南；反言之，则亦前车之覆辙也"。该书虽为教育制度通史，重点却在研究中国近代教育制度的建立和发展，第一次将中国近代教育纳入教育史研究范围之内，可谓开中国近代教育史研究之先河。①

在"五四"爱国运动推动下，反帝反封建的革命运动掀起新的高潮，民主科学的新文化教育思潮波澜壮阔，各种教育思潮、各类教育实验纷纷亮相和开展，特别是以杜威实用主义哲学和民本主义教育思潮为代表的美国教育对中国教育影响的加深，以及马克思主义学说和教育理论的传播，为中国近代新教育的发展注入了新活力，增添了新内容。随着1922年《壬戌学制》的颁行，中国教育史学科的发展进入一个空前繁盛的阶段，在不足20年的时间内，中国教育史的著述数量大增，种类繁多，研究领域扩大，研究内容更加丰富充实，研究方法也有新的进展和突破，整体水平达到一个新的高度。最具代表性的成果有：王凤喈《中国教育史大纲》（商务印书馆1925年版，一说1928年版）、陈青之《中国教育史》（1926年出版上卷，1934年完成中、下卷，1936年商务印书馆出版全书）、陈东原《中国教育史》（商务印书馆1935年版）。此外，还有周谷城《中国教育小史》（上海泰东书局1929年版）、黄炎培《中国教育史要》（商务印书馆1930年版）、余家菊《中国教育史要》（中华书局1934年版）。1929年上海世界书局出版的李浩吾（杨贤江）著《教育史ABC》，是一部史论性的教育史著作，独具特色，被公认为是中国第一部以马克思主义理论为指导编著的教育史论著。

---

① 所引资料参见杜成宪等：《中国教育史学九十年》，第1—2章，华东师范大学出版社1998年版。

正是在这一时期,中国近代教育史的研究引起了更多人的关注,形成中国教育史学科研究中的一个热点,并且使中国近代教育史成为一个专门的独立的研究领域。除一般中国教育史普遍涉及近代部分外,还大量涌现出一批专门研究中国近现代教育史的著述。其中最具代表性的成果是中华书局出版的舒新城的《近代中国教育史料》(1928年版)、《中华民国教育史料》(1931年版)、《近代中国留学史》(1927年版)、《中华民国之教育》(1931年版)、《近代中国教育思想史》(1929年版),以及周予同的《中国现代教育史》(上海良友图书印刷公司1934年版)及其书中所附之"中国现代教育纪事年表"。此外,还有陈翊林《最近三十年中国教育史》(上海太平洋书店1930年版)、庄俞和贺圣鼎的《最近三十五年之中国教育》(上海良友图书公司1934年版)、丁致聘《中国近七十年来教育纪事》(南京国立编译馆1934年版),还有大量有关近代学制、教育思潮、教育行政、女子教育、地方教育等专题研究和论著。①

1937年之后,日伪的破坏和国民党的日益腐败,使中国教育遭受严重损失,中国教育史学科的发展也几乎陷入停滞不前的状态。

新中国成立前的40年间,经过几代人的努力,中国教育史学科曾经取得可贵进展和丰硕的成果,积累了学科建设的丰富经验,奠定了良好的基础。但是,由于受到历史的局限和环境条件的制约,中国教育史学科尚不甚成熟。更由于10多年的战争破坏,研究工作几尽停顿,不少专业人员流失或专业荒废。新中国成立后,中国教育史学科面临重建的历史使命。由于近代教育的发展与新中国教育的发展有着更为直接而紧密的联系,重新研究中国近代教育发展的历史,就显得更为迫切。

---

① 详细资料参见杜成宪等:《中国教育史学九十年》,第3章。

（一）中国近代教育史学科的重建（1950—1966）

新中国诞生前夕，毛泽东就曾预言："随着经济建设的高潮的到来，不可避免地将要出现一个文化建设的高潮。中国人被人认为不文明的时代已经过去了，我们将以一个高度文化的民族出现于世界。"[①] 徐特立指出："我们要完成这个伟大时代的任务，首先要有步骤地整理、继承自己的文化遗产，发扬先人创造文化的伟大精神……就是我们祖宗遗留下来的知识遗产也须加以彻底的清算而吸收之。"[②] 长期从事中国教育史教学和研究的人士听到这些声音，倍受鼓舞，心情无比激动和兴奋，并决心为新中国的文化教育建设，为中国教育史学科的发展尽心竭力，奉献自己的聪明才智。

到今天，新中国的中国教育史学工作者怀着这样的心情，抱着这样的决心，奋斗了 50 个春秋。50 年来，有初尝胜利成果的喜悦，也有遭受挫折的痛楚，欣慰新局面的开拓，又深感任重而道远。

新中国的诞生，标志着中国的社会性质发生了根本的变化，中国教育也进入了一个崭新的阶段，中国教育史学科的发展揭开了新篇章。从 50 年代初到 60 年代中期，中国教育史学科由重建走向新生。

调集、组织和培养中国教育史工作者队伍是中国教育史学科重建工作的基本保证。为了开展中国教育史学科的重建工作，亟须尽快组成一支专业队伍。从 1950 年 5 月 19 日教育部颁发《北京师范大学暂行规程》起，随着全国高等学校院系调整任务的完成，全国高等师范院校基本进入正常运行轨道。以高等师范院校为中心，陆续调集、组织起中国教育史工作者，或进入教育系，或组建教育

---

① 毛泽东：《中国人民政治协商会议开幕词》，《人民日报》1949 年 9 月 2 日。
② 徐特立：《科学化民族化大众化的文化教育》，《新建设》1949 年第 8 期。

教研室,汇聚起一批中国教育史教学和研究力量,形成新中国从事
中国教育史学科的第一批骨干。1953年北京师范大学连续招收教
育学进修班(原设在中国人民大学,院系调整后并入北京师范大学
教育系);1955年华东师范大学招收了一期教育史研究生班,对一
批研究生进行了中国教育史专业训练;1961年北京师范大学专门
招收了中国教育史研究生班,设立了中国近代教育史的研究方向。
到60年代中期之前,已经形成一支老、中、青三结合的近250余人
的中外教育史专业队伍,其中,从事中国近代教育史教学和研究的
约占1/4左右。

　　新中国的中国教育史学科的重建工作的重点是解决中国教育
史学科研究的指导思想、理论基础和科学方法论问题。

　　中国教育史工作者学习马克思主义理论,接受思想改造和教
育,参加批判资产阶级学术思想的斗争,其重要作用在于明确马克
思主义的指导地位,初步掌握辩证唯物主义和历史唯物主义的立
场、观点和方法,奠定重建中国教育史学科的思想理论和方法论基
础。特别是关于电影《武训传》的批判和关于《红楼梦》研究的批判,
都同中国教育史,尤其是中国近代教育史研究有更为直接的联系,
涉及中国近代教育史的重要内容,以及陶行知、胡适、梁漱溟、陈鹤
琴等一大批著名人物,对中国近代教育史研究产生深刻的影响。

　　在重建中国教育史学科的过程中,苏联的教育学和教育史著
作、教材,曾经被当做完美的样板和榜样。50年代初,除凯洛夫的
《教育学》外,陆续翻译出版了米丁斯基、康斯坦丁诺夫、沙巴也娃、
捷普莉茨卡娅等多部教育史,成为高等师范院校教育系主要教材
或教学参考用书,对中国教育史研究产生重大影响。一些老一辈的
中国教育史学者对此虽极不习惯或偶发微词,也真诚地认真学习、
尽心模仿。

　　经过数年的努力和积极准备,从1954年起大部分高等师范院
校开始采用自编的教材或讲义上课。1956年国务院制定国家12

年科学发展规划,中国教育史研究也列入规划之中。

这一时期的中国教育史学科以自编教材或讲义,满足教学需要为主,同时结合批判资产阶级学术思想的需要,配合性地开展了研究工作。中国教育史学科的重建取得了初步成果。这些成果明显地反映了对马克思主义的基本理解和对苏联教育史研究的效法。

第一,强调教育是上层建设,是为经济基础服务的,而政治又是经济的集中表现,从而导出教育是为政治服务的结论。研究教育史必须判明是哪种社会形态、社会制度下的教育,是为哪个阶级的政治、经济服务的。在这个前提下,批判地继承中国教育遗产。对于近代教育史一方面深刻揭露和批判封建主义、帝国主义勾结下教育的封建性、买办性、法西斯化;另一方面热情歌颂、大力宣传毛泽东和共产党领导的人民大众反帝反封建的新民主主义教育的先进性和光辉业绩。

第二,强调学术的"党性原则",明确划分唯物主义、唯心主义两大"营垒"。坚持阶级分析方法,严格按政治标准区别教育家及其教育思想是反动的、守旧的、改良的,还是革命的、先进的或进步的。

第三,强调了"厚今薄古"的基本原则。中国教育史的历史分期基本上参照中国通史的划分方法,按马克思主义五种社会形态的学说,确定为五个阶段:原始公社时代的教育、奴隶制时代的教育、封建制度时代的教育、半殖民地半封建社会的教育、新民主主义革命时代的教育。但在1953年以来的自编教材和实际教学中,多数是略古详今,重点是近代部分,古代部分只是一种概述,或粗略的简介。不少学校最早编写的教材或讲义是中国近代教育史,如东北师范大学关正礼、何寿昌编写的《中国近代教育史》(1953年油印本)、山东师范学院郎奎第编写的《中国近代教育史》(1954年油印本)、北京师范大学教育史教研室编写的《中国教育史讲义》(1953、

1954、1956 年油印本)等。

应该说,这个时期中国教育史学科的重建工作成绩是显著的,发展的道路基本上也是健康的。尽管在学习和运用马克思主义、借鉴苏联经验方面存在某些简单、片面或过于武断、机械的偏颇,但并未走向极端化。特别是在 1956 年对知识分子正确评价,提出向科学进军,提出"百花齐放,百家争鸣"方针的鼓舞下,比较正常的研究、讨论、争鸣仍然保留着一定的空间、环境和氛围。涉及中国教育史学科建设的诸多问题,如中国教育史的研究目的和任务、对象和范围,学科体系、历史分期、人物评价、古今关系、史论关系、继承与批判等方面的不同认识和看法,都有机会得以表达。

但在 1957 年反右派斗争和继之而来的 1958 年的大跃进和教育大革命,政治批判代替思想论争和学术讨论,阶级斗争和政治标准第一的观点不断加温,火药味日浓。1958 年 8 月 16 日陆定一发表权威性文章《教育必须与生产劳动相结合》,对中国教育史研究产生了重大的直接影响。文章用相当长的篇幅谈了教育史研究。文章虽然抽象地承认研究教育史的必要性,也指出"中国教育史有人民性的一面",并且列举了从孔夫子到孙中山等 15 位历史人物。但是,文章严厉地批判了"近几年来,我国教育界里广泛地传播着一种'理论',认为教育的主要规律是从教育史的研究中得出来的",并把这种"理论"同反对党对教育工作的领导联系在一起。文章说:"但须知,这种阶级社会历史上教育的规律,并不等于社会主义教育的规律,更不等于中国的社会主义教育的规律。过去几千年的教育,乃是奴隶主手中的教育、地主阶级手中的教育和资产阶级手中的教育。从这样的教育史中找出来的主要规律,是剥削阶级教育的规律。"文章进一步指出:"所谓'教育的主要规律是从教育史的研究中得出来的',其实是借口,把资产阶级的教育思想、教育政策、教育制度、教育方法等原封不动地搬到社会主义制度下来,冒充是社会主义的货色而已。"① 按照这种说法,中国教育史研究的重要目的和任务,是阐明中国教育发展的历史过程,揭示教育发展的客观规律,为社会主义新教育提供历史借鉴,就无从谈起,也就毫无意义了。至于文章中批判的那种"理论"也不知从何而来,出自何人之口,见于哪本论著,就更令人费解,甚至造成人人自危,深恐随时被牵连,列入被批判者之中。经查检,50年代初以来,所有涉及对历史文化教育遗产问题,绝大多数都强调批判地继承,而且重在批判,甚至是只谈批判,不谈继承。正是这种片面性,违背了马克思主义的基本原理和史学方法论。有鉴于此,曹孚提出,"今天的马克思列宁主义教育学,可以而且应该从过去的教育学和教育思想中吸取和继承一些东西",并认为教育遗产中可以有更多的继承性。因此建议"今后各级教育领导应该比从前更多地跟老教育家商量,多向他们请教,老教育家有的是旧教育的经验"。② 这恐怕是当时很难听到的"逆耳之言",然而却是苦口之良药,饱含着新中国一代知识分子的真知灼见和耿耿真情。但这却受到无理的批判和不公正的对待。由此,使许多兢兢业业投入中国教育史学科重建工作的老专家学者闻之心寒,望而生畏,不敢再坦诚相见,直言无忌了。

直到1961年中共中央纠正过"左"倾浮夸冒进之风,陈毅在广州召开的知识分子工作会议上郑重宣布脱掉资产阶级知识分子帽子,戴上工人阶级一分子的桂冠(俗称"脱帽加冕"),知识分子的境况才稍有改善。1961年中央召开了文科教材工作会议,部署文科教材建设和规划,中国教育史列入其中。1962年,在北京师范大学召开了中国教育史研究中若干问题的专题讨论会,邀请首都历史学和教育学界的部分著名学者听取意见,范文澜、林砺儒、陈垣、翦伯赞等到会并发表了许多中肯的带指导性的见解。其后,经过两年

① 《红旗》杂志1958年第7期。
② 《教育学研究中的几个问题》,《新建设》1955年第6期。

的努力，编写成《中国近代教育史》(陈景磐，人民教育出版社 1979
年版)、《中国现代教育史》(陈元晖，人民教育出版社 1979 年版)、
《中国历代教育制度》(顾树森，江苏教育出版社 1981 年版)；科研
工作普遍受到重视，报刊上有关中国近代教育史研究的论文显著
增多，尤其是史料建设得到加强，如修订再版了舒新城《中国近代
教育史资料》等。

　　然而，从 1963 年起阶级斗争的理论再次被突出提出，文艺界、
哲学界、史学界、教育界的大批判接踵而至，中国教育史的正常教
学和研究已无法进行，就连已有的成果也被搁置起来。这预示一个
更加疯狂的时代即将到来，但被埋在土里的中国教育史研究的新
生幼芽，终究要破土而出。

（二）80 年代中国教育史研究的拨乱反正

　　"文化大革命"对中国教育史研究造成了巨大破坏，不仅使新
中国成立以来中国近代教育史研究所取得的进展遭受严重损失，
搞散了队伍，搞坏了学风，搞乱了思想，而且耽误了 10 年宝贵的时
间，影响了一代人，甚至两代人的成长，更留下了诸多方面的后遗
症。这个教训是深重而惨痛的。

　　1976 年 10 月以粉碎"四人帮"为转机，终于结束了给中国人
民带来巨大灾难的十年浩劫。在真理标准问题讨论和中共十一届
三中全会的推动下，拨乱反正向更深层次和各个领域展开，中国教
育史学科取得了可喜的进展。

　　所谓"拨乱反正"，首先是拨去"四人帮"在"文化大革命"中制
造的种种混乱，进而用科学、准确、完整的马克思主义观点和方法
审视、反思已经取得的认识和走过的道路，用实践加以检验。

　　中国教育史学科的拨乱反正是从重新评价孔子的教育思想开
始的。孔子在中国、在教育发展史上、在教育史研究中的重要地位

和影响是无与伦比的。历史上，对孔子的评价或尊或黜，或褒或贬，仁者见仁、智者见智，本属正常现象，但又往往会产生牵一发而动全局的影响，这对中国教育史学科而言更是如此。1978 年以来，尤其是 80 年代初，陆续发表一批重新评价孔子教育思想的文章，涉及孔子教育思想诸多方面，以及评价的方法论问题，重点在于把被"四人帮"颠倒的东西重新颠倒过来。由此，推动了中国教育史学科拨乱反正的全面展开。

1979 年人民教育出版社出版陈景磐编著的《中国近代教育史》、陈元晖编著的《中国现代教育史》，以及 1981 年由江苏教育出版社出版的顾树森编著的《中国历代教育制度》。这些教材或专著都完成于 60 年代初，反映了新中国中国教育史研究的代表性成果，竟然被搁置近 20 年，真是可悲之极。这些教材或专著得以出版，一方面是应高校恢复招生后教学上的急需，更是中国教育史学科拨乱反正的重要标志，肯定了"文化大革命"前中国教育史学科的成果和一批老专家学者做出的积极贡献。

1979 年中国教育学会全国教育史研究会成立，一批老专家学者担任了研究会的领导工作，组织和团结全国教育史工作者在拨乱反正的基础上进行中国教育史的学科建设。

在中国教育史学科拨乱反正的进程中，学术研讨十分活跃，对中国教育史学科的若干基本理论问题进行了再认识，在恢复和肯定五、六十年代取得的基本共识的基础上，取得了不少新进展。如关于中国教育史研究的目的任务，强调要研究中国教育发展的历史过程，展现丰富珍贵的教育遗产，反对历史虚无主义。关于研究对象和范围，强调突出专史特点，应以学校教育为主，兼及社会教育；以汉民族教育为重点，加强少数民族教育史研究。中国教育史研究对象和范围应适当扩展，但不能泛化为政治史、哲学思想史、社会文化史。关于教育历史遗产的批判继承，强调了继承的可能性和必要性，强调批判应当是分析，强调古为今用，不是简单对号，而是提供借鉴。关于史与论的关系,强调了史论结合、史论统一,尤其强调了以史料为基础,以史实为依据的重要性。关于中国教育史的历史分期和学科体系问题,提出了以教育本身发展为主线划分阶段和建立学科体系的设想,力图改变以政治斗争、革命运动为主线的传统做法,也开始了某些尝试,但并未取得根本性的进展。

80 年代中国教育史学科的拨乱反正所取得的有代表性的成果相当丰富,最突出的是毛礼锐、沈灌群主编的《中国教育通史》(6 卷本,山东教育出版社)和沈灌群、毛礼锐主编的《中国教育家评传》(3 卷本,上海教育出版社 1988 年、1989 年版)。两部巨著的编写开始于 1984 年,1989 年全部出齐。这两部书的共同特点是集中吸收了新中国成立以来乃至以前几代学者研究的成果,充分反映了拨乱反正获得的新认识、新思路。中国近代教育史研究有了突出的新进展,如突出了近代新教育发生发展的主体线索,在近代教育的半殖民地半封建性质的前提下,尽量揭示中国教育近代化的历程和进展;对教会教育在指出其文化教育侵略的本质之后,实事求是地说明它对中国新教育发展在客观上产生的积极影响;对洋务教育、维新教育、清末朝廷的教育改革,以至北洋军阀时期、国民政府时期的教育也进行了比较客观公正的评价;对过去被全盘否定或基本否定的教育家,如张之洞、康有为、梁启超、严复、胡适、梁漱溟、晏阳初等也给予了足够的肯定性评价,对蔡元培、陶行知、陈独秀、黄炎培、陈鹤琴更突出了其卓越的贡献。这些都比五、六十年代有了较大的突破,标志着中国教育史,尤其是近代教育史的拨乱反正向更深更新的层次上迈进了一大步,为 90 年代中国教育史研究奠定了更健康更坚实的基础。

(三) 90 年代中国近代教育史学的大发展

90 年代中国教育史研究发展之快,进展之大,成果之丰都是

空前的。尤其是中国近代教育史的研究取得更为明显的进展,达到
了更新更高的水平。

　　首先,对中国近代教育发展的主线与基本矛盾的再认识。有的
学者指出:中国近代教育史是中国资产阶级新教育发生发展的历
史,然而中国资产阶级新教育是在特殊的历史条件下和环境中产
生和发展的。一方面继承和发扬了中国古代教育中原始民主思想
和经世致用的传统,一方面学习和引进西方资产阶级的科学、民主
思想和新式教育制度。继承和发扬中国古代教育的优良传统和优
秀遗产,始终是在揭露、批判封建教育的腐朽性、反动性,不断同封
建复古主义的激烈斗争中进行的。学习、引进西方资产阶级新教育
是在外国列强武力入侵,大肆进行殖民主义扩张和文化教育侵略
的背景下开展的。因此,继承发扬优良传统和优秀遗产同清除封建
流毒和反对复古,学习西方资产阶级新教育同反对列强侵略,始终
交织在一起;反帝反封建的革命同富国强兵和科学民主的近代化
进程融入一个历史过程。[①] 这一认识对于克服过去对中国近代教
育发展史认识上的单一性和片面性很有启发。

　　其次,对资产阶级新教育的本质和历史价值的认识有了新的
进展。研究者从人类文明发展历程的大背景下认识资产阶级新教
育,指出:人类文明的发展历程经过了相互叠进的四大文明高峰
——原始氏族文明、奴隶制文明、封建文明和资本主义文明。资本
主义文明经过长期的发展逐步战胜取代了封建文明。资本主义文
明比封建文明更加先进,创造了人类文明史上的新高峰。资产阶级
教育在教育目标、教育对象、教育内容、教育方法和教育途径等方
面都远优于封建教育。中国近代教育史上推动资产阶级教育战胜
和取代封建教育的种种努力,包括传播的各种进步理论和思潮,所

---

① 参见王炳照、阎国华主编:《中国教育思想通史》第 5 卷绪论,湖南教育出版社 1994
　　年版。

采取的各项措施，为此做出努力的人物，都应给予不同程度的肯定，受到应有的赞誉和尊重。有了这种基本认识，对中国近代教育史上制定的各项制度、创建的各种教育机构和设施，活跃在各个领域中的人物，在评价上就有了更科学更合理的依据和尺度。

　　理论水平和思想认识的提高正是思想进一步解放的标志和成果，也是实事求是的科学方法论和科学态度的体现。这应该是中国近代教育史研究最可喜、最可贵、最值得珍惜的进步和成果。

　　近 10 年来，中国近代教育史的著述数量之多、质量之高、范围之广超过中国近代教育史研究开展以来 70 年之和。最有代表性的成果有多种，现仅列举三种：

　　一是全国哲学社会科学"八五"重点课题，田正平主编的"中国教育近代化研究"系列丛书（广东教育出版社 1996 年版）。全书包括《近代西方教育理论在中国的传播》、《中国近代学制比较研究》、《留学生与中国教育近代化》、《中国近代教科书发展研究》、《教会学校与中国教育近代化》、《从湖北看中国教育近代化》、《从浙江看中国教育近代化》等 7 项专题研究。这些研究从教育观念、教育理论、教育制度、教育内容和教育方法等各个层面，"深入探讨中国教育从传统走向近代的各个层面的深刻变化过程，探讨新式教育的产生、发展与社会转型的内在联系，总结前辈教育家在吸收融合外来文化教育、改造陈旧传统教育、建立和发展新式教育过程中积累的经验教训，展现百余年来中国教育走向世界的艰难曲折历程"。① 该书作者指出：所谓中国教育的近代化，"它指的是近代资本主义兴起之后，通过多次的教育改革，学习、借鉴西方教育经验，改造、更新传统教育，努力赶上世界先进教育水平的历史过程。……中国教育近代化是以西方教育为模式的，但是近代化并不等同于'西化'。我们的前辈在吸收西方教育经验时，表现出强烈的

---

① 章开沅：《中国教育近代化研究》总序，第 2 页。

'选择性'和为我所用、解我急需的实用理性精神。……中国教育近代化正是在对传统教育影响和西方教育认知的双重'过滤'和'选择'中艰难地推进并呈现出自己的特点,不仅与西方先进资本主义国家所走的道路不同,而且与同属后进国家之列的日本和俄国也大异其趣"。① 这一认识达到了一个新高度和新深度。以这种认识来考察中国近代教育发展进程中的人物、事件,才能得出科学、公正的结论,才能避免研究中的简单化和片面性。

二是中华社会科学基金"八五"重点课题,王炳照、阎国华主编的《中国教育思想通史》。全书共 8 卷,5 至 8 卷为中国近代教育思想史。这项研究是中国教育史学科创建以来,在专门研究中国教育思想史方面最为系统、分量最重的一项成果。在研究中国教育思想史的著述中,近代教育思想研究所占比重也是最大的。这项研究突破了以单个人物为对象的研究模式,而采用以教育思潮、教育思想流派为对象的方式,对早期改良主义教育、洋务教育、维新教育、革命民主主义教育、留学教育、女子教育、国民教育、军国民教育、职业教育、美感教育、工读教育、科学教育、平民教育、国家主义教育,特别对实用主义教育思潮和马克思主义教育学说分别进行了专门研究,分别对其产生的背景、思想内容作了深入探讨,着重评析其在中国教育近代化历程中的地位和作用、产生的影响和贡献,使人们更清晰地了解中国新教育产生和发展的全程和全貌。著名学者张岱年先生称这部著作的突出特点在于"展示中华民族的真精神"。②

三是全国教育科学"八五"规划国家教委重点课题,宋恩荣主编的《中国近现代教育家系列研究》。该书对 27 位在中国近代教育史上有重要影响的教育家专门进行了研究。其中除以往研究较多

---

① 田正平:《中国教育近代化研究》总前言,第 7—8、12—13 页。
② 《光明日报》1994 年 11 月 4 日。

的教育家,如康有为、梁启超、蔡元培、陶行知等之外,还精心选择了一些过去很少或从未研究过的教育家,如蒋梦麟、胡适、梅贻琦、张謇、俞庆棠等。书中指出:"他们在各自实践的领域对教育事业做出了这样或那样的贡献,或者继承和弘扬中国传统文化中的优秀遗产,或者介绍西方的科学技术、民主思想、公民意识。他们在传播知识、提高民族文化素质、培养革命和建设人才、推动社会进步方面的功绩是不能埋没的。"① 这套书对教育家的教育实践活动和思想理论都作了充分的阐发和客观公正的评价,较之以往的研究有了突破性的进展。

此外,在全国教育科学"九五"规划立项中,特别加强了近代教育史研究的项目,如区域教育研究、教学改革实验研究、义务教育史研究等。

新民主主义教育发展史的研究受到特别的重视,取得了可喜的进展。董纯才主编的《中国革命根据地教育史》(教育科学出版社1991 年版)全面系统地总结了在中国共产党领导下,坚持马克思主义理论与中国教育实际相结合,开展新民主主义教育的伟大实践,及其取得的惊人成就和积累的宝贵经验。

采用中外比较的方法研究中国近代教育史是一种新的尝试。80 年代有陶愚川的《中国教育史比较研究》(第 2、3 卷为近代部分,山东教育出版社 1985 年至 1988 年版)。该书对中外近代教育史做了比较研究,但尚未形成系统。90 年代,由张瑞璠、王承绪主持的大型项目《中外教育比较史纲》(山东教育出版社 1997 年版),在 3 卷宏著中有两卷是近代教育比较,涉及的方面十分广泛,如中外启蒙教育思想的比较、清末教育改革与日本明治维新教育改革的比较,20 世纪二三十年代中国与西方教育思潮的比较,中外近代高等教育的比较,中外近代普及义务教育的比较,中外近代中等

---

① 戴逸:《中国近现代教育家系列研究》"序言",辽宁教育出版社 1995 年版,第 3 页。

职业技术教育和师范教育、女子教育、教育行政管理体制的比较等。不仅为研究近代教育发展提供了一个新视角,而且使中国近代教育史学科增添了一个新的研究领域。

加强史料建设也成为近 10 年来中国近代教育史学科大发展的重要标志。中国近代教育史的史料建设早已引起人们的重视,二三十年代就有舒新城编纂的《近代中国教育史料》(共 4 册,上海中华书局 1928 年版)问世。其后却长期很少有人继续从事这类基础性工作。90 年代以来才引起人们广泛的注意,取得了空前的进展,成果丰硕。最有代表性的中国近代教育史料有:

朱有瓛主编的《中国近代学制史料》(共 4 辑 7 个分册,华东师范大学出版社 1983 年至 1993 年版),选辑的史料时限为清末至民国初年。各辑分列若干专题,每个专题以纪事本末的方式排列。除选取当时有关人士的教育主张和政府的教育谕折、法令、规程之外,着重收取了当时学校教育实况方面的资料,成为全书的一大特色,史料之详备极为突出。

《中国近代教育史资料汇编》(上海教育出版社 1991 年至 1997 年版),采用"专题为纲、年代为目"和"年代为纲,专题为目"两种体例。前一种体例分列学校制度、普通教育、高等教育、职业技术教育、教育行政与教育团体、教育家的思想与活动、留学教育;后一种体例分列鸦片战争时期、洋务运动时期、戊戌变法时期的教育史料。按专题分列的各分册,资料重点在民国初年,但有一部分也与按年代分列各册有重复。实际上,如果戊戌变法前按年代分列,民国之后按专题分列也许会更好些。

叶立群、吴履平主编的"中国近代教育论著丛书"(人民教育出版社 1994 年至 1998 年版),选辑 1912 年至 1949 年前的重要教育论著,以教育家立卷,择其有代表性的论文、讲演、书信、日记、序跋、教育改革建议、教育实验和调查报告,以及专著节录等。这套丛书对读者全面了解和研究中国近代教育的发展过程,各个历史阶段的主要教育思潮和流派及其论争状况，极有帮助。列入这套丛书的教育家有蔡元培、陶行知、俞子夷、廖世承、俞庆棠、雷沛鸿、梅贻琦、郑晓沧、晏阳初、经亨颐、黄炎培、李建勋、傅葆琛、陈鹤琴、胡适、陈独秀、梁漱溟、陈宝泉、蒋梦麟、舒新城、张伯苓、庄泽宣、陆费逵、孟宪承等。

此外，还有多种革命根据地和老解放区的教育史料，以及日伪侵华教育资料。

史料建设为中国近代教育史研究提供了充分的资料保证，使研究工作有了更坚实的基础。

随着中国教育史学科的大发展，人们开始思考教育史研究本身的历史，提出了创建中国教育史学史的设想，并着手进行了卓有成效的工作，取得了可喜的成果。杜成宪、崔运武、王伦信所著《中国教育史学九十年》（华东师范大学出版社 1998 年版）一书对中国教育史学科自 1902 年至 1993 年 90 年的历史做了系统的研究，把中国教育史研究大体上划分为新中国成立前后两大阶段，对不同历史阶段中国教育史研究的基本状况、取得的成就、代表性成果、主要特点、探讨的主要问题、存在的缺憾都有明晰的表述。史料依据充分准确、评说妥帖平实，达到了相当成熟的水平，表明中国教育史学科的发展进入了一个更自觉的阶段。

90 年代的中国教育是中国教育史上最好的发展时期，也是中国教育史研究最好的时期。在 20 世纪即将结束，21 世纪的脚步正在走近的时刻，中国教育将以新的姿态在社会主义现代化中发挥更大的作用，中国教育史研究将获得更好的发展机遇和环境，我们应做更大的努力。

50 年来，中国近代教育史研究和学科建设取得了重大进展。但是，同整个近代史研究，同近代史领域中其他学科所取得的进展相比，又显得有许多不足，反映中国近代教育史学科自身特点和内在规律的突破性进展尚嫌薄弱，主要表现在中国近代教育史研究的理论体系和方法论体系缺乏专门、集中的探讨,大部分靠跟踪、借鉴中国近代通史或其他专门史的一般性理论体系和方法论体系,如中国近代教育史的性质和特征、基本矛盾、发展的基本动力和内在规律、历史分期及其科学依据、基本概念和范畴体系、独特的研究方法及方法论体系的运用规范等问题,均缺乏深入的探讨和明晰的回答。究其原因,主要是专门、集中地开展这方面的讨论不够充分。1980 年 12 月,全国教育史研究会举行过"中国教育史学科体系"研讨会,限于当时中国教育史教学和研究处在刚刚恢复阶段,如此重要的问题并未展开讨论。

50 年来,中国近代教育史研究的另一个不足,是对当代教育改革实践的发展关注程度不够。由于十年浩劫中"四人帮"大搞影射史学,将史学研究引向为其罪恶的目的服务,破坏了史学的优良传统,并且留下了后遗症,致使史学研究应当关注现实,为现实服务的精神也被淡化了。其实,这是一个认识上的误区。史学研究的生命力很大程度上在于它关注现实,有造诣的史学家都有强烈的现实感。这是马克思主义史学的原则,也是中国史学的优良传统。中国近代教育史研究应当更关注和贴近教育改革的实际,为之提供历史借鉴。如关于中国教育体制改革问题、多种办学模式问题、教学改革实验、引进国外教育经验问题、面向 21 世纪教育发展问题等,中国近代教育史研究可以提供很多可资借鉴的经验教训,使中国近代教育史研究有更多用武之地。

中外关系史[*]

如同中国近代史研究的其他领域一样,近代中外关系史研究 50 年来的发展过程是与中华人民共和国的政治发展进程密切相关的。一方面,政治形势的发展为近代中外关系史的研究提出命题,并提供相应的适宜的环境,而研究结果也大致反映了这一时期社会对某一问题的认识;另一方面,近代中外关系史的研究又在一定程度上影响着社会的认识,对人们正确认识外部世界也发挥着积极的影响,这在最近 20 年来的改革开放时期尤其如此。

因此,与人民共和国的发展史划分大致同步,50 年来近代中外关系史研究的发展过程显然也可分为两个阶段,即以 1978 年为界,分为从 1949 年到"文革"结束的 30 年和改革开放以来的 20 年。以下,将简要叙述 50 年来这一学科的发展过程,并着重评述在若干重要问题上的研究进展。

---

* 本章参考了夏良才:《近代中外关系研究概览》(天津教育出版社 1991 年版)、曾景忠编:《中华民国史研究述略》(中国社会科学出版社 1992 年版)、刘蜀永:《建国后近代中外关系史研究概述(1949-1988)》(《史学集刊》1989 年第 3 期),以及其他若干专题研究的述评,恕不一一列出。张振鹍先生对本篇的修改曾提出若干宝贵意见。

（一）发展概况

在中华人民共和国建立后相当长的一段时期内，近代中外关系史的研究以帝国主义侵华史为主要内容。出现这一现象，主要有两个方面的原因：第一，近代以来，积贫积弱的中国在对外交往中不断遭受列强的侵略，帝国主义的侵华客观上构成了中外关系史的一个重要内容。因此，研究帝国主义侵华史是学科本身的必然要求。第二，在东西方冷战的大背景下，教育人民正确认识历史，认清帝国主义本质便成了历史学家的一个重要任务。因此，研究帝国主义侵华史也是政局发展提出的要求。

这一时期出版的较有影响的综合性著作有胡绳著《帝国主义与中国政治》（生活·读书·新知三联书店 1950 年版），[1] 丁名楠、余绳武、张振鹍等人著《帝国主义侵华史》第 1 卷（科学出版社 1958 年版）。《帝国主义与中国政治》抓住帝国主义侵略中国、反对中国独立和反对中国发展资本主义这一主线，论述了鸦片战争后 80 多年间民族矛盾和阶级矛盾的发展和变化，提出了许多精辟见解。《帝国主义侵华史》对 1840 年至 1895 年间帝国主义的入侵、中国半封建半殖民地社会的形成等重大问题进行了认真的探讨。该书集众专家之力，无论在史实考证、史事叙述还是在总体构架方面都具有学术著作的规范。在改革开放后陆续面世的中外关系史通史专著中，我们仍能看到这一著作的影响。此外，胡滨的《十九世纪末叶帝国主义争夺中国权益史》（生活·读书·新知三联书店 1957 年版）有力地揭露了甲午战后帝国主义在瓜分中国的浪潮中既勾结又争夺的情况。

---

[1] 该书及后述其他一些著作在 1949 年以前已经出版，但其主要传播期和发生重要影响时期是在此之后。本篇依 1949 年后修订出版的最初年份列出。

　　在对各帝国主义国家侵华活动的研究中,50 年代着力最多的当是美国侵华史,这多半因为美国是当时与中国最为敌对的国家。其中最具影响的有两种:刘大年的《美国侵华史》(人民出版社 1951 年版)阐述了 1840 年后的 100 多年中,美国从追随别国侵略到独力侵略,进而企图独占中国的过程;卿汝楫的 2 卷本《美国侵华史》(生活・读书・新知三联书店 1952、1956 年版)的一大特点,是使用了大量美国的档案资料,参考了许多美国学者的著作,这在当时很不容易。这两种著作主要从政治史角度着眼,钦本立的《美国经济侵华史》(世界知识出版社 1954 年版)则从经济史角度揭露了美国的侵华活动。

　　基于同样的背景,50 年代的中苏关系研究则以宣传中苏友好为主旨,出版了曹锡珍的《中苏外交史》(上海世界知识出版社 1951 年版)和彭明的《中苏友谊简史》(中国青年出版社 1955 年版)等专著。在特定历史条件的限制下,这一时期的论著只讲苏联对华援助和友谊,不谈苏联对中国的伤害,也不提沙皇俄国对中国的侵略。60 年代中后期,由于中苏关系急剧恶化,有关沙俄侵华史的研究便发展起来。其中最有影响的著作当为中国社会科学院近代史研究所集体撰写的《沙俄侵华史》(共 4 卷,至 1978 年出版 2 卷),它详细地叙述了沙俄对中国的军事、政治和经济侵略,内容丰富,史料翔实。此外,比较有影响的著作还有复旦大学历史系的《沙俄侵华史》(上海人民出版社 1975 年版)和吉林师范大学历史系的《沙俄侵华史简编》(吉林人民出版社 1976 年版)等。

　　但对于近代史上长期扮演侵华领头羊角色的英国以及后起而侵华最烈的日本,却缺乏系统研究,对它们的研究主要集中于两次鸦片战争和甲午战争。这一时期先后出版了鲍正鹄的《鸦片战争》(新知识出版社 1954 年版)、魏建猷的《第二次鸦片战争》(上海人民出版社 1955 年版)、蒋孟引的《第二次鸦片战争》(生活・读书・新知三联书店 1965 年版)、贾逸君的《甲午中日战争》(新知识出版社 1955 年版)、陈联芳的《朝鲜问题与甲午战争》(生活·读书·新知三联书店 1959 年版)、戚其章的《中日甲午威海海战》(山东人民出版社 1962 年版)等。至于对其他国家的研究则更为薄弱。

与帝国主义侵华史相呼应的是中国人民反侵略斗争史。这方面较有影响的有陈锡祺的《广东三元里人民的抗英斗争》(广东人民出版社 1956 年版)、李时岳的《近代中国反洋教运动》(人民出版社 1958 年版)、周明绮的《1905 年的反美爱国运动》(中华书局 1962 年版)等。

这一时期近代中外关系史研究所取得的成就具有开创性的意义。研究者运用马克思列宁主义的基本理论，突破了 1949 年前关于外交史研究的旧的框框，建立了新的以马克思列宁主义为指导的学科体系。这一时期的研究涉及近代中外关系的若干重大事件，勾画出了近代中外关系发展的基本线索，搭建了学科的基本框架，为学科的进一步发展奠定了基础。

毋庸讳言，这一时期的研究不可避免地受到了在当时中国政治进程中不时占据主导地位的"左"的思想的影响。中外关系发展的丰富而复杂的内容基本上被侵略和反侵略模式所涵盖。除此以外的许多方面，则无法进入研究者的视野。而且，即便是关于帝国主义侵华史的研究，也受到政治风潮的冲击。如《帝国主义侵华史》第 1 卷出版后不久，便在一定范围内成了靶子。有人指责该书犯了方向性错误，声称解放了的中国人民需要的是"扬眉吐气史"，而不是"挨打受气史"。于是，研究组被撤销，以致直到 20 多年后，该书的第 2 卷才得以与读者见面。

给近代中外关系史研究带来勃勃生机的是新时期的改革开放。它既向研究者提出了如何全面认识外部世界的研究课题，也给他们创造了一个大为宽松的学术环境。同时，随着中国社会的全面对外开放，中外文化交流获得极大发展，中国学者能够直接了解西方社会，从而大大地开阔了视野。中外关系史学科由此出现了繁荣的景象。

　　这一时期,出现了多种近代中外关系史的综合性著作。除前述《帝国主义侵华史》第 2 卷(人民出版社 1986 年版)和《沙俄侵华史》第 3、4 卷(人民出版社 1981、1990 年版)陆续出版外,一批以中外关系史或外交史冠名的通史性著作也纷纷面世。根据狭义上的近代史划分,叙述清末到 1919 年间(个别的到 1911 年或 1949 年)的中外关系史的著作有:刘培华的《近代中外关系史》(北京大学出版社 1986 年版)、顾明义的《中国近代外交史略》(吉林文史出版社 1987 年版)、王绍坊的《中国外交史(鸦片战争至辛亥革命时期)》(河南人民出版社 1988 年版)、杨公素的《晚清外交史》(北京大学出版社 1991 年版)、赵佳楹的《中国近代外交史》(山西高校联合出版社 1994 年版)、唐培吉主编的《中国近现代对外关系史》(高等教育出版社 1994 年版)等。这些著作对清末民初近代中外关系史上的重大事件进行了比较系统的清理和阐述。这些外交通史性著作有一个共同的特点,即它们都无一例外地是在高校教学讲义的基础上修改而产生的。

　　相对来说,民国时期外交史的研究则是一个比较新兴的领域。其综合性专著的出版在时间上普遍晚于研究清末的专著,大抵都在 90 年代。其中,比较有影响的有:吴东之主编的《中国外交史(中华民国时期)》(河南人民出版社 1990 年版)、① 石源华的《中华民国外交史》(上海人民出版社 1994 年版)、杨公素的《中华民国外交简史》(商务印书馆 1997 年版)等。程道德主编的《近代中国外交与国际法》(现代出版社 1993 年版)系由多位学者分别撰写专题,从国际法的角度研究近代中外关系史,颇具新意。

---

① 它与前述王绍坊、赵佳楹的著作,都是在五、六十年代外交学院教材的基础上改写的。因该教材当时系内部印行,且此次公开出版时作了较大幅度的修改,故将其列入新时期的著作。

由于研究者所掌握外语语种及个人精力的限制,更大量的研究也可以说更为深入的研究是按国别而分类进行的。在双边关系史研究中,已经出版的比较有影响的通史性著作有:陶文钊的《中美关系史(1911—1950)》(重庆出版社 1993 年版),张振鹍、沈予等的《日本侵华七十年史》(中国社会科学出版社 1992 年版),张声振的《中日关系史》第 1 卷(吉林文史出版社 1986 年版),向青、石志矢、刘德喜主编的《苏联与中国革命》(中央编译出版社 1994 年版),刘志清的《恩怨历尽后的反思——中苏关系 70 年》(黄河出版社 1998 年版),萨本仁、潘兴明的《20 世纪的中英关系》(上海人民出版社 1996 年版),马振犊、戚如高的《蒋介石与希特勒——民国时期的中德关系》(台湾东大图书公司 1998 年版)等。在双边关系史研究中,更多的是若干高水平的阶段性或专题性著作,将在以下的专题综述中予以介绍。

(二)专题综述

以往的研究综述大多是按国别分类进行的。但是,作为中外关系史整体研究的概述,如果也采用这一办法,一是担心多达四五条双边关系线索并行,不易使人看清中外关系发展的总的进程,二是若干重大事件涉及多国,若分国别叙述,就可能出现或叙述不完整或重复叙述的现象。因此,本章试图大体按照历史事件的时间顺序展开综述,以便读者对近代中外关系发展的总体走向有一印象。①

1. 鸦片战争与近代中外不平等关系的开端

有关鸦片战争的进程,已经出版了几部很有影响的论著,如牟

---

① 近代中外关系内容十分宽泛,如果把近代史上中外之间的历次战争都包括在内,几乎可以说,一部近代中外关系史等于半部近代史。鉴于本书对于近代史研究的各个专题都有综述,为避免重复,本章将择要论述。

安世的《鸦片战争》(上海人民出版社 1982 年版)、陈胜粦的《林则徐与鸦片战争论稿》(中山大学出版社 1985 年版)、茅海建的《天朝的崩溃——鸦片战争再研究》(生活·读书·新知三联书店 1995年版)、萧致治主编的《鸦片战争史——中国历史发展中第三次社会大变革研究》(福建人民出版社 1996 年版)等。这方面的研究澄清了若干基本史实,提出了不少新的见解。[1]

关于英国发动鸦片战争的原因,历来存在着为保护对华鸦片贸易和为开展对华自由贸易两种观点,中外学者一般分持前后两种不同看法。近年来有学者提出这两种因素兼而有之的双重动因说,并指出前者是一段时间内起重大作用的直接因素,后者则是长远起作用的根本因素,是基本动因。[2]

在论及清政府对待鸦片贸易的态度时,很长时期内一直认为有严禁派和弛禁派之分。80 年代中期,一些学者提出不同意见,认为道光皇帝一直是主张严禁鸦片的;清政府内只有禁烟策略之别,而无弛禁派和严禁派之分;统治集团中也不存在一个鸦片利益集团。[3]同样,在论及清政府对待英国侵略的态度时,以往都将它与抵抗派同投降派之间的斗争相联系。现在,一些学者注意到,不少鸦片战争前期痛言主剿的"英雄",后期都变成了高唱主和的头面人物。他们认为不应简单地把主张和谈视为投降,并以此划分抵抗派和投降派。[4]

1841 年 1 月,英军在强占香港时曾宣称,中英之间已订立割

---

[1] 如有关各次战役的兵力对比,三元里人民的抗英斗争是不是自发的等。虽然从广义上讲,这些问题也属中外关系史的考察范围,但篇幅所限,只能从略。

[2] 刘存宽:《试论英国发动鸦片战争的双重动因》,《近代史研究》1998 年第 4 期。

[3] 郦永庆:《有关禁烟问题的几点新认识》,《历史档案》1986 年第 3 期;林敦奎、孔祥吉:《鸦片战争前期统治阶级内部斗争新探》,《近代史研究》1986 年第 3 期。

[4] 郦永庆:《从档案看鸦片战争时期清政府的对外政策》,《历史研究》1990 年第 2 期;茅海建:《天朝的崩溃》第 3 章。

让香港的川鼻草约。中外史学界曾长期沿袭这一说法。在 80 年代，有研究者通过考证指出，所谓"川鼻草约"，是英方单方面制定的条文，琦善并未在该草约上签字。英军是在没有条约依据的情况下强占香港的，后来通过《南京条约》确认了抢夺的成果。①

在英国人迫使中国签订《南京条约》及相关协定之后，美国人和法国人步其后尘，也陆续和中国订立了《望厦条约》和《黄埔条约》。学者们对这三个条约的共识是：这是中国近代史上的第一批不平等条约。这些条约使当时世界上最先进的几个资本主义强国初步进入中国，开始把古老的中国纳入近代世界，并由此改变了中国社会发展的进程及方向，使它从一个完全的封建社会走向半封建半殖民地社会。

2. 不平等条约体系的形成和发展

对于不平等条约的研究一直是近代中外关系史的重要内容之一，进入 90 年代后更形成一个热点。坦率地说，这其中有一些属于赶潮应景之作，但也不乏一些具有新意的学术论著。如吴孟雪的《美国在华领事裁判权百年史》（社会科学文献出版社 1992 年版）和李育民的《近代中国的条约制度》（湖南师范大学出版社 1995 年版）。

关于不平等条约的发展，比较一致的看法是：第二次鸦片战争后中国与英、美、法、俄订立的《天津条约》和《北京条约》，极大地扩充了列强在华特权，不平等条约由此初步形成体系。甲午战争后的《马关条约》使日本得到西方列强在华已有的一切特权。该条约还反映出列强向中国输出资本的要求，成为外国资本主义侵略转向帝国主义侵略的一个重要标志。此后不久便出现了列强近乎要瓜分中国的一系列不平等条约。义和团运动失败后的《辛丑和约》则使不平等条约体系完整化，标志着帝国主义在华半殖民地统治的

---

① 胡思庸、郑永福：《川鼻草约考略》，《光明日报》1983 年 2 月 2 日。

确立。①

　　随着研究的深入,学者们发现,在列强所获得的特权中,竟有一些是清政府官员主动出让的。究其原因,是由于长期的闭关锁国,清政府对若干近代国家主权概念茫然无知,以至丧失国家重大利权而不自觉。如领事裁判权的出让,初意只是想把涉外案件中的麻烦推给外人,以减少中外司法纠纷。而片面最惠国待遇的给予,除了显示恩惠公平赐予的"天朝"心态外,希望列强因此互相牵制也是一个重要原因。②

　　对于长期以来一直存在的一些模糊概念,学者们予以澄清。如关于不平等条约的数目,一直流传着 1100 多个的说法,并为国务院新闻办公室 1991 年的《中国的人权状况》白皮书所采用。有学者指出,这是对《中外旧约章汇编》的错误理解。首先,该书所收入的1100 多个文件并非都是条约;其次,该书所收条约也并不都是不平等条约。因此,1100 多个不平等条约的数目是不能成立的。③

3. 太平天国时期的中外关系④

　　茅家琦的《太平天国对外关系史》(人民出版社 1984 年版)对此作了较系统的研究。该书不同意有关列强从一开始就与清政府勾结在一起对付太平军的说法,认为列强在相当长的时期内采取的是中立政策,直到 1862 年列强才决心公开镇压太平天国。作者还指出,太平天国在对外事务中也犯有错误,曾经漫不经心地把一

---

① 张振鹍:《论不平等条约——兼析〈中外旧约章汇编〉》,《近代史研究》1993 年第 2
　　期;李育民:《近代中国的条约制度》绪论。
② 茅海建:《天朝的崩溃》第 7 章;郭卫东:《近代中国利权丧失的另一种因由——领事
　　裁判权在华确立过程研究》,《近代史研究》1997 年第 2 期;《片面最惠国待遇在近
　　代中国的确立》,《近代史研究》1996 年第 1 期。
③ 张振鹍:《论不平等条约——兼析〈中外旧约章汇编〉》,《近代史研究》1993 年第 2
　　期。
④ 详见本书有关章节。

些国家主权出让给西方列强。这一看法得到许多学者的认同。①

4. 日本侵华政策的缘起与发展

1874 年，日本对台湾发动侵略，但未能实现武力征服，中日双方在妥协的基础上达成了《北京专条》。以往的研究总是把注意力放在"丢失"琉球和赔款问题上。近年来，有学者对此做出更为准确的研究，指出中日这场斗争所要解决的根本问题是：台湾特别是台湾东部地区是不是中国的领土。日本以征伐"无主之地"的名义出兵，并在交涉中反复重申这一观点，清政府对此屡加驳斥。最后日本不得不在专条中确认了中国对台湾的主权，英、美等国外交代表也明确表态承认台湾为中国领土。中国在台湾的主权问题由此而得到澄清。②以往认为，专条默认了日本对琉球的主权。有学者指出，这是对条文的错误理解。清政府在交涉中一直不承认琉球船民为日本国属民，条约中的"日本国属民"并非指琉球船民，而是确指在台湾遭劫的日本人，从专条中并不能得出清政府承认日本在琉球拥有主权的结论。但日方后来有意作歪曲的解释。因此，琉球系日本蓄意侵略而亡，并非专条所断送。③

日本的大陆政策是贯穿近代日本对外关系史的一条主线，中国是这一政策的最主要的受害者。关于日本大陆政策形成的时间，有人认为形成于明治初年，明治天皇要"开拓万里波涛，布国威于四方"的"御笔信"，定下了对外扩张的基调，同时计划分五步实施，即陆续征服台湾、朝鲜、满蒙、全中国、全世界。④另一种观点认为，大陆政策形成于山县有朋内阁时期，其标志是 1890 年山县有朋的《施政方略》提出了日本的"主权线"和"利益线"问题，这是日本对

① 王庆成：《太平天国的对外关系和国际观念》，《历史研究》1991 年第 1 期。
② 张振鹍：《关于中国在台湾主权的一场严重斗争》，中国史学会、台湾研究会编：《台湾史研究论集》，华艺出版社 1994 年版。
③ 陈在正：《1874 年中日〈北京专条〉辨析》，载《台湾史研究论集》。
④ 万峰：《日本近代史》第 7 章，中国社会科学出版社 1978 年版。

外扩张的基本理论。[①]

甲午战争是日本侵华史上的重要的里程碑,新兴的日本终于打败了腐朽的老大帝国,一跃而为对中国威胁最大的侵略国家。因此,甲午战争一直是研究19世纪中日关系的最大热点。改革开放后陆续出版的专著有戚其章的《甲午战争史》(人民出版社1990年版)和《甲午战争国际关系史》(人民出版社1994年版),孙克复、关捷的《甲午中日海战史》和《甲午中日陆战史》(黑龙江人民出版社1981、1984年版)等。学者们对战争的起因、进程及结局对中国所产生的巨大影响,对列强的纵横捭阖作了深入的研究。

5. 反洋教斗争与义和团运动

教案或称"反洋教斗争",连绵不断数十年,构成了近代中外关系中不可回避的一个特殊内容。对于教案的起因,比较一致的看法是,这是中华民族与帝国主义之间的矛盾不断激化的产物。也有人指出,教案是各种矛盾错综交织的产物,不能只讲民族矛盾而忽视别的因素,如基督教与中国封建政教礼俗的矛盾、中西文化的差异和冲突等。[②]对于反洋教斗争的性质,分歧较大。有人认为,反洋教斗争既具有反侵略性质,也具有农民革命的性质。[③]另一些人认为,参加反洋教斗争的社会力量非常广泛,而地主阶级人物往往充当倡导者。因此,不能称之为农民革命。而且,反洋教运动虽以反

---

① 米庆余:《近代日本大陆政策的起源及其形成期的特征》,中国日本史学会编:《日本史论文集》,辽宁人民出版社1985年版。

② 覃光广、冯利:《关于中国近代教案研究方法的反思》;吴金钟:《近代中国教案史研究综述》,均见四川省哲学社会科学联合会等编:《近代中国教案研究》,四川省社会科学院出版社1987年版。

③ 牟安世:《中国人民反对外国教会侵略的斗争和中国近代史的主要线索》,《社会科学研究》1985年第4期;《再论中国人民反对外国教会侵略的斗争和中国近代史的主要线索》,《近代史研究》1990年第2期。

侵略为主流,但免不了盲目排外的举动,常常是以封建主义的文化意识去对抗资本主义的文化意识,因而,它又始终带有反进步的因素。①

同样的分歧也出现在对义和团的评价上。一些人指出,义和团盲目"杀洋仇教",对洋人不加区分地予以攻击,对国内与外洋有关的人、物、事也不加区别一律打击。他们反对先进科技,对一切资本主义新事物统统采取横扫的态度。② 但另一些人认为,帝国主义要灭亡中国,是义和团排外的根本原因。义和团的排外是被压迫民族在生死存亡之际的正义反抗。帝国主义在华兴办近代企业和科技,强化了对中国的经济掠夺和政治压迫。因此,义和团反对洋物,是对帝国主义侵略政策的反抗,而不是对先进生产方式的反动。③还有研究者指出,反帝与排外是有联系但性质不同的概念,反帝应该肯定,排外带有很大的盲目性,是愚昧落后的标记。因此对排外既不能苛责,也不能一味辩护。④

1901 年,清政府与列强订立了丧权辱国的《辛丑和约》。以往,一般以"量中华之物力,结与国之欢心"作为其后清政府的外交写照,认为它从此"彻底投降"了帝国主义。有学者考察了此后 10 年间清政府的外交,提出不同看法,指出清政府确实做了大量危害本民族利益的事,但它同帝国主义也有矛盾,有争执,甚至可以说有斗争。"彻底投降论"是带有片面性、简单化、

---

① 李时岳:《反洋教斗争的性质及其他》,《近代史研究》1985 年第 5 期;覃光广、冯利:《关于中国近代教案研究方法的反思》,《近代中国教案研究》。

② 王致中:《封建蒙昧主义与义和团运动》,《历史研究》1980 年第 1 期;张玉田:《应当全面看待义和团运动》,《辽宁大学学报》1979 年第 1 期。

③ 朱东安、张海鹏、刘建一:《应当如何看待义和团的排外主义》,《近代史研究》1981 年第 2 期;陈振江:《义和团几个问题的辨析》,《历史研究》1981 年第 1 期。

④ 丁名楠:《义和团运动评价中的几个问题》,路遥编:《义和团运动》,巴蜀书社 1985 年版;李侃:《关于义和团运动的评价问题》,《人民日报》1980 年 4 月 10 日。

绝对化的提法。①

6. 门户开放政策

对门户开放政策的评价是一个长期以来极具争议性的话题。旧史学界曾经流行着这是美国要保护中国免遭欧洲列强瓜分的观点。这当然不能为新中国的史学界所接受。但是,评价在一段时期内又走上了另一极端。1979 年,有学者对包括门户开放政策在内的一些问题提出重新评价,认为门户开放政策包含尊重中国领土与主权完整的内容。它宣布于中国被瓜分之祸迫在眉睫之时,后来并一再重申,在客观上对抑制或延缓帝国主义对中国的侵略起到了一定作用。②

该文的发表引起了关于门户开放政策的一场争论。批评者认为,门户开放政策是美国的侵华政策,美国打着"贸易机会均等"等旗号,同其他帝国主义激烈争夺中国。它只想占便宜而回避危险。把列强没有瓜分中国归因于门户开放政策,是不能成立的。③ 也有学者赞同重新评价,还有人提出修正意见,由此而形成了改革开放之后中外关系史研究中的一次重大的学术争论。

经过讨论,澄清了一些史实上的问题。虽然分歧犹在,但在一些问题上也形成了大多数人都能接受的看法。如关于提出这一政策的动机,学者们指出,美国决策者考虑的始终是美国垄断资本向海外扩张的现实利益和潜在利益。门户开放是一个殖民扩张的对外政策,而不是民主主义的对外政策。但对它的客观作用,不少学者予以肯定,认为它在一定程度上对某些国家如沙俄和日本瓜分

---

① 　张振鹍:《清末十年间中外关系史的几个问题》,《近代史研究》1982 年第 2 期。

② 　汪熙:《略论中美关系史上的几个问题》,《世界历史》1979 年第 3 期。

③ 　丁名楠、张振鹍:《中美关系史研究:向前推进,还是向后倒退》,《近代史研究》1979 年第 2 期;丁名楠:《关于美国对华门户开放政策的若干历史考察》,《档案与历史》1986 年第 1 期。

中国的势力起了制衡作用。[①] 近年来又有学者探讨了清末中国民间和政府对这一政策的反应，指出当时在民间最有影响力的资产阶级维新派和革命派都对这一政策持批评态度。清政府对门户开放政策的态度则比较复杂，它既从中看到某种希望，持一定的欢迎态度，又对它的作用将信将疑。[②]

7. 民国初年的外交困境与北京政府的外交努力

武昌起义后，列强宣布对中国内争采取中立政策。一些学者认为，这种中立是虚伪的，列强先是支持清政府继而又扶植袁世凯，反对在中国建立资产阶级的共和国，是列强对华政策的基本内容。[③] 但不少人认为，由于列强在华利害关系错综复杂，在清政府和革命军之间，列强的政策基本是中立的。但在袁世凯和孙中山之间，列强无疑是倾向于袁世凯的。[④]

民国的建立并未能缓解中国的外交困境。民国初年最引人注目的动向是，列强利用中国政局的动荡，在边疆地区开始了新一轮的分裂活动。俄国策动和支持了外蒙古的独立。虽然外蒙未能如俄国所愿在此时完全独立出去，但分裂进程已经启动，最后由苏联政府在30多年后完成。余绳武等的《沙俄侵华史》第4卷、丁名楠等的《帝国主义侵华史》第2卷以及内蒙古大学等编著的《沙俄侵略我国蒙古地区简史》（内蒙古人民出版

---

① 参加讨论并阐述这一看法的文章较多，比较有代表性的有罗荣渠：《关于中美关系史和美国史研究的一些问题》，《历史研究》1980年第3期；项立岭：《怎样向前推进？中美关系史研究中的几个问题》，《世界历史》1980第5期；吴嘉静：《"门户开放"——美国对华政策史一页》，《复旦学报》1980年第5期；邹明德：《美国门户开放政策起源研究》，《中美关系史论文集》第2辑。

② 张小路：《中国对"门户开放"政策的反应》，《社会科学战线》1998年第2期。

③ 卿斯美：《辛亥革命时期列强对华政策初探》，《纪念辛亥革命七十周年学术讨论会论文集》中册，中华书局1983年版。

④ 《帝国主义侵华史》第2卷第5章。

社 1979 年版),对俄国的分裂活动作了详细的论述。佘素的《清
季英国侵略西藏史》(世界知识出版社 1959 年版)、朱梓荣的
《帝国主义在西藏的侵略活动》(西藏人民出版社 1980 年版)、
周伟洲的《英俄侵略我国西藏史略》(陕西人民出版社 1984 年
版)、吕昭义的《英属印度与西南边疆,1774—1991》(中国社会
科学出版社 1996 年版),均对英国以及其他列强对西藏的侵略
作了充分的揭露。学者们指出,英国对西藏的觊觎和侵略由来
已久,辛亥革命发生后,英国加紧了分裂活动,积极支持暴动分
子驱赶驻藏川军,阻止民国军队进藏平乱。

　　民初外交所面临的困境和遭受的挫折远不止此。日本利用第
一次世界大战的机会出兵中国山东,并迫使袁世凯政府订立了一
系列新的不平等条约——"民四条约"。更令中国民众深感挫折和
失望的是,作为第一次世界大战的战胜国,中国在巴黎和会上所提
出的收回德国在山东权益、取消日本强加给中国的"民四条约"的
要求竟未被会议所接受。这一外交上的失败影响极大,它激发了中
国民众广泛的爱国情绪,引发了"五四"爱国运动,影响了中国人对
救国道路的选择。

　　北洋政府曾经被作为卖国政府的代名词,但随着研究的深
入,人们发现,对于北京政府的外交活动不能一概予以否认。研
究者注意到,北京政府利用第一次世界大战的机会,废除了中国
与德奥之间的不平等条约。巴黎和会上,中国代表团提出了废除
列强在华七个方面的特权的提案。稍后在华盛顿会议上,中国再
次全面提出取消若干不平等特权的要求,并取得了一些进展。在
1926 年与比利时和西班牙政府的修约交涉中,由于这两个国家
拒绝在事关中国主权的重要问题上做出让步,北京政府曾先后
断然宣布废除旧的中比条约和中西条约。这种不顾列强反对而
单方面宣布废约的做法,在中国近代史上是破天荒的,显示了相

当的勇气和决心。①

　　当北京政府与列强修订不平等条约的交涉举步维艰之时,新生的苏俄政府先后三次发表对华宣言,宣布废除帝俄政府与中国订立的不平等条约。对于这一举动,学者们在总体上一致予以肯定。在具体问题的研究上也更趋深入。如关于苏俄第一次对华宣言,该宣言有两个文本,前一个文本有无偿归还中东铁路的内容,而后一个文本则无此文字。前苏联学术界一直否认中方所收到的前一文本是正式文件。我国学者指出,按法理和外交惯例,外交文件当然以送达对方国家政府的文本为准;而明确载有"无偿归还中东铁路"词句的文件还曾由苏俄外交人民委员部东方司出版。因此,前一文本表达的无疑是官方立场。不同文本的出现,反映了苏俄政府自身在中东铁路问题上的变化。②

　　对于先后主掌北京政府的北洋各派系,一些学者对将其划为英、美或日本的代理人的简单化方式提出不同看法,指出英国并未给直系军阀以实质性支持,说英、美是直系军阀的后台是难以成立的;③而通常被视为亲日政权的张作霖控制下的北京政府,曾积极向美国靠拢,以致被一些日本少壮军人视为美、英的傀儡。④

　　8. 大革命时期的中外关系⑤

①　王建朗:《中国废除不平等条约的历史考察》,《历史研究》1997 年第 5 期;金光耀:《顾维钧与华盛顿会议》,《历史研究》1997 年第 5 期;习五一:《论废止中比不平等条约》,《近代史研究》1986 年第 2 期。

②　方铭:《关于苏俄两次对华宣言和废除中俄不平等条约问题》,《历史研究》1980 年第 6 期;薛衔天:《试论"苏俄第一次对华宣言"内容变化问题》,《社会科学战线》1991 年第 3 期。

③　娄向哲:《直系军阀政权与英美关系初探》,《天津师范大学学报》1986 年第 1 期。

④　罗志田:《济南事件与中美关系的转折》,《历史研究》1996 年第 2 期。

⑤　有关共产国际与中国革命的关系,请见本书相关章节。

　　列强与苏俄对不平等条约的态度的强烈对比,使中国民众相信,苏俄才是中国争取民族解放的同盟军。中国共产党的成立和国民党的改组都是在这一背景下发生的。其后,便有了在苏俄帮助下的广州国民政府的北伐。北伐的口号是"打倒军阀,打倒列强"。研究者指出,在实际斗争中,北伐军民并没有四处出击,而是把当时在中国享有最大权益的英国列为主要的打击对象。这一策略是明智的,它是北伐初期进展顺利的重要原因之一。[①]

　　面对大革命浪潮,英国起初曾试图通过武力为阻挡北伐洪流构筑一道堤坝。1926 年 10 月以后,英国转而采取"怀柔"外交,并于 1926 年 12 月提出"对华新政策"。在武汉政府陆续收回汉口、九江英租界后,英国调兵上海。在处理南京事件时,英国对华政策又回到"炮舰政策"的老路上。[②]

　　以往的研究曾认为,英、美、日等帝国主义都对大革命持敌视态度,并共同策动蒋介石反共。现在,人们都已认识到这一说法并不准确。有学者指出,日本在宁案中采取了比较妥协的低调政策,而着眼于拉拢蒋介石走上反共道路,这与英国以及美国的政策是不同的。[③]另有学者不赞同将美国政策与英国等同观之,认为美国对中国革命营垒内部的分裂情况也早已掌握,北伐开始后,美国便极力笼络蒋介石,尽力诱迫他去压制共产党。[④]

　　济南事件是北伐时期中外关系中的一个重大事件。有学者认

① 徐义君:《试论广州武汉政府时期国民政府的反帝外交策略》,《近代史研究》1982年第 3 期。

② 丁宁:《中国大革命时期的英国对华政策》,《近代史研究》1989 年第 1 期。

③ 沈予:《四一二反革命政变与帝国主义关系的再探讨》,《历史研究》1984 年第 4 期;《论日本币原外交破坏中国大革命》,《中日关系史论文集》,黑龙江人民出版社1984 年版。

④ 牛大勇:《美国对华政策与四一二政变的关系》,《历史研究》1985 年第 4 期;《北伐战争时期美国分化政策与美蒋关系的形成》,《近代史研究》1986 年第 6 期。

为,蒋介石在济案处理中的委曲求全的外交,影响长远,是其后 10 年对日妥协外交的开端。[1] 另有学者指出,济南事件是中外关系发展的一个重要转折点。在此之前,国民党在外交上全力与日本维持一种稳定的工作关系,对美外交只居于第二等的位置。在此事件后,蒋介石感受到日本对中国的巨大威胁,遂放弃以日本为外交中心的取向,转而寻求与美国建立密切的关系以制衡日本的侵略行动。[2]

关于《田中奏折》,日本学术界基本认为是伪作。中国学术界以往一致认定是真品,但从 80 年代中期开始出现了不同的声音。由中国人民抗日战争纪念馆编辑的《田中奏折探隐集》(北京出版社1993 年版)收入了田中奏折讨论中的具有代表性的文章。其中,大部分文章认为是存在田中奏折的。对这一奏折持有疑问的学者,则从奏折中出现的若干史实错误和行文规格分析,认为这不可能是身为首相的田中的作品。此外,他们还指出了两位当事人回忆中的矛盾之处。可以预见,田中奏折的真伪之争还会继续下去。但无论田中奏折是真是伪,都丝毫不会减轻田中内阁及日本军国主义侵华的罪责。[3]

9. 南京国民政府成立初期的外交

修订不平等条约是这一时期国民政府外交的一个重要内容,

---

[1] 杨天石:《济案交涉与蒋介石对日妥协的开端》,《近代史研究》1993 年第 1 期。

[2] 罗志田:《济南事件与中美关系的转折》,《历史研究》1996 年第 2 期。

[3] 在这一点上,笔者与《田中奏折探隐集》编者的看法有所不同。该编者认为,如果《田中奏折》是伪造的,则需要对从"九一八"事变到太平洋战争的日本一系列的侵略行动的总体规划性,作另一种研究。这似乎过高估计了该奏折是否存在的重要性。笔者以为,存在这一奏折,固然能说明日本此后的一系列侵略是有计划有步骤的,但不存在这一奏折,并不等于日本对中国、对远东及太平洋地区不存在侵略企图。是否形成过《田中奏折》这样一个文件,对证明日本的侵略计划,是充分条件,而不是必要条件。

但在很长时期内这是一个避免提及的话题。90 年代以来出版的民国史外交著作大多对此作了比较客观的介绍,既展现了国民政府的外交努力,也指出了它的妥协和局限性。[①] 但在对这一修约活动的总体评价上,仍然存在着比较大的分歧。有人认为,这一被南京政府称为"革命外交"的行动,实际上多是一些空洞口号和原则。国民政府除了收回一些列强已无力维持而表示愿意放弃的特权外,在实质性的问题上并未取得比北京政府更大的进展,其根本原因在于蒋介石的勇于对内、怯于对外的误国害民的政策。[②]

另一些人认为,南京政府对修约活动是努力进行的,并在关税主权、租界法院及最终收回一些租界及租借地问题上取得了一定成果。国民政府的这些活动,具有进步的历史意义。还有人指出,从东北易帜到"九一八"事变,是南京国民政府在外交上具有生气的积极时期。中国与各国终于订立了实现自主关税的条约,这在鸦片战争以来 80 年间的中外交涉史上是第一次,应予肯定。[③]

这一时期,中苏在中东路问题上冲突不断,1929 年爆发了导致苏军出兵东北的"中东路事件"。以往我国史学界沿袭苏联观点,大都指责中国政府反苏反共。80 年代始,有学者提出不同看法,认为中东路事件的起因是中国政府为了收复国家主权,这才是它的主流和本质。[④] 对于后来苏联政府于 30 年代将中东路出售给伪满,学者们大都持批评态度,认为此举违反了公认的国际法准则,

---

① 参见石源华:《中华民国外交史》第 6 章;吴东之:《中国外交史(中华民国时期)》第 3 章。

② 申晓云:《南京国民政府"撤废不平等条约"交涉述评——兼评王正廷"革命外交"》,《近代史研究》1997 年第 3 期。

③ 琚贻明:《南京国民政府建立初期对外政策评析》,《民国档案》1997 年第 1 期;程道德:《中华民国历届政府关于关税自主权的交涉》,《近代中国外交与国际法》。

④ 冯国民:《评"中东路事件"》,《世界历史》1986 年第 12 期。

侵犯了中国主权。[1]

10．"九一八"事变与 30 年代前期国民政府的外交

关于"九一八"事变的研究，可以说是成果累累。比较有影响的专著有：易显石等的《九一八事变史》（辽宁人民出版社 1981 年版）、刘庭华的《九一八事变研究》（国防大学出版社 1986 年版）、姜念东等的《伪满洲国史》（吉林人民出版社 1980 年版）、解学诗的《伪满洲国史新编》（人民出版社 1995 年版）等。学者们对"九一八"事变的历史背景、经济原因、事变经过及历史教训等，都进行了比较深入的研究。

谁是"九一八"事变的发动者？日本一些学者认为是关东军少数人的独断专行。我国多数学者认为，这是日本军部精心策划的侵略事件。也有人持"追认说"，认为事变是由关东军的一些高级幕僚策划的，但日本军部和内阁政府在事变发生后给予了支持。学者们指出，日本政府并不反对军方发动战争。阴谋固然由军方策划，但政策还是出自内阁。"九一八"事变的发动是日本天皇制国家意志的体现。[2]

关于美国对"九一八"事变的态度，存在着不同意见。一些人认为，美国实行的是绥靖政策，对侵略者予以纵容。它提出的"不承认主义"并不是支持中国反对日本侵略，它不承认的只是日本对美国在华权益的攫取。[3]另一些人认为，美国提出"不承认主义"，以明确的语言反对日本用武力手段侵占中国土地，损害中国主权，这无

---

[1] 骆拓：《略论苏联出售中东路问题》，《苏联历史问题》1984 年第 3、4 期合刊；金梅：《"苏满关于中东路转让基本协定"所涉及的国际法问题》，《近代史研究》1990 年第 4 期。

[2] 郎维成：《日本军部、内阁与九一八事变》，《世界历史》1985 年第 2 期。

[3] 胡德坤：《九一八事变与绥靖政策》，《武汉大学学报》1979 年第 3 期；王明中：《"满洲危机"与史汀生主义》，《美国史论文集（1981－1983）》，生活·读书·新知三联书店 1983 年版。

疑是对日本侵略的一种阻遏。不承认主义在当时的作用很有限,它是一种未来干涉主义,保留了美国将来在有利条件下加以干涉的权利。因此,它对日本的侵略不是助长,而是遏制。[①]

"九一八"事变后,在日益加深的民族危机面前,国民党政府采取了"攘外必先安内"的政策。这一政策至今仍受到学者们的一致批评。略有变化的是,在一些具体问题上出现了新的认识。有学者提出,蒋介石以需安定内部建设后方为由,否定即时抗日论,而以长期抵抗为号召,使"安内攘外"成为国民党牌号的抗日理论。这一理论不应等同于投降理论。国民政府的"安内攘外"是把"安内"作为抗日的前提。在重点"安内"的同时,国民政府对"攘外"并非一无作为,而是做了一些抗日准备工作的。[②]

这一时期,国民政府的外交逐渐走上了联络英、美以对抗日本的道路。有研究者对 1933 年中美棉麦借款和 1935 年的币制改革进行了分析,指出这两个事件都具有远远超出经济层面的影响。国民政府企图通过借款加强与欧美的联系,进而寻求在政治上、财政上和技术上的支持,以扼制日本逐步升级的入侵。而以币制改革为标志,国民政府的财政金融政策明显地出现了摆脱日本而倒向英、美的趋势。[③]

中德关系在这一时期迅速发展。学者们主要对德国军事顾问来华、中德之间的易货贸易及德国协助中国发展国防工业这三个问题进行了比较充分的研究,认为这一时期中德关系发展的速度之快,为其他任何国家所不可比。学者们指出,德国顾问既参与了

① 陶文钊:《中美关系史》第 4 章;易显石:《略论美国对九一八事变的态度》,《中美关系史论丛》,复旦大学出版社 1985 年版。
② 陈先初:《从安内攘外到联共抗日——局部抗战时期国民政府内外政策述评》,《抗日战争研究》1992 年第 2 期。
③ 郑会欣:《1933 年的中美棉麦借款》,《历史研究》1988 年第 5 期;吴景平:《英国与 1935 年的中国币制改革》,《历史研究》1988 年第 6 期。

国民党的"剿共"军事,也参与了"一·二八"淞沪抗战和长城抗战。他们在协助国民党整训军队和进行军事教育方面颇有成就,使中国军队的现代化迈出了一大步,这对以后的中国抗战不无帮助。有学者把这一时期称为中德关系的"蜜月时代"。①

11. 抗日战争前期的中外关系

抗日战争是中国民族解放斗争史上的一个转折时期,中国对外关系在这八年中发生了巨大的变化。民国以来对中国威胁最大的日本终于被打败,美国和苏联先后成为对中国最具影响力的国家,这对以后的中国内政和外交产生了长远的影响。中国的国际地位也因这场战争而获得大幅度的提高。

与这一时期极为活跃的中外关系相适应,有关的研究成果异常丰富。除了若干抗战史著作中的有关论述外,仅就外交史专著而言,综合性专著有陶文钊、杨奎松、王建朗的《抗日战争时期中国对外关系》(中共党史出版社1995年版),王建朗的《抗战初期的远东国际关系》(台湾东大图书公司1996年版)。双边关系专著有王淇主编的《从中立到结盟——抗日战争时期美国对华政策》,任东来的《争吵不休的伙伴——美援与中美抗日同盟》,王真的《动荡中的同盟——抗日战争时期的中苏关系》,李嘉谷的《合作与冲突,1931—1945年的中苏关系》,曹振威的《侵略与自卫——全面抗战时的中日关系》,王真的《没有硝烟的战线——抗战时期的中共外交》,马振犊、戚如高的《友乎?敌乎?德国与中国抗战》(以上专著均由广西师范大学出版社出版),徐蓝的《英国与中日战争,1931—1941》(北京师范学院出版社1991年版),李世安的《太平洋战争时期的中英关系》(中国社会科学出版社1994年版)。专题研究专著有黄友岚的《抗日战争时期的"和平工作"》(解放军出版社1988年版)、项立岭的《转折的一年——赫尔利使华与美国对华政策》(重

① 马振犊、戚如高:《蒋介石与希特勒——民国时期的中德关系》第4章。

庆出版社 1988 年版)、牛军的《从赫尔利到马歇尔——美国调处国共矛盾始末》(福建人民出版社 1988 年版)等。

抗战前期,中国的对日作战处于孤军奋战之中,这一时期中国外交的中心是争取外援。一些研究者指出,这一时期国民政府的外交是基本成功的。中国推动美国修改中立法,限制对日贸易,并给予中国财政援助,使美国外交走上了中国所期望的道路。中国还撇开意识形态的分歧,争取到了苏联的大规模援助,并尽可能地延缓德国与日本的靠拢过程,从德国也获得相当数量的军事物资。这一尽力争取友邦、孤立敌国的外交政策是明智的。[①]

关于卢沟桥事件爆发后国民政府的对日政策,人们在中日秘密交涉问题上存在着不同看法。一些人将此视为蒋介石对抗战动摇,准备投降。但另一些人认为,交涉和妥协并不等于投降。蒋介石在交涉中始终坚持恢复"七七"事变前的状态,是有基本原则的。[②] 还有学者提出,国民政府与日谈判另有意图,如以谈判牵制日方,缓和日方攻势,以及要英、美提供更多援助等。[③]

对于这一时期英、美对华政策的评价,分歧较大。一些人认为,对日绥靖是英、美远东政策的基调,英、美不时企图以牺牲中国来与日本妥协。[④] 另一些人认为,英、美的远东政策有所不同,研究中应有所区别。在总体上,英、美政策同时具有两种倾向,一是对日妥协,一是援华制日。随着时间的推移,援华制日逐渐成

---

① 章百家:《抗日战争前期国民政府对美政策初探》,《中美关系史论文集》第 2 辑;《抗日战争时期国共两党的对美政策》,《历史研究》1987 年第 3 期;王建朗:《二战爆发前国民政府外交综论》,《历史研究》1995 年第 4 期。

② 蔡德金:《如何评价卢沟桥事变爆发后蒋介石的对日交涉》,《抗日战争研究》1996 年第 3 期。

③ 汪熙:《太平洋战争与中国》,《复旦学报》1992 年第 4 期。

④ 刘天纯:《远东慕尼黑阴谋与中国人民的抗日战争》,《中国社会科学院研究生院学报》1985 年第 4 期。

为主流。他们认为并不存在"远东慕尼黑"阴谋。英、美在远东对日本作出的妥协，无论在动机、程度和后果上都不能和欧洲的慕尼黑相提并论。①

在以往的研究中，德、日两个法西斯国家被认为从一开始就狼狈为奸。现在，许多研究者指出，在抗战之初，德国确曾保持过一段时期的中立。德国继续向中国输出军事物资，其军事顾问继续在中国军队中发挥作用。"陶德曼调停"中，德国希望中日双方都做出妥协达成停战，而并非与日本狼狈为奸地迫使蒋介石投降。调停失败后，德国感到中日和解无望，其远东政策逐渐逆转。②

苏联是抗战前期给予中国最大援助的国家，学者们对此一致予以肯定，并指出，苏联给中国以巨大援助，自己也因此而深受其利，因为中国的抗战反过来大大减轻了日本对苏联的压力。③ 二战爆发后，随着苏联自己要加强军备，其对华援助日益减少。1941年4月，苏联与日本订立中立条约。学者们一般认为，这一条约分化了日德关系，增强了苏联的安全。但苏、日互相承认伪满和"蒙古国"，这是对中国领土主权的侵犯。也有人指出，与其说该约保证了苏联远东边境的安全，不如说是中国人民抗日战争的牵制使日本未能在东方对苏开战。④ 还有人认为，该约是一个为了本民族的利

---

① 王斯德、李巨廉：《论太平洋战争前美国远东战略及其演变》，《中美关系史论文集》第1辑；王建朗：《太平洋会议是怎么回事——关于远东慕尼黑的考察之一》，《抗日战争研究》1996年第3期；《试评太平洋战争爆发前的英美对日妥协倾向——关于远东慕尼黑的考察之二》，《抗日战争研究》1998年第1期。

② 王建朗：《陶德曼调停中一些问题的再探讨》，《中共党史研究》1989年第4期；易豪精：《从"蜜月"到断交——抗战爆发前后中德外交关系的演变》，《中共党史研究》1995年第5期；马振犊、戚如高：《友乎？ 敌乎？ 德国与中国抗战》第6—7章。

③ 齐世荣：《中国抗日战争与国际关系(1931－1941)》，《世界历史》1987年第4期。

④ 王春良：《评日苏中立条约和雅尔塔协定》，《山东师范大学学报》1985年第1期。

益而牺牲他国纵容侵略的绥靖主义产物。①

12. 抗战后期的中外关系

太平洋战争爆发后,中国参与领衔签署《联合国家宣言》。1943 年 1 月,中国与英、美分别订立平等新约,废除了英、美在中国的不平等特权。战争后期,中国参与联合国的创建,并成为联合国安理会的常任理事国。中国的国际地位得到了显著的提高。学者们对此一致予以肯定,但在一些具体问题上则存在着分歧。如对 1943 年新约,一些学者认为应予充分肯定。中国人民争取废除不平等条约的斗争延续数十年,抗战期间得以实现,这是一件具有历史意义的事件。新约的订立,是包括中国共产党在内的全体中国人民奋勇抗战的直接结果。因此,肯定新约也是对中国全体军民抗日业绩的肯定。②还有研究者指出,既然中国沦为半殖民地是以不平等条约的签订为起点,从法理角度看,废除不平等条约则应被视为中国摆脱半殖民地状态的标志。新约的签订,标志着中国已成为一个独立自主的国家。③对此持异议者指出,新约并不标志着中国已经摆脱了半殖民地地位。新约废除的主要是政治特权,并未废除所有的特权。而且英、美放弃的特权当时绝大部分为日本所占有,在打败日本之前,不能说中国已成为真正的独立国家。④

以英、美废约为先导,各国在战时和战后陆续与中国签订新约。然而,就在各国纷纷放弃其在华特权之时,中苏于 1945 年 8 月订立了有损中国主权的《中苏友好同盟条约》。1949 年后相当长的

---

① 厉声:《苏日中立条约试析》,《苏联历史问题》1985 年第 2 期。

② 王建朗:《抗战时期中外关系概论》,《民国档案与民国史学术讨论会论文集》,档案出版社 1988 年版。

③ 陶文钊:《中美关系史讨论会综述》,《近代史研究》1988 年第 6 期。

④ 王淇:《1943 年"中美平等新约"签订的历史背景及其意义评析》,《中共党史研究》1989 年第 4 期;《中美关系史讨论会综述》,《近代史研究》1988 年第 6 期。

时期内,学术界对这一条约持肯定态度。改革开放后,出现了一分为二的评价。认为苏联此举既有协助中国对日作战的一面,也有恢复沙俄在日俄战争中失去权益的一面,不应全面肯定。[①] 近年来有学者明确指出,这是一个不平等条约,无论从条约谈判的背景、进程和内容来看,其不平等性质都是不容置疑的。它对中国主权与领土完整的巨大损害,至今每一个中国人还能感受到。[②]

中美关系是这一时期最重要的双边关系。美国出于对中国战时对日牵制作用和战后重要战略伙伴角色的期望,使中美关系迅速发展。美国积极扶助中国成为世界大国。但是,由于历史、文化、传统、价值观、制度和实力等方面的差异,中美双方的合作充满了摩擦与冲突。史迪威的去职便是抗战后期中美之间的一个重要事件。研究者们从各种角度研究后指出,史蒋矛盾,不只是个人性格上的冲突,而且是美国与国民党政策矛盾的体现。[③]

美国在抗战后期开始卷入中国内部的国共斗争,赫尔利使华便是一个标志性的起点,学者们对此作了大量的研究。对于赫尔利的变化和袒蒋,大多数研究者都不赞成把它看成是个人行为,而认为赫尔利的行为符合或基本符合罗斯福的对华政策。但同时指出,赫尔利在扶蒋抑共方面有时比美国政府的政策走得更远,并对美

---

① 朱瑞真、单令魁:《1945 年的中苏友好同盟条约》,《苏联东欧问题》1984 年第 2 期;潘志平:《关于 1945 年中苏友好同盟条约的评价》,《世界史研究动态》1985 年第 9 期。

② 刘存宽:《重新评价 1945 年〈中苏友好同盟条约〉》,抗日战争研究编辑部编《抗日战争胜利五十周年纪念集》;张振鹍:《"二十一条"不是条约——评〈中国近代不平等条约选编与介绍〉》,《近代史研究》1999 年第 3 期。

③ 魏楚雄:《论史迪威事件及其原因》,《近代史研究》1985 年第 1 期;章百家:《抗战时期中美合作的历史经验——由史迪威在华经历所想到的》;金光耀:《蒋介石与史迪威和陈纳德的关系》,章、金二文均载史迪威研究中心编:《史迪威将军与中国》,重庆出版社 1992 年版。

国政策的转变起了推波助澜的作用。①

13. 解放战争时期的中外关系

资中筠的《美国对华政策的缘起和发展，1945—1950》(重庆出版社 1987 年版)、屠传德的《美国特使在中国，1945.12—1947.1》(复旦大学出版社 1988 年版)以及一批高质量的论文，将这一时期中美关系的研究大大向前推进了。学者们认为，美国希望在战后的亚太地区出现一个统一的亲美的中国。它既希望国民党继续掌权，又想避免在中国发生大规模的内战。于是，便有了马歇尔使华。马歇尔提出的蓝图是：共产党交出军队，国民党让出一部分权力，将共产党统一到以国民党为主的联合政府中。有学者将马歇尔调处时期的美国政策概括为"扶蒋溶共"。②以 1946 年 3 月马歇尔返美述职为界，许多学者们认为，马歇尔在此之前的调处大体上是公正的，并取得了一些积极的成果，但此后则越来越偏袒国民党。关于马歇尔调处失败的原因，研究者指出，这既在于美国政策内在的矛盾，也在于美国政策和中国现实的矛盾。美国的政策不可避免地具有不公正性。③ 还有学者从更广阔的背景上展开考察，把它与此时的美苏关系和冷战的开始联系起来。西方冷战思想的一个重要方面，是把各国共产党都视为苏联扩张的工具。苏联在东北对中共的支持使美国政府更加相信这一点。这对美国的在华举措产生了重要影响。④

学者们指出，马歇尔离华后，美国政策曾经历了一段"观望"时

---

① 牛军：《赫尔利与 1945 年前后的国共谈判》，《近代史研究》1986 年第 1 期；陶文钊：《赫尔利使华与美国政府扶蒋反共政策的确定》，《近代史研究》1987 年第 2 期；章百家：《美国对华政策新解》，《历史研究》1990 年第 4 期。

② 屠传德：《美国特使在中国》。

③ 陶文钊：《马歇尔使华与杜鲁门政府对华政策》，《中美关系史论文集》第 2 辑。

④ 资中筠：《美国对华政策的缘起和发展》第 4 章；时殷弘：《杜鲁门政府对新中国的政策》，第 19—20 页。

期,随之便转入公开的援蒋内战。但对于援蒋的方式和程度,美国政府内部存在着分歧。随着杜鲁门向国会提出援华法案,美行政当局与国会中的亲蒋势力的公开辩论达到高潮。国会最后通过的《1948 年援华法》是双方妥协的结果,但比较接近政府的有限援蒋的立场,即在抢救沉船时要量力而行,并要留有脱身的余地。①美国政府在 1948 年秋冬已开始考虑脱身问题,它多次拒绝了国民党政府关于扩大援助的要求。研究者一般认为,1949 年 1 月艾奇逊接任国务卿后,设法摆脱国民党政府已成为美对华政策的主要考虑之一。但艾奇逊的政策受到了各方面的阻力,总不能及时付诸实现,结果使自己陷入泥沼而不能自拔。②

关于国民党政府的对美政策,有学者指出,蒋介石制定战后对美政策有一个基本设想和信念,即美国将无条件地支持国民党政府,这也成为他发动并坚持内战的精神支柱。但蒋介石高估了由他领导的中国在美国全球战略中的地位,也高估了美国援助他的决心。美蒋关系是相互需要和利用的关系,但各自的利益、目标和路径选择,实际上都存在着不可弥合的矛盾。③

战后初期,苏联表示了支持国民党政府统一中国的立场,但苏联并未认真地履行这一承诺。有学者指出,直到渡江战役之前,苏联都是"脚踩两只船",分别做与国共两个政府发展关系的两手准备。④一些研究者认为,1949 年初斯大林曾派米高扬来华劝中共不要打过长江,并有人回忆曾亲自听到毛泽东有关苏联劝阻中共不

① 袁明:《从 1947—1948 年的一场辩论看杜鲁门政府的对华政策》,《中美关系史论文集》第 2 辑。

② 《美国对华政策的缘起和发展》第 6 章。

③ 饶戈平:《1945—1949 年国民党政府的对美政策》,《民国档案》1988 年第 2 期;《蒋介石、国民党政府与美国》,袁明等编:《中美关系史上沉重的一页》,北京大学出版社 1989 年版。

④ 曲星:《苏联在新中国建国前后的对华政策》,《国际共运》1986 年第 6 期。

要过江的谈话。① 但另一些人认为这只是一个传说而已，并没有档案材料的依据。当时担任毛泽东翻译的师哲也否认有此事。②1994年，俄罗斯方面公布了 1949 年 1 月间斯大林和毛泽东就国共谈判问题的往来电文。斯大林电文的基本精神是不赞成和谈，告诫中共不要停止军事行动。研究者据此认为，所谓斯大林主张"划江而治"的说法是难以成立的。③

14. 香港史和澳门史研究

对香港史的研究很长时期内未受到应有的重视。80 年代初，中国政府表明了收回香港主权的立场，而英方则辩称《南京条约》是符合国际法的。这一争论为香港史研究的发展提供了契机，中国学者开始注重对香港史的研究。90 年代，一批重要的科研成果纷纷问世，如余绳武、刘存宽主编的《19 世纪的香港》(香港麒麟书业公司、中华书局 1994 年版)，余绳武、刘蜀永主编的《20 世纪的香港》(香港麒麟书业公司、中国大百科出版社 1995 年版)，刘蜀永主编的《简明香港史》(香港三联书店 1998 年版)以及刘存宽的《香港史论丛》(香港麒麟书业公司 1998 年版)等。这些论著以大量的历史事实证明了割、租香港的三个条约的不平等性，指出它们是以暴力方式强加给中国的，是对中国主权和领土完整的野蛮侵犯，从根本上违反了国际法的基本原则，因而没有任何法律效力。这些论著充分肯定香港华人对香港社会发展的重大贡献，将香港社会制度

① 向青：《关于苏联劝阻解放大军过江之我见》，《党的文献》1989 年第 6 期；廖盖隆：《抗日战争后期和解放战争时期苏联与中国革命的关系》，《中共党史研究》1990 年增刊；王方名：《要实事求是，独立思考——回忆毛主席 1957 年的一次亲切谈话》，《人民日报》1979 年 1 月 2 日。

② 余湛、张光佑：《关于斯大林曾否劝阻我过长江的问题》，《党的文献》1989 年第 1 期；师哲：《陪同毛主席访苏》，《人物》1988 年第 5 期。

③ 王真：《斯大林与毛泽东 1949 年 1 月往来电文译析》，《近代史研究》1998 年第 2 期。

的发展、香港与中国内地的关系及中英之间的外交谈判,如实地展现于世人面前。学者们还从不同的角度探讨了香港对近代中国社会的各方面影响。[①]

同香港史研究相似,澳门史研究在 80 年代以来有了较大发展。先后出版的专著和论文集主要有费成康的《澳门四百年》(上海人民出版社 1988 年版),黄鸿钊的《澳门史纲要》(福建人民出版社 1990 年版)以及《中国边疆史地研究》1999 年第 2 期的澳门专号等。对于 1887 年前葡人窃据澳门但中国政府仍保有主权的历史,学者们看法基本一致,但对 1887 年后澳门的地位则有着不同的看法。有的说是殖民地,认为中国由此对澳门失去了主权。[②] 有的认为,是葡萄牙"永驻"的准殖民地。[③] 另有学者认为,葡萄牙虽然获得了永居权和管理权,却仍然承认澳门是中国的领土,领土主权仍在中国手中。澳门是由葡国管理的一块特殊的中国领土。此后,中国历届政府开展了对澳门恢复行使主权的长期斗争。[④]

15. 租界史研究

80 年代后期,租界史研究形成高潮,涌现了一批有较高学术价值的论文和专著。其中,比较有影响的专著有袁继成的《近代中国租界史稿》(中国财经出版社 1988 年版),费成康的《中国租界史》(上海社会科学院出版社 1991 年版),张洪祥的《近代中国通商口岸与租界》(天津人民出版社 1993 年版),尚克强、刘海岩主编的《天津租界社会研究》(天津人民出版社 1996 年版)。这些著作叙述

① 刘蜀永:《从香港史看西方对近代中国社会的影响》,《史学集刊》1991 年第 2 期。

② 许剑英:《澳门沦丧略述》,《沈阳师院社会科学学报》1985 年第 2 期;王昭明:《鸦片战争前后澳门地位的变化》,《近代史研究》1986 年第 3 期。

③ 陈诗启:《海关总税务司对鸦片税厘并征与粤海常关权力的争夺和葡萄牙的永驻澳门》,《中国社会经济史研究》1982 年第 1 期。

④ 黄鸿钊:《澳门问题的历史回顾》,《南京大学学报》1987 年第 1 期;黄启臣:《澳门主权问题始末》,《中国边疆史地问题研究》1999 年第 2 期。

了近代中国通商口岸、租界、租借地的形成和发展过程及其客观影响，对租界的土地、法律和行政制度，租界的社会生活和租界文化等作了相当的研究，并介绍了中国收回租界和租借地的历史过程。

租界史研究中争论最大的一个问题是对租界历史作用的评价。有人认为，租界是帝国主义侵略中国的据点，租界的设立加深了中国的半殖民地化。[①] 另一些人则认为，租界对中国社会的影响是多方面的。租界以其复杂的历史内容影响着中国早期的现代化，在中国近代历史运动中兼动力与阻力于一身。它既是侵害中国主权的"国中之国"，又以现代化的市政建设和市政管理为中国城市的建设和管理起着示范作用；它既是殖民侵略的桥头堡，又是资本主义世界在封建主义中国的一块"飞地"，客观上具有扩散资本主义文化促进中国社会新陈代谢的功能。租界刺激了沿海沿江城市经济和民族工业的发展。[②]

16. 传教士的活动与作用

改革开放前，有关基督教在华传播史的研究非常薄弱。传教基本被看做是宗教侵华和文化侵略。顾长声的《传教士与近代中国》（上海人民出版社 1981 年版）可称为国内全面研究传教士问题的拓荒性著作，资料丰富翔实。但该书未能超越文化侵略模式。顾长声于 1985 年出版的《从马礼逊到司徒雷登》，其观点则有所变化，对一些在中西文化交流中起过桥梁作用的传教士作了肯定的评价。80 年代下半期以来，传教史研究逐渐成为热点之一。顾卫民的《基督教与近代中国社会》（上海人民出版社 1996 年版）和王立新的《美国传教士与晚清中国现代化》（天津人民出版社 1997 年版），

[①]　袁继成：《近代中国租界史稿》。

[②]　张仲礼等：《近代上海城市的发展、特点和研究理论》，《近代史研究》1991 年第 4 期；丁日初：《再论上海成为近代中国经济中心的条件》，《近代史研究》1994 年第 1 期；周积明：《租界与中国早期现代化》，《江汉论坛》1997 年第 6 期等。

是近年较有影响的全面探讨传教士在华活动的综合性著作。

多数学者认为,传教士的活动是在中国沦为半殖民地的背景下展开的,他们既是西方殖民势力的一员,也是西方文化的传播者,对其活动做出绝对肯定或绝对否定的评价都是片面的。传播西学并非传教士来华的初衷,但传教士的文化活动在客观上起到了积极作用,他们把西方的科学知识和技术引到中国,对中国的教育、医药、新闻、出版等事业的发展产生了推动作用。①在肯定传教士积极作用的同时,有学者进一步指出,传教士对中国现代化的进程还产生着逆向作用。传教士的知识水平、宗教和种族偏见以及功利目标限制了他们的视野,降低了其活动的进步性、科学性和应有的价值,甚至造成对中国现代化的误导。②

17. 中国近代外交思想和外交制度研究

在进入近代社会之前,中国与西方有着完全不同的外交观念和外交制度。鸦片战争后,在中西交涉中,不同的外交观念和外交制度便成为冲突与融合的焦点。中国近代外交观念和外交制度在这种冲突与融合的旋涡中发生、发展并呈现出不断演变的过渡特征。不了解这一切,就很难搞清近代中外关系中一些重大问题的起因,如鸦片战争前的中西"礼仪之争"、鸦片战争期间清政府的"剿抚"摇摆、第二次鸦片战争时期的"公使驻京"问题,以及涉及到中国藩属越南和朝鲜的中法战争和中日甲午战争。但史学界关于外交思想演变的研究很不够。有关外交制度的研究取得了一定的进展。已经出版的专著有钱实甫的《清代的外交机关》(生活·读书·新知三联书店 1959 年版)、王立诚的《中国近代外交制度史》(甘肃人民出版社 1992 年版)和高伟浓的《走向近世的中国与朝贡国关

---

① 史静寰:《狄考文和司徒雷登在华教育活动》,台湾,文津出版社 1991 年版;梁碧莹:
《美国传教士与近代中西文化交流》,《新的视野——中美关系史论文集》第 3 辑。

② 王立新:《美国传教士与晚清中国现代化》结语。

系》(广东高等教育出版社 1993 年版)。王立诚将中国近代外交制度分为四个时期加以论述,即中西外交制度的冲突时期、试图沟通两种不同文化的洋务外交体制时期、积极适应现实的外交制度的改革时期和符合国际外交通例的外交体制形成时期。

(三)几点感想

50 年来,近代中外关系史研究已经发展成一个包含着若干子学科的大型学科。成就巨大,但问题还是存在的。要把近代中外关系史研究继续向前推进,需要更宽广的视野、更宏观的思维和更严谨的学风。

更宽广的视野　列强在对中国进行侵略的同时,也输入了资本主义的生产方式和资产阶级的政治学说,从而为中国传统社会的变革注入了新的因素。对近代中外关系史,应该有,也应该允许有不同角度的考察。已有的研究大体上是从两个角度着眼的,一种是从国家主权和民族地位的角度,研究列强的侵略如何使中国一步步沦为半殖民地,中国人民如何反抗和斗争,终于迎来民族独立国家振兴;一种是从社会发展的角度,研究中国人认识西方学习西方的过程,从认识船坚炮利到兴办近代工业,从接受科学知识到接受政治观念,进而进行民族革命和社会革命。在这两种不同的视角之间,常常会出现一些并非必要的论争。然而,强求以一种标准来统一视角是不可取的。放眼看来,恰恰是这两个看似矛盾的方面共同构成了中外关系发展的统一体。只有注意从这两个方面去考察历史发展,才能全面地说明近代中外关系史的内容。

宽广的视野也是研究每一个具体问题时所必须具备的。近代中国是列强在东方汇聚的最大舞台(在亚洲其他国家,大抵是某个列强发挥着主要影响),各种关系错综复杂。如以中美关系而言,研究 19 世纪的美国对华外交就不能离开研究英国,研究从民国初年到 40 年代中期则不能离开日本,40 年代中后期又不能离开苏联。这些国家在很大程度上影响了美国对华政策的方向和程度。一些从事双边关系史研究的学者,常常容易犯忽视多边关系影响的错误。如一些学者在探讨 40 年代后期美国对华政策的若干问题时,忽略了美苏关系对此时美国决策的极大影响,这便损害了研究成果的深度和精确性。

更宏观的思维 迄今为止,我们对若干重大事件的微观研究都取得了相当的进展,但在宏观的观察上则远远不够。比如说,对于近代中外关系发展线索的描绘,我们依据的常常是革命史的发展线索和阶段划分,而忽视了中外关系本身的特殊性质。对近代中国人的民族观和世界观的演变、中国近代外交思想和外交战略的演变及外交家群体的研究等,都是极为薄弱的环节。迄今我们尚无外交思想发展史的专著,文章也很少见。缺少了对外交思想史的研究,就很难说近代中外关系史研究已经成为一个门类齐全的学科。

缺乏宏观的眼光,历史的叙述便失去了连续性。一些具体事件的评论大多是就事论事,而很少在历史发展的长河中探索这一事件的存在意义,它的发展性或它的转折性。比如说,对民国历届政府在修订不平等条约方面的努力,如果不考虑处于弱势的中国在强大阻力面前的一步步的艰难前进,不作纵向的前后比较,而只是指责其缺乏勇气彻底废约,便似乎有违历史地考察问题的方法。关于这一点,列宁曾经说过:"判断历史的功绩,不是根据历史活动家没有提供现代所要求的东西,而是根据他们比他们的前辈提供了新的东西。"①

更严谨的学风 从事学术研究的一个基本前提,就是必须对设定课题的已有成果有一个通盘的了解。惟有如此,才能谈得上深入。然而,不愿做深入细致的检索,忽视前人研究成果的现象却并

---

① 列宁:《评经济浪漫主义》,《列宁全集》第 2 卷,人民出版社 1959 年版,第 150 页。

不少见。由此，便出现了大量的重复研究。在若干问题上，我们都可以看到既没有新资料又没有新观点的面孔类似的文章。有低水平的重复，也有对已被公开指正的错误史实或论断的重复。还有的人费了不少心力，到头来作的只是无用功。如关于引发"九一八"事变的柳条湖事件，在日方当事人已公开发表文章对此供认不讳多年后，还有人仅仅依据中方史料，撰文推断日方制造该事件。

严谨的学风还要求在研究中（无论是在措词还是在观点上）避免过分情绪化。近年来，那些非学术性的措词、陈套已不多见，但情绪化的思考方法仍然存在。中国一跨入近代社会便处于屈辱的地位，这使得人们对列强的侵略、对中国旧政府的妥协自然地产生出憎恨情绪，在研究中便容易发生责之惟恐不严的倾向。在涉及统治者的对外交涉—妥协—投降的关系时，常常有人将交涉看做是妥协甚至是投降的代名词。如与林则徐同样主张睁眼看世界的徐继畲，在神光寺事件中，他和林则徐都想驱逐英人出城，但提出的解决问题的方法不同，徐就被视为投降派人物，这是不公正的。

在近代中外关系史学科内，各个专门领域的发展是不平衡的。以国别而言，除了美、日、俄（苏）、英等几个大国外，对中国与包括法国在内的其他国家的双边关系研究都很薄弱；以门类而言，对中外经济和文化关系的研究，近年来虽有所发展，但仍显薄弱。近代中外关系史的研究要向前推进，除了要在已有相当基础的问题上进一步深入外，还需花大力气去开拓和发展新领域，提出和探索新课题。只有在这一方面也取得重大进展，近代中外关系史研究才能真正成为一门系统的科学的全面发展的学科。

社 会 史

（一）起步阶段（1949－1986）

重视社会史研究是中国史学的一个传统。1949 年以前，学者们在社会史研究方面就程度不同地有过相当不错的理念和著作。吕思勉、顾颉刚等人曾在自己的研究中涉及到社会史的内容。1948年，吴晗、费孝通等人组织过一个关于中国社会结构问题的讨论班，历时半年，中心内容是在中国传统结构中皇权与绅权怎样合作和冲突，它们的性质如何，又如何演变，旨在运用功能学派的方法，通过分析权力结构来认识传统社会。1988 年，天津人民出版社曾把他们当年结集出版的论文作为社会史丛书予以再版。① 据冯尔康等的《中国社会史研究概述》（天津教育出版社 1988 年版）所载书目，1911 年至 1949 年，国内学者共出中国社会史书籍 114 种，1949 至 1966 年共出 58 种。不过，这些著作绝大多数属于中国古代社会史的范围。

中国近代社会史研究是在中华人民共和国建立以后发展起来的。五、六十年代学术界在从政治史角度研究太平天国史、辛亥革命史的过程中，不少学者继承前人的成果，在民间秘密结社尤其是

① 《皇权与绅权》，天津人民出版社 1988 年版。

天地会的研究方面,取得了十分卓越的成就。天地会研究开中国近代社会史研究之先河,也为80年代社会史研究的普遍兴起,奠定了相当基础。

本世纪30年代之前,已经出现了一些关于中国近代会党问题的著作,例如荷兰人施列格的《天地会研究》(商务印书馆1940年版)、日本人平山周的《中国秘密社会史》(商务印书馆1912年版)、陶成章的《教会源流考》[1]等。今天看来,它们对秘密结社进行了比较深入的调查,并作了初步分析,但还不能称为严格意义上的学术研究。三、四十年代的研究值得重视,因为:第一,发现并出版了一批秘密会党的内部文件,例如1934年发表的广西贵县修志局发现的天地会文件,1936年首版的萧一山《近代秘密社会史料》(新版本为岳麓书社1986年版),1937年发表的《守先阁天地会文件》[2]以及辑集记述天地会的历史、组织、规条、口号等内容的《海底》,[3]这些史料为展开对会党的研究提供了依据。第二,罗尔纲、萧一山、周贻白、王重民等学者发表了一批学术论文,其中最值得称道的是罗尔纲,他的主要贡献是在1943年整理出版了《天地会文献录》(正中书局1943年版)一书。几十年后,人们评价道,“本书之编刊,对于保存天地会文献,促进天地会研究,其功实不可泯”。[4] 此外,他在有关论文中,结合清朝刑法的制定和人口增加与土地兼并问题阐述天地会的起源,富有启发性。但会党问题研究真正取得重大发展是在新中国建立以后。

在1950年至1976年期间,出版的资料主要有《天地会诗歌选》(中华书局1963年版)、《上海小刀会史料汇编》(上海人民出版

---

① 见《陶成章集》,中华书局1986年版。

② 《广州学报》1937年第1期。

③ 陈培德编:《海底》,生社1936年版;李子锋编:《海底》,1940年9月刊印。

④ 《中国会党史论著综录》,上海市历史学会1984年刊印。

社 1958 年版)、《金钱会资料》(上海人民出版社 1958 年版)、《南通军山农民起义资料》(江苏人民出版社 1956 年版)等。发表的专著主要有《太平天国前后广西的反清运动》(生活·读书·新知三联书店 1950 年版)、《苏松太会党起义》(云庐丛刊之八,1959 年刊印)、《上海小刀会起义》(上海人民出版社 1965 年版)等等。值得注意的是,60 年代初,大陆学者就会党问题展开了学术争鸣。参加讨论的有荣孟源、俞澄寰、郭毅生、戴逸、魏建猷、袁定中、邵循正、陈守实等人。争论问题主要集中在会党的成分、会党的性质两个方面,讨论中提出了不少很有价值的见解,例如荣孟源、魏建猷、邵循正对天地会成分和性质的分析,陈守实对明末遗老创立天地会的传统观点的批判,都有相当的意义。不久中国发生了长达 10 年之久的政治动乱,学术研究被迫中断。

1977 年以来,中国会党史研究取得了空前的成果,这表现在:第一,整理出版了一大批关于秘密社会的史料,例如《清中期五省白莲教起义资料》(江苏人民出版社 1981 年版)5 册、《太平天国革命时期广西农民起义资料》(中华书局 1978 年版)、《自立会史料》(岳麓书社 1983 年版)、《广西会党资料汇编》(广西人民出版社 1989 年版)、《萍浏醴起义资料汇编》(湖南人民出版社 1986 年版)。特别要提到的是中国人民大学清史研究所和中国第一历史档案馆联合编辑出版的《天地会》(中国人民大学出版社 1980 年版)一书,是迄今为止最大的一部天地会资料书,全书共计 7 册,约240 余万字。上述资料为中外学者的研究工作带来极大便利,带有基础工程性质。第二,形成了一支学术队伍。1984 年 10 月在上海召开了"第一届中国会党史讨论会",这次会议讨论了会党的起源、性质、地位、作用等问题,会后出版了国内第一本关于会党研究的专题论文集。这次会议还建立了一个全国性的民间学术团体——中国会党史研究会。1988 年 10 月,在上海召开了"第二届中国会党史讨论会",会议讨论了会党的阶级结构、社会功能与历史作用,民国时期的帮会以及会党与其他民间结社的关系问题。从 70 年代末以来,一批富有成就的中青年学者开始出现。第三,发表了一批较有影响的论文、专著和工具书,例如魏建猷主编的《中国会党史论著汇要》(南开大学出版社 1985 年版)。该书对 1983 年以前发表的约 700 篇论文和 70 余种专著(包括资料)逐一作了提要说明,很有实用价值。这个时期学术界掀起了学术争鸣,许多五、六十年代乃至更早时候提出来的问题,在这一时期进行了讨论。有时候,学者们围绕一些观点针锋相对,互不退让,达到了非常热烈的程度。

天地会的起源和性质,是学术界比较重视的两个问题。天地会起源问题上影响最大的是"康熙甲寅说"(1674)和"乾隆二十六年说"(1761)。

康熙甲寅说的首倡者是罗尔纲。三、四十年代,陆续发现了一批天地会秘密文件,罗尔纲据此发表文章提出天地会在康熙十三年由汉族反清志士创立于福建。① 1956 年,荣孟源在《天地会》② 一文中认为,天地会创于康熙十三年(1674)、在福建最早立会、创始人是郑成功部下的说法大概可信。1957 年,俞澄寰在《反清的秘密结社——天地会》③ 一文中认为,天地会的创立应在康熙十三年,起源于福建沿海一带。荣、俞所用史料,基本上还是已发现的天地会内部文件和部分官方文书,只不过他们对天地会产生的社会历史条件作了更为客观的分析。直到 80 年代,罗尔纲仍坚持这个观点。1984 年,罗尔纲改写了《〈水浒传〉与天地会》④ 一文,继续肯定天地会的具体创立时间就是康熙十三年,他的理由是:(1)清顺治十八年规定异姓结拜兄弟者正法,康熙十年规定异姓结拜者照

① 参阅《明亡后汉族的自觉和秘密结社》,1935 年 4 月 30 日天津《益世报》;《论近代秘密社会史料的本子》、《〈水浒传〉与天地会》,并见《天地会文献录》。

② 《历史教学》1956 年第 5 期。

③ 《史学月刊》1957 年第 4 期。

④ 《会党史研究》,学林出版社 1987 年版。

"谋叛未行"定罪;(2)道光元年广西巡抚奏报所搜获的天地会会簿,"俱系抄袭百余年前旧本",由道光元年上推百余年,应为康熙年间。他强调,这些都是说明康熙年间已有天地会的"铁证"。1983年以后,赫治清发表文章多方面地论证了康熙甲寅说。

1964年,蔡少卿提出了乾隆二十六年说。他在《关于天地会的起源问题》[①] 一文中认为,天地会起源于福建漳州地区,乾隆二十六年(1761)由漳浦和尚万提喜创立。由于当时有关天地会创立年代的资料还不够充分,因而此说的论证尚不周密。从1979年起,胡珠生、赫治清、张兴伯、陈旭麓等纷纷提出异议,[②] 归纳起来有以下意见:(1)不应置大量天地会传说史料于不顾;(2)顺治、康熙、雍正三朝的档案大都散失,不能排斥目前未发现但能证明天地会出现早于乾隆时期的档案;(3)福建巡抚汪志伊《敬陈治化漳泉风俗疏》中的说法缺乏根据;(4)洪二和尚和洪二房和尚不是同一个人,也许洪二房和尚是天地会一批创始人的总代称;(5)涂喜与朱鼎元、李姓及马九龙之间的关系不清楚。

1979年起,秦宝琦连续发表文章支持乾隆二十六年说。[③]他在自己的论著中,依靠新发现的档案资料解决了以下几个问题:(1)涂喜就是提喜,也就是洪二和尚,初步证据是,江西会党分子周达滨供认三点会系天地会改名,而天地会"系洪二和尚起立";江西巡

① 《北京大学学报》1964年第1期。

② 参阅胡珠生:《天地会的起源问题初探》,《历史学》1979年第4期;张兴伯:《天地会的起源》,《明清史国际学术讨论会论文集》,天津人民出版社1982年版;赫治清:《天地会的起源"乾隆说"质疑》,《中国史研究》1983年第3期;陈旭麓:《秘密会党与中国社会》,《会党史研究》。

③ 参阅秦宝琦、刘美珍:《试论天地会》,《清史研究集》第1辑,中国人民大学出版社1980年版;秦宝琦、刘美珍:《关于天地会历史上的若干问题》,《明清史国际学术讨论会论文集》;秦宝琦:《从档案史料看天地会的起源》,《历史档案》1982年第2期;秦宝琦:《清前期天地会研究》,中国人民大学出版社1988年版。

抚奏称,提喜"俗名郑开,僧名提喜,又名涂喜,又号洪二和尚"。
(2)汪志伊的说法是有根据的,其根据就是乾隆五十四年接任闽浙
总督的伍拉纳与巡抚徐嗣曾审讯行义和陈彪之后向清政府上报的
奏折。这份奏折解决了以下问题:确认涂喜就是提喜,即郑开又名
洪二和尚,为天地会创始人;因漳浦土语万与洪同音,故万和尚就
是洪二和尚;肯定了天地会重要骨干严烟供词中所说朱鼎元、李姓
就是指朱鼎元、李少敏,他们与桃元都是提喜的弟子。

　　从1964年乾隆二十六年说提出,到1986年这个观点得到初
步完善,其间经过了20多年时间,许多学者为此付出了劳动。提
出问题和解决问题的学者做出了贡献;对新观点提出批评,发起善
意的"学术攻击",同样起了推动研究的积极作用,同样反映了严谨
的科学作风。

　　在天地会的性质问题上,影响最大的是"反清复明说"与"团结
互助说"。辛亥革命时期资产阶级革命党人对反清复明观点进行了
广泛渲染,产生了很大影响,而对这一观点作出学术解释大约要从
罗尔纲开始。三、四十年代,罗尔纲、萧一山、周贻白分别写了《〈水
浒传〉与天地会》、《天地会起源考》、[1]《洪门起源考》[2]等文,都认为
天地会是明朝遗民或郑成功创立的,以反清复明为宗旨的秘密团
体。罗尔纲的"反清复明说"通过对史料的研究来得出结论,这在
80年代他改写的《〈水浒传〉与天地会》一文中反映尤著,因此,这
一观点有许多支持者。

　　在天地会性质问题上,曾经掀起过两次讨论高潮。第一次是
50年代中期到60年代初。有人拥护天地会创于康熙十三年的说
法,认为反清复明是它的政治纲领。也有人试图打破这个传统观
点,把它的出现和商品经济的发展联系起来,从而提出天地会较多

①　萧一山:《天地会起源考》,《近代秘密社会史料》,北平研究院1935年刊印。
②　周贻白:《洪门起源考》,《东方杂志》第43卷第16期(1947年10月)。

地反映了城市平民阶层要求的看法。这个看法有利于证明会党在辛亥革命过程中被资产阶级革命党人利用的观点,但似乎过分看重了当时中国的资本主义生产关系,也似乎过分提高了天地会的规格,从而遭到不少人的反对。魏建猷指出天地会的成分大多为破产失业的农民和手工业者,即农民中的游民阶层,不能把这类人的江湖义气和近代民主主义挂起钩来。① 邵循正指出天地会的阶级成分仍然以破产农民、手工业者、运输工人和流氓无产者为主。② 因此,把它和资本主义生产关系联系起来是不妥当的。邵循正文章中有两个极有价值的观点,第一,不应把天地会看做是一贯地有明确革命目标的组织。第二,破产劳动者有要求互助的一面,又有反抗压迫的一面,前者是它的经济地位所决定的经常起作用的因素。陈守实从民族矛盾与社会矛盾的关系方面论述了秘密结社的性质,指出,如果民族矛盾产生秘密结社,必须民族矛盾占有全部社会生活的关键部分才有可能,换句话说,就是民族矛盾迫使群众无法生活下去,才会起而组织这种团体。一些不甘屈服的明朝知识分子可能会有强烈的民族情绪,但广大分散的农民不一定有这种情绪。在天地会的阶级属性问题上,分歧更多,主要有四种意见:(1)天地会是下层劳动者的互助团体;(2)会党是游民的秘密结社;(3)天地会的阶级成分因历史条件变化而变化;(4)会党没有统一的阶级属性,即使在相同的历史时期,各地会党的阶级性质也有不同。③

　　70 年代末以来掀起了第二次讨论高潮。1979 年胡珠生在《天地会起源初探》一文中认为,天地会早期原是反满派地主进行反清复明斗争的工具;天地会拥戴明后裔而以郑成功为创始人;天地会

① 《试论天地会的性质——兼与戴逸同志商榷》,《文汇报》1960 年 12 月 20 日。

② 《秘密社会、宗教和农民战争》,《北京大学学报》1961 年第 3 期。

③ 参阅周育民:《中国会党问题研究述评》,《会党史研究》。

起源于清初郑成功经营的福建、台湾,再转入广东、四川,因而郑成功创立天地会说不应轻易否定。秦宝琦对此提出了异议,他在1982年发表的《郑成功创立天地会说质疑》[①] 一文中对胡进行反驳,指出:天地会系明朝遗老为反清复明而创立的论点,并无确凿的史料根据,在现存史料中,未见有天地会以反清复明为宗旨而创立的记载,这个口号直到嘉庆初年才在天地会逐渐出现。1984年的讨论会上,对于这个问题的讨论,集中在天地会的立会宗旨和阶级属性两个方面。关于立会宗旨,仍然是团结互助说与反清复明说两种意见的争论。

70年代末以来关于天地会性质的讨论,有两个显著的特点:第一,注意使用计量统计的方法,更加实证地揭示会党的阶级结构。例如蔡少卿分别对乾隆、嘉庆、咸丰年间和辛亥革命时期天地会、江湖会成员身份的统计,秦宝琦对天地会创立初期漳浦卢茂起义成员的身份统计,对于论证天地会的性质,无疑大大地增加了说服力。第二,对天地会的一些秘密文件、隐语进行破译,旨在为说明天地会的性质服务。

(二) 发展阶段(1986年以来)

80年代后期,中国近代社会史研究全面发展起来。1986年10月,由南开大学、天津人民出版社、《历史研究》编辑部等单位共同发起,在天津召开了第一届中国社会史研讨会。这次会议大致上可以看做学术界有计划地组织和推动社会史研究活动的开始。由于社会史研究刚刚起步,会议的规模不大,讨论内容集中在社会史的研究对象问题上。1988年10月,由南京大学、南开大学、山西大学、《历史研究》编辑部、天津人民出版社、浙江人民出版社、江苏省

---

① 《福建论坛》1982年第5期。

社科院、江苏省社科联、中国第二历史档案馆、南京师范大学、南京市社联等 11 家单位联合发起,在南京召开的第二届中国社会史研讨会,是一次产生了较大学术影响并对社会史研究起到有力推动作用的会议。会议比较系统地介绍了西方社会史研究的理论观点和课题,着重讨论了中国社会史的学科对象,中国知识分子的历史状况、价值观念及其对社会文化、政治的正负两个方面的影响,近代中国的人口、城市结构与管理方式、商人及其社团、秘密会党、社会风俗等问题。出席会议的专家有 120 人,包括来自中国古代史、中国近代史、哲学、社会学、人口学、文化学、档案学、民族学、博物馆学等各学科的学者,从而较强地体现了当代人文社会科学多学科交叉的特点。此后,在各方面共同努力下,1990 年在成都、1992年在沈阳、1994 年在西安、1996 年在重庆、1998 年在苏州不间断地召开每两年一届的全国性研讨活动。1993 年 6 月,南京大学还举办过一届专题性的中国近代秘密社会史国际研讨会。80 年代后期以来,中国人民大学、中国社会科学院近代史研究所和历史研究所、南开大学、山西大学、南京大学等校所先后组织了一批社会史研究课题或建立了研究室,不少高校开设了社会史课程。1986 年至 1990 年,天津人民出版社率先推出"社会史丛书"4 种。1989 年起浙江人民出版社与南京大学合作,前后历时 7 年,组织出版了"中国社会史丛书"20 种。据粗略统计,仅 1986 至 1994 年间,各出版机构出版的中国社会史图书就有 120 多种,同期发表论文 700多篇,其中中国近代社会史 240 篇。进入 90 年代以后,社会史研究呈现更加强劲的势头,每年均有数百篇论文发表。1992 年,乔志强等的《中国近代社会史》(人民出版社 1992 年版)一书出版。1995年前后,上海文艺出版社逐步推出"中国社会民俗史丛书",已出版的有乞丐史、典当史、赌博史、奴婢史、小妾史、流氓史、缠足史、优伶史、风水史等 10 种。1998 年,江苏人民出版社亦与南京大学合作,出版"中国秘密社会丛书",两年内已出 8 种。似乎可以说,中国近代社会史研究走向繁荣的阶段已经开始了。

80年代以来中国近代社会史研究的繁荣,有以下几个原因:

第一,史学工作者的思想解放和主体意识的加强。1978年兴起的真理标准问题讨论,是"文革"结束后对长期盛行的"左"倾教条主义的第一轮反思。由它所带来的思想解放运动,使1978年至1982年的4年间成为当代中国文化复兴的准备阶段,也为史学工作者提供了走向精神自主的契机。这正是近代史研究获得科学价值不可缺少的前提。在"左"倾教条主义的思想专制下,人们凡事都要先考虑政治立场问题,然后根据政治立场来决定采取何种态度。这种思想方法注入学术研究,从根本上扼杀了人们的创造能力,迫使他们或者按照某种经典的政治结论来描述历史;或者时刻窥测风向,随时准备跟风倒;或者不断告诫自己要绕开禁区以免犯错误。真理标准问题讨论带来的精神潜能的释放,使史学工作者增添了追求真理的勇气,这是当代学术拥有活力的重要条件。

第二,历史学的深刻危机和变革需求。对于历史学来说,80年代是人们普遍感到危机的年代。中国近代史研究又在历史学各个领域中最令人深切地感受到它的价值动摇,因为近代史的叙事体系基本上是按照40年代的某些政治论述建立起来的,因为这个领域早在战争年代就与政治建立了过于密切的联系(例如对农民战争的重视、对曾国藩的评价等等),因为这个领域内建国后发生过许多重大学术问题上的全面的是非混淆(例如中国民主革命时期的所谓路线斗争神话等等)。这一切,使人们对长期以来以政治或直接以阶级斗争覆盖一切的中国近代史的本来面貌和学术功用发生根本的怀疑。近代史研究必须以新的观念、新的风格、新的视野、新的面貌、新的结论去获得人们的认同和信任。

第三,中外学术交流和年鉴学派理论的影响。随着"文革"的结束和思想解放运动的兴起,中外学术文化交流得到恢复和发展,各种西方学术思想和史学成果被介绍进来。就社会史而言,年鉴学派史学理论影响深远。

70 年代后期以来,年鉴学派受到中国学者的重视。张芝联于 1978 年在《法国史通讯》第 1 期发表《法国年鉴学派简介》。1979 年至 1986 年间,《世界史研究动态》、《法国史通讯》、《国外社会科学》、《世界历史译丛》、《历史研究》、《现代外国哲学社会科学文摘》等刊物先后发表了一批我国学者或日本、法国、苏联、美国等国学者介绍年鉴学派和费弗尔、布洛赫、布罗代尔等年鉴学派代表人物史学成就的文章。1988 年,南京大学组织翻译出版了《再现过去:社会史的理论视野》(浙江人民出版社 1988 年版)一书,收集了年鉴学派学者布罗代尔、勒高夫以及英、美社会史专家的 17 篇论文。这表明,中国近代社会史研究已经注意到与国际学术接轨。年鉴学派的历史观念、方法,对中国学者是一种很好的参考。

第四,有关方面的共同推动。80 年代以来社会史研究的兴起,还与各方面的重视和协力推动有关。在有关高校中,无论它们的研究力量主要集中在中国古代社会史还是中国近代社会史,总之都把社会史列为专业特色,给予种种扶持。由于社会史研究不仅涉及历史学的中国古代史、中国近代史、中国当代史、中共党史等诸学科,还牵涉到社会学、民俗学、民族学、文化学、哲学、人口学、档案学等各个学科,因此,自 1986 年以来两年一届的社会史年会人气很旺,活跃非凡。这里还要指出的是,各大学术刊物和出版界多年来对社会史一直保持浓厚兴趣。《历史研究》、《近代史研究》等刊物先后发表过多篇社会史年会述评和专栏文章,许多出版社不仅十分重视出版社会史丛书或单本著作,而且积极参与发起社会史年会,对此类活动直接给予经济资助。1998 年在苏州召开的社会史国际学术研讨会,共有中国社会科学院有关研究所与杂志社、高校、博物馆、出版社 22 家发起。所有这些,都造成了中国社会史研究方兴未艾的势头,当然,这也是中国近代社会史研究空前繁荣的一个重要原因。

80 年代以来,中国近代社会史研究取得了长足的发展,主要表现在以下几个方面。

1. 秘密社会

这个领域是在建国后中国会党史研究的基础上拓展起来的。1987 年,蔡少卿的《中国近代会党史研究》(中华书局)出版,作者在原有研究的基础上,比较系统地提出了会党史研究的一系列理论问题,完整地揭示了 18 世纪 60 年代至本世纪中叶近 200 年间会党演变的历史过程,在哥老会、斋教等问题上也提出了自己的独到看法。作者对会党和中国民主革命关系问题的探索,为从社会史的角度研究中国革命开辟了新领域。次年,秦宝琦的《清前期天地会研究》出版,该书对天地会起源问题作了有力的论证,并对嘉、道年间天地会的各支派进行了详细的分析叙述。1993 年,周育民、邵雍的《中国帮会史》(上海人民出版社)出版。作者揭示了近代帮会与秘密宗教、民间武术、游民的关系,它们在历次社会反抗运动和民族危难中的表现以及国共两党对它们的政策。中国秘密社会通常分为会党与教门两大门类(也有的分为会、帮、教三类),90 年代起对教门的研究趋向繁荣。1990 年上海文艺出版社影印再版了李世瑜的《现代华北秘密宗教》。次年李的助手濮文起所著《中国民间秘密宗教》(浙江人民出版社 1991 年版)出版。该书对元明清以来白莲教、明代 8 种教门支派、清代 19 种教门支派以及白莲教的经卷、教义、社会成分与组织形式等问题作了大致的叙述。1992 年,马西沙、韩秉方的《中国民间宗教史》(上海人民出版社)出版,该书比较全面地叙述了中国民间宗教的历史。1999 年,徐小跃出版《罗教、佛教、禅学》(江苏人民出版社)一书,对罗教经卷《五部六册》作了开创性专题剖析,对罗教与佛教在教义方面的联系,分析比较独到。此外,苏智良的《近代上海黑社会研究》(浙江人民出版社 1991 年版),提出从租界社会华洋杂处、多轨异质的特点方面来认识黑社会的成因，较有启发性。黄建远的《清、红、黑》(江苏人民出版社 1998 年版)一书，对近代青红帮与西方黑手党进行对比研究，也很有新意。刘才赋的《通天教主》(江苏人民出版社 1998 年版)叙述了流氓大亨杜月笙的一生。

2. 婚姻家庭与社会风俗

任寅虎认为家庭属于经济基础，婚姻与家庭是一个统一体，是一个生产、消费和生活单位，其基础决定于一定的生产力水平。[①]严昌洪的《中国近代社会风俗史》(浙江人民出版社 1992 年版)，大致叙述了中国近代风俗的演变。不少学者对戊戌维新运动对近代风俗的进步作用持肯定态度。[②]王奇生分析了民国时期的离婚现象，指出了它对民国社会风气、婚姻状况和妇女运动的影响。[③]邵雍研究了民国时期女性土匪首领的婚姻问题，认为她们私生活放纵，人格低下，精神扭曲，但与男性的关系仍不平等，是一种病态的婚姻形式。[④]朱小田认为近代江南妇女职业的变动与家庭棉纺业的没落有关，这个过程从 19 世纪 70 年代上海近郊开始。[⑤]苏智良多年从事日军侵华期间慰安妇问题调查，确认上海杨家宅娱乐所是日军在中国设立的最早的慰安所，中国慰安妇达 20 万人以上，[⑥]对这一特定妇女问题的调查研究具有重大现实意义。

3. 人口与人口流动

姜涛的《中国近代人口史》(浙江人民出版社 1993 年版)从人口的数量、人口分布迁移、人口结构三方面入手勾勒了近代中国的人口状况。行龙分析了近代人口中儿童所占的比例，揭示了近代

---

①④⑤⑥　参阅唐力行等：《"家庭·社区·大众心态变迁"国际学术研讨会述评》，《历史研究》1999 年第 1 期。

②　参阅李良玉：《第二届中国社会史学术研讨会述评》，《历史研究》1989 年第 4 期。

③　《民国时期离婚问题初探》，《社会问题的历史考察》，成都出版社 1992 年版。

依然盛行的溺婴现象。① 王笛认为四川人口向城市的流动出现于晚清。②陈克对天津人口的分析大致与此相同。③池子华的《近代中国流民》(浙江人民出版社 1996 年版)分析了流民问题的产生原因及其双重效应,即抛弃土地无序流动的负面效应和推进城市化近代化的正面效应。李良玉提出了近代人口城市化的分析模式,即从流动性质上看有知识性流动、雇佣性流动和寄生性流动,从流动起因上看则有交际型流动、灾变型流动、非农型流动和出口型流动 4 种类型。④ 这对研究人口流动问题有一定参考意义。

4. 知识分子与社会思潮

近代意义的知识分子产生于何时,这是知识分子研究的前提问题。姜义华、李喜所、李良玉等人认为萌生于鸦片战争之后,催生于洋务运动,甲午至本世纪初大致形成独立群体。⑤ 他们指出,代表早期近代知识分子意识的主要标志是资本主义民主意识的形成和传统纲常意识的淡化。当然,近代知识分子的民主意识也只是一个相对的概念,因为从总体上看,它具有缺乏理论思维的必要准备、传统经学意识经常回潮和政治实践中的异化三个特点。这是近代知识分子数量不足、受市场经济哺育不够的原因造成的。李长莉认为,19 世纪 60 年代后,知识分子开始向科举制度外寻求出路,这导致了他们的趋利之风的养成,对于促进近代思想解放有利。⑥桑兵的《清末新知识界的社团与活动》(生活·读书·新知三联书店 1995 年版),是研究清末知识分子社团史的较好著作。李良玉的《动荡时代的知识分子》(浙江人民出版社 1990 年版)一书,结合近

---

① ② ③　参阅李良玉:《第二届中国社会史学术研讨会述评》,《历史研究》1989 年第 4 期。

④　参阅李良玉:《近代中国的文化转型与历史变迁》,《江苏社会科学》1993 年第 4 期;《新编中国通史》(民国卷),福建人民出版社 1996 版。

⑤ ⑥　参阅李喜所、傅洁茹:《1979 年以来的近代中国知识分子研究》,《中国历史学年鉴》1994 年卷。

代知识分子社会构成和群体意识的分析,研究近代社会思潮与社会历史走向的关系,富有新意。高瑞泉等的《中国近代社会思潮》(华东师范大学出版社 1996 年版)透过中西文化冲突并在精英文化的层次上阐述了近代思潮。吴雁南等长期从事思潮研究,前有《清末社会思潮》(福建人民出版社 1992 年版),近有 4 卷本《中国近代社会思潮》(湖南教育出版社 1998 年版),是迄今为止研究中国近代社会思潮规模最大的作品。

5. 商人与商人社团

马敏的《官商之间:社会巨变中的近代绅商》(天津人民出版社 1994 年版)、朱英的《辛亥革命时期新式商人社团研究》(中国人民大学出版社 1991 年版)、唐力行的《商人与中国近世社会》(浙江人民出版社 1993 年版)等,是研究商人问题的重要著作。它们已经涉及到这样两个问题:第一,近代商人及其社团与近代市民社会的关系问题;第二,原有中国宗族组织在近代商人促进商品流通、构建市场网络方面的作用问题。由这两点出发,中国市民社会问题和近代化形式问题将有可能出现极富特色的研究成果。

6. 近代绅士和其他社会问题

王先明的《近代绅士:一个封建阶层的历史命运》(天津人民出版社 1993 年版)、贺跃夫的《晚清士绅与近代社会变迁》(广东人民出版社 1994 年版)是研究绅士问题的专著。前者界定了这一社会集团,并描述了它的历史命运;后者对绅士阶层与日本士族进行比较,指出了绅士集团与中国社会近代化的互动关系及其再社会化的过程。至于社会问题方面,蔡少卿等的《民国时期的土匪》(中国人民大学出版社 1993 年版)与蒋跃明、朱庆葆的《中国禁毒历程》(天津教育出版社 1996 年版),是研究近代匪患问题和毒品问题方面的作品。

（三）几个学科理论问题

随着社会史研究的兴起，人们对社会史的有关理论方法进行了认真的讨论，形成了以下三个方面的成果。

1. 关于社会史的研究对象

这是社会史学界普遍关心的一个问题。1986 年和 1988 年讨论会上，都有过详细的讨论。《历史研究》、《近代史研究》等杂志刊发过多篇文章，归纳起来，大致有 6 种意见：

（1）认为社会史研究历史上人们社会生活的运动体系，亦即以人们的群体生活与生活方式为研究对象，以社会组织、社会结构、人口社会、社会生活方式、物质与精神生活习俗为研究范畴，揭示其在历史上的发展变化及其在历史进程中的地位和作用。

（2）认为社会史应当是一种全面的历史。因为真正能够反映一个过去了的时代全部面貌的应该是通史，而通史总是社会史。史学研究应当注意人们在生产中形成的，与一定生产力发展程度相适应的生产关系的总和。因而，由此延伸出来的以经济活动为基础的种种人际关系都应成为社会史研究的对象。

（3）认为社会史的专门研究领域是社会，亦即不包含政治、经济、文化等在内的所有社会生活。此种观点认为，社会史的内容应当包括三个层次，即社会构成、社会生活、社会功能。近似的观点认为社会史的研究领域包括社会环境、社会构成、社会关系、社会意识、社会问题、社会变迁等七个方面。

（4）认为社会史应以社会为中心，从社会结构、社会功能的运行机制方面入手，广义的目标是再现人类社会过去的历史，狭义的目标是研究社会结构变迁时期普通人的经历，其中，必须对社会的日常生活给予较多的关注。

（5）认为社会史不是一个特定的史学领域，而是一种新的视角,新的路径,亦即一种"自下而上"地看历史的史学范式。

（6）认为社会史应当关注社会的宏观文化背景并对其作出价值取舍,以便真实地发掘、认识和再现历史上的人类社会生活。有人甚至提出,社会史研究应当以人为轴心,注意自觉地造就人、准确地把握人、真实地再现人、合理地评价人、强烈地感染人。还有人指出,社会史以"人"为核心,不是指某个具体的人,而是作为某个阶级、阶层或集团的整体意义的人。所谓注意人,就是注意不同历史背景下处于不同地位、从事不同职业,保持不同传统和风格,坚持不同道德标准和行为规范,追求不同理想的人的日常行为、相互联系及其发展演变的历史。

2. 关于社会史的学科地位

与社会史的研究对象问题相联系,人们自然而然地就要思考它与历史学的关系。大致有 6 种看法:

（1）社会史是社会的历史,反映过去时代的全貌,因此,它应该是通史。

（2）社会史旨在再现人类社会过去的经历,揭示人类社会的结构、功能及其运行机制,反映社会变迁时期各个方面的面貌。

（3）它是历史学的一门专史,与社会学、民俗学、民族学、人口学等学科有交叉的内容,因此具有边缘学科的性质。

（4）它是历史学的一门专史,与经济史、政治史、文化史相并列,构成历史学的"3＋1"格局。

（5）它是历史学的分支学科,在历史中有它的专门研究内容,因此,它是历史学的专史,但目标是面向整体史。

（6）社会史根本不是历史学的一个分支,而是一种运用新方法、从新角度加以解释的"新面孔"史学。

3. 关于社会史的科学方法

关于科学方法的讨论尚不充分,从人们已经发表的意见看,大致可以归纳为以下几点:

（1）社会史反映了当代史学变革的时代需要，也为历史学的创新提供了现实机遇，这就决定了它必然要实现学术方法上的革命，这是一次从外延到内涵，从观念到方法的全面的、创造性的转变。

（2）社会史拥有历史学的根本特性。因此，历史学的某些基本的学术方法永远不会过时，比如重视史料。要大力挖掘系统整理中国社会史资料，将散见于地方史志、文集笔记、轶文野史、戏剧小说、诗词歌赋、民族俚语、家谱族谱、墓志碑文以及社会考察、民俗调查中的资料收集整理出来。

（3）田野调查在社会史方法中应当大力提倡。在某些社会史课题中，尤其是在小社区研究中，通过实地调查可以增加对社区内部的各种社会关系和各种社会联系的了解，增加对当地宗教、宗族、风俗、基层组织和生活方式的直接感受，收集到在各类图书馆无法看到的极为丰富的民间文献，例如族谱、碑刻、书信、账本、契约、民间唱本、宗教书籍、日记、笔记等等，并且可以听到大量关于族谱、村源、村际关系、区内关系和其他方面的种种故事或传说，从而有助于站在社区传统的本来立场上达到对它的文化理解。

（4）与当代人文社会科学的所有学科一样，社会史必须十分注意消化吸收相关学科的学术方法，比如社会学、文化学、民俗学、民族学、心理学、地理学、哲学、宗教学、统计学，甚至数学等等。在途径方面，可以采取各学科联合、课题整合和理论方法融合等办法，来形成多学科的综合优势。

（5）马克思主义理论是社会史研究不可忽视的思想方法。马克思主义的根本活力，在于它的理论逻辑和它诞生时期资本主义的历史逻辑是一致的。马克思主义对社会经济基础的重视、对阶级问题的重视、对社会形态问题的重视、对社会历史问题的整体的辩证的分析方法等等，不仅是中国学者研究中国近代社会史应当自觉遵循并灵活运用的基本方法之一，它还受到西方学者包括年鉴学派学者的普遍重视。

　　(6)应当注意有机地吸收西方学术理论。中国的历史、国情、社情、民情与西方有很大差异,西方学术理论的范畴、概念、体系、方法是根据它们自身的国情、民情、社情、历史总结概括出来的。无论作为一种观察社会认识问题的方法,还是作为一种现代学术范式,它对我们都是有益的。但我们拿来分析本土时应有一些调整,亦即进行西方学术理论与我们的本土情况之间的对称性校正。

　　(7)学术理论与方法的讨论固然重要,但更重要的是扎扎实实地深入研究,用有说服力的作品赢得读者,证明社会史的生命力和对当代学术的贡献。

　　以上关于社会史理论方法的讨论成果是有意义的,它们代表了学术界的革新意识,体现了作者各自的学术实践和风格,从一个侧面反映了当代学术思想空前活跃的状况。我们感到有以下几个问题值得注意:

　　第一,应当正确理解年鉴学派史学理论。最容易导致误解的是年鉴学派"总体史"、"全面的历史"等等口号。我们似乎应当更多地从年鉴学派对兰克史学和实证主义史学的批判的角度去理解它们。布罗代尔说:"事实上,近百年来的史学,除人为的断代史和个别的长时段解释外,几乎都是以'重大事件'为中心的政治史,历史研究的内容和对象都是短时间,这也许是近百年来科学家们为进一步掌握必要的研究工具和严格的研究方法所付的赎金。"① 勒高夫在回忆《年鉴》杂志创刊的动因时也批评说:"经济几乎被传统历史完全抛在一边。"勒高夫赞扬伏尔泰的史学思想,认为他力图通过人口、贸易、手工作坊和工场、工艺技术、习俗、法律的演变等因素去说明历史的方法造就了全面历史:"这里的历史不仅是政治史、军事史和外交史,而且是经济史、人口史、技术史和习俗史;不仅是君主和伟人的历史,而且是所有人口的历史;是结构的历史,

---

① 《历史和社会科学:长时段》,《再现过去:社会史的理论视野》,第52页。

不只是事件的历史；是有进化有变革地运动地看历史，不是停滞的图表式的历史；是有分析有说明的历史，不是纯叙述性的历史，总之是无所不包的历史。"① 因此，所谓"全面的历史"、"整体史"，是指抛弃传统政治史概念，全面关注经济、文化和人类社会生活等各个方面的内容，达到对历史的全面的总体性的认识。这更多地应当视为一种史学观念和方法，而不应当理解为某项具体的史学成果——著作或者论文。

第二，开放人文社会科学是时代的要求，因此我们需要用发展的观点看待当代史学。历史学处在全面的进步之中，无论通史、断代史抑或各种专史，无不发生着重大的变革。社会史提出的那些变革主张与历史学各领域所要求的变革，肯定具有相近相似或相通的性质。中华人民共和国成立以来，人文社会科学由于片面学苏联，划分过细或相当程度上的封闭性，形成了过于强烈的学科意识。现在需要适当淡化这种意识。历史学需要扩大知识面，改良知识结构，融会多学科的知识方法，以达到新的境界，社会史也不需要对历史学自我封闭，以求得自成系统为目的。当然，它也没有必要在历史学的广阔园地中实行"井田制"，以垄断其中一块乃至几块为荣。

第三，创造性地实现多学科的综合。应当承认人文社会科学的各个学科在科学功能、科学规范和学术方法方面是有差异的。提倡多学科的互相借鉴互相渗透，并非主张千篇一律地实行拼凑，甚至套用概念、术语就完事。重要的是利用相关学科的范畴、概念和研究路径构建全新的解释体系去表达研究对象。就方法论而言，应当因课题而异；就内容而言，应当有不同特色；就作者而言，应当有不同风格。

鉴于以上三点理由，我们更加倾向于认为，社会史是当代史学

① 《新史学》，《再现过去：社会史的理论视野》，第105页。

的一个重要流派,一个具有极大学术穿透力并将对历史学发生重大影响的流派。社会史在历史观念、史学方法和课题之间应有一致性,这对保持它的历史学的基本特性非常有益。可以给予社会史一个比较宽泛的界定,承认它的研究成果容许知识性描述与范式性描述并存、宏观研究与微观研究并存、总体性研究与部类性研究并存、群体研究与社区研究并存、社会运动研究与社会心智研究并存,等等,以形成一个开放的全方位的学术场所。这将是一个百花齐放群芳争艳的史学新园地。

　　以上对最近50年来中国近代社会史研究作了一个初步的回顾,可能有些方面的介绍并不全面,但仅仅这些已经足以令人欣慰了。从80年代后期学术界恢复社会史研究以来,只有短短的10余年时间,就目前已经达到的水平而言,不能不承认它为中国近代史研究打开了新的思路,拓宽了领域,带来了新的活力。当然也应该看到,在这个学科中,基础资料的工作还缺少投入,学术争鸣不够经常,对社会史与通史的关系的理解有待深入,有分量的著作还不多见。就某些社会生活面或社会问题的描述性研究较多,而通过社会生活条件、方式、精神状态、技术、市场、物价等方面的综合分析来立体地观照社会进程的范式性研究尤少。我们预祝学术界的同仁更加解放思想,瞄准国内外学术前沿,在下一个世纪拿出更多无愧于新世纪的学术成果。这是时代赋予我们的光荣使命。

城 市 史

（一）中国近代城市史研究的缘起与发展

中国是世界城市起源地之一,早在 5000 多年前,就出现了早期城市。中国城市不仅源远,而且流长,城市发展的历史未曾中断,这是欧、美、东亚、南亚等地区和国家的城市所不能相比的;中国古代城市数量之多,规模之大,也是世界古代史所罕见的。自先秦以来,关于中国城市的记载不绝于书,并出现了以记载城市地理、社会、经济、文化等为主要内容的著作,著名的如《洛阳伽蓝记》、《东京梦华录》、《都城记胜》、《长安志》、《宋东京考》等史籍和《两都赋》、《两京赋》、《蜀都赋》等名篇;另外,浩如烟海的地方志书也保存了丰富的城市史资料。但中国古代一直未形成独立的城市学和城市史学。19 世纪中叶至 20 世纪中叶,中国城市出现了前所未有的变化和发展,城市在社会经济发展中的地位和作用不断提高,现代化成为城市发展的主题。但中国近代城市史研究不曾引起学术界的重视。20 世纪 30 年代,中国学术界曾围绕"中国是以农立国还是以工立国"展开了一场关于中国经济发展道路的争论,曾有学者提出发展都市以救济农村的观点,对城市的地位和作用予以高度评价。不过当时极少有学者对近代城市进行深入的研究。

新中国成立以来,由于多种因素的影响,领导层和学术界均视城市为资产阶级思想产生的温床,对城市的发展加以种种限制,将城市研究视为资产阶级学说;在以阶级斗争为纲的时代,中国近代史研究限定在一个较小的范围内,中国近代城市史研究没有发展的可能性。

改革开放以来,中国城市现代化建设出现了突飞猛进的发展。城市的巨变呼唤着中国社会科学工作者在理论上对中国城市进行深入的研究,一个新的学科"城市学"崛起,经济学、社会学、地理学、历史学等多学科都纷纷向城市研究靠拢。随着中国社会主义现代化建设的发展,构建历史学与经济学、社会学、城市管理学诸学科相结合、交叉的新学科——城市史学已经成为社会与学术发展的必需与必然。研究近代新兴城市(上海、天津、重庆、武汉)被列入国家"七五"社会科学规划的重点研究项目。经过10余年的发展,中国近代城市史研究不仅取得了若干重大研究成果,而且也初步形成了一个研究群体,在新世纪即将来临之际,中国近代城市研究出现了方兴未艾的发展趋势。据不完全统计,从80年代中期到90年代末,祖国大陆出版的有关近代城市史的专著和资料集达500余部,相关文章上千篇。[①]

研究成果主要体现在以下几方面:

1. 中国近代城市史理论框架和研究方法的突破性进展

作为一门新学科,城市史研究首先兴起于19世纪和20世纪之交的欧美。西方学术界对中国近代城市史的研究也开始得比较早,20世纪20年代就出现了有关近代中国城市史研究的论著,60年代以来,西方学术界对中国近代城市史的研究已经形成若干理论模式,并出版了大量的研究论著,但由于中西文化长期阻隔,这些研究成果在80年代中国近代城市史学研究兴起时翻译成中文

---

① 参见四川大学城市研究所编:《中国近现代城市史论文索引》,《城市史研究》第13—14辑。

的极少,因而中国学术界对中国近代城市史的研究是在缺乏理论和方法借鉴的情况下起步的。为此,中国学者在理论上对城市史进行了不懈的探索。10 余年来,在他们的努力下,中国近代城市史理论研究取得了相当的进展,如关于近代城市史研究的目的、意义,近代城市史研究的主要对象,城市的近代化,近代化与半殖民地化,城市的体系、布局,城市的功能、结构,城乡关系,城市发展的动力等理论问题都进行了较为深入的探讨;不少学者还十分重视提出近代中国城市史研究的理论模式,初步形成"结构—功能学派"、"综合分析学派"、"社会学派"以及"新城市史学派"等不同的学派。理论研究的多样化,一方面反映了学者们思维十分活跃,另一方面也对具有中国特色的近代城市史研究理论体系的形成和中国近代城市史研究的深入起了十分重要的推动作用。

2. 广泛开展学术交流

国内关于中国近代城市史研究多次召开学术研讨会,进行了广泛的学术交流,其中影响较大的有三次全国性的近代中国城市研究学术讨论会。

第一次"近代中国城市研究学术讨论会"于 1989 年 11 月在四川大学召开。会议主题是近代中国城市史研究的体系、理论和方法。[①]

第二次"近代中国城市研究学术讨论会"于 1990 年 10 月在湖北宜昌市举行。[②] 这次研讨会的一个突出成果就是在城市史研究理论方面取得了相当的进展,主要体现在城市史研究的内涵、主线,中国近代城市的近代化,城市史研究的方法、思路和视野等方面。

第三次"近代中国城市研究学术讨论会"于 1991 年 10 月在天

---

① 见何一民等:《近代中国城市研究学术讨论会综述》,《近代史研究》1990 年第 3 期。
② 参见涂文学:《第二届全国城市史研讨会述评》,《城市史研究》第 5 辑。

津召开。这次研讨会的内容主要集中在五个方面：(1) 城市史研究的理论与方法；(2)近代城市发展的动力问题；(3)中国近代城市的区域化差异；(4) 近代城市的工业化与文化变迁；(5)如何开展近代中国区域城市史研究。① 这次讨论会是在"七五"国家社科重点课题近代上海城市研究、近代天津城市史、近代重庆城市史、近代武汉城市史如期完成,有的成果已经出版问世的情况下召开的,因此这次研讨会所提供的论文和讨论的问题反映了近年来近代中国城市史研究的水平和令人瞩目的进展。

上海学术界先后召开了几次以上海研究为中心议题的国际学术研讨会。1991 年的"城市研究与上海研究国际学术讨论会"探讨了上海建城 700 年来城市历史的变迁,侧重在近代以来的上海城市社会、经济、文化与政治。② 1993 年的"城市进步、企业发展和中国现代化"国际学术讨论会,集中探讨了东南沿海五个通商口岸城市广州、福州、厦门、宁波、上海在近代以来的发展。此外重庆、成都、杭州、本溪等城市也曾举办过规模较小的关于中国近代城市史的学术研讨会。这些学术会议反映了学术研究的活跃,也进一步促进了学术研究活动的发展。

3. 研究领域不断扩展,学术专著和论文大量发表

近代中国城市史研究在 80 年代兴起之初,研究者主要围绕少数新兴的大城市开展研究,并着意于这些新兴的大城市从传统到现代的变迁过程的全方位考察,力图从整体上说明各城市的地理、经济、政治、文化的多层次结构状态及其演变的过程,并且注意到各城市的文化特色,如提出了上海的"海派文化"和重庆的"重庆精神"等。随着这几个国家重点课题的完成和正式出版,研究者们都

---

① 参见任云兰：《第三届近代中国城市研究学术讨论会综述》,《城市史研究》第 6 辑。

② 张济顺、朱弘：《城市研究与上海研究国际学术讨论会》,《历史研究》1992 年第 3 期。

注意到了对近代中国城市史研究领域的拓宽和深入，主要表现在：
（1）单体城市研究的普遍化和深入化。90年代以来，单体城市研究仍然是近代中国城市史研究的一个热点，但与80年代不同的是出现了两个趋势：一是单体城市研究的范围大大拓展，从对大城市研究向中小城市、从通商口岸城市向其他类型的城市研究扩展；二是单体城市研究向多层次、多角度、多学科交叉研究深入发展，对城市的经济、政治、文化、建筑、社会生活、阶级阶层等领域的研究都有一些较有分量的成果。（2）研究领域向纵深拓展，主要表现在从单体城市研究向区域城市研究和中国城市整体研究拓展，强调城市发展与社会变迁的互动性研究。（3）出现了将近代城市研究与现代城市发展研究相结合的趋势。

　　10余年来，近代城市研究已成为近代史研究中引人注目的新领域，出版学术专著、资料集数百部，发表论文上千篇。关于单体城市研究方面的代表作有《近代上海城市研究》（上海人民出版社1990年版）、《近代重庆城市史》（四川大学出版社1991年版）、《近代天津城市史》（中国社会科学出版社1993年版）、《近代武汉城市史》（中国社会科学出版社1993年版）。这四本专著可以说是目前为止祖国大陆在单体城市研究方面具有代表性的开创性著作。区域城市研究方面的代表性著作主要有张仲礼主编的《东南沿海城市与中国近代化》（上海人民出版社1996年版），不同类型城市研究方面的代表性著作主要有隗瀛涛主编的《中国近代不同类型城市综合研究》（四川大学出版社1998年版），城市史整体研究方面的代表性著作主要有何一民的《中国城市史纲》（四川大学出版社1994年版）、宁越敏等的《中国城市发展史》（安徽科技出版社1994年版）、曹洪涛等的《中国近现代城市的发展》（中国城市出版社1998年版）。值得重视的是有若干种关于中国近代早期现代化的专著也辟有专章阐述近代中国城市的发展，如章开沅、罗福惠主编的《中国早期现代化》，潘君祥等主编的《近代中国国情透视》等书。

此外不少学者还发表了若干高水平的文章。

中国近代城市史研究经历了 10 余年的发展，在学界同仁的努力下，取得的成绩十分引人注目，可以说，到本世纪末中国近代城市史研究作为一门新兴学科已经形成了自己的研究体系。

（二）中国近代城市史研究的理论探索

从中国近代城市史研究开展以来，中国学者都十分重视对城市史理论的探讨，初步形成了多元化的具有中国特色的近代城市史研究理论模式和研究方法。近年来，中国近代城市史理论研究的重点、热点和难点主要表现在以下方面。

1. 城市史研究的基本内容

对中国近代城市史研究的基本内容与基本线索的探讨是 80 年代中到 90 年代初研究者经常面临的一个有争议的理论问题。隗瀛涛认为："近代城市史和其他的理论著作相比，应具有不同的特色，既不同于以政治为主要内容、严格按照时间顺序编写的一般编年史，也不同于探讨某一特定领域的专史，更不同于旨在整理、研究、保存史实的地方志、城市志。"[①] 以上观点得到大多数研究者的赞同，但如何区别中国近代城市史研究与其他学科的特点，确定其内涵，则在研究者中发生了较大的争议。

罗澍伟也认为城市史和地方史不同，但他强调城市史在国外属于社会史分支，由历史学家和社会学家合作完成，因而城市史就是城市社会、经济史。城市史研究的重点应该放在城市社会和经济上，应将研究的触角伸向城市社会的各个侧面和深层，探讨近代城市社会的演进，城市经济结构的变化，以及阶级、阶层、民间社团与政党、市民运动与市民心理及生活方式和社会风貌、风俗的变化，

---

① 　隗瀛涛等：《关于近代中国城市史研究的几个问题》，《城市史研究》第 3 辑。

中西文明交汇和冲突,社会管理、市政交通、文教兴革等。① 林克等人也主张城市史重点研究城市所具有的各种社会机制的运行规律及其相互关系。这种观点在当时被称为"社会学派"。②

以隗瀛涛为首的《近代重庆城市史》课题组不同意把城市史仅仅视为社会史的分支,他们认为城市社会虽然是城市的一个十分重要的方面,但还不能说是城市史研究的全部内容,因而主张城市史应该以研究城市的结构和功能的发展演变为基本内容。他们强调城市史是把城市看做一个有机的社会实体,把城市视为在特定环境和历史条件下发生的一个广泛的社会运动过程。城市史研究要着重探讨城市结构、功能由简单初级形式向复杂高级形式的演变,不仅要揭示城市发展的一般规律,而且还要揭示每一个特定城市的特殊发展规律。中国城市史研究虽然涉及近代社会、经济、政治、思想、文化与历史事件、历史人物,但这些都必须是和城市的结构与功能演变有密切联系的,只有抓住了城市结构功能这条主线,才可以清楚地确定城市史研究的领域和内涵,使城市史形成有别于地方史和地方志的鲜明特色。他们还提出要区分两种类型的城市史,一种是以国家或地区城市体系或城市群体为研究对象的城市史,一种是以单体城市为研究对象的城市史,这两种城市史研究的内容既有联系,又有区别,前者应着重研究城市体系或城市总体结构和总体功能,后者则着重研究某一城市的具体结构和具体功能。③ 中国近代城市史可以通过五个方面的研究来揭示城市结构和功能的发展演变:城市地域、城市经济、城市社会、城市政治、城市文化。对他们的主张,当时"有人称其为'结构—功能学派'"。④ 这种观点虽不完善,但在当时确实产生了重要的影响,不仅成为

①　见何一民等:《近代中国城市研究学术讨论会综述》,《近代史研究》1990 年第 3 期。

②④　刘海岩:《近代中国城市史研究的回顾与展望》,《历史研究》1992 年第 3 期。

③　隗瀛涛主编:《近代重庆城市史》绪论。

《近代重庆城市史》研究的主要指导思想之一,而且对初步涉足近代中国城市史研究者较快地把握城市史的基本内容起了重要的作用。

除以上两种较有影响的观点外,还有一种观点认为应该加强城市史研究的综合性,这种观点在当时被人称为"综合分析学派"。唐振常提出城市史和城市研究有区别,前者是历史学的一个分支,后者则是一门新兴学科,他主张对城市史应该全面把握、综合研究,因为城市是综合的实体,包括政治、经济、文化、社会、人口等方面,城市史应是诸方面综合发展的历史。[①]也有学者认为:"城市史是以城市为研究对象,以揭示城市和城市社会的发展演变为目的。"因而应首先确定城市要素。"虽然目前中外学术界关于城市的定义还存在分歧,但作为比较完整意义上的城市至少包括十大要素:即城市的地域结构、基础设施、人口、社会、行政管理、经济、流通、信息、文化、生态环境,所以城市史主要就是要具体研究历史上构成城市的各要素和它们之间的联系、发展及演变。"[②]

关于综合研究城市史,皮明庥、李怀军认为只有首先把城市的内涵作一科学界定,才能从根本上确定城市史的内涵。他们主张以对城市社会和城市文明的演进和特点的把握与研究作为城市研究的主线,认为城市是一个结构,一个动态的立体社会。研究者的视野必须占有整个城市社会、城市文明及其历史。研究城市史从纵向上,要研究城市形成、发展的脉络和阶段性,研究不同历史时期城市形态和发展状况及其历史特点;从横向看,要研究城市的各子系统,如城市的地理地貌、自然景观、园林、工业、商贸和金融、建筑、公用事业、交通、市政工程、科技等,这些子系统另一方面又可以延

---

①② 见何一民等:《近代中国城市研究学术讨论会综述》,《近代史研究》1990 年第 3 期。

伸出许多子系统,有其侧面和分支,因而可以从不同的视角切入。① 皮明庥进一步强调,城市社会和文明之兴衰乃是城市史研究的基本线索,重点要把握几个要素:(1)城市的生成和盛衰荣枯,发展链条和区段;(2)城市社会形态和社会结构(地理空间结构、城市行政及市政结构、经济结构、人口和阶层结构等);(3)城市性质和功能演变,包括经济、政治、军事、文化等多重功能,并从辐射和吸收以及吸收的双方对流中加以展示;(4)城市文化特质,包括城市风貌、风尚、市民气质和生活方式、社会心理、文化流派乃至风味产品等。②

刘海岩则提出了应当把城市人(相对于乡下人而言)的行为和城市环境的关系作为城市史研究的中心,既要研究城市人的行为方式,又要研究城市环境的形成和结构,以及城市人的行为与环境的相互作用。③ 这种以研究城市人的行为和城市环境的关系作为城市史研究的中心的观点,与"社会学派"的观点有些近似,但也略有一些区别。

2. 城市现代化与城市化

早期现代化(近代化)研究是 80 年代以来在国内近代史学界关注较多的一个新课题,国内学者关于近代中国城市史研究多以此为主线展开,但具体切入点有所不同。

陶瀛涛等人认为近代中国城市史研究有两条互相推动、互相制约的主线,一条是近代城市化过程,一条是城市现(近)代化过程。但在不同类型的城市中,这两条主线应有所侧重,全国或区域城市体系中,人口在不同城镇中的分布、密度有所不同,城镇的等级、层次、空间分布,城镇的社会经济类型、产业布局以及城镇之间

---

① 皮明庥、李怀军:《城市史的思路与视野》,《城市史研究》第 5 辑。
② 皮明庥:《城市史研究略论》,《历史研究》1992 年第 3 期。
③ 刘海岩:《近代中国城市史研究的回顾与展望》,《历史研究》1992 年第 3 期。

的社会经济联系也有所不同,因而区域城市研究的重点以城市化为主线;而以某一城市为研究对象的单体城市研究时,则可侧重于城市近代化这一主线,重点探讨城区结构功能的近代化过程。同时他们又指出,这两条主线的划分,在一定程度上是为了表述上的方便。实际上这两条主线又是同一历史过程,城市化本身就是现(近)代化的一个重要标志,而城市现(近)代化不过是城市化水平提高的反映。至于城市早期现代化的特征,隗瀛涛等学者认为主要是近代民族工商业在城市的聚集和发展,反帝反封建民族民主运动在城市的兴起和发展,近代教育、科技、文化在城市的兴起与发展,以及由上述因素的变动导致的社会结构、阶级结构、社会组织、价值观念等等的变迁。①

谢本书认为近代城市是近代文明的中心,近代城市的发展是中国近代化的一个重要尺度,是近代中国不可缺少的重要环节。故他也强调研究近代城市重点应研究城市的近代化。②

乐正也主张将城市化和城市近代化作为近代城市研究的两条主线。两方面的内容既相互联系,同时并进,但又有区别。中国近代城市化特点与西方国家的城市化不尽相同,主要表现为三点:(1)中西城市化的动力不同,西方城市化的动力主要是工业化,而近代中国城市化的动力主要是商业化;(2)中西城市化的差异较大,主要原因在于近代中国城市对农村的"拉力"和农村对城市的"推力"太小;(3)在世界近代化进程中,西方主要国家是世界经济交往中的"终极利益"的获得者,因为西方国家的城市处于中心地位,而落后国家则处于外围依附地位,中心城市对外围城市有很强的经济控制力,迫使财富由外围城市流向中心城市,外围城市只能在财富外流的过程中获得一些连带利益或中间利益。这样一种经

---

① 《近代重庆城市史》绪论。
② 谢本书:《中国近代城市的发展与近代化历程》,《城市史研究》第3辑。

济关系反映出中国近代城市化过程中的某些半殖民地色彩,也反映出中西方近代城市化中的不同功能与特点。[①]

3. 半殖民地化与城市发展

80年代中期,国内学术界曾有人对中国的半殖民地问题提出质疑,因而对此问题的理论探讨成为近代中国城市史研究的一个重要内容。

目前大多数学者认为,中国城市现代化和城市化与殖民地化、半殖民地化同步。西方发达国家在现代化发生的时候,并没有遇到很大的国际压力和外部干扰因素,它们没有面临沦为殖民地或半殖民地的危险,相反,它们通过血与火的殖民掠夺,完成了最初的资本原始积累,使它们在其后的国际竞争中占有很大优势。而中国开始进行现代化转型时,西方主要的资本主义国家对中国进行了疯狂的侵略,中国被西方资本主义列强用武力强迫拉入世界资本主义体系中,处于边缘和依附地位,所以中国城市的早期现代化从一开始就与殖民地、半殖民地化同步进行,错综复杂地纠缠在一起。外国资本主义既对中国城市的近代化起了一定程度的推动作用,同时也对中国城市的近代化起着阻碍作用,这种以西方发达的资本主义国家为中心的国际政治、经济秩序,对中国早期现代化的发展十分不利。19世纪末世界资本主义从自由竞争阶段进入帝国主义垄断阶段,少数几个大的帝国主义国家将世界瓜分完毕,由它们占主导地位的国际经济、政治秩序已经形成,因而后发展现代化的国家在国际分工中只能处于边缘和依附地位,成为少数几个帝国主义国家的原料市场和商品输出、资本输出的市场,为这些国家提供原料和初级产品。国际市场被少数国家的资产阶级所操纵,不平等条约体系成为缠在中国身上的铁链,中国成为西方资本主义国家奴役、掠夺的对象。在多个资本主义国家的侵略、奴役、掠夺

---

① 乐正:《近代城市发展的主题与中国模式》,《天津社会科学》1992年第2期。

下，中国沦为半殖民地，人民经受了巨大的灾难，国家也丧失了巨额资源和财富，经济结构的转型呈现畸形化，因而中国城市的现代化发展十分缓慢、曲折。这种不平等的关系严重地制约着中国现代化经济的发展，并导致了中国与少数资本主义国家之间的严重对立，从而延误了现代化的进程，失去了正常发展现代化的机遇，并进一步加剧了中国城市近代化发展的不平衡性，沿海沿江少数开埠通商城市近代化发展较快，但绝大多数内地城市近代化发展缓慢，尤其是西部城市近代化发展十分缓慢。这种差距不断加大的结果，对中国整体的现代化产生了很多不利影响，也影响到新中国成立以来社会主义现代化建设。

中国城市的近代化是在外国资本主义入侵后才开始的，因此近代化与半殖民地化形成密不可分、十分微妙的关系，外国侵略中国后，中国被迫或不自觉地采用外国的文明，侵略成了不自觉的历史工具，刺激了中国城市的变化，开始了曲折的近代化历程。特别值得注意是，近年来，大多数学者不仅能客观地、辩证地看待半殖民地化与近代化的关系，同时还能针对过去仅仅强调殖民主义侵略对中国的破坏的一边倒的研究倾向，提出客观正确地评价外国资本主义入侵在中国的作用。不少学者指出，殖民主义者的动机和效果发生悖离的现象是经常存在的。在近代史上，殖民主义者对中国侵略的动机和效果有一致的地方，也有不一致的地方。他们指出殖民主义者对中国的侵略不管其目的有多么卑鄙，它在刺激城市进步方面，毕竟在客观上起了一定的作用。①

《近代重庆城市史》一书的作者认为近代中国城市的半殖民地化具有以下四个方面的特征：（1）城市功能和结构打上了半

---

① 参见张仲礼主编：《近代上海城市研究》，隗瀛涛主编：《近代重庆城市史》，罗澍伟主编：《近代天津城市史》，皮明庥主编：《近代武汉城市史》，何一民：《中国城市史纲》，费成康：《中国租界史》等。

殖民化的烙印;(2)城市的畸形发展和布局极不平衡;(3)民族资本受到挤压和买办极为活跃;(4)"城市病"流行。[1]同时他们还强调对于西方影响和半殖民化问题要注意两个方面:一是中国的近代文明不全是来自西方;二是西方文明向落后国家和地区进行渗透是一种历史趋势,其途径和形式可能不同。外国资本主义的侵略,虽然带来了一些西方文明,但正是这种侵略对中国独立自主权的破坏和在中国的特权,又在很大程度上阻碍了中国人民更快更好地学习西方的先进文化。帝国主义与中国封建主义相结合,使中国的近代化进程十分缓慢,并带上殖民地附属国的色彩。所以在研究中国城市近代化时,对于中国人民自身的作用要有充分的认识,对帝国主义侵略的促进作用与阻碍作用都要进行充分的分析。

　　租界是近代中国城市中的一种特殊现象,是中国城市殖民地化半殖民地化的一个重要标志。租界的存在对中国近代城市的发展影响甚巨。但在一个相当长的时间内,国内学术界对租界的研究比较薄弱,并立足于批判,因而在许多方面有所忌讳,不能深入研究。80年代中期以来,随着学术界不断的思想解放,上海、天津、重庆、武汉、北京等地的学者对租界进行了比较深入的研究,取得了丰硕的研究成果。一些学者通过对租界的具体实证研究,探讨了西方现代城市建设和管理经验对于中国城市近代化带来的客观影响,从另外的侧面展示了西方与中国城市近代化的关系。《近代上海城市研究》的作者指出,租界与华界的关系是相互联系、相互影响。早期租界依傍于华界,繁荣以后的租界则对华界产生了较大影响,刺激了华界的近代化发展,如租界先进的市政设施和市政管理,不断地为华界所仿效;租界的经济对华界也有很强的辐射作

---

[1] 《近代重庆城市史》概论,第9—10页。

用,引起华界及市郊一些产业结构的变化。[①] 他们还就殖民主义者的动机与效果的关系进行了辩证的分析,指出殖民主义者设租界、开工厂、经商,主要是从自身的利益出发,目的是为了发财,赚取利润,对中国进行经济侵略。这一方面加深了中国的半殖民地化程度,但另一方面也加速了中国自然经济的解体,创造了近代工业发展的环境,促进了城市近代化的发展。"殖民主义者在上海的经营,不管其目的多么卑鄙,它在刺激上海社会进步方面,毕竟充当了历史的不自觉的工具"。[②] 租界研究突破了理论的禁区,取得了较大的进展,从而也为中国近代城市史研究开辟了道路。

4. 城市现代化和城市化的动力

中国城市在 19 世纪中叶以来出现较大的变化和发展,即出现城市现代化和城市化的新趋势。众所周知,清代中期就出现了资本主义萌芽的进一步发展,但整个发展是十分缓慢的,萌芽始终不能成长起来,不能突破封建经济的土壤,故对城市性质的影响甚微。过去学术界一直有一种看法,认为中国封建社会内部商品经济的发展已经孕育了资本主义萌芽,如果没有外国资本主义的入侵,中国也将缓慢地发展到资本主义社会。近年来有人对这种假设提出质疑,认为这种假设缺乏历史根据,无论从政治条件、经济条件、技术条件等方面考察,还是从意识形态、人的因素等方面分析,中国封建社会内部不具备自发地发展城市现代化的条件,中国要突破中世纪的樊篱,踏上现代化的历程,需要新力量的推动。这个新力量就是来自外部的资本主义力量。[③]

《近代上海城市研究》的作者认为,"中国古典城市……孕育不出与封建社会相对抗的市民阶层、市民运动,发动不了与封建自然

---

① 《近代上海城市研究》总论,第 3 页。

② 《近代上海城市研究》总论,第 31—32 页。

③ 《中国城市史纲》。

经济相对立的工业革命,也无法启动城市近代化的闸门"。[1] 上海城市的近代化是外国殖民侵略者用武力迫使中国将上海开埠和建立租界开始的,又是在外国资本主义经营的新模式的示范下进行的。上海的近代化与外国的影响有密切的关系,但外国的影响只是外因,外因只能通过内因的变化才能充分表现出来,这种内因就是上海人对西方民主政治思想、城市管理方式、企业管理方式和技术等的学习、理解和创新。张仲礼等学者认为,上海与外国的交流不是单向的,而是双向的,一方面西方的民主政治思想、城市管理方式、企业管理方式和技术等对上海的近代化起了促进作用,另一方面上海也为西方各国的繁荣做出了贡献。[2]

《中国城市史纲》的作者认为,中国城市现代化的启动和发展动力主要来自两个方面:一是外力,即外国资本主义侵华势力;一是内力,即中国社会内部结构变革所产生的推动力,两种力又由各种力组合而成,多种力的综合,相互作用,形成一种合力,推动了中国城市的现代化起步。他强调外力楔入对中国城市的影响是双重的,既有负面的影响,也有正面的影响。负面的影响主要表现在使部分城市成为殖民地半殖民地城市,对城市造成了直接的破坏,压制阻碍了中国资本主义的发展,使现代化受阻,造成中国城市畸形发展。另一方面,外力对中国城市现代化所起的推动作用也十分明显:(1)外力推动了开埠城市经济向早期现代化转轨,导致城市经济结构和功能的演变;(2)外力改变了城市面貌,促进了城市建设向早期现代化发展;(3)为中国城市资本主义产生创造了一定条件。同时他还指出,中国城市早期现代化的进程、速度、规模、范围、性质等,尽管要受到外力的影响,但最终还是取决于中国社会内部结构变革的方式、程度、性质和范围等,现代化的推动力量主要还

---

[1] 《近代上海城市研究》总论,第 3 页。

[2] 《近代上海城市研究》总论,第 30 页。

是来自中国社会内部,来自中国人为适应新局面,为推动现代化所做的种种努力。①

此外还有不少学者持基本相同的观点,如谢本书认为外国侵略打断了中国历史的进程,城市发展的正常进程也被迫中断。但外国侵略也为中国资本主义的发展和城市的发展提供了一些条件。近代城市的发展与中国半殖民地化加深是直接相联系的,与殖民主义的活动直接有关的沿海沿江地方,城市畸形发展;而与殖民主义活动关系不大,或者没有什么联系的地方,城市的发展就被扼制。②

西方城市的发展大都是建立在工业化基础之上的,工业化是城市化和城市现代化的主要推动力。但在半殖民地半封建的中国,自给自足的自然经济一直很盛行,工业化的水平很低,商业资本一直大于工业资本,因而有一些学者认为商业化才是中国近代城市发展的主要动力,中国的近代工业发展缓慢,近代中国的乡村人口向城市聚集只有通过商业化来实现,由于商业对人口的吸纳性远远低于工业,以致造成中国近代城市化水平的低下。③ 如乐正即认为开埠通商和由此产生的巨大商业力量,是近代中国城市化进程的启动器,是城市发展的新动力和新特征。④

也有人不同意以上观点,如李运华认为只有工业化才是中国城市近代化之命脉所在。他强调中国工业化的发展过程也就是城市近代化和城市化的发展过程,工业化的发展速度和发展水平决定着城市近代化和城市化的发展速度和发展水平,中国近代工业的性质和发展特点在一定程度上决定了中国城市近代化的性质及

---

① 《中国城市史纲》。

② 谢本书:《中国近代城市的发展与近代化历程》,《城市史研究》第 3 辑。

③ 任云兰:《第三届近代中国城市研究学术讨论会综述》,《城市史研究》第 6 辑。

④ 乐正:《开埠通商与近代中国的城市化问题》,《中山大学学报》1991 年第 1 期。

其发展特点。[1]

另外,有相当部分研究者一方面十分重视开埠通商对城市发展的作用,并认为这些城市在近代都是因商而兴,外力正是通过开埠通商转化为推动中国城市近代化的动力;但另一方面也很强调这些城市的发展与工业的关系。认为工业化才是中国近代城市发展的内在动力,这是因为这些开埠城市虽然因商而兴,但却是因工而发,工业的发展一方面使城市的吸引力倍增,刺激了城市规模的扩大;另一方面,工业化直接为城市发展提供物质基础,促进城市的近代化。[2] 黄汉民认为在落后国家,综合性多功能的近代城市一般都是先由商业兴市,然后再由工业发展进一步推动城市近代化的发展,如近代上海即走过了一个因商而兴、由工而盛的发展过程。[3]《近代上海城市研究》、《近代天津城市史》、《近代重庆城市史》、《近代武汉城市史》等著作也提出了相似的观点。

与近代城市化和城市现代化相联系的是关于开埠通商城市的作用,这也是一个涉及如何正确认识外力在近代中国作用的问题。在天津召开的第三届近代中国城市研讨会上,较多的论者认为西方资本主义的入侵、中国与世界联系的建立与加强,是近代中国城市发展的外力因素,这主要表现在以下几方面:(1)通商口岸的被迫开放,外国租界的建立,以及西方各主要国家对中国在政治、经济、文化等多方面进行渗透,使许多城市纳入世界资本主义体系;(2)开埠后的城市成为外国资本主义在华输入商品与输出原材料的集散地,由此推动了开埠城市的发展;(3)开埠使这些城市首先接触到西方工业文明,从而为中国资本主义的发展和城市近代化

---

① 李运华:《中国城市近代化和近代中国城市化之命脉》,《城市史研究》第 7 辑。

② 参见《近代上海城市研究》等著作。

③ 黄汉民:《上海工业与城市近代化》,第三届近代中国城市研究学术讨论会论文,1991 年。

奠定了基础。[1] 张正祥、陈振江等人也从不同的角度阐述了开埠通商的历史作用。[2]

晚清时期,由于清王朝实行了闭关锁国政策,中国的经济主要在国内大循环,外部经济对中国的影响不大,城市发展的动力主要来自国内的诸种因素,同时城市发展的规模也受到极大的限制。19世纪中叶以来,中国的封闭状态被打破,被纳入世界资本主义经济圈中,国际因素对中国城市的发展产生着越来越大的影响,而这些影响在许多方面是通过开埠通商城市来进行的。开埠通商城市在中国城市的发展进程中是一种新的形式,它是一种开放型城市,是一个开放系统,这是它区别于原始城市、传统城市的显著特征之一。近代开埠通商城市的开放性首先表现为经济的开放性,以通商贸易为特征的城市经济决定了它必然要与外界交往,与其他城市——国内的和国外的城市,以及它能够辐射到的广大乡村腹地经常地、大量地、不停顿地进行物资的、能量的、信息的以及各种精神成果的交流,保持城市的新陈代谢。同时近代开埠通商城市的开放性还表现在它不断地吸收发达城市的先进技术、先进设备、先进的科研成果和各种技术人才,不断地从周围地域输入各种生产原料和生活资料,同时它不断地发挥巨大的辐射作用,从政治、经济、文化、技术、设备、物资、人才、知识等方面影响着其他城市和周围广大农村的发展。因此近代中国的城市一旦开埠之后,都得到不同程度的发展,开埠通商促进了一批新兴工商业城市的崛起,到20世纪中前期,开埠通商城市成为中国新兴城市的主体,其中部分城市成为区域性甚至是全国性的经济中心城市,初步形成了以这些城市为中心的区域性和全国性经济网络。

---

[1]　任云兰:《第三届近代中国城市研究学术讨论会综述》,《城市史研究》第 6 辑。

[2]　参见张正祥:《近代通商口岸与租界》、陈振江:《通商口岸与近代文明的传播》,《近代史研究》1991 年第 1 期。

5. 近代城乡关系

城市与乡村是人类文明产生以来共同存在的两个空间实体，城市与乡村在社会、经济、文化、建筑等若干方面都不同，但城乡之间一直有着十分密切的关系，城市的存在和发展必须以一定范围内的乡村作为自己的腹地。因而城市史研究不能孤立地局限于研究城市本身，而必须扩大研究视野，要在广阔的社会、经济、文化的背景下来考察和研究城市化过程。马克思主义经典作家对城市的观点和分析不仅建立在城市内部矛盾运动的基础上，而且建立在剖析城乡分离、对立运动的基础上。中国是一个农业大国，故研究中国近代城市史时更要特别注意研究城乡关系。《近代重庆城市史》的作者认为在西方城市发展中，城乡分离对立的运动，主要表现为城乡之间的社会分工和城市资本权与乡村土地权的对立，而在中国城市发展中，城乡社会分工不明显，也没有资本权和土地权的尖锐对立，这是中西方城乡关系很不同的特点。近代中国的城乡关系一方面表现为城市作为经济中心的功能，已对乡村产生了较大的辐射力和吸引力，一定程度上扩大了城乡之间的联系；另一方面又加速了城乡之间的差别和对立，城市在政治上压迫乡村，在经济上剥削乡村，造成乡村的落后、破产，使乡村固有的矛盾激化，最终又延缓了中国城市化和城市现代化的进程。

但也应该看到，近代中国城乡关系发展演变是一个错综复杂的历史过程，既要注意城市现代化因素对乡村的传播、影响，导致乡村社会、经济的变迁，也要注意乡村落后的、中世纪的因素对城市的渗透。[1] 乐正提出要从近代世界范围内，从不同层次来研究城乡关系，他认为上海在中国是城市，但是从世界范围看，上海却是西方国家的农村；重庆是西南地区的城市，但却是上海的农村，因为上海在近代是西方国家的工业品的市场和原料供应地，而重庆

---

① 参见《近代重庆城市史》绪论。

又是上海的工业品的市场和原料供应地。[①] 此一观点有其新颖之处,将中国城乡关系的发展放在世界范围内进行考察也有其道理,但其将上海称为"西方的农村"、重庆称为"上海的农村"的表述则引起了相当部分研究者的异议,认为这容易导致中国近代城市史研究走向新的误区。[②]

近代以来,由于外国资本主义的入侵,以及中国资本主义的成长,城乡关系也发生了相应的变化,主要表现在两个方面:一方面,城市经济功能有所发展,并对农村地区产生了较为广泛的辐射力和吸引力,扩大了城乡之间的经济联系;另一方面,城乡之间的社会分工有了较明显的发展,主要表现在机器工业大多集中在城市,而城市工业所需的原料、市民生活品的供应又主要来自农村。在古代中国,有相当部分城市人口与乡村保持着密切的联系,对城市存在着离心倾向;进入近代,由于城市功能的变换和城市生活条件的改善,城市和乡村的位差拉大,乡土的传统被逐渐打破,城市对乡村人口的吸引力加大,越来越多的农村人口进入城市后,不再返回农村,成为居住在城市中的永久性人口,因而传统的城乡关系被打破。

但也有人认为,在近代中国,传统的城乡关系并未改变,城乡之间并没有形成明显的社会分工,城市经济生活中地主、商人和高利贷者三位一体起主导作用,城市在政治上压迫乡村,并在经济上多方面剥削、掠夺乡村,使农村经济破产,延缓了乡村城市化的进程。[③]

乡村城市化进程的延缓,反过来对于城市现代化的发展也产生了制约。西方发达的资本主义国家,以城市为发展现代化的基地,带动包括农村在内的整个地区的现代化发展,城市乡村之间的

---

①② 何一民等:《近代中国城市研究学术讨论会综述》,《近代史研究》1990 年第 3 期。
③ 涂文学:《第二届全国城市史研讨会述评》,《城市史研究》第 5 辑。

对立冲突相对说来不是那么严重。但在中国,早期现代化并非一个自然渐进的历史进程,而是在西方列强的侵略下,为了维护清王朝的统治和中华民族的生存需要所被迫采取的现代化进程,由清政府倡导的早期现代化以优先发展军事工业和重工业为实现这一需要的保障,由此便决定了近代中国城乡之间的历史定位:中国早期现代化只能是发生于城市的孤军突进,现代化与农村基层社会严重脱节。这样,晚清现代化从一开始就只能在城乡分裂的空间结构中展开,这种分裂的空间结构使农村被抛在现代化的进程之外,不但难以品尝现代化的初期成果,反而必须承担现代化启动的重负。在这种情况下,农村陷入了严重的衰败与动荡之中,而农村的衰败与动荡反作用于早期现代化运动,构成了中国早期现代化受挫的一个深层原因。[①]

6. 区域城市史研究

近代区域城市研究是当前研究中国近代城市史的最新趋向。其研究特点是将中国按空间分解为若干个较小的研究单位,对各研究单位存在着相互联系、相互影响的自然地理、经济、社会、政治、文化等要素纳入同一个体系之中进行整体性、综合性研究。区域城市史研究方法的理论前提,立足于中国经济社会发展水平极不平衡、区域性和地方性变异幅度很大的客观国情。必须精密细致地剖析地域性变异的形式、内容和程度,才有可能准确精细地把握中国城市史的全貌。

美国学者施坚雅认为,中国近代城市没有形成一体化的完整的城市系统,而只是若干个地区性的、合理的系统;每个系统与相邻系统之间相互分离,只有些脆弱的联系。如果忽视各区域间城市化进程和城市化水平的不平衡性,从全国范围笼统地研究中国的

---

① 吴毅:《农村衰败与晚清现代化的受挫》,中国人民大学复印报刊资料《中国近代史》1996 年第 9 期。

城市化是没有意义的。因此,只有将城市史研究纳入区域的范围内进行考察才能得出符合实际的结论。

施坚雅关于从区域的角度开展近代中国城市史研究的观点对我们研究近代中国城市是有所启发的,但也并不完全正确。一是施氏过于强调城市区域的独立和封闭性,否定了区域城市之间的联系性和城市的统一性,这并不符合中国城市发展的实际情况。我国几千年来通过国家政权建立了完整的城市政治行政体系,这是中国城市发展的一个重要特点,也是中国城市发展的共性。另外区域之间的经济联系在很早就已开始,18 世纪时,中国跨区域的商品经济有了很大恢复和发展。中国学者许涤新、吴承明主编的《中国资本主义发展史》第 1 卷对此有深刻的分析和研究,清中期的中国有几条 1000 公里以上的贸易路线,内河航程约 5 万公里,从上海到华北、东北的长距离商运也在清代发展起来了,从四川到长江中下游的贸易也在此一时期有较大发展。① 虽然从总体上看长途贸易在中国市场中所占比重不大,但它的存在和发展对于中国各宏观区域间和城市间的联系起了一定的作用。进入 20 世纪,随着轮船、铁路、公路和航空等新式交通事业的发展,中国各区域之间、城市之间的政治、经济、文化联系已经变得越来越密切,因而施氏的立论基础已经发生了变化,其结论也就必须重新加以检讨。

目前国内的区域城市史研究在一定程度上仍受到施坚雅理论模式的影响,但不少学者在检讨施氏理论的基础上也在努力着手构架具有中国特色的区域城市史研究理论和方法。

关于区域城市史的学科性质和界定。隗瀛涛等学者认为,区域城市史既是区域史的一个分支,又是城市史的一个分支,确切地说,是区域史和城市史相结合而形成的一个新的研究领域。他们主张区域城市史的界定应该是"以一个政治、经济、社会、文化诸方面

---

① 参见许涤新、吴承明主编:《中国资本主义发展史》第 1 卷,人民出版社 1985 年版。

有共同联系和特色的地区的城市体系、城市群体为研究对象的城市史"。① 万灵则倾向于认为区域城市史属于区域史研究的内容，是区域史的分支。② 两种论点从表面上看并无太大分歧，但却会导致研究的内容和侧重点不同，目前前一种观点在城市史学者中获得较为广泛的认同。

关于区域城市史的研究内容和对象。隗瀛涛等学者提出区域城市史的研究对象是区域内的城市体系、城市群体，最基本的研究内容至少包括区域内城市体系发育演变的历史、区域城市化的历史道路和发展水平、区域内的城乡关系三个方面。③

有学者在区域城市史研究对象、研究内容的讨论中较为关注区域对城市化的作用和影响。他们认为，区域城市史就是以在政治、经济、社会、文化诸方面存在许多共性，并拥有密切联系的城市群体的区域为对象，研究区域内城市体系的形成和发展，以及各类城市之间和城乡之间相互关系的历史变迁。如刘海岩即强调区域城市研究的对象以一个或若干个城市为中心，有一定规模的、内部结构功能一体化的大型空间单位。区域城市研究应注意区域发展周期性变化对城市化的影响、区域城市系统的结构性特征、区域间城市系统的差异性。④区域城市研究作为区域史和城市史相互交叉而形成的新的研究领域，既要研究区域这一背景，又要研究城市发展这一主题，两者不可或缺。从现有的区域城市史初期研究成果来看，主要是围绕区域城市体系、区域城市群体进行研究。

关于区域的划分问题。区域城市研究遇到的首要问题就是区

---

①③　隗瀛涛、谢放：《近代中国区域城市研究的初步构想》，《天津社会科学》1992 年第 1 期。

②　万灵：《中国区域史研究理论和方法散论》，《南京师范大学学报》1992 年第 3 期。

④　刘海岩：《近代中国城市史研究的回顾与展望》，《历史研究》1992 年第 3 期。

域的划分。施坚雅关于中国宏观区域的划分对中国学者产生了较大影响,但由于施氏理论本身存在若干不足,其区域研究缺乏可操作性,因而越来越多的研究者对施氏所划分的区域提出质疑。施氏主要是以自然地理条件作为划分区域的依据,然而划分区域的标准是多种多样的,其参照系数可以是经济的、政治的、文化的,也可以是自然的、地理的或是民族的等等。隗瀛涛等人主张对于区域范围的划分问题,除了考虑行政的、地理的、经济的具体情况确定研究范围外,还应考虑结合城市史的特点来确定划分标准。首先要考虑中心城市在城市体系中的作用和影响范围,这可以视为区域城市史研究的范围;其次要考虑城市体系区域范围的动态性,所以区域城市史研究的区域范围也应根据城市体系的发展演变,采取历史的动态的划分标准。[①]

近年来天津学者提出了区域城市系统的概念和研究思路。罗澍伟认为区域城市系统是指在一定的区域范围内,不同类型、不同层序城市的地理分布。这种分布不仅构成了该区域的城市系统,也是该区域经济制度和经济发展的综合反映。[②]周俊旗进一步提出,在城市系统概念中确立的应是一种多学科参与的、多角度思维的史学概念。城市系统反映的并非仅仅是经济制度和经济发展,而是多种因素(经济、政治、文化、社会等)相互交织的综合系统。因此他认为区域城市系统的概念应表述为:在特定区域内,不同城市之间因一定频率的政治、经济、文化、社会等诸方面联系而形成的城市群体。城市作为一个大的系统是综合各种因素的整体,在城市群内各城市之间存在着错综复杂的各种联系,应重视城市系统的整体性和联系性。区域城市系统研究的主要任务是揭示特定区域内群

① 隗瀛涛、谢放:《近代中国区域城市研究的初步构想》,《天津社会科学》1992 年第 1 期。

② 罗澍伟:《试论近代华北的区域城市系统》,《天津社会科学》1992 年第 5 期。

体城市之间的联系、发展、变化及该城市系统的形成和发展。[①] 区域城市系统概念和研究思路的提出,反映出中国学者在研究近代区域城市史方面力求突破施坚雅等外国学者过分偏重从经济地理学的角度研究区域城市的思维模式,力求借鉴各种新学科的理论和方法,对中国区域城市进行综合的、整体的、相互联系的研究的新趋向。

　　近代中国城市史研究涉及的理论问题远不止以上几个方面。可以说,中国近代城市史研究虽然起步晚,但在各地研究者的共同努力下,形成了多元发展的研究热,初步形成了具有中国特色的近代城市史研究理论体系。但也毋庸讳言,我国的近代城市史研究的理论不够成熟,还存在着不足,特别是近年来,随着近代中国城市史研究不断向纵深发展,理论研究的不成熟也越来越显现,因而加强理论的探讨成为今后的一个重要发展方向。

（三）中国近代城市史研究的丰硕成果

　　近代中国城市史研究从 80 年代兴起到本世纪末,在短短的 10 余年间发展成为生机勃勃的新学科,其研究成果十分丰硕,下面分几个方面加以介绍。

1. 单体城市研究

　　近代中国城市史研究是从单体城市起步的,所取得的成就也令人瞩目。据张利民编辑的《近代中国城市史论著索引》[②]统计,80年代以来,国内出版的与单体城市相关的专著、资料集、论文集等共计 518 部,数量可谓很多。但有两个问题值得注意,一是这些著

①　周俊旗:《关于近代区域城市系统研究的几个问题》,《天津社会科学》1994 年第 5 期。
②　张利民:《近代中国城市史论著索引》,《城市史研究》第 13—14 辑。

作或资料集主要以北京、上海、天津、武汉、重庆等少数大城市为对
象,二是真正能称得上近代城市史研究专著的则不多,仅20余部,
所占比例甚小。但如果考虑到近代中国城市史研究起步较晚这一
情况,应该说成绩还是相当可观的。就这些近代城市史研究的代表
作看,则应首推张仲礼主编的《近代上海城市研究》、隗瀛涛主编的
《近代重庆城市史》、罗澍伟主编的《近代天津城市史》、皮明庥主编
的《近代武汉城市史》。这四部书是新中国成立以来第一批以比较
新的理论和方法来研究中国近代城市史的学术专著,篇幅宏大,不
仅具有开创意义,而且也是迄今为止代表我国近代单体城市研究
水平的权威性著作。史明正的《走向近代化的北京城》(北京大学出
版社1995年版)、常宗虎的《南通现代化》(中国社会科学出版社
1998年版)等著作也具有较高的学术水平。此外,谢本书、李江主
编的《近代昆明城市史》(云南大学出版社1997年版),程子良、李
清银主编的《开封城市史》(社会科学文献出版社1993年版),刘景
玉、智喜君主编的《鞍山城市史》(社会科学文献出版社1994年
版)、《宝鸡城市史》(社会科学文献出版社1994年版),王仁远等编
著的《自贡城市史》(社会科学文献出版社1995年版),曹子西主编
的《北京通史》(中国书店1994年至1997年版),张学君、张莉红的
《成都城市史》(成都出版社1993年版),傅崇兰主编的《拉萨史》
(中国社会科学出版社1994年版)等专著也各具特色。

　　从目前已出版的单体城市史著作来看,主要集中在对部分大
中城市的研究,而对情况复杂、功能差异较大的广大中小城市以及
联系广阔农村的小城镇研究仍然薄弱;从研究内容看,城市经济仍
是重点,城市社会、城市建设和城市文化的研究还不够深入,亟须
进一步加强。

　　2. 近代区域城市史研究

　　早在80年代初就有一些研究者试图从区域的角度来研究城
市,如武斯的《区域中原城市史略》(湖北人民出版社1980年版)、

傅崇兰的《中国运河城市发展史》（四川人民出版社 1985 年版）、王长升等的《长城沿线城市》（东方出版社 1990 年版）。但这些著作以研究古代城市发展为主，较少涉及近代城市。

90 年代初，一些学者将近代城市史研究从个案研究转入区域研究，以进一步深化对近代中国城市发展规律的把握与认识。近年来对东南沿海、华北、长江流域等区域城市系统、城市群体研究的积极探索和不断尝试，已经取得一些初步的研究成果，区域城市史研究也被一致认定是拓宽和深化城市史研究的重要途径，代表着近代城市史研究的发展趋势。

由张仲礼主持的国家"八五"社科重点研究课题"东南沿海城市与中国近代化"，第一次"将东南沿海城市当作一个城市群来研究"。他们紧扣东南沿海城市与中国近代化这一主题，就上海、宁波、福州、厦门、广州这五个最早对外开放的通商口岸与中国近代化的关系，从政治、经济、文化、社会等方面进行研究，力图以纵横交织的多角度，既勾勒出每个城市的个性，又归纳出五口通商城市的共性特征。他们首次把东南沿海五口通商城市看做一个有机的城市群体，采用多层次、多角度、多学科相结合的立体交叉式研究方法考察其纵向发展和横向联系，较好地把握了东南沿海地区以五口通商城市为主体的城市群体在带动区域近代化和中国近代化中的历史地位和作用。这一研究课题以较为成熟的东南沿海五口通商城市个案研究成果为基础，通过对这一城市群体整体特色的综合研究和五口通商城市之间相互关系的探讨，改变了以往个案城市研究存在的孤立、静止的缺陷，开拓了城市史研究的新领域，同时也提升了城市史研究的层次，扩大了研究视野。因而在近代中国区域城市研究中突破了施坚雅的区域城市研究模式，有所创新。这一课题的研究成果虽然在城市群体研究方面做出了有益的尝试，但同时也有一些不足之处，主要表现为：将东南沿海城市群体主要限定为五口通商城市，缺乏对东南沿海地区城市群体中其他

非通商城市地位和作用的研究；对东南沿海城市群体中城市之间
内在双向联系的探讨稍嫌单薄，对东南沿海城市群体的比较研究
和综合研究仍需进一步加强。这种评论对于尝试开拓城市史研究
全新领域的学术成果而言，也许要求过于苛刻，但这确实是城市群
体研究朝纵深发展的努力方向。

　　城市群体研究目前已引起不少城市史学者的注意。已知推出
的研究成果还有王玲的《北京与周围城市关系史》。它以北京为主
体，将其周围的城市结合成群体，研究北京与这些城市相互间的关
系。研究发现，北京与周围城市存在着相辅相成、共存共长、双向影
响的密切关系。[①] 这项研究成果初步反映了城市群体研究注重整
体性、历史性、联系性的特色。

　　近年来区域城市研究的论文发表得较多，关于长江流域地区
城市研究的重要文章有十余篇，其中张仲礼的《上海城市经济近代
化及对长江流域经济的影响》（《上海社会科学院学术季刊》1992
年第 3 期），隗瀛涛、谢放的《上海开埠与长江流域城市近代化》
（《城市史研究》第 10 辑）分别从不同的角度论述了近代上海与长
江流域各城市间的互动关系；王笛的《近代长江上游城市系统与市
场结构》（《近代史研究》1991 年第 6 期），熊月之、潘君祥的《论东
南沿海城市与中国近代化》（《史林》1995 年第 1 期）全面地分析了
东南沿海城市的发展对中国近代化的影响；茅家琦的《长江下游城
市近代化的轨迹》（《湖北大学学报》1994 年第 3 期）一文从经济、
政治、文化方面论述了长江下游城市的近代化进程。

　　90 年代初以来，部分学者开展了"近代华北区域的城市系统"
研究，以区域内城市系统的演变和城市化的进程为主线，对华北城
市进行了系统研究。近代华北是中国传统社会由封闭被迫走向开

---

① 　参见余棣：《开创群体城市史研究先例——〈北京与周围城市关系史〉评述》，《北京
　　社会科学》1992 年第 1 期。

放过程中变化最为剧烈的区域之一,表现在区域城市系统方面,即以北京为核心的传统区域城市系统走向瓦解,初步形成以北京和天津为中心的近代华北区域城市系统。他们推出了一批富有特色的前期研究成果,已引起城市史学界的瞩目,其中较有代表性者有胡光明的《清末民初京津冀地区城市城市化快速发展的历史根源与启示》(《河北大学学报》1997 年第 1 期)、罗澍伟的《试论近代华北的区域城市系统》(《天津社会科学》1992 年第 5 期)、胡光明的《北洋新政与华北城市近代化》(《城市史研究》第 6 辑)、周俊旗的《清末华北城市文化的转型与城市成长》(《城市史研究》第 13—14 辑)、张利民的《近代华北城市人口发展及其不平衡性》(《近代史研究》1998 年第 1 期)等。

东北地区是 20 世纪兴起的中国城市化水平最高的地区,近年来关于东北地区城市发展的研究已经成为区域城市研究的一个热点,所发表的文章相当多,其中从区域角度研究城市发展的文章主要有高晓燕的《试论东北边疆地区城市发展的特点》、王革生的《清代东北沿海通商口岸的演变》和《清代东北商埠》、杨天宏的《清季东北"自开商埠"述论》和《清季自开商埠海关的设置及其运作制度》、吴晓松的《交通拓展与近代东北城市建设》。

目前关于西南、西北地区城市研究的文章相对较少,何一民从人口迁移对城市发展影响的角度,采用甄别人口类型的方法,论述了抗战时期西南地区城市发展的原因。作者着重指出,人口迁移对于西南城市的社会经济发展的影响不在于迁入人口的数量,更重要的在于迁入人口的质量;素质高、具有年龄优势的外省城市居民的迁入改变了西南城市的人口结构,对西南城市特别是重庆、成都、昆明等中心城市的发展产生了巨大的影响。[1]

---

[1]　何一民:《抗战时期"人口西进"运动与西南城市的发展》,《社会科学研究》1996 年第 3 期。

城市史研究者对区域城市系统概念和研究思路的讨论,实质上反映出近代区域城市史研究者力求突破过分偏重从经济地理学的角度研究区域城市的传统思路,寻求以综合性、整体性、联系性为特色进行区域城市史研究的愿望。这同时也是城市史研究者坚持区域城市史的学科性质和学科特色,在借鉴其他学科理论、方法的同时,坚持运用历史学的研究方法,自觉与其他学科相区别的表现。

近代城乡关系是近代区域城市发展中的一个基本问题,也是近代城市史研究的重要课题之一。区域城市史研究必须加强对区域内乡村历史变迁和城乡互动关系的研究。区域城市作为一个有机、开放、动态的系统,与环境之间时刻处于不断输入和输出物质流、能量流和信息流的过程之中,即区域城市和周围农村存在密切的互动关系。《近代上海城市研究》、《近代重庆城市史》、《近代天津城市史》等专著都对城乡关系进行了初步的探讨。《东南沿海城市与中国近代化》一书则辟专章"城乡互动——农村经济与东南沿海城市近代化",详细考察了东南沿海五口通商城市近代化的兴起,对各个城市周边农村经济的影响以及农村产业结构的变迁情况,认为近代东南沿海口岸城市周边农村,由于特有的地理位置,以及与口岸城市天然的地缘联系,在国内农村中,得城市近代化风气之先,相比其他区域的农村,卷入近代化进程的时间较早,程度也较深,这种以城市为中心的近代化进程的卷入,对于周边农村以及城市本身都具有双重的意义。在此基础上形成的近代城乡关系必然表现为矛盾的综合体:一方面,农村在卷入城市近代化的进程中,既支持了城市的近代化,同时自身也获得了发展的利益;而另一方面,农村又不得不受制于城市,接受由于经济、政治差异而形成的城乡不平等关系,并且无可奈何地在必要的时候为城市的近代化付出代价和牺牲。这就是周边农村在口岸城市近代化进程中的历史地位和历史作用。①

此外戴鞍钢着重探讨了近代上海城市的崛起与周围农村经济互动互补的紧密关系。②沈毅对近代殖民地型城市旅顺和大连租借地的城乡关系进行了较为深入的研究,认为"旅、大租借地农村的落后和贫困,与大连市比较先进的工商业相结合的这种二元经济结构,阻碍了大连城市经济的健康发展"。③

3. 近代城市整体研究

自90年代初开始,不仅发表了相当数量的从整体上探讨近代中国城市变化和发展的文章,而且还出版了多部从整体上研究中国城市变化和发展的专著。如戴均良的《中国城市发展史》(黑龙江人民出版社1992年版)、何一民的《中国城市史纲》、宁越敏等的《中国城市发展史》、顾朝林的《中国城镇体系:历史、现状与展望》(商务印书馆1992年版)、曹洪涛等的《中国近现代城市的发展》、隗瀛涛主编的《中国近代不同类型城市综合研究》。

前三部著作均是中国城市通史性著作,比较全面、系统地从城市的经济、政治、文化、社会等方面研究了中国城市的起源、在古代及近代的发展。这三部著作各具特色,均为中国城市史的开创性著作,它们有一个共同的特色,即注意研究方法的综合性,既有史的厚度,又有理论的力度,对不同历史时期城市发展的特点进行了归纳,颇有新意。但因是城市通史性著作,要对不同历史时期的城市进行研究,故作者对近代中国城市发展演变的分析虽然着墨较多,但仍嫌不够,一些问题的分析意犹未尽,或未能全面展开研究。

顾朝林一书也是一部城市通史性著作,所不同的是,它主要集

---

① 张仲礼主编:《东南沿海城市与中国近代化》。
② 戴鞍钢:《近代上海与周围农村》,《史学月刊》1994年第2期。
③ 沈毅:《近代旅、大租借地的农业与城乡关系研究》,《华东师范大学学报》1992年第3期。

中考察中国城镇体系的形成、发展、演变,而对城市政治、经济、文化、社会等方面的演变涉及不多,或几乎没有涉及。曹洪涛等写作的是一部专门论述中国近代城市发展的著作,资料较丰富,但该书由于缺乏理论指导,未能从整体上对近代中国城市发展进行研究,因而研究深度不够。

值得重视的是,目前国内出版的一些著作虽非城市史的专著,但也涉及近代城市研究。如由章开沅、罗福惠主编的《比较中的审视:中国早期现代化研究》第 5 章即"城市化与社会结构、民风民俗的变迁",该书探讨中西城市化的不同模式、中西城市近代化的差异以及社会结构的变迁等,从整体上对近代中国城市发展作了理论的探讨,其中不乏新意。

中国近代城市发展在客观上存在两种差异:即地区性差异和类型差异。这两大差异构成近代城市史中观层次研究的学术前提:区域城市研究以城市发展的地区性差异和发展不平衡性为前提,城市类型研究以城市类型差异和近代转型时期城市类型的复杂性为前提;区域城市研究更多地关注城市网络体系和城市化,城市类型研究则较多关注城市性质、特征、发展的动力、条件以及城市发展的历史继承和时代变革,亦即城市近代化问题。两种研究方向相结合,就可以解决近代城市史研究的主要问题:近代城市化和城市近代化。这两种研究可以为在宏观层次上把握中国近代城市的发展规律和道路提供基础准备。

隗瀛涛主编的《中国近代不同类型城市综合研究》,以现代化为主线对近代中国的城市类型进行了划分,对不同类型城市的兴衰、发展原因、发展动力、相互关系进行了深入的研究。它的出版,标志着中国近代城市研究从单体城市研究、区域城市研究进入整体的、综合性的宏观研究,对中国近代城市史研究起了重要的的推动作用。

中国近代城市史比较研究近年来受到中外研究者的青睐,取得了较多的研究成果,比如上海学者关于上海与香港的比较研究,还有上海学者与日本学者合作关于上海与横滨的比较研究,都取得了令人瞩目的成就。

4. 城市经济、政治、文化和社会等各个层面的研究

近年来城市经济、政治、文化和社会等各层面一直为近代中国城市史研究者所关注。目前大多数关于单体城市研究的专著都以城市的各层面为切入点,分层进行研究,如《近代上海城市研究》、《近代重庆城市史》等著作分别对上海和重庆城市的各层面进行了深入的研究。近年来,除了一批比较系统地研究单体城市的专著外,还出版了大批关于近代单体城市某一层面的专著和资料集,其中较有影响的如徐公肃的《上海公共租界史稿》(上海人民出版社1980年版)、邹依仁的《旧上海人口变迁研究》(上海人民出版社1981年版)、徐雪筠的《上海近代社会经济发展概况1882—1931》(上海社会科学院出版社1985年版)、陈从周等的《上海近代建筑史》(生活·读书·新知三联书店1990年版)、孙国群的《旧上海娼妓秘史》(河南人民出版社1988年版)、乐正的《近代上海人社会心态1860—1918》(上海人民出版社1991年版)、忻平的《从上海发现历史——现代化进程中的上海人及其社会生活》(上海人民出版社1996年版)、胡光明主编的《天津商会档案汇编》(3册,天津人民出版社1987—1996年版)。

上举著作中需要特别提出来介绍的一本书是忻平的《从上海发现历史——现代化进程中的上海人及其社会生活》,作者运用全息史观来研究现代化进程中的上海人及其社会生活,在理论和方法上有较大的创新,夏东元称此书"构架了一个全新的研究体系,使人有耳目一新之感"。①

除相关专著外,关于城市各层面的文章也较多,其中关于城市

---

① 夏东元:《从上海发现历史》序。

经济的文章所占比重尤高,据四川大学城市研究所编印的《中国近现代城市史论文索引》的不完全统计,近年来国内发表的有关近代中国城市工业、商业等有关城市经济的文章约有 500 余篇,关于城市政治、城市管理、城市社会、城市组织、城市问题的文章约 150篇,关于城市文化、教育、大众传播、医院、艺术等的文章约 40 余篇。关于城市各层面的文章虽然较多,但研究论文相对来说仍然较少,不过其中不乏高质量的有创见的论文。

(四)中国近代城市史研究存在的问题与展望

改革开放以来,中国近代城市史研究异军突起,充分显示了蓬勃的学术生命力和强劲的发展势头。但也应认识到整个研究才开始起步,作为一个新兴学科仅具雏形,无论在理论体系、研究方法、研究领域等方面都还存在若干问题与不足,亟须加以解决,以期在新世纪来临之际,更上一个台阶。

目前国内学术界在近代城市史研究理论方面取得了较为丰硕的成果,初步形成了具有中国特色的理论框架,但至今还没有产生某种权威性的理论模式,不少研究者在理论方面还存在若干模糊不清的认识或生搬硬套的情况,如关于城市史的内涵、城市史的基本线索、城市现代化的内涵、城市发展的动力机制等理论问题都还需要进一步深化,对城市发展分期的标准、城市类型划分的标准、区域划分的标准等理论问题的认识也比较混乱。在区域城市史研究领域内一些学者受国外的理论束缚仍然较大。

在研究方法上,一些研究者已经注意到研究方法的多样性,力求运用多学科的研究方法,将社会科学的理论、方法与自然科学的理论、方法相结合进行研究,并且成就斐然。但相当部分研究者对此还未引起高度重视,基本上还是沿用传统的单一的历史的方法,并满足于对城市发展状况的描述性研究。

在研究领域和选题方面也存在一些问题和不足。目前对于单体城市的研究主要集中在少数大中城市,而中国各地差异巨大的大量的中小城市和小城镇的研究还处于薄弱或空白状态。单体城市研究的这种状况严重地制约了区域城市史研究和整体的宏观研究的全面展开。

从城市结构的各层面看,经济方面的研究较多,而城市文化、城市社会、城市管理的研究相对较少,并多停留在表面的描述上。

单体城市的研究和城市各层面研究的现状致使从经济角度研究区域城市史的成果相对较多,而从文化、社会等角度进行区域城市史研究的成果偏少。这种状况的出现与研究难度直接相关,也与理论和方法的贫乏有直接的联系。目前已有学者提出应综合研究区域城市史,从政治、经济、文化、社会等方面多角度揭示城市之间、城乡之间的联系形式和联系内容。另一方面,加强区域城市的文化和社会研究,也最有可能在学术上创新,应该引起城市史研究者的高度重视。

目前的区域城市史研究集中在对少数区域性中心城市和次中心城市及部分地区性中心城市的发展与相互关系上,很少研究区域范围之内数量众多、功能各异的地区性城市和小城镇及集市的互动关系。这样便不能充分反映区域城市群系统的多层次性特征。另外,对直接联系城市和乡村的广大市镇、集市等研究的不足,也将导致区域城乡关系研究缺乏扎实的基础。当前区域城市史研究还面临着如何在单体城市研究的基础上提高、综合,充分体现整体性、综合性研究的优势和特色,避免区域城市史研究成果出现以单体城市研究成果简单拼凑组合的问题。

中国近代城市史研究作为新兴研究领域,富有巨大的挑战性,作为一门新兴学科它有着很大的包容性和综合性,它直接涉及社会学、建筑学、地理学、经济学、政治学、人口学、生态学、统计学、文化人类学乃至心理学等社会科学和自然科学。研究者必须具备多学科的广博知识和宽阔的理论视野,这就要求研究者不断地更新自己的知识,不断地学习和探索。每当新的研究领域亟须开拓时,研究者都会感到学识不够。因而这种挑战性产生了巨大的学术魅力,吸引着越来越多的研究者从事这一领域的学习与探索。因而可以预期在新世纪来临之际,中国近代城市史研究将取得更大的成就,出现多元发展的繁荣局面,其总体发展方向和学术生长点将主要表现在这样几个方面:

(1)理论研究和方法创新将会成为一个热点,呈现突进趋势。

(2)区域研究和类型研究仍将引起研究者的广泛关注。

(3)城市的中观研究和微观研究将向精细化发展。

(4)城市发展与社会变迁的互动研究将会取得重大进展。

(5)中外城市比较研究、中国不同区域和不同类型城市比较研究亦会有重要进展;单体城市研究虽然将继续进行,但在近期会呈弱化趋势。

为此,笔者提出以下几点建议,以供参考。

(1)进一步加强城市史理论和研究方法的探讨与争鸣。

中国近代城市史研究要突破现有的研究水平,取得创新性研究成果,首先必须在理论和方法上开拓创新,科学地运用多学科的理论和方法研究城市发展,是城市史研究深入发展的一个主要努力方向。从总的来看,近年来在中国近代城市史研究中多学科的理论和方法的运用还很不够。要注意理论模式的建立和理论的解释,广泛吸取相邻学科的理论和方法,使研究理论和方法多样化。在研究手段方面要更多地利用现代科学技术,加强对计算机技术的使用,使研究成果更加精确和客观。

这里需要特别强调的一点是,在借鉴其他学科的理论和方法方面,必须注意同层引进问题,具体讲就是在宏观研究方面引进宏观研究的理论和方法,在中观研究方面引进中观研究的理论和方法,在进行微观研究时引进微观研究的理论和方法。如果非同层引进,难免发生不相适应或排斥,也难免出现生搬硬套或贴标签式引进的情况。

(2)进一步加强整体的宏观研究和个体的微观研究,以及两者相结合的综合研究。

近年来,对中国近代城市史整体的宏观研究取得了一定的进展,但总的说来研究的面还比较窄,深度还不够,特别是对城市发展规律的探索才刚开始起步,很多认识还比较肤浅。要进一步倡导进行总体的或综合性的,同时又是多层次或具体化的研究。皮明庥曾提出加强"对中国城市系统和城市历史进行总体研究,组织力量编成宏编巨制——中国城市史,或分别著录成中国古代城市史、近代城市史、现代城市史,还可以相应地编绘城市历史图册、城市地理历史、城市建置和行政管理史、城市人口史、城市近代化史、中国城市化史等"的建议至今仍具有启发性。加强整体的宏观研究也包括对区域城市群、城市体系、城市系统的整体的宏观研究。这将成为未来相当长时间内的一种研究趋势。

与此同时,加强个体城市的微观研究,以及宏观研究与微观研究相结合的综合研究也是今后的任务之一。城市的宏观研究应建立在微观研究的基础之上,如果微观研究十分薄弱,就难以为宏观研究提供坚实的基础。研究者应从大处着眼,小处着手,将宏观研究和微观研究相结合,此一研究方法有可能在下一个世纪成为一种新的研究趋势,目前有不少研究者正在做这方面的努力。

进一步加强城市现代化的研究,拓宽城市各层面的研究领域,将成为下一个世纪的重要课题之一。

城市现代化是一个国家或地区现代化的重要组成部分,它并不等同于一个国家或地区的现代化,研究城市现代化与研究一个国家或地区的现代化不能划等号。城市无论是作为一个地域空间,还是作为社会、经济的有机体,都与农村有着巨大的区别,城市无论在经济、政治、精神以及其他一切方面都优于农村,作为现代化先导的科技革命和工业革命都集中在城市,城市成为现代化的发源地。因而研究城市现代化与研究国家或地区现代化在许多内容方面是相重叠的,为了体现城市现代化的特色,要研究最能体现城市现代化内涵重点的一些问题,如城市基础设施的现代化、城市建设的现代化、城市管理的现代化、城市人的现代化、城市社会结构和社会生活的现代化。此外关于城市现代化与社会变迁的互动性、城市社会生活的变迁、城市社会问题等课题研究都应进一步加强。

(3)广泛开展城市史比较研究。

中国近代城市史比较研究在未来的很长一段时期内将成为一个重要的学术生长点,受到研究者的青睐。要进一步倡导比较的、跨学科的研究视野和方法,开展比较研究要注意纵向的比较和横向的比较,注意城市间的可比性。

(4)历史与现实相结合研究的趋势——20世纪中国城市现代化研究。

重视历史研究与现实的结合是近年来中国城市史研究者的一个共识,这也是城市研究的魅力所在之一,有关的研究者对此进行了不懈的努力和探索。不同的研究者可以从不同的角度寻找结合点和切入点。研究者应有一定的历史透视感和时代感、使命感,从而有助于寻找历史和现实的结合点和切入点。

笔者认为,对20世纪中国城市发展进行长时段的整体研究将会成为下个世纪中国城市史研究的一个新的热点。将20世纪中国城市发展作为中国近现代城市发展的一个全过程来考察,而不是分割为互不相联的两段,这就要求研究者在观念上、理论上、方法上、技术上有所创新,进而探讨当代中国城市发展的规律,并为当代城市现代化建设提供历史的借鉴。此一研究方向已经列入四川大学城市研究所培养人才和进行科研的计划,希望有更多的研究者共同对此一宏大的课题进行探讨。

(5)中国近代城市史研究中需要注意的几个问题。

　　一是注意对城市个性的研究和对城市发展的关节点的把握。中国城市的数量非常多,城市间的个体差异很大,不同区域的城市有着差异,同一区域的城市之间也有着差异,因而在研究近代中国城市发展史时,应对城市发展的道路(模式)或近代化的道路(模式)有一个确切的认识,而且围绕着这一道路(模式)找出它在各方面的特征,并抓住最主要的特征,即该城市的个性。城市个性的把握,是城市史研究得以深入展开的关键。城市的发展史,往往是该城市的类型特征不断丰富的历史。在这些丰富的城市类型特征中,只有那些恒久地影响该城市成长、壮大的特征才能构成该城市的个性。研究城市个性还要注意对城市发展的关节点的把握。所谓城市发展的关节点就是明显影响城市发展的内因和外因,包括一些重要历史事件,大者如战争,次者如开埠、修路以及某种制度的创立、机构的设置、条约的签订、政策的制订、法规的出台等等。抓住了关节点,城市发展的阶段性随即凸现。通过对城市发展的关节点的探析,进而把握城市发展的脉搏,揭示城市发展的规律。

　　二是注意将城市的发展放在全球现代化和城市化潮流中来加以考察。现代化和城市化是一个全球性的共同进程,中国的现代化和城市化固然有其自己的特殊规律,但也必然受到全球现代化和城市化的一般规律的制约和影响。因而在研究中国近代城市发展时,应注意将所研究的对象放在全球现代化和城市化潮流中来加以考察,只有这样,才能高屋建瓴,视野开阔。

　　三是注意城市在全国或区域城市体系、城乡网络中的地位和作用。任何一个城市,不论其规模大小,都会对其腹地内的较次城市和乡村产生影响。城市越发展,这种影响力就会越强,作用范围也会越广。反之,该城市腹地内的较次城市和乡村的社会变迁也会促进或阻碍该城市的发展。在探讨城市本身的历史进程时,应将其与该城市在全国或区域城市体系、城乡网络中的地位和作用的发展变化联系起来,这是全面、深刻地揭示该城市发展史的重要一环。

四是注意对与城市的发展关系密切的人物的思想、活动和相关重大历史事件的研究。人是城市的主体,城市的任何活动都离不开人,因而城市的发展史,在很大程度上即是城市人的生产、生活的历史,尤其是上层社会的人物的言行对城市发展的影响很直接、很大。但下层社会人物的言行对城市的具体发展也必然产生不可忽视的影响,因而也应予以充分重视。城市史研究的深入进行,还要求把在城市发生的重大历史事件从城市内在发展的角度加以深刻理解。从个别城市或几个相关城市社会内部政治、经济、民众意识等的相互关系、发展变化的角度来理解某些重大历史事件发生的原因及其进程、结果,将会丰富城市史研究的内容。

五是注意图片、地图在研究中的作用。与城市相关的图片资料、地图资料对于增加城市史研究的感性认识有时会起到文字所不能起的作用,往往一幅地图或一张图片就能很直观的说明许多问题。因此在城市史研究中,应通过各种途径,采用各种方法,尽可能收集地图和图片,增强对城市历史发展的感性认识。

工人运动史

　　对中国民主革命时期工运史的研究,在"五四"运动前后,实际上已经开始。从"五四"至中华人民共和国成立前,中国共产党在领导工人阶级进行反帝反封建的革命斗争中,运用马克思主义理论,对中国工人阶级状况、工人斗争的经验教训不断地进行研究、总结,写出了一些著作和大量文章,为 1949 年以后民主革命时期工运史的研究奠定了基础。此外,国民党及国民政府属下的管理劳工运动的机构和人员,以及社会科学工作者,也对工人运动进行研究,出版了一些有关的著作和资料书。其中内容涉及工人劳动状况和斗争情况的调查、劳动立法和劳动政策的讨论、中国劳动运动的国际联系等方面,尽管有些著作的观点不正确,但资料比较丰富,对 1949 年以后学术界研究民主革命时期的工运史有一定参考价值。

　　新中国建立后,特别是中共十一届三中全会以来,工运史研究取得了很大进展。据不完全统计,截至 1999 年年中,正式出版的工运史书有 190 余种,其中学术性较强的通史、专史、传记约占半数。此外,还发表了有关文章 800 余篇。可以说,中国学术界经过50 年的努力,在工运史研究领域取得了很大成绩。

　　1949 年以来的工运史研究经历了曲折发展的过程,大体可分为两个大的阶段:1949 年 10 月新中国建立至 1978 年底中共十一届三中全会前的 30 年是工运史研究的兴起和曲折发展阶段,十一届三中全会至今的 20 年是工运史研究的恢复、广泛开展和逐渐深入的阶段。

（一）

　　1949 年 10 月中华人民共和国建立至 1978 年底中共十一届三中全会前的 30 年,新中国工人运动史的研究经历了兴起、初步繁荣和严重挫折。30 年的工运史研究又可划为两段:"文革"前的 17 年和"文革"及向新时期过渡的 13 年。

　　从新中国建立到"文革"开始前的 17 年,是中国工运史研究由起步到初步繁荣的阶段。17 年间,正式出版的工运史书近 60 种,发表文章 170 余篇。这一时期的工运史研究主要是为了配合对干部、群众进行阶级教育和革命传统教育。当时出版的工运史著作,多数是叙述工人斗争的通俗小册子。如《二七大罢工》、《五卅运动》、《省港大罢工》、《上海工人的三次武装起义》、《大革命时期苏州纺织工人的罢工斗争》、《解放前的景德镇陶工运动》等等。这些小册子以通俗易懂的语言,从不同侧面反映了中国工人阶级的英勇斗争。此外,也有个别的较有学术水平的著作。例如王真、刘立凯的《1919—1927 年的中国工人运动》,较系统地介绍了中国近代工业的发展和中国工人阶级的形成过程,叙述了中国共产党成立前后和第一次国内革命战争时期的工人运动,论证了中国工人阶级在中国革命中的伟大历史作用。

　　在这一时期出版的工运史书中,特别值得一提的是厂矿史。其中质量较好、影响较大的即达 20 余种。如《红色的安源》、《北方红星——长辛店车辆厂六十年》、《门头沟煤矿史稿》、《清河制呢厂的五十年》、《三十六棚——哈尔滨车辆工厂六十年》、《列车的摇篮》(沈阳机车车辆厂厂史)、《大隆机器厂的发生、发展与改造》等等。这些厂矿史生动、具体地反映了工人阶级的苦难生活和英勇曲折的斗争,具有一定的学术价值。

丰富、翔实的史料是开展工运史研究必不可少的条件。这一时期,中华全国总工会中国职工运动史研究室在史料的搜集、整理和编辑出版方面做了大量工作,取得了丰硕成果。1957年由该室编辑出版的《中国历次全国劳动大会文献》,汇集了从1922年第一次全国劳动大会至1948年第六次全国劳动大会的主要文件。1958年,该室又编辑出版了5卷本的《中国工会历史文献》,全书220余万字,汇编了中国工会领导机关从中共诞生到中华人民共和国成立前的各个革命时期发布的重要文件,包括决议、指示、宣言、通电、报告、书信、传单及党和工会负责同志以个人名义发表的一些重要文章,以及地方工会、产业工会的有关资料等,内容十分丰富。1958年,该室为了进一步提供历史资料,发表研究成果,促进工运史研究,还创办了内部刊物《中国工运史料》,至"文革"前出版了8期。除上述汇编资料外,50年代还由中共中央宣传部和全国总工会提供原件,由人民出版社和工人出版社影印发行了《中国工人》、《上海伙友》、《劳动界》、《工人之路》、《工人宝鉴》、《劳动》、《全总通讯》、《苏区工人》等8种工运报刊。上述资料的汇编出版,大大便利了工运史研究的开展。此外,严中平等编的《中国近代经济史统计资料选辑》,孙毓棠、汪敬虞、陈真等分别编辑的两套《中国近代工业史资料》,彭泽益编的《中国近代手工业史资料》,对研究民主革命时期的工人运动,亦有较高的参考价值。

这一时期报刊上发表的百余篇工运史文章中,有些是学术水平较高的。举其要者,有系统论述民主革命时期工运经验和纪念五一节的历史的,如李立三的《中国工会运动的经验和教训》,宫韵史①的《五一劳动节的起源、发展及其在中国的四十年》,张注洪的《中国劳动人民纪念五一节的历史》;有论述"五四"前后工人阶级

---

① "宫韵史"是当时全国总工会工运史研究室在报刊上发表文章时使用的化名。

和工运历史问题的,如黎澍的《十月革命与中国工人运动》,赵亲的
《辛亥革命前后的中国工人运动》、《五四运动前中国工人运动史的
分期问题》,尚钺的《关于中国无产阶级的发生、发展形成的问题》,
刘明逵的《1912—1921年中国工人阶级状况》,李时岳的《辛亥革
命前后的中国工人运动和中华民国工党》,项立岭的《试论中国工
人阶级由自发到自觉的转变》,李星等的《再论中国工人阶级由自
在阶级到自为阶级的转变》,梁家河①的《二七斗争的历史意义》
等;有论述大革命时期工人运动的,如梁家河的《五卅运动的历史
意义》,齐武的《五卅运动的历史意义和经验教训》,金应熙的《四一
五反革命政变前广东工人对国民党右派的斗争》,马洪林的《上海
工人三次武装起义》;有论述土地革命战争时期工人运动的,如金
应熙的《从四一二到九一八的上海工人运动》,雪竹的《九一八事变
前抚顺煤矿工人斗争》等;有论述抗日战争时期工人运动的,如宫
韵史的《1937—1945年国民党统治区工人阶级的状况》,傅尚文的
《1938年开滦煤矿工人反日大罢工》,李义彬的《哈尔滨电车工人
的抗日斗争》,等等。

在这一时期的工运史研究中,学术争鸣已初步开展起来。1960
年至1962年间,学术界围绕中国工人阶级何时实现由自在阶级向
自为阶级转变的问题展开了讨论,参加讨论的论文近20篇,主要
观点有以下三种:

(1)认为在"五四"运动中工人阶级已成为自为阶级。持这种
观点的论者认为,工人阶级对自身所处的社会是否达到理性认识,
即本质的认识,是区别工人阶级处在自在阶级或自为阶级的决定
因素。"五四"运动中,中国工人阶级在马克思主义的影响下,已开
始认识到自己所处的半殖民地半封建社会的本质,并以独立阶级

---

① "梁家河"是当时全国总工会工运史研究室与中国科学院近代史研究所工运史组合
作,在报刊上发表文章时使用的化名。

的姿态自觉地投入到运动中,在斗争中表现出具有鲜明的政治意识、独立的政治行动、一定的水平和较广泛的阶级团结四个特点,在时局的演变中起了决定性作用,因此无愧于自为阶级的称号。他们还认为,既然理论界普遍承认"五四"运动是新民主主义革命的开端,区别新旧民主主义革命的根本标志是领导权问题,新民主主义革命是无产阶级领导,那就很难想象,当工人阶级还没有成为自觉阶级时能够成为革命的领导者。①

(2)认为中国工人阶级由自在阶级转变为自为阶级是一个较长的历史过程。1914年至1919年"五四"前是转变的准备阶段,"五四"后迅速由自在阶级向自为阶级转变,1921年中国共产党的成立标志着工人阶级已由自在阶级转变为自为阶级。持这种观点的论者认为,中国工人阶级由自在到自为的转变,需要具备三个条件:第一,阶级队伍的形成和壮大;第二,在阶级斗争中积累了一定的经验;第三,马克思主义传入中国和一批初具共产主义思想的、愿意同工农群众相结合的革命知识分子的出现。三个条件不是互不相关的。衡量工人阶级是否由自在向自为转变的标志,是知识分子是否与工人阶级相结合了。"五四"运动中,革命知识分子已经迈开了与工人阶级相结合的最初一步,工人阶级已经开始表现出自己的力量,并且已开始接受马克思主义的影响,因此应当说工人阶级已开始向自为阶级转变。但不能说"五四"运动是工人阶级由自在阶级转变为自为阶级的标志。因为"五四"时期工人阶级在政治上还不够成熟,还没有达到理解中国半殖民地半封建社会的本质和无产阶级历史使命的水平;还没有自己的组织。"五四"运动后,初具共产主义思想的革命知识分子加速了与工人结合的步伐,特

---

① 荣天琳、张注洪、周承恩:《五四前后的中国工人阶级》,《北大史学论丛》1959年;张琦:《中国工人阶级在"五四"时期是否已开始成为"自为"的阶级》,《江汉学报》1962年第4期。

别是 1920 年 5 月上海共产主义小组成立后,一方面加强马克思主义的宣传,一方面加紧了在工人中组织工会的工作,并初步取得成绩。这种马克思主义日益与工人运动相结合的过程,就是工人阶级由自在向自为转变的过程。[①]

(3) 认为在中共成立前,工人阶级完全处于自在阶段,中共的建立,使工人阶级开始进入自为阶段。持这种观点的论者认为,工人阶级要实现从自在到自为的转变,第一,在思想方面必须做到三个理解,即理解了资本主义社会的本质,理解了社会阶级的剥削关系,理解了无产阶级的历史任务。而要做到三个理解,就必须向工人阶级进行全国统一的、有组织的、有计划的灌输社会主义意识的工作。"五四"运动后,初具共产主义思想的知识分子在工人中进行了初步的灌输工作,但远没有使工人做到三个理解,这项工作必须由无产阶级政党来进行才能做到。第二,在组织上必须使自己形成一个统一的阶级力量向整个旧政权进行冲击。不仅要组织工会,还必须组织党,并且要首先成立党来统一工人的行动成为阶级的行动。"五四"运动中及"五四"运动后,在共产主义小组影响下虽然成立了一些工会,但还只是地方性的、行业性的、个别的,而且不巩固。第三,工人阶级的斗争必须是有意识的、有组织的经济和政治斗争。"五四"至中共成立前,工人的罢工斗争虽有较大发展,但基本上还是分散的经济斗争,个别的政治斗争也是局部的、零散的,缺乏政治目标,因此不能认为中共成立前工人阶级已开始由自在向自为转变。中共成立后,有组织、有计划地向工人灌输社会主义意识,大力从事将工人组织起来的工作,工人斗争才有了鲜明的经济要求和政治目的,成为有组织的统一的斗争,工人阶级也才开始

---

① 李星、赵亲、黄杜:《论中国工人阶级由自在阶级到自为阶级的转变》,《学术月刊》1961 年第 2 期;李星、黄杜:《再论中国工人阶级由自在阶级到自为阶级的转变》,《学术月刊》1961 年第 7 期。

进入自为阶段。①

　　需要特别提出来说明的是,1960 年全国总工会工运史研究室曾与科研部门和有关大专院校协作,召开全国工运史工作座谈会,共同探讨了工运史的学科体系问题。会议提出工运史研究的基本内容应当包括以下几个方面:(1)在各个革命发展阶段和历史时期,中国工人群众的处境和状况;(2)中国共产党对于中国工人群众运动的领导,以及党内两条路线斗争在工人群众运动中的反映;(3)中国工人阶级的斗争(阶级斗争和生产斗争);(4)中国工人群众的组织和工人队伍的统一团结;(5)中国工人群众运动在中国革命运动中的地位、作用,以及中国工人群众运动和其他革命群众运动的关系;(6)中国工人运动和国际工人运动的关系。这一关于中国工运史学科体系的设想,对深入开展工人运动史的研究,无疑是非常重要的。这次会后,全国总工会工运史研究室邀请中国科学院近代史研究所工运史研究室和中国人民大学中共党史系工运史教研室的专家学者,根据座谈会达成的共识,开始编写《中国民主革命时期工人运动史》。到 1962 年,书稿初步完成,并发给有关单位征求意见。虽然这次编写史稿的工作由于受到"左"倾思想的干扰,特别是受到"文革"的冲击,没能最后完成,但是,已经编成的部分史稿,在一定程度上反映了"文革"前工运史研究的主要成果,为"文革"后系统编写和出版工运史著作奠定了初步基础。

　　"文革"时期,中国工运史的研究遭到严重破坏。遍览 10 年中出版的图书杂志,在工运史方面,仅见严重歪曲历史事实的数篇文章和几本小册子。在这个阶段中,随着党和国家的各级领导人被错误批判、打倒,工运史领域除了对毛泽东指导过的安源罢工等事件进行不符合事实的宣传外,其他几乎都成了禁区。只有当大批判需要时,才把工运史上的某些事件翻出来,从中寻找打倒某人的根

---

① 项立岭:《试论中国工人运动由自发到自觉的转变》,《学术月刊》1961 年第 7 期。

据。刘少奇等工运历史上的许多领袖人物和英雄、烈士,都遭到了肆意诬蔑攻击,而"文革"前如实论述过涉及他们的一些事迹的工运史研究工作者,则大多遭到了不应有的种种指责和批判。当时出版的《五卅运动》一书,就是这方面的典型代表。该书为了达到诬蔑攻击刘少奇的目的,不惜篡改和伪造历史,把奉党派遣参与领导"五卅"反帝大罢工的刘少奇说成是怀着不可告人的目的、窜到上海钻进上海总工会破坏"五卅"运动的"工贼"。该书还借批判"五卅"运动中的"投降派"为名,影射攻击了中央其他领导人。

"文革"结束后,工运史研究工作逐步恢复起来。1977 年,为纪念上海工人三次武装起义,上海、北京等地发表了一些纪念文章。1978 年秋,全国总工会重建工运史研究室等机构,为工运史研究的全面恢复和发展做了准备。

(二)

1978 年 12 月中共十一届三中全会后,工运史研究步入黄金时期。为了叙述方便,下面将 20 年来的工运史研究分为两个时期加以介绍。

1. 1979 年至 1989 年,工运史研究全面恢复

1979 年,中华全国总工会向各级工会发出关于收集中国工运史料的通知。全国总工会工运史研究室于 1980 年 10 月召开了第一次全国工运史工作座谈会,确定恢复和建立各级工运史研究机构,切实开展工运史料的征集、整理和编纂工作。之后,又于 1983 年 6 月和 1986 年 6 月召开第二、第三次全国工运史工作座谈会,研究如何深入和广泛地开展工运史研究的问题。在全国总工会的统一部署和大力促进下,工会系统的工运史研究出现了良好的势头,并逐步走向繁荣。据全总工运史研究室统计,到 1986 年已有 26 个省、自治区、直辖市建立了工运史工作机构,包括地、市、县各

级地方工会和铁路、邮电、海员等产业工会在内,全国工会系统的工运史研究机构总计约 380 多个,有专职人员 540 多人,加上聘请、借调和兼职的,从事工运史工作的共计 1300 多人。全总工运史研究室和各省市工运史研究室编印的公开出版或内部发行的刊物60 多种。各地通过查阅档案、报刊,征集的文献资料有 7 万多份,3.6 亿多字,文物和照片 6000 多件;通过调查访问,抢救了活材料 2 万多份,2100 多万字。在搜集资料的基础上,整理编印史料专辑 40 多种,编写工运史稿 130 多种,编写工运史大事记约 200 份,地方工会志 100 多篇,撰写论文 700 多篇。其中部分已正式出版或发表。与此同时,社会科学院系统、党校系统和高等院校系统的党史和工运史研究者也潜心研究,发表了大量成果。据不完全统计,10 年间正式出版工运史著作 60 余种和资料书 90 余种,发表文章400 余篇。这些成果不仅在数量上超过了前 30 年,尤其在质量上有较大提高。

此一时期,资料的整理和出版工作取得了显著成果。已出版的资料书大致有三类:一是通史性的。其中最重要的有:(1)刘明逵主编的大型资料书《中国工人阶级历史状况》。该书计划编 4 卷 14册,每册 75 万字左右,共千余万字。各册按内容分列章、节、目及细目,系统编辑中国工人阶级产生至 1949 年新中国成立之前各个时期有关工人阶级队伍状况、劳动生活状况和组织斗争(即运动)状况的史料。各章前面撰有编者说明,书后附有重要参考书目索引。该书第 1 卷第 1 册(中共中央党校出版社 1985 年版)收录了 1840年至 1927 年间涉及中国产业工人队伍的产生和发展、中国工人阶级的劳动条件、工资和生活状况、手工业工人和其他劳动者的状况、劳动问题的政策法令等方面的大量史料。(2)中华全国总工会编纂的《中共中央关于工人运动的文件选编》(档案出版社 1985 年版)。该书共 3 册,96 万余字,系统选编了从 1921 年中国共产党成立到 1949 年新中国成立前,各个时期中共中央和部分中央局关于工人运动的决议、批示、宣言、通告、通知、电文等，为系统研究各个时期中共领导工人运动的方针和策略，提供了方便。(3)全国总工会工运史研究室将"文革"前创刊的《中国工运史料》改为按时期和年份汇编工运史料的专辑，继续出版。从 1979 年的总第 9 期到 1986 年的总第 29 期，共出版 20 期，平均每期 20 余万字，为工运史研究者提供了该室珍藏的"五四"运动至 1937 年间的大量工运史料。二是专题性的。主要有《二七大罢工资料选编》(工人出版社 1983 年版)、《上海工人三次武装起义》(上海人民出版社 1983 年版)、《五卅运动史料》(1、2 卷，上海人民出版社 1981、1986 年版)、《五卅运动与省港罢工》(江苏古籍出版社 1985 年版)、《华工出国史料汇编》(中华书局 1981 年至 1984 年版)、《焦作煤矿工人运动史资料选编》(河南人民出版社 1984 年版)、《省港大罢工资料》(广东人民出版社 1986 年版)、《湖南劳工会研究论文及史料》(湖南人民出版社 1986 年版)、《刘少奇论工人运动》(中央文献出版社 1988 年版)、《上海工会联合会》(档案出版社 1989 年版)等。三是地区性的。主要有《江西工人运动史料选编》(江西人民出版社 1986 年版)、《闽浙赣苏区工人运动史料》(江西人民出版社 1989 年版)、《自贡盐业工人斗争史档案资料选编(1915—1949)》(四川人民出版社 1986 年版)、《四川工人运动史料选编》(四川大学出版社 1988 年版)、《北方地区工人运动资料选编(1921－1923)》(北京出版社 1981 年版)、《陕甘宁边区工人运动史料选编》(工人出版社 1988 年版)、《云南工人运动史料汇编》(云南人民出版社 1989 年版)、《北京工运史料》(工人出版社 1982 年版)等。10 年来众多档案史料的出版，为工运史研究的进一步开展创造了有利条件。

这个时期出版的工运史著作，大多具有较高的学术水平，填补了工运史研究中许多方面的空白。就其内容而言，大体可分为以下七类：

一是通论民主革命时期工运史的著作。较重要的有：(1)唐玉良编写的《中国民主革命时期工人运动史略》(工人出版社 1985 年版)。这本书虽然只有 10 万字,分量不大,但十分精炼,可以说是作者多年从事工运史研究的结晶,是第一本通论中国民主革命时期工运史的简要著作。(2)王建初等主编的《中国工人运动史》(辽宁人民出版社 1987 年版)。这本书是为了满足工会系统院校开设中国工运史课的需要编写的。全书 40 余万字,是第一部通史性的工运史专著。(3)盖军等编写的《中国工人运动史教材简编(1919—1949)》(华东师范大学出版社 1988 年版)。这本书在 20 余万字的篇幅中,简明扼要地描述了民主革命时期的工人运动,较详细地考察了中国共产党工运策略的演变历程,力求做出客观的、准确的评价。

二是论述民主革命时期某一阶段工运史的著作。较有代表性的是齐武的《抗日战争时期中国工人运动史稿》(人民出版社 1986 年版)。全书 28 万余字,首次对抗日战争时期中国共产党领导下的解放区、日本统治的沦陷区和国民党统治区的工人运动,作了比较广泛、深入的论述和探讨。

三是论述地方工运史的著作。早在"文革"前,上海、唐山、浙江等少数省市就做了一些编写地方工运史的准备工作。中共十一届三中全会后,这项工作在全国各地广泛开展起来。地方工运史的撰写,成为各省市工运史研究的重点。经过几年的潜心研究,在 1985 至 1989 年间,先后出版了《石家庄工人运动史》(工人出版社 1985 年版)、《重庆工人运动史》(西南师范大学出版社 1986 年版)、《武汉工人运动史》(辽宁人民出版社 1987 年版)、《浙江工人运动史》(浙江人民出版社 1988 年版)、《山东工人运动史》(山东人民出版社 1988 年版)、《天津工人运动史》(天津人民出版社 1989 年版)、《大连工人运动史》(辽宁人民出版社 1989 年版)、《青岛工人运动史》(中共党史资料出版社 1989 年版) 等 8 种。这些地方工运史不拘一格,各具特色,都是在广泛深入地进行调查研究的基础上编写成的,都较充分地论述了本地区工人运动的历史特点和经验教训。它们同全国性的工运通史呼应,再现了中国工人运动波澜壮阔多姿多彩的画卷。

四是论述产业工运史的著作。薛世孝编著的《中国煤矿工人运动史》(河南人民出版社 1986 年版),是新中国第一部完整的产业工人运动史,填补了工运史研究的一个空白。

五是专题性工运史著作。比较重要的有陈卫民的《中国劳动组合书记部在上海》(知识出版社 1989 年版),任建树、张铨的《五卅运动简史》(上海人民出版社 1985 年版),蔡洛、卢权的《省港大罢工》(广东人民出版社 1980 年版),周尚文、贺世友的《上海工人三次武装起义史》(上海人民出版社 1987 年版),陆象贤主编的《中国劳动协会简史》(上海人民出版社 1987 年版)等。这些专题性的工运史著作,都对所论述的专题进行了深入的探讨,在史实和论断方面都有不少创见,对推动这些问题的进一步研究具有积极意义。

此外,根据地工人运动史的研究有了突破。中央苏区工运史征编协作小组编著的《中央革命根据地工人运动史》(改革出版社 1989 年版)填补了这方面的空白。该书对中央根据地的工人运动进行了比较系统的论述和总结,并附录了一些亲历者的回忆录、中央苏区工运的历史文献、工会组织沿革和工人运动史大事记。

六是回忆录和工运人物研究著作。10 年中出版了许多回忆录,其中一些涉及到工运史,尤以罗章龙的《椿园载记》(生活·读书·新知三联书店 1984 年版)和张金保的《张金保回忆录》(湖南人民出版社 1985 年版)最具参考价值。工运历史人物传记著作中,较有分量的有魏巍、钱小惠的《邓中夏传》(人民出版社 1981 年版),唐纯良的《李立三传》(黑龙江人民出版社 1984 年版),卢权、禤倩红的《苏兆征》(上海人民出版社 1986 年版)。此外,值得重视的还有中国工运学院编辑出版的《刘少奇与中国工人运动》(吉林人民出版社 1988 年版)。陈君聪、曹宏遂编写的《刘少奇工运思想研究》(工人出版社 1988 年版),对刘少奇在中国工运的理论策略和实践方面的贡献,作了比较深入的研究和探讨。

　　10 年间国内报刊发表的工运史文章不仅数量众多,而且相当一部分有较高的学术水平。其特点,一是研究的范围大大拓展了,二是研究的内容进一步深化了。学者们就许多问题展开了广泛而深入的研究,提出了不少新的见解,兹择要介绍如下:

　　关于工人阶级内部的统一战线。长期以来,关于统一战线的研究都限定在工人阶级与其他阶级之间,而对工人阶级内部是否存在统一战线的问题,没有讨论。1985 年以来学者们撰文指出,中国工人阶级内部存在统一战线是客观事实,还有学者对其特点作了初步探讨。有的文章集中考察了中国共产党提出工人阶级内部统一战线的概念的过程,有的文章着重探讨了中国工人阶级内部统一战线的特点。如漆文锋、邹小孟的文章认为中国工人阶级内部的统一战线的特点是:(1)不存在共产党与其他工人政党的统一战线问题;(2)基本上是处于秘密隐蔽状态;(3)主要任务是配合农村根据地的斗争;(4)同中共领导的整个革命统一战线的关系是密不可分的。[①] 作者认为,中国共产党把马克思主义的工人阶级内部统一战线观运用于中国工运的具体实践,在一定程度上丰富和发展了工人阶级内部统一战线理论。

　　关于工人运动的策略。刘晶芳根据刘少奇的策略思想,通过对大革命失败后党的白区工运策略的演变和白区赤色工会历史的考察,指出这一时期党在白区所奉行的以赤色工会为白区工人阶级同反动派斗争的主要组织形式的策略是错误的,应予否定。[②]汪洋撰文对中共在白区工运中长期实行的消灭黄色工会的策略进行了

---

① 漆文锋、邹小孟:《马克思主义的工人阶级内部统一战线观及其对中国革命和建设的影响》,《宜春师范专科学校学报》1986 年第 1 期。

② 刘晶芳:《土地革命战争时期白区的赤色工会》,《近代史研究》1987 年第 4 期。

考察,指出把本来属于中间营垒的改良主义的黄色工会简单地认定是反革命性质的,从而采取一概否定、彻底打倒的策略是错误的,正确的策略是尽可能利用黄色工会。[①]

关于中国共产党的工运策略与共产国际和赤色职工国际的关系。中国共产党是共产国际的支部,在遵义会议前,中国共产党的重大决策几乎都与共产国际有关,中国共产党领导的工会直接受赤色职工国际指导。学者们利用新发掘的史料,深入研究了中共的白区工运策略的形成、发展和变化与共产国际的关系。盖军、刘晶芳对这一时期共产国际对中国革命的指导进行了较为系统的考察,指出中共白区工运策略的发展变化,特别是脱离中国工运实际的"左"的策略,是与共产国际的错误指导分不开的。[②] 之后,唐玉良的文章在充分肯定1927年以前赤色职工国际对中国工运的支持和援助的同时,指出赤色职工国际四大以后的一些"左"倾的决定,对中国工运的错误和挫折客观也负有一定的领导责任。文章认为,各国无产阶级之间的团结合作是必要的,但采取赤色职工国际这样的集中统一的组织形式,由一个远离各国的世界性的指挥中心来指挥各国的工人运动是不好的。[③]

关于刘少奇的工运理论和策略。刘少奇作为中国工人运动的领袖,他关于工人运动的理论和策略曾对中国工运发生过重要影响,因而受到研究者的高度重视。10年中正式发表的研究刘少奇工运理论的文章有近50篇,其中大部分是研究他在民主革命时期的工运理论和策略的。学者们肯定了刘少奇在指导苏区工运过程中提出的工人在自己政权下应有主人翁的劳动态度的思想,高度

① 汪洋:《略论关于黄色工会的两种策略》,《辽宁大学学报》1989年第2期。

② 盖军、刘晶芳:《土地革命战争时期的白区工运策略与共产国际》,《党史研究》1987年第2期。

③ 唐玉良:《赤色职工国际与中国工运相互关系的初步探讨》,《中国工运学院学报》1989年第3期。

评价了他的白区工运策略思想,认为他的策略思想是马克思主义与中国工运实际相结合的产物。在对他的工运策略思想的形成过程进行研究时,学者们注意克服过去在人物评价方面存在的形而上学的绝对化倾向,指出刘少奇是人不是神,他的正确的策略思想也有一个形成发展过程,并非一蹴而就,在其认识过程中的某一阶段,也会是正确错误交织,也要经历从不清楚到清楚,由不正确到正确的过程,因此研究伟大人物的思想,也应客观和实事求是。①

这一时期工运史研究者还较广泛地开展了学术争鸣。随着实践是检验真理的惟一标准和实事求是的思想路线的确立,学术界对工运史上许多已有定论的问题和一些新问题展开了广泛的讨论和争鸣,促进了工运史研究的深化。这些问题主要有:

(1)半殖民地半封建社会的中国知识分子和雇农是不是工人阶级的一部分。

一种意见认为旧中国大多数知识分子是无产阶级的一部分,理由是他们不占有任何生产资料,受雇于人,靠出卖劳动力维持生活。因此,以生产资料占有关系及划分阶级的标准来衡量,应当说旧中国的大多数知识分子是无产阶级的一部分。② 另一种意见则不同意上述分析,认为旧中国的知识分子大多数不属于工人阶级的一部分。③对农村中的雇农是不是无产阶级的一部分,也有不同看法。一种意见认为,雇农是无产阶级的一部分,认为这样看比较符合中国无产阶级形成的客观历史条件,比较符合毛泽东思想对中国无产阶级概念使用的客观事实,也比较符合中共及其领导下

① 刘晶芳:《"九一八"至"一二八"前后刘少奇白区工运策略思想述评》,《刘少奇研究论文集》,中央文献出版社1989年版。
② 顾邦文:《旧中国大多数知识分子是无产阶级的一部分》,《社会科学》1985年第3期。
③ 郑兆安:《旧中国知识分子大多数不属于工人阶级的一部分》,《湖南师范大学学报》1986年增刊。

的工会组织中国无产阶级团结斗争的历史。① 另一种意见则认为雇农是无产阶级,但不是工人阶级的一部分。理由是无产阶级和工人阶级并不是相同的概念,雇农不同近代机器工业相联系,也不具备工人阶级集中、富于革命的坚定性和彻底性、有严格的组织纪律性等特点。②

(2)产业工人的集中性是不是中国无产阶级的特殊优点。

毛泽东在《中国革命和中国共产党》一文中将中国无产阶级的特殊优点概括为三条:第一,深受三种压迫,革命比任何阶级来得坚决和彻底,除极少数工贼外,整个阶级都是最革命的;第二,开始走上革命舞台就在本阶级的革命政党——中国共产党的领导下;第三,和广大农民有一种天然联系,便于结成亲密联盟。此后直至50年代初,毛泽东概括出的特殊优点一直为学术界沿用。50年代中期有所变化,将毛泽东的三条中的第一、二条合并,增加集中一条。新三条提出后,普遍为理论界认可和运用,30年无大变化。1983年底,缪楚黄撰文对集中是中国无产阶级的特殊优点表示异议,他指出:"陈伯达从大工厂和中小工厂集中工人人数多少比例这一角度,说中国工人集中程度比资本主义国家产业工人更高,是片面的,故不应采用集中是特殊优点这一提法。"③其后,有文章从中国无产阶级的形成及结构不同于西方资本主义国家入手分析,指出中国无产阶级的内涵比西方资本主义国家无产阶级的内涵大得多,不仅包括产业工人,而且主要成分是手工业工人和农业工人,由此自然不能得出集中是无产阶级特殊优点的结论。④

(3)关于中国无产阶级的局限性问题。

---

① 刘星星:《中国无产阶级概念与中国工运史研究》,《工人日报》1985年7月5日。
② 郑庆声:《中国工人运动史的研究对象问题》,《史林》1986年第3期。
③ 缪楚黄:《毛泽东思想的历史发展》,《党史通讯》1983年第23—24期。
④ 刘星星:《"集中"不是中国无产阶级的特殊优点》,《江汉论坛》1984年第12期。

　　长期以来,工运史研究中凡是论到无产阶级时,总是论其先进性。1980 年,学术界有人对中国无产阶级的特点进行了辩证思考,提出中国无产阶级有局限性的特点。1981 年至 1982 年间,学术界就这一问题展开了争鸣。

　　一种观点认为中国无产阶级有局限性。主要表现为落后、保守、迷信、不懂尊重科学等弊病。这些弊病在社会政治经济生活中就表现为封建主义意识和平均主义思想。持此观点者认为产生局限性的主要原因有两个。其一是中国无产阶级先天不足,到 1919 年城市无产阶级总共不到 200 万,仅占全国人口的 1/200,而且大都受小手工业的影响,保留着狭隘、自私和涣散性。其二是中国无产阶级身上具有农民属性。中国无产阶级是直接从农民转化来的,而农民中即使最革命的雇农阶层,也缺乏成为无产阶级的必要物质条件,不可能具备无产阶级那样高的组织纪律性。刚刚从农民队伍跨入工人阶级队伍中的无产阶级不可能一下子摆脱农民属性的影响。无产阶级身上或多或少带有的农民属性,是产生局限性的根源。他们认为无产阶级的局限性给革命和建设事业造成了损害,承认和研究无产阶级的局限性有利于无产阶级的自我改造与改造世界。①

　　另一种观点认为中国无产阶级没有局限性。持此观点者认为肯定无产阶级具有局限性的论者是混淆了有限和无限的概念,把阶级局限同具体事物存在的暂时性、历史性混为一谈。阶级的根本缺陷是由其经济地位决定的,是不能改变的。历史上的剥削阶级都有其局限性。而无产阶级由于同先进的生产方式相联系,其经济地

①　黄万盛、尹继佐:《试论中国无产阶级局限性》,《社会科学》1980 年第 5 期;黄万盛、尹继佐:《再论中国无产阶级局限性——兼答几位批评者》,《社会科学》1982 年第 3 期;徐高:《对〈论中国工人阶级的先进性〉一文的意见》,《社会科学》1982 年第 2 期。

位使其具有伟大的团结性、互助性、组织性、纪律性、进步性和对财产的公有观念,其本质是先进性而不是局限性。虽然无产阶级由于与农民联系紧密会受到农民思想的影响,但这种影响毕竟是外因,是第二位的,况且农民从加入无产阶级队伍起,就不断得到思想改造,从而逐渐融化掉农民意识。全面地看问题,应当说这种改造占了主导地位。因此,说中国无产阶级有局限性既没有马克思主义理论作为依据,又不符合中国无产阶级的实际情况,是错误的。持此观点者还认为,强调无产阶级的弱点,并把它上升到局限性的理论高度是有害的,会导致抹煞或歪曲党的性质,从而不利于共产党的领导。[①]

还有一种观点认为,肯定先进性与承认局限性并不冲突。理由是,任何一种历史特有现象,绝不会仅给社会带来好处而无弊端。中国无产阶级与农民联系异常紧密,对工农联盟的形成、对动员和组织起强大的反帝反封建力量无疑是一个很大的优越性。但也应看到,正是由于同一原因,农民的心理、农民的习惯和农民的思想对无产阶级的影响较深,使得诸如平均主义、自由散漫等小生产习气在无产阶级队伍中长期存在,而且只要中国还是一个农民占大多数的国家,只要工农、城乡差别存在,农民属性就一定会在无产阶级身上有所反映。但这并不等于改变了无产阶级的本质属性。[②]

(4)香港海员大罢工是谁领导的。

长期以来,工运史研究者一般认为香港海员大罢工是中共领

---

① 徐一鸣、马程华:《所谓中国无产阶级局限性析辩》,《社会科学》1982 年第 6 期;曹仲彬:《论中国工人阶级的先进性——〈试论中国无产阶级局限性〉一文质疑》,《社会科学》1981 年第 5 期;王兆铮:《认识中国无产阶级局限性的几个问题》,《社会科学》1982 年第 6 期。

② 程继尧:《肯定先进性和承认局限性并不冲突——也谈中国无产阶级局限性问题》,《社会科学》1981 年第 6 期。

导的,但 80 年代出现了不同看法。

一种看法认为是国民党领导的。理由是香港海员大罢工发生时中共刚刚成立,党员人数少,处在秘密活动状态,力量有限,广东党组织的力量尤其弱。加上中共当时的工运重点在北方,中共没有也不可能发动和领导香港海员大罢工。持这种观点的学者列举了以下史实证明罢工是由孙中山为首的国民党所发动和领导的:第一,罢工的领导机构——中华海员工会联合总会是在孙中山等人发动下成立的,是经国民党广东政府注册的;第二,罢工是国民党的联义社主持的,苏兆征、林伟民以联义社成员的身份参加并领导了罢工;第三,罢工的活动经费大都来自国民党方面。从罢工开始到结束,广东政府始终起着重要作用。①

另一种看法认为,香港海员大罢工不是国民党领导的,而是在当时的国内外潮流的影响下,由苏兆征、林伟民为骨干的香港海员工会自己发动和领导的,它得到了国内外人民的声援、国民党的重要支持和共产党的大力支持和领导。其理由是,香港海员工会是在孙中山支持下成立的,但与孙中山和国民党之间并无直接隶属关系,联义社是香港海员工人的社团,不是国民党的组织,事实上也完全没有用过联义社的名义领导罢工;苏兆征、林伟民在领导香港海员罢工时,决不是以国民党党员的身份出现的;至今仍未发现孙中山或者国民党就如何发动和领导这场罢工斗争公开发表过任何宣言、文件或言论,至今也无法找到体现国民党的领导作用的任何资料。②

(5)省港大罢工是谁领导的。

一种意见认为,省港大罢工是在中共广东区委和全总直接领

---

① 刘丽:《香港海员大罢工是国民党领导的》,《近代史研究》1986 年第 2 期。
② 禤倩红、卢权:《香港海员大罢工是国民党领导的吗?》,《近代史研究》1987 年第 5 期。

导下进行的,其根据是:第一,罢工是共产党发动的。"五卅"惨案第二天,中共广东区委会议决定成立临时委员会领导广东人民开展声援上海人民的斗争。6 月 8 日,中共党员邓中夏等去香港发动。临委会决定罢工后,指定黄平、邓中夏、杨殷、苏兆征、杨匏安五人组织党团为罢工指挥机关。第二,罢工是共产党领导的。罢工起来后,临时省港罢工委员会作为罢工指挥部,创建了罢工工人代表大会和工人武装纠察队,制定了特许证制度,确定了单独对英的原则。正是中共的正确领导,保证了省港大罢工的顺利进行,并取得了重大胜利。[①]

另一种意见认为,在肯定共产党领导了省港大罢工的同时,也应当承认国民党所起的领导作用。国民党拟定了罢工计划,并派员以中央代表身份带着国民党的密令到香港和沙面发动罢工,发出让香港、沙面工人返回广州的命令。罢工实现后,广州政府在对英封锁,解决回省工人食宿和交通等方面采取了一系列有效措施,使罢工得以坚持。国民党制定了区别列强、单独对英的方针,制定了复工条件,成功地进行了外交斗争。在省港大罢工中,国民党左派代表人物汪精卫、廖仲恺、宋庆龄、何香凝等做出了重大贡献,廖仲恺实际成了罢工总指挥,汪精卫起的作用也很大。上述事实说明国民党也对罢工起了领导作用。考虑到当时是国共合作,国民党中的共产党员又是省港大罢工的重要组织者和领导者,因此应当认为省港大罢工是国共两党以国民党名义共同领导的反帝政治运动。[②]

(6)关于武汉政府时期工人运动中的"左"倾错误。

武汉政府时期工人运动中存在着"左"倾错误,是刘少奇 1937

---

① 卢权:《略述省港大罢工的几个问题》,《学术研究》1979 年第 4 期;陈善光:《第一次国共合作与工人运动的新发展》,《学术研究》1985 年第 1 期。

② 李晓勇:《国民党与省港大罢工》,《近代史研究》1987 年第 4 期。

年在《关于大革命历史教训中的一个问题》一文中首次提出的。在这之后,学术界一直没有展开讨论。1981 年至 1982 年间,有几篇文章就这一问题展开了争鸣。武汉政府时期工人运动中存在"左"的错误,学者们的认识是一致的,但对错误的程度、持续的时间及造成的后果的评价存在分歧。

一种意见认为,武汉政府时期工运中"左"的错误是严重的,从开始即存在,越到后来越"左",表现在:第一,不断地提出使企业商店无法承担的要求;第二,无限制地游行集会,组织政治经济罢工;第三,经济上侵犯小资产阶级的利益;第四,政治上执行政府机关的职能,随便捉人,戴帽游行,擅自关闭厂店,强取什物,强制雇工,武力解决劳资纠纷等等。"左"的错误造成生产不断下降,加剧了经济政治危机,使资产阶级、小资产阶级、农民产生不满情绪,造成党、工会与工人、工人与士兵农民、工人纠察队与市民之间关系紧张。总之,"左"倾是武汉政府时期工运中的主要错误倾向。[1]

另一种意见认为,武汉政府时期工运主流是好的,"左"的错误有,但没有那么严重。事实上,"左"的错误不是贯穿武汉政府时期工运始终的,而主要存在于这一时期的第一阶段(1926 年 10 至 12月)。在第二阶段(1927 年 1 至 5 月),"左"倾错误逐步得到纠正,右倾错误逐渐发展。第三阶段(1927 年 5 至 7 月)的主要危险是右倾。事实上工人没有不断地提出使企业商店无法承担的要求。工人名义工资虽增加较多,但考虑到工人原有工资极低,而武汉地区生活费用很高的实际情况,应当说增加一倍工资亦不为过。工人罢工游行集会较多,但并不是无限制的。湖北省委和中央政治局会议通过的《工人政治行动议决案》曾对罢工进行了比较严格的限制。从已举行的罢工和游行集会来看,大多数是必要的。持这种观点的

---

① 刘继增、毛磊、袁继承:《武汉政府时期工人运动中的左倾错误》,《江汉论坛》1981年第 4 期。

论者认为,要从全局上把握对武汉政府时期工运的评价,既要看到工运中确有"左"倾错误,又要看到,在整体上犯的是右倾错误。后者是占主导地位的。引起大革命失败的主要是右倾错误。因此,不能把工运中的"左"倾错误说过头。对武汉政府时期的工人运动,只能在基本肯定的前提下,恰如其分地指出其不足。①

(7)如何看待武汉工人纠察队交枪事件。

关于1927年6月28日武汉工人纠察队交枪事件,中共八七会议认为是党内机会主义错误在工人运动中的典型事例。之后几十年里,党内、学术界均作如是观。

1980年有文章首次肯定了交枪事件,认为它是"从实际出发,对于保存和发展革命力量有利的必要妥协"。文章考察了大革命后期武汉地区的形势、敌我力量对比和武汉工人纠察队的情况,认为在革命面临失败、敌我力量对比悬殊的情况下,工人纠察队既不可能组织有效的抵抗,也不可能拉出去,只有自动缴械是保存力量的惟一可行的办法。从交枪的实际情况看,只交了1000支坏枪,约占总枪数的30%,而将好枪隐藏起来。这些枪后来交给了叶贺部队,成为党日后发动武装起义所用武器的来源之一。从后果上看,交枪在政治上使党变被动为主动,争取了时间,集中了力量,为掀起更大规模的反抗国民党的武装斗争作了准备。因此,决不能把交枪看做是投降主义。② 这篇文章发表后,在学术界引起较强烈的反响,一些学者撰文与之商榷。他们考察了取消工人纠察队决策的形成过程,认为中共中央的意图绝不是出于策略考虑,不是为了保存和发展革命力量,而是屈服于汪精卫等人对纠察队的非议,以解散工

---

① 曾宪林:《武汉政府时期工人运动中"左"倾错误有关问题之商榷》,《党史资料通讯》1982年第2期;程涛平:《怎样看待武汉政府时期工人运动中的"左"倾错误?》,《党史研究》1982年第3期。

② 刘继增、毛磊、袁继承:《武汉工人纠察队交枪事件的考察》,《历史研究》1980年第6期。

人纠察队的行动表示对国民党、汪精卫无条件服从和拥戴的诚意。这个决定是陈独秀右倾机会主义在工人运动中贯彻的结果。有的文章考察了1927年6月底武汉的形势和敌我力量对比，认为并非只有交枪一条路好走，把纠察队拉过江去，保存力量不是不可能。还有的文章对交枪的实际情况进行了考察，认为事实上所有的枪支基本都交了，没有证据说明好枪保存下来交给叶贺部队了。一些文章还注重对交枪后果的考察，认为纠察队的解散不仅没有任何积极影响，反而给革命带来了令人痛心的严重后果。它引起了革命队伍的极大混乱，加剧了革命的危机，助长了汪精卫集团的叛变。它是陈独秀放弃武装斗争领导权的典型表现，是一个右倾投降主义的事件。①

除上述问题外，学术界还就劳动组合书记部成立的时间、安源大罢工的领导、"二七"大罢工的领导、"五卅"运动中陈独秀的评价、总商会的作用等问题展开了讨论，推动了对这些问题的研究。

2. 1990年至1999年：工运史研究深入发展

80年代工运史研究的广泛开展，为90年代的工运史研究奠定了坚实的基础。与80年代相比，90年代的工运史研究呈现出更加广泛和深入的特点。据不完全统计，这10年中出版工运史著作70余种，发表文章240余篇。

与80年代相比较，90年代出版的工运史书中，资料书的数量虽然大为减少，但大多质量较高。由刘明逵编著的《中国工人阶级历史状况》大型资料书，继1985年出版第1卷第1册之后，又于1990年出版了第1卷第2册。全书近80万字，辑录了

---

① 阎铁城：《解散武汉工人纠察队的决定应该肯定吗？——与刘继增等同志商榷》，《党史研究》1982年第2期；张光宇：《浅论武汉工人纠察队交枪事件的性质——与刘继增等同志商榷》，《武汉大学学报》1982年第4期。

1840 年鸦片战争至 1919 年"五四"运动中国工人阶级自发的经济斗争、反帝反封建的政治斗争、早期组织的情况、辛亥革命前后与工人运动有关的政治派别、海外华工反压迫斗争等方面的资料。该书从第 1 卷第 3 册起,改由刘明逵、唐玉良共同主编,增加了编辑人员,加快了进度。其余各册将在近期出版。上海市档案馆编辑的"上海档案史料丛编"继 1989 年出版《上海工会联合会》后,又出版了《五卅运动》(上海人民出版社 1991 年版)。此外,从 1994 年起,中华全国总工会组织各有关部门、全国各产业总工会和各省、自治区、直辖市总工会,共同编辑一套规模空前的《中国工会运动史料全书》。该书收编的史料范围,上起 1840年,下迄 1993 年,计有综合编 14 卷(反映各个历史时期全国工运概况和工会的国际联系)、产业编 18 卷(每个全国性产业总工会系统各 1 卷)、地方编 33 卷(除港、澳、台 3 卷待编外,其余各省、自治区、直辖市各 1 卷),另加索引 1 卷,共计 66 卷。每卷150 万字左右,全套书总计 1 亿字以上。各卷按该时期工运历史的重点内容分列章、节、目编辑有关史料。各卷均编有工运大事记、先进模范人物和工运领导人简介和名录、工会组织机构沿革、工运统计资料选录、重要参考书目、索引等项附录。该书现已编成 55 卷,待全部完成,将作为电子版图书发行。

90 年代各地继续编印了一些地方和产业的工运史大事记。由唐玉良、王瑞丰主编的《民主革命时期中国工运大事记》(辽宁人民出版社 1990 年版),较全面地记述了民主革命各个时期工人运动各方面的重大事件,注意了所记事件在地区分布上的广泛性,突出了工运史不同于近代史、党史、革命史的专业性质和特点,从而给读者研究和检索 1840 年至 1988 年间中国工人运动的重大事件提供了方便。

在工具书方面,由常凯主编的《中国工运史辞典》(劳动人事出版社 1990 年版),填补了中国工运史研究的一项空白。这部辞典在收条标准、框架结构、条目释文等方面体现了历史内容的连续性、完整性,注意了评述的科学性。这部辞典突破了以往工运史研究中存在的仅仅研究中共领导的工人运动的局限,力求全面系统地反映敌、我、友三方组织的工人运动的历史,体现了拨乱反正的精神,对工运史上的重要理论观点、重大是非问题、重要著作(包括台湾国民党方面编纂的《中国劳工运动史》)作了客观、公正、全面的评价。此外,中华全国总工会编辑出版的《中国工会百科全书》(经济管理出版社 1998 年版)、汝信主编的《中国工人阶级百科》(中国国际广播出版社 1992 年版)、李国忠主编的《中国共产党工运思想文库》(中国工人出版社 1993 年版),也对中国工运史的研究提供了方便。

90 年代出版一批学术水平较高、论述比较全面系统的工运史专著。其中特别突出的是由刘明逵、唐玉良主编的 6 卷本《中国工人运动史》(广东人民出版社 1998 年版)。全书 250 余万字,是 1949 年以来论述民主革命时期工人运动历史的内容最全、分量最大的一部具有一定权威性的工运史著作。该书是在编辑出版大型史料书《中国工人阶级历史状况》的基础上编写的,作者在写作过程中注意广泛参考、吸收已有的研究成果,做到了史料丰富、翔实,立论准确,较深刻地反映了中国工人阶级和工人运动的历史特点及其在各个时期的经验教训。在此之前,王永玺等主编的《中国工会史》(中共党史出版社 1992 年版)、全国总工会组织编写的《中华全国总工会七十年》(中国工人出版社 1995 年版),也都以中国工会的产生及其组织、活动为中心,概述了新中国建立前后百余年的工运史,是较有分量的著作。

在地方工运史研究方面,也有较大进展,出版的著作主要有沈以行等主编的《上海工人运动史》(上、下卷,辽宁人民出版社 1991 年、1996 年版)、上海总工会工运史研究室编写的《抗日战争时期上海工人运动史》(上海远东出版社 1992 年版)、《解

放战争时期上海工人运动史》(上海远东出版社 1992 年版)和
《上海工运志》(上海社会科学院出版社 1997 年版),以及《福建
工人运动史》(中国工人出版社 1990 年版)、《济南工人运动史》
(中国工人出版社 1991 年版)、《开封工人运动史》(河南人民出
版社 1992 年版)、《洛阳工人运动史》(河南人民出版社 1992 年
版)、《湖州工人运动史》(中国广播电视出版社 1992 年版)、《唐
山工人运动史》(中央文献出版社 1993 年版)、《长沙工人运动
史》(国防科技大学出版社 1993 年版)、《湖南工人运动史》(中
国工人出版社 1994 年版)、《江西工人运动史》(江西人民出版
社 1995 年版)、《郑州工人运动史》(河南人民出版社 1995 年
版)等 10 余种。这些书大都内容丰富,具有较高的学术水平。沈
以行等主编的《上海工人运动史》尤其值得重视。该书共 107 万
余字,详细地论述了 1949 年 5 月上海解放前各个时期的上海
工人运动,对各个时期中国共产党领导上海工人斗争的经验教
训作了总结,并对上海的招牌工会、黄色工会、国民党官办工会
以及其他反动势力和民主力量在上海工人中的影响和活动,作
了较多的论述和分析。该书在结构上还有一个突出的特点,就
是它不像一般工运史著作那样按革命时期分章,而是以各个时
期上海工人运动发展中的重点问题作为专题,按这些专题的先
后顺序,将全书分为 30 章进行论述。这种做法是否得当,自然
还可讨论,但作者力图打破套用中共党史和革命史分期分章的
老框框,创造出一种具有工运专史特色的框架体系,这种用心
和想法是可取的。

　　东北三省总工会的工运史研究室曾于 80 年代中期联合建立
协作组,共同编写了《东北工人运动大事记》。齐武撰写的《东北工
人运动史纲(1866—1949)》(中共中央党校出版社 1992 年版)共
18 万余字,第一次简要地论述了 1866 年至 1949 年东北地区工人
运动的概况,为进一步全面系统地研究和编写东北工运史作了有

益的尝试。

　　80 年代中期兴起的几省协作编写革命根据地工运史的工作，到 90 年代已见成效。湘赣两省工会的工运史工作者合作编写的《湘赣革命根据地工人运动史》(江西人民出版社 1991 年版)，概括地论述了毛泽东领导创建的革命根据地工人运动的历程、作用和经验教训，并附有一些重要的文献史料。由山西、河北、山东、河南、北京、天津、内蒙古等七省市自治区工会历时 6 年合作编写的《晋冀鲁豫革命根据地工人运动史》(中国工人出版社 1991 年版)、《晋绥革命根据地工人运动史》(中国工人出版社 1992 年版)和《晋察冀革命根据地工人运动史》(中国工人出版社 1992 年版)，翔实地记叙了"三晋"革命根据地工人阶级在中国共产党领导下，紧密团结各民族、各阶层人民，在抗日战争和解放战争时期，为民族独立和人民解放英勇奋斗的光辉历程，是已出版的根据地工运史中最有分量的著作。此外，90 年代出版的《福建工人运动史》、《江西工人运动史》、《湖南工人运动史》也都以较多篇幅论述革命根据地的工人运动。张希坡的《革命根据地的工运纲领和劳动立法史》(中国劳动出版社 1993 年版)一书，是惟一一本研究根据地劳动立法的专著。该书系统地考察了根据地劳动法规产生和发展的历史脉络，认真研究了解放区的劳动纲领和劳动立法的成就和存在的问题，总结了劳动立法的经验教训。这也是革命根据地工运史研究开始深入的一个表现。

　　从 80 年代起，在中央和地方各级党委编纂党的组织史资料工作的推动下，县以上各级地方工会大多进行了工会组织史资料的编纂工作。与此同时，在各级政府组织编写地方志工作的推动下，县以上各级地方工会也大多进行了工会志的编写工作。到 90 年代，各级工会在这两方面都取得了大量成果。特别是在工会志方面，到 1998 年，已有河南、河北、上海、江苏、浙江、山东、湖南等省级工会志和常州、徐州等地市级工会志公开出版。这些也是地方工运史研究成果的一部分。

90 年代还出版了一批具有学术价值的厂矿企业工人运动史,如《安源路矿工人运动史》(中共党史出版社 1991 年版)、《开滦工人运动史》(新华出版社 1992 年版)等。中共上海市委党史研究室和上海市总工会抽调了一批专业人员,编写"上海工厂企业党史工运史丛书"。这套丛书从 1991 年起由中共党史出版社公开出版。该丛书的第 1 辑 19 本已出齐,第 2 辑 13 本正在陆续出版。这套工厂企业工人运动史,一改以往仅限于罢工斗争的写法,增加了对本产业或本企业发展沿革和职工队伍的形成发展及在各时期处境的叙述,目的是说明工人运动发生和发展的基础和条件。对工人运动的描写,除着重工人的重大政治斗争、经济斗争外,也反映了工人的组织状况、工人教育等内容。为了增加史料的权威性,便于读者查考,每本书中都收录了与本书内容密切相关的史料。

90 年代继续出版了一些专题性的工运史著作,其中较重要的有卢权、禤倩红的《省港大罢工》(广东人民出版社 1997 年版),朱义宽的《狂飙——上海工人三次武装起义 70 周年祭》(上海学林出版社 1997 年版)等,特别是卢、禤合著的《省港大罢工》一书,从"具有反帝传统的广东工人阶级"谈起,对这次震动中外的反帝大罢工的全过程及其历史作用和意义,作了全面系统的论述。该书在深度和广度上都超过了以往的有关著作。此外,盖军主编的《中国共产党白区斗争史》(人民出版社 1996 年版),用较大篇幅论述了中国工人阶级反帝反封建的英勇斗争,并利用大量档案史料,对中共领导工人运动的理论和策略的形成、演变和得失作了系统考察,给研究者颇多启发。

在回忆录和人物传记方面,较有价值的是张祺的《上海工运纪事》(中国大百科全书出版社分社 1991 年版)、杨长春的《一个联络员的自述——杨长春回忆录》(中共党史出版社 1999 年版)、《何孟雄传》(吉林大学出版社 1990 年版)、《工人将军梁广》(广东人民出版社 1995 年版)和卢权、禤倩红的《苏兆征传》(广东人民出版社 1993 年版)。[①]

除以上成果之外,由沈以行、姜沛南、郑庆声主编的《中国工运史论》(辽宁人民出版社 1996 年版)是 1949 年以来最有分量的一本工运史论文集。该书收入论文 40 篇,内容涉及中国工运史上一些重大事件、重要人物,以及中国工人运动史的一些理论问题。

90 年代发表的工运史论文在数量上虽然没有 80 年代多,但研究的深度和广度却比 80 年代有较大进展。这 10 年的新进展主要是:

(1)关于 1949 年前的帮会与工人运动。

半殖民地半封建的中国国情使中国工人运动具有不同于西方资本主义国家和俄国的重要特点之一,是帮会与工人运动关系密切。这种状况在中国工运中心上海尤其突出。正确处理帮会问题,是中共领导工人运动的一个难题。长期以来,工运史研究者对这个问题重视不够。80 年代中期以后,逐渐有学者发表文章,分析了帮会与工人发生关系的原因,阐述了帮会在工人运动中的作用,考察了中国共产党对帮会的策略,总结了历史经验。1985 年,朱学范根据亲身经历撰文论述了帮会问题在上海工人运动中的严重性,总结了他利用帮会在上海工人中开展活动的经验。[②]进入 90 年代以后,上海社会科学院历史研究所工运史研究室集中力量,对上海工人运动与帮会的关系进行深入研究,

---

① 卢权、禤倩红的《苏兆征传》是在 1985 年他们撰写的同名传记的基础上重新编写的。由于使用了大量档案、报刊和调查访问所得的口碑史料,吸收了新的研究成果,内容和分量都比过去有了较大充实和提高。

② 朱学范:《上海工人运动与帮会二三事》,上海市政协编:《旧上海的帮会》,上海人民出版社 1986 年版。

取得了重大成果。此外,刘明逵、唐玉良主编的《中国工人运动史》也没有回避这个问题。该书第 1 卷较全面地对中国工运影响较大的几种帮会的产生、特点和作用进行了探讨;第 4 卷分析了国民党工会和帮会的关系,探讨了 30 年代中国工人运动深受封建帮会影响的原因。学者们在论著中客观地分析了帮会在上海工人运动中的作用,指出它在早期曾领导工人进行罢工,使工人得到一些经济利益,起到一些进步作用。在某些特定的时期和特定的历史条件下,也能参加反帝反军阀的斗争。但是,随着中国共产党的成立和劳动运动的真正开始,帮会逐步成为工人运动的绊脚石。1927 年上海青帮与蒋介石勾结,参与"四一二"政变,复又依附国民党上海市党部,组织工会,与中共争夺工运领导权,捣毁革命工会,破坏、甚至武力镇压罢工,给工人运动带来了极大危害。特别是 30 年代,上海帮会势力在帝国主义和国民党政权的支持下迅速膨胀,并渗入工会。帮会通过在工会中组织各种会社团体控制工人运动,以至于国民党控制的上海市总工会的领导成员和各主要工会的领导人基本上都是杜月笙的门徒。学者们分析了产生这种现象的原因,认为它与上海的经济、政治状况有密切关系,在经济上,受世界经济危机和日本侵略的影响,民族工业陷于破产半破产境地,工人的就业和人身安全没有保障,工人为与恶劣环境抗衡,维持职业,保住饭碗,不得不寻求帮会保护。在政治上,国民党上海市总工会带头组织帮会社团;国民党为破坏工人团结,为控制工会和工人运动而有意识地加以利用;中共"左"倾领导人不顾白色恐怖严重,组织赤色工会,开展冒险活动,造成严重损失,使持中间立场的工人不敢接近赤色工会,又不愿依附国民党,于是选择帮会作为暂时保护自己的工具。学者们对中共在领导上海工人运动过程中对帮会采取的策略进行了研究,指出中共在长期斗争中形成的打入帮会,发动群众;利用帮会矛盾,各个击破;团结帮会下层群众,坚决打击明显破坏罢工的"老头子";在某种情况下利用帮会的"调节"等策略,都取得了好的效果。①

(2)关于国民党的劳工政策和国民党工会。

大革命失败后,国民党在全国建立了政权。国民党有关劳工运动的理论、政策、法令、措施和组织活动的演变和实施情况,对中国共产党制定正确的工人运动政策,成功地领导工人斗争关系极大。虽然在土地革命战争后期和抗日战争、解放战争时期,中国共产党为了合法地开展国统区的工人运动,曾注意研究国民党的劳工政策、法令及国民党控制的工会的活动,但是1949年以后,工运史学界却长期不重视对这些问题的研究,影响了工运史研究的深入。80年代学者们已注意到这个问题,开始下功夫研究,但成果较少。90年代这方面的研究取得了很大进展,仅上海社会科学院历史研究所的学者就发表了许多篇文章,其中以陈卫民的《"南方工会"再探——广东机器工会剖析》、郑庆声的《评一九二八年上海的"七大工会"》、饶景英的《关于"上海邮务工会"——中国黄色工会的一个剖析》最具代表性。陈卫民在文章中详细解剖了广东机器工会,展示了国民党御用工会中最反动的一种类型。郑庆声则对大革命失败后上海盛极一时的七大工会进行了细致的分析,提出了与传统观点不同的看法,指出七大工会是在大革命失败后的白色恐怖下,在赤色工会受到致命打击,无法公开存在,国民党御用的工统会、工总会不得人心,工人群众需要工会保障他们利益的情况下产生的,尽管七大工会政治上反共,拥护国民党,但应当看到它在一定程度上能为工人说些话,为工人争得经济上的利益。因此不能把

---

① 张军、黄美珠:《秘密社会与第一次工人运动高潮》,《党史研究与教学》1993年第2期;邵雍:《五卅运动中的工人帮会问题》,《党史研究与教学》1993年第3期;陈卫民:《解放前的帮会与上海工人运动》,《史林》1993年第2期;饶景英:《三十年代上海的帮会与工会》,《史林》1993年第3期。

七大工会看做黄色工会。它们是中间性质的工会。与七大工会类似的工会,在国民党统治区是很多的。对这类工会,应当采取团结、争取的策略。饶景英的文章则在分析了上海邮务工会演变历程的基础上,揭示了中国黄色工会的基本特征,即以国民党为靠山,建立和维持自己的统治地位;利用帮会组织强化统治;与邮政当局互相勾结,在政治上反共,在经济上施小惠。文章分析了邮务工会成为黄色工会的诸多条件,指出除了国民党的操纵外,还与其内部条件有关。邮政作为国家企业,经济条件较好,有改良主义的土壤;邮务工人大多出身于知识分子,其先进分子容易接受革命思想,同时也有一部分人接受了改良主义思想。从邮务工会的行为看,既有与西方黄色工会相似之处,又有自己的特色,属于西方黄色工会的变种。作者认为这种黄色工会在中国是极少的,在民族解放的潮流中,其自身也在不断发生变化。[①]

对国民党劳工政策的研究仍比较缺乏。刘明逵、唐玉良主编的《中国工人运动史》第4卷用二节的篇幅对大革命失败前后国民党劳工政策的变化、南京国民政府的劳工立法、国民党和国民政府主管劳工运动的机构、国民党对各地工会的整理、控制和国民党控制的工会的状况,以及国民党控制下的工会的国际联系作了较为系统的阐述。作者利用国内所能搜集到的大量统计资料,勾画了国民党控制的工会的发展状况,分析了这些工会的不同类型,指出中国黄色工会有两大特点:与党派关系密切、与帮会关系密切。作者指出国民党统治区工会的情况是相当复杂的,真正的黄色工会只是其中的一部分,绝不可将非共产党领导的工会一律看做黄色工会。即使是其中的黄色工会,也与资本主义国家的黄色工会有很大不同,应当根据各种工会的具体特点及其内部的实际情况,采取正确

[①]　三篇文章曾在《史林》杂志发表,后收入沈以行、姜沛南、郑庆声主编的《中国工运史论》。

的策略,利用其合法性,抵制和限制其反动性,以利于革命职工运动的开展,不应不加分析地统统打倒。

(3)关于抗日战争时期的工人运动。

抗日战争时期工人运动史的研究取得了较大进展。10 年间发表的论文有 20 余篇,内容涉及这一时期出现运动的特点、工人的抗日武装斗争、沦陷区工人斗争、华侨工人与抗战等等。其中沦陷区工人运动的研究比较深入。"九一八"事变东北沦陷后,随着中日民族矛盾成为主要矛盾,东北工运很快实现了由国内战争向抗日斗争的转变。肖同水和孙继英的文章较详细地反映了东北工人阶级的反日斗争,写出了斗争的极其艰难曲折的特点。[①]

沦陷时期的上海工运是学者关注的重点。黄美真撰文分析了上海沦陷后社会矛盾变化对工运的影响及由此产生的新特点,论述了 1938 年工运陷入低潮的原因及 1939 年以后再趋活跃的社会背景和种种表现,揭示了促进工运高涨的经济驱动力和各种政治力量的引导作用,充分肯定了中共在上海工运中采取的一系列正确策略。文章还对这一时期上海工运中出现的一股逆流——日伪工运团体的形成和活动进行了详细的考察。[②] 饶景英撰文对沦陷初期的伪工会、汪伪时期的伪工会和太平洋战争爆发后上海全面沦陷时期的伪工会进行了考察,指出这些工运团体具有稳定性、独立性、号召力和凝聚力都极差的特点。文章还阐述了中共针对错综复杂的环境和伪工会组织的不同状况所采取的不同策略。[③] 王仰清的文章引用较多的统计资料,详细地论述了工人斗争渐次开展、形成高潮和曲折回落,日伪势力向租界渗透控制工人斗争的情况,

① 肖同水:《九一八事变后黑龙江工人抗日救亡运动》,《学术交流》1994 年第 1 期;孙继英:《1931 年至 1937 年东北工人的抗日斗争》、《1938 年和 1939 年东北工人反满抗日运动》,《社会科学战线》1995 年第 1 期、1996 年第 1 期。
② 黄美真:《沦陷区的上海工运》,《历史研究》1994 年第 4 期。
③ 饶景英:《上海沦陷区时期"伪工会"述评》,《中国工运史论》,第 419—431 页。

以及中共是如何同日伪工会较量和争取罢工胜利的。[①]

（4）关于革命根据地工人运动。

中国半殖民地半封建农业大国的特殊国情,决定了中国革命必须走农村包围城市,武装夺取政权的道路。这就使中国的工人运动不仅是在城市中进行,而且在中共领导的革命根据地也存在。90年代,学者们加强了对根据地工人运动史的研究,陆续有一批成果问世,其内容涉及中共的革命根据地工会工作方针的演变,土地革命战争时期左右江、湘赣、中央苏区的工人运动,抗日战争时期党对抗日根据地工会工作的理论和实践,晋冀鲁豫边区工人阶级在建立和巩固民主政权中的作用,根据地的工会整风运动,赵占魁运动的作用及其经验,解放战争时期解放区职工生产竞赛运动等。论文的覆盖面较广,研究各个时期根据地工运的文章都有一些,其中有些文章的学术水平也是较高的。

综上所述,新中国成立50年来的工运史研究成绩斐然。简言之,一是在资料的搜集、整理和出版方面做出了很大成绩,为工运史研究奠定了坚实的基础。二是出版了大量研究成果。三是对工运史上的若干重点难点问题作了较为深入的研究,提出了一些非常有见地的看法,学术研究较广泛深入地开展起来。四是对工运史的学科体系作了初步探讨,学者们曾提出促进学科建设的宝贵意见。五是曾形成过一支有一定规模的工运史研究队伍。

在充分肯定50年工运史研究取得的辉煌成就的同时,也应当看到存在的问题。主要是:

第一,缺乏深入的理论研究。对民主革命时期工人运动理论的研究,虽然已开始为学术界所重视,并取得了初步进展,但是成果不多。许多重要的理论问题,如中共是如何从中国的实际出发运用

---

① 王仰清:《论孤岛时期上海工人求生存斗争及其策略运用——兼评日伪势力对租界的渗透》,《中国工运史论》,第403—418页。

和发展马克思主义工运理论的;半殖民地半封建中国的工人阶级和工人运动与资本主义国家工人阶级和工人运动相比较,有哪些特点;工人运动在民主革命中的地位和作用、与武装斗争的关系、与各个时期党的战略任务的关系如何;在反帝反封建的民主革命运动中,工人阶级对资产阶级应采取何种政策和策略等,对这些问题尚缺乏应有的重视和深入的研究。不花气力研究重要的理论问题,将很难使工运史研究深入下去。

第二,研究内容不平衡,存在畸轻畸重的现象,学术争鸣还不够活跃。如在研究的内容上,偏重于早期工运的研究。在已发表的成果中,论述大革命及其以前时期工运的文章较多,研究土地革命战争时期、抗日战争时期的文章较少,解放战争时期的文章更少;对国民党及其他非国共两党领导的劳工运动研究不够,一些重要的产业和重要地区的工运史研究还是空白;一些重要问题提出来了,但缺乏深入的研讨和不同观点的交锋。这在一定程度上妨碍了研究的深入。

第三,资料建设尚待进一步加强。几十年来,全总各级工运研究机构搜集了大量资料,但已整理出版的只是一小部分。许多重要史料还没能整理出版,研究者们难以利用。对敌伪档案中保存的国民党和国民政府有关工运的文献资料尚未充分挖掘和整理,对旧中国社会科学工作者初步整理的资料和研究成果也很少加以利用。工运史研究要深入,资料的进一步挖掘、搜集和整理、出版仍是必不可少的。

第四,工运史学科体系尚未真正建立起来。1991年春,北京大学教授张注洪在《关于加强中国工人运动史研究的几个问题》一文中,对几十年的工运史研究作了总的评估,认为工运史界经过多年探索,对中国工运史的对象、任务、分期、方法以及它与其他学科的关系,中国工人阶级的内涵、特点、主要事件和人物的认识等重大问题都进行了深入研究,这说明中国工人运动史正在发展成为一门独立的学科。但他同时认为中国工人运动史的科学体系尚未完全形成，因为完整的科学体系不仅要求有专门著作能科学地阐明工运史学科的对象、任务及学科的重大问题，还应该基本消灭本学科的重大空白部分；不仅要求运用马列主义创造性地阐述中国工运史，还要求对运用马列主义研究本学科形成的理论成果做出总结；不仅要求对中国工运史下功夫加以研究，还要求上升为规律性的东西，形成科学论述；不仅要求对国内以至国外中国工运史研究的信息和进程作一般的了解，还要求对工运史史学史做出系统的总结并形成专门著作；不仅要求掌握历史唯物主义，吸收我国传统史学和西方研究工运史方法的合理部分，还应根据自己的实践经验加以系统化的总结，形成方法论的科学成果。要充实和完善中国工运史学科的科学体系，还应进一步做出努力，加强中国工人运动史的理论研究，拓宽工运史的研究领域，消灭工运史研究领域的某些空白，建立中国工人运动史史料学，重视对中国工运史研究中的经验和教训的总结。

第五，缺乏稳定的机构和稳定的队伍。自 90 年代初全总撤消工运史研究室后，工会系统已少有专职的工运史研究人员。社科院系统原有的工运史研究机构也已所剩无几。高校系统自取消党史和中国革命史课程后，工运史课程也已基本上被取消。由于没有全国性的研究机构，学术活动的开展受到很大局限，工运史研究人员流失严重，基本上是散兵游勇，各自为战，严重地妨碍了工运史研究的深入广泛开展。

总之，工运史研究是中国社会科学研究中不可缺少的一个组成部分。非常希望有关部门能重视起来，有志于工运史研究的学者能行动起来，共同推进研究工作的深入开展。

妇 女 史

新中国建立 50 年来,特别是近 20 年来,史学界关于中国近代妇女史的研究有了长足的进展,取得了可喜的成绩。

关于妇女史的定义,学术界至今尚无统一的认识。仅从字面意义而言,妇女史即"妇女的历史"。实际上,妇女史有特定的丰富内涵。妇女史应该是以占社会总人口一半的妇女为研究主体,将妇女置于社会发展历史过程中,研究其自身的发展、地位、作用及其与社会变革、阶级关系、生产发展、劳动、家务、家庭、生育、教育等等的关系。不以妇女为主体的研究虽然可能与妇女问题关系很大,似也难以称为妇女史。通过对妇女史的研究达到全面、科学地认识社会发展和人类本身,既应该是妇女史研究的方法,也是妇女史学科的价值所在。

妇女问题,本来就是学者应该关注的重大的历史问题、社会问题。回顾"五四"新文化运动的历史,人们不难发现,凡当时主张新文化的人,都极大地关注妇女问题,关注妇女的历史与现实。陈独秀、李大钊、胡适、鲁迅、周作人、毛泽东等,撰写了一大批有关妇女问题的文章,掀起了研究妇女问题的热潮。其后 20 年中,中国妇女史研究出现了第一个高潮。一些著名学者纷纷撰写妇女史文章,一些影响较大的学术理论刊物也积极登载这方面的研究成果,对中国妇女史的研究起了开创性的作用。

新中国建立后的 50 年,中国近代妇女史的研究和整个中国妇女史研究一样,可分为三个历史阶段。1966 年"文化大革命"爆发前为中国近代妇女史研究的第一阶段。这一时期,由于思想认识等方面的原因,妇女史研究并未引起史学界应有的重视,研究成果不多,视野也极为有限。以旧民主主义时期而言,较多地引起人们兴趣的是太平天国妇女问题。妇女人物研究,只在秋瑾等个别人的研究方面取得了显著成果。新民主主义时期妇女问题的研究,则大体局限于中国革命史范围。这一时期的妇女史研究处于启动阶段。全国妇女联合会曾于 1964 年设立妇女运动历史资料组,开始在全国各地收集妇女运动历史资料,可惜该机构成立不久便在"文化大革命"中夭折。"文化大革命"期间,学术研究遭到摧残、扭曲,数量极其有限的关于中国近代妇女史的文章,也多和批林批孔、批儒评法紧密挂钩,谈不上有什么学术水平。妇女史研究基本处于停顿状态。1978 年后,随着思想解放和学术研究的繁荣,中国近代妇女史研究出现了前所未有的高潮。据不完全统计,近 20 年来,有关近代妇女史的文章已发表千篇以上,出版的专门著作和教材有上百种。另有一些著述或论文专集,虽然并不是专门的中国近代妇女史论著,但书中有专门章节或较大篇幅涉及中国近代妇女史问题。这些著述的出版及一大批学术论文的发表,反映了新时期以来中国近代妇女史的研究状况与研究水平。

下面就 50 年来中国近代妇女史的研究分专题做一简要评述。

(一)关于中国近代妇女运动与妇女解放思想

关于中国近代妇女史的研究,50 年来成果最多的是关于中国妇女运动方面的研究,出版了一批专著,发表了大量的学术论文。这些著述主要对以下问题进行了探讨。

1. 中国近代妇女运动的分期与特点

妇女运动,是为了提高妇女社会地位,争取妇女各种社会权利,以实现女性作为"社会人"的价值为目的的社会运动。从本质上说,妇女解放运动是人类对自身存在方式的变革,即通过对两性社会地位和相互关系的协调,对自身存在形式进行调整乃至重新组合,这是历史的必然,也是历史的进步。围绕着中国妇女运动的发生、发展及其特征,学术界进行了广泛的讨论。

太平天国运动中是否存在妇女解放运动,涉及妇女运动的定义以及中国近代妇女运动何时产生的问题。对此史学界存在不同的看法。较早关注太平天国妇女问题的罗尔纲先生,在1955年发表的《太平天国与妇女》一文中认为:"太平天国是一个反封建的革命,男女平等是它的革命政纲之一。"太平天国虽然被镇压了,"但是,这一次中国妇女的大解放,从金田起义的妇女,扩大到太平天国统治下的妇女,从三从四德的封建压迫,解放到参加革命,从伏处深闺,解放到参加社会生产,从缠足羞怯,解放到腰横长刀、骑马怒驰,如此辉煌的成就,却在历史上留下了永远不可磨灭的业绩"。文章认为,太平天国是"妇女解放的第一个实行者。这样广大彻底的妇女解放运动,在俄国十月革命以前,世界历史上不曾有过,真是人类最光荣最先进的行动"。[1]

郑鹤声、[2] 林增平[3] 大体沿袭了罗尔纲的看法。上述观点,基本上代表了"文化大革命"前学术界对太平天国时期妇女问题性质的主要看法。学者们多从太平天国主张男女平等、妇女解放等方面去立论、去讴歌,而妇女依然受着封建礼教束缚,处在被压迫、奴役、歧视的地位等问题,或被忽视,或惟恐有损太平天国的声誉而不敢正视。应该指出,这些看法尽管在今人看来有可商榷的地方,但毕竟是严肃的学术研究与探讨,且在材料发掘和史实考证方面,创获颇多。

① 《太平天国史事考》,生活·读书·新知三联书店1979年版,第340页。
② 《太平天国妇女解放运动及其评价》,《文史哲》1955年第8期。
③ 《中国近代史》,湖南人民出版社1958年版,第132—133页。

80 年代初,不少学者对传统看法提出质疑。张寄谦指出:对于太平天国妇女参加劳动、参军、参加政治活动,"不宜把它描绘成得到了彻底的解放",因为"在太平天国起义的故乡广西少数民族地区","农民劳动妇女在家庭中的地位总是比较高","这样一个传统在太平天国起义队伍中有很深影响"。洪秀全"集中继承了封建伦理观念中男子对妇女的压制和歧视","不宜把太平天国境内描绘成男女平等的天国"。①

王戎笙说:太平天国确有通常引用的那么几句提倡男女平等的话,但"大量的、连篇累牍的,却是宣扬妇女低贱,鼓吹三从四德的言论"。"在(太平天国)北伐军中,甚至拿女人作为赏赐品,赏给打仗出力的人,有的赏一个女人,有的赏两个女人,妇女在这种场合,连做人的资格都没有,哪有什么男女平等呢?"② 郑焱、汤可可撰文进一步指出:"农民毕竟同封建生产关系紧密联结在一起,他们的阶级局限和几千年封建意识的传统束缚,使他们在当时不可能具有近代的男女平等思想,妇女也不可能真正认识自己所处的社会地位,并自觉地为自身的解放而奋战。"③ 饶任坤认为,太平天国提出的男女平等,不是政治口号而是宗教教条。他们的思想只能停留在农民小生产者的认识水平上,提出经济上的平均主义,不可能提出资产阶级革命家才能提出的包括男女平等在内的政治平等的思想主张。④

值得注意的是,对太平天国与妇女问题的具体评价上,仍然存在不尽相同的看法。如李静之虽主张中国妇女运动开端于辛亥革命时期,但又认为,"太平天国农民起义运动响起了中国妇女运动

① 《论洪秀全》,《太平天国史学术讨论会论文选集》第 3 册,中华书局 1981 年版。
② 《如何看待太平天国的平均主义》,《太平天国史论文集》,广东人民出版社、广西人民出版社 1983 年版,第 173—174 页。
③ 《太平天国并不是一次妇女解放运动》,《史学月刊》1981 年第 2 期。
④ 《太平天国妇女问题再探》,《学术月刊》1990 年第 6 期。

的前奏曲"。①

关于妇女运动产生的历史条件,一些学者认为,作为妇女运动,它的产生起码应该具备两个方面的条件:"其一,妇女问题作为一个重要的社会问题提上历史日程,受到社会上广泛的关注。其二,妇女本身积极参与,提出维护自身利益的合理要求。也就是说,没有妇女自我意识的觉醒和广泛的社会响应,就不可能有真正的妇女解放运动。妇女解放运动的兴起,一方面需要社会生产力发展到一定水平,能够为女性回归社会提供相当的物质基础;另一方面则要求人类有能力重视审视自身的存在价值。"② 刘巨才提出,妇女解放运动的产生有四个条件:工业文明是产生妇女运动的生产力基础或物质前提;性别矛盾尖锐化,妇女问题已成为严重的社会问题,引起社会广泛关注,是产生妇女运动的社会基础;性别觉悟和争取男女平等的实际要求,是产生妇女运动的思想基础;具有民主思想和平等观念的妇女队伍,是妇女运动的群众基础。③

关于中国近代妇女运动的发端,荣铁生指出,中国近代意义的妇女解放运动是中国民族资本主义发展到一定水平基础上的产物,也是中国民族危机空前严重、民族矛盾急剧上升的产物。19 世纪末是它的启蒙阶段,辛亥革命前后形成高潮。④ 刘巨才、吕美颐等在各自的著述中明确提出,中国妇女运动发端于戊戌维新运动。李静之则认为戊戌维新只是"中国妇女运动的序幕",在辛亥革命高潮中才"诞生了以妇女为主体、有纲领、有组织、有一定规模的妇女运动"。⑤

---

① 《伟大的七十年》,中共党史出版社 1992 年版,第 173 页。
② 吕美颐等:《中国妇女运动(1840—1921)》,河南人民出版社 1990 年版,第 12 页。
③ 《对中国妇女运动的几点看法》,《妇女研究论丛》1994 年第 1 期。
④ 《辛亥革命前后的中国妇女运动》,《纪念辛亥革命七十周年学术讨论会论文集》,中华书局 1983 年版。
⑤ 《伟大的七十年》,第 174 页。

多数学者认为,中国近代妇女运动以中国共产党成立的 1921 年为界,可分为前后两大阶段,每个大段还可分为若干小段。刘巨才认为,前一大阶段是与旧民主主义同步的知识妇女解放运动(1898—1921),后一大段与新民主主义革命同步,是无产阶级领导的以工农业劳动妇女为主体、以知识妇女为先锋的妇女解放运动。①

关于中国旧民主主义时期妇女运动的特点,有的研究者将其概括为三个方面:其一,中国近代妇女运动始终和反帝反封建的政治斗争紧密相连,始终是中国人民反帝反封建的民族民主革命的有机组成部分。妇女运动的高涨往往与政治革命运动的高潮同步出现。但是,由于反帝反封建的历史任务异常艰巨,资产阶级在发动妇女时便着眼于女性的力量和作用,而忽视女性应该得到的权利。重义务、轻权利,成为一种普遍社会心态。同时,广大妇女在严峻的政治斗争面前,也强化了"天下兴亡,匹妇有责"的社会责任感,相对淡化了自我权利意识。其二,中国妇女运动具有超前性。这是指,近代中国民族资本主义生长艰难,发展缓慢,为妇女解放运动创造的必要历史条件极其有限。同时,民族资产阶级在政治、经济力量十分弱小的情况下担负起妇女解放运动的领导责任,就使得中国近代妇女解放运动明显具有超前性。同时引发出一个现象:由于女性的软弱与落后,男性往往成为妇女运动的倡导者,女性反而成为追随者,使得中国近代史上不仅缺乏独立于反帝反封建斗争的妇女运动,也缺少独立于男性的妇女解放运动,与西方的妇女运动有很大差异。其三,历史造成了中国妇女运动的复杂性与艰巨性。由于在中国封建社会中,妇女受压制、受屈辱已超出男性和家庭的需要,成为统治者治国安邦的需要,任何改变妇女地位的努力都会遇到强大阻力。同时,男尊女卑的观念已积淀在社会文化心理结构之中,形成强大的惰性。因此中国妇女解放运动,本质上是对

---

① 《对中国妇女运动的几点看法》,《妇女研究论丛》1994 年第 1 期。

社会的改造，对社会习惯势力的改造，也是对民族文化传统的转换。难度之大，十分显然。[①]

值得注意的是，近年来随着妇女学研究的深入，有的学者明确提出了中国近代妇女运动的"男性特色"问题。孙兰英指出："由于其社会基础、经济条件尚不具备，从明清之际启蒙思想的兴起直到辛亥革命资产阶级临时政府的建立，解放妇女的宣传者、倡导者、组织者都是男性，由于政治斗争的需要，他们唤起了处在深闺中的女性的民主意识，并同日渐觉醒、但未获得经济权的先进的妇女构成了近代妇女运动的主体。同西方女权运动相比，这是一场具有鲜明'男性特色'的解放妇女运动，而不是妇女解放运动。"文章认为，"作为男性群体的代表，他们并未对自己传统的大男子主义进行深刻的剖析和批判，没有通过对传统的自我否定来获得精神上的彻底解放。而中国的妇女是在男性思想家的启蒙下走上政治舞台的，她们认同了男性思想家的观点，一开始就把斗争的矛头顺理成章地对准了旧的社会制度，并且还把在父权制下一直处于优势地位的男子当做理想的化身。她们希望挣脱封建的枷锁，做一个像男子那样生活的人。这就使近代的妇女运动从一开始就显露出了'男性特色'庇护下的'男强女弱'的端倪。"作者还认为，这种具有鲜明"男性特色"的解放妇女运动"所给予妇女的权利是十分有限的。由于思想家把解放妇女视为政治斗争的需要，一旦他们认为目的已经达到，就开始重弹封建伦理的老调"。文章指出，只有"从传统的性别角色社会化规范中真正解放出来，以实现男女双方向'人'的主体回归"，才能实现真正的"男女平等"。[②]

同时期发表的桑兵《近代中国女性史研究散论》一文中，提出了今日的女性观与昨日的女性观、男性的女性观与女性的女性观、

---

① 吕美颐等：《中国妇女运动（1840—1921）》，第 12—15 页。
② 《论中国近代妇女运动的"男性特色"》，《史学月刊》1996 年第 3 期。

上流的女性观与下层的女性观、本土的女性观与外来的女性观等一系列值得研究者深思的问题。其中涉及近代妇女运动中的性别视角问题。文章认为,戊戌、辛亥间妇权运动渐兴,到武昌起义前,鼓吹女权最力、言论最激烈的,往往是男性。新文化运动时期对贞操节烈的抨击,以及后来关于"娜拉出走后怎样"的争论,虽然两性营垒中各有分歧,却总由男性发端肇始,呼声也格外强烈。究其根源,除男性受教育的比例大大高于女性外,至少以下几条原因可以考虑:其一,在中国传统社会中,母亲对子女的教育成长所负责任往往较父亲大,影响也较深,由此产生的文化意义上的恋母情绪,会左右后代对女性的态度。其二,与此相对,父亲作为家长,威严有余,慈爱不足,往往变成专制主义的化身。而反抗父权的专制,同样影响两性观。身受家长压抑的男性,对于比自己地位更为低下的女性易产生强烈的同情心,而对经济社会、主宰家庭的男性油然生厌。怜悯与颂扬女性,正可抒发对人间压抑不平的愤懑。[①]

李静之将中国共产党领导的新民主主义时期妇女运动的特点概括为六个方面:以马克思主义及其妇女观为指导思想的理论形态;同革命运动紧密结合,与革命运动同步发展;确立男女平等的法律地位,保护妇女的合法权益;提高妇女素质,唤起女性的主体意识;以劳动妇女为主体,广泛团结各界妇女;建立在中国共产党领导下的妇女团体,代表和维护妇女的利益。[②] 对这些观点,人们还在继续讨论。

2. 关于妇女解放思想

思想理论往往是运动的先导。新时期以来史学界在关注近代妇女运动的同时,自然注意从不同角度探讨中国近代妇女解放思想及解放思潮的产生、影响及其特征等一系列问题。

---

① 《近代史研究》1996 年第 3 期。
② 李静之等:《马克思主义的妇女观》,中国人民大学出版社 1992 年版。

　　有的研究者认为,自晚明起,随着中国资本主义萌芽的产生,在思想领域产生了代表市民阶层的人文主义思潮,于是出现了男女平等思想的萌芽。这种萌芽经清朝初年进一步发展,延续了近三百年,一直没有形成完整的男女平等理论。1840 年以后,由于西方男女平等思想的逐步输入,经西方传教士和早期改良派的鼓吹,近代意义上的妇女运动才有可能发生。① 李国彤则进一步提出,近代意义的妇女解放思想,即有自觉意识(包括男女两性)地追求男女平等,在明、清时期(从 16 世纪 30 年代到 1840 年鸦片战争)开始萌动。②

　　多数学者认为,妇女解放是一个近代概念。妇女解放思想是在西方天赋人权学说等资产阶级自由、民主、平等思想传入中国后才在中国思想界产生的。

　　《中国近代社会思潮》等书,对近代妇女解放思潮的兴起与发展作了较系统的论述,书中指出,鸦片战争以后来华的一些传教士,不管其主观动机如何,自觉或不自觉地宣传了西方资产阶级男女平等、妇女解放等新观念,传递了大洋彼岸妇女运动的信息,客观上对中国妇女解放运动起了思想启蒙作用。而早期维新派对妇女问题的注目与探索,已不同于历史上封建士大夫中的开明分子,而带有若干资产阶级民主思想的色彩。这种探索,对于中国妇女解放思潮的兴起,起了前驱先路的作用。③ 何黎萍认为,西方男女平等观念,是随西方传教士带入中国的。但早期维新派对妇女问题的认识尚嫌肤浅,还不能成为男女平等思想。近代男女平等思想的形成,是在戊戌时期。康有为已把男女平等视为实现大同世界的条

---

① 刘巨才:《中国近代妇女运动史》前言,中国妇女出版社 1989 年版。

② 《近代前夜妇女解放思想的萌动及其影响》,北京大学中外妇女研究中心编:《北京大学妇女问题第三届国际研讨会论文集》。

③ 吴雁南、冯祖贻等主编:《中国近代社会思潮》第 2 卷第 7 编第 5 章,湖南教育出版社 1998 年版。

件。但维新派的男女平等思想并不成熟,还存在着思想与理论中的自我矛盾。20世纪初,在西方女权思想的影响下,中国女权思想形成,实现了"妇女解放思想的重大飞跃"。[①] 孟新安认为,洋务运动至戊戌维新,"男女平等思想已成为不可逆转的历史潮流",因此戊戌维新时期的男女平等思想已"成为一个时代的里程碑"。[②]

关于"五四"时期的妇女解放思潮,《中国近代社会思潮》一书指出有如下特点:其一,以人格独立意识为核心的个性解放观念的高扬,是这一时期妇女解放思潮的主旋律。其二,妇女解放思潮与当时改造社会的探索结合异常紧密,并始终受到形形色色的西方社会思潮的渗透和影响,呈现出异常活跃驳杂的多元竞进格局。其三,妇女解放思潮具有社会基础上的广泛性和思想理论的深刻性。这一时期,妇女解放成为人的解放的核心内容,女性自身主体意识增强。同时,马克思主义妇女理论的初步传播,使这一时期妇女解放思潮跃进到一个新的境界和层次。总之,中国近代妇女解放思潮达到了一个新的高度。

在前人研究基础上,一些学者还对西学东渐之后晚清妇女解放思潮的产生及其对中国近代妇女运动的影响进行了较系统的考察与分析。王美秀认为,中国妇女解放运动的兴起与发展,既不能完全溯源于西方文化的传播和影响,也不能只追根于本土,而应看做是中西文化碰撞、交融的结果。"在近代东西文化交流碰撞的过程中,东方国家普遍出现与传统文化离异并趋向西方文明的潮流"。西学东渐对中国人的妇女观念产生了巨大影响,并导致了中国近代妇女立世观念的转变,"而中国近代的妇女解放运动正是在中西文化的碰撞交融中兴起的"。[③] 夏晓虹认为:"在西学东渐的背

---

① 《论中国近代女权思想的形成》,《中国人民大学学报》1997年第3期。

② 《中国近代男女平等思想刍论》,《江汉论坛》1994年第12期。

③ 《西学东渐影响下的中国近代妇女运动》,《北京大学学报》1995年第4期。

景下,晚清的妇女观念开始出现与传统背离的倾向。这些新意识作为支持女性生活中所有新事物的根柢,影响与改变了近代以来中国妇女的社会状况。三纲五常、男尊女卑的旧礼教,在这个时代受到了前所未有的置疑与挑战。虽然思想的普及与实现尚需假以时日,但新潮既已涌动,其势便不可阻挡。百年来的妇女解放运动,正是由其催生助长而蔚为大观。"作者认为,西学东渐一个极其可观的思想成果,便是平等观念的阐扬。"戊戌变法前后形成并流传的'男女平等'一语,迨到二十世纪初,已越来越多地被'男女平权'尤其是'女权'的说法所置换"。①

可以看出,研究者在诸如近代妇女解放思想何时产生、渊源在哪里、早期维新派是否具有妇女解放思想等问题上,存在认识差异,有待于更深入的研究。

关于马克思主义妇女观在中国近代的传播,有不少著述论及。石巧兰、李兴芝认为,马克思主义妇女观在中国近代的传播可分为三个阶段:辛亥革命前后为早期介绍阶段,是随着社会主义学说的宣传和介绍而传入的;"五四"运动前后为初步传播阶段,是第一批马克思主义者作为研究和解决妇女问题的思想武器开始在中国传播的;中国共产党成立至中共二大是确立阶段,以中共二大《关于妇女问题的决议》为标志,马克思主义妇女观作为观察和解决妇女问题的根本观念以党的决议形式确立下来,这是马克思主义妇女观在中国确立的标志。至于马克思主义妇女观与中国妇女运动的结合,则是中共三大初见端倪的。②

刘巨才认为,中国共产党把马克思主义及其妇女观同中国妇女运动的实际相结合,形成了有中国特色的新民主主义妇女解放

① 《从男女平等到女权意识——晚清的妇女思潮》,《北京大学学报》1995 年第 4 期。
② 《马克思主义妇女观在我国的早期传播及其中国化》,《妇女研究论丛》1992 年第 1
期。

理论。这个理论的基本内容包括六个方面：中国妇女解放运动是反帝反封建的新民主主义革命的重要组成部分；工农劳动妇女是新民主主义妇女运动的主力军和基本力量，先进知识妇女是妇女解放运动的先锋和桥梁；中国共产党的领导是中国妇女运动健康发展的可靠保证，建立和健全各类妇女组织，是开展妇女运动的组织基础；建立妇女运动统一战线的思想和策略；支援和参加武装斗争是新民主主义妇女运动的主要内容；正确处理妇女特殊利益与阶级整体利益的关系，注意解决劳动群众中的男女不平等问题。[1] 近20年来，一批文章分别对某些著名政治家、思想家的妇女解放思想进行了研究，因为在他们身上往往集中体现了一个时代的妇女观，体现着当时先进的人们对妇女问题的态度。研究较多的是康有为、梁启超、谭嗣同、黄遵宪、严复、秋瑾、孙中山、李大钊、胡适、鲁迅、向警予、蔡元培、毛泽东等人关于妇女解放的理论与思想。这些研究的意义在于，不仅使人们看到了妇女解放思想的时代特色，也显示了妇女解放思想丰富多彩的个性。

3. 不缠足、兴女学及女子报刊、女子团体

中国近代妇女运动的切入点，学术界的认识大体一致，即接受了陈东原先生30年代提出的观点，以不缠足运动和兴女学运动作为中国妇女运动的起点。因为不缠足运动代表的是形体上的解放，这是妇女解放的先决条件；兴女学则代表思想上的解放，这是妇女解放的关键所在。两项运动均肇始于戊戌时期。

80年代以前，对不缠足运动缺乏学术性研究，只有康同璧1957年在《中国妇女》上发表过一篇回忆文章。樊心发表《近代妇女解放的先声：浅谈戊戌变法时期的不缠足运动》一文，是新中国成立后较早研究这一问题的文章。[2] 此后，发表了一系列论述不缠

① 《新民主主义妇女解放理论初探》，《妇女研究论丛》1992年第1期。
② 《上海师范学院学报》1983年第1期。

足运动的文章,成为新时期妇女史研究热潮的一个醒目之点。这些文章的研究重点多在晚清,尤其是戊戌时期。研究的主要内容涉及不缠足运动产生的社会背景与动因,维新派倡导运动的运作过程,不缠足运动的成就及对近代妇女运动的深远影响等。一些文章还研究了外国传教士在提倡不缠足运动中的宣传和示范作用以及清政府在推行新政中提倡不缠足的意义。

　　进入 90 年代,不缠足运动的研究有了新的进展,表现在研究者的视野更加开阔。李凤飞、暴鸿昌的文章全面考察了缠足的地域、民族、阶层的分布情况,并分析了清代以来反对缠足的各种立场和视角,包括从审美、国家兴亡、人道文明与卫生、妇女解放等不同方面。[①] 有人从文化视角来透视不缠足运动,认为“当一个社会或民族在经历文化变迁时,作为其外在行为表现的风俗断无不变之理”。缠足之俗,就是在外来文化凶猛涌入,中国文化面临“数千年未有之变局”的情况下开始受到冲击的。文章还从五个方面论述了不缠足运动的广泛意义:培育健康体质、解放妇女自身、开启妇孺心智、矫正病态心理、完善民族形象。[②]

　　特别应当一提的是杨兴梅所著《南京国民政府禁止妇女缠足的努力及其成效》一文,不但填补了“五四”以后不缠足运动的研究空白,而且对晚清不缠足运动的评价问题提出了新看法。她不同意史学界一些人所认为的,辛亥后缠足现象已成强弩之末,甚或认为新文化运动期间,“缠足陋俗出现了根除的趋势”的看法。而认为,“新文化运动以后中国女性缠足现象远比过去所认知的更广泛,一个具体表征就是南京政府在禁止缠足方面做了远比以前更积极持久的努力”。[③]

---

① 《中国妇女缠足与反缠足的历史考察》,《学习与探索》1997 年第 3 期。
② 《中国文化的现代转型》,湖北教育出版社 1996 年版,第 370—371、383—387 页。
③ 《历史研究》1998 年第 3 期。

　　近代女子教育的产生与发展影响巨大,自然成为研究中国近代妇女史的重点之一。80 年代以来,专门论述女子教育的文章已有近 70 篇。一些文章着重分析了中国女子教育的近代化及女子教育体制的建立。阎文芬认为,"近代社会的爱国救亡与民主革命的历史主题是贯穿中国女子教育发展的一条主线"。近代女子教育有三个特点,即"女子教育发展的复杂性","特定历史环境形成了女子教育的多元性","女子教育总体发展上的落后性"。① 梁景和的文章揭示了近代中国女子教育的发展脉络,并对 1907 年清政府颁布的两个女学章程及其民初"壬子癸丑"学制在近代女子教育发展中的地位与作用,进行了分析。②

　　关于女子教育的文章,不少涉及新式女子教育的产生与清末教育改革、教会女学的兴办、三次女子留学高潮,以及女子教育对近代妇女运动和妇女生活的影响等一系列问题。③ 研究比较集中的是关于教会女学问题。一般学者认为,1844 年英国东方教育协进会的阿尔德塞女士在宁波创办的女学,是中国最早的教会女学。崔运武把教会女子教育分成两个阶段,一是教会女校发展的初期阶段(1844 年至 1860 年),二是教会女校的扩张阶段(1860 年至20 世纪 20 年代)。前一阶段的特点是学校数量少、程度低,学生以贫民子女为主;后一阶段已形成从小学到大学规格齐全的教育体系,学生向富家女子转向。文章肯定了教会女子教育在"提倡男女教育平等","以洋风移旧俗","促进了中国女界一定范围、一定程度的解放"等方面的作用,但强调这"不是教会集团的初衷"。④ 王奇生研究了教会女子高等教育的历史演变、教会女子大学的特点

---

① 《中国女子教育的近代化历程、特点及启示》,《华东师范大学学报》1996 年第 2 期。
② 《近代中国女学演变的历史考察》,《辽宁师范大学学报》1993 年第 6 期。
③ 《经正女学是我国自办的最早女学堂》,《上海师范大学学报》1980 年第 1 期。
④ 《近代中国教会女子教育浅析》,《史学月刊》1988 年第 2 期。

及其对中国高等女子教育的贡献。他认为,教会女子大学开创了中国近代女子高等教育的先河,并在这一领域"始终处于领先地位"。最早创办的华北协和女子大学(1905 年)比中国自办的要早 14年。二、三十年代,教会学校的女大学生占全国女大学生的 25％至40％,教会大学中女大学生占全部学生的比例也远远高于同期国立大学中的比例。"在第一代中国知识女性的成长过程中,教会大学扮演了十分重要的母体角色"。①

近代女子教育研究中的女子留学问题。这方面的研究比较系统,几部留学生史都涉及甚或以专门章节论述了女子留学。② 在这些研究的基础上又有了专门的女子留学史著作。③ 这些书介绍了早期的教会女子留学、清末女子留日热、民初女子留美热、"五四"时期女子留法勤工俭学热、20 年代的女子留苏、抗战胜利后的女子留美趋向等一系列问题,介绍了不同时期的留学制度和政策,以及女留学生的生活和她们对社会的贡献。论文中,论及清末赴日女留学生的较多,周一川的《清末留日学生中的女性》与谢长法的《清末的留日女学生》等文章,详细考订女子留日的基本情况。④ 郭常英与苏小环探讨了清末女子留学的初始动因,指出,"资产阶级民主思想的影响和妇女本身平等解放的要求是女子留学的主要动力","中国女子教育不发达的状况,使先进妇女和各界人士将目光转向国外","清末教育改革的政策刺激了女学,也给女子留学提供了机会"。⑤

---

① 《教会女子高等教育的历史演变》,《华中师范大学学报》1996 年第 2 期。
② 如李喜所:《近代留学生与中外文化》,天津人民出版社 1992 年版;王奇生:《中国留学生的历史轨迹》,湖北教育出版社 1992 年版;留学生丛书编委会:《中国留学史萃》,友谊出版社 1992 年版。
③ 孙石月:《中国近代女子留学史》,中国和平出版社 1995 年版。
④ 《历史研究》1989 年第 6 期、《近代史研究》1995 年第 2 期。
⑤ 《近代中国女子留学探析》,《史学月刊》1991 年第 3 期。

　　关于整个近代女子教育与妇女运动及妇女生活的关系,本是极为重要的问题,可惜这方面的研究成果相对较少。宋瑞芝指出,戊戌时期的兴女学运动,"为妇女解放进行了思想启蒙";辛亥时期女子教育的发展,"唤醒了妇女革命的自觉意识";"五四"时期平民教育的兴起和大学开放女禁,使"妇女解放运动突破了知识女性的圈子,扩展到了工农大众之中",从而"揭开了中国妇女真正觉醒时代的帷幕"。① 一些文章还提及近代女子教育制度的确立,是近代中国妇女最早获取的女权。而女子教育的发展,则大大提高了妇女的整体素质。从某种意义上说,中国女性的启蒙,应归功于女子教育的产生和发展等。

　　早期的女子报刊,曾是对妇女进行启蒙教育的有效工具,也是向社会伸张女权的重要阵地。60 年代初,新闻界曾就中国第一份女子报刊问题有过一场争论。先是有人称中国第一份女报是秋瑾创办的《中国女报》,其后有人提出不同意见,认为应是 1902 年陈撷芬创办的《女学报》。1963 年潘天桢、杜继琨先后发表《谈中国第一份女报——〈女学报〉》和《再谈〈女学报〉》指出,中国第一份女子报刊是 1898 年上海桂墅里中国女学会创办的另一种《女学报》,并展示了有关文物照片,介绍了该报宣传"男女平等,施教劝学"等内容和出版发行情况。② 遗憾的是,这次争论没有引起人们对这一问题的研究兴趣。20 年以后,《女学报》才重新受到研究妇女史学者的重视。80 年代初,林虹《中国第一份女报》、刘巨才《中国历史上第一份女报》等文章,重新提出并论证了《女学报》是中国最早的女子报刊。③ 此后,一些学者纷纷著文,从各个方面论述了《女学报》的有关问题。在对《女学报》的研究中,人们发现了维新派妇女一系

---

① 《近代女子教育的兴起与妇女的觉醒》,《河北学刊》1995 年第 6 期。
② 《图书馆》1963 年第 3、4 期。
③ 《史学月刊》1982 年第 1 期;《新闻研究资料》1983 年第 17 期。

列以往鲜为人知的活动,如创办女学会、女学报、参与创办女学堂等,以及她们的妇女解放主张。这一研究的意义,远不是确定何种报刊是第一份女报的问题,而是涉及戊戌时期是否形成了妇女运动、中国近代妇女运动何时开端等重大议题。

女子报刊与妇女解放的关系,受到了部分研究者的重视。周昭宜指出,近代女子报刊的兴起,不但"在中国报刊史上具有里程碑的性质和划时代的意义",而且"它自诞生之日起,就成了妇女争取自身解放的喉舌"。女性跻身于报刊活动,也"体现了社会的进步和女性主体意识的觉醒"。[①]"五四"时期的《新青年》虽然不是女子报刊,但曾对近代妇女解放起过重要作用。张晓丽认为:"《新青年》的女权思想作为启蒙思想的重要部分,集近代妇女解放理论之大成,受其影响的五四运动更把近代妇女解放运动推到一个高峰,虽然也存在这样那样的偏颇与不足,但它表现的锋芒与锐气,不但当时使社会震惊,即使在今日也颇有启发意义。"[②] 应当指出,中国近代史上女子报刊为数众多,对妇女运动和妇女生活的影响极大,但迄今研究得还远远不够,且蕴藏其中的丰富史料也未得到充分利用。

建立妇女团体,利用组织起来的力量争取自己的权利,是近代妇女运动必由之路。一般学者认为,戊戌时期建立的女学会,是中国最早的近代意义上的妇女团体。关于它的活动情况,只能从《女学报》上得到部分反映,资料的欠缺使人们对其研究尚难深入。近代女子团体的研究,集中在团体的分类、活动内容与形式、社会影响等几个方面。多数论者认为,根据妇女团体的不同倾向,可划分出三种类型,一种是以振兴女权、争取妇女解放为目标,另一种侧重于参加当时的政治斗争,第三种专以改良社会风习或举办慈善事业为主。妇女团体的出现,表明中国妇女开始以群体面貌参与社

---

① 《近代女子报刊的兴起及意义》,《河北师范大学学报》1997年第1期。
② 《〈新青年〉的女权思想及其影响》,《史学月刊》1996年第4期。

会生活,其影响十分深远。

关于辛亥革命前后的妇女团体,张莲波的文章列举了 20 世纪出现的 35 个不同类型的妇女团体,并分析了时代赋予这一时期妇女团体的一些特征:多集中于上海、北京、广州、东京,与资产阶级政治文化活动中心紧密相连;组织涣散,存在时间短暂;人员只限于妇女中的上层;活动中有重义务、轻权力的倾向等。文章认为辛亥革命前出现的众多妇女团体,"为武昌起义后女权运动掀起高潮奠定了思想基础和组织基础"。① 一些文章强调了早期妇女团体政治参与意识不强和政治上软弱与幼稚的特点。还有一些文章专门研究了 20 世纪初的共爱会、中国妇人会等女子团体。

抗日时期的妇女团体,学者关注较多。黄晓瑜把这一时期的妇女组织分为三类,一是全面抗战爆发前自发组织的各种妇女抗日救国团体,如 1931 年"九一八"后成立的北平市女界抗日救国会等;二是妇女抗日统一战线建立后全国性的妇女抗日组织;三是各根据地的妇女联合会和妇女救国会。② 刘静的文章论述了国统区的妇女组织概况,指出,1940 年前后国统区的妇女抗日组织约有358 个之多,其中影响最大的有中国妇女抗敌后援会、中国妇女慰劳自卫抗战将士总会、战时儿童保育会、新生活运动促进总会妇女指导委员会、中苏文化协会妇女委员会等妇女统一战线领导下的全国性组织。文章对这些组织的来龙去脉、内部组织、活动特点与取得的成就等进行了评介。③ 武锦莲的文章对抗战时期的新生活运动促进总会妇女指导委员会进行了分析,认为该组织成立之初,曾是"不含政治作用"的组织,但在 1938 年改组扩大后,虽仍由宋

---

① 《二十世纪初的妇女团体》,《史学月刊》1991 年第 2 期。
② 《抗日救亡中的妇女组织》,《历史教学》1986 年第 9 期。
③ 《抗日战争时期国民党统治区新成立的妇女组织简介》,《妇运史研究资料》1985 年第 3 期。

美龄任指导长,性质已发生变化,成为"国民党、共产党和无党派的妇女,站在平等的地位"的统一战线组织。文章肯定了妇指会在妇女参政、就业运动、反对汪逆斗争中所显示的力量和作用。[①] 另有一些文章,分别论述了抗敌后援会、各地战地服务团等一些有影响的妇女抗日团体的创建过程、活动形式与社会影响。[②]

中共北京市委党史研究室和北京市妇联主编的《北京的社团》第2辑《妇女社团专辑》(知识出版社1994年版),是一部少见的区域性妇女团体研究著作。书中介绍了1906年至1949年在北京先后建立的48个女子团体。该书不仅收罗宏富,内容翔实,而且每篇文章之后均有资料附录。

从整体来看,近代妇女团体的研究,在某些方面有了突破性进展,如对抗日时期国统区妇女组织的介绍和分析已比较真实客观。不足之处是研究中多侧重于女子政治性团体,女子职业团体、实业团体、学术团体、文化艺术与宗教性质团体涉及较少,妇女团体的个案研究也有待深入。

4. 女子参政运动

女子参政运动,是中国近代女权运动的重要内容之一,也是研究者比较关注的问题。历次女子参政运动中,人们研究较多的是民初的女子参政运动。严昌洪在考察民初女子参政运动的背景时指出,在辛亥革命准备和发动阶段,不少妇女参与其间,她们的命运与革命紧密联系在一起,期待着革命后能获得自由与平等之权。这是唐群英等以争取参加第一届国会为要务的原因。而革命队伍中大男子主义者对女子分享权力的反对、参议院在女子参政问题上所设置的种种障碍,激起民初女子参政运动的高涨。此外,国际妇女参政运动潮流的影响,也是民初女子参政运动高涨的原因之一。

---

① 《抗战前期的"妇指会"及其活动》,《上海师范大学学报》1989年第2期。
② 罗义俊:《何香凝和中国妇女抗敌后援会》,《历史教学》1987年第9期。

作者认为:"民国初年女子参政运动的发生有其历史必然性。从横向来说,它是国际女权主义思潮与妇女参政运动在中国的反映。从纵向来说,它是戊戌以来民主思潮与革命运动的继续发展。从历史来说,它是对中国几千年男女不平等的偏枯现象的反动。从现实来说,它是对革命以后仍然压制女性的顽固传统的反抗。"对于民初女子参政运动失败的原因,作者从多方面进行了深入分析:"这一场具有重要意义的社会运动遭到了男人的压制,也受到了女人的冷遇,成为少数勇敢分子的行动,这是失败的直接原因。根本原因则是辛亥革命的不彻底与迅速的失败。"由于时代与阶级的局限,运动的领导人存在的种种缺点与失误也是不应忽视的。作者认为,民初女子参政运动虽然失败了,但它具有重要意义和深远的影响,它开启了中国近代妇女参政运动的先河。①

关于1921年至1922年间出现的中国妇女参政运动的第二次高潮,吴淑珍在分析其产生原因时指出,"五四"运动进一步启迪了妇女的觉悟和参政意识,为妇女参政运动的新高潮准备了条件;1921年,各省发生自治运动,制定省宪,一些省份制定的新宪法先后承认了妇女的参政权,使妇女参政出现新机遇。因此,1922年,以北京旧国会恢复为契机,争取在国家宪法上规定女子参政权和男女平等原则的运动,骤然高涨。在评价这次运动时,文章指出,北京、上海、天津、南京、湖南等地成立的一些妇女参政团体,"虽然在实际活动方面没有做出多大的成绩,也没有民国初年的女子参政派那种激奋和勇猛精神。但从其指导思想来看,却带有强烈的时代色彩,即反映了从旧民主主义向新民主主义过渡的某些特征"。作者认为,这次妇女参政运动的历史局限性在于:缺乏思想基础;缺乏群众基础;脱离革命斗争实际;斗争方式不外乎上书、请愿,以乞

① 《唐群英与民初女子参政运动》,《贵州社会科学》1998年第4期。

求统治者恩赐,这就决定了旧式妇女参政运动失败的命运。[①] 张莲波、周丽亚的文章通过对1922年前后妇女参政运动在社会上的反响及其争论的考察,肯定了这一运动的社会意义,认为:"对于社会上发生的事情,最可怕的是人们不闻不问,而不是人们的反对。妇女参政的活动刺激了各阶层的人,迫使他们去研究、思索、发表言论,这说明1922年前后的妇女参政运动在社会上确实影响很大。"[②]

吴淑珍的文章还对人们关注比较少的1924年国共合作后的妇女参政运动作了分析。认为,国民革命运动使妇女参政的观念不断更新,突出表现在很多人逐渐认识到,女权和参政运动"要和大多数妇女群众结合"进行才有意义;国民革命是女权和参政运动的"先决条件";在反动统治下,妇女要取得参政权是不可能的;反对把妇女参政运动弄成"做官当议员运动"。在这种情况下,过去那种偏狭的女权和参政运动,必然失去原来的地位。1924年冬掀起的女界国民会议运动,是上述新思想指导下的妇女参政运动的一次尝试。文章认为,女界国民会议运动,把中国妇女参政运动推向一个新的阶段。首先,中国妇女运动首次实现了组织上的统一。作者引用向警予的话说,它"是中国妇女运动在同一的目标同一的策略之下,有系统有计划的进行的历史之序幕"。其次,女界国民会议运动,把妇女参政权的获得建立在反军阀和争取民族独立的基础之上,中国妇女开始加入新民主主义革命的阵线。女界国民会议运动虽然以失败告终,"但它广泛动员了妇女力量,提高了妇女的参政意识,为广大妇女参加轰轰烈烈的大革命运动准备了思想和组织条件"。[③]

[①③]　《中国妇女参政运动的历史考察》,《中山大学学报》1990年第2期。

[②]　《1922年前后中国妇女参政在社会上引起的反响及争论》,《中州学刊》1998年第5期。

三、四十年代的妇女宪政运动延续了 10 余年,国统区广大妇女为向国民党政府争取参政权进行了坚持不懈的斗争,尤其抗战时期集中于重庆的各界妇女掀起的宪政运动,很有声势,影响很大。但这一段女子参政史却只有少数论著简单提及,是研究的薄弱环节。

中国共产党领导的根据地的妇女参政运动,较受研究者的重视。周亚平的文章指出:"凡是建立革命政权的地方,广大劳动妇女便真正获得了参政权,不论是苏区,还是抗日根据地和解放区都证明了这一点。"该文还指出了中国共产党领导下妇女参政的特征:重视妇女和妇女干部的培养,妇女参政权得到了保证,参政妇女发挥了管理国家政权的才能。① 全国妇联的《中国妇女运动史》,对新民主主义时期在中国共产党领导下的各根据地发动广大劳动妇女参政的状况,作了比较全面和深入的论述。

应当说,中国近代女子参政问题的研究已取得比较大的进展。但研究还很不平衡,特别是从妇女史的角度探讨中国妇女参政运动的规律,总结其中的得与失,尚有待于学者们进一步的努力。

5. 国共两党与妇女运动

中国共产党、中国国民党两党与妇女运动的关系,是近 20 年来研究者较为关注的领域之一,研究较多的是中国共产党建党初期对妇女工作的领导问题、抗日战争时期妇女统一战线问题及其国统区的妇女运动问题等三个方面。

对于建党初期妇女运动的方针政策及其对妇女运动的领导问题,全国妇联的《中国妇女运动史》作了较系统的考察,指出,中国共产党建立后就于 1921 年 8 月通过帮助上海中华女界联合会进行改组,使之成为建党初期党领导的重要妇女组织;1922 年中共第二次全国代表大会产生了《关于妇女问题的决议》,这是中国妇

---

① 《中国妇女参政的历史轨迹》,《吉首大学学报》1993 年第 1 期。

女运动史上第一个以政党名义通过的关于妇女运动的决议。[①] 畅引亭在充分肯定建党初期党对妇女运动的领导与贡献的同时,指出当时妇女运动的开展受到的"种种局限",如帝国主义、反动军阀的高压政策,封建的束缚,妇女人才缺乏,经济困难,经费无着,及经验缺乏和工作失误等。文章较为全面客观地反映了当时妇女运动的基本状况。[②] 此外,叶孟魁向人们提供了一则新文献史料,即1921年6月中国共产党建立前夕,张太雷致共产国际三大的报告,其中第五部分专门报告了中国的妇女问题和妇女解放的必由之路,强调了中国妇女是无产阶级革命力量的重要组成部分,是"统一的革命机器的有用的螺丝钉"。[③] 这一发现,有助于人们了解中国共产党早期领导人对于中国妇女问题的认识水平,从而进一步理解建党初期党的妇女运动的方针政策。

对于抗日战争时期国共两党建立妇运统一战线问题的研究,主要涉及宋美龄主持的庐山谈话会与统一战线的形成、统一战线的特点及对妇女运动的推动等问题。在统一战线的形成方面认识基本一致,研究者都承认,1938年5月,宋美龄出面召开的庐山妇女谈话会,以抗战建国为纲领,实现了各界妇女大联合,标志着中国妇女抗日统一战线正式成立。董妙玲指出,抗日时期的妇女统一战线的特点是,"具有地域、政治成分和阶级成分的广泛性"、"组织形式的统一完整性"、"抗日方向的连续性"及"内部阶级斗争的尖锐性"。在统一战线中始终存在着左中右三派,代表国民党一方的宋美龄,"对抗日的态度,对共产党和进步人士的态度,归根到底取决于蒋介石的总体部署"。事实说明,当时的妇女统一战线,是"带有阶级对抗性的合作"。文章认为,皖南事变后,妇指会失去了统一

① 《中国妇女运动史》,第145—147页。
② 《论建党初期党对妇女运动的领导》,《青海师范大学学报》1992年第1期。
③ 《中共最早关于妇女运动的文献》,《北京党史研究》1997年第1期。

战线组织的性质,但国统区的统一战线妇女组织仍然存在,这就是中共领导的中苏文化协会妇女委员会。① 关于中国共产党在妇女统一战线中的作用,一些文章指出,南方局妇委成立后,在邓颖超的亲自领导下,国统区妇女统战工作方针明确,方法灵活,成效显著,对推动大后方的统战工作起了重要作用。其成功经验在于,加强党对妇女统战工作的领导,正确运用统战斗争策略,"发展进步势力,争取中间妇女,孤立顽固妇女";团结各阶层妇女,尤其是中上层妇女。广泛的妇女统一路线,推动了抗日时期中国妇女运动的全面高涨。② 国民党方面对待妇女统一战线的态度问题,开始受到一些学者的重视。李媛的《宋美龄与第二次国共合作时期的妇女界统一战线》、侯德础的《宋氏姊妹与"工合"运动》等文章对此作了有意义的尝试。③

　　近年来研究国统区妇女运动的文章有所增加,杨兴梅的文章,正面揭示了南京中央政府 1927 年以后的 10 余年间,直接组织和领导不缠足运动的运作过程,以及取得的社会效果。④ 晁海燕论述了抗战时期妇指会领导的国统区"妇女训练",认为这次对城乡妇女干部和普通妇女民众的大规模训练"实际上是对各阶层广大妇女进行有组织的一项思想和文化教育活动"。文中还对江西、广东、四川、上海、新疆等地,开展妇女干部训练和妇女民众训练的概况进行了介绍,并对这一活动的现实意义和长远影响给予了充分肯定。⑤ 水世琤的《雷洁琼在抗日战争期间的峥嵘岁月》一文,用相当篇幅介绍了雷洁琼受妇指会之邀,在江西开展组织妇女、训练妇

---

① 《中国妇女抗日统一战线组织的特点和作用》,《中州学刊》1995 年第 5 期。
② 林庭芳:《论南方局"妇委"领导国统区妇女统战工作的历史经验》,《攀登》1991 年第 4 期。
③ 《党史研究与教学》1993 年第 2 期;《文史杂志》1995 年第 4 期。
④ 《南京国民政府禁止妇女缠足的努力及其成效》,《历史研究》1998 年第 3 期。
⑤ 《抗战时期国统区的妇女训练》,《西北大学学报》1997 年第 4 期。

女工作的情况。[①]

　　史学界研究成果最多的,是中国共产党领导下的各时期各地区的妇女运动。一些文章通过论述中国共产党从建立后领导妇女运动的全过程,着重总结与探讨其中的规律。更多的文章则是分析不同历史时期党对妇女运动的领导。[②]

　　从总体看,对各党派妇女政策、妇运方针、妇女运动组织形式的研究,比起对妇女运动的过程、内容、成果的研究来说明显不足。国共两党相比,对国民党与妇女运动关系的研究更显薄弱,如第一次国共合作时期国民党中央妇女部及其工作、抗战时期国民党与妇女国民参政会等,极少有文章涉及,或只有简单与零星的论述,缺乏力作。

(二) 关于近代妇女生活

1. 民族民主革命运动中的妇女

　　妇女生活融入反帝反封建的时代主旋律,是近代中国妇女生活的主要特点之一。在历次反侵略战争和反对封建势力的斗争中,表现了高度的爱国主义精神与大无畏的英雄气概。

　　新中国建立以来,人们对妇女在中国近代历史进程中做出的贡献,以及广大妇女在反帝反封建斗争中的英勇表现,一直给予肯定。

2. 不同阶层的妇女的生活

　　一些研究者注意对近代不同阶层的妇女进行具体研究,在抓住妇女共性的同时,力求掌握其特殊性,以避免研究中的简单化与

---

① 《团结报》1992 年 6 月 17 日、7 月 1 日、8 月 11 日。
② 《第一次国内革命战争时期妇女运动的特点》,《山西师范大学学报》1992 年第 3 期。

模式化。研究涉及了近代产业女工、知识女性、职业妇女、农村妇女以及妓女、奴婢等特殊阶层。

产业女工是中国近代新崛起的阶层,它除了具有工人阶级的一般特征外,还有自己的特点。郑永福、罗苏文、何黎萍等分别论述了近代女工的产生与发展、分布特点、数量变化、工资收入等基本情况。据他们的统计资料表明,近代女工的人数一直占产业工人总数(矿山工人除外)的 30% 至 40% 左右,是一支不容忽视的力量。罗苏文强调近代"女性作为一种可观的劳动力资源被纳入资本主义劳动力市场,参与商品交换"。但是,男女劳动力商品却不能得到平等对待,因此男女工人的工资始终存在性别差异。①

职业妇女也是近代新崛起的阶层。何黎萍指出,中国妇女最早进入社会所从事的职业是工人,稍晚出现的是教师和医生。民初出现的女子实业运动是妇女就业的一次大预演,至 20 世纪20 年代,妇女进入了更多的就业领域。20 年代末 30 年代初,由于限制妇女就业的旧法律被打破,女性从事的职业越来越广泛。文章强调,虽然女子职业发展迅速,但"妇女并没有获得真正的职业平等权。社会许多职业还没有对妇女开放,尤其是高层次的职业。同工不同酬和没有劳动保护的情况也比比皆是"。② 忻平认为,除少数社会名望很高的公职妇女以外,民国时期上海多数职业妇女的社会地位不高,在婚姻、就职、经济、文化方面仍未获得应有的权力,甚至受到残酷的迫害。③ 臧建的《妇女职业角色冲突的历史回顾——关于"妇女回家"的三次论争》、吕美颐的《评中国近代关于贤妻良母主义的论争》等文章涉及了社会对于

① 《女性与近代中国社会》,上海人民出版社 1996 年版,第 286—316 页。
② 《试论近代中国妇女争取职业及职业平等权的斗争》,《近代史研究》1998 年第 2 期。
③ 《民国时期上海的职业妇女》,《民国春秋》1990 年第 3 期。

女性职业的态度这一重要问题。^①职业妇女的主体——知识妇女群,也受到了研究者的重视。一些文章从不同角度论述了近代知识妇女表现出的自立精神、自救意识、爱国情结等。^②

近代农村妇女的生活,受到商品大潮的冲击,逐渐发生变化。近代经济史学家较早注意到,鸦片战争后外国商品特别是棉纱与棉织品的输入,对中国传统的耕织结合的自然经济产生的瓦解作用,并由此促成纺与织、耕与织的分离,对一些地区的农村妇女及其家庭产生了重大影响。但这种研究没有与妇女史接轨。90年代以来,一些学者开始从更广阔的视角来研究近代农村妇女生活。郑永福等《近代中国妇女生活》一书,从农村妇女的家庭生活、岁时风俗与交游、农业生产活动、家庭手工业的地位等方面,论述了近代农村妇女生活的变化。书中尝试对农妇的生产劳动量在农村农业生产总量中所占比例进行定量分析。^③罗苏文运用社会学研究成果,选择了华北定县与江苏的江村,对南北两地农妇的生活环境、两性在生产中的分工、女性的家庭地位等进行了对比分析。还对华北、华中东部、华南等不同地区农妇在家庭及生产中的角色与地位进行了对比研究。^④

娼妓是女性中一个特殊而复杂的群体。80年代以来出了几部有关娼妓史的著作,总体看,介绍多而研究不够。一些文章涉及了近代废娼运动的一些问题。林红在文章中论述了从太平天国的"废娼",到"五四"前后废娼讨论的开展,作者认为,近代废娼运动是"人权意识觉醒和妇女解放思潮的直接产物。它在观念上撼动了男性中心社会的'卖淫社会必要论'的一统天下,引发人们对娼妓问

---

① 《北京党史研究》1994年第2期,《天津社会科学》1995年第5期。

② 黄新宪:《进步知识妇女群体的崛起与近代社会变革》,《福建论坛》1990年第6期。

③ 河南人民出版社1993年版,第320—337页。

④ 《女性与近代中国社会》,第205—228页。

题的人道主义思考"。但是,由于"在我国,人权意识的先天不足加上女性自主意识的长期欠缺,废娼理论始终没有得到长足发展"。①

　　还有的文章涉及了中国近代在特殊年代里的特殊娼妓问题,即侵华日军慰安妇制度问题。慰安妇问题的真相曾长期被遮掩,进入 90 年代后才引起世界多方面的严重关注。中国学者涉足这一领域较晚,但已取得重要研究成果。苏智良、陈丽菲经过 6 年的调查研究,推翻了日本一些学者认为充当慰安妇的主要是朝鲜和日本妇女而"极少中国姑娘"的论断,指出:"中国是日本法西斯慰安妇制度的最大实施地,是日军慰安所最多的占领地,中国慰安妇人数最多,遭遇最惨。"他们以确凿的证据考察了日军在华慰安所的类型、分布,慰安妇的来源、人数,日军强迫中国妇女充当慰安妇的方式等问题。文章指出,二战期间日军在中国设立的慰安所,分布在从黑龙江到海南岛的广大地区,数千上万,有的长达 14 年。中国慰安妇的人数总计在 20 万以上,多是被日军抢夺、战场被俘、被欺诈与诱骗来的,也有的是被汉奸强迫或妓女被强征而来。文章尖锐地指出,作为一种制度,"一旦日军中'强奸'的观念置换为'性服务'之后,军队中集团性的强奸不但合法,而且受到军方的保护",这是问题的实质所在。② 有关的文章还有王海华的《侵华日军性暴力对中国女性的摧残——抗战时期山西盂县日军性暴力受害者调查》等。③ 这一问题的研究,已大大超出了一般妇女生活的研究范围,有着特殊的意义。

　　对妇女进行分层研究,是近年来国外学术界非常重视的方法,但在国内只有一两部贴近社会史的妇女史专著和个别文章有所论

①　《废娼与妇女解放的历史反思》,《妇女研究论丛》1997 年第 2 期。
②　《侵华日军慰安妇制度略论》,《历史研究》1998 年第 4 期。
③　《妇女研究论丛》1999 年第 2 期。

及,对于近代占女性人口最多的广大农村妇女的生存状况,则更少问津,这不能不说是一大缺憾。

3. 婚姻与家庭

婚姻是家庭的基础,家庭是构成社会机体的细胞。一般意义上讲,一定的婚姻制度与一定的家庭制度是相辅相成的统一体。婚姻与家庭又是人类社会生活的重要组成部分,在很长的历史时期内,婚姻与家庭不仅是女性人生的必然经历,甚至是女性的惟一归宿。五、六十年代,人们研究近代婚姻家庭制度是从研究太平天国的婚姻制度入手的,一些人对于太平天国男女别营、建立女馆、改革婚姻论财的陋俗,给予很高评价。太平天国的婚姻文书"龙凤合挥"发现后,更增加了人们的研究兴趣。但是,研究也仅限于此。此后,近代婚姻家庭史的研究基本处于中断状态。80年代以来,对近代婚姻家庭的研究进入了新阶段。其特点是对于近代婚姻观念、婚姻制度、婚姻立法、婚嫁习俗及家庭制度的变革进行了全方位探讨。

陈振江认为,近代婚姻家庭的变革是一场深刻的社会革命,有着明显的历史轨迹,"发端于19世纪末期的维新改良运动时期,高涨于20世纪初期民主革命勃兴之时,及至'五四'运动前后形成了前所未有的高潮"。他强调,"清末民初的婚姻家庭变革是伴随着改良运动和政治革命发生发展的,而且舆论充实,声势浩大,为时持久,因此对思想启蒙和社会文明进步具有不可低估的积极影响","实质上是反对专制制度和争取民主自由的女权运动,也是人性觉醒的重要标志"。陈振江的文章还集中论述了不同时期人们对旧婚姻制度的批判和改革婚姻家庭制度的思想主张,指出:戊戌时期,"一大批改良主义思想家从民族存亡和天赋人权的角度着眼,猛烈地抨击旧式婚姻制度和维护这种制度的纲常名教,极力提倡变革婚姻制度以促进民族文明进步和国家强盛发达"。他们制定的不缠足嫁娶章程,直接与婚姻改革相关,"这些改良主张和措施,是中国近代婚俗变革的先声"。辛亥革命前后,革命派及无政府主义者从两个方面"倡言婚姻变革":"其一,揭露和批判旧式婚姻家庭摧残人生、压抑人性、危害社会等弊端","其二,鼓吹废婚姻、毁家庭和'家庭革命'等主张"。一些民主革命的激进派和无政府主义者,"把家庭视为万恶之源,把废除婚姻家庭当做拯救中国的灵丹妙药"。这虽是一种乌托邦式的空想,但所形成的"婚姻家庭革命"的社会思潮,有着"不可磨灭的积极效果"。①

徐建生指出,近代先进的人们从三个方面对旧式婚姻及其习俗进行揭露和批判:其一,对旧式婚姻中"包办、买卖和强迫性质"的批判。认为这些做法,"是对爱情的扼杀,是家庭中尊长压制和取消卑幼人格的最为露骨的表现","女子是不幸婚姻中最不幸者"。其二,对"早聘早婚恶俗"的批判。认为这些恶俗"损精神、伤身体、荒学问、败道德、害国计、弱种族",不仅有损个人身心,而且"阻碍社会进步,国家强盛"。其三,对"贞操、出妻与一夫多妻"的批判。人们逐渐认识到,把片面的贞操强加于女子,"乃是畸形的道德即不道德";而"七出"的规定,"其含义即是要求女子在家庭中放弃最起码最正当的权利";一夫多妻制下,出嫁的女子"就是长期的卖身",与娼妓的区别"仅仅在于时间的长短和出卖的方式不同"。作者认为,近代以来对旧式婚姻的批判颇具深度,"尖锐而深刻地触及了其本质的各个方面"。②

行龙对清末民初婚姻生活中的新潮作了进一步分析,指出,近代婚姻变革思潮,受到西方"天赋人权,自由平等的理想原则"的影响,人们多对中国传统的"礼法婚姻"持否定态度,而对"西方实行的'婚姻交合,即由两人之契约而成'的'法制婚姻'十分羡慕,推崇备至"。文章重点研究了清末民初婚姻变革中出现的三个值得注意的新动向,一是"表现在主婚权利、媒介形式、择偶标准与范围、离

① 《清末民初婚姻家庭变革运动的趋向》,《南开大学学报》1997年第4期。
② 《近代中国婚姻家庭变革思潮述论》,《近代史研究》1991年第3期。

婚再嫁等方面的相对开放和自由上";二是婚礼习俗方面,"删繁就简趋向明朗,文明婚礼勃然兴起";三是清末民初买卖婚姻的现象盛行,"无论贫富,无论娶妇嫁女,聘礼嫁奁十分丰厚",其结果,使人们的生活负担因婚嫁更为沉重,造成男女"婚嫁失时",带来了童婚、早婚等流弊,并使"悔婚涉讼"事件时有发生,影响社会安定。①

　　还有些学者利用二、三十年代社会学的成果,研究了民国年间城市婚姻状况的变化。陈蕴茜、叶青的文章,以大量统计数据从五个方面进行考察,指出,在婚姻决定权方面,"从原来的完全由父母做主逐渐向青年自主转变",这种情况在知识女性中更为明显;在婚姻的目的方面,由以"良善子女的产生"为主要目的,发展到以"寻求生活伴侣"为第一目的;在对待晚婚方面,赞成的人数明显出现增多趋势,一些城市的男女平均结婚年龄有所下降;在反对一夫多妻制方面,女性对丈夫纳妾持反对态度的愈来愈多;在对待离婚问题上,更多人主张"夫妇有义则合,无情即离",自由离婚观念逐渐被多数人所接受。文中依据 30 年代金陵女子学院和天津、成都等地的统计资料对上述情况作了说明。文章强调,民国时期城市婚姻制度的变迁,"是长期历史积淀形成的传统婚姻制度在新的历史条件下的变革和发展",因此婚姻制度的转型充满痛苦和矛盾,这种"变革必须经历反复曲折、新旧交替的矛盾与斗争,经历一个由表及里、由少数先进分子向广大民众逐渐推展的演变过程"。而且,"传统婚姻制度向现代转型过程的完成取决于整个社会的转型"。②

　　不少学者对近代结婚礼俗的演化进行了研究。严昌洪等论述了中国婚俗从传统的"六礼"向文明婚礼的演进,这种文明婚礼,表现出"新旧结合,不中不西,又中又西"的特点,是"中西习尚走向融

① 《清末民初婚姻生活中的新潮》,《近代史研究》1991 年第 3 期。
② 《论民国时期城市婚姻的变迁》,《近代史研究》1998 年第 6 期。

合的积极成果"。结婚礼俗的改革,不仅改变了父母之命、媒妁之言的传统陋俗,而且"文明俭朴的婚礼可以避免因旧式婚礼的诸多弊端而引起的家庭关系的潜在危机,还可以减少因日后办不起妆奁而溺女的现象"。①李少兵也对民国时期婚姻习俗的变化进行了考察。②

　　一些学者强调,婚俗作为一种观念形态的文化,具有历史的惰性。"新的婚俗可能在'质'的方面具有很强的生命力,旧的婚俗则在'量'的方面仍占'统治'地位,有普遍性的影响,迟迟无法革除"。同时,近代社会经济发展的不平衡性,也会使婚姻制度的变革呈现不平衡性。因此,不应忽视长期保存在近代社会生活中的各种婚姻陋俗。他们分析了娶妾、早婚、童养媳、未生子先抱媳的"望郎妇"与"花等女"、典妻与租妻、以为女家做工等待幼女长大成亲的"站年汉"、男子在兼祧两房时得娶两妻、刁难寡妇再嫁等陋俗的分布情况与形成原因。有的还论述了近代广东特有的"自梳女"形成的社会经济背景,一些地区"不落家"、"抢亲"等婚俗,以及少数民族"阿注婚"的状况。③自梳女现象发生在近代广东及东南亚华侨的部分妇女中,这种通过特定的仪式自行易辫为髻,以独身终老的生活方式,引起了海外学者的重视,但在中国大陆进行专门研究的论著尚少见,只是一些婚姻史中略有提及。对于云南、广西纳西族1949年前一直盛行的阿注婚,严汝娴、宋兆麟等人60年代就进行过调查,1983年由云南人民出版社正式出版了他们合著的《永宁纳西族的母系制》,对纳西族婚姻制度中的母系制遗存等问题,进行了深入

---

① 《西俗东渐记——中国近代社会风俗的变迁》,湖南出版社1991年版,第220—228页。

② 《民国时期的西式风俗文化》,北京师范大学出版社1994年版,第238—245页。

③ 张树栋等:《中国婚姻家庭的嬗变》,浙江人民出版社1990年版,第239—242页;郑永福等:《近代中国妇女生活》,第146—179页;罗苏文:《女性与近代中国社会》,第229—236页。

的研究。

以法律形式变革旧有婚姻制度，既是婚姻变革的成果，又是婚姻变革的推动力，这一问题开始受到人们的重视。学者普遍认为，近代婚姻立法的特点是在法律制度上对妇女在婚姻生活中的平等地位普遍趋向肯定。研究的重点在民国年间国共两党的婚姻立法改革方面。孙晓指出，1924 年《中国国民党第一次全国代表大会宣言》和 1926 年国民党二大的《妇女运动决议案》中有关于婚姻制度改革的规定，都具有立法意义。[①] 张树栋、李秀领则分析了 1930 年公布的国民政府《民法·亲属编》，指出其一方面规定"一夫一妻"、"婚姻自由"、"男女平等"，一方面又允许娶妾、限制妇女离婚请求权所表现出来的"虚伪性"。[②] 孙晓、张树栋等人的著作中，都对中国共产党领导的根据地 1931 年公布的《中华苏维埃共和国婚姻条例》和 1934 年公布的《中华苏维埃共和国婚姻法》，以及抗日战争时期各边区政府制定的婚姻条例的进步性，给予了高度评价。不少文章对上述婚姻立法问题予以关注，但总体来说，对中国近代婚姻立法的进程、性质、效果，特别是婚姻方式对女性的影响，还缺乏更深入具体的研究。

4. 与妇女生活相关的其他问题

关于妇女与宗教。宗教是一种意识形态，又是一种生活方式。女性由于社会地位低下，长期受歧视与压制，其精神世界愈显空虚与脆弱，更需要精神寄托与精神支柱，因此不少女性与宗教结下了不解之缘。一些研究者开始注意这一现象。研究太平天国和义和团妇女的文章有些已涉及了妇女与宗教的关系问题，可惜的是缺乏系统深入的论述与分析。还有少量论著谈到了女性与佛教、基督教的关系问题。

① 孙晓：《中国婚姻小史》，光明日报出版社 1988 年版，第 231—232 页。
② 《中国婚姻家庭的嬗变》，第 246 页。

郑永福在论述佛教与近代中国女性时,除了一般考察佛教女教徒的来源与分布之外,特别研究了人们常常忽视的近代比丘尼与优婆夷(女居士)的宗教修持生活,以及近代社会变革对她们的生活产生的影响。作者还论及民间妇女中自发的佛教信仰问题。指出,不少妇女"并不懂佛理、佛法,更没有读过经书",却表现出对佛的"愚诚",他们"低层次的宗教行为与强烈的宗教意识形成了强烈反差。更有甚者,表面似信佛,实际上什么鬼神都拜"。"这种行为起因于愚昧,其结果又加重了愚昧落后,使本来由于长期封建统治造成缺乏独立精神的广大妇女,更增长了依赖性和奴隶性"。近代"民间妇女崇佛成风,有其社会因素,也有女性自身心理因素的影响,佛教自身的某些特点也是造成这种状况的原因之一"。文章还分析了近代佛教在妇女中影响衰退的原因。①

天主教与基督教新教对近代中国曾产生过重大影响。吕美颐考察了天主教与基督教在近代中国妇女中传播的概况及女教友的特点、来华女传教士在对中国妇女传教中所起的作用等,并向人们勾画了中国修女、贞女与一般女教徒的信仰生活。文中指出,近代一些知识女青年之所以加入基督教,是因为在寻求救国救民的道路时,希望在宗教中汲取那种所谓"无私的爱"和一种为社会牺牲和奉献的精神,是一种理性的选择。文中还指出,"基督教对近代妇女生活的影响,已超出了宗教范围",主要表现在引发中国传统妇女观念的变化、促进近代女子教育事业的发展、推动对有害妇女的社会习俗的改革、在妇女中传播带有近代色彩的生活方式等方面。但是,由于中国近代长期受殖民主义、帝国主义的侵略,因此对于西方文化中某些有益的东西,"在长期敌对的气氛下,人们也很难

---

① 《佛教与近代中国女性》,李小江等主编:《性别与中国》,生活·读书·新知三联书店1994年版;《佛教与基督教在近代中国女性中影响之比较》,《佛学研究》1996年第5期。

平心静气地加以辨别、吸收"。[①] 一些妇女史专著如《女性与近代中国社会》、《中国妇女运动史》等书也注意到了基督教与中国妇女的关系。全国妇联的《中国妇女运动史》有几个章节都涉及这一问题。其中着重论述的有早期基督教妇女组织的发展及变化,介绍了基督教青年会和上海妇女节制会的活动,认为基督教妇女组织历史长久,人数众多,吸引了相当数量的妇女。其原因除了因为在组织上、方法上、技术上、人才上、经济上有国际宗教组织的支持和指导,还因为她们的活动具有教育性、娱乐性和服务性。书中介绍了基督教女青年会在大革命时期"比较早的就注意到工厂中的女工问题",并创办了多所平民学校、女工夜校、劳动服务处等。抗日战争爆发后,女青年会也积极参加了多种爱国救亡的活动。[②] 以上著述对于基督教在近代中国妇女中的影响,评价较为客观。

从总体上看,近代妇女与宗教的研究,尚未引起应有的重视,不仅文章很少,而且研究的广度与深度也很有限。

关于溺女婴之风。有的学者把研究的视角投向了人们较少注意的近代溺女之风问题。徐永志考察了山西、湖南、浙江、福建、广西等省的溺女恶习,指出,"近代溺女泛滥成灾,流弊成风,是中国历史上溺女的全盛时期","遍及贫富两大阶级"。他认为,造成这种现象的根本原因有两个,一是"人口过剩,社会生产力停滞,人民生活水平普遍恶化及'重男轻女'思想的影响"。人们为了减轻人口压力,消极的办法就是溺婴,在重男轻女的观念下,女孩"成为溺杀的直接对象"。二是"厚嫁之俗"的影响。厚嫁之俗由来已久,"近则有增无已","不但使劳动人民难以承担,就一般富室大家而言,亦不啻一场灾难,往往'力所不及'"。因此,"在贫富皆溺女的背后隐藏着较为深刻的经济背景"。文章指出了溺女之风造成的严重社会危

---

① 《基督教在近代中国妇女中的传播及其影响》,《性别与中国》。
② 参见《中国妇女运动史》相关章节。

害，一是导致全国男女性比例严重失衡、失调；二是助长了近代民间收养童养媳、早婚、买卖婚姻及其他婚姻陋俗的流行；三是增加了刑事诉讼案件，影响了近代家庭、社会秩序的稳定。①

关于女性服饰。女子服饰生动具体地反映了妇女生活的一个侧面，它的变化，也反映了社会生活习俗的变迁。金炳亮在文章中论述了在民初出现的女子服饰改革潮流。认为，经过社会变革洗礼的广大妇女，"力求从后台走到前台，在社会大舞台上充当重要角色，改变传统妇女的形象。表现在服饰上，就是大胆奔放，不拘一格"。但是，"民初妇女在服饰上的创新，有冲击传统的成分"，也"带有盲目性和与女权运动脱轨的缺点"。当时一般女学生与女权主义者对女子装饰采取了不同态度，而女权主义者在这一问题上"始终抱有错误的成见"。文章指出，当时社会上一些人看不惯妇女的服饰，是与他们站在传统立场上反对一切创新一致的。② 罗苏文强调，民初以后，"等级贵贱、性别尊卑的陈规俗见开始受到冲刷、荡涤，女性妆饰呈现出诱人的时代色彩"。这种变化"使女性兼有了审美主体、客体的双重身份，也使女性妆饰转为彰显个性的手段"，并"为后人留下解读过渡时代女性心理变化历程的一份记录"。书中还对以上海为代表的东南沿海地区，以北京为代表的华北及华中地区，以西安、兰州为代表的西北地区进行了比较研究。③

（三）关于近代妇女人物的研究

关于妇女人物的研究，在 50 年的中国近代妇女史研究中占有一定位置。研究的对象主要有三种类型：一是对晚清后妃及相关人

① 《近代溺女之风盛行探析》，《近代史研究》1992 年第 5 期。
② 《民初女子服饰改革述论》，《史学月刊》1994 年第 6 期。
③ 《女性与近代中国社会》，第 168 页。

物,如慈禧太后、珍妃、裕容龄、裕德龄、裕勋龄等人的研究。二是关于农民起义中重要妇女人物的研究,主要涉及太平天国和义和团时期的著名女性,如洪宣娇、傅善祥、苏三娘、周秀英、林黑儿等。三是关于中国近代妇女解放运动的先驱者以及中国新民主主义革命中的妇女领袖、知名人士及英雄人物等的研究,前者如秋瑾、唐群英、徐宗汉、尹锐志、尹维竣、吴芝英、张竹君、张默君、刘青霞、吕碧城等,后者如何香凝、宋庆龄、蔡畅、向警予、邓颖超、康克清、史良、沈兹九、雷洁琼等。此外,还有一些风云一时或在某一方面影响较大的妇女人物,也受到了研究者的关注,如非同寻常的烟花女子赛金花、小凤仙,中国近代第一个女报人裘毓芳,最早走出国门的女性之一单士厘,晚清外交女英才刘瑞芬等。从学术角度与妇女史角度来说,研究成果较多的是秋瑾、向警予、宋庆龄等人。

关于那拉氏。有关慈禧的文章,发表的已有百余篇,水平良莠不齐。有关专著也已出版多部,学术性较强的如魏鉴勋的《专权太后慈禧》(辽宁民族出版社 1992 年版)、宝成关的《奕䜣慈禧政争记》(吉林人民出版社 1993 年版)、徐彻的《慈禧大传》(辽海出版社 1994 年版)等。文章与专著中除了相当部分涉及宫廷轶事之外,研究的内容涉及慈禧生平及其政治活动。从妇女史的角度来看,慈禧研究中的问题在于,作为女性中的特殊人物,如何从性别视角审视她的政治活动和全部生活,这方面始终没有文章涉及。从某种意义上来说,关于慈禧的研究,还没有进入妇女史研究的视野。

关于洪宣娇。洪宣娇一直是被人们传颂的太平天国女英雄,她的事迹广为流传。但由于记载不清,史料发掘有限,史家不免对她的存在疑窦丛生。钟文典否定有“洪宣娇”其人。[①] 罗尔纲认为,萧朝贵之妻为杨宣娇,洪秀全并无妹妹到广西,并对杨宣娇讹为“洪

---

① 《试说洪宣娇》,《广西师范学院学报》1980 年第 1 期。

宣娇"的过程进行了考证。① 梁义群根据新发现的历史资料,对洪宣娇其人其事进行了有说服力的考辨,并分析了洪宣娇突然在太平天国政治舞台上消失的原因。②

关于秋瑾。在旧民主主义革命时期妇女人物中,人们关注最多的要属秋瑾,有关文章达 300 篇之多,1960 年中华书局编辑出版了《秋瑾集》,推动了其后的秋瑾研究。80 年代,秋瑾研究再现高潮。1983 年,中华书局出版了陈象恭编著的《秋瑾年谱及传记资料》,同年郭延礼的《秋瑾年谱》一书由齐鲁书社出版。1986 年河南教育出版社出版的郑云山的《秋瑾评传》,是关于秋瑾研究的一部重要著作。

有关的学术著述中,以探讨秋瑾的爱国反帝及其民主思想者居多,对其争取妇女解放、抨击封建礼教、反对封建婚姻、要求男女平等的思想均予以肯定。③ 同时,分析了秋瑾思想的局限性。一些学者在秋瑾是否脱离群众问题上略有分歧。④

有关秋瑾史实的考订中,争论最多的是其生年。晨朵等主 1875 年说,郭延礼等主 1877 年说,俞观涛主 1878 年说,沈祖安等则主 1879 年说,目前未有定论。⑤ 综观秋瑾研究,研究成果较多的还是其生平事迹和对有关史实的考订,至于她的思想,特别是妇女解放思想,以及她与其他革命党人的关系、她参与妇女解放运动的实践活动等重要问题,尚有待于进一步深入探讨。

关于向警予。妇女人物研究中,人们对中国共产党早期的杰出

① 《重考"洪宣娇"从何而来》,《历史研究》1987 年第 5 期。

② 《洪宣娇的来历及事迹辨》,《学术研究》1998 年第 1 期。

③ 张玉芬:《略论秋瑾》,《辽宁师范学院学报》1981 年第 5 期。

④ 史信:《纪念秋瑾等烈士学术讨论会简介》,《浙江学刊》1982 年第 4 期。

⑤ 分别见《关于秋瑾生平、卒年和生地》,《华东师范大学学报》1981 年第 3 期;《关于秋瑾生年的再探讨》,《浙江学刊》1983 年第 2 期;《秋瑾出生应为 1878 年》,《浙江学刊》1983 年第 2 期;《秋瑾研究中的几个问题》,《江淮论坛》1982 年第 6 期。

妇女领袖向警予关注较多,除出版《向警予文集》① 及其传记著作外,发表了几十篇文章,对其思想和活动进行了多方位的考察。

刘华清认为,改变中国妇女悲惨的社会地位是向警予的根本出发点,建立社会主义自由平等的社会制度是妇女解放的根本目标,实行政治革命是妇女解放的根本途径,依靠劳动妇女是妇女解放的根本立足点。文章认为向警予的妇女解放思想体系有其开拓性、深刻性。她把唯物史观贯穿于整个体系之中,从而使妇女解放理论走出资产阶级唯心主义的误区,成为便于为广大妇女群众所掌握的革命理论,开辟了中国妇女解放运动的新纪元。②

李卫平指出,向警予关于妇女运动统一战线的思想包括以下内容:党在积极开展劳动妇女运动的同时,必须联合并指导其他的资产阶级妇女运动,制定正确的策略,团结妇女界的力量,进行反帝反封建的斗争;必须重视和发挥妇女作用,知识妇女和劳动妇女相结合;必须在组织上建立妇女运动的统一战线。③

关于向警予的生平,学术界尚存在一些分歧意见,如,传统意见认为向警予是汉族人,谷茨则认为,向"诞生于湖南溆浦县城土家族的一个商人家庭"。④ 传统观点认为,向警予在"中国共产党第二次至第四次全国代表大会上均当选为中央委员,并任中央妇女部部长"。⑤ 有人对此说提出异议,认为向既没当选过中央委员,也没担任过中央妇女部部长。根据是,党的二大、三大、四大的历史文献和陈独秀、蔡和森、张国焘等主要当事人的回忆,均没有提到此事。党的二大、三大通过的关于妇女运动的决议案,"都没有提到党中央建立妇女部来领导全国妇女运动的规定"。由于那时党中央的

---

① 戴绪恭等编,湖南人民出版社 1985 年版。
② 《试论向警予妇女解放思想体系》,《中华女子学院学报》1997 年第 1 期。
③ 《向警予论妇女运动的统一战线》,《求索》1985 年第 5 期。
④ 《红旗》1984 年第 9 期,封三。
⑤ 《辞海》"向警予"条,上海辞书出版社 1980 年版。

领导机构比较单一,委员长之外,其余委员协同委员长分掌政治、劳动、青年、妇女等运动。因此,向警予是党中央第一任妇女部长的说法缺少根据。①

关于宋庆龄。宋庆龄作为"中国历史上最伟大的女性",50年来对她的研究,可以说是硕果累累。有关专著的出版已达40多部(其中《宋庆龄传》5部),发表各种类型的文章500多篇,并出版了67万字的《宋庆龄辞典》。虽然相当多的文章与文集是纪念性的,但研究亦有一定深度。学术界对宋庆龄进行研究,是把她作为政治领袖与社会活动家来定位的,主要涉及的是宋庆龄一生不平凡的经历、对中国革命的伟大历史功绩、她从民主主义者向共产主义者的转变等。关于宋庆龄与妇女解放运动的关系,90年代以来也受到研究者的重视,文章虽不多,但具有较高的研究起点。

宋庆龄漫长的革命生涯,始终与中国革命紧密相连并做出了重大贡献。关于新民主主义时期宋庆龄的历史功绩,可以概括为如下内容:其一,投身中国革命运动,在第一、二次国内革命战争和抗日战争及解放战争中,始终站在斗争的第一线。其二,坚持和发展了孙中山的新三民主义。从思想实质来看,这已不是对孙中山革命思想的补充,而属于宋庆龄思想的一部分。其三,促成第一、二次国共合作,并为维护革命统一战线进行了不懈的斗争。其四,为保护妇女与儿童的利益做了大量有益的工作,有效地推动了社会救济福利事业的发展。其五,作为世界和平运动的领袖,在国际舞台上也为人类留下了珍贵遗产。很多文章研究了宋庆龄革命生涯中的具体问题及生平事迹,包括宋庆龄的祖籍、出生地、在美留学、与孙中山的结合、对国民党右派的斗争、开展工合运动等一系列问题。其中关于宋庆龄的籍贯、她与孙中山结婚的时间等问题,研究者有

---

① 姜华宣:《向警予是否担任过中央委员和妇女部长》,《党史资料丛刊》1983年第3辑。

不同的看法,多数问题的研究则是在观点一致基础上的不断深化。

　　宋庆龄的一生,经历了从爱国主义、民主主义战士到国际主义、共产主义战士的伟大转变。这个问题,长期以来一直是研究的重点,并多有歧异。关于转变的思想基础,有人认为来自其"彻底的民主主义",有人认为是"对孙中山三民主义的发展",存在不同观点。关于转变的内外因条件,一般学者认为,内因是宋庆龄接受无产阶级的政治与思想领导、坚持人民大众的立场、坚持彻底反帝反封建的方向,由于始终没有背离这些政治原则,她的转变也就顺乎其然;外因在于共产党人的真诚帮助、苏联社会主义事业的鼓舞和现实生活本身的启示与教育,促使她在政治上做出了正确选择。关于实现这一转变的标志,学者们的共识是,宋庆龄在 30 年代初发表的几篇论著中所阐述的观点,反映了她的马克思主义世界观的形成,特别是 1933 年 9 月《中国的自由与反战斗争》的发表,标志着宋庆龄向共产主义者转变的完成。但对何时起开始这一转变,是 1927 年还是 1831 年,尚有不同看法。[①]

　　作为中国妇女解放的光辉旗帜,宋庆龄的妇女解放理论和实践已越来越多地进入研究者的视野。盛永华的《宋庆龄与中国妇女解放运动》和程绍珍的《宋庆龄民主革命的妇女解放思想》,着重探讨了宋庆龄关于妇女解放的理论体系,他们认为把妇女解放与推翻剥削制度联系起来,是宋庆龄在妇女问题理论上一个本质性的飞跃。这一认识的延伸就是把中国妇女解放运动视为中国民族民主革命的一部分,视为世界无产阶级解放事业的一部分,这是宋庆龄妇女解放理论最重要的内容。紧紧依靠共产党,坚持妇女运动中的统一战线思想和策略,是宋庆龄关于妇女解放理论的又一重要内容。作为国际进步妇女运动的著名活动家,宋庆龄始终强调,全

---

① 　朱敏彦:《近年来宋庆龄研究综述》,《党史教学与研究》1992 年第 6 期;徐叶丽:《近年来宋庆龄研究综述》,《纪念宋庆龄文集》,上海人民出版社 1993 年版。

世界妇女需要解放,需要和平,而且是解放运动和和平事业的伟大
动力。这也是其妇女解放理论不可或缺的部分。一些文章还提出,
20 年代宋庆龄就已指出,"妇女地位是一个民族发展的尺度","只
有意识到这点的民族,才能成其为伟大的民族"。由此表明,"与同
代人相比较,宋庆龄对于妇女问题的认识起点是相当高的"。①

　　吴淑珍和麦灵芝等人的文章,根据近代历史的发展进程,论述
了宋庆龄在各个历史阶段投身妇女解放运动的伟大实践。文章认
为,宋庆龄的妇女解放思想发端于在美留学期间;她投身妇女解放
运动始于 1921 年,通过组织妇女"出征军人慰劳会"、红十字会等
组织支持了护法军政府;国民党二大召开后,她得以中央妇女部部
长的身份直接领导妇女运动;大革命时期,她亲自动员和组织妇女
支援北伐,举办妇女骨干培训;抗战时期,她以自己崇高的声望和
积极的行动,推动了妇女统一战线的建立,并摒除政见分歧,使宋
氏三姐妹携手推动妇女运动,开辟了妇女救亡的新局面;解放战争
时期,她一如既往地从事妇女儿童福利事业,建立了中国福利基金
会。她还是中国少有的经常在国际妇女运动舞台上进行活动的妇
女领袖人物。因此,文章对于宋庆龄在中国妇女运动中的地位给予
了高度评价,指出,"在整个民主革命阶段,无论是处于顺境还是逆
境,宋庆龄都始终高举妇女解放的旗帜,一开始就表现出与资产阶
级女权运动领袖不同的特点",这就是"将妇女解放与革命斗争结
合起来,尽管当时未必意识到这种结合的意义"。②

　　尚明轩等人的文章就抗日战争时期宋庆龄对妇女运动的贡献
及其特点,进行了专门研究。文章中有两点内容比一般同类文章论

---

① 《宋庆龄论》,广东人民出版社 1993 年版;《郑州大学学报》1991 年第 5 期。
② 《宋庆龄与中国妇女解放运动》,《宋庆龄学术研讨会论文集》,中国和平出版社
　　1994 年版;《宋庆龄——中国妇女解放运动的先驱》,《纪念宋庆龄文集》,上海人民
　　出版社 1993 年版。

述的更为深入，一点是突出宋庆龄在争取国际妇女界对中国抗战的同情和支持方面，做出的独特贡献。例如，积极召开中外妇女联合会议，向国联妇女和平会发出和平呼吁，在她所创立的国际抗日统一战线——保卫中国同盟中设立妇女促进会，以及访问苏联等国期间对中国妇女解放运动的宣传等。另一点是突出宋庆龄对港、澳地区妇女抗日救亡运动的领导与促进作用。宋庆龄在香港期间，亲自发起组织了香港中国妇女慰劳分会，组织和号召港、澳妇女与广大华侨妇女通过各种方式支援内地的抗日战争。在这两方面，宋庆龄所起的作用，是任何人无法比拟的。[①]

　　将宋庆龄作为妇女领袖人物进行研究，可以说刚刚兴起，她的妇女解放思想，她在中国妇女运动中的影响与应有的地位等问题，尚有进一步研究的必要。

（四）关于近代妇女史研究的几个问题

1. 近年来妇女史研究的新趋向

　　近年来中国近代妇女史研究呈现出新气象，值得注意的动向有以下三点。

　　其一，女性口述史研究的兴起。在世界范围内，口述史是近几十年来倍受西方史学界重视的新的研究方法，近些年传入中国后，首先在中国近代与当代妇女史研究中得到应用。口述历史的方法，打破了单纯以文献为资料、以史学家为代言人的传统史学规范，将生命体验融入史学，并把录像、录音等现代技术引入历史研究，因此在中国史学史上是一种开拓性的尝试。

　　在李小江主持下，部分从事妇女研究的学者，于 1992 年起开始启动"20 世纪中国妇女口述史"的研究项目，其中包括妇女与战

---

① 《宋庆龄与抗战时期的妇女运动》，《抗日战争研究》1995 年第 4 期。

争的关系、妇女与政治的关系、妇女文化与少数民族妇女研究四个方面,现已取得可喜成果。为了配合项目的进行,项目的参加者和部分学者先后召开了多次专题讨论会,就口述史的理论与实践进行了认真探讨。讨论内容涉及口述史的定义、妇女口述史的功能、史学家与口述人在口述中的位置、妇女口述史与正史的关系、口述史与一般资料的区别、口述资料的真实性、妇女口述史资料的使用权问题、被访者非工具性问题、口述语言的特殊性及口述史操作技术等一系列问题。在不少问题上,研究者已取得共识。与会者认为,"口述史料不仅包含客观史实,而且反映当事人的亲身感情体验,口述资料往往更生动,更具可读性。口述史可弥补文字资料的不足,有助于研究的深入和具体"。口述史"将历史记载从英雄推及普通人,将历史的解释权由男子推及妇女"。在妇女近乎无史的情况下,"将妇女载入史册,即是其价值体现,有助于丰富和完善人类对自身历史的认识"。①

目前,口述妇女史方法还处于起步、摸索阶段。可以预言,随着这一方法的推广和成熟,将会对近代妇女史乃至整个近代史的研究产生更加积极的影响。

其二,女性史在社会史研究中的地位越来越重要。社会史的研究,在我国方兴未艾。虽然有关社会史的概念及一些基本理论问题史学界还有诸多分歧,但是把妇女作为性别群体纳入近代社会史研究却是基本一致的意见,而且一些社会史论著已在这方面做了有益的尝试。冯尔康、常建华的《清人社会生活》,在婚姻及妇女、儿童与老人等章节中溶入了晚清妇女生活;乔志强主编的《中国近代社会史》等社会史专著中,无不涉及了婚姻、娼妓、缠足、溺女等与妇女史有关的问题。一些社会史丛书,亦将妇女史列入专题。同时,一些近代妇女史专著,如《女性与近代中国社会》和《近代中国妇女

---

① 杨洁:《妇女口述史国际学术研讨会综述》,《历史研究》1999 年第 2 期。

生活》等著述也借鉴了社会史的理论与框架。一些论文,如陈蕴茜、叶青的《论民国时期城市婚姻的变迁》,大量引用二、三十年代《社会学杂志》、《社会学界》、《社会问题》、《社会调查集刊》等刊物社会调查的数据资料,对不同历史时期及不同类型城市的婚姻变迁状况进行对比研究,在研究方法上颇有新意。当然,近代社会史研究代替不了近代妇女史研究,但是在拓展妇女史研究的视野和丰富研究方法方面,社会史研究会给妇女史研究以很多有益的启发。

其三,研究视角的变化,即引入性别视角,且由女性史研究逐渐发展为近代性别研究。女性主义是典型的西方现代文化的产物。随着妇女运动的发展,女性主义理论在经过痛苦的内在冲突后,已日趋成熟,并经历了向后结构主义、后现代主义转向的历程。由此孕育出性别(gender)研究。90 年代以来,女性主义传入中国,曾引起妇女学界的质疑,但随后传入的性别研究,却得到不少研究者的重视。目前,性别视角已成为很多妇女学与妇女史学者认同的具有方法论意义的研究视角。如果说,50 年代至 70 年代末,妇女史研究主要是从历史研究切入,那么改革开放以来,又增加了从社会史切入妇女史研究的新视角,而 90 年代以来妇女史研究引入的性别视角,则可能使近代妇女史研究出现一些新气象。

2. 中国近代妇女研究中存在的一些问题

50 年来,中国妇女史研究已取得很大成绩,尤其近 20 年来有了突破性进展。但就总体而言,妇女史研究还处于初级阶段,主要限于钩沉发微,重新描述妇女在历史上的活动与生存状态。研究的水平也还不够高,低层次重复性论著大量存在。制约妇女史研究发展的因素主要有以下几个方面。

其一,史学界对妇女史研究的重视程度还有待于进一步提高。由于认识上的问题,不仅一些有素养的史学家不屑涉足妇女史,且在头脑中或多或少存在偏见,认为妇女史不算什么学问。在科研规划中,妇女史的课题很难立项,很难得到资助。可喜的是,近年来这种情况已有所改变。一批青年学者加入研究行列,妇女史研究队伍的结构发生了变化,素质明显提高,向人们展示了妇女史研究的良好发展前景。有关部门应该考虑如何组织现有的研究队伍,集中力量有效地对若干重大或重要问题进行攻关研究,以求有所创新,有所突破。

其二,中国近代妇女史研究中,理论思考的欠缺明显制约着研究水平。诸如妇女史的内涵及其特征,如何建立科学的中国妇女史研究理论框架,如何评价西方的女性主义及其"女性主义史观"等等,都有待于研究者在实践中进一步去探讨。人们期待着学者们运用马克思主义唯物史观,借鉴社会学、人类学、女性学等相关学科理论,结合中国妇女史发展的实际情况,构建有中国特色的妇女史理论体系,以推动中国近代妇女史研究迈上一个新的台阶。

其三,就已有的中国近代妇女史研究成果而言,其深度、广度还不能令人满意。其中,既与理论上的探索不够有关,也和研究者的视野不够开阔有直接关系。至今,对近代中国妇女运动与国际妇女运动的关系还缺乏研究,对国共两党妇女运动的方针政策做科学的深入细致的比较研究尚未引起重视。对近代中国妇女生活的研究,相对妇女运动研究来说明显滞后。同时,由于中国地域辽阔、民族众多,各地区各民族妇女的社会、家庭地位与生活习俗差别较大,甚至迥然不同。中国传统思想观念、礼法在由中心到边缘的发散中,对各阶层各地域妇女产生的影响有很大差异;而近代新思潮、新观念在由沿海或中心城市向内地和农村的逐渐扩散中,也存在不平衡性。我们在妇女史研究中考虑这些因素还很不够,因此,对处于不同时代、地域、阶层、民族的妇女进行具体分析,是提高中国近代妇女史研究水平的重要环节之一。

其四,妇女史史料的挖掘、搜集、整理,落后于研究的发展,已成为提高研究水平的障碍,也是造成低层次重复性文章大量出现的原因之一。目前已整理出版的台湾张玉法、李又宁主编的《近代中国女权运动史料》和全国妇联妇运研究室编辑出版的《中国妇女运动历史资料》两部资料，虽在近代妇女史研究中已发挥了重要作用，但前者截止于民初，后者侧重于运动，远远满足不了研究的需要。妇女史的有关资料，少而分散，收集整理的难度很大，不仅需要靠每个研究者的努力，而且需要借助集体的力量。而这两方面目前都十分欠缺。若能集中人力、物力，在较短的时间内，分门别类地对有关中国近代妇女史的资料进行搜集、整理和出版，这将是妇女史学界的一大幸事，也是把中国近代妇女史研究推进到更高水平的必要条件。

青年运动史

中国青年运动史是中国近代史研究中一个亟待深入开发和完善的领域,尽管经历了 50 年的发展历程,并且伴随中国社会的发展和进步取得了一定的研究成果,但是依然需要扶植和帮助,有待通过深入的学术研究,促使其向学术化方向发展。

(一)三个发展阶段

自新中国成立以来,中国青年运动史研究伴随祖国社会科学事业的发展,逐步从主要为满足中国青年团组织各方面工作需要而开展研究向创建独立学科门类方向发展,特别是在改革开放的 20 年中有了长足的进步。回顾这一发展过程,大体经历了三个发展阶段。

1. 为适应青年团工作需要而开展研究的阶段

中华人民共和国建立后,从中国新民主主义青年团承担的工作任务需要出发,青运史研究被提上工作日程。在这个时期,从事青运史研究工作的主要力量是青年团内的一些教学人员,研究内容主要是中国共产党在民主革命时期开展青年工作的经验和教训、中国青年团发展的历史以及中国学生运动史。在此同时,也有一些史学工作者从研究中国革命史的角度开展中国学生运动史的研究,并且在 50 年代出版了一些记述民主革命时期重要学生运动的小册子。这一时期的青运史研究工作主要围绕团的工作需要和政治运动的需要进行。

伴随新中国的成立与青年团工作任务和工作领域的不断扩大，团校开设了中国青年运动史课程。起初这门课主要由中央领导和在民主革命时期从事党的青年工作的人来讲授。当时的团中央书记冯文彬曾在中央团校讲授青运简史，涉及民主革命时期中国青年和青年团员的斗争事迹、主要历史事件、青年工作中的成绩和失误，并着重分析了民主革命时期青年运动的历史教训。冯文彬的讲授为团校系统的青运史教学与研究奠定了基础。

50 年代中期以后，中央团校的青运史教学和研究工作逐步开展起来。1956 年 6 月，中央团校团的工作教研室编印了《中国现代青年运动简史讲义》。1957 年 1 月该教研室写成《中国现代革命青年运动简史讲稿》，6 月对《讲稿》稍加整理并更名为《"五四"以来中国革命青年运动简史》，这个 10 万字左右的讲稿是当时中国青年运动史最系统的记述。

新中国成立后，青年组织的对外交往活动日渐活跃，为向国外介绍中国青年运动的历史，1956 年中共中央审定了团中央起草的《关于中国青年运动的情况和经验教训（提纲）》。这个提纲突破了以往记述中国青年运动史的旧框框，突破了中共党史的历史分期，按照青年组织发展的三个时期（社会主义青年团至共产主义青年团时期、抗日战争和青救会时期、新民主主义青年团时期）来记述，比较系统扼要地论述了各个历史时期青年运动的主要事件、主要成绩，对各个历史时期青年运动缺点和错误的表现、原因及经验教训都作了具体的分析和总结。

1959 年团中央组织编写的《中国青年运动的情况和经验介绍提纲》，概述了 1919 年至 1959 年间中国革命和建设以及中国青年运动的历程，并且集中论述了 40 年中国青年运动的历史经验。其主要内容有五个方面：关于青年运动的方向问题、关于青年运动的地位和作用问题、关于青年运动的核心组织问题、过去青年的思想教育问题、关于党的领导问题。

团中央组织中央团校教员编写的《中国青年运动讲稿》，完成于1961年。团中央书记处第一书记胡耀邦两次就编写工作提出了许多精辟的意见。《中国青年运动讲稿》分两部分，其一是中国民主革命时期青年运动的几个问题，其二是中国社会主义革命和社会主义建设时期的青年运动。这个讲稿的第二部分写得比较简单，只介绍了中国青年在保卫祖国和世界和平、支持各国青年的正义斗争、加强同各国青年的友谊与团结等方面的情况以及参加中国社会主义革命和建设的重要事迹。讲稿的重点是第一部分。在这个部分中对民主革命时期青年运动的经验进行了更加系统的提炼和总结，增强了理论色彩。这个讲稿的内容主要是围绕青年运动的六个根本问题进行讲述的，这六个问题是青年运动的任务、青年运动的组织问题、青年运动中的统一战线、学生运动、青年运动中的斗争策略问题、青年运动中的党的领导问题。这个讲稿的编写为后来的青运史研究工作打下了一定的基础。

在这一阶段，有关中国青年运动史资料的收集整理工作开始起步。1957年至1961年间，团中央组织编辑了"中国青年运动历史资料"，共10种。这套资料集收入了从1915年至1932年5月底间的有关中国青年运动的国内外重要文献、文件及部分报刊刊载的文稿，还有一些有关青年生活、思想状况的调查报告等资料。[①]这套资料集的印行，推进了青运史研究的进程，同时也为青运史研究的深入发展奠定了基础。

"文化大革命"开始后，青运史研究工作停顿下来。在极左思潮

---

① 这套资料集在1988年以后又由团中央青运史研究室和中国青少年研究中心续编，至今已经内部出版了第11、12、13集。收入了1932年6月至1937年12月底的青运史资料。

的冲击下,大量的青运史研究成果和资料在动乱中散失,一些青运史研究者也停止了青运史的研究工作。这种局面直至 1978 年 10 月共青团十大召开前后才有改变。伴随中央团校恢复办学,青运史研究工作开始恢复。

2. 适应改革开放形势,有组织地开展研究工作的发展阶段

1978 年 12 月中共十一届三中全会召开,实现了建国以来党的历史上具有深远意义的伟大转折。1979 年 12 月,团中央研究室、中央团校、中国青年出版社在北京联合举办了中国青年运动史研究座谈会,与会者就中国青年运动的历史和经验教训、中国青年运动史研究的方法等问题阐述了意见。这次会议对于推动和加强青运史研究工作起了良好的作用。会议闭幕不久,1980 年初团中央书记处决定,成立青运史编辑委员会,委员会下设青运史研究室,并创办《青运史研究资料》,1981 年 1 月改刊名为《青运史研究》。在这段时间里,中国青年运动史的研究经历了一段相对兴盛的发展阶段。

在此阶段,青运史研究的一个突出特点是共青团组织领导各地团组织开展青运史研究。自第一次全国青运史研究座谈会后,全国各地相继建立了一批非常设的青运史研究机构,并且开始了对地方青运史的研究工作。与此同时,《上海青运史资料》、《广东青运史资料》、《湖南青运史研究》、《浙江青运史研究参考资料》、《广州青运史资料》等期刊相继问世。中国青年出版社也出版了青运史题材的回忆录专辑"中国青年的光荣传统丛书",包括《青春的脚步》(1980 年版)、《在第二条战线上》(1980 年版)、《激流》(1981 年版)、《团旗为什么这样红》(1981 年版)、《春天的摇篮》(1982 年版)等,还出版了《革命烈士书信》(1979 年版)、《革命烈士书信续编》(1983 年版)等与青运史研究相关的资料性书籍。个别地方青运史研究机构也出版了青年运动回忆录专集。在此期间,中央团校青运史研究室积极组织人力,先后编写出《新民主主义革命时期中国青年运动大事记》①等重要资料。团中央青运史研究室也接连召开青运史工作会议或专题学术会议,推动各地工作的开展。从 80 年代初开始,团中央青运史研究室先后组织召开了"中国社会主义青年团创建讨论会"、"第一次国共合作时期的共青团专题讨论会"、"留法勤工俭学运动与旅欧共青团创建讨论会"、"第二次国内革命战争时期苏区共青团专题讨论会"、"抗日战争时期青年运动学术讨论会"、"解放战争时期学生运动学术讨论会"、"'九一八'至'七七'中国青年抗日救亡运动学术讨论会"等七次全国性的青运史专题研讨会。由团中央青运史研究室编写的《中国青年运动史》一书(中国青年出版社 1984 年版)是新中国成立以来正式出版的第一本青运史研究专著。在此期间,中国社会科学院和共青团中央还联合组建了青少年研究所。这个研究所专门设立了青运史研究室,开展青运史资料的收集和研究工作,同时编印了"青运史研究与资料丛书",到 1987 年该研究所并入中国社会科学院社会学研究所时,共印出了 4 本。

由于采取以上措施,这一时期青运史研究工作开展得比较活跃,也取得了较多的成果。

首先,各地广泛召开老同志座谈会,抓紧抢救"活资料"。从 1983 年到 1987 年,团中央和地方的青运史工作者先后召开了"安吴青训班"、"晋绥青年运动"、"西北民主青年社"、"西安事变前后陕西青年运动"、"解放战争时期东北三省青年运动"、"解放战争时期杭州学运"、"山东抗日战争时期青年运动"、"三十年代上海共青团"、"解放战争时期全国学联"、"浙江英士大学"、"华东南下服务团"、"西南服务团"、"上海抗日战争、解放战争时期学生运动"等老同志座谈会,以及"江西抗战时期青运资料征集工作座谈会"、"中山大学(坪石时期)学生运动和香港学生赈济会史料征集会议"等,

---

① 《青运史研究》1981 年第 4—8 期。

征集了一批重要的青运史资料。与此同时,各地还通过访问、书信等形式与一批和青运史有关的老同志建立了联系,为征集、整理和校勘历史资料提供了方便条件。

其次,各地青运史研究者还大力开展了文献、档案等文字资料的收集和整理工作。部分省、自治区、直辖市基本完成了民主革命时期青运史的文献、档案、报刊、图书资料的收集整理工作,并且进行了认真的分类归档和编目工作。与此同时,各地还收集了一批有史料价值的照片、文物。在此基础上,全国有20多个省、自治区、直辖市编写了青年运动历史大事记,部分地区初步完成了青年组织沿革与领导人名录的编写工作。

第三,各地青运史研究者编纂出版了一批青运史史料。主要有《中共中央青年运动文件选编(1921-1949)》(中国青年出版社1988年版)、《青年共产国际与中国青年运动》(中国青年出版社1985年版)、《安吴古堡的钟声——安吴青训班史料集》(中共党史资料出版社1987年版)、《广东青运文件汇编》、①《西安事变前后和抗战初期陕西国统区青年运动》(陕西人民出版社1989年版)、《西北民主青年社与陕西国统区学生运动》(陕西人民出版社1989年版)、《山西青年运动历史资料》、《四川青年运动史料选编》、《川陕革命根据地青年运动文献资料选编》、《山东青年运动档案史料选编》、《新学生社史料》、《抗日战争时期的广东青年运动》、《广东青年抗日先锋队文献选编》、《广东学生运动史料选编》、《五四运动在广州资料选编》、《江苏青年运动历史档案选编》、《新安旅行团纪念专辑》、《南昌青年运动三十年》、《一二九运动在河南》(河南人民出版社1986年版)、《大后方青年运动:新华日报文选》(重庆出版社1984年版)、《大后方青年运动参考资料》(重庆出版社1984年版)等一批青运史资料集。另外,据不完全统计,这一时期有17个

---

① 本篇凡未注出版单位的书籍均为内部出版物。

省、自治区、直辖市团委和 11 个省辖市及地区团委出版了青运史研究刊物。虽然这些刊物出刊时间有长有短,但都不同程度地推进了青运史研究的开展,并且发表了一批青运史资料。

第四,一批青运史专著、人物传记和通俗读物得以出版。主要有中国青年出版社编辑的第一、二次国内革命战争及解放战争时期的《青年英烈》(1986 年和 1991 年版),共青团北京市委编著的《北京青运简史》,共青团四川省委青运史研究室编写的《追求之歌——四川青年运动》(成都科技大学出版社 1986 年版)、《川北学运三十年》,共青团山东省委研究室编写的《青岛反甄审运动》、《当我二十岁的时候》、《山东青运人物》,共青团江苏省委编辑的《金陵风雨》(中国青年出版社 1983 年版),共青团浙江省委编写的《青年先驱者之歌》,共青团江西省委编写的《真的猛士》,共青团杭州市委青运史办公室和杭州市团校教研室合编的《杭州青年运动史话》,吉林省扶余县青运史工作委员会编写的《革命烈士梁士英传略》,以及《南通青运史话》、《连云港青运史话》等。此外,社会科学界的一些致力于学生运动史及与青年运动相关课题研究的学者也出版了研究专著,如《中国学生运动简史》(河北人民出版社 1985 年版)。

3. 适应建立市场经济形势要求,开创新局面阶段

进入 80 年代后期以后,中国的改革开放事业有了进一步的发展。这种形势给青运史研究的发展带来了深刻的影响。形势要求青运史研究工作必须适应社会发展的趋势,以社会化的运作机制来进行。根据这一形势的要求,1991 年 9 月团中央书记处决定撤销团中央青运史研究室,成立团中央青运史工作指导委员会和中国青少年研究中心,试图用一种新的机制来拓宽青运史研究的领域和吸纳社会力量及资源,深入开展青运史的研究工作。可是,固有工作体制的惯性一时还难以适应这种工作格局的变化。所以青运史研究在进入 90 年代以后,不再像 80 年代中期那么活跃。

　　90 年代中期以后,通过召开不同类型的学术研讨会,推动了研究的深入。由于研讨题目能够紧扣社会和时代的脉搏,参加青运史研究的人员也突破了共青团系统,并且使研究人员的研究特长和专业兴趣得到充分的发挥。从 80 年代末期开始,以《中国青年运动六十年》(中国青年出版社 1990 年版)为代表的一批有较高学术水平和学术价值的学生运动史、青年运动史专著先后出版。其中主要有《中国现代学生运动史长编》(东北师范大学出版社 1988 年版)、《中国学生运动史》(上海人民出版社 1992 年版)、《中国学生的光荣历程:近代中国学生运动简史》(人民教育出版社 1989 年版)、《中国近代学生运动史》(河南人民出版社 1992 年版)、《中国共青团史》(华中师范大学出版社 1992 年版)、《中国共青团简史》、《中国共青团团史简编》(中国青年出版社 1997 年版)等。在此期间,还有一批地方青运史专著出版。例如,《北京青年运动史》(北京出版社 1989 年版)、《广东青年运动史》(广东高等教育出版社 1994 年版)、《四川青年运动史稿》(四川人民出版社 1990 年版)、《浙江青年运动史》(中国文史出版社 1990 年版)、《黑龙江青年运动史》(黑龙江人民出版社 1990 年版)、《山东青年运动简史》、《福建共青团简史》(福建人民出版社 1992 年版)等。此外还出版了一些专题性的研究专著,例如,《沉浮录:中国青运与基督教男女青年会》(同济大学出版社 1989 年版)、《青年共产国际与中国青年运动关系史》(吉林人民出版社 1990 年版)等。

　　80 年代青运史研究活动相对活跃,其成果大量发表于 90 年代,北京、广东、黑龙江、吉林、辽宁、浙江、四川、陕西、江西、山西、福建、山东、天津、河南、河北等省市都编辑出版了青运史资料丛书或资料集。这些青运史资料集,无论数量还是质量都大大超过 80 年代。

　　总之,90 年代以后,伴随国内改革开放事业的深入发展,青运史研究的格局开始出现重要的变化,研究工作逐步向学术化方向发展,青运史作为史学领域的一门新兴学科开始步入新的发展阶段。

(二)研究成果概述

青运史研究经过 50 年的探索与开拓,初步形成了自身的学科体系,尽管不是十分完善,但是已经有了一个较好的基础。

1. 早期中国社会主义青年团创建问题

中国社会主义青年团的创建经历了一个从早期组织到正式建立的过程,因此曾经有"团先于党"的说法。[①] 对此,研究者形成了共识。对于一部分早期团员而言,可能在 1921 年中国共产党正式成立之前就加入了青年团,从个人经历角度看,似乎是"团先于党",但事实上中国社会主义青年团组织的正式成立是在中国共产党成立之后。这是因为,青年团组织也和共产党组织一样,经历了一个建立早期组织的阶段。其早期组织是在共产党的早期组织帮助指导下才建立起来的,而其正式组织的建立也是在中国共产党的帮助指导下,于 1922 年 5 月召开中国社会主义青年团第一次代表大会才最后完成的。[②]所以,"团先于党"的说法是不确切的。这一观点不仅客观地反映了历史,而且能够准确地揭示党团关系。

与此同时,研究者考订了一些地方团的早期组织创建的时间。以往人们只知道上海社会主义青年团于 1920 年 8 月建立,但是不知道具体日期。经考订,1920 年 8 月 22 日在上海建立了中国第一个青年团组织。[③] 另外,中国共产党成立后一些地方相继建立了青

① 任弼时:《在中国新民主主义青年团第一次代表大会上的政治报告》,《任弼时选集》,人民出版社 1987 年版,第 489 页。

② 郑光:《中国青年运动六十年》,中国青年出版社 1990 年版,第 69 页。

③ 郑光、罗成全:《中国社会主义青年团的创建(综述)》,《中国社会主义青年团创建问题论文集》,第 12 页。

年团组织,天津地方团——据"天津S.Y"1922年3月16日给施存统的信称,"天津S.Y正式成立了","成立日期:(民国)十一年二月十二日(1922年2月12日)";保定地方团——据1922年3月15日张仲毅给施存统的信称,"是本年2月10日成立的";唐山地方团——据1922年3月27日树彝给上海的信称,唐山地方团成立于1921年7月6日;济南地方团——据王复元1922年12月10日给施存统的信称,是1922年9月16日成立的。此外,还搞清了中国社会主义青年团第一次代表大会举行时间、地点的更改过程,查证了出席大会代表的人数及其所代表的地方团,搞清了会议议程,确证陈独秀出席了团一大的开幕式并发表讲话,证实团的一大的确决定申请加入青年共产国际。①

2. 留法勤工俭学运动和旅欧共青团的创建问题

旅欧共青团初名为"少年共产党",关于这个组织的性质存在着意见分歧,但是多数人认为,旅欧少年共产党是青年团性质,不是党的组织。主要论据是:(1)赵世炎在1922年4月26日,即旅欧少年共产党正式成立前一个多月,写给无名(又名吴明,即陈公培)的信中说,"欧洲方面决定成立一个'青年团'","我们已认定青年团之内幕即'少年共产党'"。②(2)周恩来1923年3月13日给团中央的报告中也谈到,"我们今年1月得着这封信后,益觉我们团体的名称组织有急于改换的必要,于是乃有多数同志提议以待国内信至而实行改组,立即归属国内本团,以明我们去年六月大会组织旅欧少共团体的始衷"。③(3)当事人李维汉回忆自己入党的经历,也说明旅欧少年共产党是团而不是党。④

① 赵朴:《中国社会主义青年团第一次全国代表大会前后的若干问题》,《中国社会主义青年团创建问题论文集》,第26页。
② 《青运史资料与研究》第1集,第110页。
③ 《青运史资料与研究》第1集,第98—99页。
④ 见《新民学会资料》,人民出版社1980年版,第487页。

在开展对旅欧共青团的研究中,有的学者认为,在青年团的早期组织中,旅欧共青团的工作是富有特色的。主要表现在以下四个方面:第一,率先举起共产主义的旗帜,强调团员必须有对共产主义的信仰;第二,有严格的组织生活,注意不断提高团员的政治素质;第三,能够开展积极的思想斗争,勇敢抵制各种错误思想的侵蚀,积极宣传马克思主义;第四,注意广泛团结旅法华人,组成革命统一战线,壮大革命力量。[1] 有的认为,旅法共青团所表现出的这些特色,以及在留法勤工俭学学生中成长起一大批中国革命的栋梁之才是有深刻原因的。其一是因为他们在留法期间,能够认真学习马克思主义,和法国工人阶级打成一片,努力做工,养成劳动习惯,在共同的劳动中增强对工人阶级的感情,走与工人相结合的道路。此外,在当时发达的资本主义国家的生活,也使他们开阔了眼界,学习到一些先进的文化、科学和技术知识,为他们的日后成长奠定了良好的基础。其二,旅欧生活使他们能够真切地看到和感受到资本主义社会内部的种种矛盾和弊端,经济危机的严酷现实也促使他们抛弃在中国建立资产阶级共和国的理想,认真从欧洲工人运动的斗争实践中寻找新的思想武器,探索拯救祖国的道路。其三,他们积极投身革命斗争实践,注意结合斗争实践学习革命理论,坚持真理,修正错误,这些也是其健康成长的重要原因。例如旅欧勤工俭学学生开展的三次斗争,对他们中的许多人实现思想的迅速转变起到了重要的推动作用。[2]

另外,许多研究者认为,对于旅欧勤工俭学历史中的人物和事件,一定要本着历史唯物主义的原则,给予实事求是的评价。例如,

---

[1] 郑光:《对留法勤工俭学与旅欧共青团创建研究成果述评》,团中央青运史研究室编:《留法勤工俭学运动与旅欧共青团创建专题论文集》,第 1 页。

[2] 详见曾昭顺:《留法勤工俭学活动及其在中国革命史中的地位》,《留法勤工俭学运动与旅欧共青团创建专题论文集》,第 39 页。

对蔡和森在留法勤工俭学运动中的贡献,特别是他在旅欧建党建团准备阶段所发挥的作用,应给予充分的重视和肯定。又如,关于萧子升在湖南留法勤工俭学运动中的作用问题也要给予必要的肯定。再如,对"工学世界社"以及对所谓"勤工派"的评价,也存在一定问题,需要通过研究加以解决。此外,对于部分留法勤工俭学学生坚持教育救国、实业救国的道路,留学期间奋发学习,努力掌握先进文化、科学和技术,归国后报效祖国的历史,以及他们对中华民族科学文化发展所做贡献的研究有待加强。[①]

3. 第一次国内革命战争时期的共青团问题

学者研究的主要问题是,第一次国内革命战争时期青年团的组织状况、主要活动、历史作用等。一致认为,作为中国共产党的助手,这个时期的青年团起了十分重要的作用。主要体现在以下几个方面:(1)积极协助中国共产党建立和发展革命统一战线,在帮助国民党改组和建立地方组织中发挥了重要作用;(2)在为国民革命培养军事和群众运动骨干方面,共青团发挥了积极作用;(3)青年团带领广大团员青年掀起反帝爱国运动的高潮,为推动国民革命运动的深入发展发挥了先锋和桥梁作用;(4)为维护无产阶级的革命领导权,同各种反动思潮进行了坚决的斗争,团中央的机关刊物《中国青年》发挥了特别重要的作用;(5)带领团员青年积极投身打倒封建军阀的北伐战争和工农群众运动,是一支十分重要的生力军;(6)维护共产党的正确主张,在坚决反对右倾投降主义的斗争中有突出的表现。[②]

多数研究者认为青年团在这个时期的活动对以后青年团的工

---

①　详见郑光:《对留法勤工俭学与旅欧共青团创建研究成果的述评》,《留法勤工俭学运动与旅欧共青团创建专题论文集》,第 1 页。

②　郑光:《有益的探讨》,团中央青运史研究室编:《第一次国共合作时期的共青团专题论文集》,第 1 页。

作是富有启示意义的,揭示了共青团工作必须遵循的三个原则:其一,要坚决维护和服从共产党的领导,这是共青团发挥助手和后备军作用的根本保证;其二,青年团要始终坚持青年运动同全民革命运动的密切结合,要在推动全民革命运动的过程中充分发挥自身的先锋和桥梁作用;其三,青年团要发挥青年运动的核心作用,就要注意用马列主义教育青年,积极开展对不利于青年健康成长的各种错误思想和思潮的斗争,不断在实践中提高青年的政治觉悟。[1]

此外,研究者也提出了一些需要深入探讨的问题。主要有:在维护无产阶级的革命领导权方面,青年团的主要表现和经验;在加强自身建设、体现青年组织的特点方面,青年团探索的历程和主要经验;青年团开展积极思想斗争,开展群众工作的历史及其经验;建立和发展青年统一战线工作的历史经验等。

4. 第二次国内革命战争时期的共青团问题

第二次国内革命战争时期是中国共产党独立领导中国革命、探索中国革命道路的重要时期。这时国内外形势复杂、多变,革命进程也波澜起伏、曲折艰辛。因此,这一时期青年运动的历史跌宕起伏,值得认真研究和探讨。但是,相关研究比较薄弱,许多问题有待探索。

研究成果较多的是关于革命根据地的共青团历史。有学者指出,从整个革命根据地而言,在当时面临三大任务:一是开展土地革命、建立革命武装和革命政权;二是抗击国民党当局的军事"围剿"和打破经济封锁,保卫革命根据地;三是在服从革命战争的前提下,积极推进根据地的政治、经济、文化建设事业。根据地的共青团工作是紧紧围绕这些任务展开的。其历史作用具体表现在:(1)带领团员青年参加土地革命,维护社会治安和抓捕反革命分子,保

---

① 郑光:《有益的探讨》,《第一次国共合作时期的共青团专题论文集》,第1页。

卫土地革命的胜利果实,保证土地革命顺利进行;(2)配合党政组织开展扩大红军的工作,动员团员青年参军参战,投身武装保卫革命根据地的斗争;(3)响应党政组织的号召,加紧生产,保证红军供给和根据地人们生活需求,开展拥军优属、支援前线活动;(4)在党政组织的统一领导下,在青少年中开展文化教育活动,发展根据地的文化教育事业;(5)加强共青团自身建设和其他青少年组织建设,向党政组织输送新鲜血液和后备力量。关于根据地共青团工作的历史教训,多数人认为主要在于左倾错误。①

　　这个时期青运史研究有待深入的主要问题是国民党统治区青年工作和共青团工作的情况,青年工作中"左"的问题产生的根源、影响和危害及其历史教训,青年文化现象和当时青年社会问题的研究等。

5. 青年抗日救亡运动问题

　　(1)关于"九一八"时期青年抗日救亡运动问题。有的学者认为,对"九一八"时期青年抗日救亡运动的评价应该按照实事求是的原则来认识和分析。其焦点是承认还是不承认有王明左倾路线的影响和怎样实事求是地估计这个影响。多数人认为,青年抗日救亡运动受到了"左"的影响。首先,执行王明左倾错误的领导错误地估计了形势,提出了错误的行动口号,并且在学生运动中贯彻施行,使得一些救亡运动积极分子脱离了广大群众;其次,在策略上不注意广泛团结群众,采取打倒一切的政策,导致自我孤立;第三,在组织上搞宗派主义和关门主义,不注意团结一切可以团结的人;第四,在行动上是盲动主义,不懂得利用合法的斗争方式,不顾主客观条件蛮干,搞公开示威或"飞行集会",导致进步青年和党团员被捕。所以有些老同志说,这个时期的青年抗日救亡运动只开花不

---

① 郑光:《苏区共青团与苏区红色政权》,《第二次国内革命战争时期苏区共青团专题论文集》,福建人民出版社1986年版,第1页。

结果。不过,在这个问题上还有一些不同看法。

(2)关于"一二·九"运动问题。讨论主要集中在"一二·九"运动究竟是自发的还是由党领导的问题上。许多当事人就这个问题写了一些有说服力的文章,明确指出"一二·九"运动是共产党领导的。但是有人提出两个问题,一是"一二·九"运动的领导核心究竟是谁;二是当时在北平党的力量那么弱小,可能不可能领导这场运动。经过探讨,关于"一二·九"运动的领导核心已经进一步搞清:1934年中共北平市市委再次遭到破坏后,在1935年春夏之交,中共河北省委特派员李常青来到北平,建立了中共北平市工作委员会。11月中共河北省委决定撤销北平市工委,由李常青直接领导成立了北平市临时工作委员会,并且在北平市临委的直接领导下成立了北平学生联合会。"一二·九"运动就是在中共北平市临委领导下,由北平学联组织发动的。实际这个问题的核心是怎么看待党的领导问题。为什么党的力量比较弱小还能领导这场大的运动? 这是因为这场运动的一些口号、要求都是根据共产党《八一宣言》精神提出来的。党所提出的这些口号和纲领代表了包括青年在内的全中国人民抗日救国的意愿,代表了中华民族的根本利益,所以必然获得全国人民的拥护和响应,这就能够把广大群众动员和组织起来,团结在共产党所倡导的抗日民族统一战线的旗帜下,领导广大人民群众开展抗日救亡斗争。①

(3)关于中共中央决定改造共青团的问题。中共中央决定改造共青团是这个时期青运史上的一个重要问题,但是有许多情况长期没能搞清。80年代,经多方努力使这个问题得到了基本解决。首先是中共中央决定改造共青团的时间。过去有两个说法,一说在1935年11月1日,一说在1936年11月1日。根据档案、回忆资料

---

① 郑光:《成果与启示》,《中国青年抗日救亡运动论文集》,广东人民出版社1992年版,第1页。

等多方面查证,中共中央发出《关于青年工作的决定》的时间是1936 年 11 月 1 日。这样又带来了第二个问题,既然党中央在 1936年才做出改造共青团的决定,那么团中央在 1935 年 12 月 20 日发出的《为抗日救国告全国各界学生和各界青年同胞宣言》中所提出的建立抗日救国青年团究竟是怎么回事?经过查证得知,团中央的这个宣言和《八一宣言》一样,是由中共驻共产国际代表团起草和发出的。最初发表在 1936 年 1 月 14 日巴黎出版的《救国时报》上,然后于 1 月 27 日由中共驻共产国际代表将《宣言》连同共青团东北代表在青年共产国际六大的发言一起送给上海中央局。另外,研究表明,事实上共青团改造工作并非中共中央做出决定后才开始的。1936 年 2 月平津学生在南下宣传团的基础上成立中华民族解放先锋队就是一次试验。中共中央自 1936 年春、夏陆续得到共产国际七大的有关会议精神后,于当年 8 月曾经两次向中共北方局和河北省委发出指示信,要求把共青团改造成为青年群众组织。中共北方局根据这些指示,于 9 月 20 日做出了《关于青年团的决定》,提出改造共青团的任务。此后,北方局领导的青年团组织即实行了改造。东北地区由于较早得到了共产国际的有关指示,所以团的改造工作开展较早,到 1936 年夏天,共青团组织就不存在了。西北地区在 1937 年 4 月西北地区青年第一次救国代表大会召开后,团组织正式撤销,青年救国会取代了共青团。而在南方和其他地区,由于处于国民党当局的严密控制之下,有些地区共青团组织的改造直到 1938 年初才最后完成。[①]

6. 抗日战争时期的青年运动问题

在开展抗日战争时期青运史研究中,人们普遍认为,抗日战争时期是中国共产党走向成熟,毛泽东思想正式形成的时期,在这个时期,中共把马列主义的普遍原理与中国青年运动相结合,为中国

---

① 黄启钧:《关于共青团改造的几个问题》,《青运史研究》1985 年第 3 期。

青年运动制定了一系列正确的路线、方针、政策及指导原则，使得这个时期的青年运动战胜各种困难，蓬勃发展。中共关于这个时期青年运动的正确的路线、方针、政策及指导原则是毛泽东思想的重要组成部分，是开展青年工作的重要精神财富。许多研究者指出，抗日战争时期中国青年为反抗日本帝国主义的侵略，支援世界反法西斯战争，表现出了崇高的爱国主义和国际主义精神，同时付出了巨大牺牲，做出了突出的贡献；中国青年运动在中共倡导的抗日民族统一战线的旗帜下得到了空前广泛的发展，同时也积累了丰富的经验；共青团为适应建立抗日民族统一战线的形势要求，进行了根本改造，建立了青救会和各种青年抗日救国团体，改变了青年团第二党的工作方式，在实际工作中取得了良好的成效，同时也为青年组织建设和发展提供了重要的实践和理论基础；在抗日战争的烽火中成长起一大批青年干部，后来成为新中国党和国家的栋梁和骨干，研究和总结他们在抗战时期锻炼和成长的历程，对于青年工作和青年教育有十分现实的意义。

改革开放以来，有关抗日战争时期青年运动的研究有了较大的进展，主要表现在研究的面拓宽了，研究的问题深入了，不再仅仅把研究的视角放在抗日根据地和进步青年运动方面，对国民党统治区和沦陷区的青年状况也有研究，并且有研究三青团的专著问世。但是从整体上看，对抗日战争时期的青运史研究还应该说是仅仅有了一个良好的开端，还有不少课题需要研究。例如，沦陷区和国民党统治区青年及青年运动的状况，抗日战争时期青年运动的基本经验和教训，青救会组织的历史作用和历史局限性，青年抗战文学、文艺活动的特点及其历史作用，国共两党不同的抗日路线在青年运动中的影响及斗争情况，抗战时期非共产党领导的青年组织的历史，青年共产国际对当时青年运动的影响等。[①]

---

① 郑光：《民主革命时期青运史专题研究综述》，《中国青运》1989 年第 6 期。

7. 解放战争时期的青年运动问题

关于解放战争时期的青年运动史研究，重点是青年团的重建和国民党统治区学生运动问题。关于青年团重建问题，历史资料相对丰富，伴随着《青年团的重建》、《青年团重建史料集粹》、《团旗在这里重新升起》等一批历史资料书的出版，青年团重建的历史过程基本清晰。尽管地方建团的历史尚有待继续勾勒，但总体上的框架和脉络是清楚的。

关于国民党统治区学生运动问题，主要对学生运动的历史作用及其主要经验进行了探讨。关于学生运动的作用，普遍赞同毛泽东概括表述的"人民解放战争的第二条战线"的提法，认为这个概括充分反映了解放战争时期学生运动的性质、特点和作用。但是在对"第二条战线"概念的内涵及"第二条战线"的起点、形成的标志和发展等问题的认识上却有不同的观点。关于"起点"，有些人认为应以"一二·一"为起点，但是多数人认为应以抗暴运动为起点。持后一种意见者的主要理由是，"一二·一"时期人民解放战争还没有全面展开，第一条军事战线还没有正式形成，因此在"一二·一"时期还谈不上第二条战线。同时还指出，认为"一二·一"不是第二条战线的起点，并不等于否定"一二·一"运动在解放战争时期的作用。人们普遍认为，"一二·一"运动冲破了国民党的反动统治，掀起了抗战胜利后国民党统治区人们要和平、争民主斗争的第一次高潮，是解放战争时期国民党统治区爱国民主运动的先声。关于概念的内涵，有三种看法，一是认为"第二条战线"专指学生运动，二是认为指整个国民党统治区的人民革命运动，三是认为指以学生运动为先锋的国民党统治区人民反美反蒋的爱国民主运动。多数人持第三种观点。①

---

① 陈修良:《"五二"学生运动与开辟第二条战线》,《解放战争时期学生运动》,同济大学出版社 1988 年版,第 47 页。

在如何实事求是地评价学生运动的历史地位和作用问题上,有人认为必须强调以下三点:首先,在估计和探讨一次学生运动和一个地区斗争作用和意义时,要统观全局,把这场斗争放在全局中观察,从宏观角度分析,否则容易出现片面性。其次,应看到党领导下的国民党统治区学生运动之所以能起重要作用,是与党的许多系统(特工、情报、交通、统战、文委、职工、妇女)组织的支持、配合、保护分不开的。如果没有这些组织的协调、配合,学生运动不可能持久。第三,解放战争时期学生运动与历史上学生运动的最大区别,是有广大的解放区为依托和有可靠的后方基地,解放区对学生运动起到了支持、关怀和保护作用,是这个时期学生运动能够蓬勃发展的得天独厚的条件。总之,研究这一时期学生运动的历史作用时,要联系上述各方面因素,进而对学生运动作出恰当的评价。孤立地就学生运动评学生运动,是难以得出实事求是的结论来的。①

关于解放战争时期学生运动的基本经验,普遍认为主要有以下四条:(1)学生运动只有在反映历史前进的要求和人民群众的愿望、在与整个革命斗争相配合并担负起时代的使命时,才能具有深刻的内容、强大的生命力和较大的历史意义。(2)学生运动只有在中国共产党的领导下,开展有组织的自觉的斗争,才能把握正确的方向,走向通向胜利的道路。(3)学生斗争的胜利,不仅要有革命热情,而且要掌握巧妙的斗争艺术,即必须把原则的坚定性和策略的灵活性结合起来。(4)在参加学生运动的实践中,通过学习马克思主义和实行同工农民众相结合,使自己逐步从民主主义者转变为共产主义者,是当时青年学生中的先进分子所走的共同道路。②

---

① 郑光:《解放战争时期国统区学运史研究的几个问题》,《解放战争时期学生运动》,同济大学出版社1988年版,第115页。

② 沙健孙:《论全国解放战争时期的学生运动(代序)》,《解放战争时期学生运动》,第1页。

（三）中国青年运动史研究的反思

在经历了 50 年的研究和探索后,中国青年运动史作为中国近代史的分支学科正在中国史学园地里发育成长。它在一个独特的领域内,以独特的知识和方法为社会各界人士尤其是青年提供了新的信息,从而开阔了人们的视野;它以独特的研究对象和研究任务及内容构筑起自身的历史学框架体系,丰富了中国的史学园地。但是,在看到成绩的同时,也应该清醒地认识到,中国青年运动史毕竟是中国史学园地的新葩,要使其根深叶茂,茁壮成长,还需要进一步的努力。

从 50 年的发展来看,青运史研究还没有走出奠定学科基础的发展阶段,因此促使青运史研究学术化,建立相应的学科理论体系,进一步完善历史资料的收集、整理、考证工作是青运史研究继续深入发展的重要任务,同时也是 21 世纪青运史研究领域的重要课题。

1. 关于青运史研究的学术化问题

这个问题在 80 年代末期就已经有人提出了,但是由于多方面的因素,至今青运史研究的学术化依然是一个亟待解决的问题。因为任何一门学科的建立,都不是轻而易举的,都必须经历一个学术化的发展过程,学术化是保证一门学科获得生存并向深度和广度发展的重要前提。由于作为社会群体的青年是在中国进入近代社会以后才为社会所瞩目,并且在历史舞台上展示了这个群体的风采,所以反映这个群体社会活动的历史也只能逐步从中国近代史中分离出来,演化成独立的学科门类,这就决定这个学科必然是中国史学领域中的一个新兴的学科。历史学科的发展史表明,其许多分支学科的发展都要经历搜集资料、整理资料和理性认识这样一个走向学术化的发展阶段。就青运史学科而言,尽管经过 50 年的研究和积累,已经取得了很大的成绩,但是距离学术化的目标还有很长的路程。例如,对于青运史的研究对象、研究内容、分期划限等基本理论问题还未进行认真透彻的研究,整个学科的理论框架还未形成;研究的领域还没有完全打开,很多应该研究的课题还没有研究;研究成果多是复述资料和过程的,多是叙事式而少分析式,缺乏理论概括;研究方法比较单一,基本是单线型、平面型,缺少交叉型和立体型的研究等。这些情况无一不在表明,青运史研究必须加快其科学化发展的进程,强化本学科的理论意识,使之能够尽快跨入科学的门坎,真正成为"人类科学中的科学"。

从青运史研究的现状看,要实现青运史研究的学术化,必须注意解决以下三个问题:

(1)奠定马克思主义的理论基础,吸收和运用新学科的理论和方法。马克思主义是青运史研究的指导思想和理论基础,在实际研究中一定要科学地理解马克思主义的原理,掌握其科学方法,决不能把马克思主义当成教条,要努力避免那种把丰富、深刻的马克思主义庸俗化的现象发生。另外,还必须明确,马克思主义是青运史研究的指南,但它并不能代替青运史研究。青运史研究有其自身的内容和规律。青运史作为一门正在建设中的新学科,应该在充分发挥马克思主义理论指导作用的基础上,注意吸收、移植和综合其他相关学科的理论和方法,引进新的科学观念,扩大研究的领域。当今科学发展的趋势表明,任何学科都不是一个孤立的、封闭的系统,都处于学科群体互相影响的整体运动之中。因此,实现青运史研究学术化的任务本身就已经表明必须善于学习各种新学科的知识,即不但要学习史学的新理论、新方法,还要吸收青年学、社会学、人类学等其他社会科学门类的研究成果和研究方法,同时还应借鉴自然科学的研究方法和手段。只有广泛涉猎、博采众长,为我所用,青运史研究的学术化目标才可能最后实现。

(2)加强基础理论研究,建构学科科学体系。任何一门新兴学科在完成科学化的进程中,都必然存在和面临体系的建构问题.青运史学也必然如此。青运史研究要保证所建构的学科体系的科学性,加强基础理论应该是不言而喻的。在50年的青运史研究工作中,已经有许多基础理论研究问题提了出来,但是限于各方面的条件,这些问题至今没能得到圆满的解决。其中主要有:其一,关于青运史研究对象问题。笼统地讲,这似乎不成问题,研究对象就是中国青年运动发生、发展的过程及其规律.但是青年运动的涵义并不是那么清晰,在相当长的时间内,研究者都把研究共产党领导下的青年政治运动、青年团的历史作为青运史的研究对象,并且提出"中国青年运动在发展的各个历史阶段,由于革命性质和任务的不同,其具体研究对象和基本内容也是会有某些差别的"这样一种观点。针对这个主流观点,有人提出这样确定研究对象不全面,青年运动应该研究"敌、我、友三方面青年运动的历史",提出要研究青年文化史、青年思想史等主张.就学术研究而言,应赋予青年运动以新的涵义,对青年运动不宜作政治化的理解,青年与社会的相互作用,即社会对青年施加影响,青年通过参与社会活动对社会进步与发展产生作用这样一种互动状态称为青年运动。之所以要这样解释青年运动的涵义,是因为作为政治运动的青年运动只是青年社会活动的一个组成部分,青年大量的社会活动都是非政治性的,甚至有很大的一部分活动是属于生活性质的。更何况青年政治活动的发生也与其他日常生活状态及生活环境有直接的关系。所以如果把研究的视角仅仅局限于政治活动,是无法反映青年运动全貌的。而对青年运动作这种互动的理解,就能够比较确切地揭示青年的社会生活状态。当然,这种解释还仅仅是一种假设,还有待于作进一步的完善和充实,更有待于学术界的认可。总之,有关青运史研究对象及其基本内容问题还有待进一步探讨和研究。其二,关于青运史的上限问题。现在出版的青运史专著,一般认为"五四"运动是中国新民主主义青年运动的开端,并没有十分明确说明"五四"运动是青年运动的开端。但是在青运史研究论文中,对这个问题却是看法各异,有人认为应以1902年中国留日学生的爱国斗争和国内的学界风潮作为青运史开端的标志,有人认为应以孙中山建立同盟会为标志作为青运史的开端,也有人提出早期青年运动的概念,把"五四"运动前的新式学生群的爱国斗争称为早期青年运动,把"五四"运动认定为青年运动的开端。其三,关于中国青年运动的主体究竟是工农青年还是知识青年的问题。有人认为是工农青年,有人认为是知识青年,甚至有人主张青年运动就是学生运动,至今莫衷一是,争论还在继续。仅凭上述三例即可说明青年运动史研究存在许多基本理论问题,开展对于这类基本理论问题的研究,是推进青运史研究深入发展,进行学科建设的一个重要步骤。

(3)加强资料整理和专题研究工作,构筑坚实基础。在青运史研究中,坚持实事求是的原则是实现研究科学化的基础,而资料工作和专题研究工作则是坚持实事求是原则的重要保证。因为掌握翔实、可靠的资料和进行深入细致的专题研究是确保立论准确、叙事客观公正的前提,在史学研究中如果缺少这个前提,科学化就无从谈起。为青运史研究的对象和内容所决定,青运史的文献或文字资料的收集和整理的难度较大,是一项耗神费力而又难以收到效益的工作。这是因为青年的社会生活和社会活动包含于大众的社会生活和社会活动之中,很少有或无法简单地获取现成的可供研究使用的资料。除了少量的历史档案资料可供研究外,大量的有价值的资料散见于各种报章杂志中。这类文字资料浩如烟海,许多重要资料需要研究者或资料工作者认真地寻找和捕捉。在50年的青运史研究中,限于人力、财力和其他因素,在这方面虽然取得了一定的成绩,但是还不可能满足青运史研究发展的要求,青运史资料的征集、校勘、整理工作是制约青运史研究发展的一个大问题。特别是在过去复杂的社会历史条件下,在国内外、党团组织内外复杂的政治斗争的背景下，所保留下的大量史料，存在不少伪造的、歪曲的、不准确的内容。这种情况要求青运史工作者必须以正确的观点和科学的方法，对之进行考证、辨伪、校勘，去粗取精，去伪存真，以保证史料的真实性和可靠性。另外，在中国青年运动的历史研究中，50 年来只是对一部分专题开展了初步的研究，还存在许多空白有待填补，还有许多领域有待进入。应该认识到过去专题研究的面比较窄，今后要拓宽。从时间上看，不仅要对 20 世纪前半叶的青年运动的历史进行研究，而且还要对后半叶的历史进行研究。如果从史学研究的现实意义考虑，可能对后半叶青运史的研究意义更为重大，需要加大研究力度的要求也显得更为迫切。从研究专题的内容看，不仅应该有政治斗争、军事斗争方面的专题，还要有经济、思想、文化、组织、生活等各方面的专题。总之，今后要多侧面、多角度、多层次地开展青运史的专题研究，以切实推进青运史研究科学化的进程。

2. 关于改进青运史研究方法，更新史学工作观念问题

从 50 年来青运史研究的成果看，青运史研究的方法和工作观念存在一些有待改进和更新的问题。这主要表现在研究方法单一，多为简单叙事型、考据型和总结经验教训型；在工作观念上习惯于按行政工作方式开展工作。伴随中国社会的进步和社会主义市场经济的逐步建立，如果依然固守这类研究方法和工作观念，将会对青运史研究工作的发展产生不利的影响。首先，过去的研究方法容易使研究者把着眼点仅仅放在历史过程上，而忽视对历史问题的深入阐发，揭示出带有规律性的内容来。即使是总结经验教训，也容易出现就事论事、浮光掠影的毛病。其次，过去的研究方法容易限制研究者的眼界，导致研究者仅仅把研究的视野局限在青年运动本身，而忽视了青年运动与整个中国社会政治、经济发展的联系和国际上重大历史事件对中国青年运动的影响，这将妨碍研究的深入。第三，简单叙述历史的发展过程，也容易造成研究成果的枯

燥乏味,缺乏可读性,不仅影响研究成果的社会效益和经济效益,而且也不利于青运史学功能的充分发挥。第四,按照过去的研究方法和工作观念开展研究工作,基本上不考虑社会的需求,因此常常导致研究工作与现实工作脱节、与青年的需求脱节,许多成果完成后即被束之高阁,这种情况在市场经济条件下是无法维持的,必须改弦更张。

3. 关于青运史研究人员的队伍建设问题

在 50 年的青运史研究中,共青团系统内的人员一直是青运史研究的主要力量,特别是在 80 年代,这种现象更为突出。但是随着中国社会的进步与发展,这种局面必将发生改变,青运史研究一定要走社会化的发展道路。为史学工作的特点所决定,青运史研究只能平稳渐进发展,而不会形成某种热潮,即使在共青团内也是如此。由于从事这项研究的人员力量相对弱小的局面很难改变,而这必将制约青运史研究的发展,制约青运史研究水平的尽快提高。在这种情况下,很容易让人按传统的思路考虑问题,希望能够依靠行政方式解决青运史研究人员的队伍建设问题。但是不难预见,这条道路是走不通的。未来青运史研究的发展,只能依靠广泛吸纳社会各方面的力量来进行。青年运动与社会发展是紧密联系在一起的,随着社会的进步与发展,青年的社会作用日益扩大,同时也日益引起社会的关注,所以许多与青年社会活动相关的学科的研究工作都把研究的视角定位在青年的身上,以至于在近 20 年来出现了诸如青年学、青年社会学、青年心理学、青年伦理学、青年美学等新的学科门类。这就使得青运史研究有了可靠的可资借助的社会力量。随着社会的进步,任何一门学科都不可能走封闭的发展道路,互相兼容、互相促进、互相提高是社会科学研究深入发展的必然趋势。

太平天国运动史

太平天国史研究至今已持续了半个多世纪。太平天国败亡后，清方曾从谀颂"皇清武功"的角度，陆续刊行了《钦定剿平粤匪方略》、《湘军志》等公私著述；辛亥革命前夕，革命党人又从宣传兴汉反满的角度，在海外秘密出版了汉公《太平天国战史》、黄小配《洪秀全演义》等书。这些著述都远远谈不上是严格意义上的学术研究。辛亥革命以后，民间谈论太平天国不再是禁忌，太平天国史研究这才正式揭开了序幕。1949 年之前的这一时期是太平天国史研究的开拓和初始阶段，其成绩主要表现在史料发掘和史事考订方面。其中，萧一山、郭廷以、简又文、罗尔纲等人筚路蓝缕，是研究太平天国史成就卓著的第一代学者。不过，直到新中国成立以后，该专题研究才真正进入了一个蓬勃发展的新阶段。

（一）蓬勃发展时期（1949—1964）

1949 年后，中国大陆的太平天国史研究出现了重大转折，一是该专题研究受到空前的重视，二是唯物史观成为研究工作的指导思想。1951 年 1 月 11 日，《人民日报》发表题为《纪念太平天国革命百周年》的社论，高度颂扬了太平天国抗击内外敌人的光辉业绩，充分肯定了它的性质，认为"太平天国是旧式的农民战争——没有先进阶级领导下的农民战争所发展到的最高峰"，指出其失败的根本原因在于它"仍旧只是一个没有工人阶级领导的单纯农民战争";该文还分析了太平天国的土地纲领《天朝田亩制度》的实质,认为它固然体现了农民大众"对于土地的革命要求",但终究只是一个"平均主义的图案",不可能实现,"而且这种图案并不是为着使社会生产力向前发展,却是使社会生产力停滞在分散的小农经营的水平上的。因此这种空想的农业社会主义的思想在实质上乃是带有反动性的"。①

范文澜撰写的《太平天国革命运动》则是以唯物史观研究太平天国史的拓荒之作。该书初版于 1945 年,1951 年收编为修订版《中国近代史》上编第 1 分册的第 3 章。由于后者畅销一时,一版再版,故而传播广泛,影响深远。作者首先论述了太平天国革命爆发的社会背景,接着分准备、胜利、衰败三个时期,概述了太平天国的始末,并详细分析了太平天国失败的主客观原因,认为主观上在于太平天国领导层存有宗派、保守、安乐三种思想,"总根源在农民阶级消极方面的狭隘性、保守性、私有性。太平军领导集团的腐化分裂,正是这些特性的反映,也就决定了太平天国的必然崩溃";客观原因有二,"第一,满清统治阶级与外国侵略者逐渐结合,反革命势力壮大起来,力量超过革命势力。第二,那时候中国不曾有进步阶级的存在,农民阶级不得进步阶级的领导就无法负担民主革命的任务"。作者充分肯定了太平天国革命的历史意义,认为它使旧式农民起义的面目"为之大变","揭开了中国旧民主主义革命的序幕","是中国历史上第一次提出政治、经济、民族、男女四大平等的革命运动"。②

1954 年,在一篇论述中国近代史分期问题的论文中,胡绳主

---

① 该社论由胡绳执笔,见《胡绳全书》第 2 卷,人民出版社 1998 年版,第 88—93 页。
② 范文澜:《中国近代史》上编第 1 分册,人民出版社 1951 年修订版,第 186、191—192 页。

张"用阶级斗争的表现来做划分时期的标志",并首次阐述了三次革命高潮的概念,认为"太平天国的革命运动是中国近代史中第一次革命运动的高涨",其特征表现为"地主阶级和农民阶级的矛盾展开为巨大的爆发。太平天国起义的发动上距鸦片战争 8 年。由于半殖民地半封建社会是逐步地形成的,在这时中国社会内部还没有形成资本主义的生产关系,所以历史的推动力量仍只能是农民这一个阶级。但农民不可能自发地接受资本主义的政治思想,而利用农民革命以实现这种理想的意图在当时中国还没有比较强的社会基础。结果是太平天国的失败,这个革命没有能挽救中国免于坠入半殖民地半封建的深坑"。①

上述论断从马克思主义的立场和观点出发,否定了此前有关太平天国的一些诬蔑之辞和错误观点,澄清了若干重大理论问题,为研究工作树立了正确的理论导向,并进一步引发了人们对太平天国史的重视和兴趣。尽管其中的个别论点不够精确或流于溢美,但绝大多数至今依然是国内太平天国史研究的主流观点。

同在 50 年代,罗尔纲的一系列重要论著也先后问世。其中,《太平天国史稿》一书于 1951 年由开明书店出版,数年后续由中华书局出版了其改写本和增订本。该书是一部用纪传体写成的通史,详于考订,并以资料丰富见长。1955 年至 1958 年间,罗氏的 7 种论文集,即《太平天国史记载订谬集》、《太平天国史事考》、《太平天国史料辨伪集》、《天历考及天历与夏历公历对照表》、《太平天国史料考释集》、《太平天国文物图释》、《太平天国史迹调查集》,相继由生活・读书・新知三联书店出版。太平天国史料伪作之多、谬误之甚,在中国近代史各专题研究中是独一无二的。罗尔纲研究太平天国史,首重辨伪考信。在考辨伪书时,他利用真实可靠的文献记载与伪书进行列表对勘,以寻找其作伪的铁证,追查其作伪的手法。

---

① 胡绳:《中国近代历史的分期问题》,《历史研究》1954 年第 1 期。

他对太平天国史料中第一部大伪书《江南春梦庵笔记》的考辨采用的便是这种方法。上述论著集中体现了罗尔纲在太平天国史料辨伪和史事考订方面所取得的成就,为后学提供了一把入门的钥匙,从而对新生研究力量的崛起起了积极的推动作用。

在上述背景下,太平天国史研究在建国初期呈现出一种前所未有的繁盛景象。针对太平天国历史上的许多重要问题,史学界进行了积极的探讨,其焦点集中在太平天国革命的性质问题上,并由此引发了一场广泛而又热烈的讨论。

基于对当时国内社会经济状况和阶级关系所作的不同估计,学者们在此问题上看法不一,归纳起来主要有以下三种不同观点:一种观点以范文澜、胡绳为代表,认为太平天国仍旧是一场单纯农民战争或农民革命,已见前述。1957年,郭毅生刊文对此提出异议,表示赞同先前有人提出的太平天国是"资产阶级性的农民革命"一说,并从两个方面详细论述了这一观点。郭文首先从分析《天朝田亩制度》的实质入手,强调不应过分夸大它的空想性,认为该纲领"是当时历史要求的反映,它体现了革命所包含的经济内容,客观上为资本主义的发展开辟了道路,它是一个彻底反封建的、资产阶级性的农民土地纲领,进步性和革命性是它的本质"。郭文接着指出,在太平天国革命前夕,随着外国资本主义势力的侵入和国内阶级压迫的加剧,农民阶级已经产生分化,一部分农民沦为雇农、雇工,"具有非封建的性质",而与此密切相联的便是市民等级的兴起,"它是后来资产阶级与无产阶级的前身",杨秀清、萧朝贵等人便是"萌芽无产阶级分子杰出的代表人物"。作者据此认为,"由于市民等级是未来资产阶级革命的承担者,也由于分化的农民具有资产阶级民主派的性质,而这两种人都是太平天国的主力军和核心力量,因此就不能不使得太平天国革命具有了迥异于以往单纯农民战争的许多特点,其中如政治纲领中提出的平等观念、否定封建神权和专制政权的思想,便带有较为鲜明的资产阶级性质"。①

第三种观点以章开沅为代表,认为太平天国是单纯农民战争兼具资产阶级革命性质,强调太平天国"按其社会内容来说,是资产阶级民主主义的革命,但按其斗争手段来说,却是单纯农民战争"。他还进一步指出,太平天国在主观上反映了"某些资本主义发展的要求",诸如主张"有田同耕"和九等分田的土地政策,实行轻税和保护的自由贸易政策,洪仁玕在《资政新篇》中所提出的发展资本主义的纲领,太平天国带有强烈平等观念的政治思想,以普及性、通俗性为特色的文化教育,等等。②

这场讨论前后持续多年,是中国太平天国研究史上最为热烈的一场学术争鸣。经过讨论,学者们大多赞同"单纯农民战争"一说,认为"资产阶级性的农民革命"一说对中国社会经济的估计超出了当时社会发展的客观阶段,夸大甚至提前了中国的资本主义;资本主义无法从没有独立手工业和商业的原始公社式的社会中发展起来,因此,《天朝田亩制度》即使全部实现,也决不会促进资本主义;《资政新篇》中具有资本主义色彩的建议并不是太平天国的传统,所以没有也不可能产生什么实际效果。不过,学者们在太平天国是否带有资产阶级民主革命性质这一点上仍存有分歧。

这场讨论所涉及的问题十分广泛,包括太平天国革命的原因、动力、纲领、任务和目标等,客观上将研究引向了深入。围绕着太平天国时期国内的社会经济状况和阶级关系,太平天国统治区的土地制度、土地关系,太平天国的农村政权、乡官成份,太平天国的文化、思想和工商政策,《天朝田亩制度》、《资政新篇》以及相关人物的评价,太平天国抗击内外敌人的业绩,与各地、各民族反清起义

---

① 郭毅生:《略论太平天国革命的性质》,《教学与研究》1957年第2期。
② 章开沅:《有关太平天国革命性质的几个问题》,《理论战线》1958年第2期。

——天地会、小刀会、金钱会、白莲教、捻军以及回族、苗族、壮族、维吾尔族、彝族的反清起义——的关系,等等,学者们纷纷发表论著。上述问题的研究在 1949 年以前基本上还是空白,集中体现了中华人民共和国成立初期太平天国史研究所取得的成就,从而大大丰富了人们对太平天国史的了解和认识。这里着重谈一谈有关太平天国境内土地制度、乡村基层政权等方面的研究情况。

为了把握太平天国统治区的阶级关系及其政权性质,学者们十分重视对太平天国经济政治举措的研究,土地制度和乡村基层政权因而成为研究的热点。关于土地制度问题,大家一致认为太平天国未曾实施《天朝田亩制度》中的平分土地方案,但在太平天国是否实行过"耕者有其田"政策这一点上意见不一。随着新史料的不断发现和研究的日益深入,多数学者认为,太平天国自始至终并没有推行过"耕者有其田"政策,而是大体上实施"照旧交粮纳税"政策,即承认地主占有土地的合法性;尽管通过自发举行的抗租斗争,加之地主所收的租额受到了某种限制,农民从中得到了一些实际经济利益,但革命并没有改变整个所有制,旧的生产关系仍被保存了下来。至于造成这种情形的原因,主要有以下几种解释:小农根深蒂固的私有观念必然使太平天国放弃公有制的空想,转而承认现有的私有制和土地制度;由于战争的影响,重造赋册、粮册的工作很难进行,为了解决军队粮饷等问题,不得不维持原来的租佃关系;太平天国后期的地方政权中混入了大批地主阶级分子,公开维护本阶级的利益。研究者们同时指出,通过直接没收部分地主土地、厉行军事镇压、剥夺地主浮财、减低租额等手段,太平天国仍然打击和限制了地主。[①]

---

① 详参吴雁南:《试论太平天国的土地制度》,《历史研究》1958 年第 2 期;曹国祉:《太平天国的土地政策及其赋税制度》(上篇),《中山大学学报》1959 年第 3 期;龙盛运:《关于太平天国的土地政策》,《历史研究》1963 年第 6 期。

太平天国曾在乡村基层普遍设立了乡官。在乡官的阶级成份这一问题上,学术界有过两种截然不同的看法,有的认为各地乡官在前后期大多由地主阶级分子充任,有的认为劳动人民始终占据着多数。① 经过讨论,大多数人认为,前期各地乡官以劳动人民为主,后期的乡官成份则比较复杂,因时因地而异,并非整齐划一,反映了农民分散性的特点和阶级斗争的尖锐复杂性。

上述对太平天国境内经济政治状况的研究是此间所取得的重大学术成就之一,日后的相关研究基本上未能超过其水准。

关于太平天国革命的起因,1949 年前的旧式学人曾经作过一些错误的解释。戴逸运用唯物史观并结合具体史实,对此予以澄清,指出"单纯用人口太多为理由来解释革命的发生并没有触及问题的实质","社会现象不能够用这种简单的数学公式来解释";"拜上帝会虽然脱胎于基督教,并在形式上和基督教有相似之处,但两者的实质和作用是完全不一样的","革命思想之所以产生并具有积极作用,正是因为思想本身是根源于社会斗争和社会生活的客观现实";强调太平天国革命发生的原因"既不是由于人口太多,也不是由于宗教力量,最根本的原因是由于外国侵略势力和中国封建势力的剥削和压迫,剥削和压迫加重,人民的反抗也愈来愈激烈"。②

具体史实的研究在新中国成立初期也有重大进展,内以对李秀成"自述"之真伪的考订最为引人关注。当年曾国藩在处死李秀成后,将删改过的忠王亲供在安庆印成《李秀成供》一册,即世传九如堂本,而亲供手迹则一直秘不示人。1944 年,广西通志馆的

---

① 参见王天奖:《太平天国乡官的阶级成份》,《历史研究》1958 年第 3 期;董蔡时:
　　《太平天国的乡官多是地主分子吗?》,《江苏师院学报》1962 年第 5 期。
② 戴逸:《论太平天国革命发生的原因》,《光明日报》1961 年 1 月 11 日。

吕集义在湘乡曾富厚堂得见这一秘本,便据九如堂本加以对勘,补抄了 5600 余字,另拍摄照片 15 帧。罗尔纲遂以吕氏补抄本和照片 4 帧为底本作注,取名《忠王李秀成自传原稿笺证》,1951 年由开明书店出版。1956 年,年子敏、束世澂撰文提出质疑,认为从内容来考察,李秀成不应向曾国藩乞降;笔迹上经法医鉴定,《自传原稿》与《李秀成谕李昭寿书》的笔迹相异,据此断言李秀成"自述"系曾国藩伪造,并非出自李秀成亲笔。[①] 史学界就此展开了争论。罗尔纲根据"书家八法"理论,将上述两件文书中的字迹逐一拆开来比较,判定两者笔迹表面不同但实际相同,进而认定李秀成"自述"确系真迹。[②] 这种严谨的考证方法和治学态度很有启发意义。及至 1962 年,台北世界书局影印出版了曾氏后人秘藏的李秀成"自述"原稿,取名《李秀成亲供手迹》。罗尔纲的观点遂得到了进一步的印证。

总之,在 1949 年至 1964 年的 15 年间,太平天国史研究异常活跃,其研究队伍之壮大,研究成果之丰富,在中国近代史各专题研究中堪称首屈一指。太平天国史研究之所以出现如此兴盛的局面,除了得益于该专题研究受到空前的重视,唯物史观的正确引导,文献史料的大量编纂出版,以及史学工作者自身不懈的努力外,与当时相对宽松的学术环境也有很大关系。上述主要研究成果大多正是通过正常的学术争鸣而取得的。

不过,此间的研究尽管成绩骄人,但也有偏差,主要表现为片面地美化太平天国。认为太平天国实行了男女平等、经济平等,等等,便是这种偏向的具体体现。当然,正值幼年的新中国历史科学此时仍处在摸索阶段,出现上述现象是可以理解的。事实上,对于

---

① 年子敏、束世澂:《关于"忠王自传原稿"真伪问题的商榷》,《华东师大学报》1956 年第 4 期。

② 详参罗尔纲:《忠王自传原稿考证与论考据》,科学出版社 1958 年版。

研究工作中存在的这种偏差,一些学者当时已不同程度地有所察觉。曾有学者明确指出:"在太平天国的研究中,尤其是在关于这次革命性质的讨论中,发生过个别历史家对马克思列宁主义经典著作望文生义、断章取义、牵强比附使之从属于自己的成见的现象。这种做法同以理论指导历史研究的要求完全背道而驰,无疑应当及时纠正。"[①]

围绕常熟《报恩牌坊碑》所展开的讨论也说明了这一点。该碑建于太平天国壬戌十二年(1862),其序文有云:"禾苗布帛,均出以时;士农工商,各安其业。平租佣之额赋,准课税之重轻。春树万家,喧起鱼盐之市;夜灯几点,摇来虾菜之船。信民物之殷阜,皆恩德之栽培。"一些论著据此来比拟太平军占领苏南后民众安居乐业的美好场景。1957年,祁龙威根据新发现的龚又村《自怡日记》等史料,撰文对此提出质疑,认为当时的常熟实际上被钱桂仁、骆国忠等叛将所控制,他们对农民横征暴敛,密谋叛变,导致民生凋敝,社会动荡;他们为李秀成立碑只是为了掩饰其阴谋,碑文所描述的太平景象不过是一幅虚构的假象。作者批评了当时研究工作中所存在的偏向,即"对凡是有利于太平天国的资料,不论它是否真实,便一律当做可靠的根据,而把它渲染起来;凡是和这个观点相反的,便当做'地主阶级的诬蔑'而在排斥之列"。[②]该文引起了史学界又一场延续多时的争论。学者们在对该碑内容的具体认识上虽然不尽一致,但这场争论所揭示的理论问题无疑是重要而又及时的。

不幸的是,这一在摸索中前进的良好势头很快便被突如其来的政治风暴所打断。

---

① 靳一舟:《太平天国研究述评》,《历史研究》1961年第2期。
② 祁龙威:《从〈报恩牌坊碑序〉问题略论当前研究太平天国史工作中的偏向》,《光明日报》1957年5月23日。

（二）曲折乃至倒退时期(1964—1976)

在被俘后所写的亲笔"自述"中,李秀成明显流露出乞降求抚之意。李秀成此举的动机和原因是什么?今人究竟应如何评价?这是史学界十分关注的一个问题。在 1951 年初版本《忠王李秀成自传原稿笺证》一书中,罗尔纲提出了一个假设,认为忠王此举意在效仿蜀汉大将姜维伪降钟会故事,以图恢复太平天国。在 1957 年推出的该书增订本中,罗尔纲又略作修正,认为忠王此举旨在保存革命力量,并争取曾国藩把对内的矛头转而对外。1959 年,赵矢元对此提出异议,在肯定李秀成的同时,强调忠王"承认太平天国革命已经失败,消失了对革命前途的信心,要求曾国藩招降他的部众,表示了严重的动摇和妥协,这也是应该承认的"。[①] 1961 年,苑书义也刊文指出,李秀成此举是对革命前途丧失信心和对封建势力产生幻想的表现,"他既然要太平军余部向封建势力缴械、停止革命、争取恩赦,这难道不是妥协投降又能算作什么呢?"[②]

然而,这种正常的学术讨论并未能持续下去。1964 年,戚本禹之流断言忠王不"忠",其"自述"是"一个背叛太平天国革命事业的'自白书'",并打着揪"叛徒"、彰"气节"的旗号,发起了一场批判李秀成的政治运动。[③]这场学术界的政治风波遂成为十年浩劫的先导。极左思潮的泛滥给太平天国史研究造成了极大的混乱和危害,

---

① 赵矢元:《评〈忠王李秀成自传原稿笺证〉增订本》,《历史研究》1959 年第 3 期。
② 苑书义:《略论农民革命英雄李秀成》,《北京日报》1961 年 9 月 7 日。
③ 参见戚本禹:《评李秀成自述——并同罗尔纲、梁岵庐、吕集义等先生商榷》,《人民日报》1964 年 7 月 24 日;戚本禹:《怎样对待李秀成的投降变节行为?》,《人民日报》1964 年 8 月 23 日;罗思鼎:《大节、气节、晚节——评李秀成问题讨论中的所谓"功过"问题》,《解放日报》1964 年 8 月 23 日;罗思鼎:《怎样认识中国历史上农民的阶级性》,《文汇报》1964 年 9 月 8 日。

具体表现在以下几个方面：

一是将学术问题与政治问题划等号。学术观点上的分歧原本可以通过正常的学术争鸣来加以解决，以期取得共识。但在批判李秀成的运动中，对李秀成持肯定态度的学者竟被视作"站错了立场"，单纯的学术问题被无端上升为政治问题，在新中国的史学研究中开了一个恶例。罗尔纲因坚持认为李秀成此举是"苦肉缓兵计"而受到冲击；一些学者不同意戚本禹全盘否定李秀成的观点，认为李秀成虽晚节不保，但功大于过，结果也同样被扣上"叛徒李秀成辩护士"的大帽子，遭到围攻甚至批斗。前之相对宽松、自由的学术氛围既已不复存在，真正意义上的学术研究也就无从谈起。

二是"影射史学"泛滥成灾。影射史学的实质是将历史上的个别事例或局部现象加以普遍化、绝对化，以迎合现实政治的某种需要。批判李秀成，实际上是为后来以"叛徒"罪名打倒党内一大批功勋卓著的老干部制造舆论。1974 年兴起的"评法批儒"运动又波及到了太平天国史领域。梁效之流肆意曲解历史，将洪秀全与杨秀清之间的权力之争定性为"反孔派"与"尊孔派"之间的路线斗争，将1856 年天京内讧的起因说成是"尊孔派"篡权。①意在影射、攻击周恩来总理。一时间，影射史学、"路线斗争"论将太平天国史肢解得支离破碎、面目全非，史学研究的科学性、严肃性荡然无存。

三是给历史人物贴政治标签成为人物研究风行的模式。按照这种模式，洪秀全被塑造成完美无缺的农民革命领袖，并以洪秀全的是非为是非，将杨秀清定性为"野心家"，韦昌辉为"阶级异己分子"，石达开为"分裂主义者"，李秀成为"叛徒"，简单化、脸谱化的研究被发挥到了登峰造极的地步，从而对学术风气产生了恶劣影响。

---

① 参见梁效：《革命的专政，还是儒家的"仁政"？——试论太平天国在政权问题上的两条路线斗争》，《北京大学学报》1975 年第 2 期。

上述现象都是极左路线的产物。戚本禹之流固然难辞其咎,但在当时特定政治气候的左右下,不少研究者也都曾经写过配合性或应景式的文章。就此而论,这是整个时代的悲剧。其中的经验教训值得今人认真地反省和汲取。

概括地说,在 1964 年至 1976 年间,太平天国史研究经历了一个曲折乃至倒退的时期,成为近代史学科受害最深的一个领域。千篇一律的文章充斥于各报刊杂志,而表面繁荣的背后却是太平天国史研究真正的窒息。

(三)成熟和收获时期(1979—1999)

十年动乱结束后的最初几年是太平天国史研究逐渐恢复生机的过渡时期。1979 年 5 月,太平天国史学术讨论会在南京召开。这是新中国成立以来首次人文社会科学方面的国际性学术会议,也是太平天国史研究在改革开放的大环境下重新走向繁盛的一个重要标志。1981 年和 1983 年,由北京太平天国历史研究会主办、王庆成主编的《太平天国史译丛》、《太平天国学刊》先后问世。这两种不定期丛刊均由中华书局出版,前者以编译西文资料为主,后者则专门刊载研究论文。其中,《学刊》是国内权威性的太平天国史研究专业刊物,成为反映国内学者最新研究成果和研究动态的一个窗口。1990 年 5 月,在此前成立的 12 个地方性学术团体的基础上,中国太平天国史研究会在南京正式宣告成立。

基于上述背景,在 1979 年到 1999 年的 20 年间,太平天国史研究取得了突破性进展,尤其是在 90 年代初,更是达到了其鼎盛时期。与此前的 30 年相比,旧课题的研究进一步深入,新课题的研究则得到了开拓,研究范围几乎覆盖了太平天国史的每一个层面,同时,一大批总结性研究成果也相继问世。兹就其具体表现择要略加评述。

1. 文献史料研究

此间的文献史料研究取得了重大成就,罗尔纲注释李秀成"自述"便是其中最为突出的一例。罗氏于 1931 年开始对之作注,1951 年推出《忠王李秀成自传原稿笺证》一书,轰动一时。由于曾国藩当初曾对李秀成"自述"妄加删改,世传版本并非其原貌,故罗氏数年后又再次调整版本,增订注释。1962 年,《李秀成亲供手迹》在台北影印出版。罗氏遂第三次调整版本,于 1982 年推出《李秀成自述原稿注》(中华书局出版)。有学者就此感叹曰:"在我国学术史上,注释史籍的名家不少,如裴松之注《三国志》,胡三省注《资治通鉴》等等。但在版本方面遭到如此曲折,还是没有过的。"① 其后,罗氏又根据新史料对之补注,1995 年由中国社会科学出版社出版了该书的增补本。该书从太平天国制度、避讳字、特殊称谓等 12 个方面详加训诂,另从事实、时间等 10 个方面订正原文的错误或补充其缺略,名物训诂与史实考订并重,共注释了 700 条左右,注文是原文的 4 倍多,堪称精湛。例如,李秀成在其"自述"中曾多次提到与绰号"冲天炮"的清军将领李金旸交战一事。关于冲天炮其人其事,郭廷以《太平天国史事日志》、简又文《太平天国全史》均语焉不详。罗氏根据《王鑫遗集》,查明冲天炮原系天地会员,在湖南起义,称"统领元帅",后来叛降清朝;另据《曾国藩奏稿·李金旸张光照正法片》和南京图书馆藏左宗棠给曾国藩的一封信,得知冲天炮与太平军交战被俘,被忠王释放后,走归南昌自首,左宗棠认为此人凶悍难制,力劝曾国藩"不用则杀",曾便借失律罪将李问斩。这样,经过长期的史料结累,罗氏终于在 1982 年的版本中将冲天炮的生平行迹考订清楚。罗先生穷半个多世纪之力注释李秀成"自述",从青春一直注到白首,成为史学界的一个佳话。

---

① 祁龙威:《罗先生赞》,《罗尔纲与太平天国史》,四川省社会科学院出版社 1987 年版,第 57 页。

作为新中国成立以来在海外搜访太平天国文献方面用力最勤、贡献最大的一名学者,王庆成对文献也有独到的研究。所著《太平天国的文献和历史——海外新文献刊布和文献史事研究》(社会科学文献出版社 1993 年版)除结合新文献研究相关史事外,还考察了太平天国文献形成、湮没、搜辑、汇编出版的历史,探讨了太平天国印书制度的演变过程,并重点研究了"旨准颁行诏书总目"制度,认为太平天国在癸好三年(1853)夏秋开始实行这一制度,规定只有列入"书目"、钤有"旨准"印的书才准传播阅读,否则就要问罪,但该制度后来出现了松懈和变例,辛酉十一年(1861)时被废弃。在新著《稀见清世史料并考释》(武汉出版社 1998 年版)"造反者文书"部分,王庆成共辑录新发现的太平天国文书 30 件,并逐一加以考释。以"洪仁玕亲书供词"为例,50 年代出版的"中国近代史资料丛刊"之二《太平天国》业已转录,题名"洪仁玕自述",但其中的错字、脱字、衍字多达 50 余处。作者对其一一予以订正,并考证出这篇供词写于南昌府,时间为清同治三年九月二十七日。上述研究既提高了史料本身的利用价值,同时又拓宽了人们对太平天国史的认识。

祁龙威在文献研究方面也颇有建树,尤以对文献史料的考订、辨伪、校注见长。所撰《太平天国史学导论》(学苑出版社 1989 年版)除专论太平天国印书的目录、版本、校勘和文书史略等内容外,重点进行了史料辨伪。例如,关于清人笔记《燐血丛钞》的真伪,学术界有较大争议。作者将书中的所谓"太平军将士著作"与真实文献相对勘,查勘出大量破绽,并发现该书的不少内容系抄自大伪书《江南春梦庵笔记》,遂判定此为近人伪作。这一结论得到了罗尔纲等学者的赞同。又如,《太平天国文书汇编》(中华书局 1979 年版)根据浙江博物馆藏原抄件,著录了太平天国东阳县卒长汪长明所遗留的"禀"、"呈"、"批示"共 30 件。作者根据太平天国的避讳制度,考证出其中的后 14 件乃是清朝的地方文牍,并非太平天国文书。《太平天国经籍志》(广西人民出版社 1993 年版)则是祁氏文献研究方面的一个总结性成果。该书首对太平天国印书逐一解题并校勘版本,复就近人所编太平天国文献加以述评;并采用"以字证经,以经证字"之法,笺释太平天国专用字词;另专论"伪书考辨",归纳出三条经验:(1)充分发露破绽;(2)抓住作伪铁证;(3)愈经反复,真伪愈明。

2. 关于太平天国政权性质等问题的讨论

从 1979 年开始,史学界围绕太平天国政权性质问题展开了一场热烈的讨论,大体上有以下三种不同看法:

一是封建政权说。这是新近提出的一种观点。沈嘉荣认为,单纯的农民运动"不能变更封建土地所有制,打倒整个地主阶级。正因为这样,当它推翻旧的封建王朝以后,建立起来的只能依然是封建王朝"。[①] 孙祚民则指出,政体、国体和土地政策是判断政权性质最本质的标准,而以后者为主,"由于太平天国基本上沿袭封建专制政权的模式,地主阶级及其知识分子在国家中处于统治地位,从奠都天京到失败始终普遍实行承认和保护地主土地所有制,允许和支持地主收租的土地政策,因此太平天国政权是维持地主阶级根本利益的新的封建政权"。[②] 段本洛也认为,"封建生产关系仍牢固存在,小农经济原封未动,在这样的社会经济基础上建立起来的政权只能是封建政权"。[③]

二是农民革命政权说。这是一种传统的看法。孙克复、关捷认为,政权就是统治之权,在激烈的阶级搏斗中,农民出于反抗的需要,可以建立短期的、不巩固的劳动者专政;太平天国的《天朝田亩

---

① 沈嘉荣:《平均主义与封建主义——四论太平天国政权性质问题》,《群众论坛》1980年第 4 期。

② 孙祚民:《判断太平天国政权性质的标准——五论关于"农民政权"问题》,《学术研究》1981 年第 5 期。

③ 段本洛:《太平天国革命的时代特征与前途》,《江苏师院学报》1980 年第 2 期。

制度》和革命实践,说明其政权是一个与清王朝封建政权对峙 10 多年的"农民革命政权"。① 董蔡时则从太平天国摧毁清朝地方政权系统、肩负起反侵略任务、农民群众基本上掌握了太平天国从中央到地方的政权、在经济上空前沉重地打击了地主阶级、太平天国政权始终得到农民群众和广大劳动人民的支持五个方面,论证其政权是农民革命政权。②

三是农民政权封建化说。王天奖认为,受历史和阶级的局限,洪秀全等人的反封建斗争仍停留在自发而不是自觉的阶段,"不可避免地要把一些封建因素带到农民运动中来","照旧交粮纳税"政策的确定便是这个新政权开始向封建政权演变的象征和标志;此后,"经过近十年的发展演变,到太平天国后期,基本上已完成这个历史转化"。③ 苏双碧也持此说,近来还补充指出:"农民政权和封建政权并没有本质区别,只是因为这个政权在某一阶段更多的是代表农民的利益,就称之为农民政权,它只区分于地主政权。"④ 与此相近的还有两重性政权说。李锦全认为,农民和地主是封建社会中对立的统一体,反映在思想和主张上,就是革命性和封建性、平均平等和封建特权交错结合在一起,太平天国政权便是带有矛盾的两重性政权。⑤ 孙祚民则认为,"某一政权的性质,只能依据它代表与维护哪一个阶级的根本利益为标准,而不能有什么'两重性'","作为阶级统治工具的政权,只能代表与维护某一个阶级的

①　孙克复、关捷:《太平天国政权性质商榷》,《社会科学辑刊》1981 年第 1 期。

②　董蔡时:《试论太平天国政权的特点和性质》,《江苏师院学报》1980 年第 2 期。

③　王天奖:《太平天国与地主阶级——兼论太平天国政权的性质》,《太平天国史论文集》,广东人民出版社、广西人民出版社 1983 年版,第 64—89 页。

④　苏双碧:《太平天国史综论》,广西人民出版社 1993 年版,第 359 页。

⑤　李锦全:《试论洪秀全思想及太平天国政权的两重性》,《南方日报》1981 年 3 月 30 日。

利益,而不可能同时代表与维护两个对抗阶级的利益"。①

与这场讨论同时进行、主题相近的还有关于太平天国能否称
为"革命"的争论。有论者强调农民起义不能改变旧的生产方式,建
立新的生产方式,据此认为农民起义,包括太平天国起义,"不能称
为革命,只能叫农民运动"。②牟安世就此提出质疑,认为从普遍和
约定俗成的含义来说,"革命"就是使用暴力,武装夺取政权,就此
而论,太平天国当然是一次革命。他指出,以"能改变旧的生产方
式,建立新的生产方式"来定义"革命"是不全面的,"因为它遗漏了
在阶级社会中,作为革命的根本问题的政权问题和根本方法——
使用暴力、武装斗争的方法",而改变旧的生产方式、建立新的生产
方式"也是革命的结果,而不是革命的本身"。③

上述讨论在持续了几年后渐告沉寂,辩驳各方未能取得共识,
其对研究工作的推动作用没有 50 年代的那场讨论那么明显。看
来,探讨此类问题,除了侧重对名词概念的解释和个别史事的研究
外,还应加强对相关具体问题的研究,尤其是对太平天国的思想和
实践的实证性研究,然后再据此进行归纳和概括。只有这样,所得
出的结论才会具有较强的科学性和说服力。

学者们还就太平天国政权建立的一些具体史实进行了积极的
探讨,金田起义日期问题便是一例。罗尔纲一直持道光三十年庚戌
十二月初十日(1851 年 1 月 11 日)说,这也是学术界通常采用的
说法,其依据主要有二,一是《洪仁玕自述》:"此时天王在花州胡豫
光家驻跸,乃大会各队,齐到花州,迎接圣驾,合到金田,恭祝万寿
起义,正号太平天国元年,封立幼主。"另一为《天父诗》第 349 首:
"凡间最好是何日?今年夫主生诞日,天父天兄开基日,人得见太平

————————

① 孙祚民:《关于太平天国政权性质研究中的几个问题》,《北方论坛》1980 年第 1 期。
② 《历史研究必须提倡真实性和科学性》,《光明日报》1979 年 10 月 27 日。
③ 牟安世:《论太平天国运动能否称为革命》,《社会科学研究》1981 年第 1 期。

天日。"据此断言金田起义日与天王生日为同一天,即十二月初十日。荣孟源、茅家琦等人则据《天情道理书》"及至金田团营,时维十月初一日"句,持十月初一日(1850年11月4日)说。罗尔纲表示异议,认为"团营"与"起义"是两回事,词意完全不同。姜涛、俞政据《赖文光自述》"忆余生长粤西,得伴我天王圣驾于道光庚戌秋倡义金田"句,持十月起义说,但认为具体日期难以断定。王庆成则指出,迄今为止,在太平天国官书中没有发现关于起义具体时间的明确记载;天历六节中既没有金田起义节,也没有天王诞辰节,说明太平天国可能没有宣布过正式起义日期。他认为,金田起义并不是发生在某一天的事,而是由一系列的活动和斗争串联而成的一个过程。[1]

近年来,姜涛又相继撰文对此作进一步的考证,改持十月初一日起义说,并根据《天兄圣旨》中关于洪秀全在庚戌年二月二十三日"穿起黄袍"的记载,否定了洪秀全于1851年3月23日在武宣东乡登极的旧说,认为洪秀全在公开揭帜前已在平山秘密登极称王。[2]

3. 人物研究

与前期相比,此间人物研究最大的特点是摒弃了以人划线的简单化研究方式,并在对太平天国核心人物的具体研究上取得了重大突破。

---

[1] 以上参见罗尔纲:《金田起义日期再考》,《学术论坛》1980年第3期;荣孟源:《金田起义日期的探讨》,《社会科学研究》1981年第1期;茅家琦:《太平天国历史上几个问题的质疑》,《太平天国史学术讨论会论文选集》,中华书局1981年版;姜涛、俞政:《太平天国起义究竟发生在什么时间?》,《南京大学学报》1980年第4期;王庆成:《金田起义的准备、事实和日期诸问题试说》,《太平天国学刊》第1辑,中华书局1983年版。

[2] 姜涛:《洪秀全"登极"史实辨正》,《历史研究》1993年第1期;《金田起义再辨析》,《近代史研究》1996年第2期。

　　1979 年，王庆成刊文对洪秀全的早期思想进行了重新评价。作者通过辨析反映洪秀全早期思想的各种资料，结合对其早期生平的考察，认为洪秀全的早期思想经历了从追求功名、以道德说教手段改造世道人心到立志反清的发展过程，1843 年皈依上帝是其思想异端的开始，但不是反清革命的标志；直到 1847 年以后，洪秀全才正式确立了反清革命立场，"太平天国革命的根源在于社会上的阶级斗争，而不是产生于宗教教义。《劝世良言》只把洪秀全变成福音宣传者，而阶级斗争才把洪秀全推向创建新国家的政治革命"。作者还指出，《原道救世歌》根本不含有政治平等的思想，《原道醒世训》也并未提出经济平等的思想，两者和写于 1847 年至1848 年间的《原道觉世训》一样，都仍然只是宗教宣传品，认为"如果相信洪秀全已经提出了这种平等思想，并且竟成了太平天国革命的理论基础，那我们就无法解释洪秀全和太平天国的历史，也不能解释太平天国迄今的一百多年历史"。[①]上述观点在当时引起了强烈反响，并逐渐被大多数学者所接受。

　　苏双碧在人物研究方面著述最丰，撰有多种人物传记，论点也较为平实。例如，关于石达开安庆改制问题，苏氏指出，石达开抛弃空想的《天朝田亩制度》，改行"按亩输钱米"政策，使太平天国的赋税制度建立在一个切实可行的基础之上，很快克服了建国初期财政和供给方面的困难，认为安庆改制"不是倒退，更不是复辟，是合乎历史规律的措施"。[②]

　　作为太平天国乃至中国近代思想史上的一个重要人物，洪仁玕研究向为学者们所重视，其最新研究成果为夏春涛著《从塾师、基督徒到王爷：洪仁玕》（湖北教育出版社 1999 年版）。该书在参考30 余种西人著述和新近公布的洪仁玕多篇供词等资料的基础上，

---

① 王庆成：《论洪秀全的早期思想及其发展》，《历史研究》1979 年第 8—9 期。
② 苏双碧：《石达开评传》，河北人民出版社 1986 年版，第 89 页。

对传主的人生轨迹和心路历程作了较为全面的研究。例如,作者就洪仁玕的流亡生活,包括他供职香港教会期间的主要活动脉络,与理雅各牧师和黄胜、黄宽、容闳等中西人士之间的交游,作了迄今最为详细的考察。此外,除对洪仁玕与洪秀全的思想进行比较研究外,作者还将洪仁玕与李秀成被俘后的表现相比照,认为"与洪仁玕相比,李秀成从被俘直至被杀,始终没有在任何场合流露过华夷(汉满)有别之类的思想,可见所谓忠王效仿姜维诈降、意在挑拨曾国藩与清政府之间关系的说法值得重新认识",指出"洪仁玕是太平天国内部惟一一位读过《李秀成供》并对之加以评述的人,他在签驳时反复提到李秀成'变更不一'、'已多更张'、'变迁不常'、'变迁不一',并提及苏州叛将向李鸿章献城一事,认为'即忠王亦几几不免'。这实际上是洪仁玕对李秀成变节行为的一种含蓄的谴责"。①

这一阶段人物研究的另一特点是研究对象开始向次要人物乃至一般民众延伸。例如,陈宝辉、尹福庭、庄建平著《太平天国诸王传》(广东人民出版社1990年版),共记述了33位王一级人物的生平,是迄今评述太平天国人物最多的一本专著。又如,在《太平天国史》这部巨著中,罗尔纲共给172人立了传,其中包括柴大妹、蒋老水手等普通人物。

以往人物研究中一些以讹传讹的问题也得到了澄清,有关洪宣娇的考证便是典型的一例。世传洪宣娇系洪秀全的胞妹,有论者据此认为洪宣娇嫁给萧朝贵是一种政治联姻,是洪秀全牵制杨秀清的一种手段。钟文典根据民间口碑结合文献记载进行考订,最早对此说提出质疑,断言洪宣娇并非洪秀全的胞妹,也不是太平军女军的大首领,实为广西桂平紫荆山区的农家女子杨宣娇。②其后,

---

① 夏春涛:《从塾师、基督徒到王爷:洪仁玕》,第293—298页。
② 钟文典:《试说洪宣娇》,《广西师院学报》1980年第1期。

罗尔纲根据新近公布的《天兄圣旨》对之作进一步的考证,得出了同样的结论。[①]

　　目前的人物研究虽已相当深入,但几乎每一位重要人物的生平行迹至今仍有不甚明了之处。研究者们在对人物的具体评价上也颇多分歧,褒贬不一。这些分歧主要集中在一些焦点问题上,诸如洪秀全的思想特征及其后期的功过,洪仁玕与《资政新篇》,杨秀清、韦昌辉与天京内讧,石达开的离京出走和大渡河被俘真相,李秀成与其被俘后的"自述",等等。

　　上述问题仍有待日后作进一步的探讨。

　　我们还应当拓宽自己的研究视野。例如,《天父诗》中的绝大部分是洪秀全特为后妃们撰写的宗教伦理诗,其内容大都涉及宫廷中的人和事。50 年代,吴良祚曾利用《天父诗》,从天王后妃的称号和内廷女职、天王的家教和私生活、严峻的家法三个方面,对洪秀全的宫廷生活作了别开生面的研究。[②] 这对了解洪秀全的思想发展脉络、生活作风等很有帮助。可惜,此后未再有人进行过类似的研究。

　　人物之间相互关系的研究也有待加强。以杨秀清和萧朝贵的关系为例,他俩各自拥有代天父、天兄下凡传言的权力,是太平天国早期举足轻重的人物。据《天兄圣旨》、《天情道理书》中的记载分析,天兄下凡的风头一开始明显压过天父下凡,在庚戌年四月酝酿起义的紧要时刻,杨秀清甚至"口哑耳聋",一度脱离了权力中心,乃至于有人"不知尊敬东王,反为亵渎东王";但在同年十月初一金田团营之际,杨忽又"复开金口,耳聪目明,心灵性敏,掌理天国军务"。从此,天兄下凡的影响与作用便急剧下跌,其下凡的频率也骤然减少,次年则仅下凡过一次。后来,萧朝贵奉命率偏师攻打长沙,

①　罗尔纲:《重考"洪宣娇"从何而来》,《历史研究》1987 年第 5 期。
②　吴良祚:《关于〈天父诗〉》,《历史研究》1957 年第 9 期。

不幸阵亡,天父、天兄下凡形式并存的局面遂告终结。当初天父、天兄下凡形式并行时,尤其是在两人意见不一的情况下,杨、萧之间的关系究竟如何协调? 他俩之间是否有过权力摩擦? 这是一个耐人寻味但迄未有人仔细研究过的问题。

4. 太平天国对立面研究

对于真切了解这段跌宕起伏的历史和太平天国兴亡的外在原因而言,研究太平天国的对立面是一个极有意义的课题。但在早期研究中,探讨太平天国对立面的论著为数甚少,且大多流于口诛笔伐式的揭露和声讨。近20年来,这一情形有了很大改变,该研究受到越来越多的重视,并陆续有一批有分量的研究成果问世。

贾熟村的《太平天国时期的地主阶级》(广西人民出版社1991年版)是一部系统研究太平天国对立面的力作。作者将地主阶级分成中央政权和地方势力两大类来加以探讨。前者按军事势力,分作江南大营、江北大营、临淮军、胜保、僧格林沁五大军事集团;按政治势力,又分为权贵派、经世派、洋务派三大政治集团。后者则分成拥清派、骑墙派、媚外派、经世派、洋务派。作者逐一考察了其各种代表人物和重要成员的表现,共涉及千余人之多,然后据此加以归纳总结,对摇摇欲坠的清政府最终摇而不坠的原因作了深入分析,认为这主要是由于封建家族的顽固性和反动性所导致,清政府虽然腐败,但还未达到不可救药的地步;在农民战争的冲击下,地主阶级迅速进行了新陈代谢,各派势力大联手,制定了行之有效的各种对策,在军事上组建了湘军和淮军,经济上推行厘金制度以充实军需,政治上则不断调节其内部的矛盾,也缓和了地主阶级与农民阶级的对抗,同时,充分利用了太平天国的弱点,并调整了与列强之间的关系,促成中外反动势力的进一步勾结,从而使自己由弱变强,反败为胜,最终镇压了太平天国,实现了所谓"同治中兴"。

作为该课题的核心内容,湘军研究日渐深入,除散见于各报刊杂志的诸多文章外,其代表性研究成果则推龙盛运的《湘军史稿》

（四川人民出版社 1990 年版）。该书共 10 章 35 万字，从政治史的角度，详细考察了湘军在 1853 年到 1877 年间从创建、发展、鼎盛到基本解体的全过程，包括湘军问世于湖南的社会背景，湘军发展的内在原因和外部影响，两湖后方基地的经营，曾国藩等人对经验教训的总结，与满族贵族关系的调整，湘军营制与兵种的演变，饷源的开辟，将帅与幕僚，等等，另兼论湘军战史，从而在内容上超越了以往单纯探讨湘军兵制或战史的论著。书中的一些论点也颇有见地。在谈到湘、淮两大集团对后世的影响时，作者指出，曾国藩等人虽然保护了清王朝，但兵为将有和满汉地主平分政权的格局又给它带来了隐患，高度集中的中央大权开始旁落于军政大吏，这一现象不单见于清末，到民国时更是恶性发展，形成中央政府几同虚设、地方由军阀割据的局面，"这就是说，清末乃至民国的统治者面临的主要矛盾和政治格局，与湘军集团当年面临的是相似、相通，甚至是相同的。这样，他们自然会从湘军集团成功的经验中，吸取教益。正因为如此，湘军集团，特别是曾国藩，才长期被统治者吹捧，甚至被圣贤化"。[①]

朱东安的《曾国藩幕府研究》（四川人民出版社 1994 年版）将曾氏幕府研究推向了深入。作者摈弃了以人系事这一传统的研究方法，直接从曾国藩幕府的组织机构入手，探讨了其设置、职能、办理成效及其成员的主要活动，分析了曾国藩的人才思想、荐举手段，以及曾氏幕府的发展过程与胀缩规律，幕中的主客关系和相互影响，并从中国幕府史的角度，考察了曾氏幕府的历史成因和地位，曾国藩及其幕府对晚清政局的影响。书末所附"幕僚总表"、"幕僚个人简历"也很有参考价值。作者指出，曾氏幕僚中人数最多、影响最大的是从政人员，他们遍布于政治、经济、军事、外交、科学、文化、教育等各个领域，或官居要津，或独任封疆，一时形成"名宦能

---

① 龙盛运：《湘军史稿》，第 512—513 页。

吏,半出其门"的局面,致使晚清的满汉政治格局、国防、外交无不打上曾国藩的烙印,影响到整个政局。

董蔡时则从人际关系角度,侧重探讨曾国藩、胡林翼、左宗棠、李鸿章、沈葆桢、何桂清、官文等人之间错综复杂的关系,在研究太平天国政治对手方面独树一帜。以曾国藩、胡林翼的关系为例,董氏将之划分为三个阶段,即 1853 年至 1856 年间胡参加湘军依附曾的时期,1856 年至 1860 年间曾依靠胡维护、发展湘军时期,1860 年曾、胡互相配合攻陷安庆时期,认为"在湘军的发展史上,在镇压太平天国的过程中,无论在政治上或军事上,曾、胡起着互相帮助、互相补充的作用,都是农民起义军的死敌"。①

以上研究深化了人们对太平天国史乃至整个中国近代史的了解和认识。

5. 政治、军事、外交、经济、文化、区域史等课题的研究

政治方面,最引人关注的研究是罗尔纲对太平天国政体所作的新解释。针对太平天国政体是君主专制的传统观点,罗尔纲提出了质疑。他援引《天朝田亩制度》、《王长次兄亲目亲耳共证福音书》、《李秀成复艾约瑟书》等史料来加以论证,认为太平天国政体是"军师负责制","以主(天王)为国家元首,临朝而不理政,以军师为政府首脑,执掌实权,既包含有农民民主的内容,又沿袭了封建主义的旧体制。它把君主制和农民民主主义独特地结合在一起,它不同于我国自秦迄清所行的君主专制,也不同于西方的内阁制(君主立宪制),而是具有它的独特的性质";并追溯了其历史渊源,认为太平天国的这种政体是受《三国志通俗演义》、《水浒传》和近世天地会组织的启发;另分析了该政体与太平天国兴亡之间的关系,认为"在太平天国前期行使这种政体,发扬了农民民主,取得了革命飞跃发展,国势兴隆昌盛","到天京事变后,军师负责制遭破坏,

---

① 《董蔡时学术论文选集》,苏州大学出版社 1998 年版,第 472—485 页。

洪秀全厉行君主专制,造成了人心离散的严重后果,卒至覆亡"。①

　　王庆成则根据《天父圣旨》、《天兄圣旨》中的记载,订正了《太平天国起义记》中的讹误之处,并对若干隐晦曲折的史事进行了探讨。例如,传统的说法是,冯云山被捕后,洪秀全赴广州营救,拜上帝会因群龙无首而陷于混乱,杨秀清、萧朝贵先后托称天父天兄下凡,起了团结会众稳定人心的作用;洪、冯返回广西后,才认可了杨、萧代天父天兄传言的地位。王庆成指出,天兄首次下凡时,洪秀全仍在紫荆山,并当即承认了他,"'拜上帝会'在冯云山被捕事件后,曾出现纠纷和分裂,它主要不是由于外部打击而是由于内部紊乱所引起的。当时,在'拜上帝会'内搞神灵附体传言的,不只是杨秀清、萧朝贵,而且还有别人,各各发号施令。杨秀清、萧朝贵互相联合,战胜了其他神灵,也就是战胜了'拜上帝会'内的其他人或其他派别",认为"天父天兄附体传言的确立,减低了冯云山的重要性,在一定意义上也削弱了洪秀全的发言权",但"这对于原来是一个宗教团体的'拜上帝会'逐渐政治化到最后发动起义,却起了积极的作用"。②

　　钟文典的《太平天国开国史》(广西人民出版社 1992 年版)首先分析了太平天国起义的背景,接着依次考察了洪秀全等人从秘密酝酿、金田团营、正式揭帜、永安建政直至进军长江、定鼎金陵的全过程,是迄今研究太平天国开国史最为全面和翔实的一部著作。其中,"封王建政在永安"一章系作者在旧著《太平军在永安》的基础上修订而成,详细探讨了太平军攻克永安的经过,以及驻留该城195 天期间安抚民众、设防与攻守、肃奸防谍、封王建政的具体举措,写得尤具功力。作者指出,太平天国在永安封王建政,休整军

---

① 罗尔纲:《太平天国的军师负责制》,《太平天国史论文集》,第 19—46 页。
② 王庆成:《〈天父圣旨〉、〈天兄圣旨〉和太平天国的历史》,《近代史研究》1986 年第 2期。

伍,为把革命推向全国奠定了基础;通过在永安的上述举动,太平天国的政权结构与领导统属关系基本定形,各项制度基本确立,这在中国农民战争史上绝无仅有,说明太平天国的确是旧式农民战争的最高峰。

太平天国时期各地各民族反清起义的研究续有进展。江地撰有《捻军史论丛》(人民出版社 1981 年版)和《捻军史研究与调查》(齐鲁书社 1986 年版),前者纵向探讨了捻军起义从发生、发展到失败的全过程,后者横向论述了其性质、分期、史迹调查、资料搜集等问题。方诗铭则剖析了上海小刀会起义的两大历史特点:一是有广泛的社会基础,投身起义者除农民外,还有大量的手工业工人、航运水手、其他城市劳动人民以及工商业主;二是以城市武装斗争为主,起义军在上海县城坚持战斗了 17 个月。[①] 骆宝善就广东天地会起义期间中外敌对势力相勾结的情形进行了研究,认为英、法、美等国的武装力量协同清朝广东当局,破坏了天地会起义军攻取广州的战略部署,从而扼杀了这场起义在广东的胜利进展,"第一次公开扮演了同清朝统治当局联合绞杀中国人民革命运动的可耻角色"。[②]

军事是一个传统课题,近来陆续有多种专著问世。郦纯的《太平天国军事史概述》(中华书局 1982 年版)是最早出版的一部较有影响的专著,该书考订甚详,不足之处是单纯研究战争史,且理论分析稍弱。张一文的《太平天国军事史》(广西人民出版社 1994 年版)分"战争"和"军事"两编,上编考察了影响乃至制约太平天国战争胜负的战略行动和重大战役,下编则探析了太平军的领导体制与军队编制,太平军的军纪、训练、武器装备、后勤保障制度,以及

---

① 方诗铭、刘修明:《上海小刀会起义的社会基础和历史特点》,《历史学》1979 年第 3 期。

② 骆宝善:《广东天地会起义期间中外反动派的勾结》,《太平天国学刊》第 1 辑。

阵法与战法、战略、军事思想等,在内容上更为系统全面。关于太平军的战术、战役和战略问题,作者评述道:"综观战争的全过程,太平天国的领袖和将士们,在战术运用方面,可谓灵活多变,得心应手,呈现出一幅瑰丽多彩的画卷。在战役指导方面,虽有'得意之笔',但从总体上看,仍显得有些机械、呆板,缺少灵活应变的能力。尤其在战略指导方面,则缺乏驾驭战争全局的能力,重大决策屡屡失误,终于导致战争的最后失败。"[①] 这种分析很有启发意义。

北伐和西征是太平天国在定都之初相继发起的事关全局的重大战略行动。张守常的《太平天国北伐史》、朱哲芳的《太平天国西征史》(合订本,广西人民出版社 1997 年版)分别就这两大战役的具体过程,包括其战略、战术的得失,作了较为详细的考察和分析。关于太平军北伐失败的具体原因,学术界通常认为,由于定都天京,太平军便不倾全力或以主力北伐,导致北伐军孤军深入,最终全军覆没。张守常则认为,导致北伐失败的决定性因素并不在于建都天京和孤军深入,而是在于天京领导层的决策失误,首先表现为指示北伐军快速前进,直取北京,忽略了消灭敌军有生力量、壮大自己力量和政权建设;其次是命令北伐军在攻取北京之前"先到天津扎住",结果北伐军屯扎独流、静海三个多月等待援兵,自动放弃了战场上的主动权,"这就成为太平军北伐从胜利推进到终归于失败的转折点"。[②] 上述论断较有说服力。

张海鹏从湘军的角度来研究安庆战役,认为湘军取胜的原因在于客观估量军事形势,正确决断战略方向;总结失败教训,灵活运用以消灭敌方有生力量为中心的各项战术原则;统一调度与协同作战。[③]从而深化了人们对太平军此役失败原因的理解。王建华

---

① 张一文:《太平天国军事史》,第 420 页。
② 张守常:《太平天国北伐史》,第 1—13 页。
③ 张海鹏:《湘军在安庆战役中取胜原因探析》,《近代史研究》1988 年第 5 期。

则就太平军二破清江南大营一役进行了深入分析，认为导致江南大营溃败的最直接原因是欠饷问题；李秀成"围魏救赵"计略之所以奏效，与何桂清出于与曾国藩争夺浙江地盘的考虑，有意阻滞江南大营援浙部队的行动有很大关系。[①]

外交是早期研究中的一个薄弱环节，各相关论著主要偏重于探讨太平天国的反帝斗争。这一情形在近期有了很大改观。茅家琦在该课题研究上最有成就，所著《太平天国与列强》(广西人民出版社 1992 年版)是其旧著《太平天国对外关系史》的增补本。该书详细考察了太平天国与西方朝野人士交往、接触的历史，以及后期太平军与外国侵略军交战的经过，并探讨了太平天国后期的对外经济往来，英、法、美等列强"中立"政策的实质及其演变，分析了太平天国对外政策的得失。作者在书中重点阐述了两个论点，一是认为当时英国侵华的主旨是扩大通商利益，包括鸦片贸易和正常商品的贸易，而俄国侵华的主要用心则是侵占我领土；二是认为太平天国外交政策的主要失误在于未能利用清王朝与列强之间的矛盾，阻止两者相互勾结反对自己。

王庆成对太平天国的国际观念作了深入分析，认为它在很大程度上与其宗教、伦理思想有关，有其特别的含义。他指出，太平天国对国家间的关系并无近代西方国家的主权观念，从宗教上的"天下一家"理论出发，他们一方面对西方国家持友善态度，引对方为打击清政府的同道，另一方面，又与传统的天朝上国思想相混合，奉洪秀全为"万国真主"，从而为西方各国所不能理解和不能接受。他认为，即使太平天国在国际观念上没有缺陷，也不会改变列强既定的外交投机政策；而"光复全部疆土，不能弃寸土于不顾"和"我争中国欲想全图"的强烈使命感，最终引导太平天国做出了反侵略

---

① 王建华：《关于太平军二破江南大营和东征苏南的几个问题》，《历史与社会》第 1 辑，苏州大学出版社 1995 年版，第 180—190 页。

的业绩。[①]

郭毅生多年来一直潜心研究经济问题,其代表性研究成果为《太平天国经济史》(广西人民出版社 1991 年版)。该书系作者在旧著《太平天国经济制度》的基础上修订扩充而成,分别考察了太平天国经济制度和政策产生的历史背景,洪秀全的经济思想,《天朝田亩制度》、《资政新篇》的内容和性质,太平天国的圣库制度,"照旧交粮纳税"政策的实施,后期两种并行的土地政策,"着佃办粮"制问题,田赋与税收政策,商业政策与货币。对于一些争议较大的问题,作者均阐明了自己的观点。例如,作者认为,事物在特定的时间和空间只具有一种性质或本质,《天朝田亩制度》在当时的历史条件下,不可能"一方面有巨大的革命性,另一方面在实质上又带有反动性"。他据此指出,该纲领中的平分土地方案具有彻底反封建的革命性,将为中国萌芽中的资本主义扫清道路,这是它的主流和本质;它的分配制度虽是错误的绝对平均主义,但这是次要的内容和空想的外壳。[②]

王国平则探讨了太平天国在吴江县的四种征赋措施:一是"着佃办粮";二是设租粮公收局,按照先粮后租的原则征赋办租;三是让地主领取租凭,收租完粮;四是颁发田凭,按照天朝定制完纳粮米。他认为"这四种措施形式各异,其实质则同是对封建土地关系的承认和恢复"。[③]这种个案研究对全面了解苏南地区的土地关系很有帮助。

在 70 年代"评法批儒"运动期间,太平天国的反孔斗争一度被视为"五四"时期打倒"孔家店"的先声。近 20 年来,学术界对此的

---

① 王庆成:《太平天国的对外关系和国际观念》,《历史研究》1991 年第 1 期。
② 郭毅生:《太平天国经济史》,第 145—157 页。
③ 王国平:《浅析太平天国在吴江芦墟颁发的"租凭"》,《苏州大学学报》1985 年第 2 期。

认识渐趋统一,认为洪秀全反孔主要是出于独尊上帝的考虑,并不意味着其反封建斗争的深化。其中,王庆成根据太平天国自身的文献,就太平天国对儒学态度的演变作了较为准确的剖析,认为在1853年以前,太平天国并没有否定和打倒孔子,对孔子和儒学在相当程度上是尊重的;定都天京后,洪秀全转而否定儒学,排斥古人,进行一种形式上而非内容上的反孔,这可能与他个人的心理经验有关,意在造成在独尊上帝的旗帜下前无古人的局面;在遭到杨秀清的反对后,洪秀全被迫下令停止焚禁古书,规定四书五经待删改后仍准民间阅读;杨死后,洪秀全禁绝儒学的态度虽小有松动,但基本上仍坚持到底,"使太平天国由此而较难吸引知识分子,从而影响了太平天国人才缺乏,并成为其失败的一个重要原因"。曾有学者据曾国藩致刘蓉书中"粤匪去冬未平,且复加厉。所睹四书,当以奉诒"等语,断言太平天国出版过删改本四书。王庆成根据香港大学孔安道图书馆收藏的刘蓉契据残片,考订出"睹"应作"赌","所赌四书"指曾、刘二人为分析时局而互相打赌押注的四种书,与太平天国曾否出版四书毫不相干,认为太平天国没有出版过四书五经。[①]

近期区域史研究方面的著述首推董蔡时的《太平天国在苏州》一书(江苏人民出版社1981年版)。该书利用翔实的资料,系统考察了太平天国营建苏福省的军政、经济举措,苏州士绅在中外反动势力合流过程中所起的作用,太平军苏州保卫战的经过及其失败原因,并分析了苏福省的得失与太平天国存亡之间的关系,从而弥补了以往研究中的不足。作者认为,苏福省根据地的开辟,迅速扭转了太平天国的财政经济危机,并使兵力得到了补充;尽管后来随着安庆保卫战的失败,安徽根据地全部沦陷,太平天国仍能倚仗苏福省根据地支撑危局,进而开辟了浙江省根据地;正是凭藉苏、浙

---

① 王庆成:《太平天国的文献和历史》,第379—398页。

根据地,太平军才能把抗击内外敌人的革命战争又坚持了四年之久。①

　　安徽是太平天国建省最早、历时最久、最为稳固的一个根据地。徐川一的《太平天国安徽省史稿》(安徽人民出版社 1991 年版),对太平天国在皖省的军事斗争、政权建设以及各项政策措施,作了较为详细的探讨,并兼评与之相关的重大事件和重要人物,也是一部较为扎实的区域史研究专著。

6. 典章制度研究

　　该课题研究是个热点,也是个难点。郦纯的《太平天国制度初探》(人民出版社 1956 年初版,中华书局 1989 年第二次修订本),是最早一部较为系统地研究太平天国典章制度的专著。该书探讨了太平天国的经济措施、官制军制、乡官制度、赋税制度、供给制度、教育考试制度、城市组织等,但缺漏尚多,尤其是在后期官制的研究方面。近年来,华国梁、盛巽昌等学者拾遗补阙,就后期官制发表了多篇富有创见的论文。例如,华国梁通过考辨陈玉成封官受爵的经历,探讨了太平天国官制的变化,认为"前期级别简明,升陟有制;后期级别繁多,迁调无定";另考证出太平天国后期的官爵等级共划分为 5 等 24 级,认为官爵等级的增加与官员的冗滥互为恶性循环,导致官僚化日益严重,办事效率低下。② 盛巽昌则分析了太平天国设置天侯爵的历史含义,认为此举表明农民领袖热衷于亲族地域网络,欲借此维持和巩固既得的财产和权力,是一种等级世袭制的调节和均衡;侯爵在前后期由尊转贱,正是太平天国由盛转衰过程的写照。③

---

① 董蔡时:《太平天国在苏州》,第 139—150 页。
② 华国梁:《陈玉成官爵考》,《罗尔纲与太平天国史》,第 507—519 页;华国梁:《太平天国的官爵等级》,收入《太平天国史学导论》,第 293—309 页。
③ 盛巽昌:《太平天国天侯爵考——兼论农民亲族地域圈》,《社会科学研究》1990 年第 4 期。

太平天国政权不稳,且洪秀全后期立政无章,加之相关史料零碎分散,故研究太平天国地理难度较大。华强的《太平天国地理志》(广西人民出版社 1991 年版)则填补了这一空白。该书从历史地理的角度探讨太平天国政区地理的全貌,以政权建设较为完备的江南、安徽、湖北、江西、天浦、苏福、浙江七省和京城天京为主,对郡县之地理沿革、疆界四至,太平天国新建省郡县及避讳改名情况、攻占退出时间及各郡县守土官、驻防官等,作了详细考察。

避讳在太平天国既是重要的礼制,同时又是盛行的习俗。吴良祚在该课题研究上最有造诣,所著《太平天国避讳研究》(广西人民出版社 1993 年版)综合历史学、语言学和民俗学的方法,考察了太平天国避讳制度产生、发展与终结的历史,探讨了其避讳的分类、方法及其具体实施情形,论述了避讳在太平天国文献史料版本校勘、训诂翻译、辨伪考信等方面的作用;末章附有避讳禁用字 160多个,使该书同时又兼有工具书的性质。作者认为,太平天国的避讳制度"承袭了我国历代的避讳制度,但又体现了太平天国避讳制度的一些特点。它的浓厚的封建性与落后性是不言自明的,但同时又透露了太平天国进步文化政策的微弱折光"。[①] 史式研究太平天国词语经年,所撰《太平天国词语研究》(广西人民出版社 1993 年版)探讨了太平天国词语的六个来源及其衍生、发展的过程,太平天国推行专用词语的目的、方式和实际效果,并附有词条 2000 余条。以上两书均将各自的研究推向了深入。

马定祥、马传德的《太平天国钱币》(上海人民出版社 1983 年初版,1994 年再版)是一部研究太平天国货币制度的专著。该书系统探讨了太平天国钱币的铸期、铸地、流通、折值、版式、特征、多寡以及鉴定真伪的方法,并将"天地会钱币"列为附录,从而填补了太平天国史和中国钱币学研究中的一项空白。

---

① 吴良祚:《太平天国避讳研究》,第 304 页。

周新国的《太平天国刑法研究》、吴善中的《太平天国历法研究》(合订本)由广西人民出版社于 1993 年出版。周著是国内该研究课题的首部专著,从历史和法学两个角度,逐一考察了太平天国刑法的历史演变,刑律、刑罚和审判制度的来源及其内容,并就洪秀全与洪仁玕的刑法思想、太平天国与清王朝的刑法,作了比较研究。"天历"是太平天国更改正朔而自创的一种历法,谢兴尧、郭廷以、罗尔纲、董作宾等前辈学者都曾对之进行过研究。吴著在总结前人研究成果的基础上,史实与历理并重,对天历的历理、创制与颁行问题,天历的特点以及天历六节等,作了较为全面的研究,取得了新的突破。例如,作者经过缜密的考订,破解了天历研究中长期聚讼未决的悬案,认为天历"提前一日"始于太平天国壬子二年(1852),此非天历创制者有意为之,而是无意中造成的错误。[①]

此外,郭存孝探讨了太平天国官印的颁发时间与颁发规程,以及它的种类、功能和特色;还考析了太平天国音乐活动的适用场合、乐器种类、音乐主管官员和机构等问题。[②]张铁宝则研究了太平天国绘画方面的定制,认为其绘画以吉祥鸟兽、山水风景和花草图案为主要内容,这与太平天国不准绘人物的规定有关。[③]

与简又文的《太平天国典制通考》相比,上述研究或填补了空白,或将同类研究推向了深入。

7. 新课题的研究

李文海、刘仰东的《太平天国社会风情》(中国人民大学出版社 1989 年版)从宗教活动、服饰装束、婚丧礼仪、过年度岁、家庭结构、巾帼风貌、戒赌始末、烟娼之禁、文化心态九个方面,考察了太

---

① 吴善中:《太平天国历法研究》,第 244—256 页。
② 郭存孝:《太平天国官印研究》,《军事历史研究》1992 年第 2 期;郭存孝:《太平天国的音乐活动》,《太平天国学刊》第 2 辑,中华书局 1985 年版。
③ 张铁宝:《从南京黄泥岗新发现的"作战图"谈太平天国人物画问题》,《文物》1986 年第 4 期。

平天国境内的社会习俗和风土人情,是从社会史角度研究太平天国史的拓荒之作,给人以清新之感。

太平天国以宗教起家,又以宗教立国,因此,研究太平天国史不能撇开宗教。但宗教通常被视作人民的精神鸦片,这使得在一味正面讴歌太平天国的那些年代里,学者们讳言宗教,宗教因而成为研究工作中一个无形的禁区。①70年代末,该课题开始引起少数学者的重视。其中,王庆成对之作了若干开拓性研究,且视角独特,通过研究宗教来认识太平天国的思想和历史。他认为太平天国宗教是一种中西合璧的宗教,具有中国宗教"物质性"的、形而下的特色,起着兴奋剂和麻醉剂的双重作用,其研究成果主要见诸《太平天国的历史和思想》(中华书局1985年版)一书。

夏春涛的《太平天国宗教》(南京大学出版社1992年版)是国内第一部以此为题的研究专著。该书系统考察了上帝教的创建过程、教义内容、宗教仪式及宗教经典,与西方基督教、中国民间宗教和儒家孔学之间的关系;另逐一论述了上帝教对太平天国社会理想、对外观念和文化政策的影响,在太平军内部和民间传播的情形,以探讨宗教与太平天国兴亡之间的关系。针对上帝教创建于1843年的说法,作者认为,宗教的基本要素由内外两部分构成,内在因素为宗教观念和宗教感情,外在因素为宗教行为和宗教组织,直到1847年,洪秀全重游广西、正式出任冯云山手创的宗教组织的领袖后,上述宗教的内外要素才大体形成,即上帝教正式问世于1847年。②

关于"拜上帝会"这一宗教组织是否存在、该名称是自称还是他称的问题,学术界一直有两种截然不同的看法。上帝信徒秘密结

① 这一时期正面探讨宗教的论文仅有一篇,见徐绪典:《论太平天国的拜上帝会与基督教的关系》,《文史哲》1963年第5期。
② 夏春涛:《太平天国宗教》,第28页。

盟拜会,形成一个实际存在的宗教组织,这应是无可置辩之事;至于后一个问题,由于辩驳双方都没有铁证来印证自己的观点,目前还难下定论。事实上,在中外文史料(不含太平天国自身的文献)中,除"拜上帝会"外,该宗教组织另一更为常见的名称是"上帝会"。需要指出的是,范文澜、罗尔纲均将太平天国宗教冠名为"上帝教",但后有学者据"拜上帝会"这一宗教组织名称相推衍,改称"拜上帝教",似欠妥。太平天国宗教以上帝为核心,称之为"上帝教"最为妥帖,前面不应再画蛇添足,加上"拜"这一动词。

此外,对于以往较少或未曾涉及的一些问题,诸如客家与太平天国起义的关系、太平军中的外国雇佣军问题、灾荒与太平天国败亡之间的关系,等等,近年来也均有专文进行了探讨,兹不一一详述。

上述情形从一个侧面反映了太平天国史研究课题的拓展。

8. 一批工具书和大型通史类专著的问世

姜秉正编的《研究太平天国史著述综目》(书目文献出版社1984年版)收录1853年至1981年间国内(含港、台地区)和国外(以英、俄、日文为主)太平天国史研究的专著、论文、资料等,分全史、人物评传、文物、史料、学术思想和书志学五大类编排,共收5000多条目,著作者2262人,书末附有索引,在内容上较50年代张秀民、王会庵合编的《太平天国资料目录》更为完备,但在史籍的版本源流和外文书目的翻译上略有失察之处。该书的下限为1981年,因此,编排近18年来太平天国史著述综目的工作仍有待继续下去。

聂伯纯、韩品峥编的《太平天国天京图说集》(江苏古籍出版社1986年版)计收天京城内和郊区地图18幅,文字说明12万字,图文并茂,对太平天国都城的兴废沿革考释甚详。

郭毅生主编的《太平天国历史地图集》和《太平天国历史与地理》由中国地图出版社于1989年出版。前者是一部以太平天国战史为主线的专史地图集,由地图 104 幅、文物、遗址与景观图片 132 帧、图说 10 万字和太平天国大事记四部分组成;后者系前者的姐妹篇,共收相关考释文字 40 万言,包括天朝宫殿考、太平天国行政区划考等。两书考订精审,具有较高的学术价值。

郭毅生、史式主编的《太平天国大辞典》由中国社会科学出版社于 1995 年出版,110 万字。该书为太平天国史专业辞典,共收近 4000 条词条,分总叙、词语、人物、军事与战争、地理、经济以及文物、史料、著作七大类编排,另附"太平天国天历与阴历公历对照简表"等表 20 种,是一部权威性工具书。不过,该书史料、著作类仅收已译的外文史料和专著,未将重要的外人原始著述和研究专著一并收录在内,在内容上稍欠完备。

随着研究的日益深入,两部大型太平天国通史类专著也在 90 年代初相继问世。

罗尔纲的《太平天国史》(中华书局 1991 年版),繁体字竖排,计 88 卷 154 万言,分订 4 册。该书在著书体例上有重大创新,共综合了叙论、纪年、表、志、传五种体例,以"叙论"概括全书,论述了太平天国的历史背景、兴衰过程,它的性质、失败原因和历史功绩;"纪年"记大事;"表"标明复杂繁颐的史事,举凡会党起义和各族人民起义,太平天国的王侯百官、各类人物等,均列表以详;"志"记典章制度,包括太平天国的经济制度、宗教、政体、官制、军队编制、刑律、礼制、历法、科举制度、地理、交通、医疗卫生、建筑、艺术、典籍等;"传"记人物。全书内容广博,考订缜密。罗先生以 84 岁高龄,于 1985 年撰成这一巨著,融会了他 50 多年来潜心研治太平天国史的成就。该书出版后广受好评,被学术界誉为不朽的传世之作。

同年,茅家琦主编的《太平天国通史》(全 3 册)由南京大学出版社出版,计 5 篇 22 章,135 万字。该书是受国家教委委托集体编写的一部太平天国史教材,作者以江苏省内学者为主,崔之清、方之光出力尤多。导言部分概述了百年来太平天国史研究和太平天国文献资料、遗迹遗址的情况,并详列研究论著、史料作为附录,这是该书的一个特色;正文则论述了太平天国从兴盛到衰亡的全过程,内容包括政治、经济、军事、外交、官制军制、事件、人物评价、民族问题等。该书就太平天国败亡的原因作了新的解释,认为其主要原因并不是中外反动势力的勾结与镇压,而是太平天国自身的失误和衰落,具体表现为战略指挥上的失误,严重的分裂和内耗,自我孤立的政略和政策,宗教功能的转化,而"这些失误虽然可以简单归结为农民阶级的局限性,但并不是农民领袖们的必然共性"。①

以上分别从八个方面扼要论述了近20年来太平天国史研究所取得的成就,挂一漏万在所难免。综上所述,经过几代学者的共同努力,新中国的太平天国史研究终于在90年代初步入了其成熟和收获的季节,成为中国近代史学科研究最为深入、成果最多的一个分支。

(四)对研究现状的几点浅见

太平天国史研究在繁盛兴旺的同时,也在不知不觉中逐渐趋于冷落,1987年《太平天国学刊》、《太平天国史译丛》因经费问题被迫停刊便是其标志之一。此后,尽管有一大批总结性论著相继问世,但仍然无法挽住其颓势。近10年来,相关学术活动远没有以前那么频繁,研究队伍的人数和所发表论文的数量均在逐年递减。太平天国史研究曾经兴盛一时,现今国内近代史学科70岁左右的知名学者几乎无人没有涉猎过这一领域,内有不少人正是通过该专题研究而确立了自己的学术地位。但时至今日,仍然专治太平天国史的学者已是凤毛麟角,且后继乏人,研究队伍明显呈现出青黄不

---

① 《太平天国通史》下册,第358—393页。

接之势。以太平天国为主体的农民战争史研究曾因成绩巨大而被誉为国内史学界的"五朵金花"之一,太平天国史研究甚至一度被圈内人士冠名为"太学",被视作一门专门的学问,如今却令人不禁有寥落之感。

研究难度的加大和学者们研究兴趣的转移是造成上述情形的主要原因。太平天国史研究起步早,成果丰硕,著述如林。因此,早在80年代就有学者断言该研究已接近终结。正因为太平天国史是块已被许多人耕耘过的"熟地",所以,研究者惟有"精耕细作"才能有较为理想的收获。尤其对后来者而言,这意味着首先必须阅读、消化数千万字的史料和上千万字的既有研究论著,这不免让人有点望而却步。另一方面,随着现代化进程和社会史、区域史等热门专题研究的兴起,原先主攻太平天国史的不同年龄段的学者纷纷转移研究方向,从而加剧了研究队伍人数的萎缩。

那么,太平天国史研究是否真的已到尽头?如何才能将此项研究进一步推向深入呢?

对历史的探索是一个很难穷尽的过程,研究越深入,我们的认识也就越加丰富和深化。太平天国史这一园地虽然是块"熟地",但并不意味着已没有继续耕耘的余地。具体地讲,即便是研究最为深入的课题,至今仍有不少史实还没有搞清楚;几乎每一个课题都不同程度地存在着模糊乃至空白之处。我们在不少问题的看法上——诸如太平天国的性质等问题——至今仍存在重大分歧,其原因之一就在于我们对一些相关具体问题的研究不够充分,认识流于表面化。就此而论,过去业已研究过的许多问题都还值得进行重新研究、重新认识。其次,太平天国社会史等方面的研究才刚刚起步,仍有待花大力气作深入探讨。曾有学者就此提出过具体的构想,主张对太平天国的各类人物(从领导层、将领到士兵、基层行政人员等)分别作为太平天国本身的构成因素,进行多方面的比较研究;或选择太平天国境内的某个县或乡镇,研究该地区的政治、经济、官民关系、生活、社会风习在太平天国统治前后是否有所变化，同清统治区是否有所异同。① 这种别开生面的研究无疑会拓宽我们的研究视野，从而深化我们对太平天国史的认识。

有关太平天国的文献资料堪称汗牛充栋，但针对某一具体的研究课题，却又往往显得相对不足。这是时常困扰研究者的一个问题。这方面仍然大有潜力可挖，尤其就太平天国自身文献而言，《钦定制度则例集编》、《钦命记题记》等书至今仍未发现，包括大量的各类文书。西文资料是太平天国史料的一大宝藏，内有不少记载大大弥补了中文资料的不足，但国内学者在西文资料的挖掘利用上却一直很不理想，从而使研究的深度受到限制。反之，倘若我们能够重视利用西人原始著述，包括重视吸收、借鉴西方学者论著中的相关研究成果，无疑会有助于研究的进一步深入。

史料固然重要，但研究者在探讨同一个问题时，时常会根据相同的史料得出截然不同的结论，这就牵涉到研究方法或研究态度这一老生常谈的问题。前已说明，在早期研究中存在着一味美化太平天国的偏向，这种现象至今仍隐约可见。如近有论著居然认为太平天国提倡政治、经济和男女平等，殊不知这种观点早在20年前就已被学术界所否定。太平天国史研究"内冷外热"则是令人瞩目的另一现象。近年来，一些圈外学者进行客串研究，其论断虽不无启迪，但往往流于偏颇，否定太平天国、替曾国藩翻案的观点被炒得沸沸扬扬，出现了对前期研究中过左之处反弹过分的倾向。其实，这类观点了无新意，50年前的旧式学人早就已经提出过。显然，一味肯定或否定太平天国都不是我们应有的态度，以一种先入为主的观点来阐释历史也决不是科学、严肃的研究方法，都会使研究工作流于简单化，从而无助于客观、真实地认识这一段历史。

---

① 参见王庆成：《我研究太平天国史的经历和体会》，《习史启示录——专家谈如何学习中国近代史》，天津教育出版社1988年版，第118—119页。

　　太平天国史研究当初之所以兴盛一时,原因之一就在于拥有
一支人数可观的业余研究队伍和庞大的读者群。这其中固然有当
时政治环境的影响,但主要还是由太平天国在中国近代史上的重
要地位所决定的。将史学研究成果推向社会,使历史著作成为不同
职业和不同文化背景的人都感兴趣的读物,这是国内学者一直企
盼的事,但做得远远不够,仍然大有作为。史学工作者应当将真实、
丰富、生动的太平天国史知识介绍给大众,而这反过来也会促进太
平天国史研究的深入。

　　总之,太平天国史研究并没有走到尽头。只要我们在上述几个
方面加以努力和改进,或许新的收获就在眼前。

孙中山研究[*]

孙中山研究工作,总体说来是逐步深入发展的,50年的历程,大致可以划分为四个阶段:第一阶段(1949—1966),是研究者以马克思主义的科学态度研究孙中山的初期阶段;第二阶段(1976—1984),经过"文化大革命"10年的干扰和停滞,孙中山研究进入了省思和复苏阶段;第三阶段(1985—1990),是研究者解放思想研究孙中山的繁荣阶段;第四阶段(1991—1999),是孙中山研究在实事求是的基础上深化拓展阶段。

(一)第一阶段(1949—1966)

"文革"前的十几年间,研究者力求以马克思主义的科学态度研究孙中山的革命思想和事业,对孙中山做出客观、公允的评价。它标志着孙中山研究有一个良好的开端。

1956年孙中山诞辰90周年之际,毛泽东发表了《纪念孙中山先生》一文,高度赞扬孙中山的丰功伟绩和对后世的影响,这不但极大地激发了学者们研究孙中山的兴趣,也被学者们奉为研究孙中山的圭臬。1956年至1957年间祖国大陆发表有关孙中山的论

---

* 参与本章撰写的还有陈志雄、李振武、刘志强、张军民、张金超、刘海彬、谢淑娟同志。

文 100 多篇,专著则有陈锡祺的《同盟会成立前的孙中山》(广东人民出版社 1957 年版),还编辑出版了《孙中山选集》和其他的相关资料。1961 年在武汉召开的"纪念辛亥革命 50 周年学术讨论会",有力地推动了辛亥革命与孙中山的研究。粗略统计,此后 5 年中,陆续发表的有关孙中山的论文 50 多篇、资料近百篇。这一阶段研究得比较深入的问题有三个:一是孙氏早期的思想和活动,二是三民主义的形成、内涵及意义,三是孙氏的哲学思想。

1. 早期的思想和活动

对孙中山思想和活动的研究,主要视线落在孙氏的革命思想形成的问题上。多数学者认为孙中山早期思想是革命和改良的混合体,不能因其思想中含改良主义成分就将其视为改良主义者。争论的焦点则集中在两个方面:第一,在 1894 年前后改良因素占主导地位还是革命因素占主导地位;第二,革命思想是在兴中会成立之前确立的,还是在之后确立的。

革命因素占主导地位的论者认为:"孙中山早期思想,要求革新政治,发展资本主义,摆脱半殖民地、半封建社会的命运,在当时是一种进步的思想,虽含有改良主义的成分,但已脱离改良主义的范畴,产生了革命的要求,不能因为其某些思想与改良主义者类似而断定他在甲午战争以前还是一个改良主义者。"对于孙氏早期倡言改良主张的《上李鸿章书》,他们则认为,孙氏当时还没有广泛接触到资产阶级民主革命的理论,对民主革命的认识极为有限,他发表的政治改革主张,就不能不夹杂着一些当时尚在流行的改良主义思想。实际上,上书只不过是一个手段,用以窥探清廷虚实。[①]

改良因素占主导地位的论者认为,孙氏"1895 年前,虽然口口

---

① 陈锡祺:《同盟会成立前孙中山的革命思想与活动》,《中山大学学报》1957 年第 1 期。

声声谈革命，但改良主义思想仍然是主要的"。[①] "1894年的上书，
表现出他对清朝封建统治的改良意见，这也表示他的思想中，改
良的因素仍大过革命的因素而成为主要的"。[②] 有的论者在强调不
能把孙中山视为改良主义者的同时也指出，"谈论革命与从事革命
两者之间是有距离的"，"如不承认这一点，对1895年孙中山为什
么会上书李鸿章就会感到不可理解了"。"正当孙中山在那里高谈
革命时，当时所谓新学派的思想中，占着绝对优势的是改良主义
的思潮，在孙中山的周围，也有着不少改良主义者给他以影
响"。[③]

关于孙氏革命思想何时确立，一种意见认为，孙中山在1895
年以前已初步具有反清革命的思想，兴中会的成立和革命纲领的
提出，是"孙中山革命活动的开始"；[④] "它不仅标志着中国资产阶
级民主革命派的初步形成，而且标志着中国旧民主主义革命已开
始转到正规的资产阶级民主革命时期"。至于1900年孙中山在东
京还谋求与康、梁合作，其目的在于"共同致力革命"，不能说孙氏
的革命立场不坚定，还在改良主义前徘徊。[⑤] 从香港兴中会成立
起，孙氏在人们心目中就成为革命党的鲜明旗帜。[⑥] 另一种意见认
为，兴中会的纲领不可能超越反满复汉的思想范畴，"兴中会的成
立及第一次广州起义，表示他从改良思想急剧的转向革命思想，革
命思想比改良思想占了较大比重，但他这时仍未形成革命的思想
体系，还不是一个革命者。直到1900年惠州起义，他思想中的革命

①　段云章：《孙中山早期革命思想的阶级基础》，《中山大学学报》1962年第3期。
②　秦如藩：《二十世纪前孙中山政治思想的发展》，《中山大学学报》1962年第1期。
③　胡绳武：《论孙中山革命思想的形成和兴中会的成立》，《历史研究》1960年第5期。
④　李时岳：《孙中山的道路》，《史学集刊》1956年第2期。
⑤　陈锡祺：《同盟会成立以前的孙中山》，广东人民出版社1957年版，第55页。
⑥　金冲及、胡绳武：《论孙中山革命思想的形成和兴中会的成立》，《历史研究》1960年
第5期。

因素才处于压倒性的主体地位"。①

　　学者们还对孙中山思想的阶级基础作了初步探讨。有的认为其代表的是与封建势力联系较浅的中小资本家、华侨资本家和广大的小资产阶级的利益,②有的认为代表资产阶级的最高利益。③

2. 三民主义

　　三民主义是备受学者关注的问题。学者们赞成毛泽东对三民主义的定性,认为它是中国近代史上出现的第一个比较系统明确的资产阶级民主革命纲领,其自身有一个不断发展完善的过程,分为前后两个时期,即旧三民主义和新三民主义。但在具体分析、阐释三民主义的形成、内涵及意义时,持不同的见解。

　　(1) 民族主义

　　对民族主义产生的根源,学者无多大歧异,认为民族主义是"在帝国主义侵略和清朝民族压迫的社会条件中产生的",④ "它反映了全国人民反清反侵略的民族革命的要求"。⑤ 有论者指出,孙中山提出民族主义,不仅受到国内汉族人民革命风潮的推动,也受到檀香山、菲律宾人民反帝斗争的鼓舞。⑥

　　孙中山在晚年具有明确的反帝思想和坚决的反帝行动,这是研究者公认的,但孙中山在旧民主主义革命时期有无反帝思想?一种意见认为:"辛亥革命前,在空前严重的民族危机刺激下,在广大群众一系列反帝斗争浪潮推动下,(孙)产生了其反帝思想;辛亥革命后,通过帝国主义竭力破坏革命的现实教育,和与帝国主义及其

----

① 秦如藩:《二十世纪前孙中山政治思想的发展》,《中山大学学报》1962 年第 1 期。

② 王忍之:《孙中山的政治思想》,《教学与研究》1956 年第 12 期。

③ 黎澍:《孙中山革命的社会基础》,《新建设》1956 年第 12 期。

④ 侯外庐主编:《中国思想史纲》下册,人民出版社 1957 年版,第 322 页。

⑤ 李光灿:《论孙中山的民族主义》,《新建设》1956 年第 12 期。

⑥ 邵力子:《孙中山先生反对帝国主义思想的产生和发展》,《光明日报》1955 年 3 月12 日。

走狗不断斗争的实践,使其反帝思想逐步确立起来,为'五四'运动后,其反帝思想的不断发展准备好了内在的联系。"同时也指出,孙中山的反帝思想还存在着严重的缺陷,对帝国主义认识尚处于感性阶段,对帝国主义的斗争尚不彻底,更严重的是对帝国主义还存在着种种模糊的错误观念。① 有学者以1898年孙中山援助菲律宾抗美为例,说明孙在早年即具有反帝思想。② 另一种意见认为,在辛亥革命时期,孙中山还没有认识到帝国主义和中华民族的矛盾是当时的主要矛盾以及反帝反封建之间的联系。他所倡导的民族主义"缺乏明确的、彻底的和坚决的反对帝国主义的内容,没有提出有力的反对帝国主义的纲领和口号"。③ 这是因为"由于历史条件的限制,未能看清帝国主义侵略的本质,幻想帝国主义对中国革命给予同情和援助"。④

"大亚洲主义"是与民族主义密切相联的论题,论者对此作了初步研究。有论者认为,"大亚洲主义"的主张趋向是反对帝国主义,实际上在提倡一种与西方列强的"霸道文化"相对立的观念,并且企图以此作为指导各国人民首先是亚洲人民共处关系的准则。"大亚洲主义"是一个政治概念,实质上并不具有狭隘的地域性和种族性,它立基于亚洲人民大抵为"受屈部分人类"的观念上,其缺陷在于对日本帝国主义抱有幻想。⑤有学者对此发表异议,认为孙中山试图通过提倡"大亚洲主义"联合日本以抵抗欧美列强的侵略,无疑是没有认清日本帝国主义的侵略本性,无异于"与虎谋皮"。⑥

---

① 江海澄:《试论孙中山的反帝思想》,《山东大学学报》1962年第1期。
② 丁则良:《孙中山与亚洲民族解放斗争》,《东北人民大学人文科学学报》1957年第1期。
③⑤　张磊:《论孙中山的民族主义》,《北京大学学报》1957年第4期。
④ 胡绳武:《孙中山初期政治思想的发展及其特点》,《复旦学报》1957年第1期。
⑥ 李光灿:《论孙中山的民族主义》,《新建设》1956年第12期。

对"反满"问题的评价,也存在不同的见解。有曰"反满"口号表现出"一定程度的大汉族主义倾向,使其革命带上了浓厚的种族革命的色彩",此乃民族主义的一个缺陷。[①] 有曰"反满从来不是一个独立的运动",辛亥革命时期的反满斗争,"是要消灭资产阶级的敌人,消灭专制制度,为资产阶级取得政权、发展资本主义开辟道路,因此反满斗争从属于资产阶级民主革命","不是反满使得辛亥革命最后失败了"。[②] 还有论者从民族主义内在的矛盾性来解释反满:"孙中山一方面主张实行种族同化,表现出大汉族主义的色彩;另一方面,又宣扬'五族共和'。在孙的思想中,实行种族同化和五族共和,可以并行不悖。"[③]

(2) 民权主义

学者大都对民权主义尤其是直接民权给予较高的评价,分歧集中在对五权宪法和"建国大纲"思想的评估上。有的认为,建国三时期、权能分开,是英雄创造历史而人民群众只能是盲目随从的唯心主义观点;五权宪法也不能补三权分立之弊,不能实现直接的人民行使权利。此等消极因素,孙氏后来曾经不断地加以阐释和发挥,从而与他同时加以强调的直接民权的积极思想相悖。这是中国民族资产阶级政治思想的矛盾反映,[④] 这些理论只能增加他要建立的资产阶级专政的虚伪性。与此相反,有的论者认为,民权理论的内容"虽然存在着不依靠群众的严重弱点,但其主观目的是好的,这一整套建立共和国的方案武装了革命党人的头脑,大大地提高了当时革命党人的思想水平,解决了当时革命运动的关键问题";[⑤] 五权宪法思想中仍有值得今人借鉴的成分:首先,关

---

① 张磊:《论孙中山的民族主义》,《北京大学学报》1957 年第 4 期。

② 刘大年:《辛亥革命与反满问题》,《历史研究》1961 年第 5 期。

③ 苑书义:《同盟会时期孙中山的三民主义》,《历史教学》1955 年第 8 期。

④ 李光灿:《孙中山的民权主义》,《历史研究》1962 年第 6 期。

⑤ 李时岳:《孙中山的道路》,《史学集刊》1956 年第 2 期。

于人民主权的思想，也就是人民当家作主的思想；其次，是关于
间接民权与直接民权相结合的思想，也就是代议制与直接民主
政治相结合的思想；最后，是关于朴素的民主集中制的思
想。①

　　（3）民生主义

　　论者对民生主义的主要内容——"平均地权"作了较充分的探
讨，分歧亦多。

　　对孙中山为何要提出"平均地权"的主张，有的认为，这主要
是"由于对中国农民痛苦遭遇的恳切同情和欧洲社会主义运动的
刺激，但它的具体构成，则受西方资产阶级土地国有论学说的影
响"。② 有的认为，孙中山希望以此来解决农民对土地的要求，激发
会党群众参加革命。③ 有的强调孙中山是想借此解决社会发展后
因私人垄断土地而产生的特权问题，以防止第二次革命的发
生。④

　　关于思想渊源，论者指出它有国内、国外两个源头，但何者
为主则存在不同看法。有的认为："太平天国的农业社会主义的土
地纲领和九十年代改良派发展资本主义的思想是其最重要和最直
接的思想渊源；亨利·乔治的'社会主义'则几乎成为民生主义
的具体内容和办法，与此同时，也应该充分看到，马克思主义对
孙的影响。孙中山从马克思的阶级学说中吸收了许多论点，丰富
了他的民生主义学说。"⑤ 有的认为，其理论来源主要是西方资产
阶级的所谓土地国有学说，以亨利·乔治的理论为基础，吸取了约

① 陈盛清：《论孙中山的"五权宪法"思想》，《学术月刊》1957年第9期。
② 陈锡祺：《同盟会成立前孙中山的革命思想与活动》，《中山大学学报》1957年第1期。
③ 苑书义：《同盟会时期孙中山的三民主义》，《历史教学》1955年第8期。
④ 参见吴玉章：《辛亥革命》，人民出版社1961年版，第16页。
⑤ 李泽厚：《论孙中山的"民生主义"》，《历史研究》1956年第11期。

翰·穆勒的方案。① 也有的认为,"中国古代的大同思想无疑起着相当影响"。②

对"平均地权"的评价,论者大都以列宁《中国的民主主义和民粹主义》对"平均地权"的评论作指针,但在具体阐释其性质、作用时仍有分歧。有的认为,它"是一种主观社会主义,既反映了中国社会需要发展近代工业的客观要求,同时反映了中国人民不愿走西方国家发展近代工业所走的资本主义道路的美好愿望"。③ 它代表了中国近代资产阶级民主派和下层劳动群众的利益,"浸透了小资产阶级民粹主义的浪漫色彩",是当时最革命、最激进的主张。④ 不同意见认为,"平均地权"缺乏明确的动员广大农民群众力量的土地革命纲领,和农村的阶级斗争相脱节,孙氏希望"不触动封建社会的土地所有制而解决土地问题,事实上是绝对不可能的"。⑤

对孙中山晚年的民生主义,有的认为,"新时期的平均地权,是发展农村阶级斗争的,是被宣布为维护农民利益的"。⑥有的认为,"新民生主义锐利地把发展中国经济问题归结为必须首先打倒帝国主义废除不平等条约的政治问题。前期游移不定的'耕者有其田'的急进主张,在这个时候已经完全确定下来,并变为具体的政纲了","就世界意义说,是最邻近马克思主义的最后一种空想社会主义"。⑦有论者指出:"孙中山根据他的民生史观,对马克思的某些经济原理提出不恰当的批判,表明他在某些问题的看法上,是和马克思的观点根本相反的。"⑧

————————

①⑥　李时岳:《孙中山的"平均地权"纲领的产生和发展》,《光明日报》1955 年 10 月 27 日。

②　李时岳:《论民生主义》,《史学集刊》1956 年第 1 期。

③　胡绳武:《孙中山初期政治思想的发展及其特点》,《复旦学报》1957 年第 1 期。

④⑦　李泽厚:《论孙中山的"民生主义"》,《历史研究》1956 年第 11 期。

⑤　来新夏:《同盟会及其政纲》,《历史教学》1955 年第 6 期。

⑧　何练成:《试论孙中山的社会经济思想》,《西北大学学报》1957 年第 2 期。

3. 哲学思想

孙中山的哲学思想,含有不同程度的辩证唯物主义因素,乃三民主义的理论基础,但庞杂而又充满矛盾。这是研究者的共识,而在以下几个问题论争比较激烈:

孙氏的哲学思想是以唯物主义、还是以唯心主义为主?一派认为:"孙的哲学思想,紧紧接近于唯物主义,虽有唯心主义的成分,毕竟是次要的。"[1] 其鲜明的唯物主义特色体现在:"以进化发展的普遍观念为其主要内涵的方法论;以近代自然科学素材为基础而形成的具有唯物主义因素的自然观;以革命实践中的直接经验为主要源泉的具有唯物主义因素的认识论;以二元论为其特色的社会历史观——民生史观。"[2] 另一派则认为,在孙的哲学思想中,"唯物主义思想和辩证法因素并未占到主要的地位",[3] 具体体现在,其世界观是二元论的,或者说是在唯物主义和唯心主义之间摇摆,"时常倾向于唯心论的发挥";[4] 在回答世界起源和解决哲学基本问题即物质和精神的关系时,虽"对于物质是肯定的,而对于精神则强调得更多一些","没有跳出唯心主义的圈子";[5] 其"生元"说更表现他"把物质和精神平列的二元论倾向";在认识论中"带有很大的矛盾色彩。尽管他的经验论是具有革命思想的经验论,是为其革命实践服务的二元论,但革命的积极方面不能代替其思想中的消极部分,更不能掩盖其理论中的良莠不齐、兼容并包,动摇于唯物论和唯心论之间的二元论特色"。[6]

对孙中山的社会历史观——民生史观,论者都遵循毛泽东"三

---

[1]　侯外庐:《孙中山的哲学思想及其同政治思想的关系》,《历史研究》1957 年第 2 期。
[2]　张磊:《略论孙中山的社会历史观》,《学术研究》1963 年第 1 期。
[3][5]　杨正典:《孙中山先生的哲学思想》,《教学与研究》1957 年第 1 期。
[4]　郑鹤声:《试论孙中山思想的发展道路》,《文史哲》1954 年第 4 期。
[6]　李光灿、郭云鹏:《孙中山的哲学思想》,《哲学研究》1962 年第 4 期。

民主义的宇宙观则是所谓民生史观,实质上是二元论或唯心论"①的论断,但在阐释其作用时也具不同的意见。一曰:"'人类求生存'的原则,是脱离具体的社会积极形态的、即没有物质基础的空中楼阁。"② 它否认了物质是历史的重心,否认阶级斗争是阶级社会进化的原动力。一曰:"这种观点有它正确的地方,而且在当时的历史条件下起了积极作用,……认为决定社会面貌和进程的是人们的生存问题,也就是人民的生活——当然首先是物质生活的问题,这不能不说是含有某些唯物主义的因素。"③

还有论者对"知难行易"的认识论作了高度评价,认为是其哲学思想中"最璀璨的部分",④ 是孙氏革命思想的精华,也是他一生勇于抛弃过时的旧的方案,探求和接受新的方案的认识论根源。"尽管'知难行易'说并没有正确地解决知与行的辩证关系,而且过分强调了知的困难,也就过分强调了'先知先觉'的作用,但其中流露着对于科学的客观的合理知识的重视,流露着对于真理的追求,反映了孙的探索精神"。⑤

"文革"前孙中山研究的状况,具以下特点:(1)确立了以马克思主义、毛泽东思想为理论指导的研究方法。(2)研究者有侯外庐、黎澍、郑鹤声、李光灿、陈锡祺等前辈,还有金冲及、胡绳武、李时岳、张磊、李泽厚等后起。(3)总的来说,以定性研究为主,缺少量化分析,整体研究呈现粗线条、轮廓式的特色。(4)对思想的研究大大多过活动的研究,这或许缘于有关孙中山的原始资料挖掘不够。"文化大革命"期间,正常的学术研究工作中断了整整 10 年。

---

① 《毛泽东选集》第 2 卷,人民出版社 1955 年版,第 681 页。
② 李光灿、郭云鹏:《孙中山的哲学思想》,《哲学研究》1962 年第 4 期。
③ 何练成:《试论孙中山的社会经济思想》,《西北大学学报》1957 年第 2 期。
④ 张磊:《具有唯物主义特色的哲学思想》,《光明日报》1956 年 11 月 11 日。
⑤ 李时岳:《孙中山的道路》,《史学集刊》1956 年第 2 期。

（二）第二阶段（1976－1984）

如果说，1949 年以后至"文革"前的孙中山研究是处于初期阶段的话，那么，"文革"结束特别是中共十一届三中全会之后，孙中山研究从对"文革"的省思步入复苏期。

以 1979 年冬在广州举行的"孙中山和辛亥革命学术讨论会"为契机，继之受到 1981 年"纪念辛亥革命七十周年学术讨论会"和"纪念辛亥革命七十周年青年研究工作者学术讨论会"的推动，孙中山研究日渐"兴奋"起来。孙中山和辛亥革命研究的学术机构，在北京、广州、武汉等地陆续建立。1984 年 1 月，全国性的孙中山研究学会在北京成立，同年广东也成立了孙中山研究会。

此间，一批有分量的成果相继问世：魏宏运的《孙中山年谱》（天津人民出版社 1979 年版），广东省哲学社会科学研究所历史研究室等的《孙中山年谱》（中华书局 1980 年版），尚明轩的《孙中山传》（北京出版社 1981 年版），张磊的《孙中山思想研究》（中华书局 1981 年版），李时岳、赵矢元的《孙中山和中国民主革命》（辽宁人民出版社 1981 年版），韦杰廷的《孙中山哲学思想研究》（湖南人民出版社 1981 年版），王志光的《孙中山的反帝思想》（河南人民出版社 1981 年版），章开沅、林增平主编的《辛亥革命史》（人民出版社 1980 年、1981 年版），李新主编的《中华民国史》第一编上、下卷（中华书局 1981 年版），金冲及、胡绳武的《辛亥革命史稿》第 1 册（上海人民出版社 1980 年版），胡绳的《从鸦片战争到五四运动》（人民出版社 1981 年版）以及林增平的《中国近代史》（湖南人民出版社 1979 年版）等，反映了对孙中山思想和活动的研究成果。此外，有关论文的刊发开始升温。这些专著和文章，对孙中山思想和活动等方面的研究，较前广泛、深入，更具拓展性。资料整理方面，广东省社会科学院、中国社会科学院近代史研究所、中山大学共同主编的 11 卷本《孙中山全集》引起海内外的广泛关注。多种有关孙中山和辛亥革命的档案、史料专辑和回忆录,也在此期间相继出版。

1976 年至 1984 年不到 10 年间,孙中山研究已深入到孙氏生平各个阶段,论争则主要集中在以下几个方面:

1. 三民主义

民族主义 有的论者强调孙中山的民族主义"主要是用西欧、美国、日本的资产阶级思想革新了传统的华夏民族意识而形成的"。新三民主义的民族主义,是"吸收了列宁的民族理论和中国共产党当时的民族纲领",加以改造而成的。[①] 有的则强调孙中山的民族主义"从一开始就把反满与武装夺取政权结合起来,与建立资产阶级共和国结合起来"。[②] 针对前此有过激烈争论的"反满"口号,有的论者提出"'排满'不仅仅是对于清政府的民族压迫和民族歧视政策的愤怒抗议,而且是近代中国民族运动发展到一个新阶段的重要表征","实质上成为反帝、反封、反君主专制主义三位一体的战斗口号"。[③]还有论者提出,"孙中山对'五族共和'的态度是:始则怀疑,继则附和,终于批判",他的真实主张是"带有明显的大汉族主义标记"的"实行种族同化"。[④]有的论者则追述了孙中山民族主义的发展过程,认为包括满族在内的"五族共和"是"民族平等的主张"。[⑤]

民权主义 有些论者较前更加肯定了孙中山的民主共和国思想,指出其内容"不仅反映了那个时代的历史特点,也给了那个时代以巨大影响"。而且认为视五权宪法为"消极因素","不太公允",

---

①④　张正明等:《论孙中山的民族主义》,《纪念辛亥革命七十周年学术讨论会论文集》(下),中华书局 1983 年版。

②　章开沅、林增平主编:《辛亥革命史》中册,人民出版社 1981 年版,第 39 页。

③　章开沅:《"排满"与民族运动》,《近代史研究》1981 年第 3 期。

⑤　林家有:《论孙中山晚年民族主义思想》,《中央民族学院学报》1981 年第 3 期。

建国三时期的"训政",实质上是为革命专政与民主宪政之间架设了"一座桥梁"。①或认为五权宪法反映了民族资产阶级、小资产阶级"外争民族独立,内争民主制度的政治要求","基本上符合中国人民的愿望"。②

　　民生主义　有的论者认为孙氏的经济建设思想"带有强烈独立自强、民族解放性质",包括两大方面,即平均地权,大企业国有,建立资本主义制度;振兴实业,实现资本主义工业化,超越世界先进水平。③也有的将孙中山经济建设思想概括为四项原则——"人尽其才,地尽其利,物尽其用,货畅其流",二项中心主旨——"平均地权和节制资本",二重革命——"产业革命与政治革命(或社会革命)同时并举",其具体做法是"全国统筹,交通先行","利用外资,确保主权"。④有的则认为孙中山是"以'单税社会主义'思想来解决土地问题,同时又以'集产社会主义'的思想来解决资本问题"。其中可分为两个阶段,1919 年前,孙中山是空想的、主观的、感情的社会主义者;国民党改组后,孙中山是一个"民主主义社会主义者"。⑤

　　2. 哲学思想

　　关于物质与精神的关系,有的学者认为孙中山的很多言论都"说明了物质决定精神,精神由物质产生的唯物主义思想",⑥孙中山看待精神与物质的关系,"不是'绝对分离'的关系,而是既对立

①　李华兴:《评孙中山的民权主义思想》,蔡尚思等:《论清末民初中国社会》,复旦大学出版社 1983 年版。

②　黄汉升、曹孔六:《简论孙中山"五权宪法"思想》,《杭州大学学报》1981 年第 3 期。

③　陈可青:《试论孙中山经济建设思想》,《经济研究》1980 年第 2 期。

④　朱伯康:《孙中山关于经济建设的设想》,蔡尚思等:《论清末民初中国社会》,复旦大学出版社 1983 年版。

⑤　何振东:《评孙中山的社会主义学说》,《徐州师院学报》1981 年第 4 期。

⑥　萧万源:《孙中山哲学思想》,中国社会科学出版社 1981 年版,第 56 页。

又合一的关系"。① 另一种观点则强调"孙中山认为'凡物质者,即为精神矣',这显然认为宇宙在物质实体之外,另有精神实体之存在",因而是物质和精神"二者并重的二元论","必然要陷入唯心主义"。②

关于知行观,争论较以前更激烈。有的认为孙中山"提出了'先有事实,后有言论','以行而求知,因知以进行'的基本上带有辩证法因素的认识论和知行观,然后用以指导行动",这是"对中国传统哲学中社会历史观的一个突破"。③有的指出"孙中山始终把'行'和'事实'作为思想产生的基础","这是唯物论的反映论"。就是孙中山所说的"天生之智"论,也"合乎实际的科学道理","不能轻率地断定为唯心主义"。④另一些论者虽认为孙中山的认识论和知行观"基本倾向是唯物主义的",但又指出"这种学说具有严重的形而上学缺点","精华和糟粕互见";⑤"天生之智"论,乃孙中山认识上的严重缺陷和不能把唯物主义坚持到底的主要表现。⑥

3. 专题研究

(1)与武昌起义的关系。有的论者强调湖北革命党人在武昌起义时的独立作用,而认为孙中山等对武昌起义的爆发和整个革命高潮的迅速到来缺乏应有的思想准备。⑦有些论者则从起义仍然把孙中山"当作革命领袖,用他名义来号召群众和组织群众",孙中山"通过同盟会领导",以及孙氏思想、同盟会的纲领和方略对武

① 韦杰廷:《孙中山哲学思想研究》,湖南人民出版社 1985 年版,第 190 页。
② 侯外庐主编:《中国近代哲学史》,人民出版社 1978 年版,第 395—396 页。
③ 萧万源:《孙中山哲学思想》,第 3—4 页。
④ 袁伟时:《为民族民主革命服务的唯物主义一元论》,《中山大学学报》1979 年第 4 期。
⑤ 方克立:《中国哲学史上的知行观》,人民出版社 1982 年版,第 340—341 页。
⑥ 张锡勤:《谈谈孙中山的知行学说》,《光明日报》1979 年 1 月 11 日。
⑦ 笠柏松:《关于武昌起义的领导问题》,《江汉论坛》1981 年第 5 期。

昌起义的指导作用等方面,来论证孙中山对武昌起义的领导和指导作用。[1]

　　(2)让位于袁世凯的问题。有的论者指出孙中山主政南京临时政府时期,对袁世凯有妥协,但始终坚持推翻封建帝制、创立民主共和制的原则和立场,"孙中山这段历史,就其本质和主流来说,不是妥协退让史,而是革命斗争史";[2] 有的论者进一步认为孙中山让位标志着资产阶级民主革命"高潮的最后完成"。[3] 在探讨让位原因时,有的注重客观条件,指出"起决定作用的还是力量之间的对比,即革命的力量过于弱小,反革命的力量过于强大所决定的";[4]一些论者则强调主观因素,有说是由于孙中山错误地抱着"以和平收革命之功"的方针,[5] 有说是孙中山厌薄权势利禄,有说是孙中山在形势所迫下采取的"对付袁世凯的革命策略灵活之运用"。[6] 在评价让位利弊时,有说"使中国资产阶级民主革命受了严重的挫折,给革命造成极大的危害";[7] 有说功过各半,认为"孙中山让位给袁世凯所造成的后果,是正确与错误交织,成功与失败并存"。[8]

　　(3)"二次革命"、中华革命党及护法运动。论者指出,孙氏是"宋案发生后,在革命党人中最先觉悟和主张武力讨袁"者,"是'二

---

① 彭明:《论南京临时政府》,《近代史研究》1981年第3期。

② 陈胜粦:《论孙中山创建南京临时政府时期的斗争》,《中山大学学报》1979年第4期。

③ 徐梁伯:《应该重新评价"孙中山让位"》,《社会科学战线》1980年第4期。

④ 金冲及、胡绳武:《论孙中山在临时政府时期的斗争》,《历史研究》1980年第2期。

⑤ 宝成关:《论南北议和与孙中山让位》,《纪念辛亥革命七十周年学术讨论会论文集》(上)。

⑥ 杨恩慎:《如何认识孙中山"让位"问题》,《天津社会科学》1981年第1期。

⑦ 尚明轩:《孙中山传》,北京出版社1981年版,第174页。

⑧ 彭大雍:《孙中山让位给袁世凯的思想基础》,《光明日报》1983年4月6日。

次革命'的策动者和精神领袖"。① 其斗争乃是"保卫辛亥革命成果,抵抗北洋军阀反革命暴力的义战"。② 对孙中山与中华革命党的研究,有论者指出孙创立的中华革命党的缺陷,也肯定"中华革命党在党的纲领、武装斗争等方面,较之国民党有所前进。因此,它在资产阶级革命政党的建设方面,具有一定的历史地位","是一个代表民族资产阶级利益的、粗具全国规模的革命政党"。③ 有论者在阐述中华革命党是革命低潮时的反袁旗帜的同时,指出其不足:"纲领——缺乏号召力;党务——未能广泛地团结同盟军;军事——没有依靠和发动群众。"它只是一个"秘密结社性质"的"排他性"团体,这时的孙中山"则是端赖权力,降低了声望"。④ 诚然,孙中山此间艰难顿挫的斗争仍待深入研究。

关于孙中山及其领导的中华革命党在反袁护国运动中的作用问题,有论者认为,"是反袁护国运动不可分割的重要组成部分。事实上,孙中山是护国运动的旗手和精神领袖;孙中山所领导的中华革命党是护国运动中最主要的政治力量之一",但因中华革命党掌握的军事力量有限,最后"没有能掌握运动的领导权"。⑤ 有的则认为,孙中山只是"倒袁高潮的配角",⑥而以梁启超为首的进步党人"取得了反袁世凯的领导地位"。⑦

关于护法运动的研究,较前略有展开。主要论题有二:一是肯定了孙中山高举护法旗帜,维护"主权在民"这一最高原则,对反对军阀割据和混战有它的意义。二是对孙中山和陈炯明、唐继尧、陆

① 章开沅、林增平主编:《辛亥革命史》下册,人民出版社1981年版,第459页。
② 赵矢元:《辛亥革命至"二次革命"之间的孙中山》,《东北师大学报》1981年第5期。
③ 章开沅、林增平主编:《辛亥革命史》下册,第489—491页。
④⑥ 王杰:《中华革命党略论》,《纪念辛亥革命七十周年青年学术讨论会论文选》(下),中华书局1983年版。
⑤ 谢本书等:《护国运动史》,贵州人民出版社1984年版,第91页。
⑦ 胡绳:《从鸦片战争到五四运动》下册,第928页。

荣廷、段祺瑞、张作霖等军阀的关系作了较前深入的探讨。多数论者认为光谈孙中山对军阀有幻想的一面是不够的,还应着重探讨孙中山和军阀之间的矛盾和斗争以及孙中山的策略考虑。

　　(4)国民党一大和第一次国共合作。此题的论著日渐增多,至1984年1月一大60周年前后,计发表文章30余篇,几乎等于1949年至1982年发表的同类文章的总和。题材包括晚年思想的发展,与中国共产党人、共产国际以及其他事件、团体和人士的关系,反帝反军阀的思想和活动等等。论者高度赞扬了孙中山改组国民党、实行国共合作、重新解释三民主义的伟大功勋,指出召开国民党一大,建立第一次国共合作,"是孙中山和他所领导的国民党'适乎世界之潮流,合乎人群之需要',为'摆脱艰难顿挫'的困境,继续前进,开创新的革命局面,采取的一项极为重大的英明战略决策",[①] 认为"中国革命史上一个前所未有的巨大高潮,由此澎湃而起",指出国共合作"正是我们民族团结、奋起的一种有效形式"。[②]

　　这一阶段的孙中山研究,表现出以下几个特点:其一,对于孙中山的历史地位和作用的评价,较之以前更为具体细致,敢于畅抒己见,展开讨论;其二,把孙中山思想的研究置于更为广阔的背景下论述,研究较为系统深入,题材较宽广;其三,一批中青年学者在前辈的大力奖挹下,崭露头角;其四,对孙中山研究开始注意并进入专题性研究,且渐入佳境。但对孙氏生平各个阶段的研究还不平衡,深入性的研究尚显薄弱,研究队伍仍处于自发性状态。可喜的是,这些不足已经引起识者的重视,为孙中山研究的拓展埋下伏笔。

---

① 陆仁:《历史的必然,革命的需要》,《中国国民党"一大"六十周年纪念论文集》,中国社会科学出版社1984年版。
② 刘大年:《中国国民党"一大"六十周年纪念论文集》序言。

（三）第三阶段（1985－1990）

1985 年至 1990 年，可谓孙中山研究的繁荣时段，五年间孙中山研究热潮迭起。一是 1985 年的"孙中山研究述评国际学术研讨会"，二是 1986 年的"孙中山和他的时代国际学术讨论会"，三是 1990 年的"孙中山与亚洲国际学术讨论会"，经此三次热潮的推动，孙中山研究日益深入，日见繁荣，情景喜人。

1985 年 3 月，中国孙中山研究学会在河北省涿县举行"回顾与展望——孙中山研究述评国际学术讨论会"。50 余名海内外孙学专家会聚一堂召开研究述评会议，是前所未有的，堪称孙中山研究的一次里程碑会议。

回顾是两个层面的：一是全局性的回顾，如对 1949 年以后研究论著与资料出版情况的概述；二是专题性的回顾，思想方面如革命思想、哲学思想、经济思想、文化思想、爱国主义、三民主义、民粹主义等研究述评，生平与事业方面如兴中会、同盟会、国民党、中华革命党、护法运动、国共合作以及孙氏与周围人物的关系等方面的研究述评，一些外国学者则分别介绍了各自国家的研究现状。

展望也是两个层面的：一是理论和方法上的突破。有论者提出，马克思主义学者应该"学会和不同观点方法的学者交换意见，进行讨论"，做到"既能通过自己内部各种不同意见的讨论而前进，又能在和其他学派的交往中锻炼自己，从其他学派吸收各种有用的思想资料、有用的具体研究方法和有价值的意见，考虑他们提出的批评和不同看法"。① 二是指明了努力方向和新的研究领域。如

---

① 胡绳：《在孙中山研究述评国际学术讨论会结束时说的话》，《回顾与展望——国内外孙中山研究述评》，中华书局 1986 年版。

有的学者列举了孙中山经济思想研究的十大问题,有的指出了以往大陆孙中山民族主义研究的三大不足,强调必须充分注意资料问题、民族主义与中国近代民族意识的高涨问题、民族主义与爱国主义的问题、民族主义与国际主义问题,等等。

在"回顾与展望"学术讨论会的指导和推动下,"孙中山和他的时代国际学术讨论会"于1986年11月在广东举行。此会的与会论文经组织全国专家评审,其学术成就令人瞩目,主要表现在以下几个方面:第一,论题涉及面较广,专题研究色彩较浓。与会论文109篇,论及孙中山与近代中国社会、与亚洲民族解放运动、与国际关系、与海外华侨、与海军、与同时代人物和政治派别,革命活动与革命组织,其革命思想的形成与发展、经济和财政思想、文化教育思想以及史事考订等。第二,采用了系统分析和比较研究等方法,一些重大的理论问题得以突破或深化。如有的学者从中国近代社会、中国近代资产阶级、中国资产阶级革命三个不同层次,对孙中山领导的辛亥革命的历史意义进行了考察,①颇具代表性。第三,一批年轻学者开始崭露头角。40岁以下的学者有19人,约占总数的1/4。这批年轻学者现已成为大陆孙学研究的中坚力量。

1986年学术研讨会美中不足的是没有台湾学者参加,而在1990年召开的"孙中山与亚洲国际学术讨论会"上,两岸学者初次会晤,彼此一见如故。尽管在某些具体问题上争论热烈,但大家都秉着相互尊重、相互谅解的态度,切磋学问,不仅消除了某些误会和隔阂,而且增进了理解和友谊。此次会议开创了两岸孙中山研究交流的新篇章。

三次高水平会议的召开,标志着孙中山研究的深化与繁荣。综合起来,主要论争表现在以下几个问题上:

---

① 汪敬虞:《中国近代社会、近代资产阶级和资产阶级革命》,《孙中山和他的时代》上册,中华书局1989年版

（1）家世源流。关于孙中山的祖籍问题，中华人民共和国成立前史学界即存在着不同看法，一主紫金说（以罗香林为代表），一主东莞说（以邓慕韩为代表），紫金说得孙科及国民党政府的认可而几成定论。多年后，有论者以大量可靠的文物资料证明罗氏的"国父上世源出于广东紫金"说不能成立，从而再次认定翠亨孙氏源出东莞。[①] 对这一考证，仍有人重申"孙中山是客家人，祖籍在紫金"。[②] 主东莞说者再次以翠亨故居的各种谱牒、契据、碑记、孙氏祖墓以及孙氏家族成员的口碑材料，乃至紫金方面的资料，印证和论述孙氏祖籍不是紫金，孙家的先世并非清初来自紫金的客家人。[③] 此后仍有争论，但基本论点没有超出原来的范围。[④]

（2）三大政策。关于三大政策的提出及其概念的形成，论者认为"一是受各被压迫阶级民主联合战线形成的必然趋势所激发"，"二是受新时代潮流所促动"；[⑤] 孙氏在制订国民党"一大"宣言的过程中"对联俄、联共、扶助农工这三件事都是确认了的"，但"并没有把这三者联成一个整体，概括为'三大政策'予以宣布"，"这种概括工作是由共产党人完成的"。[⑥] 针对国民党及其他人士对三大政策的质疑，有论者指出，"三大政策名符其实"，[⑦] 这一概念"是国共

① 邱捷、李伯新：《关于孙中山的祖籍问题——罗香林教授〈国父家世源流考〉辨误》，《中山大学学报》1986 年第 4 期。
② 潘汝瑶、李虹冉：《孙中山是客家人，祖籍在紫金——评〈关于孙中山的祖籍问题〉》，《客家与客家人研究》1989 年第 1 期。
③ 邱捷：《再谈关于孙中山的祖籍问题——兼答〈孙中山是客家人，祖籍在紫金〉一文》，《中山大学学报》1990 年第 3 期。
④ 参见潘汝瑶、何国华：《孙中山祖籍问题争论的始末》，《岭南文史》1993 年第 2 期；邱捷：《也谈关于孙中山祖籍问题的争论》，《岭南文史》1993 年第 4 期。
⑤ 林家有、周兴樑：《孙中山与第一次国共合作》，四川人民出版社 1988 年版，第 111、113 页。
⑥ 黄彦：《关于国民党"一大"宣言的几个问题》，《孙中山和他的时代》中册。
⑦ 王杰：《论"三大政策"的时代性》，《学术研究》1986 年第 5 期。

两党在总结孙中山生前确定的革命方略的过程中逐步明确和提出的.虽然完整的概念是由共产党人首先使用,但这个概念的形成也包含着国民党人探讨的成分".①

(3)民生主义(社会主义)。将民生主义与社会主义联系起来研究是这一时段的一大特点。有论者分析了孙中山社会主义思想的历史发展和形成过程,指出以平均地权为核心的社会主义思想主要接受了亨利·乔治的影响,其民生主义与亨利·乔治的学说具有共同的特征:"一、基本上不触动生产资料所有制问题;二、发挥国家的调节职能,促使资本主义的迅速发展;三、实行分配领域的改革,防止贫富差异的扩大。"② 有的认为,平均地权"是一个折衷的、温和的改良主义方案,较之亨利·乔治显然又有所后退"。③有论者在对孙中山的发达国家资本主张进行探讨后指出,孙氏历来认为,只有实行实业国有国营,才能与外国垄断资本竞争,导中国于富强之地,并使中国跃过私人资本主义阶段,免蹈欧美社会弊端的覆辙。其发达国家资本的思想,实为民生主义的核心内容。④有的把孙中山的社会主义思想与共产党人的社会主义事业联系起来,指出"孙中山的主观社会主义中的某些弱点,也是中国共产党人曾经有过,通过实践才逐步加以克服,甚至现在还在克服着的。孙中山和中国共产党人同样生活在中国现代的社会历史条件下,因而某些想法有共同性"。⑤ 有的论者通过对清末民初舆论对孙氏社会主义思想的比较,指出"尽管孙中山一生都没有超出主观社会主义的水平,但是,他的不倦的追求,却使他在晚年提出了新三民

---

① 鲁振祥:《关于孙中山三大政策研究中的几个问题》,《北京师范大学学报》1986 年第 6 期。

② 夏良才:《论孙中山与亨利·乔治》,《近代史研究》1986 年第 6 期。

③ 杨天石:《孙中山与中国革命的前途》,《孙中山和他的时代》上册。

④ 韦杰廷:《孙中山的"发达国家资本"思想》,《求索》1990 年第 5 期。

⑤ 胡绳:《论孙中山的社会主义思想》,《孙中山和他的时代》上册。

主义,并与中国共产党人合作,这就为中国革命最终通向社会主义提供了可能"。①

（4）与中国近代军阀的关系,是孙中山研究的难点。有论者分三个阶段考察了孙中山革命30余年间与军阀打交道的过程,指出孙中山对军阀的认识经历了由对某一个军阀认识不清到逐渐认识,进而到对整个军阀集团面目的清醒认识的过程。孙氏与军阀的合作,有幻想的成分,也有策略的运用,越到后期,幻想成分越少,策略的运用越占主要地位,直至提出打倒军阀及其后台帝国主义的主张,反映了他的彻底觉醒。② 有论者具体分析了护国运动至护法运动期间孙中山寄望于军阀的深刻教训,指出军阀以反面教员的身份,使孙中山提高了对掌握政权的认识,为此后用暴力革命维护共和的斗争奠定了基础。③ 有的论者探讨了孙中山与西南军阀的关系,指出两次护法运动失败的直接原因,都与西南军阀干扰破坏相关。孙中山正是经历了多次的反复与挫折,才认识了军阀的本质,抛弃了对西南军阀的幻想,完成了晚年政治思想的转变,转而寻求新的道路和力量。④

（5）孙中山的亚洲观、国际观与大亚洲主义。⑤有论者指出,孙氏生前并未专门阐述过自己的亚洲观,但综合其言行,仍可看出他有比较完整的亚洲观。以第一次世界大战为界标,此前,孙中山的亚洲观注意的地域局限于东亚和东南亚,并从人种学方面看待亚洲与西方的关系;此后,其眼光扩展向西亚、东北亚,并将压迫民族与被压迫民族加以区别。孙氏的亚洲观可以概括为四个要点:第

---

① 杨天石:《孙中山与中国革命的前途》,《孙中山和他的时代》上册。

② 段云章、邱捷:《孙中山与中国近代军阀》,四川人民出版社1990年版。

③ 尚明轩:《护国运动结束到护法运动发生间的孙中山》,《近代史研究》1985年第5期。

④ 谢本书:《孙中山与西南军阀》,《云南社会科学》1985年第3期。

⑤ 有关这个问题的一些论文是在90年代初发表的,但完成的时间则在1990年。

一,亚洲的复兴是一种必然的趋势;第二,振兴亚洲是亚洲人自己的责任;第三,解决中国问题是复兴亚洲的第一步;第四,特别注重中日合作、中日联盟。[①] 有的论者试图对孙氏的国际观和亚洲观作出贯通的解释,认为"强(大)国中心取向,中国主体主义,反对强权霸道的王道观和同情支持被压迫民族反帝斗争的一贯原则,是相互联系着制约着孙中山国际观与亚洲观的四大支架"。孙氏的国际观主要由三个层面构成:第一,思想上以发达国家的先进理论和实践经验为导向;第二,策略上以争取列强不干涉乃至支持中国革命为重心;第三,行动上以寻求列强物质援助为重点。这种"强国中心取向"的根本目的,是为中国革命争取最大便利,并有助于世界上一切民族的独立解放。因此孙中山始终坚持两条原则:一是利用强权以打破强权,二是支持被压迫民族的反帝斗争。[②] 关于大亚洲主义,有人将其称为"孙文学说关于东西方文化和亚洲问题的总纲",其中心问题"实质上是亚洲民族解放运动和帝国主义世界殖民体系的矛盾、冲突和斗争问题";[③] 有人则认为,"这是一个有争议的遗产,既有积极意义又带消极意义",指出大亚洲主义是孙中山兴亚思想的核心。它在本质上有别于日本国权主义者的观点,但其本身并不是一个严密完整的反对帝国主义的理论体系。孙中山在晚年,并未对其早年的大亚洲主义进行彻底改造,而其在日本所作的大亚洲主义的演讲,则是国民党一大宣言立场的后退。[④]

　　(6)文化思想方面,学者分歧颇大。关于文化思想的构成特点,有论者将其归纳为"因袭"、"规抚"与"创获",并指出孙中山虽

---

① 陈锡祺:《孙中山亚洲观论纲》,《近代史研究》1990年第6期。

② 桑兵:《试论孙中山的国际观与亚洲观》,《"孙中山与亚洲"国际学术讨论会论文集》,中山大学出版社1994年版。

③ 唐上意:《孙中山的大亚洲主义论纲》,《"孙中山与亚洲"国际学术讨论会论文集》。

④ 李吉奎:《试论孙中山的兴亚思想与日本的关系》,《"孙中山与亚洲"国际学术讨论会论文集》。

然抛弃了"中体西用"说,但在对中西文化进行比较时,却没有完全脱离"中体西用"的窠臼。[1] 有的论者指出孙中山的文化观属开放型的文化观,其虽以民族文化为建构新文化的主体,但并不排斥外来文化。[2] 有的论者从孙中山文化思想整体特点的角度来考察,认为其文化思想主要有三个特点:强烈的政治色彩和革命性、兼收并蓄的广泛性、不断的变异性。[3] 关于孙中山与中国传统文化的关系,多数学者认为孙中山作为革命家,对传统文化的取舍主要是以革命需要为准则。有论者认为孙中山对于中国传统文化,有一个从"离异"到"回归"的曲折历程。[4] 这种回归,是一个从否定到否定的过程,是一个辩证的升华。[5] 也有的认为孙中山对传统文化始终想用一种辩证的态度去选择,即"如果是好的,当然要保存,不好的才可以放弃"。[6] 有的论者从孙中山对中国传统文化的反思这一角度来进行探讨,指出孙中山对传统文化的反思主要包括四个方面:摒弃了"中体西用"的模式,人格与国格乃"民族之魂",中国传统道德的继承与矛盾,中国古典哲学继承的得与失。[7] 他对中国古代思想和文化的吸收利用可概括为三个方面:第一,继承和发扬传统儒学中的民本思想和重民思想;第二,吸收了中国儒家学说中大同思想的因素;第三,对传统儒学所确立的某些基本伦理道德观念的继承、改造和利用。[8] 有的则认为,孙氏对儒家思想主要继承其民族

---

[1] 陈旭麓:《"因袭"、"规抚"、"创获"——孙中山的中西文化观论纲》,《孙中山和他的时代》下册。

[2] 黄明同:《试论孙中山文化观产生的历史必然性》,《广东社会科学》1989 年第 4 期。

[3] 左双文:《略论孙中山文化思想的特点》,《广州研究》1986 年第 11 期。

[4] 章开沅:《从离异到回归——孙中山与传统文化的关系》,《孙中山和他的时代》下册。

[5] 黄明同:《试论孙中山开放文化观》,《"孙中山与亚洲"国际学术讨论会论文集》。

[6] 彭鹏:《孙中山文化观的再思辨》,《广州研究》1988 年第 5 期。

[7] 张岂之:《孙中山对中国传统文化的反思》,《孙中山和他的时代》下册。

[8] 李侃:《孙中山和传统儒学》,《孙中山和他的时代》下册。

思想、和平观念和大同理想,改造了儒家的伦理道德等等。[①] 持相反意见者指出,孙氏从来不是"孔孟的传人",他的理论基础及体系是西方的民主主义,他择取传统文化的某些方面,带有很大的实用性质,可说是"西学为体,中学为用"。[②] 其表现就是,孙在他的晚年就中国固有的道德、旧政治哲学所发表的意见,并非在广泛而深入地研究中国古代文献和历史实际的基础上作出的冷静的结论,而是"带有浓厚的感情成分,有些甚至是即兴式的呼吁和发挥",这"表现了孙中山在人们道德上、政治哲学上歧见日益严重时,急于找到一种能把人们在道德上、精神上维系起来的工具的焦躁情绪"。[③] 有的论者认为,孙中山把政治上的激进主义与文化上的本土主义结合起来,并不是反常的现象,孙中山在文化认识方面可能达到的层面很表面化,但是发自内心的由对本民族的挚爱而诱发出来的对其旧文化的眷恋与试图在新的政治中弘扬它的执着观念也是很真实的,事实上超越了中体西用的观念。[④] 关于孙中山与西方文化的关系,有论者认为,孙中山对欧美文化的取舍具有三大特点:第一,"西学中源"的文化观;第二,对物质文化的吸收与迎头赶上;第三,对精神文化的扬长避短和创造发挥。[⑤] 有的论者从孙中山向西方寻求救国救民真理的历程这一角度去考察,认为他学习西方的思想一直处于近代中西文化关系演变的前列,并且始终与"全盘西化"论和"中华本位"论等错误倾向划清了界限。[⑥] 有的论

---

① 马克锋:《孙中山与传统儒学》,《学术研究》1986 年第 5 期。

② 周兴樑:《吸取、融贯、创新——略论孙中山与中西文化的关系》,《"孙中山与亚洲"国际学术讨论会论文集》。

③ 参见李时岳:《评"孙中山与亚洲"国际学术讨论会》,《"孙中山与亚洲"国际学术讨论会论文集》。

④ 彭鹏:《试论孙中山"大亚洲主义"演讲的文化取向》,《"孙中山与亚洲"国际学术讨论会论文集》。

⑤ 曹世敏:《孙中山对欧美文化取舍的几个特点》,《江海学刊》1990 年第 2 期。

⑥ 刘学照:《论孙中山学习西方思想的演变》,《孙中山和他的时代》下册。

者认为孙中山对西方文化的认识有一个发展、深化的过程,其中虽有变化,但总的说来,他的主张是一贯的,即肯定资本主义文化在当时具有先进性,并且坚决主张运用它来改造和拯救中国。[1]

(7)关于孙中山的对外开放与利用外资思想。论者认为,开放主义是孙中山爱国主义思想的重要部分,开放的根本目的在于从欧美吸收新思想改造中国,振兴中华;开放的原则是平等互利、维护主权,取法乎上、取其善果,结合实际、取长补短;开放的内容有政治上引进资产阶级共和国方案,经济上引进外资、外才和先进技术以求发展实业,文化思想上引进、吸收进化论、天赋人权论、单税论等的积极成分。[2] 有论者指出,孙中山的"开放"范畴的提出,"标志着中国近代开放思想已经达到了比较完备、比较成熟的阶段"。"但由于孙中山生前'革命尚未成功',没能建立一个独立自主的国家政权,因而不可能为近代中国的开放和发展提供必要的政治前提,他实行开放主义以加速中国经济建设的'总体战略'型开放模式也只能是空中楼阁"。[3] 有的论者考察了孙中山利用外资思想形成的过程及其内容,指出孙中山是"中国近现代史上提倡开放主义、主张利用外资的集大成者和先行者"。"但是,由于国内形势,尤其是由于当时中国没能建立起独立自主的政权,还不具备利用外资进行大规模经济建设的客观条件。因此,孙中山的愿望,自然不可能实现"。[4] 有论者指出,全面引进外国资本和技术,国家干预经济,建立完整的中国工业体系,强调经济与社会的综合发展,为辛亥革命后孙中山的经济战略的主干内容。这一设想,极富创造精神,但仅考虑了中国建设的必要性,缺乏对可行性的审视,难免流

---

[1] 陈崧:《试论孙中山对西方文化的认识》,《文史哲》1987年第1期。

[2] 陈胜粦:《论孙中山的"开放主义"》,《学术研究》1985年第1期。

[3] 郑学益:《论孙中山的开放主义》,《北京大学学报》1989年第6期。

[4] 曹均伟:《孙中山的"利用外资"思想》,《社会科学》1985年第1期。

为乌托邦式的构想。① 有的论者则指出,"把孙中山主张开放当成学习西方的同义语,对它的内容扩大地理解为包括政治、经济和思想文化诸方面,甚至连'以俄为师'也纳入其中,却未必是恰当的"。②

这一阶段的特点可以概括为:其一,研究方法有所更新,既有系统的历史分析,又兼比较研究;其二,研究领域不断得到拓展,并在一些专题研究上呈观点之深化;其三,学术论著初现规模化,热潮迭见(据不完全统计,此间发表有关孙中山研究的论文不下900篇,出版专著50余部);其四,学术氛围宽松,不同的观点相互切磋,尤其是能够更客观地吸收、评价台湾学者的成果,促进研究水平的升华。

（四）第四阶段（1991—1999）

整个80年代,是孙中山研究"高歌猛进"的阶段,几乎孙中山思想与事业的方方面面都涉及到了。孙中山研究的生命重在创新。90年代以降,整个孙学研究领域面临着一个如何在原有基础上深化拓展的问题。学者们深入思考,另辟蹊径,使孙中山研究继续保持着旺盛的生机与活力。这一时段的研究焦点主要集中在三个方面:孙中山与中国近代化,孙中山的中西文化观,孙中山与日本的关系。

1. 孙中山与中国近代化

近代化研究是90年代近代史研究领域的热门话题,孙中山研究自然而然地也与近代化联系起来,构成一个新视角。学者们或整体评述孙中山对中国近代化的贡献,或专题阐释孙中山某方面的

---

① 乐正:《孙中山的理想与 NICs 的现代化实践》,《中山大学学报论丛·孙中山研究论丛》第 7 集。

② 黄彦:《论孙中山的开放思想》,《广东社会科学》1988 年第 4 期。

思想与中国近代化的关系,发表了不少有见地的见解。1996 年在广东召开的"孙中山与中国近代化国际学术讨论会"则是这一论题的大阅兵。论者指出,孙中山的三民主义是当时中国最完整的近代化思想,它既表现出与欧美各国近代化常轨"从同",创建民族国家的认识,又包含在社会发展上迎头赶上但避免其弊病的"超越"思想,这是孙氏近代化思想的特色。[1] 论者强调,孙氏的近代化思想是一个完整的体系,"挣破殖民主义与封建主义双重枷锁是前提;实业化构成方案中心;民主政治等同于杠杆;科学、教育和文化当是必要条件;正确的文化取向则是关于思想导向、精神动力和智力依托的重要关键"。近代化的基本目标,"即是建立独立、统一、民主和富强的新中国"。在中国的近代化进程中,"孙中山的理论和实践具有空前的、划时代的意义"。[2] "其全部革命活动和斗争,都是围绕着民族解放与发展生产、实现近代化这两个宗旨去进行的",孙氏的近代化思想,"是他同时代的大多数人中最先进的,没有或很少有人超过他"。[3]

关于孙氏的政治近代化思想,有学者认为,"孙中山不仅是第一个提出并始终坚持要在中国实施民主立宪政治制度的伟大民主革命先行者,而且是在中国传播近代社会主义思想的伟大先驱",他"在中国政治思想史上第一个提出了'为一般平民所共有',并由中国国民党和中国共产党联合而成的党作为'掌握政权之中枢'的国家政权思想"。[4] 有论者认为,孙中山的政治思想代表了近代中国政治思想的高峰,宣告了儒家政治思想统治的终结,是近代中华

---

[1] 刘学照:《"从同"和"超越":孙中山近代化思想的特色》,《孙中山与中国近代化》上册,人民出版社 1999 年版。
[2] 张磊:《孙中山与中国近代化》,《孙中山与中国近代化》上册。
[3] 刘大年:《关于研究孙中山与中国近代化问题》,《孙中山与中国近代化》上册。
[4] 韦杰廷:《孙中山三民主义历史地位论》,《孙中山与中国近代化》上册。

制度文化的新建构。①

　　关于孙中山的经济近代化思想,论者认为国家资本主义和私人资本主义构成了孙中山近代化方案的经济模式,"依靠国家力量"、"由政府总其成"是实现经济近代化的方法,对外开放、利用外资是实现中国经济近代化的重要途径。② 其经济发展战略的理论前提和逻辑起点是民生主义,特点是以三大港口为增长极,以沿海为重点的梯度开发的区域发展战略;以港口为点,以铁路、水路、公路为轴线的点轴式开发模式;以交通、运输、原材料和生活资料工业为重点的工业化产业发展战略。③

　　铁路建设是孙中山一向关注的论题。论者认为孙中山提出以开放促发展,引资筑路的思路,规划现代交通的宏伟计划,"对中国交通的早期近代化起了相当的推动作用"。④ 其铁路思想有一个发展变化的过程,1912 年强调铁路建设,一定程度上与解决中国财政问题有关,同时提出"开放政策"、保障主权等重要原则,《实业计划》则将铁路放在全部交通规划、整个国民经济中考虑,对筑路原则、铁路网络、外资引用等方面的规划具体化,反映了孙中山近代化思想的成熟。⑤

　　关于城市近代化,论者指出,孙氏的近代化蓝图特别强调特大城市尤其是三大港口城市的地位和作用,并以之为中心,形成布局结构合理的城市体系,带动广大腹地农村的发展,"立足于以城市的近代化来带动整个中国经济的近代化","具有前瞻性的特点"。孙中山的中国城市近代化构想的实现,"是以'平均地权'的土地纲

---

①　陈华新:《论孙中山政治思想的地位和作用》,《孙中山与中国近代化》上册。

②　鲜于浩、田永秀:《试论孙中山的经济近代化方案》,《孙中山与中国近代化》上册。

③　郭灿:《孙中山经济发展战略的再认识》,《孙中山与中国近代化》上册。

④　何一民:《孙中山与中国交通的早期近代化》,《孙中山与中国近代化》上册。

⑤　冯祖贻:《孙中山的铁道建设思想》,《孙中山与中国近代化》上册。

领的实现为前提的"。① 另有论者认为,孙中山在对城市近代化的规划中,注重建设新城市和完善旧城市,重视居室工业和住宅建设的发展,对克服城市病有一定的作用。② 一些学者还把目光投向南京、武汉等城市,从对个案的实际分析来探讨孙中山城市近代化思想的可行性。

关于农业的近代化,有论者认为,孙中山的农业近代化方案包括变革农业生产关系,解决农民的土地问题;加强生产管理,改进生产技术,依靠科技发展农业生产;重视经营经济作物,发展农业商品经济等。③ 也有论者认为,孙中山的农业近代化思想十分丰富,除上述以外,还包括改良农田、扩大耕地、把农业纳入国际发展计划等内容。④

2. 孙中山与中西文化

孙中山文化思想之构成。论者认为,孙中山强调中国既不能中体西用,更不能保守复古,也不能全盘西化,提出了中西融贯的文化观,阐发了革命与文化、物质文化与精神文化、因袭与批判、开放与消化、融贯与创新等关系问题。⑤ 孙中山的文化思想是以综贯中西为主要特点的,从一开始就显示出力图从中西文化资源中选择、转化其精华,以适应现代化过程的品格。⑥ 有的认为,孙中山对待中西文化前后差异较大,辛亥前后,他主张吸取西方近代文化,以此对传统封建文化进行彻底的改造;"五四"之后,则对中国固有文化大加赞颂,提倡恢复和弘扬民族文化。⑦ 有人则认为孙中山文化

---

① 谢放:《孙中山与中国城市近代化》,《孙中山与中国近代化》上册。
② 谢本书:《孙中山与城市近代化建设》,《孙中山与中国近代化》上册。
③ 尚明轩:《孙中山与中国农业近代化》,《孙中山与中国近代化》上册。
④ 陈铮:《孙中山实现中国农业近代化的构想》,《孙中山与中国近代化》上册。
⑤ 方立天:《孙中山文化观评述》,《学术研究》1994 年第 1 期。
⑥ 郭齐勇:《孙中山的文化思想述评》,《中国社会科学》1996 年第 3 期。
⑦ 王垒:《传统儒学与孙中山对民族文化素质的认识》,《社会科学研究》1995 年第 3 期。

思想的主旨是融合中西，兼收众长，走文化创新之路，指出孙中山从来就不是完全离异传统的全盘西化者，也从来不是单纯固守传统的文化保守主义者，故认为孙中山晚年有向中国传统文化"回归"倾向的看法有失偏颇。①

　　孙中山与西方文化。有论者认为，孙中山在近代文化变革中尽管持有正确的基本态度，但在实践中并没有系统地吸取西方文化，把精华当糟粕，或由于误解国情而认为不适合国情，把一些有益人类共同进步、具有普遍适用意义的近代思想拒之门外，因而，他对西方近代文化的学习，基本上还停留在主张采纳西方近代科学技术和政治经济制度这一层面，而偏少主张对以个性原则为基础的近代思想学说这一更深层次精神文化的吸取。② 有的则认为他能依照国情，吸取精华，勇于探索，不断创新，反对媚外与盲目排外。③ 还有论者剖析孙中山对欧美文化取舍有与众不同的三大特点："西学中源"的文化观，对物质文化的吸收与迎头赶上，对精神文化的扬长避短和创造发挥。④

　　孙中山与传统文化。关于儒学对孙中山思想的影响，有人认为体现在革命思想的发扬、中庸思想的影响、伦理道德观念与政治思想的结合、儒家经济思想的影响、大同思想的阐发、知行学说的扬弃改造等六个方面。⑤ 有的则认为，孙中山对传统文化的扬弃，主要表现在"对固有智能、固有道德、民本思想以及大同思想"的扬弃、改造和吸收。⑥ 持不同意见者认为，由于孙中山是一位革命家，

①　赵春晨：《再论孙中山晚年的文化思想》，《广东社会科学》1999 年第 1 期。

②　王垒：《传统儒学与孙中山对民族文化素质的认识》，《社会科学研究》1995 年第 3 期。

③　陆炎：《论孙中山的文化思想》，《中州学刊》1995 年第 2 期。

④　郭齐勇：《孙中山的文化思想述评》，《中国社会科学》1996 年第 3 期。

⑤　罗耀九、高常范：《儒学对孙中山思想的影响》，《学术月刊》1996 年第 11 期。

⑥　王国宇：《孙中山对传统文化的扬弃》，《衡阳师专学报》1995 年第 4 期。

长期客居海外,这决定他所理解的主要是经西方文化"过滤"后的传统文化。虽然他对传统文化契合处不少,但"时装洋化"的现象也难免存在,因而在这方面还有待进一步的考察,才能达到深刻的认识。[①] 关于孙中山对待传统文化的态度,有人认为,孙中山提出对待传统文化要在分析、批判的基础上继承和发扬,传统文化只有在与外来文化的交流中才能得到改造和发展。[②] 其一生对待传统文化既有一以贯之的坚信,又有因时而变的权通,这种态度使他与反传统主义及文化保守主义区别开来。[③]关于孙中山晚年的儒学观,有人认为他提倡恢复一切国粹,恢复固有的道德与智能,以图恢复民族固有的地位,这些构成了他晚年思想中儒学倾向的特色。[④] 有的则强调孙中山的反儒思想在后期活动中有所发展,表现出新的深度和广度。[⑤]

3. 孙中山与日本

孙中山与世界的关系,在这一时期次第展开,其中与日本的关系研究在这一时期取得长足进展,俞辛焞的《孙中山与日本关系研究》(人民出版社 1996 年版)、李吉奎的《孙中山与日本》(广东人民出版社 1996 年版)、段云章的《孙中山与日本史事编年》(广东人民出版社 1996 年版)相继出版。俞、李两著按时间顺序研究了孙中山在各个重要时期与日本政府和各界人士的复杂关系,在翔实史料的基础上提出了不少真知灼见。认为,"孙中山和中国革命党人,期待日本援助,是利用外援以达到革命目标,而日本方面,尤其是军部和浪人,无疑是妄图利用他们的被支持者,达到对华扩张的野心",[⑥] "两者的根本目的始终是对立的。但是,两者在部分问题利

---

① ③　桑兵:《孙中山与传统文化三题》,《近代史研究》1995 年第 3 期。
②　胡瑞华:《孙中山与中国传统文化》,《陕西师大学报》1996 年第 2 期。
④　李吉奎:《论孙中山晚年的儒学观》,《中山大学学报》1994 年第 3 期。
⑤　张磊:《孙中山与儒学》,《学术研究》1996 年第 10 期。
⑥　《孙中山与日本》,第 3 页。

害上有时又暂时一致,即两者为实现各自的目的,其手段和方法在特殊的历史条件下有时一致"。① 这说明孙中山在政治上是理想主义,而在实践上又往往表现出实用主义和机会主义。段著则是一部资料性很强的书,搜集日本官方档案、当年的报刊、孙中山本人及有关人士的著作、书信、日记、传记等 343 种,为孙中山与日本关系的研究提供了迄今为止最为详细、可靠的资料。

这一阶段研究较多的论题还有孙中山与同时代人物的关系及其经济、法律、外交、教育、军事、社会主义等思想。

在此值得特书一笔的是 1996 年 10 月第一批"孙中山基金会丛书"(广东人民出版社出版)的问世。该套丛书分专著、论集、资料、译著四个系列,包括金冲及的《孙中山和辛亥革命》,张磊的《孙中山:愈挫愈奋的伟大先行者》,黄彦的《孙中山研究和史料编纂》,姜义华的《大道之行——孙中山思想发微》,段云章的《孙文与日本史事编年》,李吉奎的《孙中山与日本》,林家有的《孙中山振兴中华思想研究》,邱捷的《孙中山领导的革命运动与清末民初的广东》,刘曼容的《孙中山与中国国民革命》,李志业、王美嘉、郑泽隆编译的《孙中山与广东——广东省档案馆库藏海关档案选译》。这 10 本书大部分是孙中山研究的上乘之作,反映了祖国大陆孙中山研究的当前水平和新的进展。同时这也是 1949 年后第一次如此多的孙中山研究著作在同一出版社同时出版,令人振奋。其他如莫世祥的《护法运动史》(广西人民出版社 1991 年版)、段云章的《放眼世界的孙中山》(中山大学出版社 1996 年版)、黄明同与卢昌健的《孙中山经济思想研究》(广东人民出版社 1996 年版)、周兴樑的《孙中山的伟大思想与革命实践》(广东高等教育出版社 1998 年版)等,均有不少创新。

90 年代的孙中山研究,的确取得了可喜的成就,表现在:第

---

① 《孙中山与日本关系研究》,第 2 页。

一,研究视野的拓展,如孙中山与世界、孙中山与近现代化、孙中山与社会思潮、心态研究等。第二,专题研究的难点有新的突破,孙中山与日本的研究出版了几本代表作。第三,研究队伍、论著数量仍在稳定发展。但同时也存在不足,除近代化论题以外,热烈争论的、新颖的观点不多,重大理论问题上鲜有突破。特别是某些论作的质量堪忧:一是浮躁,如有文称孙中山先生不仅是中国近代一位最伟大的革命家,而且是一位伟大的哲学家,他为中国古代哲学向中国近代哲学的转变做了巨大的贡献,主要表现在"太极说"、"突驾说"、"天人说"、"心物说"、"知行说"、"道德说"诸方面。一是抄袭,如某一"研究"政治学说的论作,文中不仅诸多观点系抄袭前人成果(不注出处),就连文字、尤其是原文注释也照搬不误(全书有关孙中山著作的注释多达四、五个版本,某些注文偶见两个以上的版本)。再者,孙中山研究队伍亟待培养青年学者。

(五) 结　语

50 年来的孙中山研究,与近代史其他领域相比较,成果是喜人的。但还存在着隐忧与不足,亟须我们去克服与拓展。

第一,研究需在新的理解中拓展视角。比如我们拿"国情"这个概念介入孙中山研究,就应考虑从当时的社会环境、社会集团、社会心理等层面去拓宽思维,把孙中山置于当时社会的大范围和多层面中去研究,即大至"环境"、中及"集团"、小到"心理",通过层层解剖,去透视孙氏思想与实践的真貌。又如孙中山与军阀的关系,孙氏与军阀之"个体"和"群体"均发生过关系,与"南"和"北"的军阀都有过接触,早年与晚年情景各异,顺势与逆境心态不同,"幻想"与"策略"表里交织,如何"理顺"孙氏与近代军阀的关系?倘能从"环境"、"集团"和"心理"去深探,所获当不会肤浅。谈到社会心理研究,章开沅教授较有心得,他发现,在戊戌变法、辛亥革命、新民主主义革命三个时期的领导人,不约而同地存在着历史紧迫感和变革急性病。再进一步,就是探讨这样的社会心理产生的历史根源。领导者为了赢得群众,往往做出过高的许诺,民众则对这些许诺的实现也抱有过高的期望,这对领导者来说,便形成了强大的心理压力,他们据此容易采取超越现实许可范围的急进政策,急进政策容易失败,其结果必然是领导集团和意识形态的急遽更替,而新的领导集团和意识形态,又往往给民众以更多更高的许诺,并使民众对革命和新政权的期待提到更高、更紧迫的境地,而这种无形的心理压力,使新的领导者更趋向于采取超越现实的急进政策。这种带负面效应的循环反复,就是中国革命和现代化屡屡受挫的社会心理根源。[①] 若从这一视角去审视孙氏的思想与实践,对一些难点、疑点的理解或许会深化一些。

第二,研究需尝试静动融贯的模式。以往孙中山研究的论作,静态研究(从史料到理论)的多,动态研究(从理论到现实)的少,静动融贯的研究模式更为罕见。弘扬孙氏之思想与精神,绝不是发思古之幽情,而是要将本世纪的伟人伟业薪尽火传,继往开来。由此而展开,诸如孙中山身后政治流派之演变脉络趋向,即对胡汉民、戴季陶、周佛海、邵元冲、甘乃光、杨幼炯、崔书琴、叶青等人对孙中山三民主义学说的解释与影响,均不失为孙中山研究静动融贯模式的对象。

第三,研究者的目光不应局限于孙中山生活的年代和他所试图解决的中国的具体问题。这可从两个层面去理解:首先,孙氏毕生矢志以求和为之奋斗的独立、民主和富强,仍然是世界大多数要求民主进步的国家面临的主要课题,具有现实意义,即使是发达国家,也应是继续崇奉的准则。独立的课题始终存在,而民主和富强

---

① 章开沅:《关于孙中山研究的思考》,《辛亥前后史事论丛续编》,华中师范大学出版社 1996 年版。

是无止境的。所以,孙中山研究在时空两方面具有跨时代和跨国度性质。其次,孙中山既是中国人民的伟大儿子,又是世界性人物,且堪称世界巨人,他从来不把自己的思想和活动局限于中国和亚洲,而是与世界结合,足迹遍五洲,友人满天下,他把自己的活动融于一切被压迫民族和人类争取进步的斗争中。他融贯中西之思想,远比孔子思想合乎当今世界之潮流,产生于农耕社会的孔子思想于今仍可以与世界文化对话,那么孙中山的文明理念由"因袭"东方和"规抚"西方而"创获",其"世界价值"比儒学更胜一筹,理应旗帜鲜明地登上国际学坛,与世界文化对话。

辛亥革命史

辛亥革命一举推翻中国延续 2000 多年的皇权帝制,建立了亚洲第一个共和国,其影响不仅在国内极为深远,而且在亚、非等殖民地、半殖民地国家也有程度不等的传播。因此,50 年来的辛亥革命史研究,已经发展成为具有国际性的重要史学分支之一。

回顾往昔,就国内辛亥革命史的编撰出版而言,可以说其初始与辛亥革命几乎同年,迄今已有将近 90 年的历史了。

1949 年以前,以中国革命史命名的辛亥革命史书,以苏生编写的《中国革命史》问世最早,是武昌起义后不久(即辛亥阴历九月)出版的。此后出版的与此同名或名称相近的史书共约 15 种,其中 1912 年商务印书馆出版的郭孝成编的《中国革命纪事本末》,条理清楚,叙事比较确切扼要,为人们所熟悉和经常引用。

最早以辛亥革命史命名的史书,据笔者所见,是 1912 年 6 月刊行的渤海寿民编的《辛亥革命始末记》,该书实际上不过是并非十分完备的剪报辑录,时间从辛亥八月二十日到同年十二月二十五日。其后贝华、高劳、郭真、左舜生等编写的《辛亥革命史》,大多出版于二三十年代,共约 10 种,左氏等著作已渐有学术性。

范围有所扩大的是中华民国史之类书籍,其中出版最早且较有参考价值的,是曾任清末直隶谘议局议员和民初国会参议员的谷钟秀编的《中华民国开国史》,由泰东图书局于 1914 年刊行。以大事记体裁编辑成书的,最早则是上海有正书局于 1912 年出版的天笑生编的《中华民国大事记》。以上两类书籍合计近20种。

至于有关孙中山的传记、年谱等书,1949年以前已出版四五十种之多,如果再加上各种文集、翰墨、资料、回忆录之类,更是不胜枚举。还有专门记述辛亥革命时期各个地区和各类事件、各种人物的史籍谱传,为数亦多,难以作比较完整的统计。

回顾早期辛亥革命史论著,出版于20年代以前者大多属于史事记述,往往流于资料罗列,粗疏浅薄。由于作者政见不同,则又难免党同伐异,甚至歪曲史实。如1924年刊行的尚秉和的《辛壬春秋》,叙事虽尚条理明晰,间有为外界所罕知者,但字里行间则充满对革命的仇恨与攻讦。

及至30年代,国民党政府已经建立全国统治,辛亥革命史基本上被纳入国民党党史范畴,为蒋介石集团宣扬其正统观念服务。许多史书削足适履,掩饰涂改,以致往事面目全非。不过,40年代中期以后出版的若干著作,则具有较多参考价值。如老同盟会会员且曾任稽勋局长的冯自由撰述的《革命逸史》(商务印书馆1945年至1947年版)、国民党元老且曾任中山大学校长的邹鲁撰写的《中国国民党史稿》(商务印书馆1944年版)、著名历史学者罗香林的学术专著《国父之大学时代》(重庆独立出版社1945年版)等,或以资料搜罗丰富取胜,或以体例比较严谨见长,或则长期致力于若干史事的严密考订,均为当时及晚近历史学者所重视。但严格说起来,这些作者仍不免囿于党派成见,甚至带有某种官方色彩,从而局限了他们的学术成就。

对于辛亥革命史,马克思主义者历来给以高度重视。几乎从这次革命刚一爆发,列宁便对它和它的领导者给予很高的评价。20年代以后,毛泽东和中国老一辈无产阶级革命家,对辛亥革命也有一系列精辟论述。只是由于革命战争的频繁紧迫,为种种客观条件限制,以马克思主义为指导的辛亥革命史学术著作毕竟极少。1948年生活书店出版的黎澍的《辛亥革命与袁世凯》(1954年修订为

《辛亥革命前后的中国政治》，由人民出版社出版），或许可以说是仅有的开创性成果。

总之，在 1949 年以前，除出版数量较多的有关辛亥革命史的文献资料外，对于这一领域的学术研究还很难令人满意。

一、初始阶段（1949—1966）

1949 年以后，由于政权的更易，同时也由于为数本来就不多的几位辛亥革命史研究者迁居港、台，中国大陆的辛亥革命史研究更形冷落，所以不能像太平天国史研究和中国近代史分期问题那样入选争鸣热烈的历史学"五朵金花"。

直到 1956 年，政府隆重纪念孙中山诞辰 90 周年，毛泽东发表了闪耀着历史辩证法光辉的《纪念孙中山先生》一文，对孙中山和辛亥革命给予高度评价，其他老一辈无产阶级革命家也作了很多相关深刻论述。稍后，《民报》的影印出版和作为"中国近代史资料丛刊"之一种的《辛亥革命》（共 8 册）的刊行，也为辛亥革命研究者提供了方便。据不完全统计，从 1956 年下半年到 1957 年上半年，有关孙中山和辛亥革命的文章已发表 200 余篇之多。不过这个短暂的热潮并不足以说明辛亥革命史研究已经踏上学术的坦途，因为其中很多作品属于报刊纪念性文字，缺乏必要的研究基础。而且，由于"大跃进"、"教育革命"之类运动的干扰，1958 年至 1960 年顿形冷落，两三年之间发表的有关孙中山的应景文章不过十来篇。

1961 年以后，由于辛亥革命 50 周年纪念活动的促进，特别是由于"双百"方针的重新得到贯彻，辛亥革命史研究又形活跃。在武昌举行的由中国史学会和湖北省哲学社会科学联合会举办的"纪念辛亥革命 50 周年学术讨论会"，有吴玉章、范文澜等全国各地学者 100 余人参加，提交论文 40 余篇。这是以辛亥革命为主题的第一次全国性学术会议,所以大家非常重视,讨论也非常热烈,[1] 初步呈现出实事求是和自由争论的良好风气。刘大年的《辛亥革命与反满问题》、陈旭麓的《清末新军与辛亥革命》、李文海的《辛亥革命与会党》、徐仑的《张謇在辛亥革命中的政治活动》、章开沅等的《武昌起义与湖北革命运动》、隗瀛涛的《四川保路运动》等文,都得到人们的好评。会后由中华书局出版《辛亥革命五十周年纪念论文集》,收入会议内外论文 32 篇,近 50 万字,是 1949 年以来辛亥革命史研究的重要成果之一,至今仍然受到中外学者的重视。人民出版社印行的吴玉章《辛亥革命》一书,由于作者不仅是辛亥革命的重要当事人,而且具有很高的理论素养和丰富的社会阅历,他以娴熟的马克思主义观点深入地论述了辛亥革命的全过程,从而使此书的意义超越个人回忆录的范围,赢得了史学界的相当重视。此外,回忆录和各种文献资料的征集工作蔚然成风,也应当看做是这次纪念活动的重要成果。全国政协文史资料委员会编辑的 6 卷本(以后增补为 8 卷本)《辛亥革命回忆录》以及各省、市(还有一些县)有关单位编印的辛亥革命回忆录的资料选辑,还有《辛亥革命前十年间时论选集》的陆续出版,为研究者提供了大量很有价值的素材。

从 60 年代初期的形势来看,辛亥革命史研究本来可以,也完全应该有一个较大的突破。但是由于大家都已熟知的左倾思潮的干扰,紧接着便是"十年动乱",使刚刚活跃起来的辛亥革命史研究横遭摧残。关于这方面的情况,过去论述已多,本文无需重复。其实,就连在 1949 年至 1966 年这 17 年期间,历史学者实际可以比较认真研究辛亥革命史的时间,充其量也不过只有四五个年头。因此,只能把"文革"前的辛亥革命研究看做初始阶段,不必太多苛求。

---

[1] 会上讨论得较多的为新军、会党、张謇阶级属性、辛亥时期社会主要矛盾以及当时资产阶级与农民的关系等问题。

但是,这一阶段的辛亥革命研究毕竟出现了新的气象,并且与1949年前的旧史学区别开来。

1949年前的辛亥革命史研究,单纯侧重于孤立的政治事件的叙述,并且有意无意地掩盖其阶级斗争的实质。1949年以后的研究,则强调了经济背景和阶级关系的探讨,并且把辛亥革命看做是清末社会主要矛盾激化的产物。对于民族资本主义工业的研究,对于民族资产阶级性格的研究,对于资产阶级内部阶层区分的研究,对于农民问题的研究,对于资产阶级与农民关系的研究,对于一些重要历史人物和政治团体阶级属性的研究,……正是由于把握了阶级斗争这条线索,人们才有可能透过辛亥革命时期种种看来迷离混沌的历史现象,特别是透过各种矛盾交错的意向,来探讨各种阶级、阶层不同的物质生活条件和生活状况,从而逐步获得若干带规律性的真切理解。

1949年前的辛亥革命史研究,往往侧重少数知名人士的个人活动,很少甚至没有涉及人民群众的地位和作用。新中国成立后的研究比较注重人民群众的意愿和行动,为矫正旧史学根深蒂固的流弊,许多学者为群众斗争资料的发掘和整理研究,付出了十分辛勤的劳动。对于辛亥革命时期抗捐抗税斗争、反对外国教会的斗争、抢米风潮、反清起义、拒法拒俄运动、抵制美货运动、收回利权运动、保路风潮和各地革命党人领导的反抗运动,乃至对新军、会党的专题研究等,都丰富了辛亥革命史的内容,并且有助于恢复历史的本来面目。

据不完全统计,1949年10月至1966年6月以前,中国大陆共出版有关辛亥革命的书籍50余种,资料30余种,论文约500篇。通过10多年的艰难努力,辛亥革命史领域已经形成一支为数虽然不多但却较为精干的研究队伍,为此后的学术发展初步奠定了基础。但无需讳言,1966年以前的辛亥革命史研究,从总体上来说又是不够成熟的,而且还存在明显的局限。以已出版的书籍而言,大多是中小型知识读物,具有学术深度者甚少。已发表的论文有一部分颇具学术价值,但又偏重人物研究,特别是偏重少数革命领袖人物政治思想及其实践。这样的学术研究,自然很难从总体上取得较大的突破。

这些局限的存在,除了由于辛亥革命史研究本身既往发育不够和我们多数研究者还比较年轻以外,"左"的干扰是一个更为重要的原因。极左思潮在 1958 年的所谓"史学革命"中已经甚嚣尘上,60 年代初曾有短暂收敛,而通过 1964 年所谓"李秀成评价问题"等讨论又复抬头,并且采取比过去更为偏激的方式,把学术问题与政治问题完全混同起来。这种左倾幼稚病扩展的势头越来越大,到"文革"期间终于形成一种思想体系,即以"立足于批"为指导原则,以所谓"资产阶级中心"论、"资产阶级决定"论、"资产阶级高明"论为三根大棒的,一整套禁锢辛亥革命史乃至世界上一切资产阶级革命史研究的枷锁。

正是由于这种极左思潮泛滥,加上"四人帮"出于政治需要而拼凑的"儒法路线斗争"框架,把辛亥革命的历史歪曲得面目全非,正常的学术研究被迫完全中断。

二、复苏与崛起(1976—1989)

"文革"以后,就中国近现代史学科而言,辛亥革命史研究与太平天国史研究,是恢复较早而且发展较快的两个分支。由章开沅、林增平共同主编的多卷本《辛亥革命史》,早在 1976 年即已开始前期工作,1977 年正式组建编写组,成员包括湖北、湖南、四川、贵州、河南等省学者。1978 年底又成立了中南地区(包括湖南、湖北、广东、广西、河南 5 省)辛亥革命史研究会,这个学术团体规模虽然不大,但由于受到京、津、沪等地众多学者的关心与支持,所以能够对全国辛亥革命史研究起一定推动作用。1979 年 11 月,该会与中山大学、广东省史学会在广州联合举办"孙中山与辛亥革命学术讨论会"。会议收到论文 84 篇,到会代表 145 人,其中有美国、日本和香港地区学者 4 人,开中国大陆举办辛亥革命国际性学术会议之先声。会议开得热烈活泼,所以人们深情地称之为"春天里的第一只燕子"。

辛亥革命史研究的复苏,首先是受益于国家的开放与改革,但经由开放而初步认知的外在世界,却给我们的辛亥革命史研究带来严峻的挑战。因为,正是在我们困顿于"十年浩劫"而无所作为的时候,北美、日本和我国港、台地区的辛亥革命史研究却取得长足的进步,而在 70 年代后期竟成为国际史坛的热点之一,名家辈出,佳作纷陈,与我们史坛的多年沉寂形成鲜明对照。

但是这种挑战并没有使我们悲观失望,反而对我们的辛亥革命研究起了明显的促进作用。一是鞭策我们奋起努力改变落后状态,迎头赶上世界范围的学术发展潮流。二是从海外辛亥革命史研究的科际整合(或称多学科相互渗透)趋势中得到启发,使我们在研究方法方面开始有所变化。三是通过中外学者之间日益频繁的交流,逐步增进了相互理解与合作,共同把辛亥革命研究发展成为国际性的一门显学。

中共十一届三中全会以后,我国正式进入改革开放的新时期,并且提倡解放思想与实事求是的新学风。历史学界和其他各种行业一样,人们备受压抑而又积蓄甚久的积极性,像埋藏在地下的丰饶泉水一样突然喷涌而出。辛亥革命史研究者并没有花费很多精力去批判"四人帮"的左倾思潮与影射史学,因为那些凭藉暂时威权横行史界的浅薄而又荒谬的大杂烩实在不值一驳。我们倒是对自己过去的学术工作进行更为认真的反思,力图在新的历史时期,通过切实的学术实践,寻求新的途径与进展。

进展是举世瞩目的。从 80 年代一开始,三种大型辛亥革命专著便相继出版。首先是上述章、林等 5 省学者集体编著的《辛亥革命史》(3 册,共 120 万字),由人民出版社于 1980 年至 1981 年出版;接着便是李新主编的《中华民国史》(第 1 编,上、下两册),由中华书局于 1981 年至 1982 年出版;还有金冲及、胡绳武合著的《辛亥革命史稿》(第 1 卷),由上海人民出版社于 1980 年出版。这三部书虽然大多正式撰著于"文革"结束以后,但一般都有 10 余年以上的个人的或集体的研究积累,因此能够显示各自的功力与特色之所在。相较而言,《辛亥革命史》对社会环境,特别是对资本主义经济发展与资产阶级状况着力较多,对保路运动等群众斗争论述之详尽亦为旧时著作所不及,对辛亥前后各个阶级、阶层、政派的状况及相互关系,亦能再现当时广阔而复杂的社会图景。所以,日本学者誉之为通论性的煌煌巨著。李新主编之书为中国社会科学院近代史研究所民国史研究室长期集体研究的成果,有陆续编辑出版的大事记、人物传、资料丛刊作为坚实基础。其第 1 编虽然是作为中华民国史之背景撰述,但论述精炼、结构严密,首尾联贯,亦可独立视为辛亥革命通论性专著。金、胡是合作已达 20 余年的老搭档,相互之间的默契补益堪称上乘,《辛亥革命史稿》一书对以孙中山为代表的资产阶级革命派这一主线论述尤为着力,对知识界和社会思潮均有系统介绍,运用报刊等新闻资料较多亦为特色。同时,由于全书出版较为滞后,能够吸收更多新的成果,所以颇有后来居上之势。

　　除这 3 本通论性大型著作以外,"文革"后出版的各种辛亥革命专著仍以历史人物的研究占多数,据不完全统计,到 80 年代末此类专著已近 80 种。其中孙中山研究仍居领先地位,《孙中山年谱》(中华书局 1980 年版)、《孙中山论》(张磊著,广东人民出版社 1986 年版)都是集体或个人长期勤奋工作的结晶,有关孙中山思想研究的专著多种,亦有作者各自的独到见解与体系。对黄兴、秋瑾、宋教仁等革命人物的研究持续发展并逐步深入。其中毛注清所编《黄兴年谱》(湖南人民出版社 1980 年版)资料翔实,态度严谨,颇得中外学者好评。

章太炎研究的进展更为显著,迄至 80 年代末已出有关专著 6 本。汤志钧的《章太炎年谱长编》(中华书局 1979 年版)及其他相关论著,姜义华的《章太炎思想研究》(上海人民出版社 1985 年版),唐文权、罗福惠的《章太炎思想研究》(华中师范大学出版社 1986 年版)都是各具特色、具有长期积累的力作。对章太炎学术思想(包括哲学、佛学、史学、经学、诸子学、语言文字学)的深入探讨,丰富了辛亥革命史研究的内容,同时也促进了正在兴起的近代中国学术文化史研究。

张謇研究在 80 年代中期的兴起也颇引人注目。60 年代初有关张謇的讨论主要限于政治层面,而争论焦点则是他的阶级属性,大多谈不上有多少深入研究。进入 80 年代以后,由于南通市和江苏省有关单位的重视,张謇研究蔚然成风,而且加强了与日本、北美、欧洲相关学者的交流。日本学者史事实证的谨严,西方学者视野的开阔与总体把握的准确,都给国内张謇研究以良好影响。1986 年章开沅的《开拓者的足迹——张謇传稿》(中华书局版)的出版和 1987 年第一次张謇国际研讨会在南京召开,标志着张謇研究进入学术规范的新阶段。《传稿》一书把张謇纳入社会群体转型研究,以及作者在其他论著中对社会环境、社会群体、社会心态研究的再三提倡,对辛亥革命史研究注入若干新鲜活力。

中国是一个幅员辽阔、人口众多的大国,区域研究是总体研究不可缺少的前提与基础。80 年代以来,许多省、市的辛亥革命研究都有不同程度的发展,《辛亥武昌首义史》、《辛亥革命在湖北》、《辛亥革命在湖南》、《贵州辛亥革命》、《辛亥革命在河南》、《辛亥革命在山西》、《辛亥革命在浙江》、《辛亥革命在新疆》等新著相继出版。这些著述尽管篇幅不等,但大多对 20 世纪初年各省社会状况、革命团体的宣传活动和武装斗争、新政府的建立及其特点等等,作了比较细致的叙述与论析,既说明辛亥革命是一场全国规模的政治运动,也展示革命在各地发展的特点与不平衡性,从而在不同程度上增进了人们对于辛亥革命的理解。

在区域研究中,隗瀛涛的《四川保路运动史》(四川人民出版社1981年版)亦为历经长期潜心研究的力作。此书对川汉铁路资本积累(如"租股")的特点、四川地主阶级不同程度的向资本主义转化、同盟会在四川的政治作用等方面,都提出比较深刻的新见解。因此,此书并未限于事件全过程的如实叙述,在对辛亥革命历史的解释方面也给读者提供某些启发。此外,林家有的《辛亥革命与少数民族》(河南出版社1981年版)一书,则填补了此前辛亥革命研究的一大空白。作者曾在中国社会科学院民族研究所工作10余年,"文革"后应邀担任《辛亥革命史》各册有关少数民族部分的撰著,然后又在此基础上综合写成此书。作者广搜博采,以丰富的内容论述了包括满族人民在内的少数民族反抗清王朝的英勇斗争,从而更为有力地说明辛亥革命并非汉满之间的种族斗争。

在这一时期,辛亥革命研究者还为大批重要文献资料的编辑出版付出了辛勤劳动。重要人物文集有《孙中山全集》(11卷本)、《黄兴集》、《宋教仁集》、《章太炎集》、《秦力山集》、《陈天华集》、《宁调元集》以及由章开沅、唐文权主编的"辛亥前后人物文集丛书"(1989年以前已出雷铁崖、经元善、居正、吴禄贞等集)。重要档案文献有《临时政府公报》、《中华民国档案资料汇编》、《湖北军政府文献资料汇编》、《武昌起义档案资料选编》、《清末档案资料丛编》等。其他一些重要专题资料,如盛宣怀档案、张謇未刊函电的整理出版和《辛亥革命前十年间民变档案史料》、《清末筹备立宪档案史料》、《清末海军史料》、《拒俄运动史料》、《萍浏澧起义资料汇编》,以及各省、市有关辛亥革命的文史资料也陆续印行。《日本外交文书选译——关于辛亥革命》、《英国蓝皮书有关辛亥革命资料》等中译本也相继问世。《梁启超年谱长编》亦获整理出版,《革命逸史》、《武昌革命真史》等旧时重要著述与《申报》、《大公报》、《东方杂志》等报刊则经影印或重印。这些重要资料的公开出版,为辛亥革命研究提供极大方便,并促进了某些新课题的开拓。

以辛亥革命为主题的学术会议的频繁召开,也是这一时期独具的特色。以国内会议而言,1949 年至 1978 年只在武昌举办过一次纪念辛亥革命 50 周年的学术讨论会,而自 1979 年以后则连绵不绝。除中南地区辛亥革命研究会自己的年会(中南 5 省轮流举办,并邀请京、津、沪少数学者参加)外,有前面已经提及的 1979 年 11 月广州“孙中山和辛亥革命学术讨论会”,1980 年 11 月的长沙“辛亥革命史学术讨论会”(中南地区辛亥革命研究会与湖南省历史学会联合举办),1981 年 8 月上海的“清末民初中国社会学术讨论会”(复旦大学举办,以辛亥革命为重点),1981 年的长沙“纪念辛亥革命 70 周年青年研究工作者学术讨论会”(中南地区辛亥革命研究会与湖南省历史学会联合举办),1985 年 12 月的昆明“护国起义 70 周年学术讨论会”(云南省社会科学院、中南地区辛亥革命研究会等联合举办),1986 年 9 月的武昌“两湖地区纪念孙中山诞辰 120 周年暨辛亥革命 75 周年学术讨论会”(湖北省社联、中南地区辛亥革命研究会等主办)等。① 国际会议则有 1981 年武昌“纪念辛亥革命 70 周年国际学术研讨会”(中国史学会与湖北省社联主办),1984 年广州“孙中山研究学术讨论会”(中山大学与中南地区辛亥革命史研究会联合举办),1985 年 3 月涿县“孙中山研究述评国际学术讨论会”(孙中山研究学会主办),1986 年 11 月中山

---

① 在此期间,全国各省、市尚有规模不等的学术会议,如地区性纪念辛亥革命 70 周年讨论会,纪念秋瑾、陶成章讨论会,蔡锷评价讨论会,纪念光复会 80 周年讨论会,纪念邹容诞辰 100 周年讨论会,纪念萍、浏、澧起义 80 周年讨论会,唐绍仪史料研讨会,纪念宋教仁诞辰 105 周年讨论会,纪念蒋翊武就义 75 周年座谈会,唐绍仪研讨会等,不及一一缕叙。

"孙中山研究国际学术讨论会"(孙中山研究学会主办),1986 年 6 月杭州"纪念章太炎逝世 50 周年学术讨论会"(中国史学会、浙江省政协等联合举办),1988 年 12 月长沙"黄兴研究学术讨论会"(湖南省政协、湖南省社联等联合举办)。

以上这些学术会议,分布各地,规模不等,主题各异,均有自己的特色,呈现出全国范围辛亥革命研究一片生机勃勃的新气象。在这些会议中,以纪念辛亥革命 70 周年和孙中山研究两次国际学术讨论会规模最大而且也最具水平。前者以"辛亥革命与资产阶级"为主题,与会学者有来自中国大陆各地 127 人,来自美、加、日、英、法、澳等 17 个国家及香港地区 44 人。收到论文 106 篇,其中海外学者提交 25 篇。这是我国首次正式举办的研讨辛亥革命的国际会议,而由于各国知名研究者到会踊跃,也就成为一次名副其实的国际学术盛会。后者以"孙中山及其时代"为主题,与会者有来自中国大陆学者 109 人,北美、欧、亚、澳等国和香港地区学者 38 人。收到论文 76 篇,其中海外学者提交 30 余篇。出席此次会议的海外知名学者又有所增加(如苏联的齐赫文斯基、美国的韦慕廷),国内学者则以中青年学者的崛起引人瞩目,而会议论文质量从总体来说又有明显提高。通过这两次盛会,不仅加强了与海外史学界的交流,而且充分显示了我国辛亥革命史研究在"文革"以后 10 年间的迅速发展,人才之盛,成果之多,举世瞩目。即使是一些过去长期对我们持有偏见的海外学者,也不能不改变自己的错误看法。此外,"孙中山研究述评国际学术讨论会"规模虽然不大(共 49 人,其中有海外学者 16 人),但由于到会者大多是研究有素的资深学者,而且带有学术全面回顾与前瞻意义,这种交流更具有全面性和深层次。

我们还不断应邀参加国外举办的有关辛亥革命的研讨会。比较重要的有 1981 年 10 月下旬在东京举办的"纪念辛亥革命 70 周年国际学术会议",这是中国辛亥革命史研究者第一次组团(团长为胡绳)出国参加国际学术会议。接着是 1982 年 4 月北美亚洲学会在芝加哥举行第 34 届年会,特地为中国举办辛亥革命研讨会,邀请海峡两岸学者参加。大陆方面由胡绳率团参加,台湾方面则由秦孝仪领队,双方都派出强大的学者阵容。这是海峡两岸历史学者首次正式讨论辛亥革命史,因而引起海外众多媒体的密切关注。1985 年孙文研究会在东京和神户举办"孙中山研究日中国际学术讨论会",1986 年苏联科学院等在莫斯科举办"纪念伟大的中国革命民主主义者、苏联的朋友孙中山诞辰 120 周年学术讨论会",同年澳大利亚悉尼大学和亚洲学者协会分别在悉尼与新加坡举办"孙中山和辛亥革命研讨会",我们都曾组团或以个人身份应邀参加。此外,在这 10 余年间,中外辛亥革命研究者相互访问、讲学或合作研究亦日渐增多,这更扩大了交流的规模与深度。

对国外辛亥革命史佳作的译介,也是这个时期学术交流的一个重要部分。杨慎之从 70 年代末开始,连续翻译了美国学者薛君度的《黄兴与中国革命》(湖南人民出版社、读书·生活·新知三联书店香港分店 1980 年版)、周锡瑞的《改良与革命——辛亥革命在两湖》(中华书局 1982 年版)和韦慕廷的《壮志未酬的爱国者——孙中山》(中山大学出版社 1986 年版),都是西方影响较大的力作,而且译风严谨,文笔典雅而忠实原意,起了良好的先导作用。丘权政、符致兴翻译的史扶邻的《孙中山与中国革命的起源》(中国社会科学出版社 1981 年版)、伯纳尔的《1907 年以前中国的社会主义思潮》(福建人民出版社 1985 年版),在研究方法和资料信息方面都增添了人们对海外辛亥革命史研究的关注。此外,中南地区辛亥革命史研究会等单位先后编印的《辛亥革命研究会通讯》、《国外辛亥革命史研究动态》之类不定期出版物,经常刊登对于海外有关论著的译文和评介,并及时介绍海外学者对我国辛亥革命史论著与学术会议的评论。及至 80 年代中期以后,中外学术交流渠道畅通,海外辛亥革命史书刊除通过图书进出口公司购阅外,还有中外学者之间的随时馈赠,这些都是前此未曾有过的优越条件。

正是由于以上这些主客观积极因素的不断增长,我国辛亥革命史研究呈现空前的繁荣。仅就论文数量而言,据不完全统计,1979 年 75 篇,1980 年 176 篇,1981 年 1224 篇,1982 年 593 篇,1983 年 432 篇,1984 年 398 篇,1985 年 420 篇,1986 年 614 篇,1987 年 672 篇,1988 年 368 篇,1989 年 350 篇,总计为 5300 篇左右,为 1949 年至 1978 年的 10 倍。[①]

问题不仅在于论文数量增长的迅猛,而且还在于许多论文体现了辛亥革命史研究在理论、方法以及资料发掘方面的改进与革新。下面择其要者略作介绍。

第一,在这 5000 多篇论文中,孙中山研究虽然仍占 20％左右的很大比重,但已加强对过去所忽视的孙中山思想许多层面的探索,特别是对其人格、心理、领袖品质、文化结构的深入剖析。同时,对孙中山以外的其他人物,特别是对历史上曾经反对过孙中山的人物,也加强了系统而深入的研究。而对革命团体的研究也扩展到兴中会、同盟会以外的众多社团(包括立宪团体与立宪运动),并且大多力求作客观、公正的论述,这样就打破了长期存在的“孙中山中心”的陈旧框架,消除了正统主义史观的束缚。

第二,有关政治史、武装革命史、群众斗争史的文章,虽然仍有相当大的数量,但对于经济、文化、教育、中外关系、风俗习惯、妇女状况等方面的研究已有明显增强。由于 80 年代“文化热”的兴起,以及人们对现代化理论与实践的日益关切,传统文化与现代化的关系问题也成为辛亥革命研究中的热点之一。社会思想的研究已从过去专注于以三民主义为主旋律的民族民主潮流,扩展到国粹主义、无政府主义和早期社会主义的研究,逐渐加深了对于辛亥革命时期思想文化的多元性与复杂性的认识。

[①]　主要依据《辛亥革命史研究会通讯》所载历年论文目录,因此不可能十分齐全,其中也有些是学术性不强的纪念性文章。

　　第三,辛亥革命的性质长期以毛泽东的有关论述为惟一依据,80年代以后,人们才发现海内外历史学者的论析差异甚大,甚至相互对立。概略区分可以归纳为三种:一是资产阶级革命说(以中国大陆学者和若干日本学者为代表),二是全民革命说(以中国台湾学者为代表),三是社会精英或绅士运动说(以西方学者为代表)。前两种论者都肯定这是一次具有伟大历史意义的革命,但革命主要动力则有资产阶级与全体民众之分;第三种意见强调新式社会精英的崛起和主导作用,甚至否定辛亥革命是一次社会革命。改革开放为中外学者与海峡两岸学者提供了直接对话的机会,不同观点的碰撞与论战不仅无可避免,而且对促进学术发展来说更是非常必要。正是通过不断的讨论与争辩,海内外学者加强了相互的沟通与理解。虽然在论点方面仍多存异,但在理论概念、研究方法和资料运用等方面,逐渐发现了相异产生的缘由。这样对话便有了沟通的基础,并进而排除既往成见,日渐收相互切磋补益之效,这可以看做是辛亥革命史国际学术交流的成功之处。

　　第四,辛亥革命性质问题的论战,促进了早期资产阶级的研究。1981年武昌会议曾以此为主题,并出现了中外学者之间的激烈争论。会后,加拿大著名华裔学者陈志让教授为增进中外学者之间的相互交流,亲自把提交会议的5篇中国学者论文一丝不苟地译成英文,在美国《中国历史研究》杂志上作为专辑发表,[①]为西方学者直接了解中国学者的观点、方法与史实依据提供了方便。其间,1982年4月在芝加哥会议上还出现过"张(玉法)章(开沅)之争",即全民革命说与资产阶级革命说的正面交锋。由于会

---

①　这5篇论文是章开沅:《辛亥革命与江浙资产阶级》、丁日初:《辛亥革命前的上海资本家阶级》、皮明麻:《武昌首义中的武汉商会、商团》、邱捷:《广东商人与辛亥革命》、黄逸平:《辛亥革命对民族资本主义工业的推动作用》,陈志让译文均载于 Chinese Studies in History (Spring—Summer, 1985)。

上受时间限制未能畅所欲言，加以会后许多台湾报刊作攻讦性的歪曲报道，笔者便及时撰写《就辛亥革命性质问题答台北学者》长文，在《近代史研究》1983年第1期发表，全面说明资产阶级革命说的大量史实依据与理论、方法的具体运用，使港、台学者能够在较高的层次上直接了解我们的学术见解。经过这些争论与相互沟通，不少海外学者逐渐减少了对大陆辛亥革命研究的学术偏见（甚至政治偏见），转而以比较客观友好的态度与我们进行学术交流乃至某些合作研究。早在80年代初，以王德昭、吴伦霓霞等为代表的香港辛亥革命研究者即已开始与内地学者频繁交流，及至80年代中期，以蒋永敬、张朋园、张玉法等为代表的阵容更盛的台湾辛亥革命研究群体，也逐步加强了对内地的关注与交流。海峡两岸三地辛亥革命研究者的友好合作，使辛亥革命史研究呈现更为繁荣发达的态势。

三、持续发展（1991年以后）

无可讳言，我国辛亥革命史研究的发展势头，在80年代后期曾出现明显下降趋势，这从上述历史论文数量统计即可看出。主要原因有三：一是文化史研究热和现代化研究，吸引了部分辛亥革命史研究者，分散了他们的精力；二是辛亥革命史研究已经达到相当高度（所谓"学术高原"），如想有进一步发展与重大突破，需要有一段时间的重新积累与探索；三是学者生活的清贫和其他社会原因，驱使有些中青年学者往其他行业谋求发展；四是经费困难直接影响了相关论著、资料和学术刊物的及时出版。但情况并非完全令人悲观，下降趋势中仍然隐藏着不少积极因素：

第一，有些从80年代开始的大型学术工作仍在继续，如广东方面陈锡祺主编的《孙中山年谱长编》（共3卷，155万字，中华书局1991年版）和金冲及、胡绳武的《辛亥革命史稿》2、3、4卷（全书共 150 余万字,上海人民出版社于 1991 年出齐),还有章开沅、林增平等受中华书局委托编辑的"中国近代史资料丛刊"《辛亥革命资料续编》(约 300 万字,以中、英、法、日档案为主,已编好但因经费问题至今未能出版)。章开沅主编的"辛亥人物文集丛书",在 90年代以后仍然出版了桑兵、唐文权编的《戴季陶集》(100 万字)、饶怀民的《刘揆一集》,《周学熙集》,《黄宗仰集》均已编好正待出版。武汉学者集体编写的《辛亥革命辞典》(武汉出版社 1991 年版)的问世,亦为辛亥革命研究重大成果之一。

　　第二,笔者在 1984 年即已提出辛亥革命研究必须"上下延伸和横向会通",[①] 80 年代后期情况正是悄悄地朝这个方面发展。历史从纵向而言是一个前后连续的运动过程,从横向来看则是一个完整的多层面的社会结构乃至国际结构。任何重大历史事件都不应孤立地就事论事,而必须放在历史过程中与社会系统内加以探讨,这样才会拥有广阔的研究空间与持续的学术生命。80 年代中期以后,一批勤奋耕耘的辛亥革命研究者的"转向",实际上是正在或将要把辛亥革命研究引入一个新的境界。例如素以研究章太炎见长的汤志钧,其新著《近代经学与政治》(中华书局 1989 年版),就体现了这种延伸与会通。这本书不仅是作者对于近代经学多年研究的总结,而且也从学术与政治关系的侧面,使人们增进了对于辛亥革命与章太炎等历史人物的理解。章开沅、罗福惠等从 80 年代中期开始转向文化思想史与中国近代化研究,并编辑出版"中外近代化比较研究丛书",但他们并没有完全离开辛亥革命史,而是从各自不同的角度把辛亥革命史研究引入文化史和现代化比较研究的道路,使之具有更为广阔的视野与更为深层的思考。

　　第三,作为这种延伸与会通更为明显的收获,是商会史与社会群体史研究的兴起。1982 年笔者在芝加哥会议上即已明确指出,

---

① 《辛亥革命史研究如何深入》,《近代史研究》1984 年第 5 期。

商会档案是研究中国资产阶级不可缺少的重要文献资料,曾引起海内外许多学者的重视。此后,华中师范大学历史研究所和苏州市档案馆,天津市社会科学院历史研究所和天津市工商业联合会,都投入大量人力,分别编辑出版了《苏州商会档案丛编》第 1 辑(117万字,华中师范大学出版社 1991 年版)和《天津商会档案汇编》上、下卷(187 万字,天津人民出版社 1989 年版)。与此相呼应的,则是海内外以中国商会为研究对象的博士学位论文的逐渐增多,大型学术研讨会的召开与商会史研究会的成立。商会史研究不仅有助于阐析清末民初资产阶级的实际状况、角色与作用,而且也为正在热烈讨论之中的"市民社会"、"公共空间"等重大问题提供了新的视角与视野。与此相伴随的则是各种社会群体研究的开展,如绅商群体、商人社团、学生群体、督抚群体、出版人群体,乃至日本的大陆浪人群体等等。而作为此类研究结集的便是社科"九五"规划重点项目"近代官绅商学研究",项目的主持者和参与者希望藉此不仅为辛亥革命史研究开辟一块新的耕耘之地,而且还为解读近代中国历史提供一把新的钥匙。

第四是辛亥革命史研究队伍的世代更新正常进行。20 世纪最后 10 多年,全球各地都出现了史坛世代更新现象,即令是辛亥革命史这个小小的领域也不例外。早在 80 年代中期,特别是在纪念孙中山诞辰 120 周年的国际研讨会上,我们已经高兴地看到一代意气风发的年轻学者群体的崛起。进入 90 年代以后,无论是在纪念辛亥革命 80 周年国际研讨会和纪念孙中山诞辰 130 周年国际研讨会上,还是在各种学术交流场合和重要论著的撰述方面,都可以看到中、新生代学者逐步取代长者原先的重要地位。这些新起学术骨干,大多在"文革"后接受过系统的研究生教育,有较好的专业基础与方法训练,而且通过学术交流在理论与方法方面都有所创新,并且拥有比过去更多的资料与信息来源。他们的学位论文一般都经过长期积累与严格锤炼,因而大多能在某个侧面有所突破与创新，甚至为开辟新领域奠定初始的基础。其中如马敏的《官商之间：社会剧变中的近代绅商》（天津人民出版社 1995 年版）、朱英的《转型时期的社会与国家——以近代中国商会为主体的历史透视》（华中师范大学出版社 1997 年版）、虞和平的《商会与中国早期现代化》（上海人民出版社 1993 年版）、桑兵的《晚清学堂学生与社会变迁》（台湾稻乡出版社 1991 年版）、乐正的《近代上海人社会心态（1860—1910）》（上海人民出版社 1991 年版）、赵军的《辛亥革命与大陆浪人》（中国大百科全书出版社 1991 年版）、邱捷的《孙中山领导的革命运动与清末民初的广东》（广东人民出版社 1996 年版）等，都是具有不同程度开创性的奠基之作。正是由于涌现了这一批优秀的中青年学者，而且还有不少年长学者仍在坚持研究工作，所以辛亥革命研究才能在相当艰难的情况下持续发展。

为迎接辛亥革命 90 周年，2001 年又将循例举办大型国际研讨会，这将是 21 世纪对辛亥革命史研究的首次检阅，海内外许多研究者正在做认真的学术准备。仅以武汉地区为例，一批学术骨干从 1998 年以来已经以"回归辛亥革命"相互勉励。华中师范大学历史研究所集体撰著的《近代官绅商学研究》即将出版，章开沅的《张謇与近代社会》、罗福惠的《辛亥前后的青年精英文化》、严昌洪的《1903 年的革命思潮与革命运动研究》、皮明庥的《辛亥革命与城市近代化》、马敏的《中国近代商会观念研究》、朱英的《辛亥革命时期的商团研究》、何建明的《辛亥前后佛教文化的变迁》、吴剑杰的《张之洞年谱长编》、陈钧的《孙中山经济伦理思想研究》等书稿正在写作之中。可以预期，一批辛亥革命史研究佳作，将在新世纪到来之际问世。

四、回顾与前瞻

斗转星移，50 年也不过是弹指一挥间。经过多少风风雨雨，曲折坎坷,辛亥革命史研究从小到大,从低到高,从弱到强,终于发展到现在这样的水平。其学气之旺,人才之盛,持续之久,均已为海内外史学界所认知。

其所以能够如此,主要是由于:

第一是政府与社会的关心与支持。纪念辛亥革命和孙中山诞辰每10年分别举办一次大型学术盛会,两者之间正好相距5年。学术研究与体育运动相似,都需要多种形式与不同层次的激励机制,而5年的周期大体上与史学研究的进展节奏相适应。但学者在争取政府与社会支持时,必须注意保持学术研究的独立品格与自身规范,不可自行混同于政治宣传或所谓"为经济演戏搭台"。辛亥革命史研究之所以能够日益提升学术品位并赢得海外学者的广泛好评,正是由于在这方面已经逐步形成优良传统。

第二是注意对年轻学者的培养与扶植。学位制度的恢复,为选拔和培养较高层次的辛亥革命研究人员提供了良好的机遇。辛亥革命和孙中山青年研究者全国学术会议的先后召开,并且邀集资深学者认真评选优秀论文和总结其得失,是激励年轻学人加速成长的有效方法。人们可以看到,现今活跃在辛亥革命史研究前沿的学术骨干,很多都是当年青年研究者会议的参与者与获奖者,当然我们在这些新生力量的身上也不难发现老一辈学者的心血与良好影响。此外,在社会上不拘一格识拔与扶掖新人参与学术活动,也是辛亥革命史研究队伍日渐壮大的原因之一。在两个世纪相交之际,辛亥革命研究梯队不仅没有断裂之虞,而且还有青胜于蓝、后来居上的可喜趋势,这是使我们颇感欣慰的收获。

第三是得益于国际学术交流的不断加强。"文革"以后,辛亥革命史研究较早接受外国资深学者来华进修(如1978年美国高慕轲教授在华中师范大学历史研究所做为期一年的访问学者),也较早应邀到国外进行学术交流(如章开沅、萧致治1979年先后到美国、日本讲学与访问),可以说是开风气之先。经过近20年的频繁交往,我们与东京辛亥革命研究会、京都大学人文科学研究所以及北美、西欧若干重要研究机构已经建立比较稳定的交流关系,人员与资料的流通持久不辍。特别是一些国际知名学者(如日本的野泽丰、岛田虔次,美国的韦慕廷、周锡瑞,法国的白吉尔、巴斯蒂,韩国的闵斗基等),与我们已结下深厚友谊,而且这种学术纽带已逐步向中、新生代延伸。把世界的辛亥革命研究引入中国,把中国的辛亥革命研究引向世界,不断增强的国际化乃是推进辛亥革命研究不断向前发展的重要驱动力之一。

在新世纪即将到来之际,人们必然要关心历史学未来的命运,也要关心辛亥革命研究这个小小的史学分支未来的命运。说到底,就是辛亥革命作为一个历史事件还能研究多久? 辛亥革命已经研究了 80 多年,其中后 20 年的研究还颇有几分风光乃至某些辉煌;研究 100 年大概毫无问题,但下个世纪 20 年代以后呢? 历史学家虽然也大谈什么"究天人之际,通古今之变",但毕竟不是专业的预言学家,不善于也不大喜欢作任何太具体的猜测。世界的变化太大,中国的变化也不会很小,一个小小的学术分支的存亡绝续有多种多样的变数,并非少数人的主观愿望所能决定。

但希望肯定是存在的。正如亡友陈庆华教授在 80 年代初所勉励的那样,"法国大革命已经研究了将近 200 年,而且经久不衰,希望你们也把辛亥革命研究坚持 100 年、200 年,甚至更久"。当然,与古代史的某些重大事件相比较,100 年、200 年都是不值一提的久远,可是近代的重大事件太多,并非所有的重大事件的研究都能够坚持百年以上。百年可期,200 年容许奢望,200 年以后呢? 世事的变化仍然难言。

不过研究者的主观努力仍然是先决条件。日本同行说得好,我们自称辛亥革命研究会,而不是辛亥革命史研究会。其用意就是没有把辛亥革命当作孤立的事件来研究,并且没有单纯从历史的角度来研究。其实,法国大革命研究之所以历经 200 年而不衰,主要原因也正在此,特别是年鉴学派的兴起,延伸了作为研究对象的时间跨度,扩大了社会多层面的研究视野,因而更为增添了法国大革命研究的辉煌。80年代以来,我们不断强调"上下延伸与横向会通",讲的也就是这个意思,走的也是与此相近似的道路。如果是这样来看辛亥革命研究,学术空间依然广阔,学术道路依然久长。还是笔者那句老话:"历史是已经画上句号的过去,史学是永无止境的远航。"就是辛亥革命这个不大不小的领域,我们需要深入研究的课题还多着呢!①

问题是,一方面辛亥革命研究者要耐得住清贫与寂寞,要以苦撑精神把自己的学术工作坚持下去;另一方面,政府与社会也要不断提高对于史学价值的认识,继续对辛亥革命史研究给以必要的关切与支持。辛亥革命史研究会的经常运作,《辛亥革命史丛刊》和《辛亥革命史研究动态》以及一些重要学术专著的持续出版,没有充足的经费补助是难以实现的。

我们高兴地看到,虽然为数不多但毕竟有一批辛亥革命史研究者,正在走自己选择的学术道路。他们努力继承中国史学的优良传统,特别是30年代一些史学大师中西结合的谨严学风,同时又博采西方史学的优长之处,不趋时,不盲从,扎扎实实地做自己认定的学问。这才是辛亥革命史研究乃至整个史学希望之所在。同时,我们更希望这些中新生代的精英群体,也能花费精力培育比自己更为年轻的下一代学人,让辛亥革命史研究赓续、后继有人。如果能够这样,至少在21世纪,辛亥革命史研究的历久不衰想必是能够实现的。

---

① 读者如有兴趣,请参看章开沅的《辛亥革命史研究如何深入》,此文虽然发表在15年以前,但其中所提出的众多课题仍未见完成或尚有待着手。

北洋军阀史

　　北洋军阀是中国近代史上一个反动的军事政治集团,是近代中国半封建半殖民地社会的产物。它以 1895 年小站练兵为契机而崭露头角,嗣后经过 10 余年的精心经营得到发展,逐渐形成为一股重要的军事政治力量,攫取了足以左右政治局面的权力,终于乘辛亥革命之机占据了中国的统治地位。在此后的 16 年时间里,虽然政潮迭起,派系纷争与改组剧烈而频繁,但北洋军阀集团却一直把持了全国的统治权(即使不够完整和有力),从而出现了一个北洋军阀统治时期。因此,北洋军阀在中国历史,特别是近代历史上无疑有其特殊而重要的地位。但与此不太相称的是,北洋军阀史的研究一直未能像历史研究中的其他领域那样掀起过热潮,受到更多人的青睐。这当然得归根于它的先天缺陷:一则它的研究对象主要是些反面人物,只不过程度有所不同;他们所制造的历史现象也多是黑暗反动,祸国殃民。为什么放着正面人物和光明宏伟的业绩不去研究,而沉浸于历史进展的反面?这至少反映了研究者避免接触阴暗面的心态。二则它也确是头绪纷繁,错综复杂,不太容易评说指画。三则其史源犹待开发,无米、少米,巧妇难为为炊。于是自然而然使这一课题一度成为"荒漠",很少有人问津。据粗略统计,人民共和国建立以来至 1999 年,有关北洋军阀史研究的论文为 1000 余篇,而 1980 年前的 30 年仅为 130 篇;专著更是少得可怜,只有陶菊隐的《北洋军阀统治时期史话》和来新夏的《北洋军阀史略》二种，才免去这一领域"一无所有"的讥诮。田园荒芜急待耕耘！令人欣喜的是，改革开放以来，随着人们思想观念的不断解放和学术研究气氛的日趋宽松，北洋军阀史吸引了众多的探索者，研究成果接踵问世，学术水平逐步提高，显现出异彩纷呈、生机勃勃的新景象。

（一）综　论

北洋军阀在中国近代历史舞台上确是一个怪胎。它既兴起于封建专制政权之中，又卵翼于帝国主义势力之下，更以"共和国"的形式执掌统治大权。这一历史现象看起来虽有着诸多矛盾，但其发生、发展以至最后归于消亡，则绝非偶然。从理论上探寻北洋军阀兴衰起落的必然根脉，并对它的性质、特点和历史作用等给予实事求是的分析与评价，在整个北洋军阀史研究中无疑具有打破坚冰、开通航道的重要作用。

关于北洋军阀集团形成的原因问题，长期以来都认为它是近代中国半封建半殖民地社会的产物。彭明认为："帝国主义划分势力范围的分裂剥削政策，加上地方的农业经济（不是统一的资本主义），就成为中国近代各派军阀及其混战产生的原因。"[①] 李新的观点与此大致相同，认为北洋军阀的产生与中国这个老大封建国家殖民地程度的日益加深分不开，同时也与封建势力依然存在密切相关。[②] 不难看出，这种观点明显地受到了毛泽东在《中国的红色政权为什么能够存在》一文中论述军阀时所持观点的影响。这一论点从宏观上看无疑是可以被接受的，但还需对此做深入具体的分析与说明。因为，中国自1840年第一次鸦片战争后就逐步沦为半

---

① 彭明：《北洋军阀（研究提纲）》，《教学与研究》1980年第5期。
② 李新：《北洋军阀的兴亡》，《史学月刊》1985年第3期。

封建半殖民地社会,为什么直至 19 世纪末才孕育出北洋军阀这一怪胎呢?可见,仅从近代中国半殖民地半封建社会性质的角度去揭示北洋军阀产生的原因,既显得笼统,也有些苍白。1985 年,来新夏和任恒俊分别对此问题作了比较具体的分析,提出了较为接近的观点。他们认为,北洋军阀集团的成因,首先是由于鸦片战争后清朝的衰朽和旧军的腐败,迫使统治者为维持其政权的存在与延续而需要建立一支新式军队;其次是当时的社会思潮和资本主义的发展,为建设一支新式军队提供了思想和物质基础;再次是列强侵华策略改为通过支持代理人而物色了袁世凯这类人物,而袁世凯在掌握一定权势后又善于运用权术,抓住时机,使这支武装力量日益发展壮大,终于形成一个政治军事集团。[①] 这一论述较之以前在这一问题上的观点显然更具体、更丰满,也更具说服力。近年来,不少人又从政治、文化、社会等层面或角度,对军阀和军阀割据产生的原因问题作了分析与诠释。[②] 任恒俊通过对南北新军在建立时间、装备训练、官兵成分、控制防范、思想倾向、政治态度、与帝国主义的联系等方面的差异的比较研究,对南北军阀形成的原因及其大致过程作了进一步的阐发与描述。[③] 这些从不同角度所进行的探索与论述,无疑丰富了人们对北洋军阀形成原因的认识。

　　关于北洋军阀的社会基础和阶级属性,过去一般都认为它是以封建地主阶级为其阶级基础,在政治上充当了地主阶级的政治代表。彭明指出:“从阶级关系上看,北洋军阀是地主阶级的代理人,是最落后和最反动的生产关系的代表,它极力维护和巩固地主

---

① 来新夏:《北洋军阀史研究札记三题》,《民国档案》1985 年第 2 期;任恒俊:《北洋军阀成因浅探》,《河北师范学院学报》1985 年第 4 期。

② 刘晓:《近代军阀政治的起源》,《学术研究》1990 年第 6 期;唐学锋:《试论军阀割据的社会基础》,《西南民族学院学报》1990 年第 4 期;刘江船:《试论民初军阀割据的文化原因》,《争鸣》1994 年第 2 期。

③ 任恒俊:《新军差异与南北军阀的形成》,《文史哲》1990 年第 4 期。

阶级对农民阶级的封建统治秩序。北洋军阀不仅是地主阶级的代理人，而且他们本身就常常是大地主阶级中的一员。不管他们的出身如何复杂（三教九流都有），但当成为军阀之后，他们大多数都成了大地主。"[1]　吴慧敏则从北洋军阀依仗政治上、军事上的权势大肆掠夺土地，成为新兴地主阶级，并由此兼有军阀和地主双重身份的角度，提出了"军阀地主"的命题。[2]　80 年代以来，有关这一问题的研究在原来的基础上有所发展。有的论者对军阀割据的社会基础是地主阶级的观点提出了质疑，认为这忽视了对近代中国社会结构演变的认识，指出，19 世纪末 20 世纪初，由于中国社会的大动荡，导致了土地所有权的演变，特别是辛亥革命后土地逐渐转移到一批以军事起家的新兴的军阀官僚手中，传统的封建地主阶级日趋没落，因此，军阀割据的真正的社会基础并非是封建地主阶级，而是破产农民和无业游民，"这是旧中国社会病态的反映"。[3]而比较多的人则认为北洋军阀集团不仅是地主阶级的代表，而且在某一阶段某些方面已带有资产阶级的色彩。[4]　有的论者更认为它们不仅是封建权势的代表，同时又是帝国主义势力的代表。[5]　也有的论者通过对若干军阀官僚私人资本主义经济活动的考察来说明北洋军阀统治集团的性质，认为这个集团的一部分基本上已与封建生产关系相脱离或转化，他们所拥有的私人资本已"属于民族资本"。[6]　还有人则从北洋政府的政府行为这一层面的一个特定角度，即经济法制建设情况，对北洋军阀的阶级属性给予了具体说明，认为北洋政府所推行的经济法制建设呈现出如下特点："首先，

---

[1]　彭明：《北洋军阀（研究提纲）》，《教学与研究》1980 年第 5 期。

[2]　吴慧敏：《辛亥革命后军阀地主的形成及其特征》，《经济研究》1980 年第 9 期。

[3]　唐学锋：《试论军阀割据的社会基础》，《西南民族学院学报》1990 年第 4 期。

[4]　来新夏：《北洋军阀史研究中的几个问题》，《学术月刊》1982 年第 4 期。

[5]　李新：《北洋军阀的兴亡》，《史学月刊》1985 年第 3 期。

[6]　魏明：《论北洋军阀官僚的私人资本主义经济活动》，《近代史研究》1985 年第 2 期。

所颁法规种类比较齐全,内容比较详尽,初步形成了资本主义经济法制体系。其次,中西结合,广采众议,具有较高的科学性。第三,较多地体现了资产阶级的利益。"[1] 由于大家立论的角度不同,因而看法上尚不尽一致,而且有的观点容或还有失偏颇,如有的论者提出的部分军阀官僚所拥有的私人资本已属于民族资本的观点,似乎就值得商榷,起码有作进一步论证的必要,因为,如果这一观点成立,则这一部分军阀官僚的身份是否也会发生变化而可将他们划入"民族资产阶级"行列呢?显然,这是一个有待深入研究而尚不能遽下定论的问题。由于社会基础和阶级属性问题涉及到当时社会的经济基础和上层建筑诸方面,不仅需要以马克思主义基本理论为指导,还需要有大量的历史事实为根据,因此,这个问题的研究进展还有赖于整个北洋军阀史研究工作的深入。

关于北洋军阀的特点问题,不少学者从多种视角阐发了自己的观点。彭明认为,北洋军阀的特点,一是军阀们各有一支为自己争权夺利而服务的军队;二是各有一块可以随意搜刮和统治的地盘;三是军阀大都是帝国主义在中国进行统治的工具。[2] 李新认为北洋军阀的特点是:(1)采用外国兵制;(2)财政来源已不完全依靠封建经济,其饷源大宗往往来自关税、盐税、官办企业的收入(铁路、轮船局等)和发行公债、举借外债;(3)实行募兵制,兵源主要依靠招收破产农民或其他劳苦群众;(4)不断分裂,乃至发展为各成一派,各据一方,连年混战。[3] 来新夏等则认为可以从以下几个特点来认识北洋军阀集团:第一,它以封建地主阶级为其主要的社会基础;第二,割据称雄,拥兵自重;第三,各树派系,荣损与俱;第四,

① 虞和平:《民国初年经济法制建设述评》,《近代史研究》1992年第4期。
② 彭明:《北洋军阀(研究提纲)》,《教学与研究》1980年第5期。
③ 李新:《北洋军阀的兴亡》,《史学月刊》1985年第3期。

纵横捭阖，制造政潮；第五，卖国媚外，残民以逞。① 不难看出，学者们在这一问题上的看法在很大程度上是相近的。但在进而如何给军阀下定义、立界说的问题上，意见分歧还比较大。李新在专门论述军阀定义的一篇文章中对军阀作了这样的诠释：军阀是一种特殊的军事集团，它拥有以个人为中心并由私人关系结合起来的一支军队。它通常据有一片固定的或比较固定的地盘，并在这块地盘上实行直接的军事统治。军阀政治是封建统治的一种特殊形式，凡在封建社会中实行这种统治形式的，无论其大小乃至贵为天子的全国统治者，我们都可以称之为军阀。② 这一关于军阀定义的论述可概括为私兵、地盘和武治（直接的军事统治）三条，其中是否实行武治是判别军阀与非军阀的最重要的标准。来新夏对此提出了疑义，他认为私兵、地盘、武治只是作为近代军阀应具备的基本条件，而不是决定本质的东西。拿这三项和近代军阀特别是北洋军阀的现实情况相比量，往往有不相符合者。给军阀下定义固然应包含条件，但最终须取决于本质，而最能体现本质的是在一定思想指导下的行为，或说行动准则。基于这样的认识，他给军阀下了如下定义："以北洋军阀为代表的近代军阀是以一定军事力量为支柱，以一定地域为依托，在'中体西用'思想指导下，以封建关系为纽带，以帝国主义为奥援，参与各项政治、军事及社会活动，罔顾公义，而以只图私利为行使权力之目的之个人和集团。"③ 由于"军阀"这一称谓从其产生和使用情况看，只是用作贬义的政治性通俗名称，而非严格意义上的政治学概念，因此，要对它作科学的界定，殊属不易。但尽可能准确完整地表述它的含义，却是史学工作者义不容辞的责任。因为，它关系到人们对军阀本质的认识，更关系到诸多历史人

---

① 来新夏等：《北洋军阀史稿》，湖北人民出版社1983年版，第5—12页。
② 李新：《军阀论》，《史学月刊》1985年第1期。
③ 来新夏：《论近代军阀的定义》，《社会科学战线》1993年第2期。

物功过是非的评价。

　　对北洋军阀集团历史作用的评价问题,史学界曾经历了一个由简单地一概贬斥否定到对其中的某些方面给予适当肯定的发展过程。1949年后的相当一段时间里,对北洋军阀的认识与评判局限于阶级关系、阶级本质这一单一的角度,因此,"落后"、"腐朽"、"反动"也就成了该集团的代名词。在对北洋军阀反动本质的揭露方面,黄志仁的两篇文章有一定代表性。他认为:"北洋军阀摧毁资产阶级民主制,推行专制独裁统治,这是对历史发展的极大反动,给中国人民带来了无限的灾难。"① 而北洋军阀破坏中国走现代化道路、摧残社会生产力的罪行,主要表现在以下几个方面:(1)北洋军阀顽固地推行媚外政策,疯狂出卖国家权益,极大地阻碍了民族经济的发展;(2)连年不息的军阀混战给国民经济带来了浩劫;(3)北洋军阀的横征暴敛,吞没了大量的社会财富,严重地破坏了工农业的再生产;(4)北洋军阀凭借反动政权竭力维护封建买办的生产关系,严重地束缚了社会生产力的发展。② 就北洋军阀的本质而言,这些论述与评价应该说是切中了要害。但如果不是从单一角度,而是尽可能全面地去审视该集团在近1/3世纪的历史进程中所起的作用,则也很难说是一团漆黑,一无是处。80年代后,不少学者从多种视角对此问题进行了较为深入的研究,提出了一些令人耳目一新或富有启发性的见解。如吴兆清、邓亦兵分别对袁世凯用西方资本主义的军事制度改革腐朽落后的封建主义军事制度的举措在近代军事发展史上的地位给予了充分肯定。③ 虞和平通过对1912至1921年间北洋政府所颁布的40多项经济法规的具体

---

① 黄志仁:《北洋军阀对资产阶级民主制的摧残》,《厦门大学学报》1979年第1期。

② 黄志仁:《北洋军阀破坏中国走现代化道路的史实》,《中国经济问题》1980年第5期。

③ 吴兆清:《袁世凯练新军改军制及其历史地位》,《历史档案》1987年第1期;邓亦兵:《论袁世凯的建军实践》,《北方论丛》1988年第3期。

分析与综合考察,认为这些法规发挥了以下功能作用:第一,政府经济管理法制化和经济化;第二,企业和企业家法人化;第三,竞争的自由化和正规化;第四,融资渠道的社会化和国有化,并得出了"民初经济法制建设在中国经济近代化历程中具有不可忽视的意义和作用"的结论。① 袁继成、王海林对中国参加第一次世界大战和巴黎和会这两个重大外交事件的是非得失进行了分析,并提出了与以往判然有别的观点。他们认为,冷静地把中国参加第一次世界大战和巴黎和会这两件事放到中国近代摆脱半殖民地半封建状态,争取国家独立、民主和社会进步斗争的长河里考察,就会觉得中国参战不是没有道理,中国在巴黎和会上是有失也有得。② 这些论述反映了北洋军阀集团在一些具体事例或特定方面所起的不可抹煞的作用。那么,对这一集团在其整个兴衰存亡过程中所起的作用,究竟又该给予怎样的总体认识呢?来新夏对此提出了以下几点估计:(1)北洋军阀集团是维系晚清10余年统治的一个支柱;(2)北洋军阀集团是辛亥革命时期转移政权的主要军事力量;(3)北洋军阀集团所把持的北洋政府是辛亥革命后统治中华民国的政权代表(含对外的国家代表);(4)北洋军阀集团为中国由统一(经过分裂)走向再统一的过渡做了铺路工作;(5)北洋军阀集团使中国的军制摆脱了旧有的落后陈旧的状态。③ 需要说明的是:第一,这些估计应该说是历史真实情况的反映;第二,从中国近代化的全过程来看,北洋军阀在中国近代政治舞台上充当主要角色的32年,是不容忽视的重要时期。虽然由于研究所限,目前对北洋军阀在其中的具体作用尚不甚明了,但有一点是可以肯定的,即这一时期所以

① 虞和平:《民国初年经济法制建设述评》,《近代史研究》1992年第4期。
② 袁继成、王海林:《中国参加第一次世界大战和巴黎和会》,《近代史研究》1990年第6期。
③ 来新夏:《北洋军阀史研究札记三题》,《民国档案》1985年第2期。

能在中国近代化全过程中占据重要地位,应该说与当时政治舞台上的主角北洋军阀有着密不可分的关系。

北洋军阀与帝国主义的关系问题是北洋军阀史研究中具有特殊意义的课题,长期以来受到史学界的关注。过去对这一问题的研究,多从北洋军阀与帝国主义相互勾结、狼狈为奸的角度立论,而且具有明显的程式化倾向,以致对它们间的关系作了简单化的描述:帝国主义是北洋军阀的靠山、后台,而北洋军阀则是帝国主义的工具、走狗;有的论者甚至还把充当帝国主义在中国进行统治的工具视为北洋军阀的一大特点。[1] 随着研究的不断深入,这种简单化的方法和片面的结论逐渐得到扭转。不少论者注意到,卖国媚外并不是北洋军阀与帝国主义关系的全部内容,它们之间的关系是错综变幻的,不能采用一成不变的公式去硬套。有的军阀派系确是卖国求荣、甘奉帝国主义为自己的主子,如段祺瑞皖系军阀与日本帝国主义的关系即属于此种类型,不少论者曾专门著书立说,以大量确凿可信的事实给予有力的论证。[2] 但也不能不看到,军阀有需要向帝国主义投靠求助的一面,又有利益矛盾的一面,笼而统之地称之为帝国主义的"走狗"、"工具",不一定完全合乎实际情况,"其间关系往往是随时随地而有极多变化和复杂的内容"。[3] 不少论者从具体史实的研究方面支持和证实了这一观点。如车维汉通过细致考察张作霖在郑家屯事件交涉中对日本的侵略行径所进行的抵制和斗争,分析了张对日采取强硬态度的原因。[4] 娄向哲从财政、

① 彭明:《北洋军阀(研究提纲)》,《教学与研究》1980 年第 5 期。

② 章伯锋:《皖系军阀与日本帝国主义的关系》,《历史研究》1982 年第 6 期;裴长洪:《西原借款与中国军阀的派系斗争》,《河北学刊》1983 年第 4 期;庄鸿铸:《试论段祺瑞与日本帝国主义的勾结》,《新疆大学学报》1983 年第 4 期;章伯锋:《皖系军阀与日本》,四川人民出版社 1988 年版。

③ 孙思白:《论军阀史研究及相关的几个问题》,《贵州社会科学》1982 年第 6 期。

④ 车维汉:《张作霖与郑家屯事件》,《近代史研究》1992 年第 5 期。

军备等方面,对 1922 年 5 月至 1924 年 10 月直系军阀把持北京政府期间与英、美帝国主义的关系作了初步考察,认为英、美对直系的支持并不明显。[①] 这一观点与英、美是直系后台及直系是英、美代理人的传统看法有着较大区别。北洋军阀与帝国主义这种既密切勾结、沆瀣一气,又各怀鬼胎、时起争斗的关系,贯穿了北洋军阀兴衰起落的全过程,并在当时政治、经济、军事、外交等各个方面都有各种不同形式的表现。但由于这一问题本身的复杂性,加上资料挖掘不够充分,研究成果相对较少,且多拘于某一问题、某一片断、某一方面,因此,目前尚难于说清两者关系的全貌。

(二)专题研究

历史需要史实的编织,而史实又贵在翔实可靠。由于北洋军阀时期特殊的历史条件,使得流传下来的可资利用的各种资料极为丰富。但这些资料一方面比较分散,涉及历史档案、传记、专集、地方志、笔记杂著、资料汇编和报刊等诸多方面;同时在记载、反映某些基本史实时,各种资料又常常存有异同。这种情况无疑给研究工作带来了一定困难,但更重要的是,这也为广大研究工作者提供了方方面面的资料,使之可以对一系列个案问题进行专题研究,以澄清某些基本史实的真相。

就专题研究的进展而言,五六十年代虽然有些具体的论述文章,但数量有限,论题范围也不广。"文革"期间北洋军阀史实际上成为革命史的陪衬,有关研究几成死角。80 年代后随着北洋军阀史在史学研究领域中独立地位的确立,专题研究的进展明显加快,成果明显增多,旧问题逐步解决,新问题不断提出,禁区逐个打破,空白次第填补。兹以北洋军阀集团的兴衰起落为线索,对一些争议

---

① 娄向哲:《直系军阀政权与英美关系初探》,《天津师范大学学报》1986 年第 1 期。

相对较大或在北洋军阀史上占有重要地位的专题的研究情况,简述如下:

1. 北洋军阀的兴起、形成和发展时期

从 1895 年袁世凯小站练兵至 1912 年他出任临时大总统,是北洋军阀逐步奠定军事、政治基础,并最终成为军事政治集团的重要时期。对这一段历史的研究,成果不是很多,分歧则主要集中在以下两个问题上:(1)北洋军阀兴起与形成的时间问题。关于北洋军阀的兴起,大家比较一致的意见认为其发源应从 1895 年袁世凯小站练兵算起,[①] 章开沅、林增平主编的《辛亥革命》和来新夏主编的《北洋军阀史稿》也都持此观点,并专门叙述了其发生的原因和发展的过程。但对北洋军阀的形成时间却存有三说,来新夏等认为应以袁世凯窃国为标志,理由是北洋军阀正是以辛亥革命为契机夺取了对全国的统治权,从而由一个军事集团一跃而为统治全国的政治军事集团。[②] 任恒俊认为从 1895 年小站练兵开始到 1905 年练成北洋新军六镇,北洋军阀集团遂告形成。[③] 李新则认为从武昌起义至清帝退位,继而袁世凯出任临时大总统这一时期,是北洋军阀的形成阶段。[④] 意见不一的关键不在于时间的早晚,而在于应该用什么样的标准来进行衡量,标准确定则形成时间问题自可迎刃而解。(2)北洋建军过程及其评价问题。来新夏认为北洋建军过程大致经历了新建陆军、武卫右军、北洋常备军和北洋六镇四个阶段;[⑤] 而邓亦兵认为袁世凯的建军实践分三个时期,第一是新建陆军时

---

① 乔志强:《清末新军与"辛亥革命"》,《山西大学学报》1980 年第 3 期。

② 来新夏等:《北洋军阀史稿》,第 3 页。

③ 任恒俊:《北洋军阀成因浅探》,《河北学刊》1985 年第 4 期。

④ 李新:《北洋军阀的兴亡》,《史学月刊》1985 年第 3 期。

⑤ 来新夏:《北洋军阀的来历》,《文史知识》1983 年第 1 期。

期,第二是武卫右军及其先锋队时期,第三是北洋陆军时期。[①]北洋建军过程的不同时期表现出不同的特点,对它的时期划分不能仅仅依据部队名称的变化,而主要应体现北洋军由一支一般意义上的清末新军(当时南方有自强军)而一步步发展成为军事集团的阶段性特点。对北洋建军的评价,学者们已突破了以往将北洋军阀的反动性与当时的军制改革混为一谈的认识局限,对两者作了理性的区分,给予了不同的评价。如吴兆清提出,不能将北洋新军的军制改革与北洋军阀祸国殃民的罪行混为一谈,不能以北洋军阀的罪恶来否定以资本主义军事制度代替封建主义军事制度的进步意义;而承认北洋新军的军制改革在我国军事发展史上应有的地位,也并不就是否认北洋新军的反动性质和它在历史上的反动作用。[②] 姜廷玉等人对此也持基本相同的观点。[③]

2. 北洋军阀的全盛时期

从 1912 年袁世凯以大总统身份执掌对全国的统治权至 1916年他因帝制自为而在全国一片反对声中自毙,是北洋军阀集团达到权力最高峰的大发展时期。对这一段,来新夏主编的《北洋军阀史稿》,李新、李宗一主编的《中华民国史》(第 2 编第 2 卷)以及李宗一的《袁世凯传》、侯宜杰的《袁世凯一生》与《袁世凯评传》、谢本书的《袁世凯与北洋军阀》等专著均给予了较为全面、系统的介绍,反映了学术界对这一时期历史研究的总体水平。这方面的论文,近年来呈现出以下两方面特点:一是研究视野不断扩大。不少论者对一些以往未曾涉及或涉及不深的问题,如袁世凯统治时期的盐务和"盐务改革"、政治制度,以及袁与帝国主义的关系、与议会的关

---

① 邓亦兵:《论袁世凯的建军实践》,《北方论丛》1988 年第 3 期。

② 吴兆清:《袁世凯练新军改军制及其历史地位》,《历史档案》1987 年第 1 期。

③ 姜廷玉:《略述袁世凯的军事教育思想及实践》,《历史教学》1990 年第 11 期。

系等进行了探讨，①揭示了这一时期诸多历史问题的真相。二是观点上有所创新。如对袁世凯代替孙中山出任临时大总统问题，过去一直以"窃国"骂名相加，90年代以来，有不少论者通过充分挖掘材料，并经对当时中外多种政治力量、主客观多方面因素的综合考察与分析，提出了截然不同的观点。如常宗虎认为袁世凯所以能登上临时大总统宝座，是因为：(1)南京临时政府从筹备组建就期盼着袁的反正归来；(2)资产阶级共和国性质的临时政府是一个根本不可能存在下去的政权，袁完全有能力将它置于死地，而无需"窃取"；(3)资产阶级和帝国主义这两个当时中国社会发展变化的主要因素选择袁作为新政权的核心。由此他得出结论：袁世凯的临时大总统职位并非窃夺而来，而是历史机遇所赐，是资产阶级拱手让与的结果。② 周彦则从孙中山在南北议和中的活动的角度对这一问题进行了探讨，提出了"孙中山主动让位于袁世凯"的观点，并认为这是孙中山为了适应客观历史条件而采取的灵活的斗争策略，是其整个民主革命斗争的重要组成部分。③ 孙中山去位与袁世凯掌权实际上是一个问题(政权嬗递问题)的两个方面，不难看出，从这两方面对该问题所进行的研究，虽角度不同，但观点上有越来越接近的趋向。

3. 北洋军阀衰落时期

从1916年袁世凯自毙至1926年7月国民革命军开始北伐，是北洋军阀集团由统一走向分裂、由极盛走向衰落的时期。揭示这一时期直、皖、奉等主要军阀派系各自的基本发展线索，并对它们

---

① 王仲：《袁世凯统治时期的盐务和"盐务改革"》，《近代史研究》1987年第4期；贺渊：《袁世凯时期的政治制度》，《中国行政管理》1991年第3期；庄鸿铸：《袁世凯与日本帝国主义的关系及其实质》，《新疆大学学报》1982年第4期；张华腾：《袁世凯与民初议会》，《殷都学刊》1996年第2期。
② 常宗虎：《试论袁世凯取得临时大总统职位的是非》，《人文杂志》1992年第1期。
③ 周彦：《南北议和与孙中山让位问题之我见》，《学习与探索》1991年第5期。

之间及其各自内部所经常发生的矛盾冲突、纷争混战进行具体分析,是准确把握这一段复杂多变历史的关键,也是学术界研究这一段历史的重点所在。

皖系军阀在北洋各派军阀中资格最老、势力最大,并率先登场执掌对全国的统治权,因此,有关它的研究在各派军阀中是比较受关注的。关于皖系军阀的基本情况,黄征等人编著的《段祺瑞与皖系军阀》一书给予了比较完整的专门介绍。另外,单宝、莫建来、胡晓等人的文章也对皖系军阀的形成、发展、衰亡及其特点等问题进行了探讨,[①]勾勒出了这一军阀派系历史演进的基本轮廓。由于皖系军阀的历史与日本有着不解之缘,因此,弄清其与日本帝国主义关系的真相,是皖系军阀研究中难以回避的一个重要问题。章伯锋的《皖系军阀与日本》一书以及有关这一问题的多篇论文,对此作了比较全面、深入的论述,基本理清了日皖关系的纷乱头绪。直系军阀作为北洋军阀集团中的后起之秀,其在政局发展中的作用与影响主要表现在直皖战争以后,直皖战争以前则由于高层领导不太得力以及阵营不甚稳固等原因而少有重要事迹可寻。这一特点决定了有关这一军阀派系的研究出现了前期历史研究相对薄弱、后期历史研究较为集中的不平衡状况。对冯国璋和吴佩孚这两位直系重要人物的研究中所出现的畸轻畸重现象,即说明了这一点。近年来随着有关资料的进一步发掘,对直系的研究特别是对其前期历史的研究有一定进展。陆续面世的公孙訇编的《直系军阀始末》和吕伟俊、王德刚编著的《冯国璋和直系军阀》等专著及一些论文,介绍了直系的总体情况,从中可得知这一重要军阀派系发展的

---

① 单宝:《皖系军阀的兴衰和特点》,《历史教学》1984年第4期;莫建来:《试论皖系军阀的形成》,《民国档案》1992年第1期;《段祺瑞攫取统治权与皖系军阀的发展》,《江海学刊》1990年第3期;《皖系军阀的特点及其评价》,《江海学刊》1992年第1期;胡晓:《论北洋皖系集团的形成、发展与衰亡》,《合肥教育学院学报》1997年第2期。

大致脉络。奉系研究依托于东北地方史研究,成果令人瞩目。对奉系的研究往往与对其首领张作霖的研究连在一起,如常城主编的《张作霖》、陈崇桥主编的《从草莽英雄到大元帅——张作霖》两书,虽为评述人物之作,但从中可见奉系军阀产生和发展的基本轨迹。其论文则多偏于后期,且集中在以下两个方面:一是奉系内部矛盾,如对郭松龄倒戈,枪毙杨、常事件等,均有不少文章从不同角度予以论述;[①] 二是奉系与日本的关系,如潘喜廷、韩信夫、郑敏、习五一等人的文章,[②] 对奉系与日本既勾结又争斗的关系作了较为深入的分析与研究。

对直、皖、奉各派军阀之间及其各自内部纷争混战问题的研究,是这一时期专题研究的重点,其中张勋复辟、直皖战争、两次直奉战争和北京政变等对北洋军阀集团的历史演进产生了重要影响的重大事件,尤为研究者所关注。

张勋复辟是一个为人熟知而又论述不够准确的老问题。60年代初章开沅等曾进行过较全面的评述。[③] 80年代初焦静宜又旧题新作,对复辟的诸种原因进行了分析,认为这次复辟活动是由张勋本身顽固的封建观念,也有当时社会封建势力基础的影响,以及各派军阀的争斗和帝国主义的怂恿等方面的因素促成的。在这种背

---

① 毛履平:《郭松龄事变的性质及其失败原因》,《学术月刊》1982年第5期;高红霞:《郭松龄倒戈失败剖析》,《学术月刊》1987年第12期;常城:《略论"东北易帜"与枪毙杨常》,《社会科学战线》1982年第3期;陈崇桥:《试论"杨常事件"》,《近代史研究》1986年第2期。

② 潘喜廷:《张作霖与日本的关系》,《学术研究丛刊》1980年第2期;韩信夫:《张作霖皇姑屯被炸与张学良东北"易帜"》,《人民日报》1982年10月11日;郑敏:《略论日本干涉郭奉战争的原因》,《学术研究丛刊》1991年第3期;习五一:《"满蒙铁路交涉"与日奉矛盾激化》,《近代史研究》1982年第5期。

③ 章开沅、刘望龄:《民国初年清朝"遗老"的复辟活动》,《江汉学报》1964年第4期;刘望龄:《张勋与"丁巳复辟"》,《历史教学》1964年第6期;章开沅、刘望龄:《论张勋复辟的历史机缘和失败的必然性》,《新建设》1965年第3期。

景下的张勋复辟,就不再是历史给予这一介武夫的偶然机遇,它直接反映了辛亥革命后的社会面貌。[①]

直皖战争是北洋军阀分裂后第一次大规模的军阀混战。这次战争"冷战"长达二三年,而"热战"不过 5 天时间,便以直胜皖败的结局而告终。这一戏剧性的结果引起了研究者的关注。王华斌从直、皖人心向背和战略战术得失两个方面,具体分析了直系大胜、皖系大败的原因。[②]而章伯锋认为造成皖系在战争中一败涂地的主要原因,是日本因迫于英、美的压力而未公开支持皖系。[③] 莫建来则从奉系军阀的角度对战争爆发原因与结局进行了论述,认为直皖战争虽是直、皖两派军阀长期存在并日趋激化的矛盾和纷争的必然结果,但奉系军阀的居中挑拨、推波助澜以及直接出兵参战,对战争的发生及其结果无疑产生了相当大的影响。[④] 至于这次战争的性质及其产生的社会后果,多数论者认为这是一场争权夺利的不义之战,战争给当时的中国社会带来了较大的经济损失,在政治上和军事上削弱了北洋军阀,外交上沉重地打击了日本对华的侵略政策,客观上一定程度地有利于中国社会的独立和进步。[⑤]这种分析应该说是符合客观实际的。需要补充说明的是,直皖战争使北洋军阀内部各派系之间,尤其是直、皖两系间的力量消长发生了明显的变化,它标志了北洋军阀史上的一个时期即段祺瑞皖系军阀统治时期的基本结束。

发生于 1922 年的第一次直奉战争和 1924 年的第二次直奉战争,虽同为直系军阀与奉系军阀的军事较量,但战争结局却大不一样。不少论者对这两次直奉战争出现不同结局的原因进行了探讨。

---

① 焦静宜:《论"张勋复辟"》,《学术月刊》1984 年第 6 期。

②⑤ 王华斌:《试论直皖战争直胜皖败的原因及其后果》,《学术月刊》1986 年第 1 期。

③ 章伯锋:《直皖战争与日本》,《近代史研究》1987 年第 6 期。

④ 莫建来:《奉系军阀与直皖战争》,《学术月刊》1989 年第 9 期。

如苏有全从人心向背、军队素质、战略战术和外交背景四个方面，对第一次直奉战争出现直胜奉败结局的原因进行了论述。[①] 而李军、娄向哲、郁慕湛等人则分别对第二次直奉战争中直系的败因问题作了具体分析。[②] 其中李军的文章有一定的代表性，他认为直系军阀在第二次直奉战争中惨遭失败，既有深刻的内在根源：(1)内部激烈的矛盾斗争与分化，(2)严重的财政危机，(3)武力统一政策的破产造成了有利于反直力量的客观形势；又有复杂的外部原因：(1)直系军阀残酷镇压人民运动和曹锟贿选等丑恶行径使其成为全国各界人民反对的最主要的敌人，(2)反直同盟的形成，(3)国际背景方面又处于不利地位。值得注意的是，有学者对这两次直奉战争进行了比较研究。如俞辛焞具体分析了日本军部和外务省在两次直奉战争中的不同态度与表现，对奉系军阀在两次战争中的不同结局作了颇具说服力的诠释。[③] 丛曙光对直、奉两大军阀在两次直奉战争中的政治得失、军事形势(包括战前准备、士兵士气、武器装备及军事部署等)、财政经济状况和国际环境等决定战争胜负的因素作了对比分析，认为两次直奉战争不同结局的出现绝非偶然。[④] 同一交战双方两度交手，而结果迥异，这本身就是一个颇具研究价值的课题。这方面研究的深入，无疑有助于人们加深对军阀混战爆发原因、结局及特点等的认识。

　　北京政变是北洋军阀走向衰落的标志之一，一直是热门题目，但往往随政治气候的变化而有忽高忽低的评价。关于这次政变的性质，主要有以下三种分歧意见：(1)"首都革命"说。这是早期研究

---

①　苏有全：《论第一次直奉战争直胜奉败的原因》，《社会科学战线》1994 年第 5 期。

②　李军：《第一次直奉战争中直系失败的原因》，《近代史研究》1985 年第 2 期；娄向哲：《论第二次直奉战争》，《史林》1987 年第 4 期；郁慕湛：《第二次直奉战争直系失败的政治原因》，《河北学刊》1987 年第 2 期。

③　俞辛焞：《日本对直奉战争的双重外交》，《南开学报》1982 年第 4 期。

④　丛曙光：《两次直奉战争结果迥异之剖析》，《辽宁大学学报》1994 年第 4 期。

这次政变的一般观点。(2)武装政变说。这是 80 年代以后比较一致的看法,其中可以王宗华、赵晓天两人的文章为代表。王宗华认为从政变中冯玉祥提出的政治主张和实际行动来考察,这次政变既不是一次革命,又不是反革命的,而是具有进步意义的改良性质的武装政变。① 赵晓天对这一观点作了进一步的引申,认为第二次直奉战争中冯玉祥班师回京的活动,既有倾向国民革命、采取激进行动的一面,也有软弱动摇和持有改良主张的一面,故此,其性质"应该说是一次带有民主主义色彩的改良性质的军事政变"。② (3)直系军阀内部权力斗争说。如有论者认为冯玉祥发动政变的原因既不是不满于曹锟、吴佩孚所实行的"大政方针",也不是不满于军阀割据混战给中国社会带来的巨大危害,更不是受孙中山影响和革命形势推动而发动的,而是与曹、吴因权势利益分配不均产生矛盾而导致的必然结果,而第二次直奉战争前各种势力的联合反直及战争本身都给冯提供了发动政变的条件和机会。"那种把北京政变说成是冯玉祥受孙中山和国民革命影响和推动的一场推翻直系的进步运动的说法超越了一定的历史范围,不符合历史的真实"。③ 这一观点虽应者寥寥,但从冯玉祥思想发展和活动的全过程以及北京政变的历史条件来看,应该说有它一定的合理成分。关于北京政变的历史作用,多数论者给予了较高的肯定性评价,认为政变给当时最强大的直系军阀以沉重打击,进一步削弱了北洋军阀势力,造成了有利于革命的客观形势,对北方革命运动的发展以及日后的北伐战争起到了积极的推动作用,而驱逐溥仪出宫,则从根本上铲除了复辟祸根,使封建顽固分子的复辟梦想最终破灭。④

---

① 王宗华:《试论一九二四年北京政变》,《武汉大学学报》1983 年第 6 期。
② 赵晓天:《冯玉祥北京政变新探》,《西北大学学报》1988 年第 3 期。
③ 王红勇:《北京政变性质与原因新探》,《学术月刊》1986 年第 7 期。
④ 刘敬忠:《冯玉祥北京政变初探》,《河北大学学报》1986 年第 3 期。王宗华、赵晓天也基本持相同观点。

但也有不尽一致的意见,如有论者在对冯玉祥武力驱逐溥仪出宫事件的评价上,就对"这一行动铲除了复辟祸根,打击了封建残余势力"的观点提出了疑义,认为"这个评价不仅过高,而且完全忽视了这一事件所产生的恶果,即客观上为日本帝国主义提供了拉拢、利用溥仪的机会"。能否把溥仪后来投靠、依附于日本归咎于北京政变,显然还有进一步研究论证的必要,但文章提出"当时中国的复辟祸根不仅表现在小朝廷的存在和仍居紫禁城中,更主要的是封建专制主义的旧思想还深存于人们的头脑中,这是复辟祸根的思想基础",因此,"不能认为驱逐溥仪出宫就等于铲除了复辟的祸根"。① 这一观点还是符合历史实际的。

4. 北洋军阀的覆灭时期

从 1926 年 7 月北伐开始至 1928 年 12 月张学良宣布"东北易帜",是北洋军阀集团的覆灭时期。关于北洋军阀覆亡的历史,一直没有一部专著予以全面、系统的阐述,间或有著作涉及这一段历史,亦多为叙述国民革命军之北伐而连带叙及北洋军阀的失败与灭亡。论文方面则有一些零散的成果,多少弥补了有关北洋军阀覆亡史研究几成空白的缺憾。韩信夫曾对这一时期的历史作过简要而系统的叙述,从中可得北洋军阀覆亡的梗概。② 习五一通过对1927 年春奉吴河南战争的具体研究,提出了值得重视的观点,认为这场战争虽然仍属军阀之间争权夺利的不义之战,但综合考察全国战场,仍有一定的历史作用,即它牵制了直鲁联军,使其不能全力以赴地支援孙传芳与北伐军在江浙战场的决战,减轻了当时北伐军主要战场上的军事压力,更重要的是它加速了北洋军阀的最后崩溃。③ 而刘曼容则把北伐战争分为南北两个战场,即从广州

---

① 喻大华:《重评 1924 年冯玉祥驱逐溥仪出宫事件》,《学术月刊》1993 年第 11 期。
② 韩信夫:《二次北伐与东北易帜》,《东北地方史研究》1990 年第 1 期。
③ 习五一:《论一九二七年奉吴河南战争》,《历史档案》1988 年第 4 期。

誓师出发的国民革命军在东南沿海和长江流域进行作战的南方战场与冯玉祥国民军在西北地区和黄河流域进行作战的北方战场，并具体分析了国民军北方战场的发展进程及其在与南方战场呼应配合、推动北伐战争胜利进行方面的巨大作用，从而为研究国民革命军胜利进军或北洋军阀迅速崩溃提供了更开阔、更合理的思路。① 1928 年 12 月 29 日张学良宣布"东北易帜"标志着北洋军阀集团的最后覆灭，学术界基本肯定"易帜"在中国近代史上的地位，认为此举结束了奉系军阀武装割据的局面，使中国由南京政府统一起来，这对中国历史发展起到了良好的影响和进步作用。② 也有论者认为此举在维护祖国统一的前提下维护了东北集团的利益，增强了张学良的权力地位。③

（三）人物研究

人物是历史长卷中的重要角色，也是历史研究中浓墨重彩的凝聚点之一。北洋军阀人物虽然在近代政治舞台上只不过扮演了让世人唾骂的丑角，但由于他们曾一度对中国政局乃至中国社会各方面产生过重要影响，因此，在整个北洋军阀史研究中，北洋军阀人物的研究也格外引人注目。

1. 袁世凯

对北洋军阀创始人和总头目袁世凯的研究，曾经历了一个曲折发展的过程。80 年代以前，袁世凯一直在"窃国大盗"的帽子下晃动。1980 年李宗一的《袁世凯传》面世，虽然该书尚未完全摆脱传统成说，称袁是"近代中国历史上大地主大买办阶级的一个极其

① 刘曼容：《北伐时期的国民军北方战场》，《近代史研究》1989 年第 6 期。
② 潘喜廷：《张学良将军与东北易帜》，《社会科学辑刊》1979 年第 1 期。
③ 杜连庆：《东北易帜：南北妥协与对日战争》，《辽宁师范大学学报》1983 年第 3 期。

重要的代表人物,一个伪装维新的封建专制主义者",但该书注重史料的发掘与运用,可谓是以基本史实来研究、传述袁氏一生历史的开山之作。此后,又有胡柏立的《袁世凯称帝及其灭亡》、谢本书的《袁世凯与北洋军阀》等著作相继出版,为袁世凯的研究奠定了厚实的基础。这一时期的论文成果也较多,且呈现出以下两方面特点:一是论题范围广,举凡袁世凯不同历史阶段的重要问题和细微末节均有专文予以具体论述和缜密考证,而且文章所探讨的问题已不再局限于政治、军事等方面,不少论者开始将研究视野扩展到财政、经济、交通等重要领域,并有一定突破。[①] 二是对袁世凯的评价有一定变化。不少论者对袁世凯在内政方面的建树,如在晚清新政及民初政治、经济等方面的作用给予了某种程度上的肯定,[②] 对其外交上的"卖国"行为,如与日本签订丧权辱国的"二十一条"等,也试图从"弱国无外交"的角度,给予合乎情理的解释。[③] 如前所述,有论者对袁世凯"窃国"这一早已盖棺论定的问题重新进行了审视,并以大量事实为依据给袁摘了帽,表明对袁的评价在思想上有较大突破。值得注意的是,还有论者对袁世凯的阶级归属问题提出了全新的看法,如韩明认为,袁世凯与孙中山、张謇一样,同属于中国资产阶级的范畴,只是在半殖民地半封建的社会条件下,"转变成资产者"的道路不同。其根据是:"他们有共同的时代背景——外国资本主义侵略造成的民族危机;他们有共同的追求目标——救亡图存,使中国富强。这就使他们相互之间存在着或粗或细的共

---

① 沈家五:《从农商部注册看北洋时期民族资本主义的发展》,《历史档案》1984 年第 4 期;刘桂五:《"交通系"概述》,《社会科学战线》1982 年第 3 期;张学继:《论袁世凯政府的工商业政策》,《中国经济史研究》1991 年第 1 期;朱宗震:《袁世凯的币制改革》,《近代史研究》1989 年第 2 期。

② 侯宜杰、任恒俊:《袁世凯"新政"评议》,《河北师范学院学报》1986 年第 3 期、1987 年第 1 期。另参阅沈家五、刘桂五、张学继、朱宗震等人的文章。

③ 张神根:《对国内外袁世凯研究的分析与思考》,《史学月刊》1993 年第 3 期。

同利益纽带。但他们向资产阶级转化的程度和时序迥然各异,各自的社会地位也千差万别,使他们走上互相冲突的政治道路。这是资产阶级内部各层次的矛盾的运动基础。"① 这一观点尚无多少人响应与支持,因为如果说北洋军阀时期历史舞台上的争斗只是资产阶级自身的矛盾运动,那么半殖民地半封建社会的中国在这一时期的革命力量和对象又将是什么呢?

2. 段祺瑞

段祺瑞是北洋军阀集团中仅次于袁世凯的第二号角色,也是一位颇有争议的人物。其人专横独断,刚愎自用,特别是在祸国媚外方面较其他军阀尤为明目张胆。不少论者对段祺瑞执政期间与日本的关系问题作了较为深入的研究,并取得了基本一致的意见,认为段是"日本帝国主义在华代理人",充当了日本帝国主义侵华政策由武装侵略逐渐转变为政治拉拢和经济渗透的得力走卒。② 近年来对段祺瑞的研究有进一步深化的趋势,新问题不断有人提出与涉及,老问题也每每有新的认识与评断。莫建来对段在北洋建军中三个方面的主要活动,即督练北洋新军、主持各类军事学堂和厘定、编译各种练兵章制、操法、兵书等作了具体的论述,并给予了较为客观的评价,认为"如就中国的军制因此摆脱了过去落后而陈旧的状态而言,段祺瑞这三方面的活动的作用及其在北洋建军史上的地位,诚然应予肯定。但如就主要因军队的私有化所造成的民初政治的动荡和社会的阢陧不安而言,段祺瑞也实难辞其咎"。③对段祺瑞"三造共和"的评价问题,是常引起争议的焦点。单宝认为段祺瑞几次"能够在关键时刻主张共和、反对帝制,我们应当肯定,

---

① 韩明:《孙中山让位于袁世凯原因新议》,《历史研究》1986 年第 5 期。
② 庄鸿铸:《试论段祺瑞与日本帝国主义的勾结》,《新疆大学学报》1983 年第 4 期;裴长洪:《西原借款与寺内内阁的对华政策》,《历史研究》1982 年第 5 期。
③ 莫建来:《试论段祺瑞在北洋建军中的作用》,《历史档案》1991 年第 1 期。

对他在当时所产生的影响,也应当承认,否则是不公允的",并认为他在清末民初主张共和、反对帝制以及不参与洪宪帝制、反对张勋复辟等等,并非出于侥幸,而有其一定的思想基础。[1] 丁贤俊对此也基本持肯定态度。[2] 而李开弟、徐卫东等人则提出了相反的意见,认为"三造共和"不过是段祺瑞的自我吹嘘与标榜,是他"在清末民初为个人的权势和独裁而采取的政治手段,毫无真正拥护共和可言"。[3] 意见不一的关键在于双方采用了不同的价值尺度,不同的评判标准,即一方重主观动机,一方重客观效果。其实,历史是错综复杂的,历史人物也并非可简单地用一种标准来进行准确的把握。全面辩证地分析段祺瑞在辛亥革命、洪宪帝制和张勋复辟这三个与共和制命攸关的重要事件中的活动表现,则评价可能会更客观、更真实。对段祺瑞执政时期积极推动参战的问题,过去曾简单地将它归结为"府院之争"而未能给予应有的重视,近年来有论者对此作了专门研究并提出了新的看法,认为"中国对德绝交和宣战是有理有利的",[4] 是顺应当时历史潮流,"出于现实和长远经济、政治利益"考虑而作出的"唯一必要的选择"。[5] 史学界目前对段祺瑞的评价尚有较多分歧,说明研究正在进一步深入。

3. 张作霖

　　张作霖研究在东北地方史研究中居于重要地位。80 年代以前,看法基本一致,认为张作霖为了实现自己的政治野心,投靠日本帝国主义,大搞军阀混战,给中国人民带来深重灾难,因此,是一

---

[1] 单宝:《段祺瑞"三造共和"平议》,《安徽史学》1984 年第 5 期。

[2] 丁贤俊:《论段祺瑞三定共和》,《历史档案》1988 年第 3 期。

[3] 李开弟:《段祺瑞"三造共和"评述》,《安徽史学》1986 年第 1 期;徐卫东:《段祺瑞"三造共和"之真相》,《复旦学报》1987 年第 3 期。

[4] 袁继成、王海林:《中国参加第一次世界大战和巴黎和会问题》,《近代史研究》1990 年第 6 期。

[5] 吕茂兵:《中国参加"一战"缘由新探》,《争鸣》1991 年第 1 期。

个"反动的军阀"。① 80 年代后,随着有关研究的深入,对张作霖的评价较以前有所提高。例如对张作霖与日本的关系问题,就有人对流行的张作霖一味投靠日本帝国主义的观点提出不同看法,认为双方关系的真实情况是既有勾结利用的一面,又有矛盾冲突的一面。② 更有论者认为张作霖在郑家屯事件交涉中对日本提出的侵害中国东北主权的要求采取抵制与抗争态度,不论其主观动机如何,"这一行动在客观上却是有利于中国人民反抗侵略的正义事业的",对于他这种维护国家主权的表现,不应因人废事,而应"予以肯定的评价"。③ 另有论者认为,张作霖不仅在镇压宗社党复辟、统一东北方面做出了贡献,而且在与日本关系问题上亦不是甘心当汉奸出卖东北,而往往采取拖延的办法,表面敷衍,因而引起日本的不满,他之不见容于日本侵略者而被害,"是应该得到人们谅解的"。④ 从张作霖后期与日本尖锐激烈的矛盾冲突情况来看,这一观点较之以往张是因失去利用价值而为日本抛弃的看法,⑤似更为接近历史的真实。张作霖早年寄迹草莽,这一经历对其一生发展以及特有的军阀个性的形成有着极大影响。潘喜廷根据地方档案资料与方志资料,比较系统地论列了张氏自 1899 年至 1911 年间经营辽西十几年的概况,从而弥补了以往对张作霖早期历史发掘较为薄弱的不足。⑥

4. 吴佩孚

吴佩孚是北洋军阀集团后期的主要人物,特别是 20 年代以后更是举足轻重。对他的研究,除蒋自强等编的《吴佩孚》一书外,尚有多篇文章给予了专门介绍或论述。谢本书对吴佩孚由北洋军的

---

①⑤　常城:《张作霖》,辽宁人民出版社 1980 年版。

②　潘喜廷:《张作霖与日本的关系》,《学术与探索》1980 年第 2 期。

③　车维汉:《张作霖与郑家屯事件》,《近代史研究》1992 年第 5 期。

④　丁雍年:《对张作霖的评价应实事求是》,《求是学刊》1982 年第 5 期。

⑥　潘喜廷:《张作霖在辽西的发迹》,《东北地方史研究》1985 年第 1 期。

一员悍将而一变为西南军阀的"盟友"这一转变过程进行了研究，文章根据对 1919 年吴与西南军阀签订的军事密约及对 1920 年西南军阀"联直制皖"策略的考察，认为吴提出"救国同盟条件"这一军事密约的目的，是"北以共同对付皖系军阀，南以排斥孙中山，镇压革命"。① 这一方面反映了吴佩孚的政治本质与政治野心，同时也说明他后来能成为"八方风雨会中州"的重要人物绝非偶然。蒋自强对吴佩孚在第一次直奉战争中的排兵布阵、指挥作战等作了专门研究，从一个侧面反映了吴颇著声名的军事谋略才能的一般情况。② 而宋镜明则具体分析了吴佩孚在第二次直奉战争后乘机再起的情况。当时控制北京政权的奉系已成为北方反动势力的大本营，因而遭到全国人民的一致反对，而吴佩孚再起后立即由联孙（传芳）反奉转向联奉反冯（玉祥），在英、日帝国主义策动下结成直奉军阀的反革命联盟，并以"讨赤"为名，联合发动了对国民军的进攻，致使国民军在河南、山东溃败。③ 在对吴佩孚的研究中，有关其晚节的评价曾一度引起争议。一种意见认为吴佩孚在日本的劝降面前没有出山，这一表现是"难能可贵的，也是值得称赞并应予肯定的"。④ 另一种意见则不同意吴佩孚"拒当汉奸保晚节"之说，认为吴是日本中意的对象，他之最后死于日本人之手，是因其讨价还价引起不满而被杀一儆百。⑤ 由于当时日本与吴佩孚间的接触都是在秘密状态下进行的，这就为弄清个中真相并给予恰当评价带

---

① 谢本书：《吴佩孚与西南军阀的勾结》，《贵州社会科学》1983 年第 5 期。

② 蒋自强：《从第一次直奉战争看吴佩孚的军事谋略》，《军事历史研究》1987 年第 4 期。

③ 宋镜明：《论吴佩孚的再起与直奉联合对国民军的进攻》，《武汉大学学报》1986 年第 1 期。

④ 吴根梁：《日本土肥原机关的"吴佩孚工作"及其破产》，《近代史研究》1982 年第 3 期。

⑤ 梁荣春：《"吴佩孚拒当汉奸保晚节"异议》，《学术论坛》1984 年第 2 期。

来了一定困难,也是在此问题上出现意见分歧的主要原因所在。我们认为,对吴佩孚的晚节问题应注意以下两点:(1)吴最后没当汉奸是事实俱在,这应是评价其晚节的立足点。(2)吴受忠、孝、节、义等封建纲常伦理思想熏染至深,晚年更是醉心于《循分新书》、《正一道诠》、《明德讲义》等书稿的著述,试图以封建伦理道德挽救世道人心,这一思想认识基础在考察其晚节问题时应给以一定重视。

5. 冯玉祥

冯玉祥是北洋军阀内向往进步而逐渐摆脱旧营垒的人物,一直为史学界所注目,但在以往的研究中,由于冯有"民主将军"的美誉,更由于为贤者讳,因而对其早期历史不愿多所涉及,甚至希望他从一开始就很进步。其实,承认冯是由旧营垒杀出来而成为一位"民主将军"的事实,不但无损于其形象,而且能更真实地反映曲折发展的中国近代历史。目前学术界对冯玉祥一生的总体评价,意见基本一致,认为他是一生不断追求进步的爱国将领,也是同我们党长期合作的朋友,但在对其思想转化过程的认识上,尚存在一定分歧。1924 年冯玉祥发动北京政变,将所属部队改称国民军,正式从北洋军阀集团中分化出来。但同北洋军阀的决裂并不意味着他已完成从军阀到革命将领的根本性转变。有论者认为 1925 年发生的"五卅"惨案是冯玉祥政治思想发生根本性变化的转折点,他开始由一位军阀营垒中的爱国将领转变为革命将领。[1]另有论者认为,北京政变直至其后相当长的一段时间内,冯玉祥并未完全跳出军阀的营垒,直到 1926 年南口战役时,在中国共产党的帮助教育下,才发生了根本性的变化,即由单纯地维护本派系利益而发展为以

---

[1] 高德福:《冯玉祥与国民军》,《南开学报》1982 年第 2 期;熊建华:《从〈民报〉看冯玉祥对"五卅"运动的态度》,《近代史研究》1986 年第 5 期;海振忠:《从基督将军到三民主义信徒——冯玉祥在大革命时期的历史转变》,《北方论丛》1989年第1期。

国民革命为目的。① 还有论者认为1926年9月冯玉祥在五原誓师，"是在曲折奋斗中发生的第一次重大的革命转变，即由一个北洋军阀中分化出来的将领，转而公开正式参加国共合作的国民革命"。② 其实，冯玉祥政治思想的转变并不是一朝一夕就实现的，而有一个逐步转变、不断提高的渐变过程。在相当长的一个时期里，两种矛盾的思想即救国救民思想和封建军阀思想在冯玉祥身上交织在一起，并交替对他产生影响，这也是他在政治上走过了一条呈"之"字形轨迹的曲折道路的主要原因所在。

此外，对其他军阀人物如冯国璋、曹锟、张勋、徐树铮、阎锡山、孙传芳、郭松龄、张宗昌、吴俊升、杨宇霆等，也或多或少、或深或浅进行了一些研究，表明北洋军阀人物研究的整体水平有不断提高的趋势。

人物评论多重个体，80年代后期起始有群体研究之成果应世。辛培林编写的《军阀列传》（黑龙江人民出版社1987年版），编列了袁世凯、冯国璋、段祺瑞、张作霖、曹锟、吴佩孚、张勋、孙传芳、张宗昌、吴俊升等10位北洋军阀重要人物的传记，虽然各传独自成篇，但可收相互比较，以军阀人物个人成败窥知北洋军阀兴衰全貌的功效。杨大辛等编著的《北洋政府总统与总理》（南开大学出版社1989年版），系北洋政府历届总统与总理的评传，同时该书也真实地再现了那个时期政争激烈、阁潮迭起、政权频频易手的政治景象。焦静宜的《二十世纪初中国的遗老遗少》（科学出版社1989年版），将段祺瑞、张勋、吴佩孚等置于清末民初的过渡时期予以论述而别具特色。

需要特别指出的是，近年来在北洋军阀人物的研究中出现了

---

① 刘敬忠：《冯玉祥与南口大战》，《历史教学》1984年第3期。
② 刘曼容：《试论冯玉祥由北洋军阀参加国民革命的转变》，《武汉大学学报》1988年第2期。

一种为个别劣迹昭彰但也有一些善举的军阀如袁世凯、吴佩孚等人招魂翻案的风气。诚然,学术贵在创新,没有创新,学术就会失去生命力,但创新并不是刻意地去立异。因为一个真诚致力于学术的人不能背离求真求实这一学术的根本宗旨。学术如失去真实,也就不成其为学术了。就北洋军阀人物的评价而言,不顾事实地随意夸大他们的功德或掩饰他们的罪责,与过去极左年代所盛行的全盘否认、一棍打死的治学风气一样,也是对历史的一种不负责任的扭曲。对此,李文海、梁溪人等人曾专门撰文提出了尖锐而中肯的批评意见,[①] 值得引起重视。

(四)几点想法

50 年岁月流逝,北洋军阀史的研究虽历经迂回曲折,甚至有断流的时刻,但总的趋势仍是向前发展,特别是后 20 年显示出蓬勃向上的景象。然而,展望前景尚有广袤园地等待辛勤耕耘。

北洋军阀史的总体研究虽已有多种专著初奠基础,但仍有较大的开发余地。北洋军阀既不同于古代的封建军阀,也不同于近代的湘淮军阀。它是一个曾掌握中央政权达 16 年之久的政治军事集团。因此,既要从军事角度,更要从政治、经济、思想意识诸方面统一考察其发展脉络和对中国近代历史进程的重要影响,以及所应得的历史地位。这种宏观的整体研究可以给人们一种完整系统的认识,但是,它还需要有若干微观研究来充实和支持。

北洋军阀集团主要以直、皖、奉三系为其主要支柱,而旁及地域性的军阀集团。因此,对各派系的单项研究将是非常必要的。东北地区对奉系军阀的研究不仅过去已见成效,近年来更有新的发

---

① 李文海:《从"扬袁抑孙"想到学术创新》,《人民日报》1995 年 7 月 28 日;梁溪人:《徐世昌怎样成了"推翻旧时代的先行者"》,《高校理论战线》1996 年第 7 期。

展趋势。相比较而言,对直、皖两系的研究则显得薄弱。直系从冯国璋中经曹锟而至吴佩孚,起源早,延续长,三次大规模的军阀混战都自居一方,与北洋军阀集团的兴亡相始终;皖系首脑段祺瑞为次于袁世凯的副魁,四任阁揆,一摄执政,对民初政坛影响甚巨,虽然在直皖战争后已难作为一个独立的派系与直、奉抗衡,但百足之虫,死而不僵,它仍时有所动作。三大派系自身的发展和相互斗争,不仅代表着北洋军阀集团势力的消长,也反映着这一时期政治、经济因素的变化。因此,对于各派系的研究亟待进一步发展。

对人物的评述应是今后北洋军阀史研究工作力求加强的方面。过去虽已有成就,但显然不够。就深度而言,多为一般评述,尚缺资料翔实的谱传;就广度而言,犹集中于少数几个首脑人物,群体人物研究的工作更有待开展。重要人物的别集,除 1987 年出版的《袁世凯奏议》收录了自 1898 至年 1907 年间袁氏折片 800 篇外,《袁世凯集》虽由专人进行编纂多年却中途告辍。吴佩孚有台湾出版的全集,其他还有待创议组织。

开发史源是推动史学研究的重要前提,北洋军阀史的史料蕴藏极为丰富,可惜开发不足。史源不外二大端:一为抢救口碑,北洋当事人与有关人士犹有存者。这些人虽难于明了全局,而具体细节多有出于文字记载之外的,只要能慎思明辨,去伪存真,即有助于对历史的理解,如不亟谋抢救,则人亡史失不胜可惜。二为档案公布,第一历史档案馆所藏前期档案虽公布一定数量,但尚可罗掘;第二历史档案馆则为北洋档案之宝山,近年颇多编研刊布,但仍未能全部开放,坦陈于研究者之前。深愿以档案的源头活水为北洋军阀史的研究展现出无尽的前途。

关于资料的整理汇编出版工作,80 年代以来,就已受到应有的重视,中国第二历史档案馆陆续以专书形式公布所藏档案;该馆所办《民国档案》杂志也不时发表有关资料,对推动北洋军阀史研究起到了重要的作用。90 年代前后由来新夏主编的《北洋军阀》5

卷(上海人民出版社 1988 年至 1993 年出版)汇集 1895 年至 1928 年的有关资料,成为"中国近代史资料丛刊"的最后一种。接着,由章 伯锋主编的《北洋军阀》6 卷(武汉出版社 1990 年版)汇集了 1912 年至 1928 年的有关资料出版。这些都为北洋军阀史的研究提供了基础资料。但是,北洋军阀资料数量既多,散置又广,还须以更大力量从事纂辑。

50 年的辛劳,为北洋军阀史的研究奠定了初基,在此肥土沃壤之上,行见生长奇花异卉,在史学园圃之中吐艳争芳,在中国近代史领域中获得它应有的席位。

中共党史

本篇不打算面面俱到,只想就与中国共产党自身历史有关的研究状况,集中讨论与 50 年来中共党史研究的学术发展有重要关系的某些问题,使所有熟悉和不熟悉中共党史研究的读者,多少了解一点此一领域研究不同于其他历史学研究的关键所在,和它走向学术化的那种不为一般人所知的艰辛。

(一)30 年的曲折与徘徊

何谓学术?梁启超解释说:"学也者,观察事物而发明其真理也;术也者,取所发明之真理而致诸用者也。"① 如何观察事物才可得"真理"并以为用?则非有独立治学与实事求是二条件不可。换言之,学术研究最重要的一个特征,就是其独立性与科学性。没有"正其谊而不谋其利,明其道却不计其功"的精神,即没有学术之存在。陈乐民有云:要求真学问,就必须能够并敢于"为学术而学术",即"纯然地去求事之然和所以然。设若不是这样,在研究问题时或者随俗趋势,或者依凭一己好恶,或者存有事功之心,或者求'保险'、'稳妥',于是便时然亦然,时非亦非,时作'违心之论',那便是

———————————

① 梁启超:《学与术》,《饮冰室合集》文集之二十五(下),中华书局 1989 年版,第 12 页。

为学之大忌,学人所不当为"。①"纯然地去求事之然和所以然",可谓道出了学术研究之真谛。"纯然",就是不为外力所左右,不受利禄所影响,且不因感情所蒙蔽,绝不为亲者、贤者、尊者乃至王者讳,也不因疏、劣、卑、贫而彰其恶,既不曲意暴露,也不存心护短,严格保持一种客观的、实事求是的科学态度。具体到中共党史研究来说,就是要在搜集、验证和研究史料的过程中,在分析和说明历史人物和事件的过程中,要尽可能全面地占有充分的史料,坚持具体问题具体分析,把人和事放到当时特定的条件和环境当中,用发展的眼光,从历史的大背景来认识,既不能从今人的标准来衡量,更不能对人对事取双重标准,或简单地以感情好恶先入为主地断定历史上的是非曲直,并用以支配自己对史料的选择和对事实结果的分析。

　　这样一种态度也是毛泽东所赞成的。毛泽东对党的历史的认识虽然不可避免地受到政治运作、政治判断的影响,但理智上却从来都是强调一切要从实际出发,主张凡事都要实事求是的。他明确提出,"马克思主义的历史观不是主观主义,应该找出历史事件的实质和它的客观原因",强调对中共党史必须"进行客观的研究",研究"必须是科学的,不是主观主义"的。② 如何才能做到客观的而非主观的? 借用叶圣陶一句比较形象些的话来说,就是要"站在这东西的外面,而去爬剔、分析、检察这东西的意思"。自陷于是非之中,听凭主观情感左右自己的价值判断,虽然也可以研究,也可以有"成就",却很难有真正意义上的学术研究和成就。

　　以 1949 年后最早出版的比较系统的中共党史著作《中国共产

---

① 转见段吉福编:《中国现代学术文化随笔》,四川人民出版社 1998 年版,第 24—25 页。

② 毛泽东:《如何研究中共党史》(1942 年 3 月 30 日),《毛泽东文集》第 2 卷,人民出版社 1993 年版,第 406 页。

党的三十年》为例。它原本是毛泽东的政治秘书、时任中央宣传部副部长和新闻总署署长的胡乔木，于1951年上半年为刘少奇起草的一篇在纪念中共诞生30周年大会上的报告。因其较1944年六届七中全会通过的《关于若干历史问题的决议》更完整地总结了30年来中共党内的功过是非，深为毛泽东所欣赏，故毛阅后当即指定改以胡乔木名义迅速发表。这本简明中共党史读本的突出特点在于，第一，宣传共产党的丰功伟绩；第二，强调毛泽东一贯正确，而党的光荣、正确、伟大均来自毛泽东的正确指导和他坚持不懈地同各种错误路线、错误倾向进行斗争；第三，以毛泽东的著作解读中共历史。① 显然，它只是一种极为重要的政治宣传形式，与学术研究没有多少共通之处。

在新中国成立后不久就由中共宣传部门最主要的负责人来发表这样一部中共党史著作，虽然多少有点事出偶然，却也是事出有因。几乎所有了解中共党史的人都知道，毛泽东虽然对斯大林的评价是三七开，但他却高度重视斯大林亲自主持编写的《联共（布）党史简明教程》，自延安整风时起，该书就被评价为"马列主义的百科全书"，并被列在党的高级干部必读书之首。而该书最突出的特点其实就是两点，一是大兴斯大林个人崇拜之风，二是以路线斗争为线索诠释党的历史。该书最令人瞩目之处还在于其高度的权威性，即对党的历史的解释都只能以此书为准，不能有第二种说法。显然，毛泽东对斯大林的这种做法是相当欣赏的。

毛泽东欣赏斯大林的这种做法，在延安整风时显然是基于统一全党思想的考虑。因为从克服党内对莫斯科权威的迷信的角度，

---

① 《关于若干历史问题的决议》（1945年4月20日）对毛泽东功绩的肯定只讲到抗战开始之前，参见《毛泽东选集》（竖排合订本），人民出版社1964年版，第955—999页；胡乔木：《中国共产党的三十年》，转见《胡乔木文集》第2卷，人民出版社1993年版，第7—76页；并见叶永烈：《胡乔木》，中共中央党校出版社1993年版，第104—106页。

当时确实存在着树立毛泽东权威的必要性问题,怎么树?一个最简单的办法,就是历数党的历史。中共六届七中全会通过的《关于若干历史问题的决议》,就是仿照斯大林的《联共(布)党史简明教程》的方法,通过正确与错误两条路线斗争的历史对比,来树立毛泽东的权威和正确的地位。在 1949 年以后,当中共取得如同苏共一样的执政党地位之后,进一步模仿斯大林的做法,写出一部更系统的类似《联共(布)党史简明教程》那样的中共党史教科书,自然也就是顺理成章的事情了。

正是由于得到毛泽东的肯定,胡乔木的这个小册子一出来,很快就成为以后有数的几种不同版本的中共党史著作的范本。在此之前,胡华的《中国新民主主义革命史讲义》曾一度令人瞩目。胡书乃由吴玉章耳提面命,继承了张闻天延安时期所著《中国现代革命运动史》的史论结合的写法。① 但胡乔木的书出来后,中共党史基本上就进入以论代史的时代了。受教育部门委托,何干之主编的最典型的以论代史的《中国现代革命史讲义》(北京高等教育出版社1955 年版),从此成为最主要的教材。新讲义的特点是"以乔木同志的书为经,以伯达同志的书为纬",同时参照毛泽东的著作和党报各个时期的社论。② 此后的中共党史读本无一例外地也是如此办理。与此同时,从 50 年代初起,宣传部、教育部等就陆续做出规定,强调要"通过党史宣传与教育,帮助人们了解党的历史经验,认识中国近现代社会历史发展的规律,懂得'没有共产党就没有新中

① 中国现代革命史研究会编:《中国现代革命运动史》,延安解放社 1937 年版;胡华:
《中国新民主主义革命史讲义》,新华书店 1950 年版。
② 由于陈伯达也是毛泽东的秘书,因此当时陈伯达的书和文章具有同样的指导意
义。一度也被史学界奉为经典的陈著有《窃国大盗袁世凯》、《人民公敌蒋介石》和
《中国四大家族》以及《关于十年内战》、《读〈湖南农民运动考察报告〉》、《斯大林论
中国革命》等。与胡乔木的党史著作一样,陈伯达的上述著作并不完全代表他个人
的观点,而是表述了党和毛泽东的观点。

国'和'只有社会主义才能救中国'的真理,系统地了解毛泽东思想的科学体系,学会运用马克思主义的立场、观点、方法观察问题、解决问题,增强识别和抵制各种错误思潮的能力。……"① 于是,中共党史很快就以政治理论课的形式进入了各高等院校和专科学校的课堂,先是规定学习毛泽东的有关文章,然后是规定学习中国革命史,之后则规定直接学习中共党史。对党史的学习,逐渐普及到各行各业。中共党史自此在形式上也彻底脱离了历史学的范畴。以至于改革开放以后,当人们可以独立地从事党史研究之后,不少人干脆搞不清它究竟属于理论宣传呢,还是也可以算做一门学问;如果它可以算是一门学问,那么它究竟应当属于政治理论,还是应当属于历史学?

　　把中共党史研究等同于政治宣传和政治教育,在共和国成立之初自然有其必要性,但它所造成的最大后果,就是伴随着中共路线及政策的变换,以及随之而来的党内斗争的起伏与发展,对中共党史的解释不可避免地会出现"时然亦然,时非亦非"的怪现象。这种情况在 50 年代后期即开始清楚地表现出来,人物臧否备受影响。50 年代末 60 年代初北京市委主持编写的新的中共党史讲义,干脆提出"一根红线"的观点,不从中共上海发起组开始讲党史,要从韶山冲开始讲,不要说陈独秀不能讲,就连李大钊也不能多讲,否则就有"抬李压毛"之嫌。进入到 60 年代中期,特别是"文化大革命"爆发以后,这种现象更是随着"大树特树"的风气恶性发展,除了毛泽东以外,几乎所有在毛泽东之前或与毛泽东同时代的党的领导人,在中共党史书中或者被隐去姓名、事迹,或者被认定为错误路线的代表,共产党历史上的每一项成功,不管有无事实依据,都记在了毛泽东个人名下,这时的中共党史几乎成了个人崇拜的工具。不仅如此,中共党史还成了一种政治晴雨表,党史教科书随

---

① 　张静如、唐曼珍主编:《中共党史学史》,中国人民大学出版社 1990 年版,第 141 页。

着政治风向频繁改写。林彪成为毛泽东的接班人,中共党史的作者就大书特书,居然连朱德与毛泽东在井冈山会师也改成了林彪与毛泽东在井冈山会师;林彪叛逃摔死,中共党史的作者马上就大批特批,把林彪从头到尾都说成是野心家、阴谋家,连同林彪过去的战功也一笔抹煞。① 类似的现象不一而足。在这里,历史真的成了一个任人打扮的小姑娘。

政治也者,时与势之术也。时过境迁,势去道移。由于政治本身必须应时应势而变,政治宣传的内容通常必须具有时效性。不是宣传不重要,问题是简单地把中共党史研究同需要应时而变的政治宣传等同起来,难免因其过分具有宣传意味或变来变去而严重贬损其自身的价值,引起人们对公开宣传的中共党史内容的真实性的怀疑。同时,由于对某些问题不敢进行论述,给"小道"和谣传留下了空间。80年代书肆坊摊上畅销的各种粗制滥造的"揭秘"史学的流行,最典型地反映了人们的这种心理。

关于中共党史研究在人们心目中地位之低,已不是什么新闻。正如一位作者在文章中所说:"1921至1949年的中共党史,无论从哪一个角度来看,都可谓辉煌灿烂,……相比之下,研究这一时期的党史著作却是淡然无采。我不止一次地听到青年学生对此类著作表示生厌。"因为"此类著作的绝大多数结论不是来源于作者个人的分析,而是采撷于某人讲话、某项决议、某次会议","其目的也不是如一般史学家对历史进程进行描述或分析,而是拿来向广大人民群众宣教"。② 相当多的党史学界人士其实也持有几乎同样的心理。十一届三中全会以后,民国史研究等其他相近的近代历史研究领域被打开,"中国现代史=中国革命史=中共党史=党内十

---

① 《学习中共党史参考提纲》(内部讨论稿),1970年;广东省高等院校政治理论课编写组:《中国共产党两条路线斗争史讲义》,1974年。

② 茅海建:《不同的声音——读〈中间地带的革命〉》,《近代史研究》1995年第1期。

次路线斗争史"的状况被打破,甚至不久后高校中共党史课程也被取消,改为中国革命史课程,结果是许多中共党史教师纷纷"跳槽"。这里面的原因很简单,虽然改革开放了,中共党史研究也还是没有立即脱离政治化的束缚,中共党史仍属于政治理论课的范畴,真正意义上的独立治学和实事求是仍难以做到,"百花齐放,百家争鸣"仍难以切实实现。结果,不仅是教中共党史的教师,就是从事中共党史研究的学者,在相当一段时间里面,最牢靠的"学问"还是熟读四卷本的《毛泽东选集》,因为至少 1949 年以前所有中共党史重大问题的解释,几乎都可以从那里面找到"说法"。

在召开了具有历史意义的十一届三中全会,确立了实事求是的思想政治路线之后,中共党史学界在相当一段时间里仍然存在这种认为毛泽东的话"一句顶一万句"的现象。那些主张必须不折不扣地照《毛泽东选集》的观点研究和宣讲中共党史的人,在公开的文章和讲话里也讲以往历史研究中存在的问题之一,就是"把领袖描写成'先知先觉'","说什么领袖的话句句是真理,一句顶一万句"。但是,在他们看来,这只是指特定的"文革"时期而言,批评"一句顶一万句"不等于说那些已成定论的中共党史问题也有必要另出新的说法。80 年代前半期,在中共党史仍旧属于政治理论课,即仍旧属于党的政治宣传和政治教育工作内容的情况下,不要说完全改变"唯上"、"唯书"的习惯不容易,就是普遍承认"宣传有纪律,研究无禁区",严格将中共党史的宣传与研究分开,事实上都很困难。关于要由中共中央党史研究室编写党史"正本",以统一党史宣传和教学口径的说法,就是在这段时间里提出来的。

不过,值得注意的是,随着全党、全国都开始了思想解放的进程,"两个凡是"论受到批评,中共党史研究崇尚实事求是,走向学术化,也是一个发展的大趋势。记得关于编定党史"正本"的说法刚一出来,虽然仍有相当多的人认为必要,却也有不少从事中共党史研究和教学的人员提出异议。他们认为,在提倡思想解放,强调实事求是的大好形势下，中共党史研究正在开始破除迷信、解放思想的过程中，有大量的历史问题需要重新研究和探讨，这个时候急忙"定于一尊"，不可避免地会阻碍今后中共党史研究的深入和实事求是精神的贯彻，不利于中共党史研究学术化的进程。毫无疑问，所以会产生这样的意见，就是因为在中共党史研究的问题上，自1979年以来，已经开始出现了一些走向学术化的新气象。

（二）拨乱反正的艰难尝试

历史研究本身既不是为谁找说法，也不是为谁讨公道。所谓"拨乱反正"，不过是特殊历史条件下历史研究的一种附带的功效罢了，它并不是历史研究本身应有之义。但80年代的中共党史研究可以说却基本上处于一种"拨乱反正"的阶段。好在这种"拨乱反正"对中共党史研究学术化的推进，是具有相当积极作用的。这是因为，不管人们怎样理解这四个字，这时的"拨乱反正"，实际上并不仅仅是针对"文革"中那些胡编乱造的"两条路线斗争史"而来的，它在很大程度上也是针对解放以来中共党史研究中所存在的种种背离实事求是精神的错误倾向而来的。比如研究者们不仅为刘少奇、瞿秋白、彭德怀等大批在"文革"中倍受冤屈的党史人物鸣不平，而且也提到了大量"文革"以前就久已存在的问题，像写"五四"运动要不要肯定陈独秀的功绩，写中共一大的代表可不可以写张国焘、周佛海、陈公博等人的名字，写广东农民运动讲习所是否也应该讲到毛泽东主办的第六届以前的几期及其主办人，以及讲中国共产党的历史发展是否不能只谈毛泽东一个人的作用，如此等等。[①]不过，主要从"拨乱反正"的角度来研究人物及其历

---

① 这时这一类文章中比较重要的有蒋杰：《百团大战的探讨》，《近代史研究》1979年第1期；陈铁健：《瞿秋白与〈多余的话〉》，《历史研究》1979年第3期；苏克尘：《历史的见证："和平民主新阶段"的前前后后》，《近代史研究》1980年第3期等。

史,难免会较多地侧重于政治评价。而过多地从政治评价的角度来研究人物,必然存在着掌握政治标准或宽或严和不易避免掺杂感情因素等问题,研究时容易太多地纠缠于左右、对错的争辩,或者忽略研究者应持的客观平实的学术态度,或者因政治本身的局限而使研究无法深入。十一届三中全会以后讨论最热烈的陈独秀问题,就反映出这种情况。

关于陈独秀早期作用的评价,胡乔木在《中国共产党的三十年》中是这样说的:"党的第一次代表大会选举陈独秀担任中央的领导工作。陈独秀并不是好的马克思主义者。陈独秀在'五四'运动以前和'五四'运动中间以中国急进的民主派著名;当马克思主义传入中国以后,他成了有很大影响的社会主义宣传者和党的发起者。"① 胡乔木在这里讲了两层意思,第一层意思是对一个事实的认定,即陈独秀在中共一大即被推举担任中央的领导工作。第二层意思是囿于长期以来关于陈独秀"右倾投降"导致中共在大革命失败的观点,着意在政治上对陈独秀的早期作用加以限定,即强调陈"五四"时只是"急进的民主派",虽然后来成了"有很大影响的社会主义宣传者和党的发起者",但"并不是好的马克思主义者"。仿佛这样就可以证明,陈独秀后来为什么会走到"右倾投降"的地步。这与后来盛行的"出身论"有一脉相承的关系,就是凡是在中共历史上犯了这样或那样"错误"的人,都要追根溯源,断定其所犯错误并非偶然,一定有这样或那样的思想根源、社会根源甚至阶级根源。陈独秀大概是这一"大批判"逻辑的最早的一位受害者了。胡乔木的这个说法延续了几十年,并且陈从"不是好的马克思主义者",最后干脆变成了"从来没有成为一个马克思列宁主义者",只是"一个资产阶级的激进民主派"。陈之当选中共领导工作,也被说成是因为党在初创时期"缺乏经验"和过于"幼稚"。而"文革"中的

---

① 《胡乔木文集》第 2 卷,第 11 页。

一些党史著作还要特别补上一句,说是"这丝毫也无损于党的伟大、光荣、正确。党正是在逐步清洗自己队伍里的机会主义分子的斗争过程中巩固和发展起来的"。①

有关陈独秀的政治评价问题,严格说来不是历史学范围内学术研究必须讨论的课题,但这种人物的政治评价严重制约正常学术讨论的展开,却是显而易见的。因此,当十一届三中全会明确提出实事求是的思想路线之后,中共党史学界中很快就有人提出了新的看法。1979年2月,中共党史学界即就此召开讨论会,会上虽然有人仍坚持认为陈独秀不仅不是好的马克思主义者,而且根本就不是马克思主义者,只是一个资产阶级激进民主派,但已有不少人提出,陈独秀在"五四"后期,即建党前后"观察社会问题的方法基本上是马克思主义的"了,他"已经从具有初步共产主义思想的知识分子发展成为我国初期的马克思主义者了"。② 而尤为引人注目的是,会后在全国几十种报纸杂志上发表的80余篇研究"五四"和建党时期陈独秀生平思想的论文,除了一篇坚持陈从来不是马克思主义者以外,几乎所有文章都肯定"五四"后期建党前后的陈独秀已经"初步接受马克思主义",成为了马克思主义者。

然而,同中共党史中其他一些更敏感的问题相比,围绕着陈独秀早期作用的评价问题所展开的这场讨论,对推进中共党史研究学术化的进程影响并不明显。这是因为这时几乎所有为陈独秀鸣不平的文章都异口同声地重复着胡乔木关于陈"不是好的马克思主义者"的说法,以便表示自己的观点并没有脱出权威的轨道。而事实上,从后来公布的胡乔木的文稿成文过程显示,胡在最初起草

① 参见徐元冬等:《中国共产党历史讲话》,中国青年出版社1962年版,第22页;北京师范大学政教系:《中国共产党历史讲义》(上册),1976年,第14页。
② 《中国新民主主义革命史研究会举办陈独秀等人物评价讨论会》,《党史研究资料》1979年第1期。

《中国共产党的三十年》时,原本也没有否定陈是马克思主义者,而且肯定陈当时已是"最有影响的马克思主义宣传者和党的发起者"了。后来仅仅是因为考虑到"最有影响的马克思主义宣传者"与"不是好的马克思主义者"这一说法易生歧异,才在毛泽东的赞同下,把那个"最"字取消,并且把"马克思主义宣传者"换成了"社会主义宣传者"这种语义含混的用词。① 这就是说,即使毛泽东也未必认为陈独秀在创建共产党的时候,以及在成为党的领导人以后,还是所谓"资产阶级激进民主派"。因此,虽然肯定陈独秀是马克思主义者也属于"拨乱反正",但这在当时确实也很难说在学术上有多大的突破。

在陈独秀问题上的"雷区",最主要的是他的所谓"右倾投降主义"的问题。因为无论在《关于若干历史问题的决议》当中,还是在《毛泽东选集》当中,都有过很尖锐的批判。② 突破《决议》和《毛选》的说法,在80年代还是一个非常敏感的问题。但是,即使在80年代初,一些学者已经在尝试着这样做了。向青1979年即在自己的文章中表示了不同意关于陈独秀因违背共产国际和斯大林的指示而导致革命失败的说法,认为这是对当时的情况"没有历史地科学地加以分析"。所谓陈独秀的错误,其实从一开始就不是违背了共产国际的指示和纪律的问题,他提出:"我们在党史上所说的'陈独秀右倾机会主义路线',不仅把共产国际的错误加在了陈独秀的头上,而且把共产国际驻中国的代表、国民党内的苏联顾问——魏金斯基、鲍罗廷、罗易等等所做的错事也都一古脑儿加在了陈独秀的头上。"③ 50年代初就曾接连出版过有关解放战争和新中国建立方

---

① 《建国以来毛泽东文稿》第2册,中央文献出版社1988年版,第366页。

② 转见《毛泽东选集》,第956—957页。

③ 向青:《陈独秀右倾机会主义路线和共产国际关于中国革命的政策》,转见王树棣等编:《陈独秀评论选编》(下),河南人民出版社1982年版,第137—151页。

面中共党史著作的廖盖隆,次年也表明了同样的观点,他指出,过去所说的陈独秀领导的中共中央多次应该反击国民党右派而没有反击,其实是和共产国际把主要希望寄托于蒋介石、汪精卫的指导方针,和共产国际代表以及苏联顾问的主张有关。特别是大革命进入后期,即 1927 年上半年以后,形势变化很快,情况错综复杂,莫斯科在几千公里之外遥控指挥中国革命,要及时地正确地指导实际斗争是不可能的。即使这时有些指示是对的,也来得太晚了。"例如共产国际曾建议我们党武装工农,但是革命都快失败了才来建立武装,怎么来得及呢?"①

　　1980 年,《党史研究资料》发表了刘少奇题为《关于大革命历史教训中的一个问题》,这几乎是迄今为止发现的党的领导人惟一一篇公开批评大革命时期"左"倾错误的文字。他明确指出,正是大革命后期的这些"左"倾错误,"加速了革命的失败"。② 显然是受到这一文献发表的鼓舞,长期以来对所谓陈独秀压制工农运动导致革命失败的说法抱有疑问的一些学者,很快就提出了自己的思考。比如郭绪印当年即发表文章指出,胡华主编的《中国革命史讲义》等高校教材关于"陈独秀机会主义者一贯否认农民在革命中的作用,反对农民的革命斗争"的说法,是缺乏根据的。他列举大量事实说明,陈独秀指出农民运动中存在大量"过火"行为,"是尊重客观实际的",并非像一些教科书所写的那样是"站在地主资产阶级立场上对农民运动的污蔑"。③

　　值得一提的是,上述说法和观点事实上已经在相当程度上突破了《决议》和《毛选》上的定论,但是,由于论者并没有直接否认陈

①　廖盖隆:《在全国政协第三次文史资料工作会议上的报告》(1980 年 12 月 4 日),转见廖盖隆:《党史探索》,中共中央党校出版社 1983 年版,第 372 页。
②　参见《党史研究资料》1980 年第 5 期。
③　郭绪印:《重评陈独秀对农民运动的态度》,《上海师范学院学报》1980 年第 4 期。

独秀犯有"右倾错误",相对来讲,这个突破还只是局部的,不大容易触"雷"。但是富田事变问题的重新探讨和结论的改正,则是这时对《毛选》中已有历史结论的一个更具典型性的突破了。

富田事变长期以来被说成是江西苏区内部暗藏的反共组织AB团策动的一场反革命事变。然而,1979年底戴向青发表了《略论富田事变的性质及其历史教训》一文,对富田事变的性质做了完全不同的说明,明确认为这场事变并非反革命事变,对事变参与者的镇压是严重的肃反扩大化。[①] 其《富田事变考》更对所谓富田事变领导人杀害上百名拥护毛泽东的干部和群众的说法进行了具体的考证,说明此说纯属子虚,所谓富田事变完全是一起冤假错案。[②]其实,毛泽东本人后来也不是毫无认识。1956年,他几度从总结教训的角度提到富田事变和延安时期的抢救运动,承认当时搞"逼供信"制造了许多假口供。只不过事情过去多年,他不认为有公开纠正的必要罢了。十一届三中全会后戴向青等人的调查报告和论文,引起了广泛的反响。1989年,中央有关部门甚至为此起草了正式平反的文件,最后虽因种种原因而搁浅,但1991年的新版《毛选》和《中国共产党历史》(上卷),对此毕竟有了一个与过去不同的说法。《毛选》新写的注释态度还有所保留,称:"从一九三〇年五月起,赣西南开展了肃AB团的斗争。斗争不断扩大,严重混淆了敌我矛盾。"给人印象好像肃AB团斗争是对的,问题是扩大化了。而《中国共产党历史》(上卷)则比较全面地吸收了戴向青等人的研究成果,肯定"肃清'AB团'和'社会民主党'的斗争,是严重臆测和逼供信的产物,混淆了敌我,造成了许多冤、假、错案"。

80年代的中共党史研究有一个重要特点,就是凡是关系到对重要历史问题的突破,势必需要得到一些"老同志"的支持。因为,

---

① 《江西大学学报》1979年第6期。
② 参见戴向青、罗惠兰:《AB团与富田事变》,河南人民出版社1994年版。

中共党史上的这种突破，经常并不完全是一个学术上的问题，往往会涉及到方方面面。比如，西路军问题，解决起来就相当艰难。西路军问题的核心是"张国焘逃跑路线"的问题。由于张国焘于 1935年 10 月在红军长征途中坚持退往西康，并另立中央，因此被指为退却逃跑路线。按照《毛选》中的说法，"红军第四方面军的西路军在黄河以西的失败，是这个路线的最后的破产"。其注释还具体解释说："1936 年秋季，红四方面军与红二方面军会合后，从西康东北部出发，作北上的转移。张国焘这时候仍然坚持反党，坚持他一贯的退却主义和取消主义。同年 10 月，红二、四方面军到达甘肃后，张国焘命令红四方面军的前锋部队二万余人，组织西路军，渡黄河向青海西进。西路军 1936 年 12 月在战争中受到打击而基本失败，至 1937 年 3 月完全失败。"[①]

对于上述说法，1982 年严实首先发表文章指出西路军的组成是在渡过黄河之后，而非在此之前；渡河后是向甘肃西部河西走廊，而非青海；红四方面军西渡黄河也并非是张国焘"擅自决定"，而是根据中共中央宁夏战役计划，按照毛泽东等人的电报指示行事的。[②]1983 年，丛进发表文章，进一步指出："上述断语和注释，是多年来党史界论述西路军问题的依据，也是一些革命回忆录的基本口径。有些党史著作和文章并有所发挥，……至今，全国各高等院校的中共党史讲义的说法也大致如此。"但不仅上述不是事实，而且西路军本身的任务也是中共中央所赋予的，不能说是"按张国焘的错误命令沿甘肃走廊西进"。文章并且特别就《毛选》中提到上述断语的《中国革命战争的战略问题》一文的成文时间提出质疑。因为此文标明成文于 1936 年 12 月，但文中对张国焘路线的批判和有关西路军失败的结论，都明显地与成文时间不符。与丛进文章

---

① 参见《毛泽东选集》，第 192、234—235 页。
② 严实：《关于西路军的几个史实问题的研究》，《党史研究》1982 年第 1 期。

同时发表的竹郁的文章《把历史的内容还给历史——西路军问题初探》,则比较全面讨论了西路军问题的来龙去脉。文章从三个方面提出了自己的看法:第一,"打通国际路线"是中共中央的战略方针,与张国焘的逃跑路线无关;第二,红四方面军西渡是根据中共中央"打通国际路线"的战略方针,按照宁夏战役计划所采取的作战行动,并非执行张国焘的"西进计划";第三,西路军的失败除敌我力量悬殊、环境困难等客观原因以外,还有一个非常重要的原因,那就是西安事变后它担负着牵制敌人、配合河东中央红军作战及国共谈判的任务。西路军未能及时突向新疆,而是在条件极端不利的河西走廊浴血鏖战,创造完全无法实现的根据地,是服从中共中央全局部署的一种结果,并非按照张国焘的命令行事。①

但是,丛进、竹郁的文章,以及随后发表在《历史研究》的陈铁健的《论西路军》②一文,却受到了有关方面的批评。刊登竹郁、丛进等文章的这一期《党史研究资料》未及全部送到读者手中即被要求收回,《历史研究》也因此不能再刊登中共党史方面的文章。其实,这种批评是否必要,很值得考虑。因为随着大量史实的发现,几年之后,即1991年《毛泽东选集》再版时,这样的观点实际上也被接受了。在新版《毛选》中,尽管毛先前的说法难以改动,但改写的注释已对西路军给予了全然不同的评价。新的注释称红军三个方面军在甘肃会师后,"10月下旬,四方面军一部奉中央军委指示西渡黄河,执行宁夏战役计划。11月上旬根据中共中央和中央军委的决定,过河部队称西路军。他们在极端困难的条件下孤军奋战四个月,歼敌二万余人,终因敌众我寡,于1937年3月失败"。③这在

---

① 竹郁:《把历史的内容还给历史》;丛进:《对"毛选"中关于西路军的一个断语和一条注释的辨疑》,《党史研究资料》1983年第9期。
② 陈铁健:《论西路军》,《历史研究》1987年第2期。
③ 《毛泽东选集》第1卷,人民出版社1991年版,第241页。

事实上否定了过去一直流行的关于"西路军在黄河以西的失败,是这个路线的最后的破产"的说法。

（三）对传统研究模式的重要突破

把历史研究与许多现实问题联系起来,是困扰 80 年代中共党史研究的一个重要现象。围绕着皖南事变问题发生的争论,就是一个很典型的例子。皖南事变刚刚结束,许多情况尚未来得及调查和汇集,中共中央就通过决议,严厉批评新四军政委项英自抗战开始以来就与中共中央存在着政治原则和军事方针上的分歧,"对国民党的反共政策从来就没有领导过斗争,精神上早已做了国民党的俘虏,并使皖南部队失去精神准备"。"对于中央的指示,一贯的阳奉阴违,一切迁就国民党","此次皖南部队北移,本可避免损失,乃项、袁(国平)先则犹豫动摇,继则自寻绝路,投入蒋介石反共军之包围罗网"。决议认为项英不仅"犯了右倾机会主义错误",而且像张国焘一样犯了不服从中央的组织错误。[①] 再以后,随着延安整风将王明列为右倾投降主义的党内代表,项英则进一步被定性为王明路线的主要追随者。

十一届三中全会以后,围绕着如何认识项英错误,以及如何看待皖南事变的问题,出现了明显的不同意见。最富戏剧性的是作家黎汝清的大胆介入,并尖锐批评党史工作者把一潭清水搅浑了,不仅断言项英要对皖南新四军失败负全部责任,而且提出一个项英的"三山计划"来,说历史不仅要研究资料,而且要研究心理,史学界过去不仅不研究心理,就连资料的选择都各取所需,不少根本就搞错了。他认为,项英选择南下茂林根本就是抗拒中央关于要他到

---

① 《中央关于项袁错误的决定》(1941 年 1 月),《中共中央文件选集》第 13 卷,中共中央党校出版社 1991 年版,第 31—33 页。

江北敌后去与陈毅部汇合的方针,打算拉上部队南进到国民党后方大山里去的冒险计划。① 所谓中共党史学者把清水搅浑的说法自然是极而言之,但研究皖南事变的党史工作者在资料引用上容易各取所需,感情的倾向性影响研究的客观性,却是时有发生的事情。一个十分明显的现象是,当年在江南项英领导下和在江北陈毅、刘少奇领导下的许多新四军干部都直接或间接地参加到争论中来,或者对争论的一方给予支持。结果是把一个历史问题搞成壁垒分明的样子,甚至你有你的阵地,我有我的阵地,研究者不沾皖南事变问题则已,沾则往往会弄成一方称道,而另一方驳斥的复杂局面。②

　　类似皖南事变这样的情况,在中共党史上自然远不止这一个。如北局的历史问题、东北抗联的历史问题等等,都与皖南事变的问题没有什么两样。任何一篇涉及到这些问题的研究文章,都可能引起一场笔墨"官司"。由此不难看出,完全无视中共党史研究的特殊性,几乎是不可能的。因为它毕竟事关执政党的历史,而且距离今人太近,任何一个说法的改变,都可能影响到某些在位者及其相关人士的感情和利益。也正因为如此,现实政治环境对学术的影响也就很难完全避免。当然,换个角度来考虑,由于上述及其他情况的存在,也就使中共党史中存在的疑点、难点和需要由表及里、去伪存真的问题相对较多,只要肯于钻研,勤于思考,普通研究者还是有大量出成果机会的。

　　自改革开放以来,中共党史研究的最为突出的成就,就是学者们在许多基本史实的研究上取得了引人注目的进展。例如早期共产主义小组的组成情况,俄共代表维经斯基来华及活动的情形,中

① 黎汝清:《皖南事变》,解放军文艺出版社1987年版,第768—792页。
② 当然,可以争论总还是有些好处。比如项英的铜像就可以在家乡竖起来了,而皖南新四军军部的纪念碑也可以立了。这些在过去是不可能的。

共一大的召开时间、代表人数,共产国际代表马林来华工作的情况及国共"党内合作"政策提出的经过,苏联顾问鲍罗廷来华及其与国共两党的关系,第一次全国劳动大会召开的时间及经过,"三二〇"事变发生的原委,上海三次工人武装起义的经过,共产国际第七次扩大执委会决议对中国革命的影响,所谓10万农军围长沙的问题,八七会议的情况,十一月紧急会议的情况,南昌起义、秋收起义、广州起义的情况,赣南会议的情况,宁都会议的召开时间和内容,遵义会议的召开时间及会后传达的内容,等等。所有这些中共党史上的重要史实,大都是在改革开放以后10年左右的时间里才基本上弄清楚的。用"丰硕"两个字来形容改革开放20年来中共党史研究在史实研究方面的收获,无论如何都是不过分的。而中共党史学术化的进程,在很大程度上就是靠这些深入的史实研究来推动的。

史实研究所取得的重要进展极大地促进了中共党史学科性质的最终界定,论从史出的观念得到了广泛的认同。以往那种"穿靴戴帽"式的以论代史的研究方法和研究结论,不可避免地受到了冲击。如以往在谈到30年代中期抗日民族统一战线政策形成过程的历史时,势必要对王明和共产国际加以批判,有的文章甚至连1935年的《八一宣言》也给捎上了。[①]凡是王明和共产国际主张联合国民党的言论,都统统以"妥协"、"投降"视之。为了强调毛泽东的独立自主,对王明和共产国际的一切主张都要戴上"右倾"的帽子,因而任何认为中共中央受到过共产国际影响的说法都不能接受。至于1937年共产国际总书记季米特洛夫提议派王明等人回国,就更是被一些人怀疑是要夺毛泽东权的重要政治步骤而严加

---

① 姚寅虎、杨圣清的《简评〈八一宣言〉》(《党史研究》1983年第2期)一文指出:"现在对这个宣言的认识并不完全一致。"

斥责。① 对此,有学者接连发表文章,从史实上对于相关的一些说法一一加以辨正。此后出版的《共产国际和中国革命》一书,更系统地对共产国际和王明在 30 年代中国共产党抗日民族统一战线政策形成过程中的作用做了正面的说明,对一般党史书中所谓毛泽东 1937 年底 1938 年初坚决抵制了共产国际的错误主张的说法,也依据史实重新做了解释。② 这些研究显示,对党史上的某些人物,不能简单地照搬以前政治批判的语言,动辄为之冠以"××主义",而应当严格地依据史实,具体问题具体分析。

将历史人物脸谱化,并采取双重标准,也是中共党史研究中一种相当普遍的现象。说"好人",一切都好,即使有严重错误,也要再三肯定动机好;说"坏人",一切都坏,即使动机未必不好,也一定要按照"动机效果统一论"将其动机解释成居心不良。好像不如此就不足以显示其党性原则和阶级立场。殊不知,在历史研究上采取这样一种态度,只能是越研究离历史真实越远。

举一个写"好人"的例子。长期以来,写中共三大以及写陈独秀三大后提出所谓"二次革命论"经过的中共党史读本,大都强调当时毛泽东是正确路线的代表,因为他既反对陈独秀的右倾,也反对张国焘的左倾。③ 其实,把毛泽东作为正确路线的代表的时间提前到这个时段,并没有什么史实上的依据。毛泽东当时发表过一篇《北京政变与商人》的文章,其中所表露的观点与陈独秀的观点几乎没有什么不同。而后来马林档案所记录的毛泽东当时的谈话,更

---

① 向青:《共产国际与中国革命关系论文集》,上海人民出版社 1985 年版,第 39—46 页。

② 杨奎松:《三十年代共产国际、苏联与中国革命关系若干史实考辩》,《党史研究》1987 年第 2 期;《抗日战争时期共产国际、苏联与中国共产党关系中的几个问题》,《党史研究》1987 年第 6 期;杨云若、杨奎松:《共产国际和中国革命》,上海人民出版社 1988 年版,第 327—469 页。

③ 王实等:《中国共产党历史简编》,上海人民出版社 1958 年版,第 43 页。

清楚地显示了毛泽东与陈独秀观点相近的情况。但是,直到80年代,大家视而不见,没有人提及毛泽东的这篇文章,好像它根本不存在。即使有人注意到青年国际代表达林在回忆中引用了当时批评毛泽东这种倾向的信件,也断然拒绝相信这是真的。

再举一个写"坏人"的例子。仍以上述对王明的评价为例,一些著作在讲到王明在抗日民族统一战线政策形成过程中和回国后一段时期的表现时,基本上无视王明在共产国际七大召开前和召开后为中共抗日民族统一战线政策的形成所做的积极工作。多半仍旧是先认定王明是"坏人"、"右倾机会主义分子",然后在王明的文章中找出几句可以归结为"右倾"言论的词句来,最后得出王明美化、抬高蒋介石和国民党,要共产党向国民党妥协投降,把政权和军队让给蒋介石这样一个吓人的结论。[①] 其实,在这个问题上,哪怕稍微客观一点,我们就不可能从王明当时的文章中得出这样的结论来。更何况,在当时统战、合作的条件下,共产党领导人的公开言论有其特定的需要,而在内部则往往还有更深层次的考虑。这些考虑有时只有在一些内部的高层会议讲话里才能看到。奇怪的是,当人们主观上认定某某人是"坏人"以后,经常是连读他的讲话的感觉也变味了,眼里只剩下那些可以被视为问题的词句了。很显然,有些研究者是读过王明这时在内部会议上的发言的,但却只是注意到他讲红军的改编,不仅名义改变了,而且内容也改变了,没有注意到他紧接着所讲的:"因此,现在尤其要注意保存红军的独立性,第一要保障党的领导;第二要保障自己干部的领导;第三要建立自己的教育与政治工作;第四要使之成为打胜仗的模范。要将我们的军队扩大到30万。"他们只注意到王明所说的我们不应当说谁领导谁,而应当提国共共同负责、共同领导,却视而不见他紧接着强

---

① 向青:《共产国际与中国革命关系论文集》,第204、215页。

调的、在政治局以外不能说的话，即"对于革命前途问题，我们
对外说中国抗战胜利是民主共和国，而我们自己要明白，中国将
来是由民族阵线转到人民阵线最后到社会主义的胜利"，"今天
的中心问题是一切为了抗日，一切经过统一战线，一切服从抗
日"，但"我们应认识到，我们是中国的主人，中国是我们的，国
民党是过渡的"。加强国共合作是争取将来不是国共关系破裂，
而是革命与反革命完全分裂，使国民党内革命的分子到我们领
导下来，"使右派最后滚出去"。① 很显然，如果我们不是戴着有
色眼镜去看王明的文章和讲话，是不可能得出那些吓人的政治
结论的。

（四）90 年代的学术进展与问题

90 年代以后，由于中共党史不属于政治理论，而属于历史学
的大局已定，中共党史研究者不可避免地开始大量接触史学研究
的方法与规范，因此不少论著的写法明显地减少了许多武断的定
论，而多了几分依据史实的分析。包括 1991 年出版的、中共中央党
史研究室着重于宣传目的编写的党史读本，虽然依旧公式化地给
陈独秀、王明等人戴上一顶顶"××主义"的政治帽子，但对问题的
分析已经注意到避免简单化了。比如，谈到王明的问题，书中至少
没有了关于王明要把政权和军队让给蒋介石之类武断的结论。他
们分析王明的问题时只是强调：第一，王明当时相信抗日必须依靠
国民党，因此"眼中只有国民党，好像为了抗日，就只能一切听从国
民党，唯恐得罪国民党就会造成破裂，于是只强调团结不讲斗争"；
第二，王明把共产国际的指示神圣化，而当时"共产国际和苏联的
一些领导人对蒋介石的抗日积极性估计过高，对他的反共立场估

---

① 转见青石：《如果季米特洛夫不支持毛泽东》，《百年潮》1998 年第 1 期。

计不足,这就对王明这样的人起了强烈的影响"。① 这个分析虽然不足以解释该书仍要将王明问题定性为"右倾投降主义"的理由,并且也不足以让读者了解王明当时的真实想法,但它起码让人觉得比较合乎情理了。

将 1991 年出版的《中国共产党历史》(上卷),以及新版《毛泽东选集》注释,同以往的中共党史读本和第一版《毛泽东选集》注释加以对照,可以很清楚地看出 80 年代中共党史研究所取得的重要的进步。这主要表现在两个方面,一个是在新的史实的研究方面,一个是在历史人物的评价方面。新的《中国共产党历史》已经成为一部内容丰富的以史实叙述为主的著作,不再是过去那种"政治理论"读物了。而对历史人物的评价,包括《毛选》注释在内,也特别强调了"客观和准确"的问题,即使不得不做政治评价,也力求语言平实,大量删去了诸如"早年投机革命"、"是蒋介石反革命的忠实走狗"之类的政治否定断语。② 而对于学术界来说,进入 90 年代以后中共党史研究上最为重要的一个进步在于,80 年代编写《中国共产党历史》时提出的"正本"的概念,这时已经不复存在了。尽管,由中共中央党史研究室编写《中国共产党历史》在相当程度上仍存在着宣传的价值取向,不完全是为了学术研究,但不坚持"定于一尊",不人为地设定一个禁止前进的界限,不管这种运作方式尚存在什么缺陷或不足,都不至妨碍学术研究的继续和深入。从中共党史研究的学术发展角度,这不能不是一个值得提及的进步。

进入 90 年代以后,中共党史研究的一个十分显著的现象,是更多的研究者转到研究 1949 年以后的问题上去了,影响到有关

---

① 分别见胡绳主编、中共中央党史研究室著的《中国共产党的七十年》,中共党史出版社 1991 年版,第 163—164 页;中共中央党史研究室:《中国共产党历史》(上卷),人民出版社 1991 年版,第 522 页。

② 参见《毛泽东选集一至四卷第二版编辑纪实》,中央文献出版社 1991 年版,第 106—113 页。

1949 年以前中共党史研究的成果较前 10 年有所减少,再加上大多数题目 80 年代已经做过,结果是许多所谓新的研究成果几乎没有实质性的推进,出现大量低水平的重复性研究。不过,比较而言,90 年代中共党史研究的学术进展应该说还是很引人注目的。例如金冲及主编的《周恩来传》。[1] 该书虽未能非常全面地反映周恩来的一生,上卷中也还有一些史实上的讹误(全传已做了部分订正),但它毕竟能够运用大量一般人难以见到的档案文献史料,在写法上、分析上,以及史料引证和注释上,都能够做到基本上严谨可靠,这足以显示出 90 年代中共党史研究的学术水平已经有了很大的提高。此外,无论是毛泽东生平研究、毛泽东思想研究、中共与苏联和共产国际关系研究、中共对国民党的策略研究、陈独秀研究等方面,也都出现了一些具有个性化的、能够反映学者独立治学、独立思考的"不同的声音"。[2] 如 80 年代末国际文化出版公司出版的肖延中的《历史巨人的诞生——"毛泽东现象"的意识起源及中国近代政治文化的发展》、天津人民出版社出版的王观泉的《一个人和一个时代:瞿秋白传》;90 年代当代中国出版社出版的何友良的《中国苏维埃区域社会变动史》,河南人民出版社出版的戴向青、罗惠兰的《AB 团与富田事变始末》,中共中央党校出版社和江西人民出版社出版的杨奎松的《中间地带的革命——中国革命的策略在国际背景下的演变》、《毛泽东与莫斯科的恩恩怨怨》,福建人民出版社出版的牛军的《从延安走向世界——中国共产党对外关系的起源》等,都值得称道。当然,如果从史学的标准来要求,上列各书中多数也都还有种种不尽如人意之处。在这方面做得更好些的似乎是研究中共党史的某些论文,如章百家的《抗日战争结束前后

---

① 　金冲及主编:《周恩来传(1898—1949)》(上卷),中央文献出版社 1988 年版;金冲及主编:《周恩来传(1898—1976)》,中央文献出版社 1998 年版。

② 　茅海建:《不同的声音——读〈中间地带的革命〉》,《近代史研究》1995 年第 1 期。

中国共产党对美国政策的演变》(《中共党史研究》1991 年第 1 期)
及杨奎松的《向忠发是怎样一个总书记?》、《"江浙同乡会"事件始
末》、《毛泽东为什么放弃新民主主义?》、《陈独秀与共产国际——
兼谈陈独秀的"右倾"问题》(《近代史研究》1994 年第 1、3—5 期,
1999 年第 2 期)等,都是在学术研究上比较规范且有相当新意的
成果。

即使进入到 90 年代,中共党史研究的学术水平在整体上仍不
能同中国古代史和近代史研究的水平相比,这是一个客观存在的
事实。众多党史学者重理论轻史实的倾向,确实在相当程度上影响
了中共党史论著的整体水平。那么,什么样的中共党史论著才算是
真正具有学术水准呢?首先当然是要有新意,其次还要看是否具备
两方面的素养,一是史家的功力,一是史家的眼光。不能给人们提
供重要的符合历史真相的新的史实和新的观点的研究,只是修修
补补,或讲些抽象的"意义",题目再大,写得再好,也是"炒冷饭",
谈不上学术价值。这一点,中共党史学界一般不会有太多的异议。
问题是仅仅强调新意还不够,中共党史研究既然公认是历史学的
一个分支,其衡量学术水准高低自然不能离开对研究者史学训练
及素养的判断。① 对此,不少中共党史研究者似乎重视不够。因为
他们相信弄清历史事实很容易,关键是要有马克思主义理论做指
导。胡绳就讲:"历史事实的真象是需要弄清楚的,不弄清楚就谈不
上进行科学的研究,……但弄清事实只是历史研究的开始。历史研
究工作者如果没有哲学的修养,没有经济学的修养,不学会运用历

---

① 有关历史研究的方法问题,中共党史学界中人也曾有所提倡。例如何东的《中国现
代史史料学》(求实出版社 1987 年版),陈明显的《中国现代史料学概论》(中国人民
大学党史系 1987 年印行),张注洪的《中国现代革命史料学》(中共党史资料出版
社 1987 年版)。另外近代史学界荣孟源的《史料与历史科学》中也曾涉及中共党史
研究方面的问题。王仲清主编的《中共党史学概论》(浙江人民出版社 1991 年版)对
此也有专章论述。

史唯物主义,就不能进行认真的科学的历史研究工作。"① 这个但
书反映出中共党史学界对史学训练远不如对理论训练重视。不错,
中共党史研究者大都有较好的理论素养和分析能力。没有这样一
种素养和能力,对中共自身的意识形态语境都弄不明白,不可能从
事中共党史研究。但是,中共党史既然是一种历史,并且是处于极
端复杂环境中的一种历史,弄清"历史事实的真象"就绝不是一件
轻而易举的事情,它需要专门的知识和素养。而我们过去许许多多
中共党史的论著之所以总是经不起时间的考验,一个重要的原因,
就是它们往往只凭几条自认为最有意义的史料就敢于高谈阔论,
轻率地得出结论,甚至上升到理论的高度去分析、归纳和演绎,去
讨论什么必然性和规律性。殊不知,弄清事实固然是历史研究的
"开始",但历史研究的一切结论却都是建立在这个"开始"之上的。
要想弄清事实,就必须具备史学的一般素养,比如占有史料要全
面,运用取舍要合理,引证要准确,注释要规范等等。

　　弄清史实之不简单,关键还在于研究者是否有治史的眼光,这
就涉及到史学界所再三强调的态度要客观,视野要开阔,史料诠释
要合乎"当时之实事"等标准了。当然,对历史学家来说,最重要的
还是能否保持一种客观的实事求是的研究态度。而要做到这一点,
对于具有一定特殊性的中共党史学界来说又是很难完全做到的。
甚至"客观"两个字长期以来在中共党史研究问题上就备受非难。
自80年代后半期以来,强调"客观"地研究中共党史在政治上已经
不再犯忌,但这不等于当你改变一种陈说、提出一种新观点时,肯
定没有人会在"政治倾向"或"政治导向"等方面提出异义。任何个
性化的研究,如果与政治潮流有差距,还是有一定制约的。

　　要改变中共党史研究目前存在的问题,除了应该给学者一个

---

①　胡绳:《谈党史研究工作》,《党史通讯》1984年第1期。大致相同的观点还可见邢贲
　　思:《对中共党史研究的几点意见》,《中共党史研究》1992年第1期,等。

宽松的政治环境,坚持言者无罪、"百花齐放,百家争鸣"的学术方针以外,中共党史研究队伍自身的调整和提高也十分必要。一方面应充实历史学科班出身的研究人员,另一方面中共党史教学和研究人员似乎有必要努力加强自身的史学训练和提高自身的史学素养。当然,还有一个很重要的措施,那就是应当迅速提高中共党史研究刊物的学术水准,最大限度地堵塞"泛政治化"的中共党史研究的出路。总之,中共党史研究如果不能按照史学的要求向着规范化、高质量的路上走,怕是很难真正成为一门得到社会公认且受人尊敬的学问。

(五)关于 1949 年以后党史的研究的简略回顾

如果说研究 1949 年以前的中共党史难,那么,研究新中国成立后的中共党史照理就更难了,因为越是接近现实,其政治敏感度自然越高,禁区更多。但令人称奇的是,十几、二十年来,这一研究反倒开展得蓬蓬勃勃。虽然其前进道路也是曲曲折折,时起时伏,但由于社会关心程度高,再加上文献档案和报刊资料保存完整,"文革"中流散出去的高层资料又多,许多老同志还留有日记或笔记,因此研究难度反比 1949 年以前的中共党史要小,故不时有重要成果问世。许多鲜为人知的决策内情和重要事件内幕一波又一波地被披露出来,引起众多亲身经历了那个时代的读者的强烈关注。

第一波大讨论发生在 1980 年至 1981 年间。当时中共中央决定起草《关于建国以来党的若干历史问题的决议》,由胡乔木主持。进而又发动党、政、军、学各界高层 4000 人讨论初稿,直到 1981 年6 月 27 日十一届六中全会通过为止。这一波讨论虽大多集中在内部,但影响所及,极大地激发了人们关心和讨论新中国成立后中共党史的热情。不过,坦率地说,这毕竟又不是历史研究,而是一种政治宣言。在"文革"已经搞乱了一切,人们的思想处于极度混乱的情况下,邓小平相信这样做有助于恢复党的形象和统一人们的认识。因此,包括对毛泽东的错误,最初的讨论稿也是尽量少讲,因为照邓小平的说法,是"文革"结束以来"讲得太重了",这不利于党和国家的形象。①并认为对历史问题的处理"宜粗不宜细"。不难看出,起草《决议》含有很强的政治目的性,与史学研究专以弄清史实为目的的出发点,是有一定区别的。虽然,《决议》最后在一定程度上吸收了部分讨论参加者的意见,但对多数意见,包括起草人的许多看法,事实上也很难全部吸收进去。

第二波大讨论发生在 80 年代后期。当时曾出版过一批代表那个时候中共党史研究最高水平的著作。其中尤以河南人民出版社 1989 年出版的庞松、王东的《滑轨与嬗变——新民主主义社会阶段备忘录》、戴知贤的《文坛三公案》、谢春涛的《大跃进狂澜》、丛进的《曲折发展的岁月》、王年一的《大动乱的年代》等著作令人瞩目。②而格外能够表现出当时学者们的独立治学精神的是,从著名经济学家薛暮桥,到年轻一代的党史学者庞松等,都对中国为什么会在生产资料所有制以及生产关系方面出现重大的历史反复,提出了新的思考。薛暮桥在 1988 年即公开提出了自己的看法。他指出,应当看到,社会主义总路线提得太早了,在生产力十分落后的中国,应当有一个较长的新民主主义时期,不宜匆忙消灭个体经济和资本主义的私营企业。而且社会主义改造原定 15 年完成,结果四五年就搞完了,把资本主义经济和绝大部分个体经济统统消灭了,这显然是错误的。因为,衡量一种经济成分有无存在的必要,应

① 邓小平:《对起草〈关于建国以来党的若干历史问题的决议〉的意见》(1980 年 3 月—1981 年 6 月),中共中央文献研究室编:《关于建国以来党的若干历史问题的决议注释本》,人民出版社 1983 年版,第 73～97 页。

② 同年出版的虽非历史学著作,但具有相同揭示历史真相作用的纪实文学作品还有李辉的《胡风集团冤案始末》(人民日报出版社 1989 年版)等书。

当看它是否有利于生产力的发展。而 50 年代的中国,资本主义所能容纳的生产力远没有完全发挥出来,无论在城市,还是在农村,它当时都是有利于社会生产力发展的。[①] 1989 年,庞松等在《滑轨与嬗变》一书中,更列举大量数字和文献资料,进一步从更深层次做出分析,认为新中国在经过了新民主主义社会的充分发展之后,再转入社会主义社会,才是最正确的一种选择。"骤然而至的经济结构大变革虽然确立了社会主义公有制的绝对优势,但同时也使中国广大城乡主要从事商品生产经营的私人经济绝大部分被消灭;组织起来的农民进行商品流通交换活动受到越来越大的限制而趋于萎缩;全社会的生产经营活动在排斥市场调节作用的前提下,愈来愈多地被纳入到国家计划的单一轨道;曾经在多种经济成份并存的环境下比较活跃的商品经济的发展,长时期受到不合理的遏制;中国政治民主化的进程因缺乏相应的商品经济的条件而陷于停滞状态。所有这些长期困扰的问题,实际上是由新民主主义社会的滑轨与嬗变所带来的,它超出了社会主义改造后期'要求过急、工作过粗、改变过快、形式过于简单划一'一类概括,具有不容忽视的更为严重的性质,即它对于社会生产力发展的内在阻滞作用,事实上超过了使国民经济维持一时增长的表层作用;它渗透于整个社会生活领域的多方面影响和惯性力,在社会主义改造基本完成以后不仅没有消失,反而愈益发展,并在一浪接一浪的'反右派'运动、'大跃进'运动、人民公社化运动、'反右倾机会主义'运动、'四清'运动中一再顽强地显示出来,直至发展到'文化大革命'的极端"。[②] 不难想象,在 1989 年如此鲜明地提出这样的观点,难免会受到某种压力。

---

① 薛暮桥:《从新民主主义到社会主义初级阶段》,《理论动态》第 802 期,1988 年 10 月 20 日。

② 《滑轨与嬗变》,第 296、318—319 页。

　　第三波的讨论发生在90年代末。首先是"文革"史以及反右运动史研究在某种程度上解禁引人注目。80年代只出版过两部有关"文革"史的书,其中只有一部算是史学著作,而这一部还是借助于丛书得以出版的。① 关于反右运动史的著作则一部没有,就连研究的论文也很少见到。终于,到1996年前后,金春明的《文化大革命史稿》(四川人民出版社)及席宣、金春明的《"文化大革命"简史》(中共党史出版社)出版了。1998年,朱正的《1957年的夏季——从百家争鸣到两家争鸣》(河南人民出版社)也在历经反复之后,成为公开出版的第一部全面研究和介绍反右运动历史的重要史学著作。② 甚至,随着十一届三中全会召开20周年的到来,大批反映改革开放决策内幕的书籍相继出版,其中透露了大量当年高层讨论经过的文献档案。如此近距离的大批档案资料得以开放,这在中共党史研究上是前所未有的。

　　第三波讨论仍旧比较多地集中在新民主主义向社会主义转变这个问题上。再度鼓起研究者勇气的,似乎是1995年公开发表的毛泽东在中共七大会议上的讲话。因为毛泽东在讲话中再三强调,"我们不要怕发展资本主义",俄国的民粹派"'左'得要命,要更快地搞社会主义,不发展资本主义,结果呢,他们变成了反革命。布尔什维克不是这样。他们肯定俄国要发展资本主义,认为这对无产阶级是有利的"。中国的情况更是如此,绝不能想象从封建经济直接发展到社会主义,必须要"广泛地发展资本主义"。新民主主义就是

① 即王年一的《大动乱的年代》,而高皋、严家其的《"文化大革命"十年史》(天津人民出版社1986年版)严格说不能算是史学著作。这时研究"文革"史的学者,为出版"文革"史著作,只好与海外出版界联系。如"文革"辞典等就是送到海外去出版的。

② 涉及到"文革"史方面的写得较好的一本书,还有1993年中国青年出版社所出版一部丛书中的一种:郑谦、韩钢的《毛泽东之路——晚年岁月》。关于反右运动史,1998年得到批准出版的还有叶永烈的纪实文学作品《反右运动始末》(青海人民出版社)。

这样一种资本主义,"这种资本主义有它的生命力,还有革命性",因为它是那种帮助我们走向社会主义的"革命的、有用的"资本主义。①

1996年,中央党史研究室龚育之最先开始发挥毛泽东的这些思想,断言新中国从新民主主义向社会主义的转变过快过早了,中国"需要资本主义的广大发展"。随后,胡绳发表谈话和文章,进一步明确提出:"社会主义改造的飞速完成,是符合实际的要求呢,还是主要依靠政权力量人为地促成?"我们今天确实应该从生产力的角度衡量一下。实际上,"拿1949年—1953年和1945年相比,资本主义恐怕并不是更多一点,而是更少一点",甚至比1936年都少。中国革命在资本主义不是太多,而是太少的情况下取得胜利,"不具备全面地实现社会主义社会的条件和可能"。因此,按1949年《共同纲领》的规定,"在一个相当长的时期内"适当地发展资本主义,是惟一正确的发展道路。过快过急地过渡到社会主义,实际上是不顾生产力发展水平而盲目追求社会主义生产关系的提高,结果"是倒向民粹主义,而离开了马克思主义"。不仅如此,"这种提高不但不是真正的提高,而且只会对生产力的发展和社会的进步起阻碍作用"。②

有关50年代初有无必要急于从新民主主义过渡到社会主义,这种过渡或转变究竟推动了还是阻碍了中国的前进,我们应该从中吸取什么样的教训,毫无疑问是自改革开放以来人们思考得最多的问题。尽管总是有少数人对讨论这样的问题表示反感,③生怕这种讨论会动摇人们继续坚持社会主义制度的信心,但从70年代

---

① 《毛泽东在七大报告和讲话集》,中央文献出版社1995年版,第126—127、189—190页。
② 参见郑惠:《胡绳访谈录》,《百年潮》1997年第1期;胡绳:《毛泽东的新民主主义论再评价》,《中共党史研究》1999年第3期。
③ 参见《中流》1999年第5期。

末 80 年代初、80 年代末和 90 年代末人们三度重提这些问题的情况可以清楚地看出，在现实提出了类似的问题之后，要阻止人们进行必要的理性思考，不仅十分不明智，而且也难以办到。尤其是，当学者们在思考、在争辩的时候，无论对错，充其量也不过是在表达他们个人的一种思想、一种观点罢了，过分担心他们的科学思考会动摇人们这样那样的信心，事实上是缺乏依据的，而且党史研究的"以史为鉴"的功能也不能很好发挥。

需要指出的是，改革开放 20 年之后的今天，我们的政治体制改革已经初见成效，至少从中共党史研究的政治氛围来看，如今的研究环境比 20 年前要相对宽松得多。历史每天都在向前延伸，无论如何曲折，它也总是要前进的。50 年来中共党史研究的进展和变化已经清楚地说明了这一点。

抗日战争史[*]

抗日战争是中国近代史上仅有的以中华民族的完全胜利而告结束的民族解放战争。战争期间，在政府与人民之间、在各个政治派别之间、在各个民族之间、在国内人民与海外同胞之间建立了密切的合作关系，表现出中国近代以来前所未有的民族凝聚力。同时，从30年代开始的日本对中国的全面侵略，也给中华民族带来了空前的灾难，国家和人民遭受的损失比近代以来任何一次外敌入侵造成的损失都要惨重。另外，受到战争影响，中国国内政治力量的对比以及中国在国际社会中所处的地位，在战争结束时也发生了很大改变，并且这种变化最后促成了中国近代历史因中华人民共和国的建立而告结束。所有这些都表明，抗日战争在中国近代史上占据着重要地位，因而它也是中国近代史研究中的一个重要对象。中华人民共和国成立50年来，抗日战争史研究取得了很大的进展。本章选择以下几个方面，分别介绍抗日战争史研究的进展和现状。

（一）国共关系

中国抗日战争能够取得最后胜利，国共两党的合作应该是重

＊　本章介绍的学术观点和引用的统计数据，主要来源于《抗日战争研究》1999年第3期各篇文章。

要的原因之一。同时,国共两党关系随着战争局势的发展和各自力量的消长而产生了十分复杂的变化,这些变化又对抗日战争的进程产生了重要影响。因此,抗日战争时期的国共两党关系,是抗日战争史研究中的一个重要课题,一直受到学术界的重视。

50 年代至 70 年代末期,关于抗日战争的历史著作极为少见,而关于国共两党关系史的专著则一部都没有。但是,在这一时期的中共党史和革命史著作中,却几乎都述及了抗日战争时期的国共两党关系。在这些著述中反映出来的历史认识整齐一致,并无学术观点上的差异。撮其要点,主要有以下几种:(1)中国共产党历经了"抗日反蒋"、"逼蒋抗日"和"联蒋抗日"的策略变化,正确处理了民族矛盾与阶级矛盾的关系,从而导致了第二次国共合作的形成;(2)国民党停止"剿共"政策,外部原因是中国共产党与人民的压力,内部原因是由于日本的侵略而激化的亲英美派与亲日派之间的矛盾;(3)国共两党一直存在着"抗日、团结、进步"与"妥协、分裂、倒退"之间的斗争;(4)中国共产党坚持了独立自主地发展人民力量的原则,国民党也一直没有停止反共活动;(5)抗日战争后期,围绕着战后中国政权的性质问题,国共两党的斗争日益激化,终于导致了战后两党的分裂。以上观点的理论依据和史料依据,主要是毛泽东的有关著作和已经公开了的中共党史资料。这些观点构成的抗日战争时期国共关系研究的基本框架,明显地把中国共产党的革命策略放在了首位,在很大程度上排斥了国共两党合作抗日的一面。

1980 年邓小平曾指出:"我们和国民党有过两次合作的历史。"联系到他对第三次国共合作的展望,应该说他对抗日战争时期两党合作的历史是持肯定态度的。随着由 1985 年抗日战争 40 周年纪念活动肇始的抗日战争史研究热潮的出现,第二次国共合作的历史引起了人们的关注,到 1990 年为止,明显地形成了一个研究国共合作史的高潮。几年时间里,涉及抗日战争时期国共两党关系的学术论文,就发表了百篇以上,并连续出版了几部国共合作史著作。与以往的著作不同的是,这些著述利用了更多的史料,如一直未曾公开的《中共中央文件汇编》、《毛泽东著作汇编》以及中共中央档案馆和全国政协保管的史料等等,取得了论据较为充分的研究成果。以西安事变研究为例,李海文和李坤利用中共中央档案馆保存的中共档案及其他党史资料,第一次披露了国共两党在1936年秘密接触的一些细节,使人们对两党谈判的史实有了进一步了解。① 其后,杨奎松又撰文对前述文章进行了补订,基本上弄清了双方谈判的人物、联络渠道、谈判经过与时间、谈判内容与双方条件等。② 另外,其他相关课题的研究成果也对国共关系研究起到了促进作用。如在中美关系研究中,资中筠的《美国对华政策的缘起》(重庆出版社1987年版)和牛军的《从赫尔利到马歇尔——美国调处国共矛盾始末》(福建人民出版社1989年版),利用《美国外交文件》、《中华民国重要史料初编》和中共中央文件,对抗日战争后期美国调处国共矛盾的原因、经过及失败的结局,做了比较翔实的描述。

　　然而,除上述例举的成果以外,1980年后10年间的研究,主要成绩仅在于开拓了一个新的研究局面,而具有较高学术价值的研究成果并不多见。除档案开放尚不充分等客观原因以外,学者们比较热衷于强调国共两党合作的一面,而往往忽略了两党冲突的一面,也是一个重要的原因。

　　90年代以后,更多的史料被发掘出来,有力地推动了国共关系研究的进一步发展。杨奎松撰写的《西安事变新探——张学良与

---

① 李海文:《西安事变前国共两党接触和谈判的历史过程》,《文献和研究》第7—8期;李坤:《略述第二次国共合作的形成》,《党史研究》1985年第8期。

② 杨奎松:《关于1936年国共两党秘密接触经过的几个问题》,《近代史研究》1990年第1期。

中共关系之研究》(台北,东大图书公司 1995 年版),对 1936 年国共两党秘密谈判期间张学良与中共的关系进行了深入研究,披露了不少鲜为人知的史实,同时对若干问题的具体细节进行了考证,纠正了过去研究中的缺失。该书的重要观点是:在延安会谈中,是中共影响了张学良,而不是张学良影响了中共;在西安事变前,张也曾一度抱着反蒋态度,预备联苏、联共实现西北大联合,自成局面,与蒋翻脸并不惜动武。针对该书引据刘鼎所言张曾在 1936 年表示"一二月内定有变动",有学者指出这个变动并非预谋政变。[①]另外,还有人对中共在西安事变中对蒋态度的变化进行了研究,认为中共的"和平方针"是在 12 月 17 日周恩来到西安之后才提出的,之前,中共大多数人的意见是"审蒋"和"以西安为中心来领导全国"。[②] 而关于中共态度的转变,有人提出张闻天起到了无人能够替代的关键作用。[③] 除西安事变研究外,其他课题的研究水平也有明显提高。如马仲廉的《国共两党军队协同作战之典型一役——忻口战役之研究》(《抗日战争研究》1996 年第 1 期),开了国共两党军事合作战例研究的先例。又如习五一的《抗战前期国共两党共建一个"大党"的谈判》(《抗日战争研究》1996 年第 1 期)、杨奎松的《皖南事变前后毛泽东的形势估计和策略变动》(《抗日战争研究》1993 年第 3 期)、李良志的《皖南事变前夕中央对委员长估计的失误》(《党史研究资料》1994 年第 6 期)、金冲及的《抗战后期中国政局的重要动向——论 1944 年大后方人心巨变和"联合政府"主张的提出》(《抗日战争研究》1995 年增刊)等文章,从不同角度审视了抗日战争时期国共两党关系的演变,提出了与以往不同的

---

① 蒋永敬:《西安事变前张学良所谓"一二月内定有变动"何指?》,《近代史研究》1996 年第 1 期。

② 张伟:《"审蒋"无法和平解决西安事变》,《抗日战争研究》1997 年第 2 期。

③ 徐波:《张闻天在抗日民族统一战线策略形成过程中的领导作用》,《抗日战争研究》1997 年第 2 期。

见解。另外,这一时期涉及国共关系史的学术专著也出版了多种,其中比较有影响的是杨奎松的《失去的机会?——战时国共谈判实录》(广西师范大学出版社 1992 年版),田克勤的《国共关系论纲》(东北师范大学出版社 1992 年版),李良志的《渡尽劫波兄弟在——战时国共谈判实录》(广西师范大学出版社 1993 年版),马齐彬主编的《国共两党关系史》(中共中央党校出版社 1995 年版),毛磊、范小芳主编的《国共两党谈判通史》(兰州大学出版社 1996 年版),王功安等主编的《国共两党关系概论》(武汉出版社 1996 年版),黄修荣的《国共关系七十年》(广东教育出版社 1998 年版)等。尽管这些著述难免还存在着不同的缺陷,但它们毕竟把抗日战争时期国共两党关系的研究推向了一个新的阶段。

(二) 敌后战场

敌后战场一般也称“解放区战场”,后一种称谓来源于中共七大时毛泽东的政治报告《论联合政府》和朱德的军事报告《论解放区战场》。虽然近些年来有人提出国民党军队也曾活动于敌后战场,但这种观点还很难为多数人接受。而从军事战略角度来看,敌后战场当指日军正面推进线之后方的抗日战场。这里不对敌后战场作概念上的界定,仅按照一般的习惯,把中共领导的抗日战场作为敌后战场,评述一下有关的研究成果。

50 年代至 70 年代,敌后战场的研究包含于中共党史和革命史研究范畴之内,而与同一时期的其他历史研究领域相比较,中共党史研究可供参考的资料要丰富得多,故研究敌后战场可资利用的资料也比较多。其中文献资料有《六大以来》(中共中央书记处1941 年编印,1952 年再版)、《中共党史教学参考资料》(人民出版社 1957 年版)等;报刊资料有建国后翻印的《新中华报》、《解放日报》、《新华日报》、《解放》、《群众》、《八路军军政杂志》等;回忆录资料有解放军出版社从 50 年代开始陆续出版的《星火燎原》和中国青年出版社出版的《红旗飘飘》等。另外,中国人民解放军、党政宣传机构以及各级史志部门,也编印了大量党史、革命史和战史资料,其中有很大部分涉及了抗日战争时期中共在敌后战场的活动情况。还有,《毛泽东选集》中有很大一部分文章出自抗日战争时期,内容包括中共在抗日战争时期政治、军事、经济、文化等方面的政策策略,也是这一时期研究敌后战场所依据的主要史料。

利用上述史料写出的各种版本的中共党史和革命史著述,都涉及了敌后战场方面的内容。此外,敌后战场研究专著也出版了不少,如叶蠖生的《人民的胜利》(工人出版社 1956 年版)、吴天骥的《平型关大战》(江苏人民出版社 1956 年版)、河北省军区政治部编写的《冀中抗日战争简史》(河北人民出版社 1958 年版)、齐武的《一个根据地的成长——抗日战争和解放战争时期的晋冀鲁豫边区概况》(人民出版社 1957 年版),以及中国人民解放军内部出版发行的《八路军一二〇师及晋绥根据地战史》、《一二九师及晋冀鲁豫根据地战史》、《晋察冀军区战史》、《山东军区战史》、《冀热辽军区战史》、《新四军战史》等等。这些著作除了对具体战役战斗和根据地建设等方面的论述有所不同外,在基本观点上都是一致的,即敌后战场是抗日战争的主要战场,它抗击了多数日军和几乎全部伪军,对抗日战争的最后胜利起着决定作用;敌后战场坚持全面抗战路线,采取游击战略,实行人民战争;敌后战场包括了对日、伪、顽的斗争;人民抗日力量在敌后战场不断发展壮大,为抗日战争结束后建立新中国积蓄了革命力量等等。应当说,这些研究取得了一些成绩,但是,由于比较强调中共独立自主的政策和中共与国民党的政治、军事斗争,所以,对敌后战场与正面战场的关系以及两个战场之间的战略战役配合,就研究得不够充分。另外,受政治因素影响,对一些人物和事件不能予以客观评价,存在着一些禁区。

中共十一届三中全会以后,敌后战场研究上了一个新台阶,20年的研究成果大大超过了前 30 年的数量和水平。

在史料方面,出版的文献史料有《中共中央文件选集》18 集(中共中央党校出版社 1991 年版,内有 5 集是抗日战争时期的文件),还有中共党、政、军高层人物如毛、刘、周、朱、邓、任、彭、徐、叶、陈、粟等人的选集、军事文集,以及八路军、新四军、东北抗日联军、山西新军、东江纵队等军队和各抗日根据地的史料丛书。回忆录史料主要有军队将帅如彭德怀、聂荣臻、徐向前、杨成武、陈再道、萧克、杨得志、黄克诚、许世友等人的回忆录以及各种文史资料书刊所载相关回忆文章。另外,一些人物的年谱和传记,也是研究敌后战场可资利用的史料。

这一时期出版的研究专著主要有王淇主编的《砥柱中流——抗战中的解放区战场》(广西师范大学出版社 1995 年版)、刘家国的《浴血奋战——抗日英雄八路军》(广西师范大学出版社 1995 年版)、田玄的《铁军纵横——华中抗战的新四军》(广西师范大学出版社 1995 年版)、王辅一的《新四军简史》(中共党史出版社 1997 年版)、乐思平的《鏖战华北——震惊中外的百团大战》(广西师范大学出版社 1995 年版)等等,以及抗日部队战史和敌后根据地史多种。其他抗日战争通史类的著作中,敌后战场研究也占有很大比例。这一时期关于敌后战场研究的论文,据不完全统计,在 300 篇以上,内容涉及敌后战场的开辟和发展、敌后战场的战略方针、敌后战场的作用和历史地位、敌后战场与正面战场的关系、战役和人物的分析评价等等。这些研究与以往的不同之处可以概括为:范围渐宽、认识渐深、争鸣渐多。

关于敌后战场的战略方针问题,过去一般认为,"独立自主的山地游击战"或"基本的是游击战,但不放松有利条件下的运动战"是在 1937 年 8 月中共洛川会议上提出的。而近年来有人指出,这个战略方针的形成有一个过程,早在 1935 年瓦窑堡会议上即提出

"游击战争对于战胜日本帝国主义……有很大的战略作用"。[①] 也有人提出不同观点，认为直到 1937 年 7 月，中国共产党的战略方针仍然是以正规战为主，直到中共召开六届六中全会，游击战战略方针才为全党接受，在此之前，中共党内存在着很大的意见分歧。[②]

与上面问题相关的是中国抗日战争有无总的战略方针问题，过去认为国民党在片面抗战路线指导下只有"速胜论"，现在则一般都承认持久战略是国共两党和全国大多数人的共识。当然，中共的持久战略与国民党的持久消耗战略到底有多大差别，现在尚有不同意见。

关于敌后战场形成的时间问题，过去一般都根据毛泽东的说法，认为中国抗日战争从一开始就分为两个战场。这些年有人提出，抗日战争开始时中国只有一个战场，即国民党正面战场，而中国分为两个战场的最早时间只能是在 1938 年以后。[③] 这种观点是立足在敌后战场战略作用的表现方面，即抗日战争战略相持阶段到来后，敌后战场的独立战略作用才比较明显地发挥出来。也有人具体地考察了八路军、新四军各部挺进敌后作战的过程，提出敌后战场形成于 1939 年春。[④]

关于敌后战场产生的原因，有人提出是：(1)抗战开始时即已确定的国共两党的分割指挥；(2)战局的演变及国共两党对战地的不同选择；(3)中日战争的基本特点决定了中共军队不能在正面进

---

① 马齐彬、赵丽江：《抗日战争初期中共领导的人民军队的战略转变》，《抗日民主根据地与敌后游击战争》，中共党史出版社 1986 年版。

② 杨奎松：《抗日战争爆发后中国共产党对日军事方针的演变》，《近代史研究》1988 年第 2 期。

③ 刘庭华：《中国抗日战争研究中的几个问题》，《史学月刊》1987 年第 3 期；陈文渊：《抗日战争史研究中的几个问题》，《军事史林》1987 年第 3 期。

④ 王淇主编：《砥柱中流——抗战中的解放区战场》。

行正规战,而只能在敌后进行游击战。①

关于敌后战场与正面战场的关系,过去由于对正面战场存在偏见,所以很少进行这方面的研究。现在多数人认为,两个战场之间有着互相依存、互相协同、互相配合的关系,缺少哪个战场,中国抗战都无法坚持。有人总结:正面战场和敌后战场,都是在总的持久战方针的指导下的整体战争的组成部分,它们之间既有战略上的配合,也有战役战斗上的配合,抗战前期是战役战斗的配合,中、后期则是战略上的配合。② 还有一些文章对两个战场相互配合的具体史实进行了论述。

关于敌后战场的地位和作用,过去的观点如前述,现在则存在着尖锐的意见分歧。有人明确提出:"在中国战场上,对日作战的主要战线就是正面战场。"③ 赞成这种意见的并非少数人。他们主要从日军侵华战略和中国抗日的作战规模方面来考察问题,认为即使是在战略相持阶段,日军也没有完全放弃正面进攻,在正面战场发生过多次重大战役,其规模远远超过了敌后战场。持不同意见者则认为,战略相持阶段到来后,敌后战场的积极作战成为延缓日军正面推进的一个重要因素,日军的主要作战目标被迫转向推进线的后方,因此敌后战场上升为中国抗日的主战场。而敌后战场的作用也不能以作战规模的大小而论,而应看实际效果。有人统计,在8年抗战中,日军伤亡133万人,其中有52万人是在中国敌后战场被歼的,占全部被歼人数的40%;如以作战军队的人数比例来看,敌后战场军队人均歼敌数是正面战场军队人均歼敌数的2倍。④

---

① 徐焰:《抗日战争中两个战场的形成及其相互关系》,《近代史研究》1986年第4期。
② 何理:《中国抗日战争是整体的民族战争》,1999年东京"中日军事史国际研讨会"发言稿(未刊)。
③ 马振犊:《血染的辉煌——抗战正面战场写实》,广西师范大学出版社1995年版。
④ 张廷贵:《从若干材料看我军在抗战中的主力军作用》,《军事历史》总第17期。

　　关于敌后战场有无战略反攻阶段,有两种对立的意见。持否定意见者认为,实施战略反攻的重要条件是在敌我力量对比中我方大体取得优势。而在事实上,直到日本投降前不久,敌强我弱的力量对比状况并无改变,因此也就不存在战略反攻,而只有战役战斗的进攻。而日本投降后敌后战场的大规模反攻作战,实际上是国共两党之间争夺抗战胜利果实的斗争,不能算是抗日战争的战略反攻。[①] 持肯定意见者则认为,敌我力量对比中的强弱不是绝对的,中国抗日战争是世界反法西斯战争的一个组成部分,而从 1943 年后的形势来看,日本在世界范围与包括中国在内的盟国力量对比已经处于劣势,后来即使是在中国战场,日军的优势也是相对的,中国在一些地区已经取得了局部的优势,因此,中国实施战略反攻是顺理成章的事情。[②]

　　除上述对敌后战场的总体研究外,一些学者还对具体的战役战斗进行了研究。比较引人注目的是关于百团大战的研究。在彭德怀冤案形成至昭雪的过程中,对百团大战先后出现过全盘否定到"失大于得"、"得失各半"、"得大于失"等不同认识,现在的认识则出现了全盘肯定的趋向。如有人认为,百团大战并不存在"引火烧身"的问题,无论有无百团大战,日军在"以战养战"的战略目标下都要对华北实行"扫荡",而百团大战前形成了八路军扩军高潮,军、政、民组织在战役中得到了巩固和提高,抗日官兵在作战中得到了锻炼,这些恰恰为后来战胜严重困难奠定了基础。[③] 其他如对平型关战斗歼敌人数的考证、对皖南事变发生原因的分析等等,也有新的观点提出。

① 　王桧林:《抗日战争有无战略反攻阶段》,《中外学者论抗日根据地——南开大学第二届中国抗日根据地国际学术讨论会论文集》,档案出版社 1993 年版。
② 　贺新城:《论中国抗战的战略反攻》,《纪念抗日战争胜利 50 周年学术讨论会论文集》中卷《中流砥柱》,中共党史出版社 1996 年版。
③ 　舒舜元:《对"百团大战"的评价何以大起大落》,《炎黄春秋》1997 年第 11 期。

（三）正面战场

所谓正面战场，是指在日军侵华推进线上中日两国军队交战的战场。它主要位于中日两国正面军事对峙的大中城市附近、交通点线两侧和其他战略要地。由于在这个战场作战的中国军队主要是国民党的军队，因此一般也称其为"国民党正面战场"。它与中共领导的敌后战场共同构成了中国的抗日战场。

1949 年以后海峡两岸的严重对立，不能不对人们关于抗日战争历史的认识产生影响。在相当长的一个时期内，与台湾极力贬低中共在抗日战争中的作用形成鲜明对照的情况是，大陆在强调中共为中国抗日战争的领导者的同时，对于国民党军队抗日作战的历史也采取了淡化的态度。因此，从 50 年代开始直至中共十一届三中全会提出实事求是、解放思想的方针之前，或者说在中共开始展望第三次国共合作之前，史学界对抗日战争时期正面战场的研究很不充分。除文史资料类的书籍中有个别涉及国民党抗日作战的回忆文章外，没有关于正面战场的史料公开出版，也没有论述正面战场的专著出版，即使在一些关于抗日战争的著述中涉及正面战场，也多强调国民党的片面抗战路线和军队的溃败，仅对一些官兵的英勇抗战予以肯定。

80 年代以后，尤其是 1985 年纪念抗日战争胜利 40 周年时出现了关于抗日主战场的争论以后，对于正面战场的研究开始热起来。首先是相关史料大量出版。文献史料有荣孟源、孙彩霞编辑的《中国国民党历次代表大会及中央全会资料选编》（光明日报出版社 1985 年版）、中国第二历史档案馆编辑的《抗日战争正面战场》（江苏古籍出版社 1987 年版）和《抗日战争时期国民党军机密作战日记》（档案出版社 1995 年版）等；专题史料有中共中央党校党史教研室编辑的《卢沟桥事变与平津抗战（资料选编）》（1985 年印

行）、上海社会科学院历史研究所编辑的《八一三抗日史料选编》
（上海人民出版社 1986 年版）、武汉市档案馆等编辑的《武汉抗战
史料选编》（1985 年印行）等；口碑史料有全国政协文史资料编辑
委员会编辑的《原国民党将领抗日战争亲历记》（包括"七七"事变、
淞沪抗战、南京保卫战、徐州会战、武汉会战、中原抗战、晋绥抗战、
湖南会战、闽浙赣抗战、粤桂黔滇抗战、远征印缅抗战等数种）。另
外，台湾出版的史料也经常被研究者利用，主要有《中华民国重要
史料初编：对日抗战时期》、《抗日御侮》、《革命文献》等。应当说，与
80 年代以前相比，可资研究者利用的资料已相当丰富了。

　　近 20 年来关于正面战场的通论性著作有郭雄的《抗日战争
时期国民党正面战场重要战役介绍》（四川人民出版社 1985 年
版）、陈小功的《抗日战争中的正面战场》（解放军出版社 1987 年
版）、张宪文主编的《抗日战争的正面战场》（河南人民出版社
1987 年版）、马振犊的《血染的辉煌——抗日正面战场写实》（广
西师范大学出版社 1993 年版）。关于具体战役的个案研究有广
西师范大学出版社 1996 年后陆续出版的《炮火下的觉醒——卢
沟桥事变》（荣维木）、《大捷——台儿庄战役实录》（林治波、赵国
璋）、《兵火奇观——武汉保卫战》（敖文蔚）、《铁血远征——中国
远征军印缅抗战》（田玄）等。另外，近年出版的关于抗日战争史
的通论著作和国民党人物研究著作中，对正面战场均有相当篇
幅的叙述。除著作外，还发表了关于正面战场的大量论文。这里
需要说明的一点是，笔者并不主张把"七七"事变以前的局部抗
战也划归正面战场研究的范围，这是因为，义勇军、抗联、察哈尔
同盟军的抗战并非由国民党领导指挥，而"一·二八"淞沪抗战、
长城抗战、绥远抗战虽然是由国民党直接领导和指挥的，但在日
本尚未实行全面侵华战略和国民党尚未实行全面抗日战略的情
况下，这些战役还不具备正面攻防的战略意义。因此，这里不对
研究局部抗战的著作进行评述。就已经面世的论著来说，正面战

场研究有以下几个值得注意的问题。

关于全面抗战爆发前国民政府有无抗日的战略准备。80 年代以前的一致看法是,国民党在西安事变发生以前一直坚持对外妥协、对内"剿共"的方针,直到"七七"事变发生,并无抗日的战略准备。而现在则有了意见分歧,一种意见坚持认为:"在抗战前的长时期内,国民党执行'攘外必先安内'的反动政策,对抗战几乎没有做任何战争准备。"① 一种意见则相反,认为在"九一八"事变后不久,国民党即已着手抗日的准备工作,如划分国防区并制订和实施修筑国防工事计划,成立国防设计委员会,对军队实力、战略资源、军工生产、交通运输、后勤补给等方面的情况进行调查并寻求解决办法,着手对军队进行整编、进行军事演习等等。②

关于国民党的战略方针。过去一般仅强调国民党的片面抗战路线,对其战略方针却无研究。现在则一般认为国民党在抗日战争时期的战略方针是"持久消耗战",它的基本内容是"以空间换时间、积小胜为大胜"。有人提出,早在 1932 年国民党四届二中全会决议中,就写明对日"长期抵抗",不久蒋介石更明确提出:"长期的抗战,愈能持久,愈是有利。"至 1937 年 8 月,国防会议正式提出了"持久消耗战"战略方针。③ 关于国民党的"持久消耗战"与共产党的"持久战"之异同,现在尚有争论,认为不同者强调,两个战略的指导路线有本质区别,在片面抗战路线指导下的"持久消耗战"只能是节节抵抗、节节后退,因而是消极的战略;认为相同者则强调,两个战略所依据的是同一客观条件,想要达到的战略目的也是一致的,因而它们"并不存在根本性的原则区别",并且这正是两党军

① 陈小功:《抗日战争中国民党军队的战略防御》,《文献与研究》1985 年第 5 期。

② 马振犊:《血染的辉煌——抗日正面战场写实》;陈谦平:《试论抗战前国民党政府的国防建设》,《南京大学学报》1987 年第 1 期。

③ 陈先初:《关于国民党初期抗战几个问题的再探讨》,《求索》1994 年第 4 期。

事合作的基础。① 另外，还有人对国共两党战略的异同进行了具体的分析。②

关于国民党是否开展过敌后游击战。与前述战略问题相关，近年来还有人提出国民党为了实现持久消耗的战略目的，也曾提出过抗日游击战的方针。关于这一方针的形成时间有这样几种意见：(1)1938 年底的南岳军事会议提出"正面阵地防御战转变为敌后游击战"；③(2)1937 年冬由白崇禧在武汉军事会议上提出，蒋介石予以采纳并通令实施；④ (3)国民党制订 1937 年度国防作战计划时就提出了"采游击战术，以牵制敌军，并扰其后方"的策略；⑤ (4)1935 年蒋百里即已提出在将来的抗日战争中"开展广泛的游击战"。⑥ 持上述观点者一般都肯定国民党实施过游击战。相反的意见则认为，在抗战初期，国民党并不重视游击战，也未曾计划在敌后进行游击战争，少数部队在敌后开展游击战，也是违抗蒋介石的命令而与中共合作的结果，这些部队后来都参加了八路军；武汉失守后，国民党才开始重视敌后游击战，并成立了冀察战区和苏鲁战区，但这样做的目的一是为了使正规军作战得到游击战的支援和配合，一是为了限制和破坏中共敌后根据地的发展。这些部队后来有相当部分投敌成了伪军，其余的则撤退到国统区，还有一些游杂部队，活动范围狭小，很少进行抗日作战，因此并不存在一个国民党的敌后游击战场。⑦

---

① 陈先初：《关于国民党初期抗战几个问题的再探讨》，《求索》1994 年第 4 期。
② 黄道炫：《国共两党持久战略思想之比较研究》，《抗日战争研究》1996 年第 3 期。
③ 戚厚杰：《国民党敌后游击战争初探》，《军事历史研究》1990 年第 1 期。
④ 韩信夫：《试论国民党的抗日游击战》，《民国档案》1990 年第 3 期；刘赤：《评抗战时期国民党的敌后游击战》，《广西师范学院学报》1992 年第 4 期。
⑤ 唐国利：《关于国民党抗日游击战的几个问题》，《抗日战争研究》1997 年第 1 期。
⑥ 马振犊：《血染的辉煌——抗日正面战场写实》。
⑦ 萧一平：《略论中国抗日战争的特点》，《科学社会主义》1997 年第 4 期。

　　关于正面战场何时开始消极抗战。过去的观点一般都把 1938 年广州、武汉失守和 1939 年国民党五届五中全会作为国民党由积极抗战转向消极抗战、积极反共的时间标志。80 年代以后有人提出,1938 年 11 月至 1940 年夏是中国抗日战场由战略防御向战略相持过渡的阶段,日军的进攻重点仍然放在正面战场,国民党也尚未消极抗战。在这期间,正面战场曾发生过南昌、随枣、长沙、桂南、枣宜等较大规模的会战,另外国民党还出动总兵力的半数发起过"冬季攻势",两年时间伤亡官兵 100 余万,歼敌 26 万余。而在 1941 年太平洋战争爆发后,国民党把胜利的希望完全寄托在美、英盟军方面,开始消极抗战。[①] 还有人认为,国民党五五全会虽然提出反共方针,但这与消极抗战之间并无必然联系。[②] 现在又有人提出,国民党的消极抗战不是始于广州、武汉失守,也不是始于太平洋战争的爆发,而是始于 1940 年正面战场冬季攻势的失败。[③]

　　关于正面战场战役的个案研究。在卢沟桥事变与平津抗战研究中,关于日本有意挑起事端以发动全面侵华战争,以及在平津作战时日本利用谈判实施"缓兵之计",多数学者无不同意见。近年来又有人对日本的"缓兵之计"何以奏效进行了分析,认为冀察当局在现地谈判中未能与南京政府采取一致态度,对日本驻屯军作了极大妥协,是导致失利的一个重要因素。[④] 关于国民政府在事变中的态度,有人认为也不是一意主战,其深层原因是担心对日开战会削弱军力而为苏联和中共提供机会,故以"应战姿态而求免战结果是蒋介石处理卢沟桥事件的一个重要指导思想"。[⑤] 在淞沪会战研

① 刘庭华:《抗日战争时期的国民党正面战场》,《历史教学》1986 年第 7 期。

② 江于夫:《武汉失守到太平洋战争前国民党抗战问题再探》,《史学月刊》1992 年第 3 期。

③ 张设华:《国民党消极抗战起于何时》,《抗日战争研究》1997 年第 4 期。

④ 荣维木:《论卢沟桥事变期间的"现地交涉"》,《民国档案》1998 年第 4 期。

⑤ 王建朗:《卢沟桥事件后国民政府的战和抉择》,《近代史研究》1998 年第 5 期。

究中,关于国民政府的战略意图与会战关系的争论最为突出。有人指出,淞沪会战经国民政府事先筹划,目的在于将日军主攻方向由华北引向华东,变日军沿平汉路自北而南的俯攻为沿长江由东向西的仰攻,从而打破日军将中国军队压制在平汉线以东逐一歼灭的企图,这一战略意图的实现对中国抗战具有重要意义。① 另一种观点则认为,“中国无意把战争引向淞沪地区自伐肺腑,自损资源,以改变敌进攻方向”,② 不仅国民政府事先并无主动诱使日军改变作战方向的战略构想,而且会战的结果也没有改变日军的进攻方向,事实上,日军向西进攻武汉,是在 1938 年 5 月的徐州会战以后。③ 也有人认为,淞沪会战并非“自伐肺腑”,而是先发制敌。会战开始后中国不断增加兵力、扩大沪战,一个目的是使日军不能沿平汉线南下直趋武汉,这已经包含了改变日军进攻方向之意。④ 还有人依据日本史料提出,由进攻上海而进入长江,溯长江西上武汉,是日本的既定战略,而沿平汉线南下的方案实际上是不成立的,因此淞沪会战不存在改变日军作战方向的问题。⑤ 关于武汉会战研究,比较引人注意的是对双方作战指导得失的评价。针对中国军队部署不当、消极应付、处于被动地位的观点,有人比较了中日双方作战方案与会战结果,得出的结论为:“中国方面充分汲取了历次作战的经验教训,利用了武汉周边的地形地利,实施了正确的作战指导,从而极大地限制了日军的作战主动权。反观日军方面,在中国的制约下,一再更改作战方案,被迫采取了最不利的作战方式,……预定目的未能实现。两相比较,中国的作战指导是成功的,而

---

① 马振犊:《血染的辉煌——抗日正面战场写实》。
② 军事科学院军事历史研究部编:《中国抗日战争史》中卷,解放军出版社 1991 年版。
③ 余子道:《论抗战初期正面战场作战重心之转移》,《抗日战争研究》1992 年第 3 期。
④ 张振鹍:《淞沪抗战:中国的主动进攻与日军主要作战方向的改变》,《抗日战争研究》1996 年第 3 期。
⑤ 徐勇:《日本侵华既定战略进攻方向考察》,《抗日战争研究》1996 年第 3 期。

日军则是失败的。"① 正面战场其他各个主要战役,在一些著述里反映出来的观点也有不同,限于篇幅,这里不一一列举。应该补充说明的是,关于正面战场海军与空军的作战,是 90 年代以来出现的新的研究课题,研究内容涉及了战争时期的历次空战和中国空军与苏、美援华航空队合作的情况,以及海军从淞沪会战兴起直到战略相持阶段后期的作战情况。但由于资料的缺乏,这些研究尚不够充分。

（四）沦陷区和伪政权

日本在侵华战争期间,占领了中国大半国土,并与汉奸勾结,在占领地推行殖民政策,对中国人民实行残酷的法西斯统治,使中国近代史上出现了最黑暗的一页。因此,沦陷区和伪政权研究,是抗日战争史研究中的一个重要内容,在新中国成立以后就引起了研究者的重视。

据统计,"文革"前的 17 年中,有关沦陷区和伪政权的研究成果有论文 40 余篇,专著五、六部,其他列有相关内容章目的史书 10 余部。另外,还出版史料集多种。这些论著和史料,涉及了沦陷区日伪的统治政策及其罪行、日本对沦陷区的经济掠夺和经济统制。从整体来看,这时的研究还处于一般史实的描述及资料整理阶段。"文革"期间,研究中断。1978 年以后,沦陷区和伪政权研究得以恢复并取得很大进展。据统计,近 20 年中,共发表论文 500 余篇,出版学术专著 60 余部,出版资料集 30 余种,并翻译出版国外相关著作、史料和回忆录 10 余种。

关于汪精卫伪政权的史料书籍,蔡德金、李惠贤编写的《汪精

---

① 于国红:《浅析武汉会战中日双方作战指导之得失》,《抗日战争研究》1999 年第 2 期。

卫伪国民政府纪事》(中国社会科学出版社 1982 年版)是较早出版
的一本。余子道、黄美真主持选编的大型资料丛书"汪伪政权史料
选编"(已出版的有《汪精卫集团投敌》,上海人民出版社 1984 年
版;《汪精卫国民政府成立》,上海人民出版社 1984 年版;《汪精卫
国民政府"清乡"运动》,上海人民出版社 1985 年版),收录了日本
内阁与军部相关档案、伪政府档案、战后审判汉奸档案、个人回忆
录以及相关的报刊图书资料,内容相当丰富。另外,中国第二历史
档案馆选编的汪伪《国民政府公报》(江苏古籍出版社 1992 年版)
和《汪伪政府行政院会议记录》(档案出版社 1992 年版)、南京市档
案馆选编的《审讯汪伪汉奸笔录》(江苏古籍出版社 1992 年版)中
辑录了大量有价值的档案史料。相关历史人物的史料有蔡德金编
注的《周佛海日记》(中国社会科学出版社 1986 年版)、公安部档案
馆编注的《周佛海狱中日记》(中国文史出版社 1991 年版)、蔡德金
和王升编著的《汪精卫生平纪事》(中国文史出版社 1993 年版)。黄
美真选编的《伪廷影录》(中国文史出版社 1991 年版),收录了汪伪
集团重要人物在狱中的书面交待材料。关于伪满政权的史料,有孙
邦、于海鸾、李少伯主编的"伪满史料丛书"(吉林人民出版社 1993
年版),吉林大学和吉林社会科学院合编的多卷本《满铁史资料》
(中华书局 1987 版)等。关于华北沦陷区的史料,有北京市档案馆
选编的《日伪在北京的五次治安强化运动》、《日伪北京新民会》(北
京燕山出版社 1987 年版),以及居之芬主编的《日本对华北经济的
掠夺和统制》(北京出版社 1995 年版)等。

　　随着史料的发掘,出现了一批学术价值较高的著作,内容涉及
不同地域的沦陷区和伪政权。关于汪精卫伪政权,蔡德金的《历史
的怪胎——汪精卫国民政府》(广西师范大学出版社 1993 年版)是
一本通论性的研究著作,余子道等人的《汪精卫汉奸政权的兴亡》
(复旦大学出版社 1987 年版)则是按专题表述史事的著作。这两部
著作比较全面地论述了汪伪政权形成、演变乃至覆灭的过程以及

它的性质和对中国抗日战争的影响。黄美真、张云的《汪精卫叛国投敌记》、黄友岚的《抗日战争时期的"和平"运动》(解放军出版社1988年版)和蔡德金、尚岳的《魔窟——汪伪特工总部七十六号》(中国文史出版社1986年版)等，则是比较有代表性的专题研究著作。另外，有大批论文分别对汪伪政权的政治、军事、经济、文化、思想等方面进行了研究。比较引人注目的热点问题是汪伪集团叛国投敌的原因。一般认为，客观原因包括抗战的失利、日本的诱降、国际援华的不利、蒋介石的两面政策等等，主观原因则包括汪的民族投降主义思想、反共立场、高度膨胀的权力欲等等。也有人认为，汪蒋不和与他们之间的权力之争是一个重要原因。还有少数人认为，在中国抗战失利的情况下妥协图存和妄求偏安，也是汪等投敌的一个重要原因。另外，也有文章论及了汪伪集团内部的权力斗争和汪、日之间的矛盾。

　　关于东北沦陷区和伪满政权的研究，姜念东等编著的《伪满洲国史》(吉林人民出版社1980年版)是第一部通论性专著，比较全面地论述了伪满政权的产生原因、形成过程、统治政策、覆灭结局。其后，解学诗的《历史的毒瘤——伪满政权兴亡》(广西师范大学出版社1993年版)和《伪满洲国史新编》(人民出版社1995年版)，吸收了许多新的研究成果，论述更为翔实，是最新的通论性著作。另外还有大量论文，研究范围涵盖了东北沦陷区的政治、军事、经济、文化、社会等各个方面。尤其应该指出的是，近些年来，中日学者开始合作对日军在东北的各种罪行进行比较系统的研究，并且取得了一些成果。

　　关于华北沦陷区和伪政权的研究，卢明辉的《蒙古"自治运动"始末》(中华书局1980年版)，对以德王为首的部分蒙古上层统治者勾结日本侵略者分裂祖国的活动，以及关东军导演的伪蒙古联合自治政府、伪察南联合自治政府和伪晋北联合自治政府合流成立伪蒙疆联合委员会与伪蒙疆联合自治政府的过程，做了详细的论述。张洪祥等编著的《冀东日伪政权》(档案出版社 1992 年版)，对日本导演的华北自治运动和殷汝耕的伪冀东防共自治政府进行了研究。此外，费正等人的《抗战时期的伪政权》(河南人民出版社 1993 年版)，内容涉及伪满政府、伪蒙疆政府、伪维新政府、伪临时政府和汪伪政府等各个伪政权的研究。

　　对汉奸人物的研究也成为一个热点。近 10 来年出版的著作有黄美真等人撰写的《汪伪十汉奸》(上海人民出版社 1986 年版)，内中辑录了汪精卫、陈公博、周佛海、褚民谊、陈璧君、罗君强、王克敏、王揖唐、梁鸿志、李士群等人的传记，蔡德金的《汪精卫评传》(四川人民出版社 1988 年版)、《汪伪二号人物陈公博》(河南人民出版社 1993 年版)、《朝秦暮楚的周佛海》(河南人民出版社 1992 年版)，闻少华的《汪精卫传》(吉林文史出版社 1988 年版)、《周佛海评传》(武汉出版社 1990 年版)、《陈公博传》(东方出版社 1994 年版)，李理、夏潮的《汪精卫评传》(武汉出版社 1988 年版)，程舒伟的《汪精卫和陈璧君》(吉林文史出版社 1988 年版)等。

　　上述著作探讨的课题主要有：第一，关于日本对沦陷区的统治。不少论著对日本在沦陷区的政治、军事、经济、文化政策进行了具体的分析，认为日本在沦陷区的统治带有一体化的特征，并且，在沦陷区建立日本的殖民统治秩序是军事进攻之后的必然结果，把中国变成日本的完全殖民地则是日本发动侵华战争的最终目的。第二，关于汉奸集团和傀儡政权。对这个课题的研究所占比例最大，成果也最引人注目。学者们在对不同集团和政权的研究中产生了这样一种共识，即"以华制华"是日本的一项基本政策，尽管各个伪政权在不同程度上都自称有"独立自治"的权利，而事实上则无一不是日本的附庸，并且日本对各个傀儡政权采取"分而治之"的政策，使其为当地日军所操纵，从而为侵华军事服务。第三，关于沦陷区经济。研究者认为，"经济统制"是日本在沦陷区的基本经济政策，实施这一政策是为了掠夺中国的财富资源，以达"以战养战"

的目的,而所谓的"日、满、华一体化"和对沦陷区的工业、农业及其他产业的开发,也完全以掠夺为唯一目的。对于那种认为沦陷区人民生活水平高于其他地区的观点,有学者进行了批判。第四,关于沦陷区文化。这方面的研究涉及了日伪教育、新闻出版、"东亚联盟运动"、"新国民运动"等项内容。其中关于教育的研究比其他研究相对充分一些。通过对不同沦陷区教育机构、教育体制、大中小学课程内容、留学制度等的具体分析,研究者指出,沦陷区实行的是殖民地奴化教育政策,目的是为日本的侵略培养奴才,并使沦陷区人民丧失抗日意志。

（五）战时外交

中国的抗日战争是世界反法西斯战争的重要组成部分。一方面,中国抗日需要外援,另一方面,中国战场又具有牵动全局的作用。战争期间中国的外交活动不仅十分频繁,而且发挥了重要作用。因此,战时外交是抗日战争史研究中的重要内容之一。

但是,50年代至70年代末,对以国民政府为主体的战时外交的研究却很薄弱。这一时期,未见研究战时中外关系的专著,学术论文也很少见。一些零星的研究,也仅论及蒋介石对日妥协和英、美对日绥靖问题,而对战时外交的其他许多重要问题则未予重视。

近20年来,随着人们思想的解放和视野的扩展,战时外交研究作为抗日战争史研究中的重要组成部分,逐渐受到重视,尤其是在1985年以后出现的抗日战争研究热潮的带动下,对战时外交的研究规模、深入程度已经超出了对近代中外关系的其他任何阶段的研究,并取得了十分丰富的成果。仅就专著而言,已经出版的综合性专著有陶文钊、杨奎松、王建朗的《抗日战争时期中国对外关系》(中共党史出版社1995年版),王建朗的《抗战初期的远东国际关系》(台湾东大图书公司1996年版);以双边关系为研究对象的有王淇主编的《从中立到结盟——抗日战争时期美国对华政策》、任东来的《争吵不休的伙伴——美援与中美抗日同盟》、王真的《动荡中的同盟——抗日战争时期的中苏关系》、李嘉谷的《合作与冲突——1931－1945 年的中苏关系》、曹振威的《侵略与自卫——全面抗战时的中日关系》、马振犊与戚如高的《友乎？敌乎？德国与中国抗战》（以上专著皆被列入广西师范大学出版社推出的"抗日战争史丛书"，于 1993 年至 1996 年先后出版）及徐蓝的《英国与中日战争（1931－1941）》（北京师范学院出版社 1991 年版）、李世安的《太平洋战争时期的中英关系》（中国社会科学出版社 1994 年版）等；专题性的著作有黄友岚的《抗日战争时期的"和平工作"》（解放军出版社 1988 年版）、项立岭的《转折的一年——赫尔利使华与美国对华政策》（重庆出版社 1988 年版）、牛军的《从赫尔利到马歇尔——美国调处国共矛盾始末》（福建人民出版社 1988 年版）和《从延安走向世界——中国共产党对外关系的起源》（福建人民出版社 1992 年版）、徐万民的《战争生命线——国际交通与八年抗战》（广西师范大学出版社 1995 年版）、王真的《没有硝烟的战线——抗战时期的中共外交》（广西师范大学出版社 1995 年版）等。另外，还有大量有关战时外交的学术论文发表。

以上著述和论文，反映出战时外交研究中的以下进展情况。

1. 中日关系

从日本发动全面侵华战争开始，敌对的中日两国之间不复存在正常的外交关系。但中日两国是如何进入战争状态的，以及战争期间中日之间的秘密交涉，仍属战时外交的研究范畴。

卢沟桥事变是日本发动全面侵华战争的起点，但日本一些人一直认为事变的发生是"偶然"的，事变之前日本"完全没有进行日华全面战争的计划和准备"。中国学者一直不同意这种观点，认为日本以侵略扩张为目的的"大陆政策"，决定了它必然会发动全面侵华战争。而近几年来，关于卢沟桥事变起因的具体研究取得了新的进展。如过去一般认为事变之前日本的"佐藤外交"是施放和平烟幕,现在则有人依据日文资料进一步指出,在 1937 年 6 月,日本决策者即已决定"侧重对华自主积极的推进,对佐藤外交之后退色彩予以修正",而在事变发生的前一天,日本内阁在"首先对华一击"上取得了一致意见,剩下的问题只是选择时间和地点来制造借口予以实施了。[①] 又如,有人对与事变起因相关的"不法射击"和"士兵失踪"等问题进行了比较详细的考证,指出日方编造的 29 军士兵打响第一枪、中国共产党派人居中放枪、日军士兵失踪等战争起因说法的荒谬性,并根据日本资料,论证事变绝非"偶发",而是日本华北驻屯军、日本驻平津特务机关及日本侵华激进派共同策划的阴谋。日本军队是真正的肇事者。[②] 还有学者认为,事变发生后中国政府虽然做了万不得已时起而抵抗的准备,但还是希望能求得事件的和平解决,并准备做出一定的妥协。但日本的贪得无厌把国民政府逼上了奋起抗战的道路。从把冲突扩大为战争的角度来说,日本挑起战争的责任也是不可逃脱的。[③] 另外,还有人对卢沟桥事变后中日两国实际处在战争状态下却没有相互宣战的原因进行了分析。

关于战争期间中日双方的秘密交涉,过去论者一般从国民政府和蒋介石准备妥协投降的方面加以阐述。近年来这种局面发生了变化。有人仍认为,国民政府与日本的秘密交涉是对抗战的动摇,因为中日之间的"和平交涉"不是国际法一般意义上的"媾和",日本进行交涉的性质是政治诱降,目的是剥夺中国的国家主权,把中国变成日本的独占殖民地。蒋介石每当军事上严重失利、日本施

---

① 臧运祜:《卢沟桥事变前夕日本对华政策的演变》,《抗日战争研究》1998 年第 1 期。
② 曲家源:《卢沟桥事变起因考论:兼与日本有关学者商榷》,中国华侨出版社 1992 年版;荣维木:《炮火下的觉醒——卢沟桥事变》。
③ 王建朗:《抗战初期的日本外交综论》、《卢沟桥事变后国民政府的战和抉择》,《近代史研究》1992 年第 1 期、1998 年第 5 期。

弄诱降策略时,便发生谋求妥协的政治动摇。只是在 1941 年初美国采取积极的援华政策之后,国民政府才不再轻易俯就日本。[①] 另一些人却认为,妥协并不等于投降,为了结束战争而进行交涉并做出一定妥协并没有错,关键在于妥协的条件是什么。蒋介石在交涉中始终坚持恢复"七七"事变前的状态,反对日本的防共驻兵,是有基本原则的。[②] 在分歧意见之外也有一致的认识,即在中日交涉中双方各有意图,日本是想不战而胜,从中国抽兵北进或南进;蒋介石的策略目的,或为延缓日军进攻,或为阻止汪精卫成立伪政权,或为向英、美施压以求得更多援助。[③]

2. 中德关系

在以往的研究中,德、日两个法西斯国家被认为从一开始就狼狈为奸,德国协助日本破坏中国的抗战。而现在不少人指出,日本发动侵华战争并不符合德国的战略利益,因为它担心日本陷入中国战场将失去对苏联的钳制作用,并可能把中国推向苏联一边。"陶德曼调停"就是在这样的背景下产生的。在这一调停活动中,德国希望中日双方都做出妥协达成停战,而并非站在日本的立场迫使中国投降。[④] 还有人指出,在抗战之初德国曾在中日间保持中立,并继续向中国输出军事物资,其军事顾问继续在中国军队中发挥作用。"陶德曼调停"失败后,德国外交政策完全倒向日本,但中

① 沈予:《论抗日战争时期日蒋的"和平交涉"》,《历史研究》1993 年第 2 期。

② 蔡德金:《如何评价卢沟桥事变爆发后蒋介石的对日交涉》,《抗日战争研究》1996 年第 3 期。

③ 杨天石:《抗战前期日本"民间人士"和蒋介石集团的秘密谈判》,《历史研究》1990 年第 1 期;汪熙:《太平洋战争与中国》,《复旦学报》1992 年第 4 期;沈予:《论抗日战争时期日蒋的"和平交涉"》,《历史研究》1993 年第 2 期。

④ 杨玉文、杨玉生:《中日战争初期纳粹德国"调停"活动内幕及其结局》,《近代史研究》1988 年第 1 期;王建朗:《陶德曼调停中一些问题的再探讨》,《中共党史研究》1989 年第 4 期。

德之间的易货贸易仍在暗中进行。直到 1941 年德国宣布承认汪伪政权，国民政府才宣布与德国断交。太平洋战争爆发后，中国对德宣战。①

3. 中苏关系

近些年的研究在以下几个方面取得了比较突出的进展。

关于《中苏互不侵犯条约》，以往一般认为，中国是单方面的受惠国。现在则有人指出，中国仅希望签署"中苏互助条约"，对"互不侵犯条约"并无兴趣，只是苏联施以不签此约就不向中国提供军事援助的压力后，中国才同意订立这一条约。作为条约的附加条件，中国承诺不与第三国签订"共同防共协定"，这就缓解了苏联对日本联华制苏的担忧。所以，这一条约对苏联也是有利的。②

关于苏联对中国的物资援助，学者们一致予以肯定。但对于苏联向中国提供物资援助的数额及使用情况，过去一直有多种说法。有学者对此进行了认真的考证，澄清了过去在这个问题上的若干讹误，得出了比较准确的结论。③还有人指出，苏联也因援助中国而深受其利，因为中国的抗战大大减轻了日本对苏联的压力。④

关于《苏日中立条约》，有学者认为它分化了日德关系，保证了苏联在远东的安全，使之能够集中力量准备对德作战，这对世界反法西斯战争的全局具有意义。但苏、日互相保证尊重"满洲国"和"蒙古人民共和国"的领土完整和不可侵犯，这是对中国领土主权

---

① 易豪精：《从"蜜月"到断交——抗战爆发前后中德外交关系的演变》，《中共党史研究》1995 年第 5 期；陈方孟：《论中日战争初期德国的对华政策》，《抗日战争研究》1996 年第 2 期。

② 王建朗：《抗战初期的远东国际关系》。

③ 李嘉谷：《抗日战争时期苏联对华贷款与军火物资援助》，《近代史研究》1988 年第 4 期。

④ 齐世荣：《中国抗日战争与国际关系(1931—1941)》，《世界历史》1987 年第 4 期。

的侵犯。① 另外有人认为,该约反映了苏联促使日本南下的意图,它既满足了日本占有中国东北的要求,又切断了日本经外蒙进犯苏联的通道,因而它是苏联为自身利益而牺牲中国的绥靖主义产物。②

关于《中苏友好同盟条约》,在相当长的时期内,学术界对其持肯定态度。新的研究则认为,此约既有苏联协助中国对日作战的一面,也有苏联恢复沙俄在日俄战争中失去的权益的一面,不应全面肯定。它的积极因素是,苏联红军根据条约精神对日宣战,加速了战争结束的进程,并且在一定程度上遏制了美国势力。消极因素则是将雅尔塔协定合法化,反映了苏联的民族利己主义。对于中国革命,这一条约也产生了双重影响。③ 也有人明确指出这是一个不平等条约,其中有关旅顺、大连、东北铁路和外蒙古的内容,都严重侵害了中国的主权。④

4. 中国与英、美的关系

以下几个问题的研究引人注意。

关于远东慕尼黑与英、美的绥靖政策。一般认为,在抗战前期英、美对待中日的政策具有双重性,一是对日妥协,一是援华制日。随着时间的推移,援华制日逐渐成为主流。而在对日妥协这一点上,是否存在过远东慕尼黑阴谋,则有不同观点。传统的认识是,英、美等国在绥靖政策主导下,确实策划过出卖中国的远东慕尼黑阴谋,拟议中的太平洋会议即是远东慕尼黑的典型例证。近年来有人提出不同观点,认为英、美在远东对日本做出的妥协,无论在动

① 李嘉谷:《中苏关系史研究二题》,《抗日战争研究》1995 年第 1 期。
② 厉声:《苏日中立条约试析》,《苏联历史问题》1985 年第 2 期。
③ 王真:《动荡中的同盟——抗战时期的中苏关系》。
④ 刘存宽:《重新评价 1945 年〈中苏友好同盟条约〉》,《抗日战争胜利五十周年纪念集》(《抗日战争研究》1995 年增刊);张振鹍:《"二十一条"不是条约——评〈中国近代不平等条约选编与介绍〉》,《近代史研究》1999 年第 3 期。

机、程度和后果上都不能和欧洲的慕尼黑阴谋相提并论,而太平洋会议是由国民政府而不是由美、英积极推动的,其目的是联合英、美制日,因此不能把它说成是出卖中国的慕尼黑式的会议。①

关于英、美新约。1943 年,英、美同意与中国在废除不平等条约的基础上签订新约,一些学者对此予以充分肯定,认为尽管此后在实际上中国并未取得与英、美完全平等的地位,但就法理而言,中国已经摆脱了屈辱地位。新约的订立,是包括中国共产党在内的全体中国人民奋勇抗战的结果,因此,肯定新约并不是对国民政府的褒扬,而是对中国全体军民抗日业绩的肯定。② 还有学者对废约谈判进行了详细考察,指出美、英政府在对华谈判中的态度有所不同,这是此后中英关系冷淡,中美关系亲密的主要原因之一。③ 存在争议的问题是,有人认为新约收回了国家主权,应被视为中国摆脱半殖民地状态的标志。④ 异议者则认为,新约并不标志着中国已经摆脱了半殖民地地位,因为新约废除的主要是政治特权,并未废除所有的特权,而且在新约签订后,英、美并未真正以平等态度对待中国,雅尔塔会议便是明证。⑤

关于美国在抗战后期的扶蒋抑共政策。过去一般认为,在抗日战争后期,美国卷入中国内政,实行的是扶蒋反共政策。而现在有人通过对史迪威事件的研究提出,美国以战胜日本为首要目的,曾企图增强和发挥共产党部队的抗日作用,并主张国民党实行改革

① 王建朗:《太平洋会议是怎么回事——关于远东慕尼黑的考察之一》,《抗日战争研究》1996 年第 3 期;《试评太平洋战争爆发前的英美对日妥协倾向——关于远东慕尼黑的考察之二》,《抗日战争研究》1998 年第 1 期。
② 王建朗:《中国废除不平等条约的历史考察》,《历史研究》1987 年第 5 期。
③ 吴景平:《中美平等新约谈判述评》,《抗日战争研究》1994 年第 2 期。
④ 陶文钊:《中美关系史讨论会综述》,《近代史研究》1988 年第 6 期。
⑤ 王淇:《1943 年〈中美平等新约〉签订的历史背景及其意义评析》,《中共党史研究》1989 年第 4 期。

和加强国共合作;而蒋介石则一心保存实力准备战后与中共斗争,不愿积极抗战,这是史、蒋分歧的根本原因。[1] 关于赫尔利访问延安时接受中共的五点建议,过去曾被认为是一个骗局。现在多数人认为,赫尔利是认真的,因为赫尔利调处国共矛盾的目的,是要使中共武装置于国民政府的控制之下,避免中国的内战。赫尔利后来变卦,转而支持蒋介石的三点反建议则另有原因。一是在国共矛盾不可调和的情况下,他的使命是无条件地支持蒋介石;二是由于他对国共两党分歧的要害缺乏了解。赫尔利是奉命行事,但在扶蒋抑共方面,他有时比美国政府的政策走得更远,并对美国政策的转变起了推波助澜的作用。[2] 也有人对中共外交政策进行分析,认为太平洋战争爆发后,中共对美政策出现了积极的变化,而美军观察组派赴延安则是美国对中共态度的回应。但对于中共提出的结束国民党一党专政、建立联合政府的主张,美国是难以接受的,扶蒋是美国的基本政策,因此到战争结束时,中共与美国的关系显然已经开始恶化。

关于中英之间有关香港问题的交涉。有人指出,在中英新约谈判时,英国顽固坚持殖民主义的态度,不肯与中方讨论交回新界租借地的问题。国民政府态度一度比较坚决,但最终做出退让,以使中英新约得以成立。[3] 至抗战结束时,国民政府没有认真做好收回香港的准备,而使英国重新占领了香港。有人分析出现这种结果的主要原因是,英国人顽固地坚持其旧殖民主义的立场;美国的态度发生了变化;国民政府缺乏自立自强的精神和实行"反共优先"的

---

① 魏楚雄:《论史迪威事件及其原因》,《近代史研究》1985 年第 1 期。

② 陶文钊:《赫尔利使华与美国政府扶蒋反共政策的确定》,《近代史研究》1987 年第 2 期。

③ 刘存宽:《1942 年关于香港新界问题的中英交涉》,《抗日战争研究》1991 年第 1 期;李世安:《1943 年中英废除不平等条约的谈判和香港问题》,《历史研究》1993 年第 5 期;陶文钊:《太平洋战争期间的香港问题》,《历史研究》1994 年第 5 期。

政策。①

（六）战时经济

抗日战争时期的中国经济，是在极为特殊的条件下运行的，它与中国抗战的进程及胜负结局有着密切的联系，因而它也是抗日战争史研究中的一项重要内容。

早在 50 年代，作为中国近代经济史研究的一个部分，抗日战争时期的经济研究就已开始。在史料方面，这时期出版的各类近代经济史史料中，均包含了抗日战争时期的经济方面的内容。另外，由延安时事问题研究会在 1940 年编印的《抗战中的中国经济》，作为抗战时期经济史料专集，于 1957 年由中国现代史料编辑委员会重印。这些史料，是 50 年代至 70 年代末开展研究工作的基础史料。在论著方面，这时期出版的关于中国近代经济史的著作或教材，也在不同方面涉及抗日战争时期的经济问题，另外，还有一些相关论文发表。但未见以战时经济为专门研究对象的专著出版。

70 年代末，抗日战争时期的经济逐渐受到研究者的重视。近 20 年来出版的关于战时经济的资料集和专著约有 50 种，发表的专题论文有 1000 余篇，另外还有许多涉及相关内容的其他著述。

1. 国统区经济

对战时国民党统治区经济的研究，是战时经济研究中的一项重要内容，取得的成果也最多。已出版的专著主要有周天豹、凌承学主编的《抗日战争时期西南经济发展概述》（西南师范大学出版社 1988 年版），李平生的《烽火映方舟——抗战时期大后方经济》（广西师范大学出版社 1996 年版），黄立人的《抗战时期大后方经济史研究》（中国档案出版社 1998 年版）等。在一些以民国经济史

---

① 刘存宽：《英国重占香港与中英受降之争》，《抗日战争研究》1992 年第 2 期。

为研究对象的著作中,关于战时国统区经济的研究也占有相当多的篇幅。另外还有大量的论文发表。这些研究,无论是方法还是观点,都与过去有了很大不同。

关于对战时国统区经济的基本评价,50 年代至 70 年代末的研究一般是在近代中国为半殖民地半封建社会的理论框架中展开的,较少注意战时国统区经济相对日本的侵略而言所具有的民族性的一面。因此,在总体评价上,对战时国统区经济持否定态度。其中的主要观点是,以"四大家族"为代表的中国官僚买办资本在战时急剧膨胀,国民政府的经济统制政策则主要是为了收敛民财为官僚资本服务,这是造成战时通货膨胀、民不聊生的一个重要原因,其结果是破坏了生产力的发展,妨碍了中国的抗日战争。而在 80 年代以后,一些学者开始注意从战时状态下中国经济与反侵略密切相关的大背景下考察问题,对国民政府的战时经济政策给予比较客观的评价。如有人提出,国民政府在抗战初期的经济政策,总体上顺应了全国抗战的潮流,是符合人民利益的,它的实施促进了西南经济的发展,并有利于摆脱抗战初期的被动局面。①

关于国民政府的战时经济统制,80 年代以后开始出现了不同观点。一些学者对统制政策持基本否定态度,但研究方法却与过去简单地套用现成理论框架不同,比较注意对统制政策制订的背景、类别、内容、实施情况等进行深入分析。而有一些学者则对统制政策持基本肯定的态度,认为它的制订与实施是反侵略战争的需要,在经济统制政策下,不仅公营企业得到了发展,部分民营企业也得到了发展。如在矿业方面,统制政策主要是由国民政府资源委员会的专家制订的,在战争的特殊环境下,它的制订是被迫的,同时也是合理的;在战时由国家控制生产、流通和分配,有利于减少风险

---

① 王同起:《抗战初期国民政府经济体制与政策的调整》,《历史教学》1998 年第 9 期。

和阻力,促进矿业发展。①

　　关于战时工业内迁,与以往的研究不同的是,近年来学者们考察的范围有所扩展,民营与公营企业,上海地区和其他沿海地区及中部地区企业,民用和军工企业,它们的内迁都列入了考察范围,各有文章论述。对于工业内迁的结果,一般认为它对抗日战争得以长期坚持产生了积极的作用。另外也有人从改变中国工业布局方面做了考察,认为它在中国工业近代化进程中发挥了作用。②

　　关于国统区的农业经济,研究也在深入。过去一般认为田赋征实、垄断购销等战时农业政策是导致后方农业经济危机的一个重要原因。现在除有人继续对国民政府农业政策的消极影响进行研究外,还有人对国民政府农业政策的积极方面进行研究,认为国民政府调整农业机构、增加投入、推广新技术、鼓励垦荒、兴修水利等措施,对后方的农业发展也曾发生过积极作用。有人认为,这些政策的实施,再加上工业内迁等因素的影响,后方农产品产量曾有较大增长,商品经济也有发展。③

　　关于国民政府的战时货币金融体制和外债的研究。过去一般认为,国民政府高度垄断的货币金融体制,是造成战时恶性通货膨胀的重要原因。现在有人从另外的角度考察这一体制形成的原因、运作情况及结果,认为尽管它存在着许多弊端,却对抗战起到了物质保证作用,并且把中国金融货币制度推进到资本主义时代。④ 关于国民政府战时外债情况,实证研究的成绩最为突出。有人详细地考证了战时外债种类、债权国国别、外债数额、动用情况、本息偿付

① 唐凌:《论抗战时期国民政府的矿业政策》,《抗日战争研究》1993 年第 4 期。

② 林建曾:《一次异常的工业化空间传动——抗日战争时期厂矿内迁的客观作用》,《抗日战争研究》1996 年第 4 期。

③ 周天豹、凌承学:《抗日战争时期西南经济发展概述》。

④ 董长芝:《论国民政府抗战时期的金融体制》,《抗日战争研究》1997 年第 4 期。

情况等，提出"中国举借和使用外债的必要性、合理性应基本予以肯定"，"中国没有因外债问题而导致国家主权新的重大损失，中国在外债问题上所处的地位，也要优于其他任何时期。这些都与中国抗战在世界反法西斯战争中所处的重要地位以及中外关系新格局的形成，有着密切的联系"。[①]

　　除上述各项外，关于国统区交通运输、物资统制、与沦陷区和解放区的经济关系等问题的研究，也有不同程度的进展。

2. 抗日根据地经济

　　对抗日根据地经济的研究，进展也十分显著。在史料方面，从80年代以后，陆续出版了陕甘宁、晋察冀、晋冀鲁豫、山东、安徽、华中、东江等抗日根据地的财政经济史料集多种。专著主要有许毅主编的《中央革命根据地财政经济史长编》（人民出版社1982年版），朱绍南、杨辉远、陆文培的《淮北抗日根据地财政经济史稿》（安徽人民出版社1985年版），魏宏运主编的《晋察冀抗日根据地财政经济史稿》（档案出版社1985年版），应兆麟主编的《皖江抗日根据地财政经济史稿》（安徽人民出版社1985年版），星光、张扬主编的《抗日战争时期陕甘宁边区财政经济史稿》（西北大学出版社1988年版），赵秀山主编的《抗日战争时期晋冀鲁豫边区财政经济史》（中国财政经济出版社1995年版）。另外，新出版的一些新民主主义经济通史著作中，也有关于抗日根据地经济研究的章节。至于研究论文，20年来有数百篇之多。这些研究，涉及了中共经济政策、土地改革、减租减息、财政税收、金融货币、大生产运动、工商交通等项内容，择其要者介绍如下。

　　关于土地改革和减租减息。一般认为，土地改革是中共领导的新民主主义革命的内容之一，但在抗日战争时期，中共的土地政策却是革命与改良相结合，是抗日民族统一战线总政策的一个组成

[①]　吴景平：《抗战时期的中国外债问题》，《抗日战争研究》1997年第1期。

部分。① 也有人认为,根据地的土地变革,表现在农村土地关系和阶级结构的变化以及某些地方的封建土地所有制问题的解决方面。② 还有人认为,减租减息虽然有着历史局限性,但这样的"让步"政策,却加强了根据地的物质基础和群众基础。③

关于税收和人民负担问题。一般认为,在服从抗日需要的前提下,根据地的税收政策以合理负担为基本原则,且税种少、税率低,照顾了多数群众的利益。也有人认为,在实行合理负担政策时,有些地区出现了"左"的偏向,这主要表现在税收累进率过高,影响了抗日各阶层之间的团结,不利于统一战线的巩固。中共中央发现问题后进行了纠正,做到钱多多出、钱少少出、赤贫免征,使税收负担面明显扩大。有的地区还把统一累进税改为农业累进税和工商累进税,实行不同算法,使负担更加合理。④ 还有一种观点认为,根据地人民负担过重引起了群众对政府的不满,而缓解这种矛盾则是开展大生产运动的一个重要原因。这种观点在《邓小平文选》中得到了印证。

关于货币金融。一般认为根据地的政策是成功的。有人认为,根据地的政策是"发行与巩固边币,保护法币,打击伪钞,肃清杂钞"。⑤ 对于边币发行流通对调剂农村经济、扶植生产、发展贸易、繁荣市场等增强抗日经济力量的作用,一般均持肯定态度。另外,

---

① 萧一平、郭德宏:《抗日战争时期的减租减息》,《近代史研究》1981 年第 4 期。
② 温锐:《略论晋察冀边区的土地变革运动》,《第二届中国抗日根据地史国际学术讨论会论文集》,档案出版社 1993 年版。
③ 郭绪印:《抗日战争时期中国共产党领导的减租减息运动》,《历史教学问题》1981 年第 3 期。
④ 星光:《敌后抗日根据地的农村负担政策》,《抗日民主根据地与敌后游击战争》,中共党史资料出版社 1986 年版。
⑤ 王同兴:《抗日战争和解放战争时期革命根据地的金融建设》,《中共党史研究》1990 年第 3 期。

关于边币与法币的关系、边币与伪币的斗争,也有人进行了研究。

关于工商贸易,研究范围也在扩展。其中农村集市贸易和对敌贸易战方面的研究引人注意。有人以晋冀鲁豫根据地为例,引用资料详细介绍了农村集市贸易的由来和发展,提出它是根据地建设中不可缺少的一个方面,起到了刺激根据地生产、提供军需、战胜伪币、支持抗日货币、促进根据地经济繁荣的重要作用。[①] 也有人分析了根据地对外贸易政策的演变过程,认为初期对敌经济绝交造成了走私盛行的消极后果,之后实行统一关税保护制、统一进出口管理、以货易货、有出有进等管理办法,逐步扭转了被动局面。[②] 此外,关于各根据地的大生产运动、工合运动、公营企业与私营企业、家庭手工业、难民安置、社会保障等问题,也均有人研究。

3. 沦陷区经济

关于沦陷区的经济状况,近 20 年来发表的研究论文在 200 篇以上,内容主要集中于日伪的统制和掠夺方面。

关于东北沦陷区经济,研究者比较注意殖民地形态的形成过程及其特征。一般认为,日本在东北建立了比较完整的殖民地经济体系,这一体系从"九一八"事变后开始建立,至 1935 年前后初步形成,其后不断深化。日本在东北的投资规模和掠夺物资的数额超过了其他任何一个沦陷区,反映出当时东北已经沦为日本的完全殖民地。关于日本投资产业的种类、掠夺资源的方式、统制政策的具体内容、强掠奴役中国劳工的情况,以及移民情况等等,均有文章论及。而较为引人注意的是对东北殖民地经济形态的研究,如有人提出,直到日本统制经济垮台前,封建经济依然构成殖民地农村经济的重要组成部分,为日本所利用。[③] 还有人对东北民族资本做

① 魏宏运:《论晋冀鲁豫抗日根据地的集市贸易》,《抗日战争研究》1997 年第 1 期。

② 杜晓:《太行抗日根据地的财经建设》,《抗日民主根据地建设与敌后游击战争》。

③ 孔经纬:《新编中国东北地区经济史》,吉林教育出版社 1994 年版。

了深入的分析,认为在 1937 年以前,以轻纺各业为主的民族资本受到的影响还不大,以后则普遍衰落。① 关于伪满经济,一般认为它在"日满一体的计划经济"中处于附庸地位,也有人指出,到抗日战争后期,伪满的资本总额已经超过了日本在东北的投资,但这一资本不是通常说的官僚资本或国家垄断资本,而是一种殖民地型的资本。

关于其他沦陷区经济的研究,内容主要涉及日本投资情况、与日资合作的私人资本的性质、与东北经济殖民地程度的比较、日本在不同时期的不同经济政策等等。关于华北沦陷区经济,有人对日伪的金融控制和掠夺进行了深入分析,提出"中联银行"通过独占货币发行权、实施通货膨胀政策、统制汇兑等方式对华北沦陷区进行金融掠夺,造成了华北民众贫困化、民族工业衰败、农村经济破产等严重后果。② 论者还主要依据日伪史料,对华北沦陷区农村经济进行了考察,指出日、伪是农村经济破产的罪魁祸首。③ 关于华中沦陷区经济,有人认为,汪伪统制经济既是日本统制经济的附属品,也有自身的社会基础,继承了中国半殖民地半封建经济的基本特征,即运用政权力量干预经济;控制金融、交通、资源和重要工业原料;依附帝国主义势力;牺牲民族资本等等。④ 还有人对汪伪政权粮食政策的制订、实施和失败的结局进行了研究,从一个方面揭示出汪、日既相互依赖又明争暗斗的复杂关系。⑤

---

① 许涤新、吴承明主编:《新民主主义革命时期的中国资本主义》,人民出版社 1993 年版。
② 曾业英:《日本对华北沦陷区的金融控制与掠夺》,《抗日战争研究》1994 年第 1 期。
③ 曾业英:《日伪统治下的华北农村经济》,《近代史研究》1998 年第 3 期。
④ 程洪刚:《汪伪统制经济述论》,《汪伪政权史研究论集》,复旦大学出版社 1987 年版。
⑤ 刘志英:《汪伪政府粮政述评》,《抗日战争研究》1999 年第 1 期。

（七）战时思想文化

中国近代每次剧烈的社会变动,都成为思想文化发展的重要动因。抗日战争也不例外,它对中国近代思想文化的发展产生了巨大影响。同时,战时思想文化的发展变化又与战争的实际进程密切相关,并在一定程度上对战争的进程发生影响。因此,战时思想文化研究也是抗日战争史研究中不可缺少的一项内容。

新中国建立后,对于抗日战争时期的思想文化研究,主要集中在新民主主义思想文化研究方面。80年代以前,出版的相关史料有中国现代史资料编辑委员会1957年重印的原由延安时事问题研究会编辑的《抗战中的中国文化教育》、北京大学政治系编印的《抗日战争时期的整风运动参考资料》(1962年版)、张鼎的《抗战前线的文化兵工厂(回忆新四军的印刷所)》(上海人民出版社1958年版);发表的文章有38篇(据荣天琳主编的《中国现代史论文著作目录索引》中"抗日战争时期文化、史料类"的统计,北京大学出版社1986年版),其中多数为史事介绍和回忆性文章。应该说,这时的研究尚未展开。直到80年代以后,关于抗日战争时期思想文化的研究才逐渐多了起来,这里择其要者予以介绍。

关于知识分子群体的研究。知识分子是传播思想文化的主体,但他们在抗日战争时期的作为,过去却没有引起学者们的足够重视,只是到最近20年,才开始有学者系统研究他们在抗战时期的种种活动及其在抗战中的影响。有人提出,从"九一八"事变开始,中国最先觉悟的知识分子就站到了抗日救国的前列。在整个抗日战争时期,以知识分子为主体的抗日群众团体、传播抗日救亡思想的图书报刊文艺作品,数量之多,影响之大,超出了中国近代其他任何一个时期。同时,尽管知识分子群体中包含了不同阶级属性的人群,他们有各自的思想政治倾向和文化流派观点,对社会政治和学术问题历来存在着争论,但在要不要抗日、要不要救国的问题上,却基本上没有什么分歧和争论。在中共领导的解放区、国民党统治区和沦陷区,都有知识分子在从事抗日救亡的活动。[①] 也有人对抗日战争时期知识分子的主要代表人物进行了研究,如关于胡适,过去的研究一般都强调他避战求和的政治主张,而对他从主和到拥护抗战的思想转变却没有论及。近年来有人指出,1937 年 9月胡适奉命赴美做抗日宣传前夕,即已明告"低调俱乐部"诸人,他的态度全变了。后来他成为奔走抗日的外交使节。论者还分析胡适态度转变的原因,认为日本灭亡中国的野心,蒋介石政权的脆弱,国际上缺乏支持和平的切实保障,是促使他产生"和比战难百倍"见解的客观原因,而主观方面则不能忽略他在内心的爱国憎日心理。他的低调主张,是一个学者从他的理智判断出发,以为妥协可以争取时间,避免过早地应战而导致惨败。如因此而判定他是亲日、媚日,未免偏颇。[②] 另外,对郭沫若、朱自清、老舍、梁漱溟及其他文化界名人在抗日战争时期的活动,也有人进行专门研究。

　　关于中国文化教育重心的转移。近年来,关于抗战期间高校的内迁活动引起了研究者的重视。一般认为,战时高校内迁打破了中国文化发展的不平衡性,不仅有力地推动了抗日救亡运动的进展,而且为中国文化、中国教育在西南地区的发展做出了历史性的贡献。有人指出,高校内迁的结果是,改变了战前中国教育布局的不合理性,保存了中华民族最精要的资本,促进了抗战事业的顺利进行,促进了后方经济建设和中国现代化事业,促进了贫瘠落后地区教育的现代化。有人研究战时大学教育恢复与发展过程中的各种原因,认为国民政府对高等教育的重视,以及颁布的一些合理政策,如救济学生、增设学校、充实设施等,对战时高等教育的发展也

---

① 李侃:《抗日战争与知识分子》,《抗日战争研究》1993 年第 1 期。
② 耿云志:《七七事变后胡适对日态度的转变》,《抗日战争研究》1992 年第 1 期。

起到了一定的促进和推动作用。① 另外,还有学者对沿江沿海文化
科研机构内迁进行了研究,指出这种内迁对西南地区经济文化的
发展以至中国抗战,都产生了重要的积极影响。②

　　关于战时思想流派的研究。抗战时期,国内有许多不同的思想
流派,各流派之间也曾有过争论。而在以前的研究中,对新民主主
义文化思想以外的思想流派没有给予重视。只是在近年来,对战时
不同思想流派的研究才取得了一些成果。如关于战国策派,过去少
有研究,只是笼统地认为它是一种反民主的法西斯理论,是为国民
党的政治独裁提供理论依据的,而对这一思想流派产生的社会文
化背景并未进行认真考察。近年来,有人对战国策派的思想渊源和
政治主张进行了具体分析,认为战国策派与国民党当局之间不可
能是亲密无间的,他们抨击传统文化,但目的是为扫除他们认为的
存在于儒家道德中的假仁假义,提倡尚武风气,从而抗战到底。这
种非理性的民族主义存在着难以治愈的硬伤,即以个人本位的哲
学出发,想得出以国家为本位的结论,从一开始就陷入一种二律背
反的矛盾之中。③ 还有人指出,"历史警醒意识"是战国策派在理论
方面最有价值的贡献。"历史警醒意识"并不是单纯地号召人们不
要忘记历史,而更重要的是要求人们必须有足够的能力去驾驭历
史。基于此种认识,战国策派严厉批判古史辨派只知从古书中寻找

---

① 余子侠:《抗战时期高校内迁及其历史意义》,《近代史研究》1995 年第 6 期;余子
　　侠:《抗战时期教会高校的迁变》,《抗日战争研究》1998 年第 2 期;侯德础、张勤:
　　《高校内迁与战时西南的科技文化事业》,《抗日战争研究》1998 年第 2 期;徐国利:
　　《关于"抗战时期高校内迁"的几个问题》,《抗日战争研究》1998 年第 2 期;金以林:
　　《战时大学教育的恢复和发展》,《抗日战争研究》1998 年第 2 期。
② 张瑾、张新华:《抗日战争时期大后方科技进步述评》,《抗日战争研究》1993 年第 4
　　期;黄立人:《论抗战时期的大后方工业科技》,《抗日战争研究》1996 年第 1 期。
③ 黄岭峻:《试论抗战时期两种非理性的民族主义思潮——保守主义与"战国策派"》,
　　《抗日战争研究》1995 年第 2 期。

历史的学院派倾向,号召民众尤其是青年不要躲在古书里逃避现实,而要勇敢地投入到抗战洪流中。① 又如对陈立夫的唯生论和蒋介石的力行哲学的研究,有人认为,唯生论本质上就是唯心论,但它并不是一种纯粹的哲学主张,而是以宣扬唯心主义世界观在政治实践中维护国民党的一党独裁统治。至于蒋介石的所谓力行哲学,有人指出它没有多少学理上的创造,不过是由王阳明的"知行合一"说与孙中山的"知难行易"说杂凑出来的一种学说,与唯生论一样,在本质上仍是唯心论。② 另外,对于传统文化学派、东方文化学派人物思想的个案研究也取得了一些成果,如王鉴平的《冯友兰哲学思想研究》(四川人民出版社 1988 年版)、马勇的《梁漱溟评传》(安徽人民出版社 1991 年版)、郑大华的《张君劢传》(中华书局1997 年版)等。陈独秀独立于各思想流派之外,在抗战时期提出过一些独到的思想主张,对此也有人进行了研究。如有人认为,他在抗战时期与国共两党及托派的政治主张均有很大分歧,总起来讲,在抗战初期他主要立足于国内的情况去考察民主问题;在生命的最后几年,主要通过对苏联社会主义和国际共产主义运动经验的分析,去考察人类社会的民主问题,提出了以民主为核心的政治体制的重建设想。③

关于抗战文艺研究。抗战文艺包括抗战时期的小说、报告文学、散文、诗歌、电影戏剧、音乐美术等多项内容。而抗战文艺研究既包括对文艺作品的研究,也包括对文艺创作背景的研究。关于文艺作品的研究,无论按作品形式分类,还是按解放区、国统区、沦陷区作品来分类,内容都十分庞杂,限于篇幅不展开介绍,

---

① 雷戈:《论"战国策派"的历史警醒意识》,《武陵学刊》1998 年第 5 期。

② 刘大年、白介夫主编:《中国复兴枢纽》,北京出版社 1997 年版。

③ 赵国忠:《90 年代陈独秀研究的新进展》,《安庆师院学报》1998 年第 4 期;史远香:《陈独秀抗战主张述评》,《抗日战争研究》1998 年第 2 期。

只说明一点,即对国统区和沦陷区文艺作品的研究,近些年取得了丰富成果。① 而关于抗战文艺创作背景的研究,有几个问题引人注意。(1)关于国民政府的文艺政策。有人指出,国民政府在抗战时期的文艺政策从总体上说是顽固地推行文化专制主义,但在抗战的不同阶段,国民政府的文艺政策还有一些不同:一是1937年7月至1938年6月,国民政府的文艺政策在抗战爆发的大背景下有过一段时间的暂时放松;二是1938年7月至1940年底,国民政府开始采取一些防范措施控制进步文艺,只是出于对抗日民族统一战线这面招牌的考虑,未敢推行赤裸裸的文化专制主义政策;三是1941年初至抗战胜利,由于国共摩擦的加剧,国民党为配合政治上军事上的反共高潮,开始推行赤裸裸的专制主义的文化政策。② (2)关于桂林文化城。60年代初期,《广西日报》副刊开辟"文化城忆旧"专栏,为桂林文化城的研究提供了一些有价值的资料。"文革"期间,文化城的研究成为禁区。80年代,桂林文化城的研究步入正轨,陆续出版了一批回忆录、专题资料和学术著作,发表了大量研究论文。关于桂林文化城的建立与发展,许多人认为中国共产党人特别是周恩来的推动起了很大的作用。③也有人认为,桂林文化城的形成,是桂系领导人实行开明政策的结果。关于桂林文化城的贡献,多数人认为桂林抗战文化发展了"五四"以来的新文化,把国统区抗日文化运动推到了一个新阶段,在那里涌现出的一大批有影响的文艺作品,在中国现代文化史上留下了光辉的篇章。④ 除桂林文化城外,还有人

---

① 参阅章绍嗣:《抗战文艺60年回眸》、李仲明:《抗战时期沦陷区文学研究述略》,《抗日战争研究》1998年第4期。

② 张强:《国民党抗战时期的文艺政策》,《民国档案》1991年第2期。

③ 曹裕文:《抗日战争初期周恩来在桂林的贡献》,《广西党校学报》1990年第5期;魏华龄:《抗日时期文艺界抗敌桂林分会》,《广西文史资料》1982年第15期。

④ 魏华龄:《近十几年桂林抗战文化研究述评》,《抗日战争研究》1994年第3期。

以区域划分,对台湾、昆明、延安、上海、贵阳、山东等地的战时文学发展状况进行了研究。

关于新民主主义文化思想研究。这个课题有其特殊的现实意义,所以 1949 年以后一直颇受重视。不过,随着研究的深入,现在有人提出了与以往不同的观点。如有人以东方文化复兴为主题,具体地分析了新民主主义文化思想与新儒学派、西化自由派的关系,认为毛泽东的"民族的科学的大众的文化"的著名论断,"隐含着对东方文化以民族为本位的民族精神与以西化自由派科学民主为用的时代精神,也隐含着共产党人以人民为体的民本思想和政治倾向,是一种综合性的文化整合与创造","新民主主义文化是中国的马克思主义旗帜,应该说它对新儒学派与西化自由派的观点尽管有反驳,然而其体系深处还是有着许多互相联系而共同形成了以新儒学派、西化自由派及马克思主义三大思潮为代表的现代人文基础"。① 还有人指出,在共产党内部,关于新民主主义文化也有不同的思想认识。张闻天在毛泽东提出的"民族的、科学的、大众的"文化方向之外,还提出了"民主的"方向。对于"民主的"这一点,张闻天解释即反封建、反专制、反独裁、反压迫人民自由的思想习惯,主张民主自由的思想习惯与制度,主张民主自由、民主政治、民主生活与民主作风。毛泽东未提"民主的",而只是在解释"大众的"时说:"这种新民主主义的文化是大众的,因而即是民主的。"以"大众的"来包括文化发展的民主方向,道理上说不通。这表明在中国文化发展方向问题上,毛泽东和张闻天存在着重要分歧。②

---

① 皇甫晓涛:《抗战前后文化思潮与"东方文化复兴"的历史主题发展》,《吉林大学学报》1997 年第 6 期。

② 曾彦修:《文化发展方向要不要强调民主——延安时期毛泽东、张闻天在这个问题上的歧见》,《炎黄春秋》1998 年第 7 期。

（八）其他问题

除以上诸方面外,在抗日战争史研究中,日本侵华政策的演变及其实施,日军的罪行暴行,战后的审判与战争遗留问题等等,近些年来也引起了学者们的极大关注。

关于日本侵华政策,严格说来应属于日本近代史或中日关系史的研究范畴,但它与中国抗日战争又有着密切联系,因而也是抗日战争史研究的对象之一。一般来说,由于这种研究必须主要依据日文史料,而能够接触大量日文史料并有较好阅读能力的人不多,故有相当大的难度。最早出版的中文资料是由复旦大学历史系编辑的《日本军国主义侵华资料长编》(上海人民出版社 1978 年版)。从 70 年代末起,由中国社会科学院近代史研究所民国史研究室编辑、中华书局陆续印行的"中华民国史料丛稿"中,翻译了一批主要源于日本防卫厅防卫研究所战史室编纂的史料,其中包括《中国事变陆军作战》、《华北治安战》、《河南作战》、《湖南作战》、《广西作战》等等。之后,天津政协编译委员会又摘译了日本防卫厅防卫研究所战史室编纂的《大本营陆军部》,另名为《日本帝国主义侵华资料长编》(四川人民出版社 1987 年版)。在此前后,参加过侵华战争并在不同层次上参与过侵华政策制订的原日本官员的回忆录,也被翻译成中文,其中有重光葵的《侵华内幕》(解放军出版社 1987 年版),以及《土肥原秘录》(中华书局 1980 年版)和《今井武夫回忆录》(中国文史出版社 1987 年版)。另外,翻译成中文的还有井上清的《日本军国主义》(商务印书馆 1985 年版)、藤原彰的《日本近代史》(商务印书馆 1983 年版)、服部卓四郎的《大东亚战争全史》(商务印书馆 1984 年版)、森松俊夫的《日军大本营》(军事科学出版社 1985 年版)、信夫清三郎的《日本外交史》(商务印书馆 1980 年版)等等。这些翻译史料和专著为中国学者研究日本侵华战略提供了一些方便,但由于前面提到的原因,除不时有关于某些战役的个案研究论文发表外,对日本侵华战略的系统研究还远远不够,除徐勇的《征服之梦——日本侵华战略》(广西师范大学出版社 1993 年版)之外,未见其他专著。显然,这方面的研究还有待深入。

关于日军罪行暴行的研究,从 80 年代开始展开,到 90 年代形成高潮。由于这种研究主要是揭露事实与考证史实,故在已出版的著作中难以划分哪些是史料性图书,哪些是研究专著。已经出版的图书主要有南京大屠杀史料编辑委员会编辑的《侵华日军南京大屠杀史料》(江苏古籍出版社 1985 年版)、《侵华日军南京大屠杀暴行照片集》(江苏古籍出版社 1985 年版)、《侵华日军南京大屠杀档案》(江苏古籍出版社 1987 年版),中央档案馆和中国第二历史档案馆编的《日本帝国主义侵华档案选编——南京大屠杀》(中华书局 1995 年版),朱成山的《侵华日军南京大屠杀幸存者证言集》(江苏古籍出版社 1994 年版),南京大屠杀遇难同胞纪念馆的《侵华日军南京大屠杀外籍人士证言集》(江苏古籍出版社 1998 年版),章开沅的《南京大屠杀的历史见证》(湖北人民出版社 1995 年版),中国第二历史档案馆等编的《侵华日军南京大屠杀图集》(江苏古籍出版社 1997 年版),中国人民抗日战争纪念馆的《日军侵华暴行》(北京出版社 1995 年版),章伯锋和庄建平主编的《血证——侵华日军暴行日志》(成都出版社 1995 年版),军事科学院的《凶残的兽蹄——日军暴行录》(解放军出版社 1994 年版),中央党史研究室的《日军侵华暴行纪实》(中共党史出版社 1994 年版),北京档案馆的《日本侵华罪行实证》(人民出版社 1995 年版),李秉新的《侵华日军暴行总录》(河北人民出版社 1995 年版),符和积主编的《铁蹄下的腥风血雨——日军侵琼暴行实录》(海南出版社 1995 年版),郭成周和廖应昌的《侵华日军细菌战纪实》(北京燕山出版社 1997 年版),韩晓的《侵华日军细菌部队罪证图片集》(黑龙江人民出版社 1992 年版),纪道庄和李录的《侵华日军的毒气战》(北京出版社

1995年版),步平和高晓燕的《化学战》和《阳光下的罪恶——侵华日军毒气战实录》(黑龙江人民出版社1999年版)等等。近两年还翻译出版了与日军南京大屠杀有关的《拉贝日记》(江苏人民出版社、江苏教育出版社1997年版)和《东史郎日记》(江苏教育出版社1999年版)。还有尚未列举的图书和发表在各种刊物上的大量文章。应该说,关于日军暴行的研究取得了显著成绩,并且,随着史料的新发现,这种研究似无穷尽。对于已有研究,这里不评论内容,惟说明这一研究本身的特点,即它具有很强的现实针对性,对于揭露日本右翼势力掩盖当年日军罪行、否认战争的侵略性质是十分必要和有意义的。

关于战争遗留问题。它的解决并非学术问题,但在现实中它又与抗日战争中的许多史实有着密不可分的关系,没有日本对中国的侵略,当然也就不存在什么战争遗留问题了。最近10余年来,战争遗留问题也成为抗日战争史研究中的一项新内容。战争遗留问题主要包括钓鱼列岛的主权归属问题、中国劳工和慰安妇受害问题、日军施用生化武器侵害和遗害中国问题、香港军票问题、中国民间战争受害赔偿问题等等。由于这是新的研究领域,资料的积累尚不充分,同时也因为非学术性的其他复杂因素,应该说这种研究正处于起步阶段。尽管如此,关于战争遗留问题的研究还是取得了一些成绩。

关于钓鱼列岛主权归属问题的研究。1894年日本实际占领了该列岛。1945年后,该列岛受美国托管。1969年美国结束托管,将该列岛作为琉球群岛的一部分归还日本。新中国成立以后多次申明对该列岛拥有主权。近年来,有人以中国古代文献论证,早在15世纪以前中国就已经发现了钓鱼岛并为之命名。以后几个世纪,在日本图籍中不仅沿用了中国对钓鱼岛及附近岛屿的命名,而且明确将其划在中国海域之内。另据明、清文献记载,钓鱼列岛列入中国版图之后,曾先后划归中国福建和台湾海防区域。虽然日本在甲午战争后吞并了钓鱼列岛,但按照《开罗宣言》和《波茨坦公告》,日本理应将其交还给中国。[①] 还有人以日本文献论证,日本在 1894 年实际占领钓鱼列岛之前,朝野人士的共识是:"钓鱼列屿系台湾附近清国所属岛屿。"论者还对日本霸占钓鱼列岛的历史过程做了详细阐述。[②]

关于慰安妇问题的研究。中国的研究晚于日本和韩国,并且由于档案资料的缺乏,研究尚不够深入。研究者所依据的史料,主要是受害者的控诉和日本少数著述中的片断记述,以及散见在地方文史类刊物上的口述史料。但是,尽管存在着很大困难,这一研究仍然取得了成绩。如有人对日军实行慰安妇制度的动机和成因做了比较深入的考察,提出慰安妇制度决不是商业行为,而是日军以进行侵略战争为目的的决策;中国慰安妇来源于抢夺、俘虏、诱骗和强征妓女;36 万至 41 万慰安妇中,大多是朝鲜和中国妇女。[③]史料方面,有人披露了日军在天津强征慰安妇的一组档案资料,内容涉及日军设立强征中国慰安妇的机构、向伪政府下达征集慰安妇的命令、强征人数、管理办法等情况。[④] 有人对日军设在上海和南京的一些慰安妇所进行了实地考察,有人对山西盂县幸存的当年受害妇女进行了调查和访问,这些发掘史料的工作,无疑会推动研究工作走向深入。目前,苏智良的《慰安妇研究》(上海书店出版社 1999 年版)应该说是这一课题的前沿研究成果。另外还应该说明的是,慰安妇问题本来属于日军暴行研究的范畴,但由于这种研究

---

① 吕一燃:《历史资料证明:钓鱼列岛的主权属于中国》,《抗日战争研究》1997 年第 4 期。

② 吴天颖:《日本觊觎我钓鱼列屿的历史考析——再质奥原敏雄教授》,《抗日战争研究》1998 年第 2 期。

③ 苏智良:《关于日军慰安妇制度的几点辨析》,《抗日战争研究》1997 年第 3 期。

④ 王凯捷、杨厚供稿:《日军在天津强征中国妇女充当慰安妇的档案史料》,《近代史资料》总第 94 号。

在很大程度上与受害者索赔诉讼密切相连,故一般被划入战争遗留问题的研究范畴。同样,关于日本侵华期间的中国劳工受害问题、日军生化武器的试验施用问题、战时军票问题等,也存在着类似情况。因篇幅所限,这里不对这些研究进行详细介绍。

　　综上所述,50 年来关于抗日战争史的研究取得了很大成绩。但是也应该看到,作为中国近代史研究的一个独立分支学科,无论是在实证性研究方面,还是在理论性研究方面,迄今取得的成果还远远不够,许多研究空白尚待填补,资料积累也还不足以满足研究所需。另外,海峡两岸和国内外的学术交流也还不够,尤其是在史料方面的交流更显不足。要使抗日战争研究能够不断发展,学人还须加倍努力。

近代历史人物研究

　　历史是由人创造的,因此历史人物研究便自然成为历史研究的主题之一。在50年来的中国近代史研究成果中,数量最大、突破也最大的当数历史人物研究。如同整个中国近代史学科一样,近代中国历史人物的研究在过去50年间一直随着中国政治、社会生活的变动而变动而发展,大体说来可分为1949年至1976年、1977年至1989年、1990年至1999年三个大的历史阶段。

（一）价值体系的重建与实践

　　1949年中华人民共和国成立以后,近代中国历史人物研究与历史学的其他领域一样,确立了马克思主义辩证唯物主义和历史唯物主义的支配地位,建立了新的价值评估体系。在此价值体系下,旧史学盛行的以帝王将相为主体的英雄史观遭到否定和摒弃,近代中国历史人物研究的面貌发生了前所未有的变化。

　　首先,代表社会历史前进方向的人民群众的活动和作用开始受到研究者的高度重视。如鸦片战争时期三元里以及东南沿海人民群众的抗英斗争、太平天国时期各族人民的反清斗争、辛亥革命时期的"民变"、"五四"时期的青年学生运动、第一次国共合作时期的工农运动、抗日战争时期全国各族人民的抗日斗争、解放战争时期人民群众的支前运动等等,都成了学者深入研究的重要对象,一部中国近代史已不再是单纯统治阶级的历史。

其次,推翻了旧史学强加在农民起义领袖,资产阶级反清革命家、思想家、社会改革家乃至后来的无产阶级革命家头上的所谓"贼寇"、"匪首"之类的诬蔑不实之词,恢复了他们在中国近代史上应有的历史地位。他们反抗外国侵略和封建压迫的光辉业绩得到了应有的肯定,他们为挽救民族危亡和推动社会进步与发展的献身精神得到了应有的尊重和赞扬,从这个意义上说,的确是将被颠倒的历史重新颠倒过来了。

然而由于人们刚刚开始学习和运用马克思主义的唯物史观,形而上学和形式主义的东西在所难免。许多研究者虽然在尝试运用马克思主义的观点分析问题,但似乎依然重复着中国共产党在民主革命时期所进行的工作,所要论证的依然是"革命无罪,造反有理",对于那些统治阶级中的历史人物,持一种基本否定的态度,没有及时转变到研究历史上统治阶级的经验教训方面来。这从当时一些主要成果的研究范围和重点中可以比较明显地看到:1949年至1965年间的中国近代历史人物研究的重点主要在于那些"正面"的历史人物,如鸦片战争前后的龚自珍、林则徐和魏源,太平天国运动中的洪秀全、洪仁玕,戊戌维新运动中的维新派,辛亥革命中的革命派,"五四"新文化运动中的早期马克思主义者,以及中国共产党的领袖人物等等,而对于历史上的那些"反面"人物,诸如清王朝统治集团中的道光帝、西太后、光绪帝以及琦善、曾国藩、李鸿章、袁世凯与北洋军阀、蒋介石,以及那些国民党统治集团中的历史人物,除了一些批判性的、宣传性的小册子外,相对说来缺少具有学术理性的研究著作。据不完全的统计,1949年至1965年间撰写的林则徐以及与林则徐相关的传记性著作有12种,而同时期关于曾国藩的只有1种,还是范文澜在1949年之前写作,1951年修订重印的《汉奸刽子手曾国藩的一生》。① 由此可以概见此时期关于中国近代历史人物研究趋势与倾向之一斑。

1949 年之后的中国史学界对历代农民起义有着特别浓厚的兴趣,太平天国和义和团运动的主要人物尤其是太平天国的领导者洪秀全等更是歌颂的主要对象。相对于太平天国、辛亥革命的历史人物来说,洋务运动的历史人物研究在五、六十年代是比较寂寞的,因为史学界长期以来对洋务运动基本持否定的态度。洋务派实业家和思想家在 1949 年之后一个相当长的时期里很少有人专门从事研究。据不完全统计,1949 年至 1965 年间发表关于马建忠的论文 3 篇、王韬的 4 篇、冯桂芬的 14 篇、陈炽的 1 篇、郑观应的 9 篇,而同时期关于石达开的有 25 篇、秋瑾的 43 篇,关于洪秀全、李秀成、孙中山等人的研究论文则都在数百篇。② 由此可见当时的研究重点之所在。关于清政府的历史人物尤其是曾国藩的研究不仅成果甚少,而且结论也欠公允。曾国藩的研究以范文澜的成果最为著名,但他简单地将曾国藩界定为单一的屠杀人民的刽子手,明显具有借古讽今,影射蒋介石集团对内独裁专制,对外投降卖国的意思,与其说是一篇学术论著,不如说是一篇政治宣言。从学术的立场观察,这篇文章的某些结论也是经不起严格推敲的。比如著者反复强调曾国藩服务于清廷,断定他是"出卖民族的汉奸",这种观点已远远超出时代要求的范围,具有苛求古人的倾向。范文澜说:"那拉氏、肃顺二人是当时满洲皇族里最有'政治头脑'的,他们知道为了挽救满清的统治不能依靠满人而要依靠汉奸。"③ 这个基本前提如果可以成立,包括左宗棠、张之洞、陈宝箴、黄遵宪等等在内的汉

---

① 据复旦大学历史系资料室编:《中国近代史论著目录 1949—1979》一书的统计,上海人民出版社 1980 年版。
② 据徐立亭、熊炜编:《中国近代史论文资料索引 1949—1979》一书的统计,中华书局 1983 年版。
③ 《范文澜历史论文选集》,中国社会科学出版社 1979 年版,第 167 页。

族大臣都成了汉奸,晚清史变成一部满汉斗争史。

这时期的近代中国历史人物研究的实际成果虽说不算太多,但关于历史人物研究的理论探讨却有很大的进展。广大史学工作者甚至包括那些久已成名的史学家都开始尝试运用马克思主义的唯物史观研究历史和评价历史人物。比较一致的看法是,马克思主义的唯物史观是评价历史人物的总原则。但是对于评价历史人物是否还需要有一些具体的共同标准,则仁者见仁,智者见智。有的学者认为,评价历史人物不必先设定一些固定的限制或者硬拟定出一个适用于万世不变的公式性的标准。任何时代具体的社会生活都是异常复杂的,想以一个固定的公式来加以概括,是马克思主义唯物辩证法所不能允许的,事实上也是根本不可能的。①这种观点虽然遵从马克思主义的原则,但显然不期望将马克思主义唯物史观作为教条来运用。

也有学者认为,评价历史人物应该有统一的、固定的共同标准,而不能随着政治需要而随意变换标准。表扬或批评某个历史人物,或某些历史人物的某些方面,这和当前的政治任务是相关的,但是各个历史人物所应得的评价决不会随着政治任务的变化而变化。那种认为对历史人物的评价没有什么客观标准,说好说坏只是由于某种政治需要的看法,显然是错误的。②

与当时政治生活中一切以阶级分析作为万能工具相对应,学术界在讨论怎样评价历史人物的时候,自然要受这种观点的影响。比较通行的观点认为,在阶级社会中,任何个人都是一定阶级关系和阶级利益的代表者,任何个人的活动都受到他们所属的那个阶级和社会阶级斗争形势的制约与规定。因此,研究和评价历史人物,应该而且必须对他们进行阶级分析。

有的学者认为,判断历史人物的阶级属性,出身、家庭无疑是

---

①② 《有关历史人物的评价问题》,《历史研究》1964 年第 3 期。

应该着重考察的一个方面,但不是主要的或者说决定一切的方面。阶级分析不是唯成份论,不能以阶级成份作为评价历史人物的唯一标准,否则,便极容易否定中国历史上一切卓越的历史人物,造成民族虚无主义,不利于社会的进步与发展。因为在中国传统社会,几乎只有统治阶级的子弟才有接受教育的机会,中国历史上对社会进步有过积极贡献的政治家、军事家、文学家等等差不多都属于剥削阶级。①

就理论而言,人们都承认历史人物有其时代和阶级的局限性,但在研究中究竟如何看待和分析历史人物的局限性,则又是一个有争议的问题。有学者指出,只有把历史人物的活动放到全部历史发展的进程里考察,不仅跟前代比,也要跟后代比,才能作出全面的、公正的评价。判断历史人物的历史功绩,一般是指历史人物提供了前辈们所没有提供的东西;而分析其局限性,则一般是指历史人物没有做到他们的后辈所能够做到的事情。指出某些历史人物的活动比他们的前辈提供了新东西,实际上是已经站在较高的境界来评价那些前辈的活动的不足和局限性。因此,评价这些历史人物的局限和不足,又必须和他们的后辈所提供的新的东西进行比较,否则便很难看明白他们的贡献和不足。

在怎样处理历史人物的政治活动与他们个人的道德品质、政治操守以及私生活之间的关系问题上,有的学者认为,评价历史人物应从政治措施、政治作用出发,而不应该从私生活方面出发,也就是应以政治作为衡量历史人物的尺度。个人生活、作风等问题虽然对评价这些历史人物可以产生一定的影响,但这种影响毕竟是次要的、个别的,不是评价他们历史功绩的唯一标准。还有的学者认为,评价历史人物当然应该以他们的政治实践为价值尺度,但是这并不排斥对这些历史人物的个人品质和个性的估计。历史人物

---

① 吴晗:《论历史人物评价》,1962 年 3 月 23 日《人民日报》。

的个人品质和个性是从属性的东西，必须结合历史人物的社会地位、阶级性来进行考察。当然也应该注意回避中国传统道德观对我们评价历史人物的消极影响。[①]

"文革"前的中国近代历史人物研究虽然不尽如人意，但无论是理论探讨还是实际评价，都仍有一定的学术价值。只是到了"文革"十年，才完全走上了以政治为中心，与学术全然无关的歧途。

（二）从拨乱反正到初步繁荣

1976年"文革"结束后，近代中国历史人物研究开始步入正轨，学者们突破长期以来的极左思潮的束缚，开始纠正形而上学和教条化、简单化的偏向，力求用完整、准确的马克思主义历史观来研究历史人物，学术空气日趋活跃，研究工作不断有新的进展，成果也开始增多。历史人物评价的理论问题，是历史人物研究的指南。因此，史学界在批判"四人帮"影射史学的同时，迅即在历史人物研究的理论问题上再次展开争鸣。

鉴于"文革"的教训，史学界对"以阶级斗争为纲"观念进行了反思，比较一致的看法是，对历史人物进行阶级属性的分析是完全必要的，但以往运用阶级分析方法时往往存在着形而上学的倾向，更多的是用贴阶级标签的简单办法代替具体而深入的阶级分析，其具体表现可以归纳为，一是把历史人物的阶级性与历史性的分析对立起来，实际上形成了"以瑜掩瑕"或"以瑕掩瑜"的现象，从而把历史人物的评价推向两个极端；二是把阶级分析简单化，这主要表现为忽视对中间阶层、集团的分析。

随着中国的改革开放，西方的史学方法与史学思想不断传入中国，在西方史学思想的影响下，有的研究者主张在研究历史人物

---

① 吴泽、谢天佑：《关于历史人物评价的若干理论问题》，《学术月刊》1960年第1期。

时，不仅要注意分析他们成长的时代和各种政治条件，研究他们在政治、经济、文化各个领域中所做的大事，而且还应当注意运用在西方史学中已经证明是有意义的一些现代科学方法，诸如弗洛伊德的精神分析方法、现代遗传学的方法和理念、现代人才学、历史心理学的理论等等，来研究历史人物的不同特点，如个人性格、威信、心理、个人素质等等。因为在历史事变中领导人物的个人性格这一个别原因往往会起到决定性的作用，个人能够在一定的程度上加速或延缓历史的进程，局部地改变历史发展的面目。① 有的研究者提出，应当具体地剖析历史人物个人生活特点和品质对历史进程所发生的影响。这是因为，历史人物的思想、观点可以对历史进程发生重大的作用，他们的知识水平和政治能力是阶级力量对比的一个因素，他们的威望在历史进程中也会起到某些微妙的作用，甚至历史人物的年龄变化、心理特征以及其他诸如疾病等因素也都可能成为改变历史某个面貌的某些因素。② 有的研究者说得更明白，评价历史人物，不仅要看其阶级性，更重要的还要看个人素质。一个人的个人素质，是由许多条件构成的，如经济条件、政治条件、家庭教养、传统道德观念和知识文化素质等等。③

有的学者提出研究历史人物应当重视历史人物发展成长过程中的"不同阶段"，而不是笼统地谈论历史人物有几分好、几分坏，而应就历史人物一生大节，根据其历史活动的不同性质，分为不同阶段，结合该人所处的历史大势及具体时间、地点、条件等，逐段去评论其功过是非。④ 每一个历史人物，不管他多么伟大，其思想都不可能是一成不变的，都应该有一个发展变化的过程。研究历史人

① 史苏苑：《关于历史人物评价五题》，《史学月刊》1982 年第 5 期。
② 余志森：《研究历史人物不可忽视个人特点》，《文汇报》1984 年 10 月 15 日。
③ 简修炜：《关于历史人物评价的几个理论问题》，《史学月刊》1987 年第 3 期。
④ 降大任：《评价历史人物宜用"阶段论"》，《光明日报》1983 年 6 月 29 日。

物,就应当把历史人物思想发展的过程,分析得比较细致一些,才能符合或接近历史的实际。[1]

在"文革"中乃至"文革"前的中国历史学界,在谈到历史的动力问题时,基本上都遵循斯大林的说法,以为只有人民群众才是历史的创造者。到了80年代初期,黎澍对这种传统的观点提出质疑,他认为,这种观点现在看来可能是对马克思主义的曲解,因为马克思、恩格斯、列宁等经典作家提的是"人们自己创造自己的历史",显然认为所有的人都在创造自己的历史,并且每次强调不能随心所欲地创造"一切历史"。在黎澍看来,论证人民群众是历史创造者的理由,无非是说"人民群众是物质财富的生产者",另一个理由是"人民群众是精神财富的创造者",根据是,人民群众的社会实践是一切科学文化艺术的源泉。黎澍认为,前一说不确切,后一说依然根据不足,逻辑也成问题。这样论证实际是把源泉看做创造,代替精神财富的创造,从而否定了一切高级的科学文化艺术作品的真正创造者——科学家、思想家、文艺家的贡献。

在黎澍看来,如果一般地说"人民群众是历史的主人",似乎所有历史都是人民群众当主角,显然与事实不符。研究政治史、军事史、教育史、艺术史、宗教史等,是不能离开帝王将相和剥削阶级的上层历史人物的活动的。他们高明的或愚蠢的决策,正义的和非正义的行动,推动或者阻碍历史进步的作用等等,在不同的领域内,不同的历史人物起着各自不同的作用。所以不能说所有历史全是劳动人民创造的,人民群众是历史的主人。事实上,在历史上劳动群众是作为被剥削阶级和被压迫者而活动的,他们总是被排斥在政治生活之外,只有大规模反抗残暴统治的斗争高涨的时候,劳动群众才成为政治舞台上的主角。黎澍的这种看法显然有助于公正地研究与评价历史上统治阶级中历史人物。

---

[1] 彭明:《如何评价历史人物》,《历史教学》1980年第6期。

由于逐步克服了以阶级斗争作为研究历史人物的唯一主线的缺陷,新时期的近代中国历史人物研究在许多方面取得了明显的进步。如关于太平天国领导人物的研究,人们已不再用僵化的理论一味地颂扬,而是对这些历史人物进行历史的、全面的考察,具体问题具体分析,在肯定太平天国革命性的同时,也看到其历史的、阶级的局限。对于 1856 年发生的"天京事变",人们不再把它归之于阶级斗争在革命队伍内部的表现,是钻进农民起义队伍的阶级异己分子韦昌辉发动的反革命政变,或者是两条路线的斗争,而是从社会经济基础和农民阶级的局限性方面来加以分析,阐明了由于太平天国政权的逐渐封建化和伴随着这种封建化而来的思想蜕化,导致了领导集团内部争权夺利的内讧。对于石达开、李秀成,也不再简单地扣上叛徒的帽子了事,而是给予恰如其分的历史分析。

"文革"之后十几年间的近代中国历史人物研究的一个主要特色是研究领域的扩大,许多过去不被人们注意和研究的历史人物,在这十几年内都开始有人进行专门的研究。如对鸦片战争前后历史人物的研究,过去几乎一直局限于林则徐、龚自珍、魏源等少数人,而在这十几年间,研究者的视野已开始注意到姚莹、道光皇帝、琦善等人的活动。中法战争、甲午战争中的历史人物评价在这些年也开始有所变化,对刘永福、刘铭传、刘步蟾、丁汝昌等人开始出现颇有新意的研究。至 80 年代中期,曾国藩、左宗棠、李鸿章、康有为、梁启超、胡适、罗家伦、傅斯年、顾颉刚,乃至林纾、辜鸿铭、梁漱溟、熊十力、周作人等,都有专人从事研究,并逐步得出比较合乎历史实际的评价。

对于李鸿章,许多学者提出要在承认他确有"误国"之处的同时,充分肯定他在推动中国近代化方面的贡献。① 对其他洋务派历史人物的研究也逐渐多了起来,并且都承认和肯定了他们在推动

---

① 《李鸿章与中国近代化》,安徽人民出版社 1989 年版。

中国近代化方面所做的贡献,比较有影响的有夏东元的《盛宣怀传》、《郑观应传》,汪敬虞的《唐廷枢研究》等等。

对于胡适,学者们在充分估计其思想与贡献之不足的同时,更注意到他对现代中国政治、思想、文化等诸多方面的贡献。先后出版的几部胡适传记,尤其是耿云志的胡适研究成果,基本上将胡适在现代中国的实际地位勾勒出来了。比较一致的观点是,胡适在开辟了一个思想解放的伟大时代的新文化运动中,在探寻中国古代文明的来龙去脉、弘扬中华民族的优秀文化,在对普及和提高中国现代学术水平的过程中,实在贡献良多,不愧为"前空千古,下开百世"的一代巨匠。当然,作为典型的资产阶级知识分子,胡适的身上集中体现了中国资产阶级先天性的弱点,即软弱性和妥协性。他在政治上坚持改良主义立场,在反帝反封建的根本政治问题上总是采取温和的态度,他一生我行我素,不赶时髦,甘当不识时务的落伍者。他这种自由主义的思想和行为,最遭物议,也最使人失望。他那种不分是非的和平主义思想,越到后来越远离人民大众,终于从杜威走向蒋介石,最终被革命洪流所淹没。这是胡适一生中的悲剧。但是,我们不能由此认为胡适在政治思想方面一无是处。他提倡个性解放和妇女解放,主张思想自由和教育救国,反映了中国人民摆脱贫穷落后面貌的强烈愿望,也体现了胡适难能可贵的世界眼光和中国知识分子的社会责任感。

与胡适的情况相类似,早在 20 年代即已享有盛名的梁漱溟,也在 80 年代受到研究者的重视。不仅他的那些观点独特的著作得以出版或重印,而且关于他的研究成果在 80 年代后期开始问世。学者们比较研究了梁漱溟与毛泽东对于中国农民的看法,并由此重新估价了梁漱溟 30 年代所致力的乡村建设运动。比较一致的看法是,梁漱溟与毛泽东是两位观点迥异的人,但他们又有一个共同点,即都敏锐地洞察到了中国的根本问题是农民问题,只有解放和改造农民才能解放和改造旧中国。但是在如何解放和改造农民这一问题上,这两位同龄人却分道扬镳了。毛泽东主张用革命的、暴力的、剥夺的、阶级对抗的方式,而梁漱溟则主张用和平的、建设的、改良的、教育的方式。梁漱溟所致力的乡村建设运动,从根本上讲也只是一种文化改造、改良运动,因此它在阶级对抗的旧中国的失败命运也就是不可避免的了。

对于戊戌维新运动中的历史人物,学者们普遍认为,康有为、梁启超、谭嗣同、严复等人虽然没有提出推翻清政府,但他们反对卖国投降,要求实行君主立宪,发展资本主义,实际上就是要革腐朽的卖国的封建专制政府的命。他们倡导和发动的戊戌维新运动是近代中国的资产阶级在尚未完全成熟之前所参与的一次大规模的改良运动,是近代中国不成熟的资产阶级夺取政权的初步尝试。维新与守旧的斗争实质上是中国新兴资产阶级与封建顽固势力之间的阶级斗争,维新的目标就是要把半殖民地、半封建的中国变为独立的、民主的、资本主义的中国,维新运动点燃了爱国、民主的火炬,召唤着一代志士仁人为救国救民的真理而献身,是辛亥革命的一次预演,具有明显的反封建主义的性质,是近代中国一次规模巨大的思想启蒙和思想解放运动。它不仅使整个社会的风气为之一变,而且为此后的资产阶级新文化的发生、发展提供了思想理论依据。20 世纪中国的真正起点正是 1898 年的戊戌维新运动。①

至于辛亥革命中的历史人物,除了孙中山的研究继续取得进步外,其他做出过重大贡献的人物也开始受到学术界的重视。学者们普遍认为,宋教仁为推翻清朝的黑暗统治和建立资产阶级民主共和国奋斗了一生,然而长时期以来却受到不公正的评价,这是极不公允的。事实上,当 1912 年孙中山、黄兴先后交出政权、军权,从事实业救国,袁世凯在窃取辛亥革命成果后大反资产阶级革命党

---

① 《广东史学界部分同志座谈戊戌维新与康梁的研究》,《学术研究》1982 年第 3 期。

人,企图恢复封建专制之时,宋教仁积极改组同盟会,组建国民党,希望在议会中以第一大党的实力组成责任内阁来削弱袁世凯的权力,防止个人独裁,进而将权力夺回到资产阶级手中来。他的这一活动在当时的客观条件下,无疑是进步的。至于他在国民党政纲中放弃民生主义以及拉拢一批官僚政客入党的问题,有的学者认为这是放弃原则的妥协表现,较之同盟会来说是一种倒退。

对于中共党史上的一些著名历史人物如李大钊、邓中夏、方志敏、周恩来、朱德、邓小平、董必武等,研究得也比较充分,许多年谱、专著、传记的出版,使一些原先比较模糊的历史问题得到澄清,尤其是由中共中央文献研究室主持编写的毛泽东、周恩来、刘少奇、朱德等人的年谱、传记,利用了大量不为一般著者所得寓目的档案资料,不仅丰富了中共党史的研究,也为历史人物研究开辟了新的资料来源。

80 年代,史学界对许多先前蒙受冤屈的中共党史上的著名人物甚至是领袖人物,作了大量的研究工作,像陈独秀、瞿秋白、刘少奇、张闻天、王稼祥、李立三、项英、叶挺、彭德怀等,经过史学工作者的努力,恢复了名誉,恢复了历史的真相。

关于陈独秀的研究,多年来禁区特多。80 年代,学者们本着历史唯物主义的原则,尽可能地为陈独秀恢复了历史的本来面目。诸如大革命失败的问题,改变了过去把一切责任归于陈独秀主义的观点,指出陈独秀的错误有相当多的成分来自共产国际和苏联,陈独秀只是这种错误路线的执行者。在陈独秀"托派"问题上,有学者认为,应该把陈独秀转向托派之后与中共党内的分歧视为革命阵营内部在如何推翻国民党统治问题上的意见分歧,而不应该定为"反革命"的性质。因为他始终没有放弃反帝反国民党独裁统治的立场。他还多次拒绝国民党的反共拉拢,保持了革命者的气节。对于陈独秀晚年的民主思想,许多学者给予很高的评价,以为他之所以在晚年抛弃斯大林主义的无产阶级专政模式,是因为他已经理智地认识到这种模式严重地损害了人民的根本利益。[①] 对于陈独秀在"五四"时期提出的"民主"与"科学"的两大口号,更是受到学者们的高度推崇。

对于瞿秋白,丁守和的《瞿秋白思想研究》从各个方面系统研究了瞿秋白的贡献,指出瞿秋白最早论述中国革命必须分为两步走,最先宣传马克思主义的"科学宇宙观和方法论",并强调它的实践性,最早提出使马克思主义和中国革命实践相结合,又最早提出无产阶级在民主革命中的领导权问题,最早重视农民问题,最早重视武装斗争和创造革命军队,最早提出发动游击战争,建立革命根据地,最早支持毛泽东发动农民运动。如果说丁著的重点在于剖析瞿秋白的思想贡献,而陈铁健的《瞿秋白传》及他的一些研究瞿秋白的单篇论文则更多地从辨诬的层面揭示瞿秋白文人从政的内在苦闷与心曲。尤其是他对瞿秋白《多余的话》的分析,不仅在学术上为瞿秋白的这篇有争议的文献寻找到一个合理的解释,而且为中央专案组重评瞿秋白提供了学术基础。

近代中国是近代世界的一部分,在近代中国所发生的重大事件,差不多都能找到国际背景,因此如何评估近代以来那些来华的外国人,成为近代人物评价的一个重要方面。在改革开放之前的中国近代史学界除了个别历史人物外,几乎均予以否定。改革开放之后,人们的观念发生了很大的变化,对近代以来的来华外国人也能够比较心平气和地重新评估他们对中国近代历史的贡献,对于他们的历史地位给予恰如其分的估计。像李提摩太、古德诺、端纳、马歇尔、史迪威、赫尔利、司徒雷登等,都有不少论文或专著论述他们的生平与活动。

共产国际是影响近代中国历史发展的一个重要因素,不仅中国共产党的历史与共产国际有关,即便是国民党的发展也与共产

---

① 唐宝林:《近十年对陈独秀的评价》,《群言》1989 年第 9 期。

国际有着极为密切的联系。80年代以来,鲍罗廷、维经斯基、马林等也都有人进行研究。

中国革命得到国际社会一切具有正义感的友好人士的大力支持.对于这些友好人士,如史沫特莱、斯诺、斯特朗、路易·艾黎等,80年代以来也受到中国学者的重视,甚至还成立了专门研究他们的学术机构和团体。

此外,对于曾是中国共产党的重要领导人的历史人物,如王明、张国焘、林彪、陈伯达等人的研究也在80年代取得许多重要成果,从根本上改变了过去那种说"好"一切都好,说"坏"一切都坏的形而上学倾向,贯彻了实事求是的唯物主义精神。

比如王明,由于过去过分强调党内两条路线斗争,王明给人的印象似乎只是错误路线的代表,似乎终其一生也没有给党和人民做过一件好事。80年代中共党史研究的重大成果之一,可以说是在对王明的研究上有了新的进展或者说突破。学者们根据充分的史料认为,王明在抗战时期确有右倾错误,但也做过许多有益的工作,起草了一系列重要宣言和指示信,对中共从"反蒋抗日"到"联蒋抗日"政策的转变以及国内抗日民族统一战线的形成,起了一定的促进作用.对于王明在武汉时期及长江局的工作,学者们认为也应该根据实事求是的原则进行研究,肯定他对南方党和新四军的工作也都提出过有益的建议。至于王明在抗日民族统一战线中的右倾错误,许多学者认为只是认识问题,上升不到"右倾投降主义路线"问题,因为他是主张积极抗日的,对中国共产党的感情也是深厚的。①

对于林彪,许多研究者都认为应该用历史唯物主义的观点给

---

① 黄烨、舒励:《中国现代史学术讨论会综述》,《内蒙古师范大学学报》1988年第4期;瞿超:《抗日战争时期共产国际与中国革命关系讨论观点综述》,《社科信息》(江苏)1988年第9期。

以实事求是的评价,不能用倒算账的办法将其历史一笔抹煞,要坚持两点论,一是肯定他在"文革"中犯有不可饶恕的罪行,二是不能因为第一点而随意贬斥他以前所做过的事情。应该充分承认林彪是中国共产党历史上一员战将,为中国革命的胜利确实做过许多贡献。

至于国民党方面的一些领袖人物,在 80 年代也开始受到学术界的重视。首先是蒋介石家族的人物传记的出版呈现活跃之势。这些著作对蒋介石一生的历史作了较为全面、完整的叙述,并把这个复杂的历史人物置于近代中国诸多国内外矛盾冲突的大背景下,历史地客观地考察其言行,评价也相对说来比较公允。

关于国民党人与社会主义在中国的传播,这本是一个很有学术价值的题目,但是多年来并没有引起学者们的重视。事实上,当社会主义理论在中国得到广泛传播的时候,中国国民党人是这一时期宣传社会主义的一支重要的方面军,他们为中国人民全面、深入地了解这个伟大的学说提供了不少很有价值的材料。国民党的领袖人物和骨干分子如胡汉民、戴季陶、李烈钧、龙云、陈英士、林云陔、朱执信、商震、宋哲元、张治中等,是当时中国思想界谈论马克思主义的十分活跃的人物。他们主编的《建设》、《星期评论》、《觉悟》等都是当时宣传社会主义和马克思主义的重要阵地。但是一些研究中国社会主义、马克思主义传播史的论著则对此或几笔带过,或极力贬低,或干脆避而不谈。80 年代,有多篇论文或专著专门探讨这个问题,从而使国民党人与社会主义在中国的初期传播的关系得以澄清。

对于历史上曾经对中国共产党比较友好或对中华民族做出过重大贡献的国民党左派和民主党派及无党派人士,80 年代的研究也比较充分。像于右任、廖仲恺、何香凝、宋庆龄、李宗仁、邓演达、蔡元培、陈友仁、彭泽民等,对发动西安事变的张学良、杨虎城等,民主党派及无党派人士、实业界人士如黄炎培、晏阳初、阎宝航等,都有不少传记出版。

即便是那些对中共不太友好的国民党人，如宋美龄、孔祥熙、何应钦、宋子文、胡宗南、陈布雷，甚至一些帮会中的人物如黄金荣、杜月笙、张啸林等也都有不少论文或传记论述他们在近代历史上的活动情形及应有的地位。

在思想文化史方面，1979 年至 1989 年的研究，已经远远突破先前只研究一些主要的正面历史人物，而将许多次要或反面的历史人物弃而不理的倾向，人们的视野越来越开阔，关注的历史人物也越来越多。尤其是过去没有或很少研究的历史人物，如曾国藩、郭嵩焘、王国维、刘师培、黄侃等，都开始为研究者所重视。对于历史上因反对过鲁迅或其他进步人士而被一度误解或委屈的文化历史人物，80 年代中国史学界也做过不少实事求是的研究工作，像林语堂因曾与鲁迅论战过，多年来得不到公正的评价，80 年代开始有文章表彰他不仅是一个"热烈的爱国者"，而且在文学发展史上占有相当重要的地位。

至于曾经与陈独秀等《新青年》派进行过激烈论争的杜亚泉，在过去几十年更是被一概否定，几乎非专业的近代史工作者已经没有多少人知道杜的情况。80 年代开始有学者郑重介绍杜亚泉在传播西方自然科学方面的成就，比较公平地分析他在"五四"新文化运动中的地位和作用，以为杜之所以在文化问题上沦为一个落伍者，主要的原因在于他在传播西方科学知识的时候，光讲科学知识，未讲科学方法、科学精神、科学态度，未讲科学的宇宙观、社会观、人生观，未讲科学的思想方式、工作方式和生活方式，所以造成他与陈独秀等《新青年》派的分野。

历史人物传记的写作，向为学者所重视。在 1977 年至 1989 年的 10 多年间，在综合性的传记方面有所突破，学者们利用集体的力量，编辑了一些有价值的综合性传记。如《清代人物传稿》、《民国人物传》、《民国高级将领列传》、《黄埔军校名人传略》、《中共党史人物传》、《革命烈士传》以及各种名人录、历史人物大辞典等等,应该说各有不同的参考价值。

在个案的历史人物传方面,这 10 年的成果也很值得重视,其中一个最重要的现象是人们开始用新的方法、新的视角来尝试写作传记。这些传记作品大都能够注意将传主的思想与实践放在特定的社会历史环境中加以考察,摆脱了以往评论历史人物的简单模式,而采取了实事求是的态度,从多角度、多层次剖析历史人物,刻意追求公正,力求忠实于历史人物的本来面目。即使是对那些基本否定的历史人物,学者们也更愿意坚持具体分析,尽量肯定其值得肯定的方面。对于那些有着重大争议的历史人物和问题,学术界也适时展开了有益的讨论和争鸣。如对蔡锷的功过、宋教仁对民国初年政治的影响、梁启超在护国运动中的作用及其功过、虞洽卿的阶级属性等问题,都曾引起不少学者的讨论。

（三）繁荣中的问题

90 年代的中国近代历史人物的研究面较 80 年代更加广泛,深度也是前所未有的。许多过去不曾被学者关注的历史人物已经引起大家的重视,历史人物传记的出版也远比过去丰富多彩。在 80 年代中国近代史领域,现代化的研究逐渐成为一道亮丽的风景线,到了 90 年代便开始出现一些从现代化的立场上重估近代中国历史人物的论文和专著。

如果从现代化的角度重观近代中国的历史,许多问题似乎都值得提出来重新研究。正是在这样一种学术背景下,在近代中国历史人物的研究与评价方面,自 80 年代中期以来,分歧越来越大。

关于近代早期的历史人物,争议最大的莫过于鸦片战争中的历史人物。诸如鸦片战争前清政府内部是否存在严禁派与弛禁派?究竟是不是林则徐促使道光皇帝下令严禁鸦片贸易?琦善是不是卖国贼？他有没有陷害过林则徐？关天培之死与虎门战败是不是琦善的过错？尤其是在关于林则徐的评价问题上，研究者们更是莫衷一是。

作为近代早期的历史人物，林则徐身上具有明显的两面性。他一方面主张对外抵抗，反对侵略，但是另一方面正如蒋廷黻早在30年代就指责过的那样，林则徐"总不肯公开提倡改革"。[①]因此从这个意义上说，一贯沿用的坏人当道、好人遭厄的"忠奸模式"不能解释鸦片战争的必然失败，否则"正是让'奸臣们'承担了本应由中国旧体制承担的责任"，"鸦片战争的真意义，就是用火与剑的形式，告诉中国人的使命：中国必须近代化，顺合世界之潮流"。[②]

近代中国的特殊情况在于，中国总是被侵略，因此从道义上看，中国总是站在正义的一边，而西方列强总是非正义的侵略者。晚清以来的官绅阶层和20世纪的一些知识分子，便往往以此为理由把肯定西方和检讨本国弱点或错误的言论视为大逆不道。出现这种思想的背景主要在于，评价者忘记了近代中国所面临的任务，除了反对侵略，争取国家主权的独立完整外，还有一个如何使中国尽快走向现代化的任务。而中国如欲走向现代化，就要学习外来的先进文化，就要反对本国的专制主义意识形态和旧的政治、经济体制。因此，近代中国的有识之士正是从这个立场上，总是先走一步地看到这一点，总是在反对西方侵略的同时，也充分肯定西方的先进文化和制度，对本国的文化传统不遗余力地进行攻击。历史已经证明，他们的攻击与渴望总是正确的，但又总是不合时宜的，因而在其生前和死后的一段时间里，总是要受到人们这样那样的非议。正是从这种观点来观察，这些人在近代中国历史上被诬为"汉奸"、"买办"、"卖国贼"等等，其中一个最重要的原因，就是近代国人太容易陷入狭隘民族主义的误区。

　　与指责这些传统的正面历史人物相呼应,过去被视为反面的一些近代中国历史人物开始重新走红。80年代中期,冯友兰在重新思考近代中国哲学的历史时,最先提出对曾国藩及太平天国进行重新研究,至长篇小说《曾国藩》的出版,人们对曾国藩及太平天国的认识发生了根本的变化,原来镇压太平天国的刽子手成了人们顶礼膜拜的圣人,原来被歌颂的农民领袖则成了腐败、无耻的化身。

　　与鸦片战争、太平天国的研究相比,90年代关于戊戌维新运动的研究,比较倾向于稳健的改良,而批评维新派某些过于激进的主张,试图从各个角度论证戊戌维新运动是中国人全面追求现代化的最初尝试,是中国政治近代化的先导,加速了中国经济近代化的进程,成为中国文化教育近代化的真正开端,并有力地推动了中国军事的近代化。甚至可以说戊戌维新是一场政治体制的革命,是中国从传统中华秩序向近代国民国家体制转变的最初尝试。[1]

　　鉴于对戊戌维新运动总体评价的变动,学术界在对戊戌历史人物的研究与评价方面也有不少新意,研究面也较往日有很大的拓宽。除了康有为、梁启超、谭嗣同、严复等人的研究进一步丰富和深入外,对光绪皇帝、慈禧太后以及其他维新派人士、帝党、后党、洋务派、顽固派的代表人物如翁同龢、张荫桓、张之洞、黄遵宪、张元济、刘光第、张謇等人的研究都有一些新进展,基本上肯定他们在维新变法期间的贡献和作用。

　　在对康有为的评价上,90年代以来的研究已不再泛泛地谈论康有为的贡献与局限,而是着力于探讨康有为思想主张的细节,比如有的学者认为康有为的主要贡献在于提出了分离行政和议政机构,设立总揽变法的议政机构制度局或懋勤殿,试图对封建制度和

---

[1]　王晓秋:《戊戌维新一百周年国际学术讨论会综述》,《历史研究》1998年第6期。

政体进行初步的实质性的改革,从而使戊戌维新成为有别于洋务运动的资产阶级改良运动。对于原来研究所认定的康有为落后保守的一面,如利用孔子鼓吹变法、尊君权抑民权、主张以孔教为国教等等,都有学者提出不同意见,大多也能自圆其说。

至于梁启超的研究,90 年代以来出版了几本梁启超的传记,这些传记在很大程度上纠正了过去对梁启超的批评,更多地肯定他对中国近代化的贡献。

严复是近代中国最著名的启蒙思想家,但其晚年则比较多地留恋中国传统,甚至在某种程度上赞成帝制复辟。如何评价严复的这些变化与思想,几十年来一直困惑着中国学术界。90 年代以来连续举办过几届严复学术讨论会,对于推动严复研究有不小的帮助。大多数学者都充分注意和肯定严复在传播西学,认识西方,批判中国传统方面的贡献。但在解读严复思想的内涵方面有两个不容忽视的倾向,一是宣扬新权威主义的一些非史学领域的知识分子将严复崇拜为中国近代权威主义的先驱,而另外一些信仰自由主义的知识分子则视严复为中国自由主义的开山者,甚至有学者认为严复对自由主义采取一种工具主义的态度,在思想倾向上更接近新自由主义而远离古典自由主义。在对严复晚年思想与政治主张和政治行为的评估上,学者之间的分歧一直比较大,有的认为严复晚年实际上已经边缘化,对思想、政治的影响力已经不大,有的认为严复的思想并不存在前后期的明显分野,只是前后的侧重点不同而已。

至于谭嗣同,一直没有人否认他是近代中国冲破封建罗网的闯将和积极推行变法维新的勇士,他的仁学思想也一直受到学术界的重视。正是谭嗣同与梁启超等人构成近代中国真正意义上的第一代青年文化精英,他们对传统主流文化的挑战,不仅对 1898 年的戊戌维新运动,而且对此后的辛亥革命、“五四”运动时期的第二、三代青年文化精英都具有直接的影响力。但是,到了 90 年代初,开始有学者指责谭嗣同是近代中国激进主义的先驱,直接开启了近代中国一波又一波的激进主义政治思潮的先河,对中国政治生态的发展、变化起到很大的负面作用。

90年代的中国学术界在对于戊戌时期的后党及顽固派的研究上,有些学者更多地肯定他们思想、行为的积极方面,设身处地地评估他们所以反对某些维新措施的背景和原因。有的研究者认为,作为当时中国的实际上的最高负责人,西太后如果不是真诚地支持变法维新,就不可能有1898年的变法运动,帝党与后党之间的冲突说到底并不是政策层面的冲突,而是政治主导权的冲突。对于端方、袁世凯等人在戊戌维新期间的表现,有的研究者也作了重新研究,提出一些新的观点。有的研究者认为,袁世凯曾是变法运动的积极支持者,他在变法关键时刻之所以背叛维新派有着许多复杂的主观和客观原因,其中最主要的一点是他与维新派在政策层面发生分歧,他在一定程度上开始认识到如果按照维新派的主张行事,给中国带来的只是混乱而不是发展。但是,由于他与康有为在戊戌期间的密切交往,直接影响着戊戌维新的政治格局,是维新成败中不可忽视的一个重要因素。对于袁世凯是否告密以及背叛维新派的问题,90年代以来的研究取向是日趋否定,有的学者对照袁世凯的《戊戌纪略》与梁启超的《戊戌政变记》,以为仅就此事而言,袁世凯的记载"更真实可靠",据此可解开这个历史之谜。有的研究者证明八月初三日杨崇伊上请训政密折后,西太后即已决定回宫。因此,戊戌政变之发生,并不始于袁世凯的告密。

至于端方,传统的观点一般是把他划为后党,但新的说法则认为端方属于帝党,他曾积极支持参与变法,但又与维新派没有密切联系,政变后未受到重惩反而得以重用,是因为他得到荣禄和李莲英的庇护,并通过进呈《劝善歌》而讨得慈禧太后的欢心。

对于中共党史人物,90年代比较严肃的研究成果依然很多,但由于某种原因,关于毛泽东及其他领袖人物的研究也多少出现一些反复,甚至有一味歌颂和神化的倾向,助长了"毛泽东热"的兴起。这次"毛泽东热"虽然在研究层面并没有引起多大的反复,但在社会生活层面却表现得相当明显。

至于陈独秀的研究,一直是吸引众多学者的题目之一。学者们不仅充分肯定陈独秀在马克思主义传播和中国共产党建立时期的积极贡献,而且对他晚年的若干错误,特别是他的"二次革命论"、右倾投降主义问题、"托派"问题及与共产国际之间的关系问题重新进行了思考与辨析。①

如果说 80 年代的中国是一个思考的时代,那么到了 90 年代,确实如某些学者所分析的那样,已成为一个"思想家淡出,学术家凸显"的时代,学术界的时尚已不再以谈论思想的新奇为高,而以论学术功底为尚。这一学术转轨在近代中国历史人物的研究方面也有所体现,此前学术界津津乐道的陈独秀、胡适、梁漱溟等思想家类型的历史人物,已被王国维、陈寅恪、陈垣、顾颉刚、傅斯年、吴宓、钱钟书等"国学大师"所取代。于是乎连严复、蔡元培等对中国传统文化一度极为反感而倾慕西学的思想先驱,也不幸而成为"国学大师"。

与这些"国学大师"的情况不同,自由主义知识分子在 20 世纪的中国曾经起过巨大的启蒙作用,其思想转变和成员分化也在 20 世纪中国政治斗争中起过积极和消极的双重作用。尤其是在 20 世纪 40 年代中期随着国民党政权的日益腐败和不得人心,这批自由主义知识分子开始向激进主义方向转变。如何看待这批自由主义知识分子的转变,在 20 世纪 80 年代之前并不存在问题,人们几乎一致认定这种转变的进步意义。现在也有学者对这种转变提出质

---

① 参见唐宝林:《把陈独秀当作正面历史人物来写——参加中共中央党史研究室著〈中国共产党历史〉修改稿(大革命部分)讨论会侧记》,《陈独秀研究动态》第 16 期,1999 年 5 月。

疑,认为这种转变是一种非理性的盲目的浪漫主义激情,因为当他们躲进小楼从事象牙塔里的学问时,他们是清醒的,是理性的,但是当他们走出小楼投身政治的时候,那理性似乎就消失了,代之以一种喷薄而出的激情,其选择的失误是不言而喻的。

在这些研究者看来,这些自由主义知识分子应该是高踞于象牙之塔的超然的、无感情色彩的"智者",他们不应该也不可能介入现实的政治,因为他们一旦放弃自己的专业而从事现实的政治斗争,他们便自然失去"智者"的尊严和高明,而沦为芸芸众生般的平庸。"自由主义的理论是一种普世性的分析,通常是从'普通的人性'或'一般的文明发展'来分析问题,但新意识形态的分析方法,却要在这普遍的人性或文明的进化中,发现权力的统治关系,找到谁是压迫者或被压迫者"。①

如果说赞扬文化保守主义还只是一个比较纯正的学术问题的话,那么最近若干年里出现的对周作人、汪精卫等人的研究动向,则似应看做研究过程中的一种逆流。

应该说,在短短的 20 年间,周作人研究确实有了长足的进展,除了资料的建设外,更有不少有价值的专著,对周作人的社会思想、文艺理论、创作成就、翻译成就等等的研究,都有了不同程度的进展与成就。然而随着研究的进展,也出现了一些不协调的声音,甚至有些著作不惜曲解事实,为周作人进行根本不必要的翻案。其主要问题有:

第一,抬周贬鲁,评价失衡,甚至不惜拿鲁迅充当"祭旗的牺牲"。有的研究者认为,周作人的散文闲适、淡雅,没有人间烟火气,读之令人心旷神怡,是散文中的上品。与周作人比较,鲁迅的散文则显得太直率,太直面人生,火药味也未免显得太浓,只能算散文中的中品或下品。有的研究者认为,周作人的文艺思想比鲁迅高

---

① 艾之:《"智者的尊严"还是聪明的遁词》,《科学时报》1999 年 2 月 3 日。

明,鲁迅只知道"为人生"、"揭出病苦",太"普罗"气,而周作人的"人的文学"、"平民文学"等才真正表现出更广泛的对人类命运的终极关怀。就翻译成就而论,有的研究者认为,周作人的翻译成就比鲁迅大得多。在谈到周、鲁的历史地位时,也有研究者认为,就总体而言,周作人在"五四"新文化运动中的地位要远比鲁迅高得多。

第二,肆意美化,大肆炒作,而不许别人说出不同意见。比如"二周失和",有的论著貌似公允,大讲"清官难断家务事",但实际上在字里行间却已经断案,那就是用所谓弗洛伊德的性心理学知识,暗示鲁迅对其弟媳羽太信子不无垂涎,结果周作人的"醋坛子"便被打破了。

在谈到周作人为什么当汉奸这一重大历史问题时,有的研究者不顾历史事实,曲意辩解,"有说迫不得已的,情有可原的;有说一念之差,偶尔失足的;还有说并非投降日寇,而是中国共产党人让他留在北平,深入敌人心脏搞地下工作的"。更可笑的是,有的研究者竟然说,周作人即使当汉奸后,依然是一个高尚的人道主义者,而且即使他不当汉奸,也会有别人去当。与其让别人当,还不如让周作人当了。显然,这些论点已有失学者的基本理性,是一种过分明显的汉奸理论,其学术上的意义与价值几乎可以不提。

近10年来,近代中国历史人物研究中一个更值得注意的倾向是日本的"侵略有理"论以及与之相呼应"汉奸有理"论对中国学术界的渗透与影响。某些"学者"公然为汪精卫的卖国理论与卖国实践翻案,为汪记"曲线救国"论招魂。他们甚至提出要重估汪伪政权的历史功过,要彻底摆脱国共两党原来对汪伪政权的观点,声称"汪记"南京政府是重庆国民政府的补充,它代表了广大"灰色地带"人民的利益,而不是代表日本法西斯的利益。与此同时,一些歪曲历史,美化汪精卫、陈璧君、周作人、胡兰成等汉奸的文章也纷纷出笼。[①]

[①]　《周作人研究中的偏见与陷阱》,《科学时报》1999年4月14日。

　　这些问题之所以发生,背景极为复杂,其中一个最值得注意的迹象是这些历史人物的亲属及近代中国历史人物所在地政府或团体的介入,使历史人物研究带有更多的感情色彩,许多本来并不难解决的问题成为旷日持久的争论焦点,许多本不该翻案的问题也重新翻案,使问题越来越繁杂。方伯谦、严复等人的研究都存在这些问题。近代中国历史人物的后人和所在地的政府或团体希望对这些历史人物评价高一些,这是可以理解的。因此一些纪念性的讨论会多说好话,也是人之常情。但是,科学研究毕竟是一种科学,如果历史学不尊重科学、不尊重事实,就只能沦为一种"史学广告",为亲者讳,为贤者讳,为尊者讳,那确实是学术的堕落。

　　至于某些研究者,由于知识背景和能力的限制,无法从宏观上把握所研究的对象在整个历史发展进程中所占有的实际地位,而是过多地介入感情,甚至可以说,许多研究者研究谁,就爱上谁,不仅自己不能从被研究者的身上疏离出来,而且有些过分武断者甚至不许别人对他的研究对象说一个"不"字。

　　上述背景与原因还使90年代以来的近代历史人物研究出现一些过分翻案的倾向,使原本可以接受的结论变成不定的问题。如果说新时期的前10年的一些历史人物的翻案还带有拨乱反正的意义的话,那么最近10年的一些翻案文章,则更多地带有搅浑水的意味,带有黑格尔所说的"正反合"的意思。原来说是白的,他偏说成黑的,以否定之否定的研究方法,作为学术创新的捷径。凡此,都是近代中国历史人物研究工作者所应该注意和克服的。

近代史资料的整理与出版

中华人民共和国成立50年来,中国近代史的研究发展很快,取得了丰硕的成就。其重要原因在于中国近代史是一部中华民族与帝国主义、封建主义抗争的历史,是一部振兴中华的历史,是一部高扬爱国主义的历史,因此得到了社会各界和历史工作者的特别关注和重视,而有组织有计划的大规模的史料发掘整理与出版工作,是中国近代历史学繁荣的起点和保障。

无论是过去的历史学家,还是当代的历史学家,都把史料看做历史科学得以生存和发展的根本条件。傅斯年曾经说过:史料即是史学。这话强调史料对史学的功用,未必全面,但是指出史料的重要性还是有其合理成份的。总而言之,凡从事历史研究必须尽可能充分地占有史料,去伪存真,由此及彼,才能考察历史的进程,探寻历史的发展规律。如果缺乏可靠的史料,就不可能进行科学的、实事求是的研究,也不可能建立历史科学的辉煌殿堂。

（一）

从鸦片战争以来100多年间的中国近代史资料,内容相当广泛,涉及政治、军事、经济、外交、文化、思想、教育、社会、民俗诸多方面;形式多样,有公文档案、函电、奏议、文集、日记、报刊、当事人回忆录、碑传以及外文资料,还有近代修撰的地方志书等等,数量非常庞大,可谓汗牛充栋,浩如烟海。

在 1949 年新中国建立以前,公文档案非一般人所能看到,即使文集、奏议这类资料,因多系私人刻版刊印,印数极少,流传不广,历史工作者很难利用这些档案文献资料。故宫博物院收藏清代档案 900 余万件,但是从 1925 年至 1949 年的 20 多年间,除在《文献丛刊》和《史料旬刊》上刊载一部分近代史资料外,整理出版的近代史料专集只有《筹办夷务始末》、《清光绪朝中日交涉史料》、《清季外交史料》、《清光绪朝中法交涉史料》、《清宣统朝中日交涉史料》、《清季教案史料》等七、八种。斯时从事近代史研究的学者,屈指可数。

中华人民共和国成立以后,中国近代史的研究工作,得到党和政府的高度重视。发掘整理中国近代史料的任务,历史地落在了广大史学工作者的身上。50 年来中国近代史资料的出版成就和特点可以从以下 6 个方面加以概括。

1. 编辑出版丛刊资料,奠定了中国近代史研究的基础

50 年代初,在中国史学会的倡导和支持下,史学工作者开始了大规模的近代史资料的搜集整理和编辑出版工作。论其规模与影响,首推中国史学会主编的"中国近代史资料丛刊"。[①] 这部丛刊由北京等地高等院校及科研机构的专家学者分工协作,通力编纂,先后出版了《鸦片战争》、《太平天国》、《第二次鸦片战争》、《回民起义》、《捻军》、《洋务运动》、《中法战争》、《中日战争》、《戊戌变法》、《义和团》、《辛亥革命》等 11 种专题资料,共计 68 册,2758 万字。同时,中国科学院近代史研究所主编的《近代史资料》期刊也于1954 年创刊问世。45 年来,该刊已出版 100 期,还编辑出版专刊资料 22 种,总计 2700 多万字。"丛刊"、期刊的出版,对中国近代史的

---

① 本章所引述的重点史料集的编者、出版单位、出版年月,在《中国档案文献辞典》一书中均有著录。

科研与教学工作,起了很大的推动作用,始终受到海内外学者的重视。现在活跃在史学界的一批著名的近代史专家学者,就是从研读这些专题史料的基础上开始起步的。前几年有美国学者说,他们利用这套"丛刊",培养了数百名汉学博士。其影响与作用,由此可见一斑。

同一时期,一批经济学家也开始编辑中国近代经济史资料,影响较大的有4种丛刊或丛编。第一种是中国科学院经济研究所主编的"中国近代经济史参考资料丛刊",包括《中国近代经济资料选辑》、《中国近代工业史资料》、《中国近代农业史资料》、《中国近代手工业史资料》、《中国近代对外贸易史资料》、《中国近代铁路史资料》、《中国近代航运史资料》、《中国近代外债史统计资料》、《旧中国公债史资料》。第二种是中国近代经济史资料丛刊编辑委员会主编的"帝国主义与中国海关资料丛编",共10种,如《中国海关与滇缅问题》、《中国海关与英德续借款》、《中国海关与义和团》等。第三种是中国科学院经济研究所等单位主编的"中国资本主义工商业史料丛刊",包括《北京瑞蚨祥》、《上海民族橡胶工业》、《上海市棉布商业》、《上海民族机器工业》、《上海民族火柴工业》、《上海民族毛纺织工业》、《永安纺织印染公司》、《旧中国机制面粉工业统计资料》等。第四种是"上海资本主义典型企业史料"丛书,包括南洋兄弟烟草公司、荣家企业、刘鸿生企业等专题资料集。这些丛刊、丛编都是经过专家学者认真选辑,具有相当参考价值的近代经济史资料,从而促进了近代经济史研究的深入发展。据统计,迄今已编纂成书的经济史资料书已达40余种。

正当近代历史学科呈现出蓬勃生机之际,中国经历了"十年浩劫",影射史学流行,近代史资料的编辑和整理工作也因此凝固停滞了10年。1978年以后,经过拨乱反正,近代史资料的整理和出版工作,得到迅速的恢复和发展,累计出版的资料书籍有上千种。其中列为"中国近代史资料丛刊"之第12种的《北洋军阀》和列为第 13 种的《抗日战争》引起了学术界的高度关注。列为"中国近代史资料丛刊"最后一种的《解放战争》史料集也正在编辑中,可望于2002 年出版面世。值得一提的是,从鸦片战争到辛亥革命的 11 种专题资料,已由中华书局等出版社主持编辑续集,现已出版《鸦片战争档案史料》、《中日战争》等续集,即将出版的还有《太平天国》和《中法战争》等续集。这样,经过 50 年的辛勤劳作,近代史学界终于构筑了比较完整的资料体系。

2. 以地域为中心的专题资料的出版,是中国近代史研究深入发展的重要标志之一

上述丛刊资料尽管涵盖清政府档案、官修书籍、私家著述、地方史志及外文资料,但是这些资料偏重于反映重大事件的过程和全国政治、经济、军事、中外关系等方面的情况,对地域性较强的专题关注不够。地方性专题史料的整理和出版,弥补了丛刊资料的不足。长期以来,历史工作者在这方面做出了很大成绩。兹举数例如次。

有关鸦片战争的地方专题资料,有广东文史研究馆编辑的《三元里人民抗英斗争史料》、福建师范大学历史系编辑的《鸦片战争在闽台史料选编》、上海科学院历史研究所筹备委员会编辑的《鸦片战争末期英军在长江下游的罪行》和阿英编辑的《鸦片战争文学集》等。此外,时人记载鸦片战争的著述很多,或记载禁烟运动和抗英斗争,或记载英国侵略军窜犯各地的罪行,或记载《江宁条约》的缔结和战后的情况,虽然详略不一,但都是纂著者亲见亲闻的史实。这些私家著述比官修书籍更为可信。在众多的时人著述中,为大家熟知而又经常引用的是梁廷枏的《夷氛闻记》、魏源的《道光洋艘征抚记》,以及张集馨的《道咸宦海见闻录》等。

值得一提的是,鸦片战争时期社学的性质及领导人问题,一直是鸦片战争史研究中的热点问题之一。就《三元里人民抗英斗争》所收的社学资料来看,在昇平、恩洲、怀清、石井、成风、泰安、和风、淳风、同文、钟镛、联升、同升、兴仁、崇正、崇文、桂水等 17 个社学中,最享有盛名的还是昇平社学。有许多史料可以佐证,在英军侵略广州之际,社学的性质已由原来的学人课艺之所转变为抗击侵略势力的团体。正如抗英绅士、昇平社学重要社事何玉成所说:"该夷之所惧者,民心之固也;民心所固者,各社学以维之也。"三元里抗英斗争是中国民众反抗侵略的第一场搏斗,其声势虽小,但影响深远。关于这场抗英斗争的组织者究竟是谁的问题,在 50 年代初,《近代史资料》刊出《三元里平英团史实调查会议纪录》一文以后,史学界有人认为领导人是该调查纪录中所说的菜农韦绍光。但这一说法,除了韦氏后裔提供的口碑材料外,找不到其他的旁证,文献中也找不到记载。近 10 多年来,史学界对这一问题重新进行了考证,确认绅士何玉成是 103 乡的盟主、三元里抗英斗争的组织者和领导者。由此可见,在后人的追记中,不乏标榜自己先人功绩之处,因此,在引用口碑材料及调查纪录或回忆录时,必须采取慎而又慎的态度。

50 年代至 80 年代,中国近代史研究出现了诸多热点课题,其中太平天国、义和团和辛亥革命三个课题乃重中之重,无论是国内档案资料的搜集,还是外文资料的翻译,均比其他专题的规模大。

太平天国运动时期或稍后,时人著述太平天国事迹的书籍很多,粗略统计,约在千余种以上,而其中多数是记一时一地的情况。这些私家著述或分散各地,或湮没在故纸堆中,极不容易见到。为便于研究者参考和利用,太平天国博物馆编辑出版了《太平天国史料丛编简辑》(共 6 册),汇集《粤寇起事纪实》等 46 种资料。此外,还有静吾和仲丁编辑的《吴煦档案中的太平天国史料》、上海社会科学院历史研究所编辑的《小刀会起义史料汇编》和张守常编辑的《太平军北伐史料选辑》等等。这些史料的出版,促进了太平天国史研究的进一步发展。

在地域性专题史料中,义和团运动和辛亥革命运动的资料出版较多。有关义和团运动的重要资料,有齐鲁出版社出版的"义和团资料丛编"5 种,包括《山东义和团案卷》、《山东义和团调查资料选辑》、《山东教案史料》和《天津义和团调查》等。

有关辛亥革命的地域性资料,较早出版者为戴殷礼编辑的《四川保路运动资料》、隗瀛涛主编的《四川辛亥革命资料》、《近代史资料》编辑部编印的《云南贵州辛亥革命资料》。嗣后,湖北、江苏、广东、浙江、上海等地学术团体也编辑出版了辛亥革命在本地区的综合资料,史料价值较高的有《云南辛亥革命资料》、《辛亥革命在上海史料选辑》、《辛亥革命浙江史料选辑》、《辛亥革命江苏地区资料》、《广东辛亥革命资料》、《辛亥革命在广西》和《华侨与辛亥革命》等。就迄今所能见到的武昌首义资料集而言,内容最为丰富的是《武昌首义档案资料选编》。本书由政协湖北省委员会暨武汉市委员会、湖北省博物馆、武汉市档案馆、中国社会科学院近代史研究所等单位共同负责编辑整理工作,全部材料均出自湖北实录馆遗留下来的档案和文稿。《武昌首义档案资料选编》共分 3 卷 4 编,大约 210 万字。第一编是关于武昌首义及湖北军政府的资料,第二编是关于湖北各地响应起义的资料,第三编是关于首义人物的资料,第四编是关于各省起义的资料。本书所选录的资料大多数是未刊手稿,而撰述者都是亲身参加辛亥首义的人士。1986 年,辛亥革命武昌起义纪念馆等单位合编《湖北军政府文献资料汇编》,汇录文献档案 928 件,约 58 万余字,按照政治、军事、外交、财政金融、民生实业、文化教育、司法等 7 大类编序。时间起自 1901 年 10 月至 1912 年 4 月。此书的文献资料,多数是从《民立报》、《中华民国公报》、《时报》,以及曹亚伯《武昌革命真史》、胡石庵《湖北革命实见记》、李廉芳《辛亥武昌散记》等报刊书籍中摘录下来,少数是由辛亥革命武昌起义纪念馆提供的未刊藏品。除此之外,还有 2 种专题资料汇编是值得引起重视的,一种是《辛亥首义回忆录》,一种是《辛亥革命在湖北史料选辑》。在 50 年代初,居住在武汉三镇的辛亥首义老人尚有 700 余人，湖北省政协动员他们撰写亲身经历和见闻。他们积极响应，投寄了大量稿件，并捐赠了大批革命文物。编委会从中选出有代表性的文稿，按照历史事件发生的先后次序编成《辛亥首义回忆录》4 辑，在 1957 年至 1961 年间陆续出版。这是中国第一部辛亥革命回忆录。《辛亥革命在湖北史料选辑》是由武汉大学历史系中国近代史教研室编辑出版的，共 58 万余字。本书选录的胡石庵《湖北革命实见记》、胡祖舜《六十谈往》、居正《辛亥札记》等，都是史料价值颇高却又不易见到的私家记述。系统而又全面反映辛亥革命在江苏的有关情况的资料，首推扬州师范学院历史系编辑的《辛亥革命江苏地区史料》。此书的资料征集工作始于 1958 年，经 3 年努力，得 50 余万言。其中以罕见的史籍居多，其次是亲历者的回忆录及地方报刊资料。在辛亥革命出版物中，此书是国内唯一利用实地调查资料编成的集子，也是研究江苏辛亥革命历史必备的参考资料。广东是资产阶级革命党人活动最为活跃的地区。有关广东光复的资料极为丰富，重要的回忆录和采访录均收在《广东辛亥革命史料》和《纪念辛亥革命七十周年史料专辑》中。两书撰稿人均属辛亥亲历者，他们从不同的侧面记载了庚子惠州三洲田起义、庚戌广东新军起义、辛亥三月十九日文州起义的情况，以及江门、新会、顺德、佛山、东江、惠州、博罗、紫金、潮汕、大埔、永定、上杭、梅州、钦县、化州、阳江、肇庆、韶州、连州等地的光复经过。

从甲午战争失败至武昌起义前的 17 年中，台湾人民支持和参加了反清斗争，并在辛亥革命影响下，掀起了驱日复台的爱国运动高潮。这些可歌可泣的事迹，散见于其他专题性资料中。例如章伯锋主编的《辛亥革命资料类编》，就收录了珍贵史料《罗福星革命集》。从罗福星的日记、文章、歌词中，可以了解到运动的全貌。

有关边陲地区辛亥革命的情况，可供参阅的专题资料有：政协广西省文史资料研究委员会编《辛亥革命在广西》，广西民族历史调查组编《广西辛亥革命资料》,《西藏研究》编辑部编《民元藏事电稿》、《藏乱始末见闻记》,政协内蒙古自治区文史资料研究委员会编《内蒙古辛亥革命史料》等。这些资料均有较高的参考价值。

3. 史学界对"五四"运动的研究表现出浓厚的兴趣,出版了许多专题资料

"五四"运动是一次倡导民主和科学的思想革命运动,在中国近代史上具有划时代的意义。我国史学界十分重视"五四"运动资料的搜集整理工作,近50年来挖掘征集到大量原始资料,有藏于石屋金匮的文书档案,有散见于各地报章杂志的纪闻,有私家著述和回忆录。这些史料为"五四"运动史的研究提供了坚实的基础。

第一次世界大战后,中国以战胜国的身份参加巴黎和会,但没有争回日本在山东抢夺的各项利权。山东问题交涉失败,成为"五四"运动的直接导火线。帝国主义对中国的侵逼,引起了中国人民的愤怒和反抗。关于帝国主义侵略中国的资料,以外交关系文书为主,包括条约、换文、协定、合同、照会、通牒及备忘录等。这方面的资料,已经出版的有3种:(1)《中外旧约章汇编》,内容包括1840年到1949年间清政府、北洋政府、国民党政府对外签订的各类条约、协定、合同等;(2)《中外条约汇编》,内容包括1840年至1935年间清政府、北洋政府、国民党政府同各国订立的条约、协定、合同等;(3)《第一次世界大战以来帝国主义侵华文件选辑》,内容包括1914年到1949年间北洋政府、国民党政府同各国签订的条约。国人引为奇耻大辱的日本对华"二十一条"和《巴黎和会对山东问题的决议案》等都包括在内。

涉及巴黎和会黑幕的资料,当推在"五四"运动60周年纪念之际,由中国社会科学院近代史研究所《近代史资料》编辑室主编的《秘笈录存》。这部史料集系原任大总统的徐世昌在退出政界多年以后主持编纂的一部未刊稿本。其中"巴黎和会"篇,汇集了1918年9月16日到1920年11月5日期间北京政府秘书厅归档后的重要电报 380 余件。其中有许多电文是第一次公布于世,有较高的史料价值。

"五四"运动时期和稍后,时人记述"五四"运动事迹的书籍较多,中国社会科学院近代史研究所《近代史资料》编辑室编辑的《五四爱国运动资料》把这些史籍汇集了起来。《五四爱国运动资料》共收录 7 种记述"五四"运动的出版物,即《青岛潮》、《学界风潮记》、《上海罢市实录》、《民潮七日记》、《上海罢市救亡史》、《章宗祥》、《陆宗舆》;1 种档案,即《上海公共租界工部局警务处档案》;1 种报刊资料辑录,即《五四——六三爱国运动大事目录》。这本资料集于1979 年重印出版时又增加了 7 篇资料和几十幅珍贵图片,其中有周恩来编写的《警厅拘留记》和《检厅日录》,还有《五四》、《五四运动纪实》、《五四爱国运动北京资料选录》、《北京大学平民教育讲演团》、《五四运动在天津》、《天津抵制日货的经过》、《东游挥汗录》等。

"五四"运动的史料种类繁多,档案是其中一种。中国第二历史档案馆专门收藏 1912 年到 1949 年间北洋政府和国民党政府残留的档案。其中北洋政府档案有 71 个全宗,近 10 万卷。现已汇辑成册可供研究"五四"运动的相关人员参考的专题资料有 3 种:(1)《中国现代政治史资料汇编》,全书 244 卷,2190 万字,其中有关"五四"运动时期的资料有 10 卷;(2)《中华民国史档案资料汇编》,内录 1919 年"五四"运动前的档案,涉及政治、军事、外交、财政、文化;(3)"中华民国史档案资料丛刊",是按专题编纂的档案资料集,其中由中国社会科学院近代史研究所和中国第二历史档案馆合编的《五四爱国运动档案资料》,共收档案 400 余件,包括北洋政府国务院、财政部、内务部、陆军部、步军统领衙门、督办边防事务档案处、京畿卫戍总司令部、筹备国会事务局等机构的旧档,还有国立中央大学、云南省政府秘书处、交通银行等单位的档案。

外文翻译资料比较少,目前可供参考者,只有由上海复旦大学历史系编辑的《中国近代对外关系史资料》。这本书的下卷首章为"五四"运动,其中的重要文件是从《日本外交年表和主要文书》和《美国外交文件》中辑录翻译过来的。

北京是"五四"运动的发源地,记载北京情况的资料也最多,主要有下列数种:(1)《五四》,由蔡晓舟、杨景工同编,于 1919 年 7 月出版,是最早叙述"五四"运动经过的一本书。该书前三章是纪事,分别叙述"五四"运动的前因、"五四"学生示威的始末和各界的响应;后三章是文件辑录。1955 年,《近代史资料》曾经刊出前三章。事隔 60 年后,编者之一杨景工在香港对报界说,他曾嘱托亲朋好友,在香港、台湾以及美国各图书馆寻找《五四》原版,而竟无觅处,并发出海内外已成绝唱之感慨。据查现在惟有近代史研究所等少数图书馆尚藏有《五四》原版,若编者回大陆看到这本初版书,是会感到欣慰的;(2)《五四运动纪实》,是"五四"运动参加者匡互生于 1925 年后写的回忆录,最先登载在《立达季刊》上,到 1933 年印成单行本发行。书中"五四运动真相"一节,讲的是作者的亲身经历,叙述真切详细,而有些情节为其他资料所不载。例如"五四"当日围攻曹汝霖宅院以及放火的情景,惟有匡互生所说的情节最为翔实;(3)《五四爱国运动北京资料选录》,北京大学校史资料室编,资料录自《每周评论》和《晨报》。这些资料除记述了"五四"示威事件到释放被捕学生的有关情况以外,还着重叙述了北洋政府派出军警镇压学生运动的事实;(4)《五四运动与北京高师》,北京师范大学校史资料室编。本书收录记事和回忆录 34 篇、人物传略 21 篇、社团刊物资料 45 篇。北京高师和北京大学是挑头发起天安门集会的两所学校,以往的记载只提北京大学的作用,而很少提到北京高师的作用。李大钊、钱玄同、缪伯英、周予同、杨明轩、陈荩民的回忆和传记,以及介绍工学会、北京工读互助团、女子工读互助团、女权运动同盟会、平民教育社和《史地丛刊》、《北京女师半月刊》、《五七日刊》等社团和期刊的文章中,可以看出北京高师在"五四"运动中是与北京大学齐名的学校,所起的作用是很突出的。

记述"五四"运动在天津的情况的资料也是相当丰富的,按其形式可以分为政府档案、时人著述和报刊杂志资料。天津历史博物馆和南开大学历史系于 1979 年编辑的《五四运动在天津》,汇集了当时天津的报刊如《益世报》、《大公报》、《天津学生联合会报》、《南开日刊》、《觉悟》所登载的文件和记事,还收录了邓颖超、刘清扬等人的 21 篇回忆文章。

当时担任天津学生联合会代表的周恩来撰写的《警厅拘留记》和《检厅日录》值得特别重视。这两本文献资料是研究"五四"运动的重要依据,但是《五四运动在天津》只节录了其中的部分资料,不太妥当。《近代史资料》编辑室编的《五四爱国运动》史料集全文刊登了这两篇重要文献。

涉及"五四"运动在上海的资料卷帙浩繁,概要介绍如下。1949年以后整理的《上海公共租界工部局警务处档案》,汇录 1919 年 5月到 7 月的档案 88 件。从这些档案中可以看出帝国主义压制我国人民爱国运动的凶恶面目,也可以看出我国人民的斗争情况,以及新文化在当时的传播情况。中国科学院上海历史研究所编的《五四运动在上海史料选辑》,1960 年出版,1979 年再版,共计 57 万余字。书中资料大都是是从《民国日报》、《申报》、《时事新报》、《新闻报》、《大陆报》等报纸上选录的,一部分是从外国档案和报纸上选译的。

张影辉、孔祥征编的《五四运动在武汉》史料选辑,再现了武汉以及鄂省人民参加斗争的光辉事迹。这部史料集所收录的资料,主要来源于当时的《汉口新闻报》、《大汉报》、《新湖北》以及《武汉星期评论》,主要内容系记述 1919 年 5 月学生运动兴起到 1920 年武汉建立共产主义小组期间的史实。由湖南省哲学社会科学研究所现代史研究室编的《五四时期湖南人民革命斗争史料选编》,反映了湖南人民斗争的情况。

　　胡信本编的《五四运动在山东资料选辑》，择要辑录了 1897 年德国借口巨野教案侵占胶澳到 1920 年山东建立共产主义小组这段时间内的有关历史资料，反映了山东人民爱国救亡求生存的斗争情况。

　　河南省地方志编纂委员会总编室编辑的《五四运动在河南》，比较翔实地反映了"五四"爱国运动在河南开展的情况。

　　关于"五四"运动在重庆的资料，现在出版的只有中共重庆市委党史工作委员会编辑的《五四爱国运动在重庆》，所选资料有历史文献、报刊资料、档案以及回忆录等。

　　关于"五四"运动前后新文化运动的资料，在上文介绍的综合资料中已有不少，可供研究者参考。下面介绍两种有关"五四"时期社团和期刊的综合资料集。第一种是张元侯等编辑的《五四时期的社团》，收录了新民学会、互助社、利群书社、少年中国学会、国民杂志社等 32 个社团的历史资料。这本书编辑严谨、资料丰富、检索方便，是历史工作者必备的重要参考书。第二种是中共中央马恩列斯著作编译局研究室编的《五四时期期刊介绍》，共 3 集。每集分 2 部分，第一部分是期刊内容，除介绍每种刊物的主要言论，分析总的思想倾向以及与劳动人民相结合的资料外，还对刊物的编辑出版者、期数、版式、创刊与终刊年月等作了考订。本书对"五四"运动时期出版的 160 余种期刊作了比较系统的介绍，是研究新文化运动和共产主义思想传播情况的入门参考书。

　　另外，由中国社会科学院近代史研究所编的《五四运动文选》，选录了陈独秀、易白沙、李大钊、胡适、吴虞、刘半农、王敬轩、钱玄同、鲁迅、蔡元培、林琴南等人的文章，为研究新民主主义文化的发展，提供了比较系统的资料。全国妇联妇运史研究室编的《五四时期妇女问题文选》选编的文章，是从当时的《新青年》、《少年中国》、《解放与改造》、《觉悟》、《妇女杂志》、《新妇女》、《劳动与妇女》、《新潮》、《女界钟》、《少年世界》、《每周评论》等期刊上选录下来的。这些历史资料说明,随着"五四"运动的发展,妇女运动也日益发展起来了。

4. 文史资料和地方史志资料,是当今社会科学领域里具有特色的史料部类

1959 年,周恩来总理倡导政协系统编写文史资料,1960 年全国政协主办的《文史资料选辑》创刊,现已出版 122 辑。在 1983 年第四次全国文史资料工作会议开幕式上,杨成武总结工作成果时说:"据统计,全国参加提供史料的达 6 万人次,征集到资料 4 亿多字,全国有 166 个单位编辑出版《文史资料选辑》等著作,向社会提供了 1 亿字左右资料。"此后,各地文史资料的出版,又有了新的发展,据 1990 年统计,全国县级以上政协文史资料委员会及其文史办公室,编印文史资料集共 2300 多种,计 1.3 万多册,约收文稿 30 万余篇,总字数近 2 亿。

各地文史资料选辑的文稿,大多数是亲历、亲见、亲闻者自撰和口述,部分为调查访问记,少数为历史档案、报刊、史志书稿等文献的摘登。这些文稿从不同角度记录了中国近代历史上政治、军事、外交、经济、文化、社会、地理诸方面的情况和重大事件的始末,以及形形色色的人物的活动情况。尽管其中部分文稿或因撰稿人记忆有误,或因某种缘故未能秉笔直书,造成失真的局限性,但从总体上看,仍然不失为珍贵的第一手资料,是值得史学工作者关注的新史源。这些资料可以匡正某些文献资料的误记,弥补现有文献史料的缺佚,提供生动的微观史料。

由李永璞主编的《中国近现代史料介绍与研究丛书·全国各级政协文史资料篇目索引》(共 5 册),介绍篇目 30 余万条,分列政治军事外交篇、经济篇、文化篇、社会篇、地理篇、人物篇等 6 大类,每一类下复分若干级子目,最多至六级子目,非常便于检索使用。此外,《中国史志类内部书刊名录(1949—1988)》和《全国各级政协文史资料名录(1960—1990)》专门介绍了每一种文史资料丛刊、丛书和专辑的名称、编印单位、开本版型、发刊范围、刊印期年和已出版数量,展示了各地文史资料的概貌。

　　续修地方志是我国的历史传统,代代相承,绵延不辍。在 50 年代,编修社会主义新方志的项目,曾两度列入国家社会科学规划。1979 年以后,编修新方志的工作在全国迅速展开,经过数万人 20 年的辛苦耕耘,取得了令人瞩目的成绩。据 1998 年统计,全国各省、市、县志书已出版 4000 余部,尚有 1000 余部正在审定、印刷、出版的过程中。新方志是储量巨大的信息资料库,历史科学工作者应该充分发掘、利用它进行学术研究。目前,国内外学术界已有许多学者利用新方志资料取得了有价值的学术研究成果。

　　5. 各级档案馆等藏档单位与史学界联袂合作整理出版专题资料,是近代史研究向纵深和新领域发展的重要标志

　　政府档案乃是中央和各级地方政府从事政治、经济、军事、外交,以及文化教育、社会生活等诸多活动中形成的文字图谱记载,是考察历史发展轨迹的重要依据。离开了对档案史料的整理和利用,真正有价值的历史研究是难以开展的。但是在 80 年代之前,利用政府文献档案出版的专题资料集的种类和数量,与学术界的需求有较大距离。80 年代以后,国家及地方档案馆投入大量人力和物力,并联合史学界共同开发与研究藏档,编辑出版了各种档案史料书刊,使所藏档案得以公之于众,更便于社会各界的利用和研究。

　　中国第一历史档案馆馆藏明清两朝的档案卷帙浩繁,数量巨大。近些年来,该馆编辑出版了多种史料,其中影响较大的有 4 种:《鸦片战争档案史料》、《清政府镇压太平天国档案史料》、《戊戌变法档案史料》和《清末筹备立宪档案史料》。这些专题资料,均从上谕档、剿捕档、录副奏折以及照会、函札中选出,其中有些档案资料为过去已刊专题资料集所不载。有些资料不仅记事翔实,而且还匡正了已刊资料的谬误。例如,《清政府镇压太平天国档案史料》就纠正了《钦定剿平粤匪方略》中的许多舛误。有清一代共编修 12 部方略,是清朝政府记载镇压民众起义史实的书籍。朱学勤等编修的《钦定剿平粤匪方略》,共计 420 卷,同治十一年排印,对清朝政府镇压太平天国运动的过程做了系统记录,收录的均为谕旨和奏章。但是收入该书的文件均经编纂者改动,已不是原本,因此失实之处甚多。例如,咸丰元年四月二十七日乌兰泰奏象州中坪等地被太平军占领并自请治罪折,原有 1800 多字,经删削后只剩下 360 多字。同年六月十一日的乌兰泰奏向荣屡战屡败兵勇离心再战不利片中,有大段记载清军大败、怯战贪生,以及太平军顽强战斗的情况。原片约 4000 余字,经删去事实后,只剩下 800 多字。咸丰三年六月十五日,安徽巡抚李嘉端的奏折原有 1100 多字,其中有描述清朝地方官吏腐败与安徽人民响应太平军西征的情况,均被删去,只剩下 100 多字。咸丰元年三月二十三日,周天爵奏折中有三处提到“洪泉”的名字,四月初六日,周天爵与李星沅、向荣会奏中明确说明“洪泉即洪秀泉”,而该书却将周天爵二十三日奏折中的二处“洪泉”妄改为“洪大泉”,而将另一处“洪泉”删掉。编纂者妄加一个“大”字,把拜上帝会的洪秀泉(洪秀全)变成了天地会的洪大泉(洪大全),给历史工作者增加了许多麻烦。

　　中国第二历史档案馆主要收藏国民党统治时期的档案资料。最近十几年该馆编辑出版的档案资料表明,史料的考证与整理工作,已在档案、未刊稿本、珍本图籍等领域取得很大进展。该馆主编的两种规模较大的史料,颇受学界推重。其一是《中华民国史档案资料汇编》,最初出版《辛亥革命》、《南京临时政府》2 辑,从第三辑开始按北洋政府、国民党政府两个时期的政治、军事、经济、财政金融、工矿业、农商等分册编辑,现共出版 4 辑 20 册。其二是“中华民国史档案资料丛刊”,是根据该馆馆藏历史档案,按照重要的历史事件、历史问题、历史人物及企事业机构,分专题编辑成书,已经出版《北洋军阀统治时期的兵变》、《直皖战争》等专题。

　　各省市地区档案馆等单位,也利用藏档汇编了颇有研究价值的资料集。已面世的有上海图书馆主编《盛宣怀档案资料选辑》、广东档案馆编《民国时期广东省政府档案史料选编》14 册、中国第二历史档案馆和中国社会科学院近代史研究所编译《中国海关密档》等。东北地区档案馆从满铁档案中已选译出版《满铁资料》、《九一八事变前后日本与中国东北——满铁秘档选编》。吉林省社会科学院历史研究所与东北地区档案馆合作编辑出版《日本帝国主义侵华档案资料选编》,分为“九一八”事变、华北事变、伪满和汪伪政权、东北历次大惨案、伪满警宪法西斯统治、华北大扫荡、细菌战、经济掠夺等卷,迄今各卷已经陆续出版问世。天津市社会科学院、档案馆、工商联等单位合编的《天津商会档案汇编》(1903—1911)以及华中师范大学历史研究所与苏州市档案馆合编的《苏州商会档案丛编》(1905—1911)两书,颇具特色。天津、苏州与北京、上海、南京、武汉、广州、重庆的商会组织,号称清末八大商会,然而各地商会的档案,历经朝代更迭和连年战乱,流失几尽,只有天津和苏州商会的档案得以侥幸保存下来。这两个城市,一为近代中国新辟的通商口岸,一为中国传统的工商业发达的城市,各具代表性。

　　社会上存有历史档案的一些单位和个人,或者将档案整理成专书出版,或者投稿于刊物。近 20 年来,全国以公布档案史料为主的刊物,似雨后春笋,纷纷行世。中国第一历史档案馆、中国第二历史档案馆率先创办了《历史档案》、《民国档案》期刊,嗣后各省档案馆也陆续创办了这类刊物,例如《档案与历史》、《北京档案史料》等,共有 20 多种,每年公布的档案约在 200 万字以上。

　　与此同时,各级科研院所图书馆也把收藏的档案和稿本付梓出版,如北京大学图书馆馆藏稿本丛书已影印出版 23 册,其中有不少为清末和民国时期的史料。中国社会科学院近代史研究所编的《近代稗海》已出版 14 辑,刊载了 74 种近代史资料,多为稿本或流传较少的印本。

以上这些"丛书"、"丛刊"、"选编"、"汇编"中的史料,都是从事编辑整理的同志经过长年的辛勤劳动,从成千上万卷历史档案中精选出来的,犹如沙里淘金,既费时又费功。这些文献史料的选编出版,使原来典藏于庋库的原始文献、珍本秘籍,公之于众,更便于读者和史学工作者阅读与利用。

6. 海外资料的搜集、开发、利用与研究也蔚然成风

从鸦片战争以来,中国与英、美、日、俄、德、法等列强的关系,虽各不相同,但从总体上说,中国是被列强侵略宰割的对象。列强之间虽有矛盾,但是在对华攫取特权利益这一基本点上,都扮演着侵略者的角色。要研究中国近代史,首先必须研究各个时期中国与各国的关系史,所以对于中外关系的档案资料的搜集、开发、利用与研究,就显得非常重要。50年来,中国史学界对外文资料的翻译出版同样也取得了阶段性的成果。

关于鸦片战争,外国的政府档案、专著、回忆录和报刊资料是值得参考的。由于英国是这次侵华战争的元凶,所以在该国议会文件、外交文书、私人著述和报刊资料中有大量涉及这次战争内幕的重要资料。对于这些外文资料,过去一直没有引起足够的重视,翻译不多,较重要者有广东文史研究馆编译的《鸦片战争史料选译》和《鸦片战争与林则徐史料选辑》、中国科学院上海历史研究所筹备委员会编的《鸦片战争末期英军在长江下游侵略的罪行》和《近代史资料》上发表的《英国鸦片贩子策划鸦片战争的幕后活动》等数种。据闻在美国的议会档案及外交文书中,也保存着相当数量涉及鸦片战争的资料,但是还没有人进行系统的搜集、翻译和利用。

众所皆知,在第二次鸦片战争期间,英国侵略军曾从中国抢走了大批档案,其中数量最大的是两广总督衙门的公私档案,现藏于英国国家档案馆内。日本学者佐佐木正哉依据该档案馆所藏中文档案,编成《鸦片战争研究(资料篇)》。它收入琦善与义律在广州交涉期间逐日往来的照会,既未见于清政府官修书籍,也未见于琦善

办理夷务折档。这些档案的发现,不仅弥补了我国已刊史料的不足,而且还为弄清一些历史事件的真相,提供了有说服力的证据。其中最为鲜明的例证即是"穿鼻草约"纯属义律伪造。第一次鸦片战争期间,道光皇帝钦命直隶总督琦善办理与英国的交涉事宜。从1840年8月至1841年2月,琦善先后与英国全权公使懿律和义律进行过两轮谈判,第一轮是在天津,第二轮是在广东穿鼻。据英国国家档案馆所藏鸦片战争期间中英交涉文书记载,琦善与懿律或义律在天津和广东进行谈判期间,实际上都是以《巴麦尊子爵致中国皇帝钦命宰相书》为谈判的基础。即使易地广东谈判期间,尽管英国政府又增加了一些条件和要求,也只是巴麦尊照会的延伸和扩大。这些档案可以证实,1841年1月21日,义律在未得到琦善答复文书的情况下,单方面发出公告,诡称"与中国钦差大臣已经签订了初步协定",即所谓的"穿鼻协定"。这个"初步协定"开列4条:(1)香港本岛及其港口割让给英王;(2)赔偿英国600万元;(3)两国正式交往应基于平等地位;(4)广州海口贸易应从中国新年后10日内开放。嗣后,义律照会琦善,须将这个协定出示晓谕百姓。这个所谓的初步协定,是义律一手炮制的大骗局。第一佐证是,琦善对义律1月16日照会既没有答复,21日前也没有再与义律进行晤面谈判,所以在所谓的"穿鼻协定"文本上,既无琦善的签字,也没有盖关防印章。第二个佐证是,就"穿鼻协定"的内容而言,与琦善往来照会所述主要内容明显不相符合。例如关于英国索求香港一款,截止1月15日,琦善也只是表示可以在尖沙咀和香港"止择一处地方寄寓泊船",在琦善的交涉文书中,未见有允准香港割让的字样。再如广州开港贸易一款,琦善要求义律首先交还定海,而后方能代为具奏,依议办理。有鉴于此,完全可以证实,"穿鼻协定"纯属子虚乌有。

太平天国失败以后,清朝统治者不准民间收藏太平天国印书,几将太平天国文献荡尽。因此,从事研究太平天国史的学者非常注重从国外搜集太平天国的文献资料。当时出版的太平天国官书,国内仅仅在扬州、北京、杭州、苏州、上海等地发现几部,均属劫余偶存,其余都是从国外拍照和抄录回来的。从 20 世纪 20 年代初至 30 年代中,程演生从法国辑录 8 部,编成《太平天国史料》(第 1 辑);萧一山从英国辑录 22 部,编成《太平天国丛书》(第 1 集);张元济把俞大维从普鲁士辑录的 9 部,编为《太平天国诗文抄》;王重民从英国剑桥大学选录国内未见的 10 部,编成《太平天国官书十种》。除去程、萧、张三书重见者 13 部外,合共得太平天国官书 42 部。根据各种记载,能确定书名而尚未发现的官书有《练兵要览》、《修正四书五经》、《新诏书》、《诏书》、《忠王会议辑录》等 10 多部,再加上《钦定制度则律集编》和 9 部新历,以及知其内容而佚其书名的官书,则太平天国官书当超过 60 种。1983 年,王庆成在英国访问期间,又搜集到若干太平天国文献和其他中、英文史料,其中最重要的是发现了太平天国的 2 种印书,即《天父圣旨》和《天兄圣旨》。这 2 种印书涉及金田起义和太平天国历史上重要的或有趣的史事,其中几乎每一件事,都是我们过去不知道或知之不详的。长期以来,学界对萧朝贵的身世,以及究竟有无洪宣娇其人,存在不同的看法。《天兄圣旨》发现以后,这些问题得到了澄清。据记载,关于萧朝贵之父,太平天国幼主诏旨有“万兴生西”、蒋万兴追封“开朝王亲”等语,又幼西王姓名为蒋有和,可知萧朝贵原姓蒋,可能因出继为萧玉胜子而改姓萧。洪宣娇为萧朝贵之妻,据《天兄圣旨》,她的生父名叫黄权政,改姓杨、洪,或因其为天父之女,称为杨秀清、洪秀全之同胞妹。这些官书的发现和出版大大丰富了太平天国历史。近 20 年来,从各国档案馆以及在华外交官和传教士的私家著述中,发现了众多有关太平天国的史料,都具有较高的史料价值。这些资料分别刊载在《近代史资料》、《太平天国文献史料集》、《太平天国史译丛》、《太平天国学刊》等书刊中。据闻,英国等国家的档案馆和图书馆藏有相当数量的太平天国资料,但因种种原因,中国尚未派出学术团体或学者前去进行系统的搜集,委实令人遗憾。

有关义和团运动和八国联军侵华的外文资料是相当丰富的,按其形式可分为各国政府的档案、在华外交官及传教士等各类人士的记载和报刊杂志的资料。国外公布的涉及中国近代史的档案,已有相当的数量,其中与义和团运动和八国联军侵华有关的文件也极多,有的已译成专卷出版。

德国在第一次世界大战后,公开了1871年至1914年间的外交档案,并汇成54卷正式出版。1960年,孙瑞芹从档案集中译出与中国有直接关系的资料,题名《德国外交文件有关中国交涉史料选译》。本书分为3卷,上起1894年中日战争,下至1914年第一次世界大战爆发,其中第二卷是有关义和团运动的资料。

1954年王崇武依据英国档案馆馆藏中国事务文件,译成《英国档案馆所藏有关义和团运动的资料选辑》。1980年,胡滨译成《英国蓝皮书有关义和团运动资料选辑》,起自1899年山东卜克斯教案,止于1901年签订《辛丑条约》。本书所选译的资料,绝大多数是当时英国公使、领事、武官、教士向英国政府提交的报告和往来文件。

1922年至1941年,苏联公布了一批帝俄时代的外交档案,发表在《红色档案》杂志上。1957年,张蓉初从中译出中俄交涉史料,题名《红档杂志有关中国交涉史料选译》。全书分为中日战争文件、德国侵占胶州湾、俄帝国主义在远东的最初步骤、关于收买李鸿章和张荫桓、义和团起义、库罗巴特金日记、辛亥革命等7篇,大部分是与义和团运动相关的材料。1980年,吉林社会科学院历史研究所编译的《俄军在华军事行动资料》,记载1900年到1901年俄国在华的军事活动情况。这部资料集是从沙俄总参谋部军事档案馆于1902年作为机要保密资料保存的奏折和电报中选译的,参考价值较高。

美国国务院档案中也有不少相关的资料，但至今国内还没有选译本。朱士嘉编译的《十九世纪美国侵华档案史料选辑》，以国内中文档案为主，其中只有一小部分是从美国档案馆抄录回来的资料。

日本也陆续公布了外交文书。1868 年到 1898 年的文书名为《日本外交文书》，1898 年以后的文书名为《日本外务省文书》，其中有关义和团运动的史料，迄今尚未译出。北京图书馆有引进的文书微缩胶卷，可以了解全貌。

有关义和团的外文著作，大多出于在华的外交官、传教士、商人、侵略军军官及新闻记者之手，约有百余种，据粗略统计，已译成中文的有数十种，如《庚子使馆被围记》、《瓦德西拳乱笔记》、《八国联军志》、《庚子中外战纪》、《俄国在远东》、《维特伯爵回忆录》等。1980 年天津社会科学院历史研究所编译的《八国联军在天津》中，辑录了《华北作战记》、《中国与联军》、《在华一年纪》、《京津随军记》、《天津——插图本史纲》、《天津海关一八九二年至一九〇一年十年调查报告书》和《美军在华解围远征记》等 7 种。这些著述，主要记载 1900 年 6 月至 8 月天津及其周围地区的战斗情况。

辛亥革命不仅是中国历史上的一件大事，也是世界历史上的一件大事。1949 年以后出版的一批涉及国际关系的档案资料集，对于全面了解列强与辛亥革命的真实关系，起到了重要作用。中国近代经济会刊编辑委员会利用外贸部海关总署所藏旧海关档案资料编成了《中国海关与辛亥革命》。该书选译的档案资料主要是总税务司与地方税务司之间往来的文书函件，内容广泛，涉及中央到地方的政局动态、商贸行情变化和社会生活等各个方面，大至政局内幕，小至物价变动，都有所记述。邹念之编译的《日本外交文书选译——关于辛亥革命》是考察日本政府对辛亥革命的态度和立场的重要文件。这些文件均选自《大日本外交文书》（1911 年 10 月 10 日—1913 年 10 月 11 日），约共 500 余件，从中可以看到日本政府

在不同态势下所采取的不同政策。关于英国政府的对华政策，可以
参考胡滨编译的《英国蓝皮书有关辛亥革命资料选辑》。前述孙瑞
芹编译《德国外交文件有关中国交涉史料选译》和张蓉初编译《红
档杂志有关中国交涉史料选译》，也是考察德、俄两国政府对辛亥
革命的态度和立场的极为重要的资料。

（二）

　　史料的发现、整理和出版，关系到历史科学的盛衰和分支学科
的建立。50年来，特别是近20年来，中国近代历史学之所以能够
兴旺发达，并逐渐形成多种分支学科，除了历史观、方法论的原因
外，最为重要的因素是依靠广大史学工作者的艰苦努力，出版了大
量的档案史料。这些档案史料除了历史事件、历史人物以外，较多
涉及社会各个层面，如近代经济、社会结构、文化活动、大众生活等
方面，所以逐渐形成了新的研究课题，如中华民国史、北洋军阀史、
抗日战争史、文化变迁史、城市发展史、秘密会社和政党史、灾荒
史、近代思潮与学术史、商会史、区域经济史和近代人物研究等诸
多热点课题。这些热点课题从萌动到发展，与整理史料，掌握史料，
钻研史料，以及对历史问题本身的深入思考是密切关联的。强调这
一点，并不排斥对其他各种新方法、新手段的借鉴和运用。但是无
论如何，以实事求是作为治学宗旨，重视证据，无证不信，才能减少
或者避免研究工作中可能出现的偏颇。以下就几个热点课题的史
料发掘的情况，作一概略介绍。

1. 北洋军阀史和中华民国史

　　北洋军阀的历史，上起清末袁世凯编练北洋六镇新军，下至
1928年东三省易帜。1949年以前研究这段历史的人不多，加之天
灾人祸，战乱频繁，档案资料流失严重，搜集整理这一专题的资料，
有一定的难度。早在50年代，中国史学会计划编辑出版"中国近代

史资料丛刊"时，即包括这一专题。嗣后，《鸦片战争》等 11 种专题资料相继出版，而北洋军阀专题资料由于种种客观原因，时编时停，迟迟未能问世。直至 1980 年以后，从事民国史研究的学人开始日渐增多，史料与论著也陆续出版。在档案文献资料方面，先后出版了《白朗起义》、《直皖战争》、《北洋军阀统治时期的兵变》、《善后会议》、《护国文献》、《护国运动资料选编》、《蔡松坡集》、《梁启超年谱长编》、《民初政争与二次革命》、《奉系军阀密电、密信》等。1986年陈振江主编的"北洋军阀史料"系列资料集出版，包括《北洋新军史料》、《北洋陆军史料》、《北洋军阀天津档案史料选编》。1989 年来新夏主编的《北洋军阀》出版。1991 年中国第二历史档案馆先后编辑出版《中华民国史档案资料汇编》20 册，并影印出版北京政府时期全套《政府公报》。在此期间，章伯锋主编的 6 卷本《北洋军阀（1912—1928）》大型综合资料集也与读者见面。上述各书收录了清政府的档案史料，比较系统地反映出北洋军阀的源起与发展，对研究北洋军阀军事政治集团的形成，提供了极有价值的第一手资料。例如，研究北洋军阀统治时期的历史，遇到的最大困难是史料分散，原北京政府的档案历经战乱，现存者残缺不全，很多问题缺少可供参考的系统资料。中国第二历史档案馆编《中华民国史档案资料汇编》第三辑 16 册，全部是北京政府时期的资料，第四辑 2 册为广州军政府资料，均是按政治、军事、财政、经济、外交等分类，按档案文件的时间顺序编辑，是研究北洋军阀史的基本史料。

　　这里有必要重点介绍章伯锋主编的《北洋军阀（1912—1918）》一书。本书列为中国史学会主编的"中国近代史资料丛刊"第 12 种，全面反映了北洋军阀统治时期的重大历史事件。第 1 卷主要介绍北洋军阀的军事沿革、军队与军费，以及民初政党等，其中有不少是首次刊出的原始资料与稿本。第 2 卷反映袁世凯独裁统治的建立及其败亡。民初一些重大对外交涉事件，如善后大借款、中俄蒙古问题交涉、日本侵略山东、"二十一条"交涉等专题的资料，均选自中国外交文电和日、俄、美等国外交文书。关于洪宪帝制和护国战争，收录了中国社会科学院近代史研究所收藏的袁世凯政府的帝制文电和张国淦存稿，很多资料为他书所未载。第3卷是皖系军阀统治时期的专题资料。本卷从《日本外交文书》、日本外务省档案缩微胶卷及日文资料中，选译了数十万字的资料，涉及日皖勾结、西原借款、中日军事协定、直皖矛盾、南北议和、直皖战争等专题，为研究这一时期的日皖关系，提供了第一手资料。第4卷是曹锟、吴佩孚直系军阀统治时期的专题资料。本卷分列直皖战后的北方政局、直系势力的扩张、奉皖孙（中山）反直三角同盟的形成、两次直奉战争、江浙战争、直系军阀的财政与军费、直系与英美的关系等专题。所收史料包括北京政府文电、未刊稿本；外交文件选译；当事人回忆录；专著及报刊通讯报导等。第5卷是奉系军阀与北洋军阀最后覆灭的专题资料，重点在于1925年以后奉系、直系、国民军各派之间的混战和直奉系及孙传芳五省联军的最后覆灭。这一时期日本的对华侵略、日奉关系、皇姑屯事件、东北易帜等也均列有专题，收录了日本对华政策文件、皇姑屯事件策划者河本大作的回忆录，以及奉系军阀的密电密函。这些资料均有较高的参考价值。第6卷是北洋军阀统治时期大事要录和北洋军政人物简志，所收内容可与前5卷互为补充，其人物简志共收460余人，活跃在民国初年政治舞台上的重要人物多收录在内。

除上述各种"丛刊"、"汇编"外，全国各省市《文史资料选辑》中也有大量北洋军阀史资料，多为当事人、知情人或北洋军政要员的故旧亲友执笔撰写的文章，内容丰富，体裁多样，为研究北洋军阀史提供了一批档案史籍所不载的有用资料，极为珍贵。全国政协编《文史资料选辑》刊出者，内容涵盖袁世凯独裁统治与洪宪帝制、段祺瑞与皖系军阀、吴佩孚和曹锟与直系军阀、张作霖和张学良与奉系、新旧交通系和政学系、民初的国会与政党，以及军政人物生平事迹等等。而各省市县的文史资料则详于本地区大小军阀及重要历史事件、人物的史料发掘、搜集与整理，例如西南军阀的活动，在四川、云南、贵州、广东、广西、湖南等省《文史资料选辑》中，均有大量的刊载。这些材料弥补了档案文献史料之不足，为发掘和保存北洋军阀史、民国史资料，做出了极为可贵的贡献。

中华民国史当然包括"北洋军阀"这一专题，因习惯上一般是将民国初年北洋军阀的统治作为民国史上一个时期单独划开，故而下面所谈民国史料，基本不包括北洋军阀这一内容。有关民国史资料的出版，拟着重介绍"中华民国史资料丛稿"。这套资料由中国社会科学院近代史研究所民国史研究室主编，中华书局出版，包括1911 年至 1949 年大事记；人物传记 23 辑；民国人物传 14 卷；特刊 7 辑，如孙中山年谱、民主党派史料、黄炎培日记、民国会门武装等；专题资料 21 种，如阎锡山与山西省银行、农民银行、张学良与西安事变、九三学社、中国致公党、中国青年党、救国会、胡适任驻美大使往来电稿、长城抗战、台儿庄会战等；翻译外文资料 17 种，其中英文资料有马歇尔出使中国报告书、史迪威资料、民国名人传记词典等，日文资料有"日本战史丛书"，包括河南会战、湖南会战、广西会战、长沙作战、香港作战、缅甸作战、中国事变陆军作战史、中国事变海军作战史、满洲事变作战经过概要、土肥原秘录、东北抗日联军、昭和 20 年(1945)的中国派遣军等。这批资料的出版，对民国史的研究与教学起到了开风气之先的积极作用，受到国内外史学界的普遍关注和重视，在台湾引起的反响尤为强烈。海峡彼岸的同行，对大陆史学界开展民国史的研究感到"震惊"，促使台湾有关部门在最近十几年中出版了一批民国史的资料与论著。大陆学者和出版部门也在这段时间里推出了许多民国史的论著与资料书，对民国史的研究与教学工作起到了有力的推动作用。

2. 近代社会文化变迁史

80 年代的"文化热"最引人注目。对于这一新的领域，收集整理资料是当务之急。虽然哲学史资料、文学史资料、教育史资料、出版史资料、思想史资料，以及近代人物的各种文集、选集、全集等已经出版很多，可供研究者参考和借鉴，但这远远不够。《中国近代思想和文化史集刊》、"中国近代思想文化史资料丛刊"、重版的《中国地方志民俗资料汇编》、《中华民国史档案资料汇编·文化卷》，以及重新影印出版的近代报刊杂志等，大大弥补了资料方面的不足。由刘志琴主编的《近代中国社会文化变迁录》使人耳目一新。这部书以编年为经，以本末为纬，以史实为体，充分利用当时的报刊、档案、文集、外文期刊和译著，以及各类资料汇编，广搜博采，务求翔实可靠，不仅系统地记述了近代中国社会文化变迁的走向，还能起到工具书的检索作用。

3. 近代人物研究

中共十一届三中全会以后，近代人物资料的整理出版工作取得了突出的成绩。

近代人物的文集、全集、选集、日记、传记、年谱和未刊函札，已成为近代史资料的一个重要组成部分。中华书局出版的"中国近代人物文集丛书"、"中国近代人物日记丛书"，江苏古籍出版社出版的"民国名人日记丛书"，以及各地出版社先后出版的曾国藩、左宗棠、李鸿章、薛福成、曾纪泽、康有为、谭嗣同、梁启超、郑观应、唐才常、孙中山、黄兴、宋教仁、廖仲恺、朱执信、蔡元培、王国维、章太炎、柳亚子、秋瑾、熊希龄、蔡锷、翁同龢、郭嵩焘、王文韶、李星沅、王韬、张謇、邵元冲、蒋作宾、吴虞、周佛海、白坚武、袁世凯等人的文集或日记，对深入了解和研究这些重要人物在各个重大历史时期与事件中的活动和思想，提供了系统的资料，拓宽了中国近代史研究的深度与广度。近年来，史学界选择近代人物这一薄弱领域作为主攻方向，取得了丰硕的成果。我们有理由相信，近代人物必将成为21世纪中国近代史学科研究的重点对象。

在近代人物资料的整理出版方面，有关孙中山的资料最多最丰富。其次是黄兴、廖仲恺、朱执信、章太炎、宋教仁、陶成章等人的资料。孙中山先生是中国近代资产阶级革命领袖,是"中国人民伟大的革命儿子"。1949 年以后出版了两种版本的孙中山文集。一种是 1956 年为纪念孙中山诞辰 90 周年出版的《孙中山选集》,一种是 1981 年辛亥革命 70 周年出版的《孙中山全集》。最引人注目的还是《孙中山全集》。这本全集由广东省社会科学院历史研究所、中国社会科学院近代史研究所民国史研究室、中山大学历史系孙中山研究室合编,历经数年时间,才付梓出版。本书广泛搜求资料,比台湾 1973 年出版的《国父全集》多出 100 余万字。有关孙中山思想及活动的资料,还有 3 种出版物应当引起重视。其一,黄彦等人编辑的《孙中山藏档选编(辛亥革命)》,收录翠亨村中山故居藏档508 件,多数是未刊文献,至为珍贵。其二,政协广东省文史资料研究委员会编的《孙中山史料专辑》。其三,政协广东省文史资料研究委员会编的《孙中山与辛亥革命史料专辑》。今人所编《孙中山年谱》有 2 种,一部是由魏宏运编纂,另一部是由广东省社会科学院历史研究所编纂。后者比前者详细具体,也比较准确。画册方面有文物出版社出版的《纪念孙中山》,刊登了 300 多幅反映孙中山生平的照片。此外,中国新闻社编发的《辛亥革命七十周年》和姚迁等编辑的《中山陵》,均是以孙中山为中心的图片集。黄兴是与孙中山齐名的资产阶级民主革命家。他的革命实践及主要思想都反映在他的著述中。由湖南省社会科学院历史研究所编的《黄兴集》,汇集文章、讲演、函电、公牍、诗词等 600 余篇,是比台北出版的《黄克强先生全集》更为完善的一部全集。

　　有关廖仲恺的资料,最早汇编成册的是 1926 年出版的《廖仲恺集》,极不完备。广东省社会科学院历史研究所吸收了前人的成果,并从《星期评论》、上海《民国日报》等杂志史籍中补充了一批材料,编成《廖仲恺集》。后来在再版时又增补了 60 多篇著述,成为一部完备的全集。朱执信是资产阶级民主革命派的著名理论家和活动家。他一生撰写了许多理论文章,阐发孙中山的三民主义。他的论文、短评或函电都汇集在《朱执信集》中，比 1912 年建设社编的《朱执信集》两卷本及 1926 年邵元冲编的《朱执信文钞》的内容要丰富得多。

有关章太炎的资料，有汤志钧编的《章太炎政论选集》和《章太炎年谱长编》。选集收录政治论文、演说以及宣言、电报、书简、诗歌等 257 篇，《年谱长编》则是所见年谱中的出类拔萃之作。

有关宋教仁的资料，有陈旭麓主编的《宋教仁集》。该集是根据《我之历史》、《宋渔父》第 1 集、《宋渔父先生文集》、《渔父先生雄辩集》、《宋渔父初集》、《宋渔父林颂亭书牍》和《二十世纪之支那》、《民报》、《醒狮》、《民立报》、《亚细亚日报》、《民视报》、《临时政府公报》、《政府公报》，以及博物馆图书馆的藏品整理汇编而成的。这里应该说明，由湖南省哲学社会科学研究所古代近代史研究室校注的《宋教仁日记》，与《宋教仁集》下册收录的《我之历史》，内容完全相同，只是篇名翻新而已。

陶成章是光复会的缔造者和领导人之一。过去对他的功过评说极不公允，现在他已成为引人注目的研究对象。由湖南省哲学社会科学研究所编的《陶成章信札》，为弄清楚光复会和同盟会合而又分的内幕，以及陶成章生平事迹，提供了参考价值颇高的第一手资料。其他革命人物的文集，有的已经出版，有的正在编纂之中。刘斯翰注释的《柳亚子诗集》，郑逸梅编的《南社丛谈》，杨天石、刘彦成编的《南社》，蔡元培晚年秘书高叔平编的《蔡元培选集》和《蔡元培年谱》，曾业英编的《蔡松坡集》，中华书局上海编辑所编的《秋瑾集》和《秋瑾史迹》，以及最近汤志钧等合编的《章太炎全集》等，都是研究辛亥风云人物的重要资料。

4. 抗日战争史

抗日战争是 100 多年以来中国人民第一次取得完全胜利的民族革命战争。1945 年抗日战争结束后，一些学者即开始对其历史进行研究，但因诸种原因，未能形成气候。1949 年以后，抗日战争

史的研究也甚为薄弱，当时所能见到的资料，只有翻印延安时期的
"抗战的中国"丛书、《陕甘宁边区参议会文献汇辑》，还有《星火燎
原》一类的回忆录。虽然取得了一定的成绩，但是若与抗日战争在
中国近代历史上和世界反法西斯战争中所占有的特殊重要性相比
较，其所取得的成果是远远不够的。原因固然很多，从资料的角度
来审视，抗日战争资料的搜集和整理、大批外文资料的翻译和利
用、口述资料的抢救等方面，均落后于研究的需要，这是阻碍研究
工作全面、深入开展的重要因素之一。因此，抗日战争史资料的系
统搜集和整理，成为当务之急。

近 20 年来，随着抗日战争史研究热的形成和发展，高质量的
论著大批问世，资料的编纂工作也取得了丰硕的成果。下面将这些
资料出版的情况作一简略的介绍。

有关日本侵华和日军暴行的资料，系统完整的大型资料集有
中央档案馆等编《日本帝国主义侵华档案资料选编》，现已出版《九
一八事变》、《东北大讨伐》、《细菌战和毒气战》、《东北历次大惨
案》、《东北经济掠夺》等卷，以及复旦大学历史系编《日本帝国主义
对外侵略史料选编(1931—1945)》。专题资料集有辽宁省档案馆等
编《九一八事变档案资料精编》、《九一八事变前后的日本与中国
——满铁秘档选编》，南开大学马列教研室编《华北事变资料选
编》，中国第二历史档案馆编《侵华日军南京大屠杀档案》，章伯锋、
庄建平主编《侵华日军暴行实录》和《侵华日军暴行日志》，军事科
学院编《日本侵略军在中国的暴行》，江苏人民出版社和江苏教育
出版社翻译出版的《拉贝日记》、《东史郎日记》等，此外还有中国社
会科学院近代史研究所翻译的《中国事变陆军作战史》，天津市编
译中心摘译的《日本军国主义侵华资料长编》等。

有关国民党战场的资料，中国第二历史档案馆利用馆藏文书
档案，编印了《抗日战争正面战争》上下卷，浙江省中国国民党历史
研究组编印了《抗日战场时期国民党战场史料选编》，全国政协文

史资料委员会编印了"原国民党将领抗日战争亲历记"丛书。此外，各地还出版了地域性专题抗战资料，例如，中共中央党校编《卢沟桥事变和平津抗战》、上海社会科学院历史研究所编《八一三抗日史料选编》，以及四川省政府参事室编《川军抗战亲历记》等。

在 1997 年纪念中国抗日战争爆发 60 周年之际，四川大学出版社出版了由章伯锋、庄建平主编的近千万字的《抗日战争》史料集。这是一部综合性的资料汇编，列为中国史学会主编的"中国近代史资料丛刊"第 13 种。全书涉及抗日战争时期政治、军事、经济、对外关系、日伪政权与沦陷区等方面，所收资料包括文献档案、政府公报、专著、回忆录、各地文史刊物中的"三亲"史料，以及美、英、日、苏、德、法等国的外交文件。全书共分 7 卷，依次为《绪论——九一八至七七》、《抗日战争时期的正面战场和敌后战场》、《抗战时期的国内政治》、《抗战时期中国的对外关系》、《抗战时期国民政府与大后方的经济》、《日伪政权与沦陷区》、《日军暴行日志》。全书具有三个鲜明的特色：第一，全方位展现了抗日战争的历史。近些年来，国内外出版了多种有关抗日战争的资料集，但是在这些资料集中，还没有一部是全面、系统地反映抗日战争的综合性资料集。《抗日战争》以"展现抗日战争是中华民族全民族的抗战，抗战胜利是全中国人民在中国共产党倡导的抗日民族统一战线方针路线指引下浴血奋战取得的伟大民族胜利"为指导思想和编辑原则，从政治、经济、军事、外交、文化等方面，从基本史料的角度，对日本全面武装侵华政策的形成、日本侵华战争的全面展开、日本侵略军在中国大地上的残酷暴行，以及中国人民抗日民族统一战线的形成、中华民族全民族抗战的爆发、抗日战争中敌后战场和正面战场中国军民的重要战斗、抗日战争的伟大胜利等方面，进行了全方位的展现。第二，具有科学性。抗日战争是中国各民族人民共同反抗日本侵略的民族战争，其重点尤在对敌军事方面。在八年抗战中，形成了国民政府领导下的正面战场和中国共产党领导下的敌后战场，两个战场互相支持、互相依存，均为夺取抗日战争的最后胜利做出了巨大的贡献。毛泽东、朱德对两个战场的这种关系曾经做过公正的评价。在本书军事卷选录的200多万字的资料中，编者以较大的篇幅，公正、全面、客观地反映了正面战场的对敌作战和敌后战场的抗日游击战争。关于正面战场，编者广泛收录了国内外业已刊布的档案资料、国民党抗战将领的回忆录、台湾"国防部"史政局编纂的《抗日战史》等。关于敌后战场，编者参考和利用了已出版的50余种各抗日根据地的资料选编、汇编、回忆录、文献档案以及《中共中央文件集》等，对中国共产党领导的敌后抗日根据地的创立、形成与发展，以及敌后战场在抗日战争中所发挥的巨大作用，进行了详尽的介绍。日军方面的材料，则主要选译了日本出版的战史资料、档案、大本营等决策机关的会议记录等原始文件，以及日军将领的日记、回忆录等，对日本在侵华战争之各个阶段的战略决策、战役部署等方面也都作了全面的揭露。这些资料中有很多是首次在国内刊布的，相信会对抗日战争史的研究起到促进作用。编者对新资料的刻意关注和充分选录和选译，更使本书的科学性得到了很好的体现。这一点，在外交卷中表现得尤为突出。抗战期间的中国外交，与此前近100年的屈辱外交相比，已有很大的不同。由于目前国内对抗战时期外交的外文资料翻译出版甚少，因而使战时对外关系史的研究，较其他专题显得薄弱。因此，本卷重点利用外文资料，除选录部分国内已经翻译出版的英、美、德、法等国的外交文件外，又利用中国社会科学院近代史研究所收藏的缩微胶卷和原件复印件，翻译公布了近100万字的英、美等国家档案馆的未刊档案，其中有美国国家档案馆总馆藏《美国参谋长联席会议档案》、《陆军部作战计划处档案》、《二次大战中缅印战场档案》，以及美国罗斯福图书馆藏《地图室档案》、陆军部藏1973年解密文件《延安观察组——迪克西使团》缩微胶卷，还有英国公共档案馆丘园新馆藏《外交部档案》、《首相府档案》、《内阁档案》等，所有这些资料皆系首次在国内翻译公布,对抗战时期中国对外关系史的研究必将起到很大的促进作用。第三,层次分明,重点突出,脉络清晰。翻开本书,即便是对抗日战争无所研究的人,也能对中华民族这一段悲壮历史有一全面的了解。此外,本书还有很多可取之处,诸如所录资料出处的详细注明、每卷资料的前言综述、每一组专题资料的编者说明、易见资料的存目备查、"三亲"史实的合理利用、参考文献的开列等,都显示出编者严谨认真的治学态度和精雕细刻的编辑技能。

　　有关共产党领导的军队和敌后抗战的史料,常为研究者引用的综合性史料集是中国人民解放军资料丛书和抗日根据地战史以及经济史资料,例如由军队系统编纂的《八路军》、《新四军》资料丛书;地方中共党史研究机构与档案馆、科研院所合作编辑出版的陕甘宁、晋察冀、冀热辽、冀鲁豫、鄂豫边区、豫皖苏、华中,以及苏北、苏中、皖江、淮南、山东等抗日根据地的资料选编和财政经济史资料选编。此外,各地编辑当地的抗日战争史料极多,如东北地区档案馆等编《东北抗日联军史料》、中共北京市委党史研究委员会编《北京地区抗战史料》、广东省党史研究会编《琼崖抗日斗争史料选编》和《广东华侨港澳同胞回乡服务团史料》等等,均具有较高的史料价值。

　　有关日伪政权与沦陷区资料。抗日战争时期,日本侵略者先后扶植成立了伪满洲国、伪蒙古联合自治政府、伪北平临时政府、伪南京维新政府,供其驱使。关于伪满洲国和汪伪南京政府,已经出版了孙邦主编的"伪满史料丛书"和余子道、黄美真主编的"汪伪政权史资料选编"等系统资料丛书或专题资料多种。

　　有关抗日民族统一战线的资料。已出版的有中共中央统战部、中央档案馆编《中共中央抗日民族统一战线文件》,重庆市政协文史资料委员会编《抗战时期国共合作纪实》,以及西安事变、皖南事变等多种专题史料。这些资料选自档案文献或回忆录,均有较高的史料价值。

近年来，随着抗日战争研究领域的拓展，有关日本掠夺劳工、日本对中国经济的掠夺和统制、日本强征中国妇女充当慰安妇，以及日本实施鸦片毒害政策等战争遗留问题的多种专题资料也已出版，用铁铸的事实，更加充分地揭露了日本在华的侵略罪行。

以上所述，只是1949年以来的50年间，中国近代史资料出版的简略概况。总而言之，新中国成立后，史学界注重中国近代史资料的发掘、考证与整理出版工作，成绩是巨大的，有力地推动了近代史研究与教学工作的发展。特别是中共十一届三中全会以后，史料出版工作出现了前所未有的繁荣景象。然而也应该看到，近代中国的历史是丰富多彩的历史，如果全面审视现已出版的资料，不难发现仍不能完全反映近代中国社会的全貌，某些重要专题的史料发掘和编纂工作仍有待加强，例如近代文化、近代伦理、近代科技、近代灾荒、近代禁烟禁毒、近代社会生活、近代货币、近代思潮、近代学术、近代秘密会社和会党、近代农村、近代城市、近代法制等等专题。只有充分发掘和掌握史料，对中国近代史的各个侧面进行深入研究，而不是偏重于某几个方面，才能使我们的视野更加开阔，成果更加丰富多样，才能彻底改变已往出版的数百种中国近代通史读本缺乏个性、形同一个模子里刻出来的样板的通病。

海外中国近代史研究著作译介

　　自海通以还，新学渐兴，域外学术书籍译介遂成近代中国"输入学理，再造文明"（胡适语）之重要途径；而对外国学者中国史研究著述的译介，不仅有益于学术的繁荣发展，更有助于我们在一定程度上克服因"身在此山"而形成的某些局限。但国外中国史研究林林总总，洋洋大观，几十年来（特别是近 20 年）对其译介虽多，终也只能是"取一瓢饮"，因此这种译介的态度和选择标准本身小而言之实际又是学术变迁的反映，大而言之甚至可说是时代、社会变化的一种折射，成为值得研究的对象。本章不拟对 50 年来海外中国近代史研究著作译介的丰硕成果作全面研究述论，更非具体的书评书介，仅想对这种译介在不同时期的主要特点、对国内中国近代史研究的主要影响和意义等试作初步研究概述。

（一）"立足于批"

　　1949 年中华人民共和国的成立并不仅仅是一种政权的更迭，而是从经济基础、社会结构到上层建筑深刻而全面的巨变，马克思列宁主义上升为国家意识形态。马克思主义认为，经济基础决定上层建筑，但上层建筑反过来又会影响经济基础，因此一种全面的社会变动要求一种全新的意识形态与之相应。学术属上层建筑，所以对旧有的学术进行"改造"就势所必至了。由于对中国近代历史的认识与中国革命关系重大，所以中国近代史研究中的马克思主义学派在中国共产党夺取政权的革命战争年代就已相对成熟，但在原先的高等院校的知识分子中，这一时期占统治地位的一直是种种非马克思主义学派。这样，以前者改造后者，对资产阶级学术思想进行批判，自然成为这一领域的中心任务，对海外中国近代史研究著作的译介，自然也不可能离开这一中心任务。

对此意图，当时出版的所有海外中国近代史研究著作译介几乎都有明确的说明。《中华帝国对外关系史》的中译本序言谈到之所以翻译此书一是因为该书的资料"有不小的利用价值"，但"更重要的一个理由"是因为它"一向被中外资产阶级学者奉为圭臬之作"，现在"不要忘记这些谬论在很长的一个时期中，曾经严重地毒害了中国的思想界。应该说在殖民主义理论的作品中，这部书是占着非常重要的地位的，因而也就是反对殖民主义者所应该注意阅读的东西"。① 丹涅特的《美国人在东亚》（商务印书馆 1959 年版）、莱特的《中国关税沿革史》（商务印书馆 1958 年版）、约瑟夫的《列强对华外交》（商务印书馆 1959 年版）、威罗贝的《外人在华特权和利益》（生活·读书·新知三联书店 1957 年版）、伯尔考维茨的《中国通与英国外交部》（商务印书馆 1960 年版）的译者前言或后记，都毫无例外地郑重声明了这一点。

在当时百废俱兴的历史条件下，就数量而言，翻译出版的海外中国近代史研究著作并不算多。但从学术研究的角度看，50 年代组织选译的绝大多数著作的确代表了国外有关学术研究的一流水

---

① 邵循正："中译本序言"，〔美〕马士著、张汇文等译：《中华帝国对外关系史》第 1 卷，生活·读书·新知三联书店 1957 年版，第 1—2 页。该书第 2 卷、第 3 卷均为张汇文等译，分别由生活·读书·新知三联书店 1958 年、商务印书馆 1960 年出版。

平,选书之精当与译品质量之高至今仍令人钦佩,此皆说明选译者眼光的不凡、学识的深厚与态度的严肃认真。例如,直到现在《中华帝国对外关系史》仍是被国内中外关系研究者引征最频的著作之一,《外人在华特权和利益》一书在整体上仍未被超越,等等。更有意义的是,当时代环境发生变化后,这些译著的学术性便立即显示出来,为一些相关学科在新时期的迅速发展打下一定基础。

更值得注意的是,50 年代初期对苏联"一边倒",各学科都在自身建设方面竞相翻译出版"苏联老大哥"的有关著作作为"教科书",并奉为"典范"时,有关中国近代史研究的著作却翻译出版极少,更无被视为"典范"之作者。这也从一个方面说明在中国近代史学科中中国的马克思列宁主义学派当时即已相对成熟,已基本形成了自己的理论体系、框架和方法,无需像其他不少学科那样匆忙照搬苏联的"教科书"。

随着国内政治形势的变化和发展,"阶级斗争"愈演愈烈,对外国资产阶级学者的分析、批判言辞也日趋激烈,这种译介更明确被提到"了解敌情"、"兴无灭资"、"反帝反修"的高度。《外国资产阶级是怎样看待中国历史的——资本主义国家反动学者研究中国近代历史的论著选译》第 1、2 卷(商务印书馆 1961 年版)和《外国资产阶级对于中国现代史的看法》(商务印书馆 1963 年版)近 120 万字,选译了从 19 世纪末叶以来,尤其是近几十年来仍有影响的英、美、法、德、日等国数十位资产阶级学者对中国近代社会性质、近代经济及文化问题、中外关系、农民战争、边疆危机、中国革命、国共斗争等各方面有代表性的论述。在长达万言的序言中,选编者对近百年来外国资产阶级学者的中国研究状况进行了高度的概括,对各种观点进行了严厉的政治批判,并进一步申明了编译的目的:"我们选译这些资料,即是为了了解敌情和提供反面教材进行兴无灭资的斗争。我们从这些资料里可以进一步认清学术思想领域内,外国资产阶级学者的真面目,认识帝国主义通过文化侵略毒化中国人民的罪恶活动,借以激发我们民族自尊心和爱国主义思想,积极参加反对帝国主义和现代修正主义的斗争,并且从斗争中清除资产阶级历史学在中国史学界的流毒和影响,壮大历史科学队伍,团结一切爱国的历史科学工作者,共同建设社会主义和共产主义的新文化。"①

　　十年"文革"特别是它的中后期,有关俄苏研究中国近代史的著作在一片荒芜的学术园地中突然"一花独放",翻译出版了一大批。这种"一花独放",完全是由于"反修"斗争和中苏边境冲突的需要。齐赫文斯基主编的《中国近代史》的中译本出版说明写道,"本书炮制者以极其卑劣无耻的手法,全面、系统地伪造近代中国历史","恶毒诽谤攻击中国人民的伟大革命斗争和中国共产党的马列主义正确路线"。这篇不到 5000 字的"说明"充满了"恬不知耻"、"疯狂攻击"、"秉承其主子的意旨"这样一些几近谩骂的文字,并认定这部书的目的是"妄图否定毛主席关于中国近代史的一系列科学论断,否定毛主席为中国革命制定的马列主义正确路线","变中国为苏修社会帝国主义的殖民地"。② 当时的"时代精神"可说尽在其中。而有关中俄边境著述的译介更多,由于这些译著以资料、回忆录为主,恕不细述。但是这些翻译为后来的中俄关系史研究打下了较为深厚的基础。

　　另外值得一提的是,由于中美关系在 1971 年开始解冻,费正清的名著《美国与中国》也在"供有关部门研究中美关系时批判和参考之用"的名义下,由商务印书馆组织翻译出版。

---

① 中国科学院近代史研究所资料编译组编译:《外国资产阶级是怎样看待中国历史的——资本主义国家反动学者研究中国近代历史的论著选译》第 1 卷,商务印书馆 1961 年版,第 10—14 页。

② 〔苏〕齐赫文斯基主编,北京师范大学历史系、北京大学历史系、北京大学俄语系翻译小组译:《中国近代史》上、下册,生活·读书·新知三联书店 1974 年版,第 1—6 页。

（二）百花齐放

"文革"结束后，随着改革开放的新时期的开始，沉寂已久的学术开始复苏，由于较长时期的自我封闭，学界对国外学术研究的了解尤其必要、急迫。这种形势，为海外中国近代史研究译介的繁荣发展提供了客观条件，而开风气之先且成效最著的则为中国社会科学院近代史研究所在国门初启的 1980 年创办的不定期刊物《国外中国近代史研究》。

该刊编者在创刊号中明确表示，其"目的在于及时介绍外国研究中国近代史的情况，了解外国研究中国近代史的动态，沟通中外学术交流"，承认"近年来，在中国近代史这个学术领域内，国外的研究工作发展较快"，"一些我们还未涉及的问题，国外也有了较深入的研究；国外还不时对我国近代史研究上的某些观点提出不同意见，进行商榷或争论。凡此种种，都需要我们及时了解，以改变闭目塞听的状况，活跃学术空气，促进研究工作的发展"。"所收文章，主要看其是否有新观点、新资料，或新进展，至于内容与观点正确与否，则不一定要求"。[①] 从"了解敌情"、"反面教材"到"沟通中外学术交流"、彼此平等地"进行商榷或争论"，承认自己多有不足、曾经"闭目塞听"，这种转变是巨大的、根本性的。这篇"编者的话"虽只短短 400 多字，却从一个侧面反映出新时代的新精神，亦说明所谓"新时期"确非虚言泛论，而是实实在在地发生了方方面面巨大的新变化。后人或许很难想象，这种平实如常的语言所说的本是最平常不过的道理，然而实际却是那样地"不平常"，因为它是那样地来之不易。这种态度，可说是新时期译介的代表。从 1980 年创刊到 1995 年终刊，《国外中国近代史研究》15 年来共出版 27 辑，发

---

① "编者的话"，《国外中国近代史研究》第 1 辑，中国社会科学出版社 1980 年版。

表了 400 余篇、近 800 万字的译作。其中有国外学术期刊的论文翻译，也有著作摘译，文种涉及英、日、俄、法、德等诸多语种，以较快的速度、较为全面地向国内学术界介绍了外部世界的有关信息，对学术研究起了重要作用。对学术发展如此重要的刊物却因种种原因不得不于几年前停刊，学界至今仍咸为惋惜。另外，由中共中央党史研究室主办的《国外中共党史研究动态》从 1990 年创刊到 1996 年停刊，共出刊 42 期，也曾是了解国外有关学术发展的一个重要窗口。

在最近 20 年中，有关译介越来越多，越来越快，其中影响较大的译丛有：

中国社会科学出版社从 1987 年起出版"中国近代史研究译丛"，陆续出版的有美国学者魏斐德的《大门口的陌生人——1839—1861 年间华南的社会动乱》、孔飞力的《中华帝国晚期的叛乱及其敌人——1796—1864 年的军事化与社会结构》、费维恺的《中国早期工业化——盛宣怀(1844—1916)和官督商办企业》、陈锦江的《清末现代企业与官商关系》、施坚雅的《中国农村的市场和社会结构》、英国学者杨国伦的《英国对华政策(1895—1902)》、日本学者滨下武志的《近代中国的国际契机——朝贡贸易体系与近代亚洲经济圈》。

江苏人民出版社从 1988 年起陆续出版的"海外中国研究丛书"中与近代中国有关的译著有美国学者费正清、赖肖尔的《中国：传统与变革》、罗兹曼主编的《中国的现代化》、格里德的《胡适与中国的文艺复兴——中国革命中的自由主义(1917—1950)》、郭颖颐的《中国现代思潮中的唯科学主义(1900—1950)》、史华兹的《寻求富强：严复与西方》、柯文的《在传统与现代性之间：王韬与晚清改革》、墨子刻的《摆脱困境——新儒学与中国政治文化的演进》、周锡瑞的《义和团运动的起源》、杜赞奇的《文化、权力与国家——1900—1942 年的华北农村》、艾恺的《最后的儒家——梁漱溟与中国现代化的两难》、张灏的《梁启超与中国思想的过渡（1890—1907）》、任达的《新政革命与日本——中国，1898—1912》、周策纵的《五四运动：现代中国的思想革命》、萧公权的《近代中国与新世界：康有为变法与大同思想研究》。

山西人民出版社 1989 年出版的"五四与现代中国"丛书收有译著《五四：文化的阐释与评价——西方学者论五四》、美国学者施瓦支（舒衡哲）的《中国的启蒙运动——知识分子与五四遗产》、张灏的《危机中的中国知识分子》、纪文勋的《现代中国的思想遗产——民主主义与权威主义》、日本学者近藤邦康的《救亡与传统》。

其他译著更是难以胜数，对不同专业领域都有相当的影响。

通论性著作主要有费正清编《剑桥中国晚清史》上下卷（中国社会科学出版社 1985 年版）、《剑桥中华民国史》上下卷（中国社会科学出版社 1994 年版），另外费氏的《美国与中国》不断重印，《费正清集》（天津人民出版社 1992 年版）、《伟大的中国革命（1800—1985）》（国际文化出版公司 1989 年版）、《费正清自传》（天津人民出版社 1994 年版）和《费正清看中国》（上海人民出版社 1995 年版）等都翻译出版。还有美国学者石约翰的《中国革命的历史透视》（东方出版中心 1998 年版）、史景迁的《天安门：知识分子与中国革命》（中央编译出版社 1998 年版）、柯文的《在中国发现历史——中国中心观在美国的兴起》（中华书局 1989 年版），以及日本学者沟口雄三的《日本人视野中的中国学》（中国人民大学出版社 1996 年版）等。

经济史方面主要有美国学者郝延平的《中国近代商业革命》（上海人民出版社 1991 年版）、《十九世纪的中国买办——东西间桥梁》（上海社会科学院出版社 1988 年版），刘广京的《英美航运势力在华的竞争（1862—1874）》（上海社会科学院出版社 1988 年版），日本学者中村哲的《近代东亚经济的发展和世界市场》（商务印书馆 1994 年版），美国学者珀金斯的《中国农业的发展——1368

—1968》(上海译文出版社 1984 年版),黄宗智的《华北的小农经济与社会变迁》(中华书局 1986 年版)、《长江三角洲小农家庭与乡村发展》(中华书局 1992 年版)、《中国农村的过密化与现代化》(上海社会科学院出版社 1992 年版),杨格的《近百年来上海政治经济史(1842—1937)》,法国学者白吉尔的《中国资产阶级的黄金时代(1911—1937)》(上海人民出版社 1994 年版)等。

　　政治、军事、社会史方面的译著主要有美国学者周锡瑞的《改良与革命——辛亥革命在两湖》(中华书局 1982 年版)、易劳逸的《蒋介石与蒋经国》(中国青年出版社 1989 年版)、胡素珊的《中国的内战》(中国青年出版社 1997 年版)、齐锡生的《中国的军阀政治(1916—1928)》(中国人民大学出版社 1991 年版)、小科布尔的《江浙财阀与国民政府(1927—1937)》(南开大学出版社 1987 年版)、鲍威尔的《中国军事力量的兴起(1895—1912)》(中国社会科学出版社 1979 年版)、施坚雅的《中国封建社会晚期城市研究》(吉林教育出版社 1991 年版),英国学者贝思飞的《民国时期的土匪》(中国青年出版社 1992 年版),加拿大学者陈志让的《军绅政权——近代中国的军阀时期》(生活·读书·新知三联书店 1980 年版),苏联学者卡尔图诺娃的《加伦在中国,1924—1927》(中国社会科学出版社 1983 年版)、切列潘诺夫的《中国国民革命军的北伐》(中国社会科学出版社 1981 年版)、贾比才等的《中国革命与苏联顾问》(中国社会科学出版社 1981 年版)、论文集《共产国际与中国革命——苏联学者论文选译》(四川人民出版社 1987 年版)等。

　　有关中外关系史的译著主要有英国学者季南的《英国对华外交(1880—1885)》(商务印书馆 1984 年版),美国学者李约翰的《清帝逊位与列强(1908—1912)》(中华书局 1982 年版)、威维尔的《美国与中国:财政和外交研究(1906—1913)》(社会科学文献出版社 1990 年版)、柯里的《伍德罗·威尔逊与远东政策(1913—1921)》(社会科学文献出版社 1994 年版)、塔奇曼的《史迪威与美国在华

经验(1911—1945)》(商务印书馆 1985 年版)、菲斯的《中国的纠葛
——从珍珠港事变到马歇尔使华美国在中国的努力》(北京大学出
版社 1989 年版)、科尔的《炮舰与海军陆战队——美国海军在中国
(1925—1928)》(重庆出版社 1986 年版)、沙勒的《美国十字军在中
国(1938—1945 年)》(商务印书馆 1982 年版)、柯伟林的《蒋介石
政府与纳粹德国》(中国青年出版社 1994 年版)、包瑞德的《美军观
察组在延安》(解放军出版社 1984 年版)、凯恩的《美国政治中的
"院外援华集团"》(商务印书馆 1984 年版)、孔华润的《美国对中国
的反应:中美关系的历史剖析》(复旦大学出版社 1989 年版)、谢伟
思的《美国对华政策:1944—1945〈美亚文件〉和美中关系史中的若
干问题》(中国社会科学出版社 1989 年版),日本学者藤村道生的
《日清战争》(上海译文出版社 1981 年版),苏联学者鲍里索夫等的
《苏中关系》(生活·读书·新知三联书店 1982 年版)等。

　　思想文化史方面的译著主要有美国学者伯纳尔的《一九○七
年以前中国的社会主义思潮》(福建人民出版社 1985 年版)、林毓
生的《中国意识的危机——"五四"时期激烈的反传统主义》(贵州
人民出版社 1988 年版)、卢茨的《中国教会大学史》(浙江教育出版
社 1988 年版),日本学者实藤惠秀的《中国人留学日本史》(生活·
读书·新知三联书店 1983 年版),法国学者卫青心的《法国对华传
教政策——清末五口通商和传教自由(1842—1856)》(中国社会科
学出版社 1991 年版)等。

　　人物研究方面的译著主要有美国学者德雷克的《徐继畬及其
〈瀛寰志略〉》(文津出版社 1990 年版)、史扶邻的《孙中山与中国革
命的起源》(中国社会科学出版社 1980 年版)、薛君度的《黄兴与中
国革命》(湖南人民出版社 1980 年版)、麦柯马克的《张作霖在东
北》(吉林文史出版社 1988 年版)、日本学者松本一男的《张学良》
(中国青年出版社 1994 年版),苏联学者普里马科夫的《冯玉祥与
国民军》(中国社会科学出版社 1982 年版),英国学者施拉姆的《毛

泽东》(红旗出版社 1987 年版),美国学者特里尔的《毛泽东传》(河北人民出版社 1989 年版)、迈斯纳的《李大钊与中国马克思主义的起源》(中共党史资料出版社 1989 年版)、周明之的《胡适与中国现代知识分子的选择》(四川人民出版社 1991 年版)、弗思的《丁文江——科学与中国新文化》(湖南科学技术出版社 1987 年版)等。

　　以上仅是一个极为粗略的鸟瞰,但从中却足可看出海外中国近代史研究著作的译介在这 20 年中的繁荣盛况,确实起到了"改变闭目塞听的状况"、"沟通中外学术交流"的作用,对这期间中国近代史学界学术的活跃和发展起了不能忽视的推动作用。

(三)译介与学术发展

　　这期间的海外中国近代史研究著作译介对国内有关研究的影响、促进是多方面的。当然,学术的变化、各种新观点的产生总体而言自有更为深刻的社会与学术自身的背景和原因,这种译介只是其中因素之一。但由于本章的任务只是分析这种译介的作用,不必对其他背景与原因作深入探讨与详细论述,故祈读者勿因此而以为笔者认为新时期的种种新观点完全是这种译介外在作用的结果;同样,对各种新观点本身的具体分析、深入研究和评判也不是本章的任务,故本章亦仅限于客观论述译介对各种新观点的影响和作用。大体而言,这种影响有以下几个方面。

　　新时期中国近代史研究中一个引人注目、也引起激烈争论的观点是从现代化(本章中"现代化"与"近代化"二词意义相同,根据行文需要选择使用)的角度,而不仅仅或主要不是从阶级斗争、民族斗争的角度来看待中国近代史。"海外中国研究"丛书的总序明确表示:"故步自封,不跳出自家的文化圈子,透过强烈的反差去思量自身,中华文明将难以找到进入其现代形态的入口。""收入本丛书的译著,大多从各自的不同角度、不同领域接触到中国现代化的问题。"在很长的一个时期内,以费正清为代表的"西方冲击—中国反应"模式是西方中国近代史研究中占主导地位的学派。这一模式认为"传统"与"现代"互相对立,中国近代的历史尤其是现代化史的动力完全来自外部的刺激和挑战,因此"19世纪之前使得中国如此伟大的东西,恰恰被证明也就是后来严重地阻碍着中国实现现代化转换的东西","中国作为'中央之国',其自我独立的政治和文化运转体系,以长期未受到外来挑战而闻名于世"。但也因此"直到现代挑战不可避免地降落到它的大门口之时,都未能领悟到这种挑战的性质",因而错过了现代化的时机。[①] 新观点也正是从这一角度出发,从中国近代自身的政治、经济、文化等方面探讨现代化受挫的原因,同时对西方的侵略带来的不同(广义的)文化的"碰撞"以及这种"碰撞"引起的中国社会的变化等作了不同以往的结论。在现代化理论框架中,洋务运动自然成为"中国早期工业化"的一个重要阶段,而兴办洋务的最初动机则无足轻重,也因此才会在80年代形成洋务运动研究热。同样,一些研究者对民国时期尤其是抗战前的经济状况也作了更为客观的研究。

　　近代中国的"市民社会"、国家与社会的关系、公共领域等是近些年美国学界的一个研究热点,并有激烈的争论,而近年中国的有关研究,如对晚清商会、自治社团或组织、地方精英、公共机构等方面的研究成果甚丰,明显受此影响与启发。甚至对近代中国"市民社会"这种观念提出质疑、反对意见的,其基本"理论资源"也还是来自美国学界的不同观点,亦见其影响之深。

　　由于主要地不是从阶级斗争或民族斗争而是从中西文化冲突、互补(在近代中国实际几乎是西方文化向中国文化的单向流动)的角度出发,不少研究者更侧重于买办、租界在东西方文化交

①　〔美〕罗兹曼主编、国家社会科学基金"比较现代化"课题组译:《中国的现代化》,江苏人民出版社1988年版,第669页。

流中的作用与意义。同样,传教士、教会学校在中国现代化过程中所起的积极作用,主要是传播近代科学文化知识,近年也得到更多的强调与重视。文化与社会的关系或曰文化背后的社会意义,是近些年来在西方兴起的一种新的学术观点、方法和思潮,《义和团运动的起源》和《文化、权力与国家——1900—1942 年的华北农村》便是这种新范式在中国近代史研究领域的代表作。前者对 19 世纪山东省的社会、经济结构作了区域性分析,尤其是用文化人类学的方法对鲁西北地区的民间文化,如社戏、话本、宗教、庙会、集市、尚武传统、中西文化冲突的历史等都作了细致的研究。在此基础上,作者认为义和团运动的爆发是鲁西北的社会经济结构与文化传统之间由多种原因"互动"的结果。后者力图打通历史学与社会学的间隔,从大众文化的角度,提出了"权力的文化网络"等新概念,以华北农村为例,详细论证了国家权力是如何通过种种渠道,诸如商业团体、庙会组织、宗教、神话等深入社会底层的,如龙王庙的实际意义是掌管水资源的分配,乡绅关注关帝庙是将其既作为国家的守护神又作为地方的保护者。这两本书对近年来国内的有关研究产生了明显的影响,如传统文化与义和团的关系,庙会的社会文化意义、功能都受到研究者的重视。

在中外关系史研究中,一些研究者认为中国被纳入近代国际体系的过程当然是国家主权受侵犯的过程,是被殖民的过程,但同时也是近代中国"睁眼看世界"、破除"华夏中心"的过程,是外交近代化,即近代外交观念、制度产生和发展的过程。几十年前的"侵华史"已渐为现在更加中性的"中外关系史"所取代,虽只一名之兴替,却也可略窥学术之变化,表明研究的"理论预设"今昔已有所不同。

在思想史研究方面,以前未获研究的"唯科学主义"开始被研究者注意,对自由主义及其代表人物的研究更加客观,已从政治批判转入学术研究,这反映出译介的影响。《中国的启蒙运动——知识分子与五四遗产》一书中对"启蒙"与"救亡"关系的探讨,使中国思想、学术界深受启发。从 70 年代后期起,美国的中国史研究中"传统"与"现代"互相对立的模式渐为新的现代化理论所取代,即"现代"从"传统"中发展而来,应更加注重承继、利用种种传统资源。《中国意识的危机——"五四"时期激烈的反传统主义》一书更侧重对近代中国,尤其是"五四"时期"激烈"、"全面"反传统思想的负面作用进行分析,在 80 年代中后期"文化热"、"激烈反传统"思潮再度产生的背景下,该书的翻译出版确引人注目,作者可能也未想到,该书实际为 90 年代因种种原因而异军突起的文化保守主义作了重要的理论铺垫。

在人物研究方面,《孙中山与中国革命的起源》将孙中山个人与社会环境紧密结合起来考察,突破了以往人们讥称的"孙中心"框框。《黄兴与中国革命》一书对以往注意不够的黄兴与辛亥革命的关系作了细致的研究,引起了有益的探讨,促进了有关研究的深化。而且,以上两书均在国门初启时翻译出版,当时也更引人注目。《李大钊与中国马克思主义的起源》一书对李大钊思想与民粹主义的关系作了深刻的研究和分析,启发了关于民粹主义对中共其他领导人思想影响的研究,这种研究直到现在仍引起热烈的争论。相对于国内的人物研究以前主要集中于政治人物,国外对文化人物的研究一直比较重视,如对梁漱溟、丁文江、钱穆、洪业等都有研究专著,这些专著的译介对国内有关研究有着明显的推动作用。

简言之,50 年来海外中国近代史研究著作的译介与中华人民共和国的历史一样走过了曲折发展的过程,现在确可说是百花齐放。但在这种繁荣之下却仍有不能忽视的隐忧,即译作的质量有每况愈下之势,一些错译、误译反而起了学术的"误导"作用,倘长此以往,会使人对所有译介的准确性都产生怀疑,终将使这种学术发

展必不可少的译介本身受到严重损害。提高译作质量，是译介者的
当务之急。当然，每个研究者都必须面对的挑战是，在如此多样化
的译作面前如何能真正撷其精华而不是食洋不化，机械照搬。而
这，却是更加艰难，也更加重要的。

作者简介

张海鹏,1939 年生,湖北省汉川县人。1964 年毕业于武汉大学历史学系。现任中国社会科学院近代史研究所研究员、所长。“文革”结束后,协助并参与刘大年所长主持的《中国近代史稿》编撰工作。主持编辑了《武昌起义档案资料选编》、《中国近代史稿地图集》、《简明中国近代史图集》、《中国近代史》,著有《追求集——近代中国历史进程的探索》。并任中国社会科学院中日历史研究中心副主任、中国史学会副会长、中国抗日战争史学会副会长、中国孙中山研究会副会长、中国义和团研究会副会长、全国台湾研究会常务理事、北京市史学会常务理事,兼任《近代史研究》杂志社社长、《抗日战争研究》杂志主编。

姜涛,1949 年生,江苏省滨海市人。1981 年毕业于南京大学历史系,获历史学硕士学位;1989 年毕业于中国社会科学院研究生院近代史系,获历史学博士学位。现任中国社会科学院近代史研究所研究员、近代政治史研究室主任。研究方向为中国近代政治史、中国近代人口史。著有《人口与历史:中国传统人口结构研究》、《中国近代人口史》,参与撰写的专著有《中国近代史》(张海鹏主编)、《中国复兴枢纽——抗日战争的八年》(刘大年主编)、《清代全史》第 7 卷(龙盛运主编)等。

汪朝光,1958 年生,江苏省南京市人。1982 年毕业于南京大学历史系,1984 年毕业于中国社会科学院研究生院近代史系。现任中国社会科学院近代史研究所研究员、民国史研究室主任。研究方向为民国史。著有《中华民国史》第 3 编第 5 卷(从抗战胜利到内战爆发前后)、《和谈将军张治中》、《铁军名将陈铭枢》(合著)。

虞和平,1948 年生,浙江省宁波市人。1976 年毕业于北京大学历史系;1988 年毕业于华中师范大学历史研究所,获历史学博士学位。现任中国社会科学院近代史研究所研究员、中青年有突出贡献专家、史学片正高级专业技术职务评审委员会委员、近代史研究所副所长兼经济史研究室主任、中国经济史学会理事、中国史学会《中国历史学年鉴》编委会委员(主管中国近现代史)、"国外中国近代史研究译丛"副主编。主要研究方向为中国近现代社会经济史和中国现代化问题。著有《商会与中国早期现代化》、《比较中的审视:中国早期现代化研究》(合著)、《近代中国商人》,发表论文约 50篇。

茅海建,1954 年生,上海市人。就读于中山大学、华东师范大学,历史学硕士。现为北京大学历史系教授。著有《天朝的崩溃——鸦片战争再研究》、《苦命天子——咸丰帝奕詝》、《近代的尺度——两次鸦片战争的军事与外交》等。

刘统,1951 年生,北京市人。就读于山东大学、复旦大学。现为军事科学院军事百科研究部研究员。著有《东北解放战争纪实》、《华东解放战争纪实》、《唐代羁縻府州研究》等。

龚书铎,1929 年 3 月生,福建省泉州市人。1952 年毕业于北京师范大学历史系,留校任教。现任北京师范大学历史系教授、史学研究所所长。主要研究中国近代史、近代思想文化史。著有《中国近代文化探索》、《近代中国与文化抉择》等。

董贵成,1962 年生,山西省宁武县人。1993 年毕业于河北师范学院历史系,获硕士学位。现为北京师范大学历史系博士生、副教授。主要研究中国近代思想文化史。

刘志琴,1935 年生,江苏省镇江市人。1960 年毕业于复旦大学历史系。现为中国社会科学院近代史研究所研究员。主要研究领域为明史、文化史。著有《中国文化史概论》、《晚明文化与市场》、《礼俗文化研究》等,主编《近代中国社会文化变迁录》以及"中华智慧集粹"、"都市潮"、"百年变迁"等丛书。

胡逢祥,1951 年生,浙江省诸暨市人。1981 年毕业于华东师范大学历史系,获硕士学位。现为华东师范大学中国史学研究所副教授。研究领域为中国近代史学史。与人合著《中国近代史学思潮与流派》和《中国近代史学家》,另有论文数十篇。

王炳照,1934 年生,河北省景县人。1955 年考入北京俄语学院,1957 年转入北京师范大学教育系,1961 年进中国教育史研究班。毕业后留校任教。现任北京师范大学教育与心理科学学院院长、教授。研究方向为中国教育史。主要著作是与阎国华教授联合主编的《中国教育思想通史》。

王建朗,1956 年生,江苏省姜埝市人。1983 年毕业于复旦大学历史系,1991 年在中国社会科学院研究生院获历史学博士学位。现为中国社会科学院近代史研究所副研究员、近代中外关系史研究室主任。主要从事近代中外关系史的研究。著有《抗战初期的远东国际关系》、《抗日战争时期中国对外关系》(合著),发表论文十余篇。

郦永庆,1951 年生,浙江省绍兴市人。1982 年毕业于黑龙江省社会科学院研究生部,获历史学硕士学位。曾在中国第一历史档案馆从事历史档案的编研工作。现为中国社会科学院近代史研究所副研究员。主要研究鸦片战争史、中俄中苏关系史。整理编辑出版

《鸦片战争档案史料》等。发表论文 20 余篇。

蔡少卿，1933 年生，江苏省张家港市人。北京大学历史系研究生毕业。现为南京大学历史系教授、中国社会史学会顾问、中国会党史研究会会长。研究领域为中国近现代史、秘密社会史。著有《中国近代会党史研究》、《中国秘密社会》等，发表论文 100 余篇。

李良玉，1951 年生，江苏省海安县人，历史学博士，南京大学历史系教授。主要研究中国近现代思想史、社会史、中华民国史。著有《动荡时代的知识分子》、《新编中国通史》（民国卷）等，发表论文 50 余篇。

何一民，1953 年生，四川省成都市人。1985 年四川大学历史系硕士研究生毕业。现为四川大学历史系教授，兼四川大学城市研究所所长。主要研究方向为近现代中国城市的发展研究。著有《中国城市史纲》、《近代中国不同类型城市综合研究》（合者）、《人民共有的遗产——中日历史文化名城的保护与发展》。

刘晶芳，1950 年生，吉林省长春市人。1975 年毕业于吉林大学历史系。1986 年在中共中央党校获法学硕士学位。现任中共中央党校党史教研部教授、教研室主任。主要从事中共党史、中国工人运动史的教学和研究。著有《中国工人运动史》第 4 卷（主要撰稿人）、《土地革命战争时期的白区赤色工会》、《党对新民主主义革命道路的曲折探索》等，发表文章 30 篇。

郑永福，1944 年生，北京市人。1968 年毕业于北京师范大学历史系；1982 年毕业于河南大学历史系，获硕士学位。现任郑州大学文博学院历史系教授、辛亥革命研究会常务理事、河南省宗教文化研究会副会长。

吕美颐,1944年生,江苏省淮安市人。1968年毕业于北京师范大学历史系。现任郑州大学文博学院历史系教授、中国妇女理论研究会理事。

郑永福、吕美颐多年来合作从事中国近代妇女史研究,发表论文数十篇,著有《中国妇女运动(1840—1921)》、《近代中国妇女生活》、《走出中世纪——中国近代妇女生活的变迁》等。

李玉琦,1948年生,黑龙江省哈尔滨市人。1982年毕业于哈尔滨师范大学历史系。现任中国青少年研究中心副研究员、科研部主任。著有《中国青年运动主题曲——20世纪中国共青团的历程》,主编《中国共产主义青年团团史词典》、《中国共青团团史史话》等书,发表论文数十篇。

夏春涛,1963年生,江苏省江都市人。1981年起,先后在苏州大学、扬州大学攻读学士、硕士学位;1991年毕业于中国社会科学院研究生院,获博士学位。现为中国社会科学院近代史研究所副研究员、经济史研究室副主任,中国太平天国史研究会理事,中国哈佛—燕京学者联谊会会员。主要从事太平天国史、近代社会史研究。著有《太平天国崇权》、《从塾师、基督徒到王爷:洪仁玕》,另发表论文多篇。

王杰,1951年生,广东省吴川市人。1975年毕业于中山大学历史系;1991年毕业于华中师范大学历史研究所,获博士学位。现任广东省社会科学院孙中山研究所研究员、副所长。参与编辑《孙中山全集》,合著有《纪念孙中山先生》、《强权与民生——民初十年社会透视》、《国共合作史》、《比较中的审视:中国早期现代化研究》等。

章开沅,1926 年生,浙江省湖州市人。金陵大学历史系肄业,美国奥古斯坦那大学授予荣誉博士学位。现为华中师范大学历史研究所教授、名誉所长。主要研究辛亥革命史、中国近代思想文化史,现正研究中国教会大学史。著有《辛亥革命与近代社会》、《开拓者的足迹——张謇传稿》、《离异与回归——传统文化与近代化关系试析》等。

来新夏,1923 年生,浙江省萧山市人。1946 年毕业于辅仁大学历史学系。1950 年至今,历任南开大学教授、图书馆馆长、出版社社长兼总编辑、图书馆学情报学系主任、地方文献研究室主任,并任中国近现代史史料学学会名誉会长、中国地方志协会学术委员、《天津通志》顾问等。著有《近三百年人物年谱知见录》、《古典目录学》、《清代目录提要》、《林则徐年谱新编》及《中国地方志》等 30 种,整理古籍有《史记选注》、《阅世编》等。

莫建来,1963 年生,浙江省德清县人。1986 年毕业于浙江师范大学历史系,获学士学位;1989 年毕业于南开大学历史系,获硕士学位。现任南开大学出版社副编审。从事北洋军阀史的研究。著有《奉系军阀与直皖战争》、《皖系军阀与研究系关系探析》、《评辛亥革命中的段祺瑞》等论文 20 余篇。

杨奎松,1953 年生,重庆市人。1982 年毕业于中国人民大学。曾任《党史研究》杂志编辑、中国人民大学讲师,现为中国社会科学院近代史研究所研究员、革命史研究室主任、《百年潮》杂志副主编、清华大学兼职教授。著有《共产国际和中国革命》(与杨云若合著)、《抗日战争时期中国对外关系》(与陶文钊、王建朗合著)、《海市蜃楼与大漠绿洲——中国近代社会主义思潮研究》、《中间地带的革命——中国革命的策略在国际背景下的演变》、《失去的机会？——战时国共谈判实录》、《马克思主义中国化的历史进程》、《西安事变新探——张学良与中共关系之研究》、《中共与莫斯科的关系 1920—1960》、《毛泽东与莫斯科的恩恩怨怨》，发表论文 100余篇。

荣维木，1952 年生，山东省宁津县人。1982 年毕业于北京师范学院政教系。现为中国社会科学院近代史研究所《抗日战争研究》副主编。研究领域为抗日战争史，著有《炮火下的觉醒——卢沟桥事变》。

马勇，1956 年生，安徽省濉溪县人。1986 年毕业于复旦大学历史系，获硕士学位。现为中国社会科学院近代史研究所副研究员。著有《梁漱溟评传》、《蒋梦麟教育思想研究》、《近代中国文化诸问题》、《汉代春秋学研究》、《秦汉学术：转型时期的思想探索》等。

庄建平，1939 年生，江苏省常州市人。1964 年毕业于南京大学历史学系。现为中国社会科学院近代史研究所编审、《近代史资料》主编。研究方向为中国近代史及史料学。著有《太平天国诸王传》、《周震鳞传》等，主编的史料集和工具书有《抗日战争》(6 卷本)、《国耻事典》、《义和团大辞典》、《国史全鉴》(1900—1949)等 8部。

雷颐，1956 年生，湖南省长沙市人。1982 年毕业于吉林大学历史系，1985 年毕业于吉林大学研究生院。现任中国社会科学院近代史研究所副编审。从事中国近代思想史、近代知识分子的研究。著有《时空游走：历史与现实的对话》，并有译著《中国现代思想史中的唯科学主义》、《胡适与中国现代知识分子的选择》、《在传统与现代之间——王韬与晚清改革》等数种。